Uma pequena biblioteca particular

ERICO J. SIRIUBA STICKEL

UMA PEQUENA BIBLIOTECA PARTICULAR

SUBSÍDIOS PARA O ESTUDO DA ICONOGRAFIA NO BRASIL

Prefácio
EMANOEL ARAUJO

edusp
imprensa oficial

Ficha catalográfica elaborada pelo Departamento
Técnico do Sistema Integrado de Bibliotecas da USP

Stickel, Erico J. Siriuba.
Uma Pequena Biblioteca Particular: Subsídios para o Estudo da Iconografia no Brasil / Erico J. Siriuba Stickel ; prefácio Emanoel Araújo. – São Paulo: Editora da Universidade de São Paulo, Imprensa Oficial do Estado de São Paulo, 2004.
728 p. ; 20 x 27 cm.

Apêndice: Biblioteca Iconográfica
ISBN 85-314-0825-3 (Edusp)
ISBN 85-7060-229-4 (Imprensa Oficial do Estado de São Paulo)

1. Bibliotecas particulares 2. Bibliografias nacionais 3. Iconografia I. Título. II. Título: Subsídios para o estudo da iconografia no Brasil.

CDD 027.181

Edusp – Editora da Universidade de São Paulo
Av. Prof. Luciano Gualberto, Travessa J, 374
6º andar – Ed. da Antiga Reitoria – Cidade Universitária
05508-900 – São Paulo – SP – Brasil Fax (0xx11) 3091-4151
Tel. (0xx11) 3091-4008 / 3091-4150
www.usp.br/edusp – e-mail: edusp@edu.usp.br

Imprensa Oficial do Estado de São Paulo
Rua da Mooca, 1921 – Mooca
03103-902 – São Paulo – SP – Brasil
Tel.: (0xx11) 6099-9800
Fax: (0xx11) 6099-9674
www.imprensaoficial.com.br
e-mail: livros@imprensaoficial.com.br
SAC 0800-123 401

Printed in Brazil 2004

Foi feito o depósito legal

Ao meu Bichinho

Uma Surpresa Admirável

Imagine, caro leitor, um filho de imigrante alemão, advogado de renome, pacato colecionador de arte brasileira e silente bibliófilo, ávido de reunir tudo o que pudesse informar e formar sobre o Brasil, transformando-se em matéria de uma grande discussão acerca do país. Tudo, portanto, que constituísse o inventário minucioso de tanta coisa contida, em letra e imagem, nas publicações feitas por este Brasil afora e também em outras plagas, como registro de nossa esparsa memória. Em alguns casos, livros de autores e editoras conhecidos, mas também folhetos, catálogos de galerias e museus, plaquetas de poetas, relatórios de empresa, tudo, enfim, incluindo coisas que passariam despercebidas, não fosse a atenção e a obstinada paciência desse brasileiro amante da cultura. Assim ele foi aos poucos construindo sua biblioteca que modestamente qualifica de "pequena".

Erico Stickel poderia ser um colecionador frio, desses que costumam entesourar maravilhas que amealham durante toda uma vida só para sua satisfação pessoal. O resultado de suas visitas a exposições, livrarias e eventos culturais poderia permanecer como atividade privada e anônima, como talvez se esperasse de um espartano como ele, pesquisador silencioso e sequioso de seu tempo. Entretanto, seguramente Erico Stickel desde muito cedo alimentou de maneira quase religiosa esta idéia que ora se materializa em forma de livro. Dar a público o resultado de suas constantes e laboriosas incursões pela cultura de nosso país. Isto é o que ele denomina, de modo pouco usual, um *Manual Bibliográfico*. Não um simples compêndio, como inventário seco de livros e publicações, mas uma resenha crítica e muitas vezes deliciosa de suas observações sensíveis frente a eles. Aí reside a grande originalidade desse trabalho. Se essa enorme bibliografia apresentada demonstra o seu imenso conhecimento deste nosso Brasil, ela também revela o quanto essa trajetória tem de buscas e de encontros do próprio Erico Stickel, em anos de procura, de anotações e observações sugeridas, que levarão os que percorrerem este *Manual* nada comum a compartilhar momentos preciosos com o próprio autor do inventário. Nisso Erico Stickel mostra sua grande generosidade.

Por isso, eu que o conheço há muitos anos, desde quando o amigo vinha visitar as exposições da Galeria Astréia ou a Livraria Kosmos, naqueles anos dourados no centro de São Paulo, lhe sou extremamente agradecido. Tenho esperança de que o alcance dessa obra seja do tamanho de sua generosidade, chegando às mãos de muitos jovens, desses de que nós tanto necessitamos para que a memória do Brasil não se perca, enterrada em obras obscuras a que talvez não se julgasse mais necessário dar importância. E, não contente com este gesto, Erico Stickel o completa com outro ainda maior. Juntamente com Martha, sua esposa, ele está fazendo a doação desta sua "pequena" biblioteca de mais de cinco mil volumes ao Instituto de Estudos Brasileiros da Universidade de São Paulo.

Esta dupla generosidade é o que, arrancando o pacato colecionador de obras de arte e silente bibliófilo do tesouro de suas coleções, projeta a riqueza que elas encerram em direção aos outros, em direção ao futuro. Nisso ele nos lembra a lição generosa de Mário de Andrade que, em uma de suas últimas anotações, escrevia: "Façam ou se recusem a fazer arte, ciência, ofícios, mas não fiquem apenas nisso, espiões da vida, camuflados em técnicos da vida, espiando a multidão passar. Marchem com as multidões". E é porque Erico Stickel o faz a seu modo que lhe dizemos: Obrigado, amigo.

EMANOEL ARAUJO
S. Paulo, 12 de junho de 2003

Apresentação

De 1805, ano de sua elevação a capital da Província, aos fins da década de 1870, a cidade de São Paulo pouco progredira e sua população mal chegava a 30 mil habitantes.

Nas duas décadas seguintes, entretanto, esta estagnação deu lugar a um notável progresso e a mais de 200 mil almas no virar do século XX, revelando a enorme potencialidade que levaria a cidade a se constituir no maior parque industrial da América Latina em futuro próximo e, eventualmente, também em uma das maiores cidades do mundo, conjunto de fatores que também se fizeram sentir no campo da cultura e das artes em geral.

Este processo, súbito mas contínuo, foi inicialmente devido à riqueza produzida pela cultura cafeeira e à maciça imigração italiana e sírio-libanesa, esteios da indústria e do comércio.

Foi durante este período de grande agitação econômica e profundas alterações urbanas que chegava ao porto de Santos, em 1893, o imigrante alemão Johann Metz, um imigrante que em nada se diferenciaria de tantos outros daquela época e ocasião não fosse o fato de ser o meu tio-avô, único irmão de minha avó paterna, e por portar em sua bagagem um item muito pouco usual e muito raro naquela (ou em qualquer outra) época: uma biblioteca particular.

Uma década após este insólito acontecimento, o destino fez desembarcar no mesmo porto de Santos a professora alemã Katharina Elisabeth Stickel[1], minha avó paterna; acompanhada por quatro de seus seis filhos, empreendera essa viagem por um período de dois anos para reflexão e distanciamento de uma crise conjugal e a procura de cura para uma doença óssea de uma das filhas, tudo planejado e organizado pelo irmão residente em São Paulo.

Para esta prolongada estadia no Brasil, a professora Katharina Elisabeth assumira pessoalmente o encargo de ministrar educação escolar a seus filhos e trazia, para tanto, amplo material didático em alemão; trazia também, para deleite pessoal, uma pequena biblioteca.

1. Catharina Elisabeth Stickel, passageira de primeira classe do navio italiano *Minas*, desembarcou no porto de Santos em 23 de junho de 1904. Certidão de 21 de novembro de 1938 da Inspetoria da Polícia Marítima do Porto de Santos.

Muito se tem escrito sobre imigração no Brasil, especialmente a alemã, mas praticamente nada sobre o nível cultural do imigrante, omissão provavelmente devida ao errôneo, mas geralmente aceito, consenso sobre a baixa escolaridade e o analfabetismo.

No presente caso coincidiram o hábito da leitura e o deliberado acúmulo de obras diferenciadas com personagens de uma mesma família e em circunstâncias locais e temporais muito semelhantes, um conjunto de fatores expressivos que justificam traçar um perfil desses personagens e uma análise destes seus núcleos de leitura, dados que poderão servir como achegas a um campo de estudo também muito pouco explorado: a biblioteca particular no Brasil.

* * *

JOHANN METZ (1861-1936), engenheiro civil, filho de Adam Metz (1830-?), de tradicional família de comerciantes de couro em Neckarshausen, trabalhou por longos anos em bancos alemães nos campos da construção e da administração e veio ao Brasil contratado pela Companhia União Sorocabana e Ituana[2]; findo o contrato, passou a trabalhar para a antiga São Paulo Railway[3] (Estrada de Ferro Santos-Jundiaí) na construção de túneis na Serra do Mar (SP) e a seguir ingressou no Banco Brasileiro Alemão[4], onde se aposentou em 1930 como "Prokurist" (Diretor-Assistente).

Solteirão, de poucas falas, mas comunicativo e amável, era apaixonado por ciências naturais e em especial pela entomologia[5], mantendo uma grande coleção de insetos, além de minerais exóticos e conchas; mantinha também uma bela biblioteca, cosmopolita e diversificada, formada basicamente por obras em alemão e contendo algumas áreas especializadas bem definidas, destacando-se entre estas:

1. A Guerra Mundial de 1914, com históricos, batalhas terrestres e marítimas, o império, o tratado de paz, a perda das colônias e as áreas territoriais; muitos mapas.
2. Imigração alemã nos Estados do Sul e no Espírito Santo, com grande coleção de folhetos e documentos sobre sociedades recreativas, religiosas, educativas e filantrópicas anexa, além de programas de festas populares, escolares e de teatros, propaganda industrial e comercial e assuntos dos mais variados.
3. Filosofia em geral e história das religiões, com parte dedicada à antroposofia e à teosofia e as obras de Rudolf Steiner, Annie Besant e Mme. Blavatski, além das de Freud, Mantegazza, Weininger, Lombroso, Ferri, Havelock Ellis, entre outros.
4. Obras em prosa das literaturas alemã e universal.
5. Muitas biografias e autobiografias, focalizando principalmente figuras históricas da Primeira Guerra Mundial.
6. Obras sobre arte em geral.

2. Atestado da Companhia União Sorocabana e Ituana de 15 de outubro de 1897.
3. Atestado da São Paulo Railway Company Limited de 8 de julho de 1899.
4. Atestado do Banco Brasileiro Allemão de 19 de maio de 1930.
5. Em coleção particular paulista encontra-se um exemplar da obra *Neue und seltene Arten der Lepidopteren – Genus Castnia* (*Novas e raras espécies de lepidópteros do gênero* Castnia), de Paul Preiss (Ludwigshafen, 1899), exemplar que contém dedicatória manuscrita do autor ao amigo Johann Metz e no prefácio o agradecimento do autor ao grande amigo de São Paulo, Johann Metz, pela remessa constante de exemplares de coleópteros e lepidópteros, acusando ainda o recebimento de sete exemplares do gênero *Castnia*, dos quais três ainda puderam ser reproduzidos na obra.

7. A parte mais volumosa, finalmente, era formada por obras sobre expedições científicas e explorações marítimas e terrestres, relatos de caçadas esportivas e outras, viagens através de regiões inóspitas, quase todas ilustradas por meio de fotografias[6].

* * *

KATHARINA ELISABETH STICKEL (1866-1934), professora formada, com curso universitário incompleto em Germanística, era filha de Adam Metz e irmã de Johann Metz.

Casou-se em 1887 com Albert Stickel (1859-1945), um *Bauer* (agricultor em terra própria) do Vale de Nagold na Floresta Negra, que abdicara ao direito hereditário da terra e da profissão para suceder ao pai Matheus Stickel (1833-?) que iniciara e prosperara com um estabelecimento de ourivesaria artesanal em Ludwigshafen; deste consórcio nasceram seis filhos.

Intelectual e poetisa, atendia a freqüentes convites para conferências em centros acadêmicos de pequenas cidades universitárias, atuando também como jornalista e em organizações feministas, atividades que causaram dificuldades conjugais e resultaram em sua longa viagem ao Brasil, da qual retornou em fins de 1906, deixando o filho Arthur aos cuidados e tutela do irmão Johann Metz. Ao partir, doou ao filho Arthur a biblioteca que trouxera, formada basicamente pelos "clássicos" das literaturas alemã e universal e uma coleção especial de fábulas e lendas e as mitologias greco-romana e germânica, além de uma boa seleção de literatura infanto-juvenil.

* * *

ARTHUR STICKEL (1890-1968), filho de Albert Stickel e Katharina Elisabeth Stickel, foi o mais velho dos quatro filhos que acompanharam a mãe em sua viagem ao Brasil e tinha dezesseis anos quando optou por permanecer no País e viver em companhia de seu tio Johann Metz. Teve educação autodidata, estagiou e trabalhou por vários anos na Casa Tolle em São Paulo e, em 1913, conseguiu estabelecer-se com uma pequena indústria artesanal do ramo metalúrgico, destruída em fins de 1914 durante distúrbios antialemães no início da Primeira Guerra Mundial.

Em 1916, casou-se com Erna Hedwig Fritzsche (1889-1973), filha de Friedrich Albert Fritzsche, fabricante de móveis em Leipzig; professora formada, viera ao Brasil em 1912 em visita a uma irmã casada no Rio de Janeiro, sendo impedida de regressar à Alemanha por dificuldades resultantes da guerra. Transferindo-se para São Paulo, obteve seu sustento com a produção e venda de peças próprias manufaturadas em crochê, tricô e renda de bilros.

O casal Arthur e Erna passou a viver na Praia de Siriúba, na Ilha de São Sebastião (SP), e em 1920 transferiu-se para São Paulo, onde nasceram os filhos Erico João (1920) e Elisabeth Catharina (1921). Arthur Stickel ingressou no mes-

6. Outra grande seção da biblioteca de Johann Metz era dedicada às ciências naturais, com muitas obras sobre botânica, zoologia, mineralogia, palentologia e arqueologia, além de muitos livros e revistas entomológicas; esta seção acompanhou Johann Metz a Nova Hamburgo e dela não se teve posterior notícia.

mo ano nas Indústrias Matarazzo, onde se aposentou em 1950 no mais alto posto administrativo, passando a ocupar a seguir vários cargos de diretoria em diversas indústrias paulistas.

Ligado a seu tio Johann Metz por fortes laços familiares e de amizade, Arthur Stickel também demonstrou grande interesse pelas ciências naturais e não apenas manteve a tradição de colecionador como também a de ávido leitor de livros sobre explorações geográficas e náuticas, organizando por conta própria uma considerável biblioteca sobre o assunto, motivos que provavelmente levaram Johann Metz a entregar-lhe a guarda de sua biblioteca por ocasião de sua aposentadoria em 1926 e sua mudança para Nova Hamburgo. Nessa ocasião, foi determinado que a mesma fosse doada ao filho Erico João quando este atingisse os dezoito anos de idade.

Esportista desde a mocidade, Arthur foi sócio do Sport Club Germania (atual Esporte Clube Pinheiros) e participou de sua diretoria de 1928 a 1932, tornando-se seu presidente de 1933 a 1941.

Em 1936, Arthur e Erna Stickel tornaram-se cidadãos brasileiros por título declaratório.

A FORMAÇÃO DA BIBLIOTECA

Foi assim que vivi desde criança: rodeado de livros, insetos empalados e conchas, e foi assim que aprendi os poemas românticos alemães através dos *Lieder* cantados por minha mãe e das lendas de Grimm e Andersen que me contava na hora de dormir.

Vivi em um ambiente ideal para a formação de uma futura biblioteca própria: hábito de leitura, muitos livros e estímulo familiar. O hábito de leitura, em particular, passou por um ritmo normal para a ocasião e a época, dos livros infanto-juvenis e pré-escolares provenientes da avó aos *Tico-Tico* e *Gazeta Infantil*, seguidos do "Suplemento Juvenil", do *Flash Gordon* e do *Tarzan*, e destes aos autores animalistas Thompson Setton e Waldemar Bonsels, aos índios de Fenimore Cooper e Karl May e às aventuras de Jack London, Sabatini, Júlio Verne e novamente Karl May.

A todas estas seguiram-se muitas outras, naturalmente, e todas contribuíram lenta e gradativamente para traçar uma linha de preferência de temas específicos, em boa parte bem diferente daquelas encontradas no núcleo original.

Neste núcleo original recebido por legado, encontravam-se muitas obras com temas bem definidos, mas também se fazia notar, por omissão, a falta de interesse por alguns outros temas importantes, tais como economia, política, astronomia e ciências exatas, tendência que também viria a nortear a minha formação.

Assim, no decorrer dos anos, diversas partes das seções especializadas sofreram alterações ou mesmo total extinção, passando outras por conservação e, geralmente, substancial reforço.

A parte referente à Guerra Mundial de 1914, por exemplo, assim como a de biografias e autobiografias de figuras daquela época, não conseguiram despertar interesse e foram integralmente doadas à Seção de História da Faculdade de Filosofia, Letras e Ciências Humanas da Universidade de São Paulo.

As religiões continuaram em foco no campo histórico, mas as obras dogmáticas foram doadas a amigos interessados; situação semelhante mas inversa ocorreu com o capítulo da imigração, resultando na doação ao Instituto Hans Staden (São Paulo) da parte histórica e da coleção de documentos.

A seção de arte em geral, bem documentada com álbuns de reproduções das obras dos mestres, além de muitos estudos sobre eles, foi integralmente conservada, muito ampliada e complementada com arte brasileira; algo semelhante ocorreu com a biblioteca proveniente do legado da minha avó, bastante ampliada, especialmente na parte dedicada às lendas.

Atenção muito especial foi sempre dispensada às obras de explorações geográficas e científicas, e justamente esta seção é que viria a ser destruída na quase totalidade na década de 1950 em acidente imprevisível, ao qual também sucumbiu uma incipiente coleção de obras originais da "Brasiliana" e boa parte do arquivo particular.

As obras assim destruídas eram formadas por edições publicadas em alemão na virada do século XX e, na prática, insubstituíveis; preferi então colocar, em seu lugar, outras do mesmo tipo e gênero, desde que seus autores tivessem incluído o Brasil em seus itinerários e desde que estas obras, as traduções e os estudos sobre elas tivessem sido publicadas no País.

Esta opção não se deu por acaso, pois nada mais foi do que a continuação de um programa iniciado timidamente há bastante tempo. Esta nova temática terminou por criar uma seção também nova, quase independente, que se consolidou como a "pequena biblioteca" do título, formada em sua grande maioria por edições nacionais das obras dos "viajantes", de obras sobre eles e sobre assuntos correlatos e conexos, quase todas ilustradas e formando um conjunto que se definirá como iconográfico.

Consolidou-se assim uma biblioteca formada por vários núcleos, constantemente atualizada, aprimorada, internacionalizada e naturalizada ao mesmo tempo, com ênfase neste último critério não só pelo idioma mas também pela formação de um conjunto dominante de cultura brasileira em sua concepção mais ampla.

A PEQUENA BIBLIOTECA

À paixão infantil e juvenil pelas ilustrações em obras que estiveram ao meu alcance acrescentou-se uma nova em meados da década de 1930, feliz conjunção da curiosidade de um jovem estudante por dois acontecimentos culturais que se sucederam quase simultaneamente no Rio de Janeiro e na cidade de São Paulo: a criação do Serviço do Patrimônio Histórico e Artístico Nacional, com sua *Revista* e as obras de suas "Publicações", e a do Departamento de Cultura de São Paulo, que publicou em sua *Revista* várias obras de "viajantes" e também, em separado, a totalidade das gravuras de Rugendas, Debret e Príncipe Maximilian.

Tornaram-se assim conhecidos alguns dos tesouros históricos e artísticos nacionais sequer imaginados por muitos, assim como foi acirrada a curiosidade dos jovens em conhecer um mundo cada vez maior deste gênero de obras.

Seguiu-se a estes fatos o início da publicação da *Biblioteca Histórica Brasileira* (Livraria Martins, 1940), com diversas obras de alguns dos principais "viajantes" e a reprodução das gravuras originais, assim como, no mesmo ano, a obra *Relíquias da Bahia*, um passeio fotográfico de Edgard Cerqueira Falcão pelos conjuntos artísticos baianos.

Para quem já era "do ramo", não precisou de incentivos especiais para se embrenhar imediatamente neste novo tipo de literatura, assim como não levou muito tempo para iniciar a coleção das obras lidas e, assim, criar um pequeno núcleo próprio.

Esta nova fase, que coincidiu com o início da Segunda Guerra Mundial, desenvolveu-se lentamente por força da estagnação geral provocada pela guerra. No entanto, no início da década de 1950, foi publicada uma obra fundamental e de grande importância: *A Fotografia no Brasil* (1953), de Gilberto Ferrez.

A fotografia tinha sido uma matéria ignorada pela historiografia artística brasileira nas obras até então em curso, e até mesmo o *Dicionário Brasileiro de Artistas Plásticos* do MEC, em 1973, foi totalmente omisso a esse respeito.

A obra pioneira de Gilberto Ferrez revelou um tipo diferente de artista, ativo na segunda metade do século XIX, e era formada por profissionais americanos, alemães, franceses e outros que percorreram o país de norte a sul com suas pesadas e complicadas máquinas em busca de trabalho e de material.

Apesar de sua importância, esta obra não foi suficiente para induzir os estudiosos a se dedicarem de imediato a esta matéria, romperem com o preconceito vigente e promoverem o reconhecimento da fotografia como arte. Foi necessário aguardar o ano de 1976 para a publicação de *Pioneer Photographers of Brazil. 1840-1920*, de Gilberto Ferrez e Weston J. Naef, obra que abriu caminho para *A Fotografia como Fonte Histórica: Introdução à Pesquisa e Interpretação das Imagens do Passado* (1980), de Boris Kossoy, e a todos os múltiplos estudos posteriores.

Foi também nesta década de 1950 que surgiram os primeiros estudos sobre os museus brasileiros, estas entidades públicas tão importantes e tão esquecidas naquela época, como o são até hoje e não apenas literariamente.

A BIBLIOTECA ICONOGRÁFICA

Na tão falada década de 1950, ocorreu mais uma das grandes manifestações artísticas que mereceu destaque: a exposição comemorativa do "Tricentenário da Restauração Pernambucana". O título do catálogo de um dos seis módulos desta enorme e notável exposição, *Iconografia do Recife. Século* XIX, revelou uma nova forma de definição do vocábulo "iconografia" e sua aplicação também nova para a apresentação visual de uma importante cidade nordestina.

Todos aqueles que consultaram os nossos dicionários puderam verificar que o vocábulo "iconografia" passou por uma espécie de metamorfose ao longo dos tempos, constando dos mais antigos ter sido o "conhecimento de descrição das imagens, estátuas e monumentos antigos"; era também uma "ciência das imagens produzidas pela pintura e escultura e pelas outras artes plásticas"[7].

A concepção moderna é a mesma adotada na prática pelos pioneiros da década de 1950 e expressa pelo *Aurélio* como sendo "toda e qualquer arte capaz de representar a imagem" e, em seu sentido mais amplo e aplicável no presente estudo: "documentação visual que constitui ou completa obra de referência e/ou de caráter biográfico, histórico, geográfico, etc.".

Definido assim o objetivo, a formação da pequena biblioteca desenvolveu-se em torno da representação artística que tivesse basicamente por alvo a paisagem, a cidade e sua arquitetura, o retrato, a fauna e a flora em seu ambiente natural, as festas populares e sacras, o patrimônio artístico e histórico nacional, imagens produzidas ao longo dos tempos por centenas de "viajantes" e pintores de todos os tipos, aventureiros, fotógrafos e outros, que percorreram o país em busca destes tipos de imagens e que nos foram transmitidas em obras publicadas no país.

Foi esta a pequena biblioteca que assim se formou e que se encontrava no estágio habitual de outras pequenas bibliotecas particulares especializadas na virada do século XXI: tecnicamente formada, sempre incompleta e exigindo constante atualização.

Foi esta mesma biblioteca que serviu de fonte primária e única para o estudo bibliográfico a seguir apresentado, uma limitação auto-imposta que atendia a uma certa comodidade acalentada por idade avançada.

Este problema, aliás, também levou a reflexões sobre o futuro desta biblioteca especializada, um futuro geralmente pouco favorável à conservação de bibliotecas particulares no Brasil. Incentivado pelos conselhos da esposa e de todos os filhos, a pequena biblioteca foi oferecida em doação ao Instituto de Estudos Brasileiros (IEB) da Universidade de São Paulo em 2001, doação aceita pelo Conselho Deliberativo em 2002 como "Biblioteca Martha e Erico Stickel".

Todas as obras resenhadas fazem parte da biblioteca, mas nem todas foram examinadas, algumas por mero esquecimento, outras por serem desprovidas de ilustrações e ainda outras por apresentarem ilustrações inadequadas aos textos.

Para finalizar, cumpre-me agradecer especialmente à minha esposa e aos meus filhos o apoio incondicional que sempre dispensaram a estes projetos, assim como agradeço à minha assistente, Francis Melvin Lee, que conseguiu decifrar minhas indecifráveis fichas e coordená-las para o devido uso.

7. *Grande e novíssimo dicionário da língua portuguesa* (Livraria José Olympio, 3ª edição, 1957), de Laudelino Freire, que omitiu a fotografia em sua *A arte da pintura no Brasil.*

MANUAL BIBLIOGRÁFICO

ABREVIATURAS

CEHB *Catalogo da exposição de historia do Brazil.*
Rio de Janeiro, Typ. de G. Leuzinger & Filhos, 1881.

DicMEC *Dicionário brasileiro de artistas plásticos: organizado por Carlos Cavalcanti.*
Brasília, Ministério da Educação e Cultura/Instituto Nacional do Livro, 1973-1980.
(Dicionários Especializados, 5) 4 vols.

IPHAN Instituto do Patrimônio Histórico e Artístico Nacional

SPHAN Serviço do Patrimônio Histórico e Artístico Nacional

A

ABRANTES, NICOLAU

História da fundição artística no Brasil.

Rio de Janeiro: s.e., 1979.

Acostumados a contemplar monumentos, bustos e esculturas em bronze que se nos deparam cotidianamente nas igrejas, cemitérios, museus, parques e residências, sabemos entretanto muito pouco sobre a arte de reprodução e multiplicação destas peças, uma arte milenar e das mais importantes para o estudo das civilizações e da história da arte. O jornalista Nicolau Tolentino Abrantes de Santos (1923) nos introduz nesta interessante arte auxiliar, especialmente a praticada pela Fundição Liboredo, patrocinadora da obra. Como complemento, apresenta uma relação dos escultores brasileiros mais conhecidos e outra das mais importantes fundições. As ilustrações são elucidativas e boas, mas a reprodução foi prejudicada pela modéstia da edição.

ABREU, MAURICIO DE ALMEIDA

Evolução urbana do Rio de Janeiro.

Rio de Janeiro: Iplanrio – Instituto de Planejamento Municipal/Jorge Zahar, 1987.

Obra essencialmente técnica, dotada de inúmeras plantas, estatísticas e gráficos, foi enriquecida com um importante conjunto de mapas, gravuras, fotografias antigas e contemporâneas, além de caricaturas alusivas às obras realizadas e por realizar.

ACAYABA, MARLENE Milan

Residências em São Paulo: 1947-1975.

São Paulo: Eucatex /Projeto, 1986.

Como segunda obra das edições patrocinadas pela Eucatex (v.) para a série "Biblioteca Eucatex de Cultura Brasileira", este estudo técnico realizado pela arquiteta paulista Marlene M. Acayaba (1949) é lastreado por expressivas fotografias do arquiteto Jorge Hirata (1948), formando um conjunto que justifica a opinião do editor: "[...] não é apenas um livro sobre arquitetura, mas um documento para a história da cultura brasileira".

ADAMS, HARRIET CHALMERS

Escritora e fotógrafa americana, autora de várias reportagens sobre localidades e países sul-americanos e europeus.

The National Geographic Magazine.
Washington: National Geographical Society, vol. XXXVIII, nº 3, set. 1920.

Pouco depois do fim da I Guerra Mundial, a mais conhecida e importante das revistas geográficas do mundo publicou importante reportagem da fotógrafa americana Harriet Chalmers Adams, "Rio de Janeiro, in the land of lure", ou seja, "a cidade maravilhosa" da "terra das atrações". Além do texto simples e correto, a reportagem vem acompanhada por quarenta fotografias, das quais trinta tiradas pela própria autora, todas muito boas e incomuns. As demais são de autoria de Carlos Bippas (bastante convencionais, com exceção de uma extraordinária que retrata um imenso público assistindo a um jogo de futebol), de J. A. Ribeiro e de Frank Adams, marido da autora, que a retrata em local muito pouco conhecido e divulgado: o início do aqueduto da Lapa. Muito interessante.

ADAMS, WILLIAM HOWARD

Roberto Burle Marx: the unnatural art of the garden.
New York: The Museum of Modern Art, 1991.

Luxuoso livro-catálogo, em quarto grande para uma exposição de Roberto Burle-Marx (v.) no Museu de Arte Moderna de New York. Além de muitas fotografias dos jardins e parques, encontram-se reproduzidas várias de suas aquarelas, desenhos de projetos e maquetes. O importante artigo que serve de título é de autoria de William Howard Adams, curador da exposição.

ADONIAS, ISA

Diretora da Mapoteca do Itamaraty por longos anos, Isa Adonias (1919) é membro do Instituto Histórico e Geográfico Brasileiro e considerada luminar da cartografia brasileira; suas obras são muito especializadas e, freqüentemente, desprovidas de ilustrações, mas sempre importantes e imprescindíveis para os estudos da iconografia.

As peças raras da mapoteca do Ministério das Relações Exteriores.
Rio de Janeiro: Museu Histórico e Diplomático do Itamaraty, 1956. (Publicação nº 3)

Bastaria o título para revelar a importância desta obra, dedicada a quarenta peças cartográficas relacionadas por sua "raridade, aspecto artístico e decorativo, valor documental". Foram reproduzidos cinco mapas, todos desdobráveis.

Catálogo de plantas e mapas da cidade do Rio de Janeiro.
Rio de Janeiro: Divisão de Documentação da Mapoteca do Ministério das Relações Exteriores, 1966.

Elaborado com a colaboração de Marta Maria Gonçalves e Golette Soares de Miranda, esta obra conta com um glossário toponímico com mais de cinco mil acidentes geográficos que figuram nos mapas relacionados; sem ilustrações.

A cartografia da região amazônica: catálogo descritivo: 1500-1961.

Rio de Janeiro: Conselho Nacional de Pesquisas/Instituto Nacional de Pesquisas da Amazônia, 1963. 2 v.

Obra monumental que descreve, em dois volumes, cerca de quatro mil mapas, quase todos da Mapoteca do Itamaraty. Boa reprodução de oito mapas e capa colorida com uma planta do Rio de Janeiro de 1637.

Jaime Cortesão e seus mapas: instrumentos didáticos para a história da cartografia do Brasil.

Rio de Janeiro: Instituto Histórico e Geográfico Brasileiro, 1984.

O Itamaraty organizou em 1944 um curso sobre a cartografia antiga do Brasil, confiado ao historiador e cartógrafo português Jaime Cortesão (v.). Para este curso, Cortesão criou mapas especiais calcados em importantes mapas antigos, confiando os desenhos destes mapas a Ary Queirós Duarte (1905-1976), pintor, gravador, professor e cartógrafo. A autora relata este curso e descreve cada um dos mapas assim criados.

Mapa: Imagens da formação territorial brasileira = Images of Brazil's territorial genesis = Imagenes de la formacion territorial brasileña.

[Rio de Janeiro]: Fundação Emílio Odebrecht, [1993].

Ainda que não seja provavelmente a obra mais importante da autora, é, no entanto, a mais expressiva, interessante e procurada, além de vir apresentada em uma das impecáveis edições patrocinadas pela Odebrecht (v.). Os mapas aqui reproduzidos (em cores, muitos em folhas duplas e quase todos muito pouco divulgados) foram agrupados por regiões geográficas e relacionados por ordem cronológica; constam ainda numerosos documentos e fotografias, além de gravuras e aquarelas antigas, todos atinentes ao tema e dotados de sucintos verbetes explicativos. Completam este importante conjunto as referências bibliográficas, notícias biográficas e dados técnicos das ilustrações. É uma obra indispensável em qualquer boa biblioteca.

O acervo de documentos do Barão da Ponte Ribeiro: livros, manuscritos, mapas: centenário de sua incorporação aos arquivos do Ministério das Relações Exteriores: 1884-1984.

Rio de Janeiro: [Ministério das Relações Exteriores], 1984.

Duarte Ponte Ribeiro (1798-1874, Barão em 1873) nasceu em Portugal, estudou medicina no Brasil e ingressou no serviço diplomático brasileiro, onde galgou altos postos. Tornou-se profundo conhecedor das questões limítrofes brasileiras e renomado cartógrafo. O presente trabalho é de grande importância para o estudo da cartografia brasileira e da imensa e importantíssima coleção de documentos e mapas doados por sua viúva ao Ministério das Relações Exteriores, base da atual Mapoteca do Itamaraty. Ponte Ribeiro também projetou muitos mapas e, nesta obra, encontram-se reproduzidos vários destes seus trabalhos.

A ilha Fernando de Noronha = the island.

Rio de Janeiro: Odebrecht S.A., 1987.

Muito importante esta obra que alia um estudo histórico e cartográfico de grande erudição e interesse ao capítulo "A Ilha Hoje", um belíssimo documentário fotográfico de Alain Brugier (v.) e Russel Coffin (as imagens submarinas). É provável que Isa Adonias tenha conseguido esgotar o levantamento cartográfico do arquipélago, por si só um fato memorável, mas é pouco provável que alguma obra futura possa superar o encanto e a beleza da presente, um atributo devido a mais esta bela edição da Odebrecht (v.).

Mapas e planos manuscritos relativos ao Brasil colonial conservados no Ministério das Relações Exteriores e descritos por Isa Adonias para as comemorações do quinto centenário da morte do Infante Dom Henrique.

Rio de Janeiro: Serviço de Documentação do Ministério das Relações Exteriores, 1960. 2 v.

Outra obra monumental e imprescindível para estudos, com razoável reprodução de dez mapas manuscritos.

AENISHÄNSLIN, CARLOS

Rio de Janeiro Central Monumental: plantas das cidades de Rio de Janeiro e Nictheroy.

Aarau: Art. Garv. A. Trüb & Cia., 1915.

Pequeno guia de referência e indicador de ruas, que se destaca por monumental mapa duplo (65 x 84 cm), em cores, contendo de um lado "Rio de Janeiro. Centro monumental" e, no verso, "Cidade de Rio de Janeiro e Nictheroy", ambos marcados: "Autor: Carlos Aenishänslin. Rio de Janeiro".

AGACHE, Donat ALFRED

Urbanista francês (1875-1959), premiado em concurso internacional para a elaboração do projeto da cidade de Camberra (Austrália), foi contratado em 1927 para criar um plano de remodelação urbanística do Rio de Janeiro, plano que fez preceder de cinco conferências preparatórias, uma das quais possivelmente pioneira no País: "A fotografia aérea e a planta das cidades". O plano então apresentado foi parcialmente aplicado em 1932 e retomado, em fins da década, em alguns pontos básicos que passaram a nortear o desenvolvimento urbanístico da cidade ao longo das últimas décadas. Foi autor de muitos outros projetos no País, destacando-se o bairro e o autódromo de Interlagos em São Paulo (1945), o Parque Farroupilha em Porto Alegre e um plano diretor em Curitiba.

Cidade do Rio de Janeiro: extensão: remodelação: embellezamento: organizações projetadas pela administração Antonio Prado Júnior.

Paris: Foyer Bresilien Editeur, [1930].

Edição brasileira do original francês *La remodelation d'une capitale; aménagement, extension, embellissement* (Paris, 1932, em dois volumes), obra clássica deste grande urbanista que apresentou o plano diretor para o perfil do Rio de Janeiro tal como atualmente o conhecemos. Além do plano propriamente dito, com numerosas plantas e fotografias antigas e contemporâneas, contém um resumo das cinco conferências preparatórias pronunciadas no Rio de Janeiro. É uma obra técnica, sem dúvida, mas importante para os estudiosos; tiragem de 1 500 exemplares encadernados e 250 especiais em fólio grande.

AGASSIZ, Jean LOUIS Adolphe

Cientista suíço-americano (1807-1873), estudou ciências naturais na Alemanha e foi incumbido por von Martius (v.) para estudar os peixes para a obra sobre a expedição Spix & Martius (v.) ao Brasil. Em 1865 encontrava-se nos Estados Unidos como professor da Universidade de Harvard quando foi encarregado de dirigir uma expedição científica ao Brasil, realizada de 1865 a 1866 ao Rio Amazonas até Tabatinga e ao Rio Negro. Os resultados desta expedição, conhecida por Expedição Thayer, encontram-se narrados em sua obra A journey in Brazil, by Professor and Mrs. Louis Agassiz *(Boston, 1868) e a ilustração é constituída de cinco mapas e 56 xilogravuras do desenhista suíço Jakob Burkhart (1807-1868), membro da expedição. Esta obra foi muitas vezes reeditada e traduzida.*

AGASSIZ, Louis e AGASSIZ, Elizabeth Cary. *Viagem ao Brasil: 1865-1866.*

Tradução e notas de Edgard Süssekind de Mendonça. São Paulo: Companhia Editora Nacional, 1938. (Biblioteca Pedagógica Brasileira, 5ª série, Brasiliana, 95)

Relato da Expedição Thayer ao Brasil pelo cientista Louis Agassiz, apresentado na clássica edição em oitavo da Coleção "Brasiliana", com razoável reprodução dos cinco mapas e 56 xilogravuras do original.

AGASSIZ, Louis e AGASSIZ, Elizabeth Cary. *Viagem ao Brasil: 1865-1866.*

Tradução João Etienne Filho. São Paulo: Editora da Universidade de São Paulo/Livraria Itatiaia Editora Ltda., 1975. (Coleção Reconquista do Brasil, 12)

Boa edição, com reprodução de toda a ilustração original.

ALBERNAZ

Sob o nome de ALBERNAZ, *ou* ALBERNAS, *são citados vários cosmógrafos portugueses do século* XVII, *todos descendentes diretos ou parentes de Luiz Teixeira (v.), cartógrafo português do século* XVI, *e todos também conhecidos como* TEIXEIRA ALBERNAZ. *Os dados até recentemente disponíveis sobre estes cartógrafos eram confusos e contraditórios, imprecisão que também se estendia às obras de consulta, como é o caso do* Dicionário Cartográfico *de Ceurio de Oliveira, a edição original do clássico* Tooley's Dictionary of Cartographers *(1978) e o Thieme-Becker. As dúvidas preponderantes foram definitivamente dirimidas por Armando Corção (v.) em sua monumental* Portugaliae Monumenta Cartographica, *encontrando-se inequivocamente identificados os dois mais influentes membros da família e os mais importantes para a cartografia brasileira: João Teixeira Albernaz* I, *filho de Luiz Teixeira, e João Teixeira Albernaz* II, *neto de João Teixeira Albernaz* I, *dados que já se encontram incorporados aos correspondentes verbetes na nova edição do* Tooley's *(1999).*

ALBERNAZ I, JOÃO TEIXEIRA

Filho do cartógrafo português Luiz Teixeira (v.), nasceu em Lisboa na década de 1570; obteve a carta de ofício de mestre de cartas de marear em 1602 e a de nomeação em 1605. Sua vasta produção cartográfica, integralmente reproduzida na Portugaliae Monumenta Cartographica *de Armando Corção (v.), era freqüentemente assinada "João Teixeira", com acréscimo do título "Cartógrafo Mor", um título ao qual concorrera sem êxito em 1622. O último de seus mapas data de 1649.*

Livro que dá razão do Estado do Brasil: edição comemorativa do v centenário de nascimento de Pedro Álvares Cabral.

Rio de Janeiro: Instituto Nacional do Livro/Ministério da Educação e Cultura, 1968.

Importante apógrafo do início do século XVII do qual se conhecem cinco versões manuscritas (o paradeiro do original é ignorado), entre as quais uma da Biblioteca do Porto (Portugal) com 18 mapas, e outra do Instituto Histórico e Geográfico Brasileiro (Rio de Janeiro) com 22 mapas, ambas reproduzidas na *Portugaliae Monumenta Cartographica*, de Armando Corção (v.). A obra é atribuída ao Sargento-Mor Diogo de Campos Moreno e os mapas são de autoria de João Teixeira Albernaz I, datando a versão do Porto de 1616 e a do Instituto de 1626, aproximadamente. A presente e bela edição em grande formato (38 x 54 cm) reproduz a versão do Instituto Histórico e Geográfico Brasileiro e contém os 22 mapas, alguns dos quais desdobráveis. Muito importante.

ALBERNAZ II, JOÃO TEIXEIRA

Neto de João Teixeira Albernaz I, atribui-se a paternidade ao filho deste, Estevão Teixeira Albernaz, também cartógrafo. Apesar de sua grande produção cartográfica, integralmente reproduzida no quinto volume da Portugaliae Monumenta Cartographica, *de Armando Corção (v.), pouco se conhece sobre sua vida, datando as últimas notícias de 1699.*

Atlas do Estado do Brasil, colligido das mais sertas noticias q pode aiuntar Dõ Ieronimo de Ataide, por João Teixeira Albernas, Cosmographo de Sua Mag.de, Anno 1631.

Rio de Janeiro: Editora Nova Fronteira, 1997.

A Biblioteca do Itamaraty adquiriu em 1943 um dos mais importantes documentos cartográficos brasileiros da era colonial, formado por painéis em aquarela sobre papel de trapo na dimensão aproximada de 68 x 44 cm, mapa encomendado por Jerônimo de Ataíde, donatário da Capitania de Ilhéus, futuro Conde de Atouguia e Governador-Geral de 1654 a 1657, integralmente reproduzido na *Portugaliae Monumenta Cartographica*, de Armando Corção (v.). Sob o patrocínio do Banco BBM, este magnífico documento foi reproduzido em sua dimensão original (22 x 64 cm), edição extremamente bem cuidada em papel couché pesado e acondicionada em caixa especial; deve-se apenas lamentar a falta de um estudo especial para este magnífico *Atlas*. NOTA: O calendário de mesa "Ano 2000" (Imesp – Imprensa do Estado de São Paulo) reproduz a folha de título do *Atlas* e doze de seus mapas, cada um em duplicata.

ALBUQUERQUE, CHICO

Francisco A. Albuquerque (Fortaleza, 1917) profissionalizou-se em 1934 como retratista fotográfico e em 1945 transferiu-se para São Paulo, onde se dedicou à publicidade; realizou exposições individuais e participou de coletivas, obteve significativas premiações e em 1975 retornou a Fortaleza, onde mantém estúdio fotográfico próprio. Consta da "Coleção Pirelli" do MASP (v.).

Mucuripe.

Fortaleza: Terra da Luz Editorial, 2001.

Bela coleção de imagens de jangadeiros, colhidas em 1952 na Praia de Mucuripe, no Ceará.

ALCÂNTARA, ARAQUÉM

Nascido em Florianópolis (em 1951), concluiu estudos universitários em Santos (SP) e passou a dedicar-se integralmente à fotografia, especializando-se em temas ecológicos e aos Parques Nacionais do País; suas obras constam em vários museus, na "Coleção Pirelli" do MASP (v.) e em numerosos álbuns fotográficos, tais como: Mar de Dentro, Árvores de Minas, A greve no ABC, Juréia *e* Arquitetura do Brasil.

Santos.

[Santos: Empresa das Artes, 1992].

Obra que se formou e amadureceu ao longo de quinze anos, resultou neste belo e muito expressivo álbum. Textos por diversos, sob coordenação de Oswaldo Ferreira de Melo Jr.

Terra Brasil.

[São Paulo]: DBA, 1998.

Fotografias ecológicas em um dos mais belos e bem acabados álbuns, todas colhidas em parques nacionais brasileiros. Além do ensaio fotográfico que inclui muitas imagens em páginas duplas, o álbum tem uma segunda parte dedicada especificamente a cada um dos parques nacionais e um índice de todas as fotografias. Muito recomendável. NOTA: A editora DBA aproveitou catorze das imagens para um calendário do ano de 1999.

Brasil iluminado = Enlightened Brazil.

São Paulo: DBA, 2000.

Após a realização da obra anterior, Araquém Alcântara dá mais uma prova de sua capacidade de retratar em branco e preto e em cores o meio ambiente, com destaque para a fauna e a flora do País. Textos de Otávio Rodrigues e do fotógrafo Walter Firmo (v.). Muito recomendável.

ALEIJADINHO

Antonio Francisco Lisboa (1730 ou 1738-1814), mais conhecido como "Aleijadinho", nasceu em Ouro Preto, filho do mestre-de-obra português Manoel Francisco Lisboa e da escrava Isabel. Pouco se sabe sobre seu aprendizado e sua formação profissional, creditando-se o prático ao convívio com o pai, as noções de desenho ao gravador João Baptista Gomes (ou Gomes Batista, ?-1788) e os de talha a José Coelho Noronha, todos também ativos como arquitetos e construtores. No decorrer de sua longa e atormentada vida, o Aleijadinho tornou-se o mais importante representante do barroco brasileiro através de suas obras em talha, escultura e arquitetura, todas concentradas nas cidades históricas mineiras, obras que justificam sua fama e a grande quantidade de estudos atinentes, conforme revelam as bibliografias de Judite Martins (in RPHAN, *nº 3 e 4, 1939), Germain Bazin (v.) e obras gerais sobre o barroco brasileiro. Apesar da grande importância de sua obra, poucas foram e continuarão sendo suas exposições específicas, em parte por força do tombamento do conjunto (incluindo as peças em coleções particulares) e em grande parte por se encontrarem quase totalmente incorporadas às igrejas que projetou ou para as quais trabalhou. Sob o presente verbete serão examinadas obras sem autor declarado que estudam ou apresentam sua obra.*

Aleijadinho.

Belo Horizonte: Conselho Estadual de Cultura de Minas Gerais, 1983.

Como número especial da *Revista do Conselho Estadual de Cultura*, esta é uma publicação modesta que reúne importantes estudos acadêmicos com correspondentes ilustrações.

Antonio Francisco Lisboa: o Aleijadinho.

S. l.: Ministério da Educação e Saúde, 1951. (Publicações da Diretoria do Patrimônio Histórico e Artístico Nacional, 15).

Esta obra, considerada um clássico, é na realidade formada por três trabalhos distintos, dos quais o primeiro é a biografia do Aleijadinho por Rodrigo José Ferreira Bretas, originariamente publicada no *Correio Official de Minas* (nº 169 e 170, de 1858) e atualmente contestada em vários pontos (mas ainda considerada válida). O segundo trabalho, "Introdução" pelo arquiteto Lucio Costa (v.), é um importante estudo sobre as influências sofridas e exercidas pelo Aleijadinho, estudo seguido por uma terceira parte dedicada às notas originais de Bretas e às do próprio Lucio Costa, de Rodrigo Mello de Andrade e Judite Martins. A importância desta obra pode ser aquilatada por sua inclusão na série "Publicações" do Serviço do Patrimônio Histórico e Artístico Nacional (nº 15), da qual foi a única encadernada na origem e dotada de riquíssima e preciosa documentação fotográfica devida a Vosylius e, em sua grande maior parte, a Marcel Gautherot (v.). Imprescindível para estudos.

Aleijadinho.

Rio de Janeiro: Museu de Arte Moderna, [1978]. (Catálogo de exposição, 1978)

De aparência modesta, é o catálogo muito bem feito de uma notável exposição comemorativa do 30º aniversário do Museu de Arte Moderna do Rio de Janeiro, uma exposição que apresentou exclusivamente peças autenticadas pelo Serviço do Patrimônio Histórico e Artístico Nacional. O texto, inédito, foi de Lucio Costa (v.) e as peças, fotografadas por Geoffrey Hiller (Minas Gerais) e Marcia Ramalho (Rio de Janeiro), muito bem reproduzidas em cores.

Atos dos apóstolos com as imagens dos Passos da Cruz do Aleijadinho.

Parma/Rio de Janeiro: Franco Maria Ricci/ Confraria dos Amigos do Livro, [1978].

Belíssima edição de luxo de um empreendimento conjunto do editor italiano Franco Maria Ricci e da Editora Nova Fronteira de Carlos Lacerda, aqui na tiragem em português e com os *Atos dos Apóstolos* apresentado na versão latina e na tradução do Padre Antonio Pereira de Figueiredo. Para a execução desta obra, Franco Maria Ricci visitou os "Passos" em Congonhas do Campo e foi autor do *design* da edição, utilizando um papel Fabriano cinza especial e aplicando as excelentes fotografias (teriam sido próprias?) fora do texto.

Aleijadinho no Antiquarius; uma homenagem ao mestre do barroco brasileiro.

São Paulo: s. e., 2000.

O colecionador paulista Renato de Almeida Whitaker iniciou, há mais de vinte anos, o estudo e a aquisição de esculturas do Aleijadinho, peças cuja autenticidade era estabelecida por comparação e estudos estilísticos de historiadores de arte, além de *expertises* da atualidade; formou assim importante conjunto que apresentou em notável exposição no restaurante paulista Antiquarius, para a qual publicou esta igualmente notável plaqueta, uma jóia tipográfica e obra de arte, valorizada pelas fotografias de Rômulo Fialdini (v.) e o projeto gráfico de Mainá Junqueira.

ALEMÃES NO BRASIL

Pequeno mas constante e expressivo foi o afluxo de aventureiros, militares, viajantes e estudiosos alemães (ou de língua alemã) durante o período colonial, fluxo consideravelmente aumentado no século XIX *por numerosas e importantes expedições científicas e etnográficas. Foi também neste século* XIX *que se deu o início da imigração e colonização alemã em Estados do Sul do País e no de Espírito Santo, um fator que se convencionou iniciado em 25 de julho de 1825 e atualmente considerado extensivo aos povos de língua alemã. Serão assim alistados neste verbete todas as obras sem autor declarado relacionadas com alemães, suíços, austríacos e outros.*

Exposição Pintores alemães no Brasil durante o século XIX*.*

São Paulo: Museu da Casa Brasileira, 1989. (Catálogo de exposição, set.-out. 1989)

Em 1989 a Siemens do Brasil patrocinou e organizou uma grande exposição dedicada a pintores alemães ativos no Brasil no século XIX, realizada no Museu da Casa Brasileira em São Paulo e que contou com o lançamento de uma das melhores e mais bem apresentadas obras do gênero: *Pintores alemães no Brasil durante o século* XIX, de Maria Elizabete Santos Peixoto (v.). O presente catálogo serviu de apresentação à exposição com textos de Carlos Roberto Maciel Levy (v.) e da autora do livro, além de relação de todas as obras expostas; foram reproduzidas três obras em preto e branco e um importante quadro de George Grimm (v.), em cores, ocupando a capa e a contracapa. NOTA: Com o mesmo título e reprodução do quadro de George Grimm em cores, também foi publicado um *folder* para servir de guia à exposição.

Artistas alemães na América Latina: pintores e naturalistas do século XIX *ilustram um continente.*

Berlim: Instituto Íbero-Americano Patrimônio Cultural Prussiano, [1979].

Catálogo ilustrado desta exposição realizada em Bonn, Frankfurt, Berlim e Hannover, na Alemanha. O texto foi confiado à historiadora e iconógrafa alemã Renate Löschner (v.), grande conhecedora da iconografia brasileira, que também foi responsável pela descrição técnica dos 252 itens e pela elaboração da bibliografia. Este catálogo também foi publicado em alemão e em espanhol. A parte relativa ao Brasil, tanto de texto quanto de reproduções, é menor do que a dos demais países da América Latina. NOTA: Condensada notícia sobre a parte brasileira foi publicada em *Intercâmbio. Economia e Cultura* (Rio de Janeiro, nº 4-6, 1980), com reprodução de um desenho de Franz Keller-Leuzinger (1855-1890), duas gravuras do Príncipe Maximilian e uma de Rugendas (v.), além do quadro *Caça do Jaguar*, de Franz Bellermann (1814-1889), na capa.

O olhar e o ficar: a busca do paraíso: 170 anos de imigração dos povos de língua alemã.

[São Paulo]: Pinacoteca do Estado/Museu da Imigração, [1994]. (Catálogo de exposição, ago.-set. 1994)

As fotografias, quadros, aquarelas e gravuras que fizeram parte desta grande exposição comemorativa foram muito bem reproduzidos neste excelente catálogo organizado por Emanoel Araujo (v.), Diretor da Pinacoteca do Estado de São Paulo, e prefaciado por Jaelson Bitran Trindade (Diretor do Condephaat). As demais peças que integraram esta exposição, entre documentos, utensílios, brinquedos, produtos artesanais, não foram relacionadas no catálogo, restrição que não diminui sua importância. NOTA: Na capa do catálogo foi reproduzida uma litografia de Rugendas (v.), marcada "MR" na chapa, muito rara e considerada a única do artista sobre tema brasileiro; esta gravura não foi incluída na *Malerische Reise in Brasilien* (1835), mas uma boa parte da paisagem retratada foi aproveitada pelo gravador Engelmann para a prancha *Rio Parahyba*, nº 16 da primeira parte da referida obra.

Os allemães nos Estados do Paraná e de Santa Catharina: 1829-1929: em comemmoração ao 1º centenário de sua entrada nesses Estados do Sul do Brasil.

[Curitiba: Impressora Paranaense, 1929].

Grande álbum comemorativo, ricamente ilustrado com fotografias antigas e contemporâneas e dotado de textos importantes.

ALINCOURT, LUIS D'

Memórias sobre a viagem do porto de Santos à cidade de Cuiabá.

São Paulo: Livraria Martins Editora, [1953]. (Biblioteca Histórica Paulista, 8)

Oitavo volume da série "Biblioteca Histórica Paulista" (comemorativa do quarto centenário de São Paulo), traz a reedição do importante diário de viagem de um engenheiro português (1787-1839) com cargo de sargento-mor, publicado originariamente em 1830, sem ilustrações; a presente edição conta com muitas gravuras de Rugendas (v.). NOTA: Desta edição, tiragem de 50 exemplares em papel especial.

ALMEIDA, FERNANDA DE CAMARGO

Guia dos museus do Brasil.

[Rio de Janeiro]: Editora Expressão e Cultura, 1972.

Queremos crer ter sido este o segundo guia de museus brasileiros após um pioneiro *Museus do Brasil*, de H. Alberto Torres. Com a cooperação das pesquisadoras Lourdes Maria Martins do Rêgo Novaes e Edna Palatnik Benolieil, a autora fez notável levantamento de cerca de 280 museus, incluindo parques nacionais e zoológicos e acrescentou ao indispensável índice alfabético um utilíssimo índice por assuntos. Sem ilustrações, mas importante.

ALMEIDA, GUILHERME DE Andrade

Poeta brasileiro (1890-1969).

Rua.

[São Paulo]: Martins, [1961].

Comemorando sua milésima edição, a Livraria Martins Editora publicou fac-símiles de poemas manuscritos de Guilherme de Almeida sobre o tema do título, enriquecidos com atinentes imagens fotográficas de Eduardo Ayrosa.

ALMEIDA, JOSÉ RICARDO PIRES DE

Brazil – Album: resurreições litterarias e artisticas pelo Dr. Pires de Almeida / o Brazil através dos tempos; sua natureza atravez da arte / fasciculo 1.

Rio de Janeiro: Typographia Leuzinger, 1908.

Um título estranho revela obra igualmente estranha de um médico carioca (1843-1913), autor de numerosa obra da mais variada espécie. De formato grande, 26 x 39 cm, com texto (em estilo pesado e rebuscado) ocupando um terço da folha e uma gravura, o restante; são 54 gravuras no total, em grande parte de Rugendas (v.), seguidas de seis páginas com ilustrações de colibris (com longo texto que aparenta ser do próprio autor). Termina o álbum com textos do autor sobre "Os três grandes Ottoni" e "As inscrições no Brasil" e a transcrição de um relatório sobre inscrições na Pedra da Gávea, de Manoel de Araujo Porto-Alegre (1806-1879), com ilustração. NOTA: O verbete sobre o autor em Sacramento Blake não cita esta obra, mas em Berrien ela se encontra relacionada sob o nº 688.

ALMEIDA, LUCIA MACHADO DE

Passeio a Ouro Preto: capa e 32 fotos de Hans Günther Flieg.

São Paulo: Martins, 1971.

Um dos clássicos guias histórico-sentimentais de autoria de uma escritora mineira (1912) que se dedica à literatura infantil e a estudos históricos; texto em português, inglês e francês. Ornado com 32 fotografias de Hans Günther Flieg (v.), todas em reprodução que lhes confere textura de gravuras. Muito interessante.

Passeio a Sabará.

São Paulo: Livraria Martins Editora S.A., 1952.

Passeio a Diamantina.

São Paulo: Livraria Martins Editora, 1960.

Dois guias histórico-sentimentais adicionais e igualmente interessantes desta importante escritora; idêntica apresentação à obra do verbete anterior mas ornados com os sucintos e típicos desenhos de Guignard (v.), incluindo muitas vinhetas. Muito interessantes.

ALMEIDA, MARIO DE

O comércio no Brasil: iluminando a memória.

Rio de Janeiro: Confederação Nacional do Comércio, 1995.

Obra comemorativa do cinqüentenário da editora, é fascinante, instrutiva, de agradável leitura e com excelente ilustração de fotografias antigas e atuais, cartões-postais e atinentes caricaturas de Borjalo (Mauro Borja Lopes, 1925).

ALVES, MARIETA

Maria Amália de Carvalho Santos (Marieta Alves) (1892-?), historiadora de arte. Foi autora do texto de vários dos opúsculos que formam a série "Pequeno Guia das Igrejas da Bahia" (nº 2, 3, 4, 5, 6, 9, 10, 11, 12, 13, 14, 15, v. estes), publicou muitos estudos em jornais, revistas e obras diversas e foi a coordenadora da História das artes na cidade do Salvador *(v.), para a qual contribuiu com os estudos "Escultura" e "As artes menores na Bahia".*

Mestres ourives de ouro e prata da Bahia.

Salvador: Museu do Estado da Bahia, 1962. v. 16

Reunião de um grupo de artigos publicados pela autora no jornal *A Tarde*, de Salvador, todos relacionados ao tema do título; trabalho de paciente pesquisa histórica, conta com poucas ilustrações.

Dicionário de artistas e artífices da Bahia.

Salvador: Universidade Federal da Bahia/Conselho Estadual de Cultura, 1976.

Outra obra de grande paciência e muita pesquisa, que completa a obra anterior; sem ilustrações, mas imprescindível para estudos.

História da Venerável Ordem 3ª da Penitência do Seráfico Pe. São Francisco da Congregação da Bahia.

Bahia: s.e., 1948.

Alentada obra erudita sobre a história desta instituição religiosa fundada em 1635 em Salvador da Bahia. As ilustrações são relativamente poucas, não são especiais e tampouco bem reproduzidas, mas são elucidativas e no conjunto é uma obra muito interessante.

ALVIM, ZULEIKA

ALVIM, Zuleika e PEIRÃO, Solange. *Mappin, setenta anos.*

São Paulo: Editora Ex Libris, 1985.

Pouco mais de uma década após a publicação desta obra sobre a trajetória de um tradicional e influente estabelecimento comercial em São Paulo, um leitor atual se deparará com o fato quase inconcebível da recente falência desta histórica loja de departamento. Salvou-se assim apenas a presente memória de um glorioso passado, muito bem apresentada documental e visualmente, sobretudo nos capítulos especiais dedicados a "Setenta anos de moda" e "Setenta anos de consumo".

AMADO, JORGE

Jorge Leal Amado de Faria (1912-2001), escritor brasileiro.

Bahia de todos os santos: guia das ruas e dos mistérios da cidade do Salvador

Ilustrações de Manuel Martins. Capa de Clovis Graciano. São Paulo: Livraria Martins Editora, [1944]. (Obras de Jorge Amado, 10)

Muito mais do que o guia revelado no título, esta é uma obra-prima entre os guias sentimentais, uma obra que interessará ao tradicional turista tão-só quando souber atender ao convite feito pelo próprio autor: "vem e serei o teu cicerone". Para esta simpática edição (com 45 exemplares especiais em formato maior, 20 x 27 cm), décimo volume das "Obras completas", foi escolhida a ilustração de Manuel Martins (1911-1971), um dos membros do "Grupo Santa Helena" de São Paulo, que se revela como mestre da xilogravura e como intérprete da alma e dos festejos baianos. Muito recomendável.

AMARAL, ARACY Abreu

Historiadora e crítica de arte (1930), professora na Universidade de São Paulo e ex-diretora da Pinacoteca de Estado de São Paulo.

Artes plásticas na Semana de 22.

São Paulo: s.e., 1992.

Uma obra de história da arte moderna interessaria apenas indiretamente ao estudioso da iconografia, mas a presente é uma importante exceção. Edição revista e ampliada de uma anterior de 1970 (Editora Perspectiva, em formato menor, reeditada em 1972, 1976 e 1979), apresenta com grande destaque aspectos arquitetônicos de São Paulo após a Primeira Guerra Mundial, reproduzindo obras executadas ou projetadas pelos arquitetos Fried, Dubugras, Prestes Maia, Eckmann, Haussler, Virzi, Warchavchik, Flavio de Carvalho, Ricardo Severo, Moya e George Przembel, obras que marcaram o perfil da cidade na época e se encontram atualmente demolidas.

AMARAL, MANOEL LUIZ DO

Assim é o Paraná.

Curitiba: Scientia et Labor/Editora da UFPR, 1990.

Estranha obra de um advogado, fotógrafo e produtor gráfico, que obteve o apoio da Universidade Federal do Paraná e da Secretaria de Turismo do Estado para este ensaio fotográfico próprio, cujo roteiro comporta "uma certa dissociação entre as fotografias e o texto", um fato que se nota acentuada e negativamente nesta antologia de imagens convencionais, com argumento do autor (mas texto confiado a Samuel Guimarães da Costa).

AMAZÔNIA

O conceito "Amazônia" será empregado em sua acepção mais ampla, abrangendo o Estado do Amazonas, a vasta região do Rio Amazonas e seus afluentes e a totalidade do Norte do país, incluindo ainda as cidades de Manaus e Santarém.

Amazonas: palavras e imagens de um rio entre ruínas.

[São Paulo: Ed. do autor, 1979].

De uma viagem empreendida por um literato (Milton Hatoum, 1952) e três fotógrafos (Maria Isabel Gouvêa, 1953; João Luiz Musa e a arquiteta Sonia da Silva Lorenz, 1953) à Amazônia nasceu um documentário fotográfico que foi apresentado em exposição na Faculdade de Arquitetura de São Paulo em 1977, e do qual resultou este simpático álbum de ensaio literário-fotográfico com prefácio de Marcio de Sousa. Recomendável.

Revisitando a Amazônia: expedição aos rios Negro e Branco refaz percurso de Carlos Chagas em 1913.

Rio de Janeiro: Casa de Oswaldo Cruz, 1996.

Quem teve a oportunidade de conhecer a obra científica-fotográfica *A ciência a caminho da roça* (v.) sobre as expedições do Instituto Oswaldo Cruz ao interior do Brasil entre 1911 e 1913 terá a grande satisfação de encontrar na presente a "expressão de um reencontro", através das expressivas fotografias de Rogerio Reis (fotógrafo do *Jornal do Brasil*) e Flavio de Souza. Além dos textos de Fernando Dumas dos Santos e Eduardo Thielen e a crônica da viagem por Alexandre Medeiros, esta edição cartonada contou com excelente apresentação gráfica e pictórica.

Album municipal de Manáos.

Amazonas: s.e., 1929.

Pequeno álbum em papel couché, com resumido texto explicativo e 36 boas fotografias (autoria não revelada), impressas de um só lado da folha e emolduradas em estilo *art déco*.

Manaus: álbum organizado na administração do Prefeito Snr. Antonio Botelho Maia.

Estado do Amazonas: s.e., s.d.

Obra laudatória da administração municipal e do governo Getúlio Vargas, em álbum cartonado de formato oblongo, documentado com muitas fotografias sem destaque.

Anavilhanas: o jardim do Rio Negro; the garden of Rio Negro, Amazonas.

Rio de Janeiro: Agir, 1996.

Luxuoso álbum com boas fotografias deste arquipélago de mais de quatrocentas ilhas no Rio Negro (AM), uma região declarada estação ecológica em 1981.

Amazônia.

Veja, São Paulo, nº 1.527, 24 dez. 1997.

Este número especial da revista paulista *Veja* focalizou aspectos e problemas da região Norte do país, compreendida como Amazônia. Ainda que polêmica, foi uma reportagem importante com excelente documentário fotográfico.

Euclides da Cunha na Amazônia: 80 anos.

S.l.: Centro Cultural Francisco Matarazzo Sobrinho/Instituto Histórico e Geográfico do Amazonas/UBE/AM/ Academia Paulista de Letras/Casa da Cultura Euclides da Cunha, s.d.

Organizada pelo Instituto Histórico e Geográfico do Amazonas, pela Casa de Cultura Euclides da Cunha (São José do Rio Pardo) e pelo Centro Cultural Francisco Matarazzo Sobrinho (São Paulo), esta exposição teve por testemunho este catálogo, dotado de fotografias expressivas muito mal reproduzidas.

Fotonorte: 1.

[Rio de Janeiro]: Funarte/Instituto Nacional de Fotografia, 1987.

Coordenado por Walter Firmo (v.), diretor do Instituto Nacional de Fotografia, este é o quarto produto de um programa de cinco que reúne as obras de jovens fotógrafos brasileiros selecionados por concurso em cada uma das regiões geográficas do país. Para o presente álbum foi estabelecida a temática "Viver a Amazônia" e selecionados 27 profissionais, todos bem biografados. NOTA: Álbuns anteriores foram dedicados às regiões Sul, Centro-Oeste e Nordeste.

Amazônia.

Realidade, ano VI, nº 67, out. 1971.

Número especial da revista *Realidade*, bem ilustrado e integralmente dedicado à Amazônia.

Ilha de Marajó; paisagem, cultura e natureza = Marajó island; landscape, culture and nature.

São Paulo: Banco Sudameris Brasil, 1996.

Como mais uma das anuais publicações promovidas pelo Banco Sudameris (v.), este belo álbum fotográfico foi confiado a vários profissionais competentes; textos de Celia de Assis e Kika Tomaz.

Amazonas: Manaus 300 anos.

São Paulo: JOJ Litografia/Departamento de Turismo e Promoção do Amazonas/Secretaria de Cultura, Esportes e Turismo de São Paulo, [1995?].

Pequeno e bem apresentado folheto de propaganda do Estado do Amazonas, com numerosas e pouco usuais fotografias em cores da cidade.

Sinopse estatística do município de Manaus, Estado do Amazonas: aspectos históricos e geográficos, principais resultados censitários, alguns resultados estatísticos, aspectos fotográficos.

Rio de Janeiro: Serviço Gráfico do Instituto Brasileiro de Geografia e Estatística, 1951.

Obra de conteúdo essencialmente estatístico mas dotada de capítulo dedicado a "Aspectos fotográficos", estes em numerosas fotografias de época, razoavelmente bem reproduzidas.

Maracá: Roraima/Brasil.

Texto/text by John Hemming, Jim Ratter, Angelo A. dos Santos. Fotografias/photos by Dudu Tresca. São Paulo: Empresa das Artes, 1988.

Longe de se tratar de mais uma das numerosas obras de documentação fotográfica de alguma região remota e interessante do País (como parece revelar o título), a presente é uma documentação muito importante sobre a região selvagem de Roraima em que se encontra a ligação entre as vertentes dos rios Branco e Orinoco, focalizando principalmente o santuário ecológico formado pela Ilha de Maracá e pelo Grande Rio Uraricoera e suas cachoeiras e corredeiras. A cooperação da Secretaria do Meio Ambiente e do Instituto de Pesquisas da Amazônia com a Royal Geographic Society efetivou, em 1987, uma grande expedição de cientistas brasileiros e ingleses à região, cujos resultados se encontram relatados e fotograficamente documentados nesta obra, que foi patrocinada pelos britânicos Lloyds Bank e ICI. Os textos foram confiados ao cientista Angelo A. dos Santos do Instituto de Pesquisas da Amazônia, John Hemming da Royal Geographic Society, e Jim Ratter do Royal Botanical Gardens, constando também um longo histórico que leva da primeira incursão de 1740 à expedição de 1755 pelo engenheiro militar alemão Felipe Sturm, e dali às expedições de Alexandre Rodrigues Ferreira em 1786, dos alemães Schomburg (1838) e Koch-Günberg (1910) e, finalmente, à de Alexander Hamilton Rice em 1924. As fotografias são de Dudu Tresca (zoológicas e botânicas, como não poderia deixar de ser) e as aéreas do especialista Haroldo Palo Júnior (v. estes). Além de sua importância, é uma obra de apresentação impecável.

AMORIM, ANNIBAL

Viagens pelo Brazil: do Rio ao Acre: aspectos da Amazonia: do Rio ao Matto Grosso: com oitenta gravuras.

Rio de Janeiro/Paris: Livraria Garnier, [1917].

Alentado volume para o relato de uma viagem em forma de diário, ilustrado com as oitenta gravuras do título, que são, na realidade, fotografias pequenas, mas boas e bem reproduzidas.

ANDERSEN, ALFREDO

Pintor norueguês, estudou inicialmente na Academia de Belas Artes de Oslo e a seguir na de Kopenhagen, onde chegaria a ser professor de desenho. No início da década de 1890 empreendeu diversas viagens que o levariam também ao Nordeste brasileiro e a Paranaguá, fixando-se definitivamente em Curitiba, em 1902, onde desenvolveu grande atividade como professor de desenho, promoveu muitas exposições e faleceu em 1935. Em 1979 sua residência curitibana foi transformada no Museu Alfredo Andersen, com rico acervo de sua produção pictórica.

2001: Andersen volta à Noruega.

Curitiba: Edições Museu Alfredo Andersen, 2001.

Catálogo de altíssima qualidade gráfica para uma exposição da obra de Alfredo Andersen na Pinacoteca do Estado de São Paulo e nas cidades norueguesas de Kristiansand e Oslo. Foi esta provavelmente a melhor e maior exposição da obra deste artista considerado o "pai do paisagismo paranaense", apresentando mais de noventa de seus trabalhos executados no Brasil. Importante e muito recomendável.

ANDRÄ, HELMUT

O historiador alemão Helmut Andrä nasceu em 1909 e fixou-se no Brasil há mais de cinqüenta anos. Autor de numerosos estudos históricos publicados em jornais e revistas nacionais e no Staden Jahrbuch, *também foi autor da biografia* Francisco Adolfo de Varnhagen, Visconde de Porto Seguro *(1958).*

ANDRÄ, Helmut e FALCÃO, Edgard de Cerqueira. *Americae praeterita eventa.*

São Paulo: s.e., 1966.

Em 1631 foi publicada em Frankfurt (Alemanha) a obra anônima *Historia Antipodum oder Newe Welt*, editada pelos herdeiros do gravador e editor suíço Matthäus Merian (1593-1650), obra atualmente atribuída a Johann Ludwig Gottfried e ornada com 171 gravuras (e duas duplicatas) do próprio Merian, ou suas regravações de gravuras extraídas da série *Grandes Voyages*, de Theodor De Bry (v.). A presente e vistosa edição nacional é uma compilação, que comporta as 171 gravuras do original alemão e uma adicional proveniente da segunda edição (Frankfurt, 1655), além de sete mapas da época; o texto foi confiado ao historiador Helmut Andrä (com versão em inglês e alemão), que também se encarregou dos verbetes explicativos das gravuras. Ao co-autor Edgard Cerqueira Falcão (v.) coube o prefácio. Muito interessante.

ANDRADE, ALECIO DE

Fotografias.

[S.l.: Ministério da Educação e Cultura/Fundação Nacional de Arte, 1979.]

Nascido em 1938, advogado por profissão e fotógrafo por opção, também é cantor e poeta; em 1970 foi convidado por Cartier-Bresson para a Agência Magnum, passando a trabalhar quase exclusivamente em Paris e realizando exposições individuais na Europa e no Rio de Janeiro. Neste álbum, em forma de livro de bolso, apresenta excelente produção de 1964 a 1977, quase toda realizada em Paris.

ANDRADE, MOACIR

Manaus: monumentos, hábitos e cultura.

Manaus: s.e., 1982.

O autor nasceu em Manaus em 1927, estudou desenho na Escola Técnica e formou-se no Rio de Janeiro em Museologia. Autodidata em pintura, passou a dedicar-se exclusivamente a ela após seu regresso a Manaus, e participou de numerosas exposições; é considerado o mais importante dos pintores amazonenses. Segundo Teixeira Leite, não é "ingênuo, mas um regionalista de extração popular ou folclórica", cujo pano de fundo é a Amazônia. É precisamente esta a impressão que nos transmite com os 200 desenhos desta obra, que contou com texto próprio e um longo prefácio de Roberto dos Santos Vieira. A obra é muito interessante, sobretudo por datar a maioria dos desenhos de época anterior à instalação da

Zona Franca, anterior portanto ao desenfreado progresso que alterou profundamente o aspecto da cidade e o espírito da população.

ANDRADE, RÔMULO

Orquidário do cerrado.

Brasília: Pepalantos Edições de Arte, s.d. (cartões-postais)

Envelope contendo oito cartões-postais que ostentam desenhos artístico-científicos de Rômulo Andrade, provavelmente um colaborador do Orquidário de Brasília, criado em 1988.

ANDRADE GUTIERREZ

Como várias outras grandes indústrias e empreiteiras multinacionais, a Andrade Gutierrez também tem publicado notáveis obras sobre ecologia e história de arte, iniciativa atualmente prosseguida pela Fundação Cultural Flavio Gutierrez. Foram as seguintes as obras resenhadas nos correspondentes capítulos:

Ouro Preto: tempo sobre tempo; time upon time *(1985).*
Campos das vertentes; o Brasil na fonte *(1989).*
Francisco Vieira Servas e o ofício da escultura na Capitania das Minas de Ouro = Francisco Vieira Servas and the craft of sculpture in the Capitania of the Gold Mines *(2002).*

ANDRÉS, LUIZ PHILIPE

Embarcações do Maranhão: recuperação das técnicas construtivas tradicionais populares.

São Paulo: Horizonte Geográfico, 1998.

Folheando esta bela obra, só podemos aplaudir o "Prêmio Rodrigo Mello Franco de Andrade" conquistado em 1996. Longe de se tratar de obra técnica referida no título, vemos embarcações de todos os tipos navegando no mar e ao longo de rios, cumprindo suas funções de transporte, carga e lazer. As fotografias foram de vários, mas principalmente de Albani Ramos; textos também de diversos e ilustrações de Edson Fogaça.

ANDUJAR, CLAUDIA

Nascida na Suíça em 1951, estudou nos EUA *e em 1957 radicou-se no Brasil. Naturalizada brasileira e sempre como* free-lancer, *trabalhou para revistas nacionais e americanas e a partir de 1972 começou a interessar-se pelos índios yanomânis, obtendo para estudo as bolsas Fundação Guggenheim (1972-1974) e Fapesp (1976). A partir de 1978 passou a documentar fotograficamente os yanomânis, participou da criação do Parque Yanomâni e colabora até a data com a Comissão Pró-Yanomâni. A "Coleção Pirelli" do* MASP *(v.) possui obras de sua autoria, reproduzidas nos catálogos nº 1 e 8.*

ANDUJAR, Claudia e RIBEIRO, Darcy. *Yanomani.*

[São Paulo: Praxis Artes Gráficas Ltda., 1978].

Álbum de superior acabamento para a apresentação da primeira obra da fotógrafa sobre os índios yanomânis, um trabalho que desperta na autora "hoje [...] uma profunda tristeza, ele já está marcado pelo tempo". Esta é uma realidade factual e, por este e outros motivos, este documentário é importante além de belo.

ANDUJAR, Claudia e LOVE, George. *Amazônia: as fotografias das paisagens foram feitas nos Estados do Amazonas e do Pará e nos territórios de Roraima e Amapá: os nativos são yanômani, habitantes de Roraima: fotografada por Claudia Andujar, George Love.*

S.l.: Editora Praxis, s.d.

Um álbum de luxo para apreciadores de fotografia de alta categoria, quase abstrata, por Claudia Andujar e George Love (v.), focalizando aspectos da paisagem amazonense e índios yanomânis de Roraima. Muito recomendável.

Yanomani.

São Paulo: DBA, 1998.

Belo álbum desta notável fotógrafa, editado por ocasião da II Bienal Internacional de Fotografia de Curitiba. São fotografias colhidas principalmente nas décadas de 1970 e 1980 e subordinadas aos temas: casa comunitária e vida e rituais na floresta; muitas delas inéditas e todas de grande expressão e beleza.

ANTUNES, PEDRO

12 fotos de São Paulo: artes em cartões postais.

São Paulo: Seara Nova Editores, 1999.

Parece ter sido esta a primeira publicação da série "Artes em cartões postais" criada pela editora e confiada ao fotógrafo Pedro Antunes com resultado favorável; a capa e a contracapa do álbum também ostentam uma fotografia.

ARAGÃO, SALVADOR PIRES DE CARVALHO E

Estudos sobre Bahia Cabralia e Vera-Cruz feitos por ordem do Governador do Estado o Ilmo. e Exmo. Snr. Cons. Luiz Vianna pelo Major do Exercito ...

Bahia: Litho-Typ. e Encadernação de Reis & Ca. Editores, 1899.

Curiosa obra encomendada pelo Governador do Estado a um major do Exército para a exata localização do ponto de desembarque de Pedro Álvares Cabral na costa baiana. Os desenhos, aquarelas e fotografias que ilustram a obra são provavelmente do autor (ou de Alfredo Octaviano Soledade, seu assistente), elucidativas e boas, mas o sistema de reprodução pouco feliz.

ARAUJO, EMANOEL

Gravador e escultor brasileiro (1940), foi organizador do Museu de Arte da Bahia em 1970 e ocupou por longos anos o cargo de Diretor da Pinacoteca do Estado de São Paulo. Como estudioso da cultura afro-brasileira, tem sido curador de importantes exposições temáticas atinentes; freqüentes também as curadorias exercidas em outras exposições, assim como sua extensa participação como historiador de arte nos correspondentes catálogos. Sua obra artística encontra-se documentada em numerosos catálogos e artigos e, sobretudo, em Emanoel Araújo: afrominimalista brasileiro, *de George N. Preston, assim como sua importante coleção de arte apresentada na obra-catálogo:* Brasilien: Entdeckung und Selbstentdeckung *(v.). Seus estudos são uma constante em obras relacionadas nos verbetes "Arte popular" e "Arte afro-brasileira".*

Bahia: 7 gravuras originais.

São Paulo: Editora Cultrix, 1965.

Belo álbum com sete xilogravuras em pranchas de 53 x 37 cm; tiragem de 400 exemplares com todas as gravuras assinadas e datadas: 1964.

Seis deuses nagôs em festa na Bahia

Guaches: Emanoel Araujo. Textos: Pierre Verger e Waldeloir Rego. [São Paulo]: Edições Melhoramentos, [1969?].

Um belo álbum de descomunal dimensão (49 x 48 cm) contendo as seis estampas coloridas do título. Muito interessante.

ARAUJO, NEARCO Barroso Guedes DE

Jangadas.

2ª edição. Fortaleza: Banco do Nordeste do Brasil, 1990.

O amazonense Nearco é professor de arquitetura na Universidade Federal do Ceará e também pintor, participante de muitas exposições individuais e coletivas. O texto do autor é compacto e bastante técnico, como também o são muitos de seus desenhos e as poucas aquarelas que compõem este volumoso álbum oblongo (31,5 x 44,0 cm) que ostenta o texto em inglês e português nesta segunda edição.

ARAUJO, ZEKA

Nascido em 1946, passou a fotografar em 1967, trabalhou para revistas brasileiras e de 1974 a 1977 em Londres; de 1979 a 1983 dirigiu o Núcleo de Fotografia da Funarte (atual Instituto Nacional de Fotografia); de 1983 a 1984 foi curador de fotografia do MAM-RJ e trabalhou na Agência F-4 de 1983 a 1988. Suas fotos constam em diversos álbuns coletivos, em Brasil, auto retrato *(v.) e na "Coleção Pirelli" do MASP (v.). Ilustrou a totalidade da obra a seguir descrita, que tem por co-autor o poeta e músico Tom Jobim (1927-1994), autor dos poemas-texto.*

ARAUJO, Zeka e JOBIM, Tom. *Jardim Botânico do Rio de Janeiro.*

[Rio de Janeiro]: Expressão e Cultura/Co-edição Gráfica JB, 1988.

Um lindo ensaio poético-fotográfico sobre um dos monumentos naturais mais belos do país; muito recomendável. NOTA: Segunda edição em 1991, sem alterações.

ARIÉGO, EDVALDO

Recife de ontem e de hoje.

S.l.: s.e., 1989?.

Obra ambiciosa em modesta edição do próprio autor, preenche em boa parte o objetivo almejado de "promover, através de fotos ou gravuras de ontem e fotografias de hoje, uma comparação do que foi e do que é a Cidade Maurícia". O texto para este fim é bom, assim como boa a escolha das imagens antigas, mas fracas as fotografias atuais do amador Gilberto Pereira Vilela (1954) e muito fraca a reprodução de todas as imagens.

ARQUITETURA

A arquitetura brasileira ocupa, há longa data, um espaço muito importante no cenário nacional e internacional, mas à presente resenha interessam tão-só as obras que apresentam o produto final inserido na paisagem urbana ou rural ou, ainda, quando de relevante interesse histórico ou social.

Arquitetos brasileiros: projeto PHD Hunter-Douglas.

Rio de Janeiro: Hunter-Douglas, 1987.

Um álbum-catálogo de edifícios projetados por arquitetos participantes do projeto PHD Hunter-Douglas promovido pela Brazil Agency for International Relations. Sob a curadoria da crítica Josette Mazzella di Bosco Balsa e com a inclusão de um estudo sobre "Arquitetos brasileiros", por Luis Espallargas Gimenez, os arquitetos participantes opinam sobre o tema da exposição, contribuindo cada um com uma boa fotografia de uma de suas obras.

Arquitetos paisagistas: year book = Brazilian landscaping architects yearbook.

S.l.: G&A Editorial, 1997.

Ainda que de finalidade estritamente comercial, esta obra é prejudicada por excesso de propaganda e ilustrações em cada página. Assim mesmo, é interessante.

Arquitetura: exposição Tradição e Ruptura.

[São Paulo]: Fundação Bienal de São Paulo/Instituto dos Arquitetos do Brasil, [1984]. (Catálogo de exposição, nov. 1984-jan. 1985)

Bastaria o título para revelar a importância desta exposição realizada pela Fundação Bienal no intervalo entre as 17ª e 18ª Bienais Internacionais de São Paulo; igualmente importante a presente obra, publicada a título de catálogo, com fotografias de Rômulo Fialdini (v.) e excelente qualidade gráfica; textos confiados aos melhores especialistas. Imprescindível para estudos.

Arquitetura civil: textos escolhidos da Revista do Instituto do Patrimônio Histórico e Artístico Nacional.

[São Paulo]: Ministério da Educação e Cultura/IPHAN/Universidade de São Paulo/Faculdade de Arquitetura e Urbanismo, [1975]. (Textos escolhidos, 1)

Arquitetura civil: textos escolhidos da Revista do Instituto do Patrimônio Histórico e Artístico Nacional.

[São Paulo]: Ministério da Educação e Cultura/IPHAN/Universidade de São Paulo/Faculdade de Arquitetura e Urbanismo, [1975]. (Textos escolhidos, 2)

Arquitetura civil: textos escolhidos da Revista do Instituto do Patrimônio Histórico e Artístico Nacional.

[São Paulo]: Ministério da Educação e Cultura/IPHAN/Universidade de São Paulo/Faculdade de Arquitetura e Urbanismo, [1975]. (Textos escolhidos, 3)

Pintura e escultura I: textos escolhidos da Revista do Instituto do Patrimônio Histórico e Artístico Nacional.

Hannah Levy e Luiz Jardim. [São Paulo]: Ministério da Educação e Cultura/IPHAN/Universidade de São Paulo/ Faculdade de Arquitetura e Urbanismo, s.d. v. 1.

Pintura e escultura II: textos escolhidos da Revista do Instituto do Patrimônio Histórico e Artístico Nacional.

Hannah Levy e Luiz Jardim. [São Paulo]: Ministério da Educação e Cultura/IPHAN/Universidade de São Paulo/ Faculdade de Arquitetura e Urbanismo, s.d. v. 2.

Conjunto de obras publicadas pelo Ministério da Educação e Cultura para a divulgação de importantes estudos previamente publicados na *RIPHAN – Revista do Instituto do Patrimônio Histórico e Artístico Nacional*. A transcrição destes estudos foi integral, assim como o foram as correspondentes e igualmente importantes ilustrações, estas, entretanto e inexplicavelmente, reproduzidas de forma execrável, em parte irreconhecíveis. É um conjunto importante e imprescindível para os estudiosos que não dispõem da Revista.

Arquitetura: um olhar vertical; o elevador definindo a paisagem.

São Paulo: Antonio Bellini Editor, 1999.

Obra interessante e muito bem apresentada com fotografias antigas e modernas, texto em português e espanhol; patrocínio da mais antiga fábrica nacional de elevadores, a Elevadores Atlas, cuja marca se encontra representada em todos os edifícios retratados.

Arquitetura do Brasil: o olhar de oito fotógrafos sobre as paisagens e as cidades do país: uma coletânea de ensaios publicados em Arquitetura & Construção.

São Paulo: Editora Abril, 1999.

Sob a coordenação de Alda Palma e com textos de Liliane Oraggio, este pequeno e belo álbum apresenta o enunciado do título na perspectiva dos fotógrafos Cristiano Mascaro, Maureen Bisilliat, Pedro Martinelli, Araquém Alcântara (v. estes), Claudio Edinger e outros, além de um ensaio fotográfico especial de Cristiano Mascaro dedicado a Brasília; muitas vinhetas de Carlos Grassetti. Muito interessante. NOTA: Como convite para o lançamento da obra, foi publicada uma carteira sanfonada de oito cartões-postais que reproduzem uma obra de cada um dos fotógrafos participantes.

Arquitetura do ferro; memória e questionamento.

Belém: Universidade Federal do Pará, 1993.

Conjunto de estudos acadêmicos com boas ilustrações técnicas e gerais.

100 anos de ensino de arquitetura e urbanismo em São Paulo: catálogo da exposição realizada no Museu da Casa Brasileira.

São Paulo: Faculdade de Arquitetura e Urbanismo da Universidade de São Paulo, 1996. (Catálogo de exposição, 1996)

Catálogo oblongo de grande formato, de uma importante exposição realizada sob a curadoria do arquiteto Nestor Goulart dos Reis (v.). Com excelente texto, também mereceu ilustração muito especial e importante, mas bastante mal reproduzida.

Guia da arquitetura colonial, neoclássica e romântica no Rio de Janeiro.

Rio de Janeiro: Casa da Palavra, 2000.

Guia da arquitetura eclética no Rio de Janeiro.

Rio de Janeiro: Casa da Palavra, 2000.

Guia da arquitetura art deco no Rio de Janeiro.

Rio de Janeiro: Casa da Palavra, 2000

Guia da arquitetura moderna no Rio de Janeiro.

Rio de Janeiro: Casa da Palavra, 2000.

Quatro excelentes guias em idêntico formato e apresentação (produzidos pela Secretaria de Urbanismo e pelo Centro de Arquitetura Urbana do Rio de Janeiro) que nos levam por vários roteiros ao longo de praças, becos, monumentos e prédios do Rio de Janeiro, todos sob a lente de Vera Voto e os textos sob orientação geral de Jorge Czaijkowski. Muito úteis e recomendáveis.

Visões de paisagem; um panorama do paisagismo contemporâneo no Brasil = Landscape sights; an exhibition on contemporary landscape architecture in Brazil.

São Paulo: Associação Brasileira de Arquitetos Paisagistas, 1997.

Aproveitando material apresentado em exposição, a Associação Brasileira de Arquitetos Paisagistas produziu uma obra documental e fotográfica digna de ser considerada importante para estudos.

ARROYO, LEONARDO

Escritor brasileiro (1918-?).

Igrejas de São Paulo: introdução ao estudo dos templos mais característicos de São Paulo nas suas relações com a crônica da cidade.

Rio de Janeiro: Livraria José Olympio Editora, 1954.

Como volume 81 da prestigiada "Coleção Documentos Brasileiros" e com prefácio de Affonso d'E. Taunay (v.), este sólido e bem documentado estudo foi ilustrado com 51 boas fotografias (em grande parte do próprio autor) e vinhetas de Orlando Matos (ilustrador e caricaturista paranaense).

ARTE AFRO-BRASILEIRA

Em Pintores Negros do Oitocentos, *o autor e historiador de arte José Roberto Teixeira Leite (v.) adverte que seu estudo versa "sobre assunto ainda não ventilado", ou seja, falta de estudos sobre a contribuição e influência de artistas de origem africana na formação da arte brasileira. O tímido pioneirismo de um Manoel Quirino (1851-1923) não teve seguidores, mas ultimamente firmou-se cada vez mais o conceito de "arte afro-brasileira", relacionado às origens e à herança cultural do negro brasileiro através de suas danças, símbolos, cerimônias várias e, sobretudo, o imaginário religioso. O resultado deste novo conceito expressou-se em algumas notáveis exposições temáticas recentes e na edição de importantes estudos por Emanoel Araujo, George Preston, José Roberto Teixeira Leite, Clarival do Prado Valladares, Jaelson Bitran Trindade, Luiz Marques, Lélia Coelho Frota, Carlos Eugênio Marcondes de Moura (v. estes) e outros.*

Arte e religiosidade no Brasil: heranças africanas.

II Encontro Nacional de Cultura. São Paulo: s.e., 1997.

Neste mais expressivo e abrangente dos seis catálogos da exposição temática supra-referida (v.) constaram as fotografias de Lamberto Scipione (v.) e a reprodução de gravuras antigas e as de Rugendas (v.) sobre o tema, além de excelentes estudos de Emanoel Araújo, Carlos Eugênio Marcondes de Moura e Clarival do Prado Valladares (v. estes). Muito importante.

Afro-Brasilianische Kultur und Zeitgenössische Kunst = Art in afro-brazilian religion = Arte e religiosidade afro-brasileira. ARAUJO, Emanoel e MOURA, Carlos Eugênio Marcondes de.

[S.l.: Câmara Brasileira do Livro, 1994].

Entre as várias obras publicadas pela Câmara Brasileira do Livro para a Feira do Livro de Frankfurt (Alemanha, 1994) que homenageou o livro brasileiro, destacou-se a presente pela atualidade e importância do tema. Sob a curadoria de Emanoel Araujo e Carlos Eugênio Marcondes de Moura (v. estes), que também contribuíram com os textos sobre arte afro-brasileira e religiosidade africana no Brasil, respectivamente, criou-se uma obra excepcionalmente expressiva e bela, ricamente ilustrada com gravuras antigas e imagens do sincretismo religioso, além de obras de artistas contemporâneos engajados, como Rubem Valentim (v.) e Mestre Didi. Muito interessante.

A mão afro-brasileira: significado da contribuição artística e histórica.

[São Paulo]: Tenenge Técnica Nacional de Engenharia S.A., [1988].

Esta é, sem dúvida, a mais bela e completa obra sobre a contribuição do negro na formação da arte brasileira. Patrocinada pela Tenenge em homenagem ao centenário da abolição da escravidão e organizada sob a curatela de Emanoel Araujo (v.), conta com a contribuição de vários abalizados estudiosos e historiadores de arte e compete com as mais bem ilustradas obras da produção nacional. Dos capítulos dedicados a "Barroco e Rococó", "Academia e os acadêmicos", "Herança africana e as artes de origem popular" e "Arte contemporânea", o enfoque passa a estudos especiais sobre fotografia, música erudita e popular, carnaval, teatro e dança, todos visualizados por ilustrações selecionadas por Ana Maria Moraes Belluzzo, Carlos Eugênio Marcondes de Moura (v. estes) e Ivo Mesquita, e fotografadas por Lamberto Scipioni, Rômulo Fialdini (v. estes) e Januário Garcia. Imprescindível para estudos. NOTA: Pelo mesmo editor e na mesma ocasião foi publicada a tradução *The Afro-Brazilian touch; the meaning of its artistic and historic contribution* (por Eric Drysdale), sem as ilustrações.

Os herdeiros da noite: fragmentos do imaginário negro.

São Paulo: Pinacoteca do Estado, 1994.

Comemorando "Palmares: 300 anos", a Pinacoteca do Estado de São Paulo realizou uma grande exposição da temática revelada no título, sob a curadoria de Emanoel Araujo (v.). Este catálogo é um autêntico tratado sobre o assunto, elaborado por vários especialistas e muito bem e ricamente ilustrado.

O negro na iconografia brasileira do século XIX: a visão européia.

São Paulo: Faculdade de Filosofia, Letras e Ciências Humanas da Universidade de São Paulo, 1988. (Catálogo de exposição, 1988)

No Congresso Internacional da Escravidão (1988), realizado na Universidade de São Paulo por ocasião do centenário da abolição da escravatura no Brasil, foi montada esta significativa exposição com litografias e fotografias da época, colhidas nas obras dos "viajantes". O catálogo, prefaciado pelo historiador Boris Kossoy (v.), traz colaboração da historiadora Maria Luiza Tucci Carneiro e relaciona os 119 itens, classificados por temas. Sem ilustrações, mas importante.

O olhar europeu: o negro na iconografia brasileira do século XIX.

[São Paulo]: Edusp, [1994].

Completando e ampliando os estudos da documentação colhida para a grande exposição do verbete anterior, os historiadores Boris Kossoy (v.) e Maria Luiza Tucci Carneiro realizaram mais esta importante obra, muito bem apresentada e ilustrada.

Para nunca esquecer: negras memórias, memórias de negros.

Rio de Janeiro: Museu Histórico Nacional, 2002. (Catálogo de exposição, 2002)

Título dramático para uma exposição sobre tema igualmente dramático e de grande importância no passado e no presente. Esta exposição, organizada por Emanoel Araujo (v.), teve neste catálogo uma obra muito superior à aparência vistosa, volumosa e bela; autêntico tratado erudito sobre o tema, contou com muito material pictórico colhido em exposições anteriores e muito material novo e da atualidade. Imprescindível para estudos.

Arte afro-brasileira = Afro-Brazilian art: Mostra do Redescobrimento.

São Paulo: Fundação Bienal de São Paulo/Associação Brasil 500 Anos Artes Visuais, 2000. (Catálogo de exposição, abr.-set. 2000)

Negro de corpo e alma = Black in body and soul: Mostra do Redescobrimento.

São Paulo: Fundação Bienal de São Paulo/Associação Brasil 500 Anos Artes Visuais, 2000. (Catálogo de exposição, abr.-set. 2000)

Dois dos importantes catálogos, em quarto grande, publicados para a "Mostra do Redescobrimento" (v.) em São Paulo.

ARTE INDÍGENA

Muito se discute entre os historiadores de arte sobre a aplicabilidade do conceito "arte" à sensibilidade artística demonstrada pelo indígena brasileiro na confecção de suas armas, apetrechos, adornos e cerâmica utilitária, uma discussão que não afeta o iconógrafo interessado nas imagens destes objetos. NOTA: *Aspectos gerais da cultura indígena, da caça às ocas e às festas, serão resenhadas no verbete* ETNOGRAFIA.

Aroméri: arte plumária do indígena brasileiro = Brazilian indian feather art.

Norberto Nicola, Sonia Ferraro Dorta. São Bernardo do Campo: Mercedes Benz do Brasil, 1986.

Uma das obras publicadas anualmente pela Mercedes Benz (v.) para ilustrar o tradicional calendário anual sobre o mesmo tema. A coordenação foi confiada a Norberto Nicola (1930), conhecido artista tapeceiro e colecionador de arte plumária, resultando obra de grande beleza em edição de alto nível gráfico. Muito recomendável.

Arte indígena brasileira: uma amostra.

Rio de Janeiro: Letra e Imagem, s.d.

Álbum de aparência muito modesta, é surpreendentemente formado por oito pranchas em papel especial e impecável reprodução de fotografias de André Papi.

Arte plumária do Brasil: exposição realizada sob o patrocínio Ministério das Relações Exteriores, Ministério da Educação e Cultura, Secretaria do Patrimônio Histórico e Artístico Nacional, Fundação Nacional Pró-Memória.

[Brasília: Banco Central do Brasil – Departamento de Administração de Recursos Materiais – Divisão Gráfica, 1980]. (Catálogo de exposição, 1980-1981)

Catálogo de uma grande exposição realizada no Palácio do Itamaraty, em Brasília, sob a curadoria de Norberto Nicola (1930), artesão-tapeceiro de São Paulo e colecionador. O presente catálogo é idêntico aos catálogos publicados para as simultâneas exposições no Museu de Arte Moderna de São Paulo e no Museu Paraense Emílio Goeldi e contou com excelente reprodução das peças e muitas fotografias colhidas junto a diversas tribos indígenas. De acabamento excelente e textos das etnólogas Sonia Ferraro Dorta, Lucia Hussak van Velthem e outros especialistas, conta com poucas ilustrações em branco e preto e muitas em cores, além de boa bibliografia e listagem comentada das peças.

Arte plumária do Brasil.

São Bernardo do Campo: Mercedes Benz do Brasil S.A., 1982.

Pequeno álbum oblongo que faz parte integrante do calendário da editora para o ano de 1982. Textos e fotografias em preto e branco coordenadas pelo colecionador e tapeceiro Norberto Nicola e pela etnóloga Sonia Ferraro Dorta. Muito interessante.

Artes indígenas = Native art: Mostra do Redescobrimento.

São Paulo: Fundação Bienal de São Paulo/Associação Brasil 500 Anos Artes Visuais, 2000. (Catálogo de exposição, abr.-set. 2000)

Belas ilustrações e textos especiais neste catálogo, em quarto grande, publicado para a "Mostra do Redescobrimento" (v.) em São Paulo.

Exposição Arte plumária do Brasil: 17ª Bienal de São Paulo.

São Paulo: Fundação Bienal de São Paulo, 1983.

Sob a curadoria de Norberto Nicola (1930), colecionador de arte plumária, foi incluída uma sala especial na 17ª Bienal Internacional de São Paulo dedicada à arte plumária dos indígenas brasileiros. O presente catálogo relaciona e descreve quase 400 peças e reproduz as fotografias coloridas de muitas dezenas, além de flagrantes de uso colhidos em cerimônias tribais.

Federarbeiten der Indianer Südamerikas: Aus der Studiensammlung Horst Antes.

Stuttgart: Oktagon, 1994.

Obra de grande porte e indescritível beleza que serviu de catálogo-livro a uma exposição de arte plumária e objetos diversos da coleção de Horst Antes, pintor alemão de grande prestígio. Esta fenomenal exposição, realizada nos museus Rautenstrauch-Joest-Museum (Köln) e Reiss-Museum (Mannheim), foi organizada pelo próprio colecionador e teve por curadoras as etnólogas Ursula Dyckerhoff e Gisela Völger; os textos foram confiados a especialistas, incluindo o etnólogo Peter Schroeder, que estuda a política indianista brasileira no século XX. A maior parte da obra é dedicada ao índio brasileiro, o que motivou sua distribuição a institutos culturais brasileiros e uma pequena parte às livrarias do país.

Invisible people: arts of the Amazon: the Mekler collection.

S.l.: Fresno Art Museum, 1991. (Catálogo de exposição, nov. 1991-maio 1992)

O colecionador americano Adam Mekler conseguiu reunir mais de quatrocentos importantes objetos da cultura de tribos da região amazônica, incluindo armas, instrumentos musicais e, sobretudo, expressivos espécimes de arte plumária. Este volumoso catálogo é de grande qualidade pictórica e gráfica e conta com longo estudo do próprio Adam Mekler. Muito interessante.

L'art de la plume indienns du Brésil.

Genève: Musée d'Ethnographie/Paris: Museum National d'Histoire Naturelle, [1985]. (Catálogo de exposição, 1985-1986)

Belo e rico catálogo de uma exposição de quase trezentas peças da etnografia brasileira, proveniente dos museus organizadores e de várias coleções particulares e públicas, incluindo brasileiras. Além de reproduzir em cores cerca de setenta peças das mais importantes, o catálogo contém estudos de especialistas europeus, além de uma relação completa de todas as peças apresentadas e tecnicamente descritas. Ilustrado.

Metal Leve 1950-1990: 40 anos.

São Paulo: Metal Leve, 1989. (Calendário de mesa, 1990)

Entre os tradicionais calendários de mesa da Metal Leve constou o de 1990, ilustrado com belas fotografias de objetos do artesanato indígena. Prefácio da antropóloga Betty Mindlin.

O livro das árvores.

Amazonas: Benjamin Constant, 1997.

O povo indígena Ticuna nos revela nesta pequena e bela obra, organizada por Jussara Gomes Gruber, a interpretação artística do mundo em que vive, apresentando a vasta região de montanhas e rios, as árvores da floresta, as moradas e seus moradores e os seres fictícios que povoam suas lendas. Belo e interessante.

Os Bororo: quando a vida passa pela morte: exposição fotográfica.

São Paulo: [CODAC-USP], 1987. (Catálogo de exposição, 1987)

Um estudo antropológico de três pesquisadores da Universidade de São Paulo e as fotografias de Luis Donisete Benzi Grupioni e Sylvia Cayubi Novaes deram origem a uma interessante exposição sobre os usos e costumes atuais de diversos agrupamentos Bororos em Mato Grosso. O presente catálogo é uma plaqueta em quarto grande com fotografias que foram de mal a razoavelmente reproduzidas.

ARTE POPULAR

Este conceito será aplicado em seu sentido mais amplo, quase sinônimo de artesanato, englobando obras de autores não revelados para as atividades mais variadas no campo do barro, da cerâmica, dos trançados e das rendas, dos instrumentos musicais, dos brinquedos, da madeira e do comércio. Os produtos de arte popular são por natureza utilitários, de efêmera manufatura e normalmente vendidos em feiras-livres. Poucas, assim, são as exposições temáticas, públicas ou particulares, quase sempre destinadas a promover uma região e seus produtos e também quase sempre com a produção à venda. São pouquíssimas as coleções públicas ou particulares que se destacam, e menos ainda as que contam com catálogo ou com estudos às mesmas dedicados, destacando-se entre estas a Casa do Pontal (v.) de Jacques van de Beuque e os Museus Castro Maya e Homem do Nordeste (v. estes).

Artesanato brasileiro.

Rio de Janeiro: Edição Funarte, 1978.

Artesanato brasileiro: rendas.

Rio de Janeiro: Edição Funarte, 1981.

Artesanato brasileiro: tecelagem.

Texto Amália Lucy Geisel, Raul Lody. S.l.: Funarte/Instituto Nacional do Folclore, [1983].

Artesanato brasileiro: madeira.

Texto Raul Lody, Marina de Mello e Souza; fotos Luiz Antonio Dualibe. S.l.: Funarte/Instituto Nacional do Folclore, 1988.

Quatro excelentes e importantes obras sobre o tema dos títulos, com textos e fotografias confiados a especialistas e as pesquisas a equipes da Fundação Nacional de Arte e do Instituto Nacional do Folclore.

Ex-votos brasileiros pintados do século XVIII e XIX: coleção Franco Terranova.

Oferecimento Banco Nacional – Petite Galerie. S.l.: s.e., [1974?]. (Catálogo de exposição, 1974?)

Lindo catálogo para um leilão de 49 peças da coleção do antiquário Franco Terranova; um resumido texto por Alfredo Souto de Almeida informa sobre o colecionador e a origem das peças.

Arte popular = Popular arts: Mostra do Redescobrimento.

São Paulo: Fundação Bienal de São Paulo/Associação Brasil 500 Anos Artes Visuais, 2000. (Catálogo de exposição, abr.-set. 2000)

O maior apelo popular dos doze módulos que formaram a grande exposição "Mostra do Redescobrimento" (v.) concentrou-se no da arte popular, preferência que também se estendeu a este notável catálogo em quarto grande, único a se esgotar durante a exposição.

7 brasileiros e seu universo: artes, ofícios, origens, permanências.

Brasília: [Departamento de Documentação e Divulgação], 1974.

Volumoso catálogo de uma grande exposição de arte popular e seus autores, aqueles "imaginários, santeiros de nosso Nordeste, entalhadores, pintores, homens que dedicaram sua vida ao artesanato e à arte no Centro e Norte-Nordeste brasileiros". Além de apresentação destes homens e da excelente reprodução de suas obras, o catálogo contou com a transcrição de textos de conceituados estudiosos, textos que "não constituem uma publicação com temática preestabelecida, e sim uma tomada de conhecimento...". Interessante.

Arte popular do Pará: exposição: feira de artesanato do Pará.

Belém: Governo do Estado do Pará/Instituto de Desenvolvimento Econômico-Social do Pará – Idesp, 1973. (Catálogo, 1973)

Apresentado como um "catálogo", esta alentada obra é um autêntico tratado sobre o assunto, muito bem ilustrado.

Artesanato brasileiro = Brazilian handicraft.

Brasília: PNDA – Programa Nacional de Desenvolvimento de Artesanato/Ministério do Trabalho – MTG Brasil, 1980.

Pequena plaqueta para o Programa Nacional de Desenvolvimento de Artesanato, bem ilustrada com fotografias coloridas.

Bonecos e vasilhas de barro do Vale do Jequitinhonha: Minas Gerais: Brasil.

Rio de Janeiro: Funarte/Instituto Nacional do Folclore, 1984.

Catálogo de uma grande exposição no Museu do Folclore Edison Carneiro, no Rio de Janeiro, apresentando um conjunto de obras do Vale do Jequitinhonha adquirido pelo

Instituto Nacional do Folclore ao longo de dez anos e destinado ao Museu da Olaria de Barcelos (Portugal), a título de doação.

Pequeno atlas de cultura popular do Ceará: Juazeiro do Norte.

S.l.: Universidade Federal do Ceará/Funarte/Instituto Nacional do Folclore, 1985.

Estudo em edição muito modesta, com ilustrações correspondentes.

Arte popular pernambucana.

Fotografias: Edmond Dansot; textos: Ricardo Ramos. São Paulo: Raízes Artes Gráficas, 1982.

O texto de Ricardo Ramos, erudito e algo poético, foi enriquecido com as fotografias de Dansot, um fotógrafo que "veio de fora" mas soube documentar com maestria uma arte regional que sempre se soube destacar no âmbito da cultura nacional e que luta, cada vez mais, por sobrevivência em face da ameaçadora tendência profissionalizante. Muito recomendável.

Brasil: arte popular hoje.

Coordenação: Lélia Coelho Frota; colaboração: Aderson Medeiros, Lélia Coelho Frota, Paulo Pardal, Roberto Damata; fotos em cores: Pedro Oswaldo Cruz. S.l.: Publicações e Comunicações Ltda., [1987].

Obra de alto nível, patrocinada pela General Motors do Brasil e publicada por ocasião da exposição de arte popular do Projeto Brasil/França no Grand Palais de Paris em 1987. Sob a coordenação de Lélia Coelho Frota (v.), foram reproduzidas em cores as peças fotografadas por Pedro Oswaldo Cruz (v.), todas provenientes de importantes coleções nacionais. Os textos foram confiados a Aderson Medeiros, Paulo Pardal, Roberto Damata e à própria coordenadora, ilustrados com fotografias de diversos sobre os artistas e seus trabalhos. Muito recomendável.

Relatório anual 1983: Companhia Cervejaria Brahma.

?: Companhia Cervejaria Brahma, [1983?].

Um relatório anual das atividades sociais, apresentado em plaqueta de alta qualidade gráfica e ilustrado com obras de Vitalino (v.) e seus filhos e discípulos, todas com dados biográficos dos artistas.

ARTE SACRA

Como o maior país católico do mundo, o Brasil ostenta enorme, importante e variada produção neste campo, uma arte que abrange todos os aspectos da fé, do culto e dos locais de suas práticas, das capelas às igrejas, dos objetos às vestes paramentares, dos santos e santeiros às procissões e às sacristias.

Arte religiosa.

Recife: Imprensa Universitária, 1966.

Por ocasião das comemorações do 20º aniversário de fundação da Universidade Federal de Pernambuco, o Governo do Estado e o Instituto Joaquim Nabuco promoveram uma exposição de arte sacra e publicaram o presente álbum, de acabamento modesto, em folhas soltas, que apresenta um estudo de Mauro Motta sobre taumaturgia e outro de Gonsalves de Mello sobre o pintor e santeiro José Ribeiro de Vasconcellos (falecido em fins do século XVIII), além de dez desenhos do cronista de arte e desenhista pernambucano Milton de Andrade Souza (1933), reproduzindo algumas das peças da Coleção Abelardo Rodrigues (v.).

O crucifixo.

São Paulo: Museu de Arte Sacra, s.d.

Catálogo de uma exposição comemorativa de cem anos de fundação do Museu de Arte Sacra de São Paulo. Texto do Padre Antonio O. Coutinho, Diretor do museu; boas ilustrações.

A escultura sacra do Brasil colonial.

[São Paulo?: MASP?, 1977?].

Por ocasião da exposição "Artistas e artífices do Brasil, séc. XVI-XVIII", realizada no MASP em 1977, um grupo de três expositores publicou este extraordinário e lindo álbum de doze pranchas coloridas, de 43 x 31 cm, reproduzindo imagens sacras da mostra, cada uma com texto explicativo em oito línguas impresso no verso.

Bustos-relicários: Catedral-Basílica de Salvador.

[São Paulo: Pinacoteca do Estado, 1999]. (Catálogo de exposição, dez. 1999-fev. 2000)

Os pintores do Bonfim: Jesus rei dos homens.

[São Paulo: Pinacoteca do Estado, 1999]. (Catálogo de exposição, dez. 1999-fev. 2000)

Como parte das comemorações do aniversário de São Paulo e dos 450 anos de Salvador (BA), a Pinacoteca do Estado de São Paulo realizou, sob a curadoria de Emanoel Araújo (v.), uma grande e muito notável exposição subordinada ao tema "Tempos do Sagrado: quatro séculos de arte sacra. Bahia. São Paulo". Para esta exposição foram planejadas quatro plaquetas-catálogos, das quais as duas primeiras publicadas no ato, as presentes, ambas de excepcional qualidade e que reproduzem todas as peças expostas. NOTA: As duas restantes foram publicadas posteriormente e confiadas respectivamente à autoria de Carlos A. C. Lemos e Maria Helena Brancante (v. estes): *A imaginária paulista* e *Os ourives na história de São Paulo*.

Calendário turístico do Estado de São Paulo: Museu de Arte Sacra: uma história de 392 anos.

São Paulo: Secretaria de Cultura, Esportes e Turismo, 1975.

Uma agenda cartonada, de primoroso acabamento, comportando a cada mês um texto sobre arte sacra e reprodução de uma peça do Museu de Arte Sacra de São Paulo; fotografias de Lew Parrela e texto explicativo em português e inglês. Muito bonito.

Cristos e santos de vestir: exposição.

São Paulo: Museu de Arte Sacra de São Paulo, 1994. (Catálogo de exposição, nov.-dez. 1994)

Uma coleção de imagens de Cristo crucificado e de santos de vestir e de roca, apresentada em 1994 no Museu de Arte Sacra de São Paulo e reproduzida neste catálogo em fólio médio de altíssima qualidade; valorizado pelas excelentes fotografias coloridas de Horst Merkel (v.) e pelo texto de João Marino (v.), diretor do museu.

ATALLAH, LIBANO MONTESANTI

Desenhista brasileiro (1950).

São Paulo de Piratininga: velhos aspectos.

São Paulo: s.e., 1984.

Filho do livreiro-antiquário Libano Calil Atallah (prefaciador da obra), o autor, que estudou na Escola de Belas Artes de São Paulo, reuniu alguns de seus desenhos neste álbum de edição particular (tiragem de mil exemplares). Realizados entre 1980 e 1982, são seis desenhos a nanquim em folhas soltas de 48 x 33 cm, e dois desenhos em folhas duplas. Interessante.

AVÉ-LALLEMANT, ROBERTO

Robert Christian Bertold Avé-Lallemant (1812-1884), médico alemão, trabalhou na Santa Casa do Rio de Janeiro de 1837 a 1855; após sua volta à Alemanha, participou da missão austríaca científica da Novara *ao redor do mundo, mas abandonou esta missão na chegada ao Rio de Janeiro, empreendendo a seguir uma viagem ao Rio Grande do Sul, Santa Catarina e São Paulo, seguida de outra ao Amazonas, Sergipe, Alagoas, Bahia e Pernambuco, viagens que narra em* Viagem pelo Sul do Brasil, *a seguir enumerada, e em* Viagem pelo Norte do Brasil, *em dois volumes e sem ilustrações, cujos originais foram publicados em 1859 e 1860.*

Viagem pelo sul do Brasil no ano de 1858.

Tradução do Instituto Nacional do Livro da edição de Leipzig, 1859. Rio de Janeiro: Instituto Nacional do Livro/ Ministério da Educação e Cultura, 1953. 2 v.

Quarto volume da série "Coleção de Obras Raras", esta modesta edição em dois volumes foi muito bem ilustrada com gravuras antigas selecionadas pelo pintor Lelio Landucci (1890-1954), quase todas pouco divulgadas.

ÁVILA, AFFONSO

ÁVILA, Affonso; GONTIJO, João Marcos Machado e MACHADO, Reinaldo Guedes.
Barroco mineiro: glossário de arquitetura e ornamentação.

[São Paulo]: Co-edição Fundação João Pinheiro/Fundação Roberto Marinho/Companhia Editora Nacional, 1980.

Dicionário importante, ricamente ilustrado com desenhos de João Marcos Machado Gontijo e uma boa documentação fotográfica por Euler Andrés, George Helt e Mauro Afonso Ribeiro.

AYALA, WALMIR Felix

Poeta e crítico de arte (1933-1991).

Dicionário de pintores brasileiros = Dictionary of Brazilian painters.

Vol. I. A-L. Vol. II. M-Z. Rio de Janeiro: Spala Editora, 1986. 2 v.

Mesmo sendo o autor um renomado e respeitado poeta e crítico de arte, este seu dicionário poderia ser considerado quase dispensável, não fossem as ilustrações. Seguindo o mesmo sistema e critério da obra anterior, *Dicionário Brasileiro de Artistas Plásticos* (v.), do qual foi coordenador dos últimos dois volumes, transcreve o autor praticamente os mesmos dados e apreciações críticas contidos naquele, em nada contribuindo os 1 615 verbetes coligidos para uma nova e atualizada visão dos movimentos artísticos no País, sobretudo considerando que a obra é restrita à técnica da pintura; as ilustrações no texto são fotografias dos artistas, e não as de suas obras. Além destas fotografias, a obra conta com muitas ilustrações em cores fora do texto que reproduzem quadros da coleção do Banco Bozzano Simonsen (v.), patrocinador desta edição de luxo. Todos os verbetes foram transcritos em português e inglês com o mesmo destaque, formando assim dois volumosos tomos de aparência monumental.

Dicionário de pintores brasileiros.

Edição revista e ampliada por André Seffrin. Curitiba: Editora UFPR, 1997.

Segundo informa o revisor, esta segunda edição do verbete precedente é na realidade uma obra nova; foi revista sob novo enfoque e ampliada com mais de 250 novos verbetes. Foram canceladas as fotografias dos artistas e a tradução em inglês; as ilustrações passaram a ser representadas por telas (em menor dimensão), provenientes principalmente da coleção Sergio Fadel (v.), além de várias outras particulares. Esta edição, em modesta apresentação, é muito melhor do que a precedente original.

AZEVEDO, ESTERZILDA BERENSTEIN DE

Arquitetura do açúcar; engenhos do Recôncavo Baiano no período colonial.

São Paulo: Nobel, 1990.

Sólido estudo acadêmico em modesta publicação comercial, com copiosa e boa ilustração, sofrivelmente reproduzida.

AZEVEDO, Francisco de Paula RAMOS DE

Nascido em São Paulo (1851-1926), cursou a Escola Militar no Rio de Janeiro e se formou Engenheiro e Arquiteto pela Universidade de Gand (Bélgica). Retornando ao Brasil, fixou-se em São Paulo a partir de 1886, foi Professor na Escola Politécnica e um dos fundadores e Diretor do Liceu de Artes e Ofícios de São Paulo. Durante mais de duas décadas, foi o mais expressivo e influente arquiteto e construtor de sua época, impondo seu estilo a numerosos edifícios públicos em São Paulo e no Rio de Janeiro, a escolas, igrejas, fábricas e residências particulares, contribuindo ainda como construtor em marcos históricos como o Teatro Municipal de São Paulo, o prédio da atual Pinacoteca do Estado e o do antigo Dops. Sua vida e obra encontra-se estudada em Ramos de Azevedo *por Maria C. W. Carvalho (v.).*

Album de construções.

São Paulo: Escriptorio Technico do Engenheiro Architecto F.P. Ramos de Azevedo, s.d.

Álbum encadernado e de grande dimensão (31 x 40 cm), sem texto, com cinqüenta excelentes fotogravuras de prédios públicos e particulares no Estado de São Paulo, projetados e construídos pelo arquiteto Francisco de Paula Ramos de Azevedo.

Signos de um novo tempo: a São Paulo de Ramos de Azevedo.

Cidade: *Revista do Departamento do Patrimônio Histórico*, São Paulo, ano v, nº 5, jan 1998.

Esta publicação, em quarto grande, é muito mais do que indica o modesto título da revista, pois é um tratado sobre a obra e a influência exercida por Ramos de Azevedo sobre o visual da cidade de São Paulo. Fotografias antigas e atuais, que a ilustram ricamente, e ensaios de primeira linha tornam esta obra imprescindível para o estudo de São Paulo.

AZEVEDO, MOREIRA DE

O Rio de Janeiro: sua história, monumentos, homens notáveis, usos e curiosidades.

3ª edição anotada por Elysio de Oliveira Belchior. Rio de Janeiro: Livraria Brasiliana Editora, 1969. (Coleção Vieira Fazenda, 12-13)

Em 1861, o médico Manuel Duarte Moreira de Azevedo (1832-1903) publicava um guia histórico-cultural do Rio de Janeiro sob o título de *Pequeno Panorama do Rio de Janeiro*, obra que reviu, ampliou e publicou novamente com o título atual em 1877. A presente terceira edição firmou-se como um dos clássicos da historiografia nacional e conta com importantes notas de Elysio de Oliveira Belchior e excelente escolha de gravuras antigas, retratos de personalidades históricas e fotografias, infelizmente poucas em relação à importância do texto.

B

BADOUREAU, JEAN-FRANÇOIS

Gravador e retratista francês (1789-?), aluno de Ruotte, trabalhou em Paris de 1819 a 1835 retratando personagens famosos. Ernesto Soares (v.) informa sobre três gravuras de assuntos luso-brasileiros: um retrato de D. Maria da Glória (futura D. Maria II, rainha de Portugal), sob desenho próprio, e os retratos de D. Pedro de Alcântara e da Arquiduquesa D. Leopoldina, sob desenho de Jules Antoine Vauthier, que formam um par. Herstal (v.) as descreve e reproduz, assim como são reproduzidas em "D. Pedro d'Alcantara e D. Leopoldina; gravuras de Jean-François Badoureau segundo desenhos de Jules Antoine Vauthier" (v.); o retrato de D. Leopoldina se encontra reproduzido em "Gravuras imperiais" (v.) e relacionadas sob o nº 17 897 no CEHB.

BAENDERECK, SEPP

Nascido na antiga Iugoslávia em 1920, estudou em Belgrado e, a seguir, cursou Belas Artes em Zagreb. Em 1948 emigrou para o Brasil, dedicando-se à publicidade e fundando a Denison Propaganda em São Paulo. Dedicou-se inicialmente à pintura abstrata, mas a partir de 1952 passou à figurativa e empreendeu várias viagens artísticas à Amazônia, das quais resultou o Manifesto do Rio Negro, *um estudo ecológico elaborado em colaboração com o crítico de arte francês Pierre Restany e o escultor Frans Krajkberg (v.) e apresentado no Museu Beaubourg (Paris) em 1979. Promoveu muitas exposições individuais e teve sua obra apresentada em* A pintura de Sepp Baendereck, *de José Geraldo Vieira. Faleceu em São Paulo em 1988.*

Arte brasileira em cartões postais.

[São Paulo: Denison/Massao Ohno, 1978?]. (Caderneta com doze cartões-postais)

Interessante série editorial da Denison (empresa publicitária paulista) focalizando diversos artistas plásticos brasileiros modernos, incluindo o proprietário da empresa, Sepp Baendereck. Este pequeno álbum é formado por treze cartões (um dos quais servindo de capa) reproduzindo suas pinturas amazonenses; o texto é formado por uma explicação do próprio artista e a transcrição integral do *Manifesto do Rio Negro do naturalismo integral*, subscrito por Pierre Restany.

BAGUET, A.

Viagem ao Rio Grande do Sul.

Florianópolis: Edunisc/Editora Paranha, 1997.

Tradução de Maria Aloes Müller da obra de um viajante belga publicada em 1874, foi ilustrada com gravuras de Jean-Baptiste Debret (v.) e vinhetas formadas por fragmentos de gravuras de Hippolyte Lalaisse (1812-1884) e Michel Olivier Lebas (1783-1843). Edição acadêmica, simples e bem feita, com revisão, mapa e rodapés por Maria Lucia Carneiro Pinto. Interessante.

BAHIA

O Estado da Bahia, formado por várias das primitivas capitanias hereditárias, teve e tem na cidade de Salvador um centro cultural e político da maior importância, além de ter sido palco da ocupação holandesa em 1624 e servido de capital do País até 1763. A grande beleza de sua capital e a da região costeira, a riqueza das usinas de açúcar do Recôncavo, as cidades históricas Santo Amaro e Cachoeira, sempre foram alvo cobiçado dos viajantes e artistas, legando à posteridade riquíssimo material iconográfico, principalmente do século XIX.

História das artes na cidade do Salvador.

[Por] Marieta Alves; Robert Smith; Carlos Ott; Affonso Ruy. Publicação da Prefeitura Municipal de Salvador comemorativa do IV centenário da cidade. Salvador: Prefeitura Municipal de Salvador, 1967. (Evolução histórica da cidade do Salvador, 4)

Como quarto dos cinco volumes da obra *Evolução histórica da cidade do Salvador*, a presente é importante no conjunto como também em si; contém os estudos "Arquitetura colonial" e "As artes menores na Bahia", de Marieta Alves (v.); e "Escultura", "A pintura na Bahia" e "O teatro na Bahia", respectivamente pelos demais. As fotografias antigas não foram bem reproduzidas mas são muito elucidativas.

Pequeno guia das igrejas da Bahia.

Salvador: Prefeitura Municipal de Salvador, 1949-1968. 21 v.

Sob este título esconde-se uma notável série de 21 opúsculos dedicados às principais igrejas de Salvador, na Bahia; estes modestos folhetos contam com boas fotografias mal reproduzidas e textos confiados a vários estudiosos baianos, um conjunto que, além de harmonioso, também é importante. A publicação desta série estendeu-se de 1949 a 1968 e teve a colaboração dos fotógrafos Voltaire Fraga (nº 1, 2, 3, 7, 8), Adriano Messeder (nº 4, 5, 6, 8, 9, 10, 11, 12, 13, 14, 16) e outros. Os exemplares publicados foram:

RUY, Affonso. *Pequeno guia das igrejas da Bahia: I – Catedral Basílica.* (1949)
ALVES, Marieta. *Pequeno guia das igrejas da Bahia: II – Ordem 3ª de S. Francisco.* (1949)
ALVES, Marieta. *Pequeno guia das igrejas da Bahia: III – Convento de S. Francisco.* (1949)
RUY, Affonso. *Pequeno guia das igrejas da Bahia: IV – Convento e Ordem Terceira do Carmo.* (1949)
ALVES, Marieta. *Pequeno guia das igrejas da Bahia: V – Convento do Desterro.* (1950)
ALVES, Marieta. *Pequeno guia das igrejas da Bahia: VI – Venerável Ordem 3ª de S. Domingo.* (1950)

RUY, Affonso. *Pequeno guia das igrejas da Bahia: VII – A Igreja da Ajuda e Devoção dos Passos.* (1950)
RUY, Affonso. *Pequeno guia das igrejas da Bahia: VIII – Mont-Serrat: o forte e a igreja.* (1950)
ALVES, Marieta. *Pequeno guia das igrejas da Bahia: IX – Igreja do Pilar.* (1951)
ALVES, Marieta. *Pequeno guia das igrejas da Bahia: X – A Igreja do Bonfim.* (195?)
ALVES, Marieta. *Pequeno guia das igrejas da Bahia: XI – A Santa Casa de Misericórdia e sua igreja.* (1952)
ALVES, Marieta. *Pequeno guia das igrejas da Bahia: XII – Igreja do SS. Sacramento e Sant'-Anna.* (1952)
ALVES, Marieta. *Pequeno guia das igrejas da Bahia: XIII – Convento da Lapa.* (1953)
RUY, Affonso. *Pequeno guia das igrejas da Bahia: XIV – Igreja da Graça.* (1953)
ALVES, Marieta. *Pequeno guia das igrejas da Bahia: XV – Igreja de N. S. Conceição da Praia.* (1954)
ALVES, Marieta. *Pequeno guia das igrejas da Bahia: XVI – Igreja de N. Senhora da Saúde e Glória.* (1961)
FREITAS, Maria José Rabelo. *Pequeno guia das igrejas da Bahia: XVII – Igreja de Santa Tereza.* (1962)
FREITAS, Maria José Rabelo. *Pequeno guia das igrejas da Bahia: XVIII – Igreja de N. Sra. da Vitória.* (1964)
FREITAS, Maria José Rabelo. *Pequeno guia das igrejas da Bahia: XIX – Igreja de N.S. da Palma.* (1964)
FREITAS, Maria José Rabelo. *Pequeno guia das igrejas da Bahia: XX – Igreja do Rosário dos Pretos.* (1966)
RUY, Affonso. *Pequeno guia das igrejas da Bahia: XXI – Igreja de N. S. da Penha de Itapagipe.* 1ª edição. (1968)

Bahia contemporânea: Caribé, Adam Firnekaes, Wilson Rocha, Edison da Luz, Gilberto Oliveira: gravura.

?: ?, [1967?].

Álbum de excepcional apresentação gráfica e encadernação, conta com uma introdução e ilustração de Carybé (v.) e a reprodução de cinco xilogravuras dos artistas Edison da Luz (1942), Gilberto Oliveira (1939) e Adam Firnekaes (Alemanha 1906, músico de profissão, expôs no MASP em 1953 e no Museu de Arte Moderna da Bahia em 1960).

Monumentos da Independência.

[Salvador]: Secretaria Municipal de Educação/Departamento de Cultura/Prefeitura Municipal de Salvador, 1973.

Comemorando 150 anos das lutas que se desenvolveram pela independência na então Província da Bahia em 1822-1823, o Departamento de Cultura de Salvador editou este livreto, mal redigido e mal ilustrado.

A grande Salvador: posse e uso da terra: projetos urbanísticos integrados.

[Salvador]: s.e., [1978].

Obra de grande impacto visual e muito curiosa, apresenta algumas características de muitas obras publicadas por órgãos públicos: suntuosa, de dimensão (42 x 30 cm) e peso excessivo (e conseqüente difícil manuseio), grande desperdício de papel com impressão de um só lado da folha, letras de tamanho descomunal (e correspondentes espaços entre letras e linhas). A curiosidade fica por conta da falta de cumprimento da finalidade expressa no título, subscrita com a autoridade da entidade pública coordenadora: a Companhia Estadual de Desenvolvimento Urbano – Cedurb; a advertência do prefaciador, "os textos reunidos neste volume, conquanto alguns deles possam, à primeira vista, ter caráter acadêmico de análise histórica...", pode ser usada como uma afirmação do fato concreto de se tratar na realidade de uma obra essencialmente histórica, mas ricamente ilustrada com notáveis documentos cartográficos e iconográficos, que demonstram a evolução da cidade ao longo dos séculos. Coube somente ao 12º e último capítulo uma pequena parte do tema proposto no título: "O problema habitacional. Narandiba. Cajazeira. Caji", confiado à própria Cedurb e dotado de muitas fotografias, plantas e tabelas estatísticas. O 11º capítulo é integralmente dedicado à "Memória fotográfica", riquíssima documentação bem reproduzida e atribuída em sucinto prefácio a uma plêiade de fotógrafos, infelizmente sem a devida posterior identificação. Obra importante e muito recomendável.

Álbum comemorativo da cidade do Salvador.

São Paulo: Habitat Editora Ltda., 1954.

Como colaboração aos festejos do IV centenário de São Paulo, a Prefeitura de Salvador apresentou este relatório administrativo autolaudatório incluído na série "Monografias – Cidades e Países", resultando uma obra pouco atraente, mal paginada e cheia de propaganda, mas dotada de boa documentação fotográfica.

Album da Bahia: mandado imprimir com a colaboração do Governo do Estado por iniciativa do R.C. da Bahia para ser distribuido entre os rotarianos de todo o Brasil como recordação da 8ª Conferencia Rotariana do Distrito 72.

Bahia: [Rotary Club da Bahia], 1937.

Um álbum de vistas gerais de Salvador, despretensioso mas bom, editado por ocasião de uma conferência rotariana.

Álbum-lembrança da exposição iconográfica e bibliográfica bahiana.

[Salvador]: Prefeitura Municipal de Salvador, 1951. (Catálogo de exposição, nov. 1949-jan. 1950)

Lamentável encontrar material iconográfico tão rico, notável e importante em um catálogo tão mal impresso; ótimas notas por autor não revelado.

Bahia: Brazil: a portfolio containing interesting information about the development, geology, agricultural products, cacao industry and other resources of this opulent State of Bahia, Brazil.

Bahia: Companhia Energia Elétrica da Bahia, s.d.

Interessante portfolio contendo três das quatro plaquetas originais sobre os temas do título, muito bem impressas e ilustradas com fotografias e um grande mapa desdobrável da Bahia. Uma alusão no texto e uma dedicatória na capa datam esta publicação entre 1931 e 1934; contém:

Information Sheet nº 1 – "Salvador Bahia"
Information Sheet nº 2 – ?
Information Sheet nº 3 – "The cacao industry of Bahia"
Information Sheet nº 4 – "Rural aspects of Bahia"

Bahia: centro histórico de Salvador; programa de recuperação = Salvador's historic district; recovery program.

Salvador: Instituto do Patrimônio Artístico e Cultural da Bahia/Corrupio, 1995.

Uma pequena obra cuja beleza independe do texto do tema ou de algumas das fotografias ao mesmo atinentes.

Bahia, cidade museu: roteiro artístico e histórico da cidade de Salvador.

[São Paulo]: Editora do Brasil S. A., [1949].

Publicado para as comemorações do IV centenário da cidade, este guia de aparência modesta é uma grande surpresa e cumpre amplamente o programa do título, incluindo as bem escolhidas e reproduzidas fotografias que ilustram os capítulos "Arquitetura religiosa e arte sacra", "Artistas baianos", "Fortes e redutos", "Arquitetura civil", "Monumentos, estátuas e bustos" e "Festas cívicas e religiosas; festas populares"; como atrativo especial: não contém propaganda. Importante.

Bahia: exposição historico-documental e bibliográfica.

S.l.: Galeria de Arte do Casino Estoril, s.d. (Catálogo de exposição)

Catálogo de seis folhas em fólio da participação de uma entidade científica portuguesa (a antiga Junta de Investigações Científicas de Ultramar) na "Semana da Bahia" organizada no Cassino Estoril de Lisboa. Além da enumeração da documentação histórica, bibliográfica e iconográfica apresentada, o catálogo contou com reprodução de gravuras antigas. Importante.

Bahia Porträt einer Stadt.

DU, Suíça, nº 317, mar 1967.

Esta obra forma a totalidade do nº 317 (de março de 1967) da revista suíça de arte DU (de renome internacional) e dedicada a "São Salvador da Bahia de Todos os Santos". O texto, em alemão e inglês, é do escritor suíço Hugo Loetscher (1918), que uniu seus grandes conhecimentos da cultura brasileira à concepção artística do fotógrafo René Burri (também suíço), em ensaio de grande expressão e beleza. Além do texto básico, a obra contém uma síntese de história da literatura brasileira pelo próprio Loetscher, transcrita somente em português.

Bahias.

Salvador: Editora Corrupio/Governo do Estado da Bahia, 1990.

O Governo da Bahia contratou uma das boas editoras de arte do País para esta obra de divulgação turística. O resultado foi tecnicamente bom, mas em seu conjunto é apenas mais uma "antologia" de fotografias que variam muito em importância e qualidade; completam a obra as legendas de Gustavo Falcón e um estudo do historiador Cid Teixeira.

Banco da Bahia.

Separata de "Relatório de 1972", [Salvador, 1973].

Comemorando 150 anos da independência da Província da Bahia, o Banco da Bahia ilustrou seu "Relatório de 1972" com reproduções de importantes obras de arte provenientes de coleções e museus de Salvador e do Recôncavo Baiano. Estas ilustrações foram reunidas nesta separata de excelente apresentação gráfica, enriquecida com um breve ensaio de Clemente Mariani sobre uma grande tela de Presciliano Silva (1883-1965) que se encontra no salão nobre da Prefeitura de Salvador (reproduzida na capa). Conta ainda com a reprodução da tela *Independência da Bahia*, de Antonio Parreiras (1869-1937), de oito dos vinte e sete *Orixás* de Carybé (v.) que se encontram em uma agência do banco, além de ótimas fotografias de várias igrejas e seus altares.

Câmara Municipal: cidade do Salvador/Bahia.

[Salvador]: Tipografia Beneditina Ltda., 1952.

Obra exclusivamente pictórica, em fólio grande, reproduz aspectos do Palácio da Prefeitura Municipal, seu salão monumental e os retratos das personalidades históricas da cidade; as reproduções não são muito boas.

Estado da Bahia: algumas das realizações do governo Juracy Magalhães: MCMXXXI–MCMXXXVII.

Rio de Janeiro: Pimenta de Mello, s.d.

Relatório de um governo estadual apresentado neste pequeno álbum dotado de muitas fotografias de obras públicas.

Evolução física de Salvador: 1549-1800: edição especial.

Salvador: Fundação Gregorio de Mattos/Centro de Estudos da Arquitetura na Bahia, 1998.

A folha de título nos informa tratar-se de uma "edição especial", atributo que esta importante e bela obra certamente merece. Trata-se da reedição de obra anteriormente publicada em dois volumes na série "Estudos Baianos" (coordenada pelo Prof. Americo Simas Filho), e conta com substancial acréscimo de ilustrações, entre gravuras e mapas, estes últimos infelizmente reproduzidos em formato muito pequeno.

Guia dos bens tombados: Bahia.

Rio de Janeiro: Expressão Cultura, [1983].

Este é o terceiro de uma série iniciada pela Editora Expressão Cultura com o *Guia dos Bens Tombados*, de 1980 (v.); segue o mesmo sistema de seus antecessores, apresentando em cada verbete um levantamento histórico, a descrição e a bibliografia, além de dados variados sobre época, autoria e outros. A coordenação foi de Alcídio Mafra de Souza e as ilustrações novamente confiadas aos desenhistas Jimmy Scott e Sussy, sobre os quais não foi possível obter informações. Apresentado em quarto grande, papel couché e bom acabamento, é em seu conjunto uma obra muito importante.

História de um engenho do Recôncavo: Matoim: Novo: Caboto: Freguezia: 1552-1944.

Wanderley Pinho, do Instituto Histórico e Geográfico Brasileiro; com numerosos clichês e desenhos de J. Wasth Rodrigues. Rio de Janeiro: Livraria Editora Zélio Valverde S/A, 1966.

Pequena plaqueta de apresentação, ilustrada e com texto condensado de obras do historiador Wanderley Pinho e de Carlos Eduardo da Rocha.

Igreja e Convento de S. Francisco: Salvador: Bahia.

2ª edição. Salvador: Editora Mensageiro da Fé, 1972.

Um álbum oblongo, de média dimensão, destinado a servir de guia para as obras de arte da igreja e, principalmente, para os oito painéis de azulejos do claustro. É um álbum peculiar, que oscila entre o bem e o mal feito, apresentando cada painel de um só lado da folha e bem reproduzido e, em compensação, as imagens da igreja através de três cartões-postais, dos quais um colado sobre a capa e os demais junto ao texto.

Instituto de Cacau da Bahia S/A.

Bahia: s.e., [1936?].

Suntuoso álbum oblongo que serve a uma sociedade cooperativa pública como relatório das atividades desenvolvidas de 1931 a 1935. Repleta de estudos financeiros e tabelas estatísticas, este relatório também é ricamente ilustrado com fotografias relacionadas à cultura e industrialização do cacau, e com vistas gerais da sede, das fazendas, das estradas e do transporte; para cada capítulo foi criado um frontispício em aquarela que comporta o título e se encontra reproduzido em cores.

Isto é a Bahia!

[São Paulo]: Edições Melhoramentos, [1953?].

Com prefácio, legendas e notas do historiador Edgard Cerqueira Falcão (transcrito em cinco línguas), esta é mais uma das publicações da série "Isto é..." da Editora Melhoramentos para divulgação de partes do território nacional. As fotografias, bem reproduzidas, são em sua grande maioria de Erich Hess, Sascha Harnisch e Alice Brill (v. estes). Algumas notas elucidativas encontram-se em suplemento.

O cenário da nossa revolução esquecida.

S.l.: s.e., s.d. (plaqueta)

Estranha mas fascinante publicação em seis folhas sanfonadas de 23 x 21 cm, contendo na primeira página o título supra e a reprodução em cores de uma gravura de Rugendas (Largo da Piedade e sua igreja em Salvador); procedendo ao desdobramento, surgem de um lado doze fotografias coloridas de aspectos de igrejas de Salvador por Roger Bester, e do outro o panorama *A Bahia dos rebeldes*, na realidade o "Prospecto que pella parte do mar faz a Cidade da Bahia Situado na Costa do Brasil pella altura de 13 graos de Latitude Austral e 345 graos e 36 minutos de Longitude de Polo Colocada sobre a Colina que pello lado Oriental fica eminente, a famoza Bahia de Todos os Santos. Anno de 1801" (como era costume nestes prospectos, todos os destaques da cidade encontram-se assinalados por números e a seguir descritos); a reprodução em branco e preto é boa. É provável que esta publicação tenha sido um suplemento de alguma revista ou tenha sido anexada a alguma obra sobre a guerra de independência da Província da Bahia em 1822-23. Muito interessante.

Palácio da Aclamação: restauração.

Salvador: Governo do Estado da Bahia/MAIS – Movimento e Ação Integrada Social, 1991.

Obra interessante, bem documentada e ilustrada, que revela as fases de restauro deste "casarão" de fins do século XIX e, principalmente, o Palácio e seus interiores após a conclusão das obras e a decoração para servir de palco à cerimônias oficiais e de museu.

Palácio Rio Branco: 1919-1986: um monumento que renasce.

Salvador: Bahiatur, 1986.

Plaqueta que apresenta, de uma maneira um pouco confusa, todas as fases do processo de restauro deste importante palácio que abriga atualmente a Bahiatur e a Fundação Pedro Calmon, esta com sua Biblioteca e o "Memorial dos Governadores"; muito bom o texto explicativo.

Pelourinho; centro histórico de Salvador – Bahia: a grandeza restaurada = Pelourinho; historic district of Salvador – Bahia: the restored grandeur.

2ª edição = 2nd edition. Salvador: s.e., 1994.

Obra ricamente ilustrada com fotografias de Bruno Furrer (v.), ao qual também se deve o interessante layout e a seleção das fotografias antigas que servem de comparação e contraste.

Polyanthéa: commemoração do 3º centenario da fundação na Bahia da V. O. 3ª da Penitencia do N. S. P. S. Francisco de Assis: 1635-1935.

Bahia: Tipografia Naval, 1935.

Grande álbum oblongo em modesta edição, com muito texto e muita ilustração razoavelmente reproduzida.

Proposta de valorização de três monumentos baianos.

Salvador: Coordenação de Fomento ao Turismo, set. 1974.

Uma brochura de formato oblongo, acabamento modesto e título que revela assunto quase técnico, esconde uma pequena jóia iconográfica que nos mostra a "Quinta do Tanque", o "Paço da Associação Comercial da Bahia"e o "Banheiro dos Jesuítas"; com ótimas fotografias de Juvenal Eustáquio Pereira e desenhos de Pedro Jorge Jesus do Bonfim.

400 anos do Mosteiro de São Bento da Bahia =The Monastery of Saint Benedict of Bahia its 400 years = 400 Jahre des Klosters des Hl. Benedikt in Bahia.

Dom Paulo Rocha, Dom Timóteo Amoroso, Clarival [do Prado] Valladares, Waldeloir Rego. [Salvador]: Sew do Brasil, [1982].

Patrocinada pela Sew e com diagramação de Emanoel Araújo (v.), esta é uma bela e importante obra comemorativa; as ilustrações couberam ao fotógrafo Rômulo Fialdini (v.) e ao arquivo da entidade.

Salvador.

São Paulo: Edicard, s.d.

Doze lindas fotografias coloridas em um álbum de doze folhas em cartolina forte, verbetes em português e inglês.

Salvador – Bahia.

São Paulo: Gráficas Brunner, 1974.

Pequeno álbum oblongo com doze fotografias coloridas, pouco comuns e boas, e resumidos verbetes explicativos em português e inglês.

Salvador: história e imagens = history and images.

Salvador: Projeto Abraxas, 1987.

Criado "para difundir aspectos culturais, artísticos e históricos da Bahia", o "Projeto Abraxas" publicou esta sua primeira obra, um texto histórico-cultural erudito aliado a uma "antologia fotográfica", conjunto de grande efeito neste belo álbum oblongo, com textos de José Alberione dos Reis (com versão em inglês) e as fotografias de Ivone Maria Avila da Fonseca.

Salvador da Bahia de Todos os Santos: iconografia seiscentista desconhecida.

Haia: s.e., 1957.

O título por si só revela a importância desta pequena obra, dotada de excelente estudo pelo especialista Joaquim de Sousa Leão (v.), que também se encarregou da tradução dos textos das gravuras holandesas.

São Francisco na Bahia; sua igreja e seu convento.

S.l.: s.e., s.d.

Pequeno álbum fotográfico, provavelmente da década de 1940; papel de qualidade inferior e deficiente reprodução das fotografias.

Teatro Castro Alves.

[São Paulo: Companhia Melhoramentos de São Paulo, 1958].

Esta obra, publicada sem indicação de editor, foi na realidade uma espécie de "Relatório" apresentado pela Construtora Norberto Odebrecht (v.) por ocasião da conclusão das obras do Teatro Castro Alves, em Salvador (Bahia). Com uma parte do texto confiada à equipe técnica e outra ao historiador de arte Clarival do Prado Valladares (v.), é uma obra interessante. A ilustração é formada por bons desenhos de Newton Silva (desenhista e pintor, participante do Salão Nacional em 1968) e por um documentário fotográfico das obras.

Vistas da cidade do Salvador, capital da Bahia.

Rio de Janeiro: Grande Estabelecimento Graphico Pimenta de Mello, 1923.

Álbum encadernado, de pequena dimensão (13,5 x 18,5 cm), com mais de noventa boas mas não tão bem reproduzidas fotografias.

Porto Seguro: 500 anos de Brasil.

São Paulo: Novartis, 1999.

Pequeno álbum com excelente ensaio fotográfico de Antonio Alberghini, em edição patrocinada e editada por uma indústria farmacêutica. Muito interessante.

BANCO BOZZANO SIMONSEN

Banco de porte sediado no Rio de Janeiro, foi um dos primeiros na publicação de seus acervos artísticos e revelou parte significativa deste em Dicionário de pintores brasileiros, *de Walmir Ayala (v.).*

Bozzano, Simonsen: acervo = collection.

Rio de Janeiro: Editor Spala Editora Ltda., 1981-1985. 5 v.

O Banco Bozzano Simonsen do Rio de Janeiro publicou o acervo artístico próprio nestes cinco volumes de impecável apresentação, revelando uma coleção muito rica e importante. As fotografias foram creditadas a Pedro Oswaldo Cruz (v.) a partir do segundo volume e todos os volumes contam com resumidas biografias dos artistas, destacando-se uma parte especial do terceiro volume, dedicada a Tarsila do Amaral com comentários de Antonio Bento (v.).

BANCO CHASE MANHATTAN

Banco Chase Manhattan: acervo: masterpieces.

[Rio de Janeiro]: Editora Index, [1989].

De um acervo superior a seiscentas obras de arte plásticas reunidas pelo Banco Chase a partir de 1960, este álbum nos apresenta cerca de sessenta peças, selecionadas por P. M. Bardi e fotografadas por Guilherme Fraconel.

Mestres brasileiros na coleção do Chase: 1993-1994.

S.l.: s.e., [1994]. (Catálogo de exposição, 1993-1994)

Catálogo de alta qualidade de uma exposição do acervo do título, prefaciado por Fabio Magalhães, curador do MASP.

BANCO DE CRÉDITO NACIONAL

Como tudo começou.

São Paulo: BCN, s.d.

Uma publicação muito interessante, formada por duas plaquetas distintas contidas em um estojo com o título supra. A primeira apresenta o Centro Administrativo do Banco de Crédito Nacional – BCN, de São Paulo, com fotografias de Linda Conde, e a segunda as esculturas que ornam este Centro, fotografadas por Rômulo Fialdini (v.) no local; contém ainda texto explicativo em português e inglês, as fotografias dos escultores e seus dados biográficos.

BANCO DO BRASIL

Este maior e mais importante dos bancos brasileiros passou por três fases históricas distintas, das quais somente a última atual merece destaque especial, quer para os historiadores quer para o estudo arquitetônico de seus múltiplos prédios e o do acervo artístico, além das atividades culturais-artísticas desenvolvidas em seus centros culturais no Rio de Janeiro e em São Paulo. Vários destes aspectos se encontram estudados em Museu do Banco do Brasil, Banco do Brasil: passado e presente *e* A velha Rua Direita, *todos de Fernando Monteiro (v.).*

Banco do Brasil: 1808-1829: museu e arquivo histórico.

S.l.: Banco do Brasil, s.d.

Modesta plaqueta em fólio, mal impressa, com o histórico do banco em sua primeira fase; poucas ilustrações, entre gravuras e reprodução em cores de cédulas e moedas.

BANCO DO DESENVOLVIMENTO DO PARANÁ – BANDEP

No início da década de 1970, o Banco do Desenvolvimento do Paraná, com sede em Curitiba, começou a promover grandes exposições temáticas culturais, históricas e artísticas do Estado do Paraná. Foram quase cinqüenta exposições ao longo de vinte anos, sempre documentadas com catálogos bem feitos (em dimensão uniforme e pouco comum de 28,5 x 21,0 cm), providos de excelentes textos, relação completa dos itens expostos e boas ilustrações, razoavelmente reproduzidas. Destes catálogos, foi possível examinar os seguintes, todos úteis como boas fontes de estudo:

Os alemães no Paraná
Os poloneses no Paraná
Os italianos no Paraná
Guaraqueçaba mar e mato, *esta com os desenhos de Julio Alvar (Espanha, 1928)*
Retrospectiva Hermann Schiefelbein *(Alemanha, 1885–Paraná, 1933)*
A gravura em madeira
Debret *(v.), com a totalidade das aquarelas e desenhos da Fundação Raymundo Ottoni de Castro Maia* (RJ).

NOTA: Entre a relação das demais exposições do Bandep constam várias que provavelmente também serão de grande interesse para a iconografia e, assim, aqui assinaladas:

"Exposição da independência"
"Retrospectiva de Guido Viaro"
"Exposição Santos Dumont"
"Mostra Poty – 50 anos"
"Retrospectiva Theodoro De Bona"
"Panorama da arte no Paraná – Dos precursores à Escola Andersen"
"Exposição da Marinha"
"Retrospectiva Paul Garfunkel"
"Retrospectiva Freyesleben"
"Pinturas de Emma e Ricardo Koch"

"Retrospectiva Lange de Morretes"
"Território paranaense".

BANCO ITAÚ

O Banco Itaú (São Paulo), um dos maiores bancos do País, destaca-se também como promotor de eventos culturais e artísticos; sua antiga "Galeria Itaú", palco de muitas importantes exposições de arte, cedeu há alguns anos à criação do Instituto Cultural Itaú (v.), este dotado de personalidade jurídica e sede própria; destaca-se ainda este grande Banco por um acervo cultural e artístico de excepcional qualidade, parte do qual deu origem ao Museu Numismático Herculano Pires (v.). O histórico deste grande Banco encontra-se relatado por Ignacio Loyola Brandão (v.) em Itaú: 50 anos.

100 obras Itaú.

São Paulo: Museu de Arte de São Paulo Assis Chateaubriand, 1985. (Catálogo de exposição, out.-nov. 1985)

Por ocasião da construção de sua sede social no centro histórico de São Paulo, o Banco Itaú contratou um arquiteto-decorador para orientar a aquisição de obras de arte em geral e de artes plásticas em particular, iniciativa da qual resultou, ao longo dos anos, um importante acervo artístico; deste riquíssimo acervo foram selecionadas cem obras para apresentação em uma mostra especial no Museu de Arte de São Paulo sob a curadoria de P. M. Bardi (v.), da qual a presente e bela obra serviu de catálogo e constituiu um autêntico tratado visual da história da arte brasileira, com ênfase no paisagismo.

Perfil da coleção Itaú.

São Paulo: Itaú Cultural, 1998.

Após a formação do acervo artístico do Banco Itaú e sua parcial divulgação na obra anterior, a coleção foi constantemente ampliada e nova seleção apresentada e estudada sob orientação de Stella Teixeira de Barros nesta rica, impecável e muito recomendável edição.

Iconografia brasileira: coleção Itaú: Sala Alfredo Egydio de Souza Aranha.

[Por] Pedro Corrêa do Lago; descrição bibliográfica das obras impressas: Ana Maria de Almeida Camargo. São Paulo: Itaú Cultural/Contra Capa, 2001.

Obra que faz parte das mais belas edições sobre o fascinante universo da iconografia brasileira do século XIX, fruto da recente aquisição pelo Banco Itaú da coleção de Ruy de Souza e Silva e formada, principalmente, por "álbuns" de artistas viajantes. De cada um destes álbuns foram reproduzidas várias gravuras e sua totalidade relacionada no final. Importante e muito recomendável.

Coleção numismática de Herculano de Almeida Pires: acervo do Banco Itaú.

[São Paulo: Itaú, 1988].

Riquíssima plaqueta que apresenta visualmente uma seleção das peças mais importantes desta coleção de moedas antigas brasileiras em ouro e prata. O texto explicativo foi confiado a Roberto Dualibi e as fotografias a Rômulo Fialdini (v.). NOTA: Esta coleção foi enriquecida pelo Banco Itaú ao longo dos anos e em 2000 transformada no Museu Herculano Pires, nova entidade amplamente documentada em reportagem fotográfica que constou da revista *Veja* (v.) de 25 de outubro de 2000.

Centro Empresarial Itaú-Conceição: uma proposta arrojada.

São Paulo: Itaú, 1986.

Empreendimento arquitetônico empresarial de grande impacto urbanístico e paisagístico é revelado nesta obra de grande beleza e cuidado editorial; fotografias devidas a Eduardo Castanho (v.) e os desenhos arquitetônicos e paisagísticos a Vallandro Keating.

Aquarelas de Georges Wambach: impressões do Brasil: acervo do Banco Itaú.

São Paulo: Editora Marca d'Água, 1988.

Muito bonito este álbum oblongo que reproduz as aquarelas de quatro cadernos de estudo do artista (v.), cadernos que se encontravam em mãos do *marchand* Renato Magalhães Gouvêa e foram adquiridos pelo Banco Itaú. A perfeita reprodução destas aquarelas (e de alguns desenhos a lápis) ressalta sua importância como documentos iconográficos e alia-se ainda a um excelente texto da organizadora Margarida Cintra Gordinho.

Segundo tradição adotada por muitos bancos, o Banco Itaú também publica um "Relatório anual" de suas atividades, sempre em excelente apresentação gráfica e ocasionalmente dotado de documentação visual sobre alguma temática especial, destacando-se entre estes o ano 1989 com acervo próprio, incluindo um Frans Post em folha dupla; o ano 1988 arte popular; o ano 1976 diversas telas de Frans Post, incluindo uma própria, em folha dupla; o de 1978, com fotografias de Otto Stupakoff (v.).

BANCO SAFRA

Este grande Banco paulista também se faz notar como patrocinador de importantes eventos sociais e culturais, atuando de um lado junto a organizações da comunidade israelita e de outro realizando exposições diversas de alto nível, notabilizando-se ainda recentemente pela aquisição de importantes esculturas, a seguir doadas à Pinacoteca do Estado de São Paulo. Em 1982 iniciou a publicação anual de uma série dedicada a museus brasileiros, totalizando, até a data, as vinte obras abaixo relacionadas, que serão resenhadas no verbete MUSEUS, *todas de impecável acabamento e todas imprescindíveis para estudos:*

A pinacoteca do MASP: de Rafael a Picasso *(1982)*
O Museu de Arte Sacra de São Paulo *(1983)*
Museu Paulista da Universidade de São Paulo *(1984)*
O Museu Nacional de Belas Artes *(1985)*
O Museu Paraense Emílio Goeldi *(1986)*
O Museu de Arte Sacra da Universidade Federal da Bahia *(1987)*
O Museu de Valores do Banco Central do Brasil *(1988)*
O Museu Histórico Nacional *(1989)*
O Museu de Arte Contemporânea da Universidade de São Paulo *(1990)*
O Museu Lasar Segall *(1991)*
O Museu Imperial *(1992)*
Palácio Itamaraty: Brasília: Rio de Janeiro *(1993)*
A Pinacoteca do Estado *(1994)*
O Museu da Inconfidência *(1995)*
Os Museus Castro Maya *(1996)*

O Museu de Arte da Bahia *(1997)*
O Museu de Arte Moderna de São Paulo *(1998)*
O Museu de Arte Moderna do Rio de Janeiro *(1999)*
O Museu do Homem do Nordeste *(2000)*
O Museu de Arte do Rio Grande do Sul *(2001)*

NOTA: Para o ano de 2002 foi publicado o 21º volume da série, a segunda edição da obra *Palácio Itamaraty. Brasília. Rio de Janeiro*, de 1993.

O Banco Safra, como os demais bancos importantes do país, publica relatórios anuais de suas atividades, estes sempre de excelente acabamento gráfico e ilustrados com vistas dos prédios e das dependências sociais, vistas ocasionalmente substituídas por imagens relacionadas a temas ecológicos e outros, destacando-se o de 1976, sobre fortalezas; o de 1994, com obra de Burle-Marx (v.); o de 1999, com vistas do Brasil.

BANCO SUDAMERIS BRASIL

Os 90 anos do Sudameris.

Edição especial de *Sudameris em revista*, ano XXXII, nº 174, jul.-ago. 2000.

Nesta edição especial da revista *Sudameris em Revista* (ano XXXII, nº 174, julho-agosto 2000), o antigo Banque Française et Italienne pour l'Amérique du Sud (atual Sudameris) registra sua participação no contexto econômico e social do País, relato que enriquece com sugestiva documentação fotográfica do arquivo próprio.

O antigo Banque Française et Italienne pour l'Amérique du Sud cessou suas atividades no Brasil na década de 1940, foi reorganizado na década seguinte e está ativo até a data sob a denominação atual supra; seu histórico encontra-se bem relatado em Sudameris Brasil: 80 anos de tradição, *de Milton Marianno (v.).*
Foi em 1978 que este Banco italiano (sediado em São Paulo e atualmente nacionalizado) iniciou a publicação anual de livros de arte, dos quais os primeiros treze como série intitulada Arte e Cultura, *com doze destes confiados à autoria de P. M. Bardi (v.) e os volumes subseqüentes a temas livres com forte tendência ecológica. Todas estas obras, a seguir relacionadas e resenhadas nos correspondentes capítulos, tiveram excelente apresentação gráfica e as doze primeiras consideradas imprescindíveis para estudos:*

BARDI, P. M. *O modernismo no Brasil.* (1978)
BARDI, P. M. *Arte da prata no Brasil.* (1979)
BARDI, P. M. *Arte da cerâmica no Brasil.* (1980)
BARDI, P. M. *Mestres, artífices, oficiais e aprendizes no Brasil.* (1981)
BARDI, P. M. *A madeira desde o pau-brasil até a celulose.* (1982)
BARDI, P. M. *Lembrança do trem de ferro.* (1983)
BARDI, P. M. *Comunicação: notícias de Cabral à informática.* (1984)
BARDI, P. M. *Engenharia e arquitetura na construção.* (1985)
BARDI, P. M. *Excursão ao território do design.* (1986)
BARDI, P. M. *Em torno da fotografia no Brasil.* (1987)
BARDI, P. M. *O ouro no Brasil.* (1988)
BARDI, P. M. *Em torno da escultura no Brasil.* (1989)

A metrópole e a arte. (1992)
Natureza: formas, texturas e cores. (1993)
Aves no Pantanal = Birds in the Pantanal. (1994)
Fernando de Noronha. (1995)
Ilha de Marajó; paisagem, cultura e natureza = Marajó island; landscape, culture and nature. (1996)
Rio São Francisco = São Francisco river. (1997)
Monumentos urbanos: obras de arte na cidade de São Paulo = City monuments: artworks in São Paulo. (1998)
Monumentos urbanos: obras de arte na cidade do Rio de Janeiro = City monuments: artwork in Rio de Janeiro. (1999)
MORAIS, Frederico. *O Brasil na visão do artista.* (2001)

O Banco Sudameris também segue a praxe de apresentar anualmente um relatório de suas atividades, às vezes ilustrado com temas artísticos ou culturais; entre estes destacaram-se: os de 1976 (selos comemorativos), de 1978 (prata antiga), de 1981 (objetos em madeira), de 1979 (cerâmica), de 1980 (antiguidades) e de 1982 (ferrovia).

BANDEIRA, CARLOS MANES

Parque Nacional da Tijuca.

São Paulo: Makron Books do Brasil Editora, [1993].

Misto de obra histórica e guia, também é híbrido no campo da documentação visual, representada em parte por fotografias pouco expressivas em preto e branco e, por outro lado, com boas fotografias coloridas de Gilberto Morna e por um mapa colorido e desdobrável do parque; anexo o folheto "Mapas" de quatro páginas (duas desdobráveis) e um índice dos sítios históricos. Como guia é útil, mas como documentário fotográfico nem tanto.

BANDEIRA, MANOEL

Desenhista pernambucano (1900-1964), autodidata, especializado em ilustrações de aspectos urbanos nordestinos. Muitas são as obras históricas que contêm suas ilustrações, destacando-se entre todas Olinda; 2° guia prático, histórico e sentimental da cidade brasileira *e* Livro do Nordeste, *de Gilberto Freyre (v.),* Capela de N. S. da Conceição da Jaqueira, *de José Antonio Gonsalves de Mello e* Porto do Recife *(v. estes).*

Desenhos de Manoel Bandeira.

Recife: Governo do Estado de Pernambuco/Secretaria de Turismo, Cultura e Esportes, 1983.

Com ótimo estudo do pintor José Claudio (1932), o Arquivo Público pernambucano publica parte do acervo da obra de Manoel Bandeira, este desenhista e ilustrador que dedicou grande parte de sua vida a retratar a terra natal e seus tesouros de arte. O presente e bem elaborado documentário apresenta vinhetas e ilustrações, retratos de figuras históricas, vistas das cidades e seus monumentos.

BANDEIRA, MANUEL Carneiro de Souza

Escritor e poeta brasileiro (1886-1968).

Guia de Ouro Preto.

Rio de Janeiro: Ministério da Educação e Saúde, 1938. (Publicações do Serviço do Patrimônio Histórico e Artístico Nacional, 2)

O poeta Manuel Bandeira criou, com esta obra, um dos melhores guias sentimentais do País e, certamente, o melhor de todos para a histórica cidade de Ouro Preto. Esta edição do SPHAN (nº 2) foi enriquecida com extraordinários desenhos a bico de pena de Luis Jardim (v.), alguns dos quais assinados "J. e Luis Jardim", por terem sido baseados em croquis de Joanita Blank (aluna de Portinari, participou do Salão a partir de 1937). Imprescindível para estudos.

Guia de Ouro Preto.

S.l.: Ediouro, 2000.

Nova edição deste "clássico", com transcrição integral do texto e acréscimo de notas explicativas por Jorge Moutinho, que também se encarregou do prefácio. Esta edição é bem inferior à original precedente em apresentação visual (as fotografias são boas e bem apresentadas, mas bastante convencionais), mas em compensação conta com boas notas elucidativas e dados atuais. Imprescindível para estudos.

BARATA, MARIO

Historiador de arte (1915), com curso em Museologia (Rio de Janeiro) e aperfeiçoamento na Sorbonne (Paris), catedrático de História da Arte na Escola Nacional de Belas Artes do Rio de Janeiro.

Igreja da Ordem 3ª da Penitência do Rio de Janeiro.

Rio de Janeiro: Livraria Agir, 1975. (Arte no Brasil, 3)

Texto sólido por um mestre da historiografia da arte, enriquecido com as sempre excelentes fotografias de Marcel Gautherot (v.).

Escola Politécnica do Largo de São Francisco: berço da engenharia brasileira.

Rio de Janeiro: Associação dos Antigos Alunos da Politécnica/Clube de Engenharia, 1973.

Obra histórica, artística e cultural, ilustrada com 37 gravuras e fotografias importantes.

Azulejos no Brasil: séculos XVII, XVIII e XIX.

Rio de Janeiro: s.e., 1955.

Esta tese de concurso para a cátedra de História da Arte da Escola Nacional de Belas Artes constitui provavelmente o melhor estudo nacional sobre a azulejaria no Brasil; as ilustrações, entretanto, não foram adequadamente reproduzidas. Muito interessante.

BARBOSA, ANA MARIA DE SOUZA

Memória da Rua XV.

S.l.: s.e., s.d.

Um requintado álbum oblongo, impresso de um só lado do papel e em encadernação especial. A autora apresenta de forma coloquial e simpática uma crônica da Rua XV da cidade de Santos (São Paulo), antiga Rua Direita, centro vital da cidade e do comércio cafeeiro do país, onde também se encontram a Associação Comercial e a Bolsa do Café, esta última especialmente focalizada em homenagem ao recente restauro de seu edifício-sede. Esmerada paginação e muito expressiva ilustração com fotografias antigas, além de recentes de Berenice Kauffmann Abud.

BARBOSA, ANTONIO

Relíquias de Pernambuco: guia aos monumentos históricos de Olinda e Recife.

[São Paulo]: Editora Fundo Educativo Brasileiro/Braintec, [1983].

Ainda que Gilberto Freyre afirme em seu prefácio que esta obra do Padre Barbosa é uma apresentação sintética dos monumentos de Olinda e Recife, a leitura nos convence de poder considerá-la como um guia erudito, digno de atenção e muito bem ilustrado com fotografias coloridas.

BARBOSA, FLORENTINO

Monumentos históricos e artísticos da Paraíba.

João Pessoa: A União Editora, 1953. (Coleção Arquivos Paraibanos)

Obra sólida e básica do Cônego Barbosa, ilustrada com vinhetas de Arnaldo Tavares e um bom número de fotografias, mal reproduzidas.

BARDI, LINA BO

Aquilina Bo (1914-1992), arquiteta italiana, chegou ao Brasil em 1946 em companhia do marido Pietro Maria Bardi (v.). Projetou a instalação do Museu de Arte de São Paulo no prédio "Diários Associados" no centro de São Paulo, e em 1957 a sede definitiva deste mesmo museu, um projeto ousado e controvertido que a tornou internacionalmente conhecida. Exerceu o magistério universitário, organizou cursos especializados de desenho industrial, reformou e adaptou prédios industriais e públicos e projetou a residência do casal, a "Casa de Vidro"; foi também curadora de várias exposições, entre as quais a grande exposição temática "A mão do povo brasileiro" no Museu de Arte de São Paulo, uma exposição que inexplicavelmente não contou com catálogo. Em companhia do marido, fundou o Instituto Quadrante por volta de 1990, que foi substituído pelo Instituto Lina Bo e P. M. Bardi após seu falecimento, ao qual couberam as obras artísticas e os bens físicos do casal.

Tempos de grossura: o design no impasse.

[São Paulo]: Instituto Lina Bo e P. M. Bardi. [1994].

Uma das controvertidas obras da autora incluídas na série editorial "Pontos sobre o Brasil". Grande defensora e incentivadora da arte popular, discute em torno do tema "O que existe é um pré-artesanato doméstico esparso, artesanato nunca", e apresenta rica ilustração desta arte e das grandes exposições que organizou no Museu do Unhão (Salvador) e "A mão do povo brasileiro", no MASP (São Paulo). Importante.

Sesc – Fábrica da Pompéia = Sesc – Pompeia Factory: 1977-1986.

Texto: Cecília Rodrigues dos Santos. Lisboa: Editorial Blau, 1996.

Casa de vidro = The glass house: São Paulo, Brasil: 1950-1951.

Textos/texts: Lina Bo Bardi, Marcelo Carvalho Ferraz. Lisboa: Editorial Blau/Instituto Lina Bo e P. M. Bardi, 1999.

Igreja Espírito Santo do Cerrado = Espírito Santo do Cerrado Church: Uberlândia, Brasil: 1976-1982.

Textos/texts: Lina Bo Bardi e Edmar de Almeida. Lisboa: Editorial Blau/Instituto Lina Bo e P. M. Bardi, 1999.

Teatro Oficina = Oficina Theater.

Textos/texts: Lina Bo Bardi, Edson Elito, José Celso Martinez Corrêa. Lisboa: Editorial Blau/Instituto Lina Bo e P. M. Bardi, 1999.

Quatro excelentes plaquetas sobre diversas obras desta importante arquiteta, muito bem ilustradas e muito recomendáveis.

Museu de Arte de São Paulo = São Paulo Art Museum: São Paulo, Brazil: 1957-1968.

Textos/texts: Lina Bo Bardi, Aldo van Eyck. São Paulo: Instituto Lina Bo e P. M. Bardi/Lisboa: Editorial Blau, 1997.

Pequeno álbum oblongo que relata, verbal e pictoricamente, a construção do Museu de Arte de São Paulo Assis Chateaubriand. O texto é de Lina Bo Bardi, arquiteta e autora do projeto, apresentando justificativas deste projeto revolucionário em sua estrutura e na concepção do aproveitamento do espaço interno. Consta um texto adicional de Aldo van Eyck a propósito de uma modificação radical do espaço e do método de exposição, tema que se encontrava em debate na ocasião.

Cidadela da liberdade: exposição.

São Paulo: Sesc/Instituto Lina Bo e P. M. Bardi, 1999. (Catálogo de exposição, 1999)

Concebida teoricamente como catálogo de uma exposição, a presente obra é na realidade um memorável documentário visual sobre todas as etapas do projeto arquitetônico de Lina Bo Bardi para o restauro de uma antiga fábrica na capital paulista e sua transformação em espaço cultural e de lazer urbano, um projeto que teve o mais espetacular dos sucessos e criou um dos símbolos de atração turística e cultural da cidade: o Sesc Pompéia. Textos excelentes e fotografias dos melhores especialistas aliaram-se à reprodução em cores de desenhos e aquarelas originais de Lina Bo Bardi.

BARDI, PIETRO MARIA

Jornalista, marchand *e historiador de arte (Itália, 1900-São Paulo, 1999), era estabelecido em Roma com o "Studio di Arte Palma". Em 1946 emigrou para o Brasil em companhia da esposa, a arquiteta italiana Lina Bo Bardi (v.), e fixou-se em São Paulo, participando em 1947 da criação do Museu de Arte de São Paulo, o atual Museu de Arte de São Paulo Assis Chateaubriand, um museu que dirigiu por mais de quarenta anos e do qual se tornou Presidente Honorário em 1992. P. M. Bardi também fundou e dirigiu as revistas de artes e arquitetura* Mirante das Artes *e* Habitát, *bem como a galeria antiquária "Mirante das Artes". Sempre combativo e polêmico, foi autor de muitas obras importantes e colaborou em muitas outras, contribuindo ainda com artigos sobre arte e cultura em jornais e revistas nacionais. Por força de seu estilo peculiar e um pouco dispersivo, aliado à sua qualidade de atento e irrequieto observador da vida artística nacional, suas obras não podem ser enquadradas sob algum rótulo, mesmo quando o título define expressamente o assunto; assim, nas obras a seguir relacionadas, o tema principal sucumbe freqüentemente a múltiplos subtemas, uma forma de expressão melhor definida com suas próprias palavras: "[...] um aviso: o texto não obedece nem ao rascunho de um plano, passando de um a outro argumento numa caminhada à procura dos mais variados assuntos, numerosos, alguns precisando de definições, outros propondo idéias talvez dignas de aparecerem" (*in Em torno da fotografia no Brasil, *de sua autoria). Muitas de suas obras nasceram durante o preparo e a realização de grandes exposições no Museu de Arte de São Paulo, entidade à qual dedicou grande parte de sua criatividade e cujo histórico escreveu e reescreveu em múltiplas ocasiões. O casal Bardi foi sempre grande mecenas do museu (biblioteca de arte, objetos greco-romanos, cerâmica pré-colombiana) e por volta de 1990 criou o Instituto Quadrante, destinado à "difusão cultural", uma entidade que foi sucedida, após o falecimento de Lina Bo Bardi em 1992, pelo Instituto Lina Bo e P. M. Bardi, ao qual foi doado todo o acervo artístico do casal e a residência conhecida por "Casa de Vidro". Falecido em 1999, Bardi foi alvo de grandes homenagens póstumas pelo museu e outras entidades culturais ao longo do ano 2000; para apreciação completa de sua vida, obra e influência no cenário cultural e artístico italiano e posteriormente no Brasil, convém consultar* P. M. Bardi, *de Francesco Tentori (v.). Em 1978 o Banco Sudameris Brasil (São Paulo) iniciou a publicação anual de treze obras de arte que formariam a série "Arte e Cultura", das quais as doze primeiras foram confiadas à autoria de Pietro Maria Bardi e a seguir relacionadas:*

O modernismo no Brasil.

São Paulo: Sudameris Banco Francês e Italiano para a América do Sul S/A, 1978. (Arte e Cultura, 1)

Arte da prata no Brasil.

[São Paulo]: Banco Sudameris Brasil S/A, 1979. (Arte e Cultura, 2)

Arte da cerâmica no Brasil.

[São Paulo]: Banco Sudameris Brasil S/A, 1980. (Arte e Cultura, 3)

Mestres, artífices, oficiais e aprendizes no Brasil.

[São Paulo]: Banco Sudameris Brasil S/A, 1981. (Arte e Cultura, 4)

A madeira desde o pau-brasil até a celulose.
[São Paulo]: Banco Sudameris Brasil S/A, 1982. (Arte e Cultura, 5)

Lembrança do trem de ferro.
[São Paulo]: Banco Sudameris Brasil S/A, 1983. (Arte e Cultura, 6)

Comunicação: notícias de Cabral à informática.
[São Paulo]: Banco Sudameris Brasil S/A, 1984. (Arte e Cultura, 7)

Engenharia e arquitetura na construção.
[São Paulo]: Banco Sudameris Brasil S/A, 1985. (Arte e Cultura, 8)

Excursão ao território do design.
[São Paulo]: Banco Sudameris Brasil S/A, 1986. (Arte e Cultura, 9)

Em torno da fotografia no Brasil.
São Paulo: Banco Sudameris Brasil, 1987. (Arte e Cultura, 10)

O ouro no Brasil.
[São Paulo]: Banco Sudameris Brasil S/A, 1988. (Arte e Cultura, 11)

Em torno da escultura no Brasil.
[São Paulo]: Banco Sudameris Brasil S/A, 1989. (Arte e Cultura, 12)

Estas obras foram publicadas pelo próprio banco em tiragens de dez mil exemplares, todas em primoroso acabamento e com excelentes ilustrações. A resenha se reporta às restrições retroapontadas que, no entanto, não diminuem a importância das obras e tampouco evitam de ser consideradas imprescindíveis para estudos. Entre as demais obras de Bardi destacam-se ainda as relacionadas a seguir, todas interessantes ou importantes e todas sempre muito bem ilustradas:

The arts in Brazil: a new museum at São Paulo.
[Milão]: Edizioni del Milione, 1956.

A primeira das obras de P. M. Bardi escritas no Brasil e praticamente a única em que se manteve razoavelmente fiel ao tema, dedicando a metade da obra ao acervo artístico do museu, e a outra a divagações sobre: São Paulo como centro museográfico, condições que permitiram a criação do museu e, finalmente, o trabalho desenvolvido para a conscientização do público.

Museo de Arte de São Paulo.
Buenos Aires/Madri/México: Editorial Codex S/A, [1968?]. (O Mundo dos Museus)

Um dos volumes da série "O Mundo dos Museus" da Codex, esta versão em português é em tudo idêntica ao original espanhol publicado no ano anterior. O texto do autor é uma versão abreviada de sua habitual história do museu e os verbetes para as obras reproduzidas também são de sua autoria; as fotografias foram de Luiz Sadaki Hossaka, assistente da Diretoria na época, e atual Diretor Geral do Museu.

Museu de Arte de São Paulo Assis Chateaubriand.

São Paulo: Gráficas Brunner, 1973. (Coleção Cultural Mercator, 3)

Como terceiro e último volume da "Coleção Cultural Mercator", este pequeno e belo álbum comporta o texto de Bardi em português e inglês e 36 lindas fotografias do suíço Bruno Furrer (v.).

História do MASP.

[São Paulo]: Instituto Quadrante, [1992].

Esta provavelmente não é a última e final versão da história do MASP mas é o canto do cisne de um autor nonagenário que nos apresenta algumas memórias de sua gestão "do meu MASP", exercida por mais de quarenta anos. Convém ler o comovente prefácio em que o autor dedica a obra à memória de Assis Chateaubriand no centenário de nascimento e à memória da então recém-falecida esposa, Lina Bo Bardi (v.). Completa a obra uma "Iconografia", sempre em preto e branco, e a reprodução de algumas das mais importantes obras do acervo, em cores. Importante e muito recomendável.

Tropical gardens of Burle Marx.

Amsterdam/Rio de Janeiro: Colibris Editora Ltda., [1964].

Talvez seja esta a melhor e a mais linda das obras dedicadas ao grande "jardineiro" brasileiro Roberto Burle-Marx (v.), de renome internacional. As fotografias, quase todas em preto e branco, foram confiadas a Marcel Gautherot (v.), um dos mestres incontestes da arte fotográfica no País. Esta obra infelizmente não logrou edição nacional, mas nem por isto deixa de ser imprescindível para estudos.

Profile of the new Brazilian art.

Rio de Janeiro/São Paulo/Porto Alegre: Livraria Kosmos Editora, [1970].

Ainda que esta seja uma obra que pretende apresentar as tendências da arte moderna no Brasil, vem a ser na realidade um estudo sério e pioneiro de apuração das origens desta arte e a das influências assimiladas, partindo do índio e passando pela arte popular até a era pós-Brasília, com longo capítulo dedicado à arquitetura e a Brasília; o estudo se desenvolve finalmente sobre a comunicação em massa, do *design* à propaganda, dos móveis e utensílios à moda, da fotografia ao cinema, da música ao teatro. Ricamente ilustrada e muito recomendável.

História da arte brasileira: pintura, escultura, arquitetura, outras artes.

[São Paulo]: Edições Melhoramentos, [1975].

O título desta obra serve de mero pretexto para o desenvolvimento de um estudo que o próprio autor descreve como "[...] contar em maneira diferente a história do Brasil saindo do ponto de vista di[sic] arte", uma fórmula para a qual "[...] vai além das significações corriqueiras para pensar nas mais aventurosas e disparatadas áreas, como a sentimental, a poética, a humana e até a própria arte social tão curiosa e em voga". Em resumo: obra bela, muito bem ilustrada e muito interessante.

Miguel Dutra, o poliédrico artista paulista: Itú, 1810-Piracicaba, 1875.

[São Paulo]: Museu de Arte de São Paulo Assis Chateaubriand, 1981.

Miguel Arcanjo Benicio de Assunção Dutra, o Miguelsinho (1815-1875), pintor autodidata, foi igualmente autodidata em escultura, arquitetura e música, ofícios que muito praticou em suas andanças para a reforma de igrejas no Estado de São Paulo em companhia do Padre Jesuíno de Monte Carmelo. Nesta belíssima obra (provavelmente a primeira dedicada exclusivamente ao artista), são apresentadas e comentadas 52 aquarelas (paisagísticas e alguns retratos) do acervo do Museu Paulista da Universidade de São Paulo.

Contribuições dos italianos na arquitetura brasileira: Itália-Brasil.

[São Paulo]: Fiat do Brasil/Com a colaboração da Fondazione Giovanni Agnelli, [1981].

Após o enorme sucesso da exposição do verbete "Itália-Brasil", a Fiat também patrocinou esta obra, definida pelo título e dotada de alta qualidade gráfica e rica documentação visual, em parte complementada pelo fotógrafo Rômulo Fialdini (v.).

A cultura nacional e a presença do MASP: referências de...

[São Paulo]: Fiat do Brasil/Com a colaboração da Fondazione Giovanni Agnelli, [1982].

Após patrocinar a grande exposição "Itália-Brasil" no MASP (v.) e a edição da precedente *Contribuições dos italianos na arquitetura brasileira*, a Fundação Giovanni Agnelli também editou este importante e belo volume, uma obra que constitui mais uma das versões da história do Museu e não, como nos induz a acreditar o título, apenas "Referências" de P. M. Bardi. O *layout* foi do próprio autor e a riquíssima ilustração quase toda em preto e branco, dando uma visão atualmente pouco usual mas muito atraente.

40 anos de MASP.

São Paulo: Crefisul, 1986.

O título já nos revela tratar-se de uma das versões da história do MASP, ainda que a presente seja ligeiramente abreviada. No mesmo estilo da precedente, também esta conta com suas ilustrações em preto e branco, uma apresentação que em nada diminui a importância da obra.

Lembranças de Le Corbusier: Atenas, Itália, Brasil.

[São Paulo]: Nobel, [1984].

Três quartas partes destas "Lembranças" se referem à estadia do arquiteto suíço Le Corbusier (v.) no Brasil, animadas com muitas fotografias do Rio de Janeiro e outras tantas sobre a participação do visitante no projeto do prédio do Ministério da Educação; constam ainda numerosos croquis arquitetônicos.

O poliédrico Hercules Florence: agenda Olivetti: 1980.

São Paulo: Olivetti, 1980. (Agenda comercial)

Abalizado estudo sobre Hercules Florence (v.), o artista que participou da Expedição von Langsdorff (v.) de 1825 a 1829, apresentada nesta luxuosa agenda; ilustrado com muitas aquarelas de Hercules Florence inseridas no texto, e adicional reprodução de doze aquarelas em folhas duplas. Obra importante para o conhecimento deste "viajante" e precursor da fotografia no Brasil, sem falar na beleza das aquarelas.

Inúmeros são os estudos, artigos, entrevistas e prefácios de autoria de P. M. Bardi em jornais, revistas e livros, todos relacionados a assuntos culturais, artísticos e museológicos brasileiros; foi também editor e colaborador da revista de arquitetura Habitat *(mais de oitenta números publicados a partir de 1950), e de* Mirante das Artes *(doze números a partir de 1967), ambas de sua propriedade, e editor da revista* Arte Vogue, *cujos dois primeiros números foram publicados em maio e setembro de 1977 e os três restantes como encarte na revista* Casa Vogue". *Destes estudos destacam-se os seguintes pelo valor histórico e iconográfico:*

Pietro Maria Bardi.

Edição de *Vogue: Brasil*, ano X, nº 115, fev 1985.

Pietro Maria Bardi por Pietro Maria Bardi, um estudo autobiográfico inserido em uma revista internacional comemorativa de dez anos de publicação no Brasil. Além de parte dedicada à sua formação e atividade na Europa, Bardi discorre longamente sobre o Museu de Arte de São Paulo no decurso de quarenta anos sob sua direção, fornecendo farta ilustração de seu arquivo particular.

Através da pintura: arte no espaço.

Edição de *Casa Vogue*, ano XI, nº 4, 1987.

Estudo que pretende ser preliminar para "estabelecer como se desenvolve a relação entre a construção e o arranjo interno", ilustrado com vários quadros de pintores brasileiros e duas aquarelas de Marguerite Tollemache (inglesa, ativa no Rio de Janeiro em 1855) que retratam interiores de uma residência rural em Petrópolis (1855). Na capa, desdobrável, uma aquarela de A. Giusti retratando a sala de música da Imperatriz Dna. Thereza Christina no Palácio São Cristóvão (cerca de 1870).

BARLÉU, GASPAR

Caspar van Baerle, ou Gaspar Barleus na versão latinizada, ou ainda Barléu na corrente grafia nacional, humanista holandês (1584-1679), autor de um relato panegírico do Governo do Conde Maurício de Nassau (v.) em Pernambuco (1637-1644), o clássico Rerum per octennium in Brasilia... *(Amsterdam, 1647).*

Historia dos feitos recentemente praticados durante oito anos no Brasil e noutras partes sob o Governo do ilustrissimo João Mauricio Conde de Nassau etc. ora Governador de Wesel, Tenente-General de Cavalaria das Provincias Unidas sob o Principe de Orange.

Tradução e anotação de Claudio Brandão. Rio de Janeiro: Serviço Gráfico do Ministério da Educação, 1940.

Bela edição em fólio grande desta obra fundamental sobre a ocupação holandesa no Brasil, originariamente publicada em latim como *Rerum per octennium in Brasilia...* (Amsterdam, 1647). Executada na forma de um fac-símile, contém a reprodução do retrato de Maurício de Nassau (v.) e de todas as importantíssimas gravuras de autoria do pintor holandês Frans Post (v.), um dos membros da comissão artística de Maurício de Nassau no Brasil. Contém ainda, em aditamento, uma "Explicação" e as "Notas" do tradutor, bem como um índice remissivo. A tiragem foi de 500 exemplares em brochura, papel vergé, e 30 em papel Ingres, f.c. (com vistosa encadernação em couro); ainda em 1940 foi feita uma segunda edição, também em 500 exemplares em brochura, e ainda uma edição em dimensão reduzida sem as ilustrações. Obra básica e imprescindível para estudos. NOTA: Durante a impressão da primeira edição verificou-se um erro ortográfico no colofon; corrigiu-se a palavra "Ingress" com a supressão do "s" final por rasura na chapa, permanecendo poucos exemplares com a palavra na grafia original. Em 1974 foi realizada uma reedição reprográfica (São Paulo: Editora da Universidade de São Paulo/Livraria Itatiaia Editora), com notas adicionais de Mario Guimarães Ferri e inexplicável omissão de todas as gravuras.

O Brasil que Nassau conheceu.

[Recife: Governo de Pernambuco/Secretaria da Educação e Cultura/Departamento de Cultura, 1979]. (Coleção Pernambucana, 20)

Este álbum gigante (64,5 x 48,0 cm), apresentado pelo historiador pernambucano José Antonio Gonsalves de Mello (v.), contém a reprodução integral das gravuras que ilustram a edição original do *Rerum per octennium in Brasilia...* (Amsterdam, 1647), de Gaspar Barleus, todas sob desenho de Frans Post (v.). Muito bem reproduzida, é uma bela obra, mas de difícil e incômodo manejo para consulta.

BARREIROS, EDUARDO CANABRAVA

Historiador e cartógrafo mineiro (1908-?), estudou desenho com Paulo Mestre, topografia com Arlindo Araújo e pintura em 1928 com Alberto Feijó Delpino. Executou as decorações das igrejas de Curvelo e Buenópolis e em 1940 fundou, no Rio de Janeiro, o Instituto Cartográfico Canabrava Barreiros, onde executou mapas e cartas que se notabilizaram, como foi o "Mapa turístico do Rio de Janeiro", de 1952.

Atlas da evolução urbana da cidade do Rio de Janeiro: ensaio: 1565-1965.

Rio de Janeiro, s.e., 1965.

Encomendada pelo Instituto Histórico e Geográfico Brasileiro, esta obra notável e de grande repercussão consumiu quatro anos de trabalho e conseguiu reunir "dezenas de plantas parciais, de sítios sobre que pairavam dúvidas e controvérsias, especialmente o das lagoas e alagados existentes no século XVI e suas extensões", nas palavras do prefaciador Gilberto Ferrez (v.). A edição, de execução modesta, foi em forma de álbum em fólio médio (48 x 33 cm) e contou com um anexo e utilíssimo índice de "Acidentes físicos, logradouros públicos e ocorrências diversas, referentes às pranchas". Obra imprescindível para estudos, e não só para o específico da evolução urbana da cidade ao longo de quatro séculos.

As Vilas Del-Rei e a cidadania de Tiradentes.

Rio de Janeiro: Livraria José Olympio Editora, 1976. (Coleção Documentos Brasileiros, 172)

Estudo erudito que atribui o berço natalício de Tiradentes à cidade de São João del Rei; dotado de cinqüenta ilustrações formadas por antigos mapas da região e excelentes desenhos a bico de pena dos artistas são-joanenses Geraldo Guimarães (1915) e Eduardo de Souza Baron, além de vários do próprio autor.

BARRETO, ANNIBAL

Fortificações do Brasil: resumo histórico.

S.l.: Biblioteca do Exército Editora, 1958. (Biblioteca do Exército, 250-251)

Com prefácio de Gustavo Barroso, o Coronel Barreto apresenta obra tipicamente militar em sua estrutura e temática, dando pouquíssimas informações que não se refiram a "construção, armamento, guarnição, comandante, reconstrução, etc.". As fotografias dos fortes são de pequena dimensão e muito mal reproduzidas. Acompanha a obra um envelope com o título "Mapas", que contém os croquis das fortificações, reproduzidos em papeletas avulsas de dimensões muito variáveis. É uma obra sobre tema importante e muito ilustrada, mas de reduzido valor iconográfico.

BARROCO

A arte barroca, ou simplesmente barroco, compreende-se como vigente na Europa do século XVII, mas no Brasil sua atuação desloca-se essencialmente para o século XVIII e se apresenta em duas correntes distintas: uma primeira, de forte influência lusa, que se desenvolveu no litoral, e outra mais popular e menos convencional, restrita quase exclusivamente à região das cidades históricas em Minas Gerais. Grande é a bibliografia desta produção artística no Brasil e grande a lista de importantes estudiosos que se dedicaram ao assunto, como Germain Bazin, Leopoldo Castedo, Eduardo Etzel, Carlos Del Negro (v. estes), mas no presente verbete serão examinadas apenas obras sem autor declarado dedicadas ao assunto em geral, omitindo-se assim as diretamente relacionadas à Arte Sacra e ao Aleijadinho (v. estes).

Barroco mineiro: Semana da Inconfidência.

Belo Horizonte: Fundação Clóvis Salgado, [1982]. (Catálogo de exposição, abr.-maio 1982)

Catálogo especial de uma exposição organizada pela Fundação Clóvis Salgado na "Semana da Inconfidência"; além da parte histórica, foram incluídos quatro artistas para uma "Projeção do barroco na arte mineira contemporânea". Excelentes a escolha do material fotográfico e os textos assinados por Affonso Avila, Susy de Mello e outros.

Iconografia do barroco brasileiro: do barroco nordestino ao sertanista.

Rio de Janeiro: s.e., 1970. (Catálogo de exposição, out. 1970)

Folheto-catálogo de uma exposição didática circulante, organizada pelo historiador Clarival do Prado Valladares (v.), para divulgação de obras menos conhecidas da região nordestina; foi formada por 36 ampliações fotográficas de um metro quadrado cada uma, em preto e branco, todas descritas. Sem ilustrações.

Bahia: momentos del barroco: iconografia: arquitectura: pintura: imaginería: orfebrería: joyería.

São Paulo: Instituto Cultural Brasil-Argentina de São Paulo, 1988. (Catálogo de exposição, dez. 1988)

Exposição realizada no Museo Nacional de Arte Decorativo em Buenos Aires, de altíssimo nível a julgar por este catálogo de excepcional qualidade gráfica e impacto visual.

Barroco: revista de ensaios e pesquisa.

?: Centro de Estudos Mineiros/Universidade Federal de Minas Gerais, ?.

Esta revista, que se define como "de ensaio e pesquisa", é uma publicação anual iniciada em 1969 para estudos eruditos sobre o tema do título e sob a direção do historiador Affonso Ávila. Importante em todos os sentidos e quase sempre muito bem ilustrada (em preto e branco e razoável reprodução), teve dois números de especial importância: nº 12 (1982-1983), complemento do "Congresso do Barroco no Brasil/Arquitetura e Artes Plásticas", realizado em Ouro Preto (1981), com notável ilustração atinente; nº 18 (1997-2000), um "número-simpósio" de responsabilidade do Instituto Cultural Flávio Gutierrez e subordinado ao tema "O território do barroco no século XXI", número especial que também se fez sentir em sua apresentação gráfica, encadernado na origem e fundamental melhoria na reprodução das inúmeras ilustrações, das quais a maior parte passou a ser colorida. Muito recomendável.

Herança barroca.

[São Paulo]: Fundação Armando Álvares Penteado, [1997]. (Catálogo de exposição, set. 1997)

A julgar pela alta qualidade deste catálogo, esta exposição comemorativa do cinqüentenário da FAAP, realizada no Palácio do Itamaraty em Brasília, foi bela e bem organizada pela curadora Maria Isabel Ribeiro.

Brésil baroque: entre ciel et terre.

Paris: Union Latine, 1999. 2 v. (Catálogo de exposição, nov. 1999-fev. 2000)

Edição monumental para este catálogo da grande exposição do barroco brasileiro apresentada no Petit Palais de Paris, uma das mais importantes e expressivas dos últimos tempos; vários textos eruditos e notável ilustração tornam esta obra muito recomendável. NOTA: Na mesma ocasião foi publicada uma versão dos textos em português, sem as ilustrações.

Arte barroca = Baroque art: Mostra do Redescobrimento.

São Paulo: Fundação Bienal de São Paulo/Associação Brasil 500 Anos Artes Visuais, 2000. (Catálogo de exposição, abr.-set. 2000)

Excelentes ilustrações neste catálogo, em quarto grande, de um dos doze módulos da "Mostra do Redescobrimento" (v.).

Missiones Jesuiticas brasileñas.

S.l.: [Museo de Arte Hispanoamericano Isaac Fernandez Blanco?, 2000?]. (Catálogo de exposição, nov.-dez. 2000)

Magnífico catálogo em espanhol de importante exposição do título, apresentada no Museo de Arte Hispanoamericano Isaac Fernandez Blanco em Buenos Aires. Esta exposição, formada por peças provenientes do Museu das Missões, fora anteriormente apresentada no Museu de Arte do Rio Grande do Sul, em abril de 2000, por iniciativa do Instituto Arte Viva de Porto Alegre e exibida parcialmente (e reproduzida no catálogo *Brésil Barroque; entre ciel et terre*) na grande exposição apresentada em Paris (1999). NOTA: O Museu das Missões referido no catálogo não consta do *Guia dos Museus Brasileiros* (Edusp, 2000), apesar de sua existência há sessenta anos, provavelmente por se encontrar tutelada pela UFRGS ou outra entidade pública.

BARROS, GERALDO DE

Nascido em 1930, no interior do Estado de São Paulo, iniciou estudos de pintura em 1946 e expôs pela primeira vez em 1947; na mesma época começou a se interessar por fotografia, com superposição de imagens, experiência que expôs no MAM-SP em 1950 como "Fotoformas". Após dois anos de estudo na Europa, retorna em 1952, passa novamente à pintura e funda a Unilabor, uma experiência bem-sucedida de gestão coletivista no desenho e fabricação de móveis que resultará em seu futuro empreendimento industrial "Hobjeto", do mesmo ramo. Em 1975 volta à fotografia, expondo na Bienal de Veneza em 1979, e em 1993 realiza a grande exposição "Fotoformas" no Musée d'Elysée em Lausanne (Suíça). Faleceu em São Paulo em 1998.

Geraldo de Barros: fotoformas.

Edited by/editado por/Herausgegeben von Reinhold Misselbeck, with essays by/com textos/Mit Beitragen von Marcos Augusto Gonçalves, Daniel Girardin, Michel Favre, Reinhold Misselbeck. Muncih/London/New York: Prestel, 1999.

Obra publicada para a exposição retrospectiva realizada no Museu Ludwig de Colônia (Alemanha), Sesc Pompéia (São Paulo) e Musée d'Elysée de Lausanne (Suíça), de alta qualidade gráfica e editorial, reproduz as fases "Fotoformas" (1946 e 1951) e as denominadas "Sobras", esta realizada entre 1996 e 1998, quando já fixada sua fama internacional. Muito interessante.

BARROS, MANOEL DE

Pantanal.

Goiás: Editora Ceres, s.d.

Bela síntese de um ensaio poético com um fotográfico, tendo por protagonistas o poeta Manoel de Barros (1916), "que não acredita em nenhuma de suas obras", e o fotógrafo Ary Brandi (1957), que viajou pelo mundo como fotógrafo de teatro e recentemente descobriu a "regência do Diretor-Deus na natureza". Muito recomendável.

BARROS, MARIA PAES DE

No tempo de dantes.

São Paulo: Paz e Terra, 1998.

Em 1946 a então nonagenária autora (1851-?) publicou as memórias de sua infância e juventude, um documento de grande importância, que focaliza os usos e costumes das famílias abastadas na então Província e na cidade de São Paulo. A presente segunda edição foi uma feliz iniciativa editorial, principalmente por ter adicionado importantes fotografias, quadros e gravuras da época.

BARROS, WANDERBILT DUARTE DE

Parque Nacional do Itatiaia.

[Rio de Janeiro]: Serviço de Informação Agrícola, 1955.

Um pequeno e bem elaborado guia por um funcionário do Serviço Florestal, muito bem ilustrado. Edição despretensiosa em brochura, com uma aquarela de J. B. de Paula Fonseca (1887-1960) na capa. Recomendável.

BARROSO, GUSTAVO Dodt

Museólogo e historiador (1888-1959), antigo diretor do Museu Nacional.

A coleção Miguel Calmon no Museu Histórico.

Rio de Janeiro: Imprensa Nacional, 1944.

O engenheiro Miguel Calmon du Pin e Almeida (1879-1935) foi proeminente político baiano, deputado, senador e Ministro das Obras Públicas. Falecido em 1935, sua enorme coleção de quadros, louça brasonada, prataria e móveis foi doada por sua viúva ao Museu Histórico Nacional (Rio de Janeiro), encarregando-se o diretor do Museu de cadastrá-la e minuciosamente descrevê-la. A reprodução parcial deste acervo é razoável.

História do Palácio Itamaraty.

2ª edição. S.l.: Museu Histórico Diplomático do Itamaraty/Ministério das Relações Exteriores/Seção de Publicações, 1968.

Obra básica sobre este importante e imponente solar construído para residência, adaptado a seguir para servir de sede aos primeiros governos republicanos, transformado em símbolo da diplomacia brasileira e atualmente convertido em museu. Amplamente ilustrada, conta também com minuciosa descrição dos tesouros artísticos, muitos dos quais reproduzidos. Importante. NOTA: Esta segunda edição (1968) omitiu numerosas fotografias da primeira, e uma terceira edição foi de qualidade inferior às precedentes.

O Brasil na lenda e na cartografia antiga: edição ilustrada.

São Paulo/Rio de Janeiro/Recife/Porto Alegre: Companhia Editora Nacional, 1941. (Brasiliana Biblioteca Pedagógica Brasileira, Série 5ª, 199).

Tema que sempre fascinou os estudiosos, também o fará nesta obra de um dos principais representantes da historiografia nacional. Edição simples em oitavo da série "Brasiliana", bem impressa e boa reprodução das dezessete ilustrações, quase todas desdobráveis.

BÄSSLER, W.

Muito pouco se conhece sobre este pintor e litógrafo alemão, ativo em Dresden e falecido por volta de 1853. Muito importante para a iconografia pernambucana um raríssimo álbum de sua autoria: VI Ansichten von Pernambuco und seiner Ungebung *(Dresden), relacionado no* CEHB *sob o nº 16 906 e infelizmente sem uma edição nacional até a data. As seis gravuras deste álbum, entretanto, bem como a correspondente folha ilustrada do título, encontram-se reproduzidas em* Raras e preciosas vistas panorâmicas de Recife. 1755-1855, *de*

Gilberto Ferrez (v.). Duas outras vistas de Recife de sua autoria, de grande formato (40,4 x 54,2 cm) e da mesma oficina litográfica de Dresden, também se encontram reproduzidas na obra de Gilberto Ferrez e relacionadas no CEHB *(nº 16 904 e 16 905).* NOTA: *Existe mais uma série de gravuras de W. Bässler retratando Recife, também de seis vistas mas em menor dimensão (28 x 37 cm), nunca reproduzidas.*

BASTOS, CARLOS Frederico

Pintor e desenhista (1925), também se dedicou à ilustração de obras artísticas, destacando-se suas vinhetas em Cidade de Salvador; caminho do encantamento, *de Darwin Brandão e Motta e Silva (v. estes).*

Igrejas, santos e anjos da Bahia.
São Paulo: Editora Cultrix, 1965.

Visão artística de um importante estudioso e competente desenhista.

BATE, RICHARD

*Comerciante e pintor amador inglês (1775-1856), chegou ao Rio de Janeiro em 1807, estabeleceu-se com comércio de artigos ópticos e náuticos e retornou à Inglaterra em 1854. A Cornell University (*EUA*) conserva 29 aquarelas deste artista, estudadas e reproduzidas em* Aquarelas de Richard Bate *de Gilberto Ferrez (v.) e parcialmente em* O que ensinam os antigos mapas e estampas do Rio de Janeiro *e em* A muito leal e histórica..., *ambas de Gilberto Ferrez, bem como relacionadas em* Rio de Janeiro através das estampas antigas, *de Lygia F. F. Cunha (v.). Em sua obra sobre estas aquarelas, Gilberto Ferrez reproduz outra obra de Bate e dá informações sobre ela, de paradeiro desconhecido e que serviu de base para uma gravura de James Storer (inglês, 1771-1852) subscrita: "Rio-de-Janeiro. Part of the Aquaduct, with the Street called Mata Cavalos seen through one of the Arches: the building upon the Hill is the Nunnery of Sancta Thereza. Eng.d by Storer, from a Drawing by Rich.d Bates[sic]. Esq.r Published Aug. 1 1820 by Sherwood, Neely & Jones, Paternoster Row, London."; chama ainda atenção sobre a grafia truncada de Bates. Na obra posterior* Iconografia do Rio de Janeiro. 1530-1890, *Gilberto Ferrez relaciona novamente a gravura e informa ser proveniente da obra* The geography, history and statistics of America and the West Indies. To the year 1822, *de H. C. Carey (Londres, 1823) e que existe a mesma gravura com o número de ordem 770 por um editor diferente: "Fischer, Son & Co. London" e datas de 1829 e 1838, reproduzindo em cores um exemplar da versão original; um exemplar de 1838 encontra-se reproduzido em* Visões do Rio de Janeiro na coleção Geyer *(v.).*

BATISTA, ABRAÃO

Poeta, escritor e xilógrafo (1935), formado pela Universidade do Ceará. Autor de um grande número de poesias de cordel, que ilustrou com gravuras próprias, obra iniciada com o folheto "Entrevista de um poeta de Juazeiro com os 44 santos cassados". Em 1973, organizou com o gravador Stenio Diniz a I Bienal de Artes de Juazeiro do Norte, e em 2001 participou da grande exposição "Cem anos de cordel", no Sesc Pompéia, em São Paulo.

Via sacra: 17 xilogravuras e versos de Abraão Batista.

Apresentação de Pe. Murilo de Sá Barreto. Juazeiro do Norte: Ed. do autor, [1979].

Modesto álbum oblongo que reproduz em folhas soltas, com perfeição, as dezessete xilogravuras e os versos para esta "Via Sacra" de um dos mais originais "cordelistas" (v. Cordel) da atualidade.

BATISTA, MARTA ROSSETTI

Bandeiras de Brecheret: história de um monumento: 1920-1953.

São Paulo: Departamento de Patrimônio Histórico, 1985.

Amplo documentário sobre o escultor Victor Brecheret (v.) e a construção do Monumento às Bandeiras Paulistas, símbolo da cidade de São Paulo. O volumoso material fotográfico desta obra é tratado como complementação do texto, sem preocupação com paginação e boa reprodução, e com freqüente concentração excessiva de imagens em uma só página, transformando o estudo do monumento em uma autópsia de suas múltiplas partes. De difícil leitura, não deixa de ser muito interessante.

BAUCH, EMIL

Pintor alemão (1823-?), emigrou para Pernambuco em 1849, onde trabalhou como "retratista de Hamburgo". Em 1856 transferiu-se para o Rio de Janeiro, onde dava aulas de desenho, tornou-se retratista de renome (retratos do Marquês do Paraná e dos Barões de Nova Friburgo no IHGB *e dos Condes de Nova Friburgo no Museu da República), associou-se ao pintor Henri Nicolas Vinet (?-1876) em 1869 e participou dos Salões de 1859, 1860, 1862 e 1872, retornando à Alemanha em 1874. De sua autoria os desenhos para um álbum com doze cromolitografias executadas por F. Kaus (provavelmente na Alemanha), raríssimas gravuras que se encontram reproduzidas em* Recife de Emil Bauch. 1852, *de Gilberto Ferrez (v.); pelo mesmo também os de nº 2, 5, 8 e 10 no catálogo* Iconografia do Recife. Século XIX. Exposição comemorativa *e em* Nordeste histórico e monumental, *de Clarival do Prado Valladares (v.). Na obra* Palácio Itamaraty. Brasília. Rio de Janeiro *(v.) foram reproduzidas seus quadros* Porto de Recife *e* Cais Pharoux. Rio de Janeiro, *e na* A muito leal... *de Gilberto Ferrez, um grande panorama a vôo de pássaro do Rio de Janeiro em cromolitografia de J. Vogler, de Viena, regravada no fim do século* XIX *por Auguste-Victor Deroy (?-1906) com alguns acréscimos e reproduzida em* Mapa, *de Isa Adonias (v.). Algumas de suas telas a óleo encontram-se reproduzidas em* Pinturas e pintores do Rio de Janeiro *(v.).*

BAZIN, GERMAIN

Historiador de arte e museólogo francês (1901-?), foi professor de museologia no Museu do Louvre (Paris) e posteriormente curador das pinturas de 1951 a 1966. Por mais de dez anos viajou com freqüência pelo Brasil para estudar a arquitetura barroca.

L'architecture religieuse baroque au Brésil: Tome I – Étude historique et morphologique.

São Paulo: Museu de Arte/Paris: Librairie Plon, [1956]. (Editions d'Histoire e d'Art) v. 1.

L'architecture religieuse baroque au Brésil: Tome II – Répertoire monumental, Documentation photographique, Index Général.

São Paulo/Paris: Museu de Arte/Librairie Plon, [1958]. (Editions d'Histoire e d'Art) v. 2.

Obra erudita e monumental em dois volumes, dos quais o primeiro dedicado ao estudo histórico, com profusa ilustração com desenhos de plantas e fachadas de igrejas, detalhes arquitetônicos e ornamentais; o segundo é dedicado à descrição histórica das igrejas e substancial documentação fotográfica, em preto e branco e em grande parte do próprio autor. Muito importante e imprescindível para estudos.

Aleijadinho et la sculpture baroque au Brésil.

[Paris]: Le Temps, [1963].

Outra obra de grande importância e extraordinariamente bem ilustrada com muitas fotografias históricas e outras do autor, todas em excelentes reproduções em preto e branco e algumas coloridas.

BECHER, HANS

Etnólogo alemão, formado pela Universidade de Hamburgo, trabalhou no Museu Paulista da Universidade de São Paulo de 1954 a 1955, colaborando com o Professor Herbert Baldus na obra Bibliografia crítica da etnologia brasileira *(São Paulo, 1954); em 1955, 1960 e 1970 empreendeu expedições à região do Rio Negro, em 1974 voltou à Alemanha e retornou ao Brasil em 1980 para os estudos preliminares dos quais resultaria a obra a seguir resenhada.*

Georg Heinrich Freiherr von Langsdorff in Brasilien: Forschungen eines deutschen Gelehrten im 19: Jahrhundert.

Berlim: Dietrich Reimer Verlag, 1987.

Estudo acadêmico sobre a vida e atuação do Barão von Langsdorff (v.), importante naturalista e viajante alemão que chefiou, de 1826 a 1829, uma importantíssima expedição científica a serviço do Imperador da Rússia. Esta muito bem cuidada edição contou com poucas fotografias e alguns desenhos de Rugendas, Hercules Florence, Thomas Ender (v. estes) e outros, além de quatro mapas executados por Hercules Florence sobre o roteiro da expedição. A capa reproduz em cores o retrato do Barão, de autoria de A. Barbieri, sob desenho de Florence. Importante.

O Barão Georg Heinrich von Langsdorff: pesquisas de um cientista alemão no século XIX.

[Brasília]: Editora HNB/Edições Diá, [1990].

Esta tradução da obra anterior foi realizada por Mario Nunes Jr. e conta com um rápido estudo de Marcos Pinto Braga sobre o autor e sobre o Barão von Langsdorff, além de um posfácio que retrata a Rússia e as circunstâncias que deram origem à expedição e a escolha do seu dirigente. Esta edição foi apresentada em dimensão menor, ilustrada somente em branco e preto e omitidas algumas das ilustrações do original, incluindo os mapas de Hercules Florence (v.). Estas restrições não tornaram a obra menos importante.

BELL, ALURED GRAY

The beautiful Rio de Janeiro.

London: William Heinemann, [1914?].

Informa-nos o autor, em seu prefácio, que esta obra fora encomendada pelo Marechal Hermes da Fonseca, Presidente do Brasil, para fornecer instruções sobre o País à mocidade escolar inglesa, uma explicação algo esdrúxula considerando o luxo da edição, fornida de inúmeras ilustrações em preto e branco, vários desenhos da caricaturista Rian (Nair de Teffé, esposa do Presidente) e boas aquarelas de Benno Treidler (v.), Lenon e Edgar Pattison.

BELLUZZO, ANA MARIA DE MORAES

O Brasil dos viajantes.

Volume I. Imaginário do Novo Mundo. Volume II. Um lugar no universo. Volume III. A construção da paisagem. [São Paulo]: Metalivros/[Salvador]: Odebrecht, 1994. 3 v.

Esta obra pode ser considerada um marco na historiografia da iconografia do Brasil. Publicada simultaneamente e como causa/efeito da grande e importante exposição temática de mesmo título, realizada no MASP em 1994 sob o patrocínio da Odebrecht (v.), teve por autora uma professora universitária doutorada em história da arte, à qual também coube a curadoria e responsabilidade da exposição. Foi apresentada em três volumes encadernados em quarto grande e extraordinária qualidade editorial e gráfica, ostentando cada volume como subtítulo o correspondente módulo apresentado na exposição e como ilustração as obras dos "viajantes" (v.) que percorreram o Brasil ao longo dos séculos. Além das figuras conhecidas e consagradas da iconografia, foram apresentadas muitas outras praticamente desconhecidas, entre as quais J. J. Ribeiro, Joaquim José de Miranda, Alexandre Buchau, Jacques Burkhardt (membro da Expedição Thayer de Louis Agassiz), William Havel (1782-1857), Caroline F. Levison Gower, Sunqua (chinês), François Brunery, James L. Poole (1808-1886), Adolphe Potemont (1828-1883), John Christian Schetky e F.E. Cox (no Brasil em 1871), todos merecedores de pesquisas especiais. Mereceram também grande destaque os membros da Missão Artística Francesa (v.), ainda não devidamente estudados até a data, assim como os igualmente pouco estudados Jorge Grimm, Emil Bauch (v. estes) e Franz Keller-Leuzinger. Resumindo: obra monumental, bela e importante, imprescindível para estudo e indispensável em uma boa biblioteca de história da arte.

BELMONTE

Benedito Barros Barreto (1897-1947), desenhista e escritor, destacou-se como notável ilustrador de obras próprias e de terceiros e como caricaturista político e criador da figura do "Juca Pato".

Brasil de outrora: desenhos e legendas de Belmonte inspirados em gravuras de Rugendas.

S.l.: Edições Melhoramentos, s.d.

O título revela o espírito da obra e de sua realização por este notável cronista e desenhista, que escolheu o formato de um caderno de desenho (27,5 x 37,5 cm) para esta edição de seus desenhos a nanquim.

No tempo dos bandeirantes.

São Paulo: Departamento de Cultura, 1939. (Coleção Departamento de Cultura, 24)

Esta é a obra mais importante e conhecida do autor, um estudo clássico sobre São Paulo e os usos e costumes de sua população nos séculos XVI e XVII, integralmente ilustrada com seu inconfundível traçado. NOTA: A uma terceira edição, revista, documentada e definitiva (Companhia Melhoramentos), seguiu-se uma última como volume XX da "Coleção Paulística" do Governo do Estado de São Paulo, fac-símile daquela, contando com um estudo preliminar do historiador Leonardo Arroyo e as mesmas ilustrações.

BELO HORIZONTE

Em fins do século XIX, o Governo da então Província de Minas Gerais iniciou estudos para a formação de uma nova capital em substituição a Ouro Preto, planos que levaram no início da década de 1890, à indicação do engenheiro Aarão Reis e à escolha do antigo Arraial de Curral del Rei como local ideal, formando-se assim a atual Belo Horizonte, confirmada como capital do Estado em 1897.

Belo Horizonte: circuito da memória: 1897-1997.

Belo Horizonte: Prefeitura Municipal de Belo Horizonte, 1997.

Álbum curioso, mistura de propaganda do Governo municipal com apresentação sofisticada de fotografias antigas e modernas, estas apresentadas em dimensão comum e com verbete explicativo no verso e em dimensão maior e forma de cartão-postal destacável do álbum.

Belo Horizonte: de Curral del Rei à Pampulha.

Belo Horizonte: Centrais Elétricas de Minas Gerais, 1982.

Álbum histórico formado pela documentação fotográfica basicamente proveniente do Museu Histórico Abílio Barreto e do acervo de José Góes, um conjunto enriquecido com a transcrição de comentários e citações de diversos intelectuais e literatos. Recomendável.

Belo Horizonte: guia turístico-cultural.

Belo Horizonte: Editora C/ Arte, 1998.

Com boas fotografias de Juninho Motta (todas em pequena dimensão), estamos perante um guia bem feito, prático e culturalmente importante.

Belo Horizonte: o nascimento de uma capital.

[São Paulo]: Museu de Arte de São Paulo Assis Chateaubriand, 1996. (Catálogo de exposição, mar.-jun. 1996)

Exposição de alta qualidade, organizada com o concurso de diversos museus franceses e nacionais sob a curadoria científica de Heliana Angotti Salgueiro, a quem também se devem os textos. O catálogo é obra quase independente, muito bem ilustrado e digno da beleza e importância que foi a exposição.

Centenário de Belo Horizonte: alguns aspectos da cidade de Belo Horizonte: 1927.

São Paulo?: [Siemens], 1997.

Álbum oblongo, sem texto, que reproduz razoavelmente doze das vinte fotografias de um raro e belo álbum *Alguns aspectos da cidade de Belo Horizonte. 1927.*

Guia de Belo Horizonte e cidades históricas.

S.l.: Touring Club do Brasil, s.d.

Pequeno guia editado pelo Touring Club do Brasil, o texto é bem fraquinho, mas as fotografias são boas.

História de Belo Horizonte; duas épocas: a epopéia de um povo; fotos e documentos desde o Capitão Ortiz em 1701 até os dias de hoje.

Belo Horizonte: C.R. Editora, 1981.

Obra em quarto grande e capa ornada com vistosa fotografia colorida, aparenta externamente muito mais do que é na realidade: uma espécie de revista em 30 mil exemplares, com propaganda pública e privada, muito mal paginada e impressa e com péssima reprodução do excelente material fotográfico antigo, provavelmente proveniente do Museu Abílio Barreto.

Palácio da Liberdade: restauração 1981-1983.

S.l.: s.e., [1983?].

Projetado pelo arquiteto pernambucano José de Magalhães (formado em Paris) e destinado a servir de sede de governo na recém-fundada capital de Minas Gerais, o Palácio da Liberdade foi construído nos últimos anos do século XIX em estilo eclético sob influência francesa. Nesta obra encontramos um minucioso histórico do Palácio e um relato das obras de restauro empreendidas, tudo muito bem documentado com fotografias coloridas. Conta ainda com um inventário dos móveis, utensílios e alfaias e um catálogo do acervo de sua pinacoteca, esta aliás surpreendentemente muito modesta.

Pampulha.

Rio de Janeiro: Imprensa Nacional, 1944.

Álbum encadernado na origem, que nos apresenta, de forma irrepreensível, o conjunto arquitetônico da "Pampulha" em Belo Horizonte. Além de um prefácio do arquiteto Oscar Niemeyer (v.) e reprodução de muitos de seus desenhos e croquis, constam ainda as insuperáveis fotografias de Marcel Gautherot (v.). Muito recomendável.

Velhos horizontes: um ensaio sobre a moradia no Curral Del Rei.

Belo Horizonte: Museu Histórico Abílio Barreto, 1997.

Plaqueta bem apresentada, que serve de catálogo a uma exposição do restauro e inauguração do "Casarão" de 1883, na antiga Fazenda do Leitão, atual abrigo do Museu Histórico Abílio Barreto. Ilustrado com fotografias antigas e reprodução de peças do museu.

Juscelino prefeito: 1940-1945.

[Belo Horizonte]: Prefeitura Municipal de Belo Horizonte/Museu Histórico Abílio Barreto, abr. 2002. (Catálogo de exposição, abr. 2002)

Poliantéia fotográfica do Governo Municipal de Belo Horizonte na gestão do ex-Presidente Juscelino Kubitschek; os textos são bons e muito melhores do que a documentação fotográfica apresentada em forma de antigos almanaques.

BELTON, WILLIAM

BELTON, William e DUNNING, John. *Aves silvestres do Rio Grande do Sul.*

2ª edição. Porto Alegre: Fundação Zoobotânica do Rio Grande do Sul, 1986.

Um diplomata aposentado e um engenheiro, ambos americanos, tornaram-se ornitólogos e respectivamente colaboradores do Smithsonian Institute de Washington D. C. e da Audubon Society. Transferindo suas bases para o Rio Grande do Sul, criaram este belo e pequeno álbum no qual se destacam as simpáticas fotografias de John Dunning.

BENEDICTO, NAIR

Fotógrafa brasileira (1940), formada em Comunicação pela Universidade de São Paulo, dedicou-se ao fotojornalismo a partir de 1972. Foi uma das fundadoras e colaboradoras da Agência F4 de 1979 a 1991 e a seguir fundou a agência N Imagens; entre 1988 e 1989 documentou para a Unicef a situação das mulheres e dos menores na América Latina e em 1980 publicou os ensaios fotográficos A greve no ABC *e* A questão do menor, *este com Juca Martins (v.). Participou de numerosas exposições, colabora em muitas revistas nacionais e estrangeiras, consta com forte representação em* São Paulo: imagens de 1988 *(v.) e encontra-se representada na "Coleção Pirelli" do MASP (v.).*

As melhores fotos = The best photos: Nair Benedicto.

[São Paulo]: Sver & Boccato, [1988].

Um dos excelentes álbuns de uma série de quatro publicados por uma editora especializada em fotografia, que apresenta 77 obras (quase todas coloridas) produzidas entre 1977 e 1988.

BENTO, ANTONIO

Antonio Bento de Araujo Lima (1902-?), jornalista e crítico de arte, autor de Ismael Nery *(1973),* Milton Dacosta *(1980),* Portinari *(1980) e* Abstração na arte dos índios brasileiros *(1979).*

O realismo ecológico de Maria Campos = The ecological realism.

[Rio de Janeiro]: Egral, [1981].

Maria Rosária Pires de Souza Campos (1917), pintora e desenhista, participou do Salão Nacional de 1963, 1965 e 1968, obtendo prêmios menores. Esta obra, de impecável acabamento, é visualmente bonita, assim como interessante o ambiente "ecológico" criado pelas casas, ruas e becos retratados. A pintura, entretanto, é de inspiração essencialmente decorativa e acadêmica, opinião que naturalmente é contrária à do autor.

Abstração na arte dos índios brasileiros.

[Rio de Janeiro]: Spala Editora, [1979].

A "abstração" do título é a base de estudo dos artefatos e da arte indígena, mas a ilustração deste belo álbum abrange todos os aspectos da cultura indígena, reproduzindo ilustrações da *Viagem filosófica* (v.), de Jean-Baptiste Debret (v.) e outros, além de muito material dos museus Nacional e do Índio. Muito recomendável.

BERGER, PAULO

Médico e iconógrafo carioca.

Dicionário histórico das ruas do Rio de Janeiro: I e II regiões administrativas – Centro.

Rio de Janeiro: Gráfica Olímpica Editora Ltda., 1974.

Uma obra para especialistas, muito bem ilustrada com fotografias antigas de Augusto Malta (v.) e algumas poucas de Marc Ferrez (v.).

Bibliografia do Rio de Janeiro de viajantes e autores estrangeiros: 1531-1900.

[Rio de Janeiro]: Livraria São José, [1964].

Obra importante e na prática também pioneira, cujo título fala por si; as ilustrações se limitam à reprodução dos frontispícios de uma centena de obras. Indispensável para estudos. NOTA: A segunda edição (1980) foi revista e aumentada.

Dicionário histórico das ruas de Botafogo (IV região administrativa).

Rio de Janeiro: Fundação Casa de Rui Barbosa, 1987.

Após a publicação da obra anterior acima referida que permaneceu incompleta, a Fundação Casa Ruy Barbosa resolveu completar o levantamento desta IV Região Administrativa e convidou Paulo Berger para colaborar nesta nova publicação, ilustrada com cartões-postais antigos (mal reproduzidos).

Dicionário histórico das ruas do Rio de Janeiro: da Glória ao Cosme Velho; IV Região Administrativa.

Rio de Janeiro: Fundação Casa de Rui Barbosa, 1989.

Completando o levantamento da IV região dos itens anteriores e ainda com a colaboração de Paulo Berger, a presente edição também foi ilustrada com cartões-postais antigos (mal reproduzidos).

O Rio de ontem no cartão postal: 1900-1930.

2ª edição, revista e ampliada. Rio de Janeiro: Rioarte, 1986.

Um trabalho exaustivo e de infinita paciência sobre o tema do título. O autor adotou a classificação dos postais pela ordem alfabética dos editores, enumerando todos os conhecidos e as séries produzidas. Em cada exemplar é apontada a coleção do qual provém e, sempre que possível, a data de edição e o artista ou fotógrafo; um exemplar de cada série encontra-se reproduzido, alguns em cores. Obra em quarto grande, papel couché de boa qualidade. Imprescindível para estudiosos e cartofilistas.

BERTELLI, ANTONIO DE PADUA

A Amazônia.

S.l.: Uyara, 1990.

Interessante obra de divulgação, que abrange todos os aspectos da vida amazonense, incluindo fauna e flora; bem ilustrado com pequenas fotografias em cores e reprodução de gravuras antigas.

BERTICHEM, PEDRO GODOFREDO

Pieter Gottfried, ou Pedro Godofredo Bertichem (ou Bertichen na versão de alguns historiadores brasileiros), retratista e paisagista holandês (1796-c.1866), expôs em Amsterdam entre 1818 e 1832; chegou ao Rio de Janeiro em 1837, participou do Salão em 1845; de 1847 a 1853 residiu em Petrópolis e até 1857 no Rio de Janeiro, retornando a seguir à Europa. Em 1850 começou a trabalhar com litografias que executava em séries de quatro com o título "Brasil pittoresco e monumental", acompanhando cada série com uma folha de rosto e um texto, gravuras posteriormente reunidas para a formação de um álbum intitulado O Rio de Janeiro e seus arrabaldes, *muito raro quando completo.*

O Rio de Janeiro e seus arrabaldes: 1856.

Rio de Janeiro: Livraria Kosmos Editora, 1976.

Conforme nos revela o historiador e iconógrafo Gilberto Ferrez (v.), as litografias do gravador holandês Bertichem sobre o Rio de Janeiro e seus arrabaldes foram produzidas entre 1850 e 1856, conhecendo-se 46 delas. A partir de 1856, estas gravuras foram encadernadas para a formação de um álbum com o título supra, que já na época foi de pequena tiragem e atualmente é de grande raridade. Este álbum, que a Livraria Kosmos Editora fac-similou magnificamente nesta tiragem de 500 exemplares, contém as 46 gravuras de Bertichem e uma 47ª, a *Floresta Virgem*, de A. de Pinho, sob desenho de Manoel de Araújo Porto-Alegre, gravura esta publicada anteriormente e a seguir utilizada na formação dos álbuns, com acréscimo do título *Rio de Janeiro* e a subscrição do editor. A metade das gravuras foi reproduzida no original, em preto e branco, e a outra metade com o colorido da época de um exemplar do Museu Imperial (Petrópolis). Bela edição e muito recomendável. NOTA: Para o ano de 1984, a editora utilizou sete das estampas para confeccionar o calendário *Rio antigo*.

BEZERRA, ALCIDES

João Alcides Bezerra Cavalcanti (1891-1938), Diretor do Arquivo Nacional.

O Arquivo Nacional: 1838-1938: breve notícia histórica.

Rio de Janeiro: [Arquivo Nacional], 1938.

Pequeno álbum comemorativo, ilustrado com preciosidades do acervo, algumas gravuras antigas e três retratos a lápis e carvão de autoria de Leopoldo Campos, medalhista da Casa da Moeda.

BIBLIOGRAFIA

As indispensáveis referências bibliográficas em estudos históricos e artísticos datam de época relativamente recente na produção nacional. Respeitadas as sempre existentes e honrosas exceções, pode-se quase afirmar que o uso da bibliografia firmou-se com a publicação do já histórico Manual Bibliográfico de Estudos Brasileiros, *de Rubens Borba de Moraes e W. Berrien (1949), uma abalizada síntese, adaptação e ampliação dos* Handbook of Brazilian studies, *iniciados em 1937. Muitas foram as áreas da cultura nacional enquadradas a seguir em obras bibliográficas nacionais, das mais generalizadas às mais restritas e todas muito importantes para pesquisas, mas para o presente estudo interessarão tão-só as dedicadas às obras dos viajantes e à produção artística em geral, deixando-se assim de considerar as obras de Abeillard Barreto, Hélio Gravatá, do próprio Berrien, Raeder, Baldus e outros, mas incluindo alguns expressivos catálogos e sempre considerando imprescindíveis as obras de Borba de Moraes, J. C. Rodrigues, Garraux, Alfredo de Carvalho e as referentes às bibliotecas Oliveira Lima, Henry Lynch e Bosch (v. estes).*

Bibliotheca Brasiliensis nº 546: catalogo annotado de livros raros, de alguns autographos e manuscriptos importantissimos e de gravuras sobre o Brasil e o descobrimento da America: 1493-1930 a.D.

London: Maggs Bros./B. D. Maggs/E. U. Maggs, 1930.

Catálogo nº 546 de um tradicional e antigo livreiro-antiquário londrino, que se tornou uma peça bibliófila. São 411 itens dos mais importantes e raros da bibliografia brasileira, todos com comentários eruditos; ótimas ilustrações e mapas, muitos dos quais desdobráveis. Indispensável em uma boa biblioteca.

BIBLIOTECAS

Longe de constituírem tão-só locais para estudo e guarda de livros e documentos, como as definem sucintamente os dicionários, as bibliotecas são geralmente repositórios e centro de estudos da produção intelectual, científica e artística universal, independente da cultura ou da região que lhes deu origem ou dá abrigo. Poucas são as bibliotecas públicas (ou particulares) nacionais que chegaram a publicar obras sobre origem ou acervo, e a maior parte destes poucos não interessarão à presente resenha quando exclusivamente enunciativas ou alheias ao campo de interesse. Pouquíssimas, assim, as que chamam atenção pelos estudos e comentários atinentes à matéria em curso e ainda, de preferência, ilustradas.

Brasilien-Bibliothek der Robert Bosch GMBH.

Stuttgart: Deutsche Verlags-Anstalt, [1986]. v. 1.

Da maior e fundamental importância a biblioteca particular da Fundação Robert Bosch, em Stuttgart, na Alemanha. Esta biblioteca, considerada pelos estudiosos brasileiros como a maior e mais importante guardiã de livros antigos e raros de "brasiliana" no exterior, foi ideada e organizada por Hans L. Merkle, Presidente da Fundação (falecido em 2000); foi formada a partir da década de 1960 com a colaboração do livreiro-antiquário Fritz Eggeil (falecido em 1981) e de sua assistente, a bibliotecária Susanne Koppel, esta também encarregada da redação do correspondente catálogo. Projetado para publicação em três volumes, o presente primeiro dedicado à "brasiliana", o segundo (em dois tomos) ao acervo artístico, científico e epistolar do Príncipe Maximilian de Wied-Neuwied (v.) e seus companheiros naturalistas (Friedrich Sellow e G. W. Freyreiss, v. estes) na viagem que empreenderam ao Brasil de 1815 a 1817, e um terceiro e último complementar (ainda não publicado). Neste primeiro volume, de alta qualidade gráfica e com excelentes ilustrações em preto e branco (com algumas em cores), encontra-se um estudo histórico pelo antropólogo e professor universitário Hanno Beck (que trabalhou por longos anos no Brasil), seguido da relação de 684 obras das mais importantes e raras, todas comentadas por Susanne Koppel.

Biblioteca Brasiliana da Robert Bosch GMBH.

[Rio de Janeiro]: Livraria Kosmos Editora, [1992].

Edição nacional do primeiro volume do verbete anterior, em idêntica e ótima edição, e com as mesmas ilustrações.

Brasilien-Bibliothek der Robert Bosch GMBH.

Stuttgart: Deutsche Verlags-Anstalt, [1988]. v. 2a.

Primeiro tomo do segundo volume do catálogo da Fundação Robert Bosch, reúne obras científicas e artísticas do grande naturalista alemão, o Príncipe Maximilian de Wied-Neuwied (v.), e de seus companheiros de viagem, o botânico alemão Friedrich Sellow e o zoólogo Georg Wilhelm Freyreis (v. estes). Este volume ostenta a mesma qualidade gráfica do primeiro e conta com reprodução a cores de numerosas aquarelas do Príncipe e algumas de Sellow, além de estudos e comentários por Birgit Kirschstein-Gamber e Renate Löschner (v.), que também se encarregou do prefácio. NOTA: O riquíssimo acervo científico do naturalista Maximilian, Príncipe de Wied-Neuwied, foi em grande parte doado por seus herdeiros à Universidade de Bonn (Alemanha) e a uma sociedade científica de Wied (Alemanha). A outra parte permaneceu em poder da família e era principalmente formada por obras científicas, artísticas e epistolares do próprio Príncipe e por muitas obras do botânico Friedrich Sellow e outros naturalistas a serviço do mesmo Príncipe. Este importante acervo foi vendido na década de 1960 a um antiquário de New York, que repassou o material referente à América do Norte ao Museu Joslyn, em Omaha (Estados Unidos), e vendeu o material brasileiro à Fundação Robert Bosch, material este coligido e preparado como segundo volume.

Brasilien-Bibliothek der Robert Bosch GMBH.

Stuttgart: Deutsche Verlags-Anstalt, [1991]. v. 2b.

Segundo tomo do segundo volume do catálogo da Fundação Robert Bosch, dedicado ao acervo epistolar e científico de Maximilian, Príncipe de Wied-Neuwied (v.), além da reprodução de desenhos e aquarelas do Príncipe e muitas outras por diversos naturalistas, amigos e auxiliares. Este volume contou com um prefácio de Dorothea Kuhn e a colaboração de Birgit Kirschstein-Gamber, Susanne Koppel e Renate Löschner, que também foi encarregada de comentar os 237 itens. NOTA: O conjunto desta obra é indispensável em qualquer boa biblioteca.

Brasiliana: Vom Amazonenland zum Kaiserreich.

Heidelberg: Universitäts Bibliothek, [1989]. (Catálogo de exposição, abr.-jul. 1989)

Catálogo de uma exposição realizada na Biblioteca da Universidade de Heidelberg (Alemanha) de uma seleção de obras da "Brasiliana" pertencentes à Fundação Robert Bosch, de Stuttgart. Importantíssimos estudos e comentários de diversos professores da Universidade de Heidelberg dão a este bem ilustrado catálogo um valor especial e de grande importância.

Bibliographical and historical description of rarest books in the Oliveira Lima Collection at the Catholic University of America: compiled by Ruth E.V. Holmes, assistant librarian of the Ibero-American Library.

Washington: s.e., 1926.

O pernambucano Manoel de Oliveira Lima (1867) foi para Portugal ainda criança e lá permaneceu até 1890, quando regressou ao Brasil e ingressou na carreira diplomática. Membro das Academias de Letras de Portugal e do Brasil, passou a residir nos Estados Unidos a partir de 1923 e veio a falecer em Washington em 1928. Sua biblioteca de mais de 40 mil volumes foi doada à Universidade Católica de Washington, que publicou o presente catálogo (com prefácio do próprio Oliveira Lima) com relação e comentários de 209 itens dos mais importantes e raros, dando assim uma idéia da grandiosidade do conjunto.
Sem ilustrações; muito importante.

BIGARELLA, JOÃO JOSÉ

BIGARELLA, João José, BLASI, Oldemar e BREPOHL, Dieter. *Lapinha; a natureza da Lapa.*

Lapa: Lar Lapeano de Saúde, 1997.

Para uma edição comemorativa de 25 anos do Lar Lapeano de Saúde (uma clínica de repouso naturista no Paraná, conhecida por "Lapinha"), reuniram-se estudos de João José Bigarella, geólogo e professor da Universidade Federal do Paraná, Oldemar Blasi, professor de história e antigo diretor do Museu Paranaense, e Dieter Brepohl, missionário protestante curitibano e proprietário do Lar, para uma obra interessante que extrapolou o âmbito da comemoração e apresentou uma visão histórica e ecológica da cidade histórica da Lapa (PR) e sua região, dos primitivos aspectos naturais e geográficos da "Lapinha" da atualidade, passando pela fauna e flora, pelo tropeirismo, pela imigração e colonização, pela Revolução Federalista, pelos museus da cidade e seus prédios tombados. Rica ilustração a bico de pena da fauna e flora, da arquitetura, dos usos e costumes e aspectos diversos, além de boa documentação fotográfica de múltipla procedência.

BIOGRAFIAS

As biografias não costumam ser ilustradas ou, quando o são, são quase exclusivamente com fotografias familiares; poucas as que apresentam documentação iconográfica relacionada à pesquisa.

José Maria da Silva Paranhos, Barão do Rio Branco; uma biografia fotográfica 1845-1995.

Brasília: Fundação Alexandre de Gusmão, 1995.

Comemorando o sesquicentenário de nascimento do Barão do Rio Branco (1845-1912), foi elaborada esta biografia fotográfica que congrega o texto de Rubens Ricúpero e a documentação fotográfica do Itamaraty (em grande parte), criando-se uma obra que constitui a história da vida deste grande diplomata e a do Rio de Janeiro no virar do século XX, uma época das mais importantes para a história geral da diplomacia brasileira e para a consolidação do território nacional.

Julia Mann; uma vida entre duas culturas.

Organizado por Dieter Strauss e Maria A. Sene; com contribuições de Antonio Skármota, Frido Mann, João Silverio Trevisan, Dieter Strauss, Maria A. Sene, Cassio Cotrim; tradução de Angel Bojadsen. São Paulo: Instituto Goethe/Estação Liberdade, 1997.

Organizado por Dieter Strauss (diretor do Instituto Goethe de São Paulo) e Maria A. Serre, esta obra é uma coletânea de importantes estudos inéditos sobre a família do escritor alemão Thomas Mann (1875-1955) e a de sua ascendência materna brasileira, Bruhns, tendo por cenário a cidade de Parati em meados do século XIX. Muito rica a documentação fotográfica familiar e igualmente rica a de Parati, que inclui desenhos de Hasenclever, Rugendas e Debret (v. estes).

BISILLIAT, MAUREEN

Maureen Bisilliat (1931), filha da pintora inglesa Sheila Brannigan (1914-?), emigrou para o Brasil em 1952, estudou pintura com Karl Plattner em São Paulo (1953) e a seguir com André Lhote em Paris. Viajou pelo País a partir de 1962 e por longos anos como fotojornalista, adquirindo sólidos conhecimentos etnográficos e de arte popular e tornando-se ainda e desde então um dos expoentes da arte fotográfica brasileira. Em companhia do marido Jacques Bisilliat e do arquiteto Antonio Marcos Silva, estabeleceu-se em São Paulo no início da década de 1970 com a Galeria "O Bode", especializada em artigos de arte popular, indígenas e folclóricos, uma galeria que chegou a se tornar uma referência nacional nestes campos. Encerradas as atividades de "O Bode" em fins da década de 1980, empreendeu com os mesmos sócios uma longa viagem pelo País e vários países sul-americanos em busca de material para a formação do "Pavilhão da Criatividade", encomendado e instalado no Memorial da América Latina (v.) em São Paulo. Intensa e contínua tem sido sua colaboração em revistas nacionais e estrangeiras, em exposições individuais e participação em coletivas, antologias fotográficas, calendários e folhetos turísticos, já se tornando clássicos seus ensaios fotográficos para as obras literárias O cão sem plumas *de João Cabral de Mello Neto,* A visita *de Carlos Drummond de Andrade e* Sertão, luz e trevas *de Guimarães Rosa (v. estes). Conta também com obras na "Coleção Pirelli" do MASP (v.).*

Xingu.

[São Paulo]: Editora Praxis, [1978].

É provável que seja esta a mais linda das obras iconográficas indígenas. Álbum de capa dura e grande dimensão, 60 x 42 cm, comporta vinte pranchas de fotografias coloridas, todas de beleza incomum. Estas fotografias fazem parte da documentação colhida pela autora entre os indígenas da região no período 1974-1977, constante do verbete seguinte. Antonio

Moraes Silva encarregou-se da diagramação e o sucinto texto coube aos irmãos Orlando e Claudio Villas-Boas.

Xingu: território tribal.

[São Paulo]: Cultura, [1979].

Álbum de folhas soltas e capa dura, contém lindíssimo ensaio fotográfico que enfoca aspectos de diversos rituais indígenas do Xingu. No fim da obra se encontram as legendas das fotografias, mas para uma perfeita compreensão destas impressionantes imagens será aconselhável recorrer ao texto anexo dos irmãos Claudio e Orlando Villas-Boas, dois dos maiores indigenistas brasileiros.

Bahia amada Amado, ou O amor à liberdade x a liberdade no amor.

São Paulo: Empresa das Artes, 1996.

Bastaria o nome da autora para assegurar a beleza e qualidade deste extraordinário ensaio fotográfico, calcado em textos da obra de Jorge Amado. O próprio Jorge Amado ressalta o alto valor artístico das imagens ao declarar que "nelas a Bahia se mostra esplendorosa, esplendorosa como ela é". Álbum em fólio grande, com impecável acabamento.

Terras do rio de São Francisco.

Rio de Janeiro: BMGE, 1986.

Outro belo ensaio fotográfico que retrata a vida cotidiana ao longo deste grande rio que banha quatro Estados, visões inspiradas em trechos de obras poéticas e literárias: do "viajante" inglês Richard Burton, de Castro Alves, de Euclides da Cunha e, sobretudo, Guimarães Rosa.

A João Guimarães Rosa.

Ensaio fotográfico de Maureen Bisilliat. Texto de João Guimarães Rosa: *Grande sertão: veredas*. Selecionado por Maureen Bisilliat. 2ª edição. São Paulo: Gráficos Brunner, 1974.

Reedição do original de 1969, este ensaio fotográfico foi um dos mais expressivos da autora, e não só pela apresentação em álbum de grande dimensão (31 x 31 cm) e escolha pessoal de textos por Guimarães Rosa, mas também pela extraordinária paginação do arquiteto e sócio Antonio Marcos Silva.

Sertões: luz e trevas.

[São Paulo: Raízes Artes Gráficas Ltda., 1983].

Excepcional ensaio fotográfico em cores com imagens em parte tendentes a abstratas e baseadas em trechos de *Os Sertões* de Euclides da Cunha. Muito recomendável. NOTA: Em 1984 foi publicada uma edição alemã: *Sertões: Licht und Finsterniss. Ein photographische Folge*, com o mesmo acabamento.

BITTENCOURT, AGNELLO

Fundação de Manaus: pródromos e seqüências.

S.l.: Editora Sérgio Cardoso, 1969.

Para as comemorações do tricentenário de Manaus, o geógrafo e historiador Agnello Bittencourt (1876-?) elaborou este trabalho a pedido da União Brasileira de Escritores do Amazonas. Obra erudita e de valor, foi enriquecida com fotografias antigas de Manaus (da coleção do autor) e desenhos de aspectos gerais da cidade por Moacyr Andrade (1927), pintor e professor ativo no Amazonas.

BITTENCOURT, GEAN MARIA

A missão artística francesa de 1816.

Fotos de Marcel Gautherot. 2ª edição refundida. Petrópolis: Museu de Armas Ferreira da Cunha, 1967.

Despretensioso relato histórico e sucintas biografias dos membros da Missão Artística Francesa (v.), que foram encarregados em 1816 por D. João VI da criação de uma Academia de Belas Artes no Brasil. Nesta modesta brochura constam mais de cem ilustrações da época, sofrivelmente reproduzidas, mas deixaram de constar as fotografias de Marcel Gautherot (v.) anunciadas no título.

BOAVENTURA, EDIVALDO

O Parque Estadual de Canudos.

Salvador: Secretaria de Cultura e Turismo, 1997.

Estudo acadêmico sobre a história de Canudos e a criação do parque, com boas fotografias do autor (professor universitário e criador do parque) e de outros. Recomendável para estudos.

BOECHAT, RICARDO

Copacabana Palace; um hotel e sua história.

São Paulo: DBA, 1998.

Escrita por um jornalista carioca, esta deslumbrante obra obedece à temática do título, focalizando principalmente o papel deste imponente hotel na vida social, artística e política do país, de 1923 aos nossos dias, e apresentando, de forma original e bela, a documentação visual desta atuação. A parte referente ao prédio projetado pelo arquiteto francês Joseph Gire não foi relegada a um segundo plano, desfrutando de boa referência no texto, de boas fotografias antigas, e de belas atuais de Sergio Pagano (v.).

BONI, LUIS A. DE

BONI, Luis A. de e COSTA, Rovílio. *Far la Mérica; a presença italiana no Rio Grande do Sul = Making it in America; the Italian presence in Rio Grande do Sul.*

Porto Alegre: Riocell, 1991. (Coleção O Continente de São Pedro, 3)

Como terceiro volume desta série da Riocell (v.), estamos perante mais uma obra muito importante, quer como memória lavrada por De Boni, quer como documentação visual coligida por Rovílio Costa, esta tão-só razoavelmente reproduzida mas, em compensação, muito rica e significativa.

BORBA, FERNANDO DE BARROS

Pernambuco: patrimônio cultural de todos.

Recife: Fundarpe, 1998.

Esta obra é uma republicação, com aditamentos, de um manual de tombamento publicado em 1994, *Pernambuco: Viagem à estética do tempo.* Além da transcrição de todas as leis atinentes e da relação dos bens tombados na época, foram alistados e descritos os recentes, ou em fase de tombamento. A qualidade das ilustrações está de conformidade com a modéstia da edição.

BORGES, ANA MARIA

BORGES, Ana Maria e PALACIN, Luiz. *Patrimônio histórico de Goiás.*

2ª edição, revista. Brasília: Fundação Nacional Pró-Memória/Brantia, 1987.

Bom ensaio histórico-artístico, muito bem ilustrado com fotografias coloridas por diversos, provavelmente todos ligados ao IPHAN. Importante.

BORGES, J.

10 gravuras.

[Recife: Galeria Ranulpho, 1973].

Álbum de capa dura e grande dimensão, 46 x 47 cm, contém um prefácio de Ariano Suassuna e dez xilogravuras sobre temas populares, marcadas na chapa com o título e "J. Borges" e montadas com *passe-partout*. Muito interessante.

BORGES, VAVY PACHECO

Memória paulista.

São Paulo: Edusp, 1997.

Descobriu-se recentemente, nos arquivos do Museu Paulista da Universidade de São Paulo, um curioso álbum aquarelado que retrata literária e visualmente episódios da Revolução Constitucionalista de 1932 em São Paulo. Estudos empreendidos pela historiadora Vavy Pacheco Borges revelaram a autoria de Antonio Feijó (1894-1973), um militar da antiga Força Pública do Estado de São Paulo, autor também de um segundo álbum (entre outras obras de cunho militar) sobre o mesmo tema, encontrado no Museu da Polícia Militar (São Paulo), exemplar este considerado como rascunho ou estudo preliminar do anterior. Na presente bela e bem cuidada edição encontra-se integralmente reproduzido o álbum *Lembranças* do Museu Paulista e o exemplar da Polícia Militar, ambos na dimensão original.

BOSSHARDT, BARNABÁS

Fotógrafo suíço (1947), estudou arte e fotografia de 1963 a 1967 em Zürich (Suíça) e tornou-se profissional em 1969. De 1973 a 1978 viajou pelo mundo e passou diversas temporadas no Brasil.

Alcântara: uma cidade no Brasil entre memória colonial e sonhos intergaláticos.

Schaffhausen/Zürich/Frankfurt/M. Düsseldorf: Edition Stemmke, s.d.

Ensaio fotográfico de grande beleza e poesia em impecável edição. Entre os diversos artigos que enriquecem este documentário, consta um do próprio artista revelando sua anterior afinidade com a histórica Alcântara. Muito recomendável.

Points of time: Barnabas Bosshardt photography.

Beijing: China Art Gallery, 1989.

Belo catálogo, em quarto grande, de uma exposição realizada em Beijing (China); cenas do Equador, Afeganistão, Bolívia, Guiné-Bissau, algumas da Suíça e muitas do Brasil. Texto em chinês e inglês.

BOTELHO, CANDIDA MARIA DE ARRUDA

Fazendas paulistas do ciclo do café: 1756-1928.

[Rio de Janeiro]: Editora Nova Fronteira, [1984].

Descendente de tradicional estirpe paulista ligada ao ciclo do café, a autora não pretende "demonstrar técnica fotográfica nem talento poético", mas apenas "valorizar o conteúdo poético do dia-a-dia das fazendas": conseguiu realizar o sonho poético e produzir um belo documento iconográfico, acompanhado de um compacto *Histórico da cultura do café* e ótimos comentários às excelentes fotografias. Além de bela, esta obra é muito recomendável.

BOTTING, DOUGLAS

Rio de Janeiro.

Amsterdam: Time-Life Books, [1977?]. (The Great Cities)

Mais do que um ensaio fotográfico do excelente profissional americano Art Kane (1925) sobre o Rio de Janeiro, esta obra da série "Great Cities" é um relato de viagem do fotógrafo e escritor inglês Douglas Botting (1934), que visitou o Rio de Janeiro por diversas vezes; talvez por este motivo conta com ilustrações pouco usuais para este gênero de obras, incluindo uma gravura de Rugendas (carnaval) e dez de Debret (v. estes) para ilustrar o tema "Scenas de uma sociedade escravocrata". Interessante e recomendável.

BRAGA, ROBERTO DOS SANTOS PEREIRA

Palácio Rio Negro.

Manaus?: Fundação Pró-Memória, 1982. (Série Patrimônio, 2)

Bom álbum documentário e comemorativo da restauração do Palácio Rio Negro, antiga residência do industrial Waldemar Scholz (início do século XX) e atual sede do Governo do Estado. Bom texto e convencional documentação fotográfica por Amaranto.

BRAGA, THEODORO

Artistas pintores no Brasil.

São Paulo: São Paulo Editora Limitada imprimiu, 1942.

O autor (1872-1953), que se define como "artista pintor", tentou "uma relação de todos os que foram e são artistas pintores no Brasil" e produziu uma obra praticamente pioneira e muito útil, relacionando dados bibliográficos e noticiosos. A metodologia adotada é um pouco confusa, constando os artistas por seus prenomes ou sobrenomes, indiscriminadamente; a grafia dos nomes, sobretudo os estrangeiros, também deixa a desejar. Esta obra teve uma edição modesta e sem ilustrações, mas apesar das restrições é importante.

BRAGANÇA, JOÃO DE ORLEANS E

Fotógrafo brasileiro contemporâneo, contribuiu para a ilustração da obra Rio Imperial *(v.).*

João de Orleans e Bragança: fotografia.

São Paulo: Montesanti Galleria, 1988. (Catálogo de exposição, mar. 1988)

Catálogo de exposição de um bom fotógrafo, reproduzindo nove excelentes imagens. Nesta exposição também foram apresentadas importantes fotografias produzidas na época imperial que se encontram na coleção do fotógrafo e de seu irmão Pedro, todas relacionadas e quatro reproduzidas neste catálogo.

BRANCANTE, MARIA HELENA

Os ourives na história de São Paulo.

[São Paulo]: Edições Pinacoteca do Estado, [1999]. (Catálogo de exposição, dez. 1999-fev. 2000)

Como quarto módulo da grande exposição "Tempos do Sagrado: quatro séculos de arte sacra. Bahia. São Paulo" (v.), realizada na Pinacoteca do Estado de São Paulo em 1999, sob a curadoria de Emanoel Araújo (v.), foram apresentadas lindas peças de arte sacra executadas em São Paulo e provenientes do Museu de Arte Sacra de São Paulo, do Mosteiro de São Bento e de coleções particulares. A beleza das peças reunidas foi captada e reproduzida neste excelente catálogo, por sua vez enriquecido com um estudo sobre ourivesaria em Portugal e no Brasil e, em especial, sobre os ourives atuantes em São Paulo, um estudo inédito e importante.

BRANDÃO, DARWIN & MOTTA E SILVA

Cidade do Salvador: caminho do encantamento.

São Paulo: Companhia Editora Nacional, [1958].

Segundo o prefaciador Jorge Amado, esta obra é "um livro de encantamento, de saudade e de amor...". É tudo isto, sem dúvida, e para tanto contribuíram as vinhetas e desenhos de Carlos Bastos (v.), que lhe renderam o prêmio "Jabuti de Ouro" em 1958. Resumindo, um belo guia histórico-sentimental.

BRANDÃO, IGNÁCIO DE LOYOLA

Teatro Municipal de São Paulo: grandes momentos.

[São Paulo]: DBA – Doréa Books and Art, [1993].

Simpática e bem feita obra sobre os "grande momentos" do Teatro Municipal de São Paulo, com muitas vistas do teatro e outras tantas de seu público, dos artistas e dos acontecimentos sociais e culturais ao longo de noventa anos. As fotografias antigas foram recuperadas e reproduzidas por Rômulo Fialdini, e as fotografias atuais são de Cristiano Mascaro, cabendo a Roberto Stickel (v. estes) as vinhetas junto ao texto. Muito interessante.

Luz no êxtase: vitrais e vitralistas no Brasil = Lights on ecstasy: Brazil's stained glass windows and artists.

[São Paulo: Eucatex, 1994]. (Biblioteca Eucatex de Cultura Brasileira)

À tradicional alta qualidade gráfica das edições da Eucatex (v.) deve-se acrescentar com relação a esta obra uma importância especial: é praticamente a única dedicada à matéria do título e ao estudo dos vitralistas e suas obras.

BRANDÃO, Ignacio de Loyola e SILVA, Deonísio. *Villares 80 anos.*

São Paulo: DBA, 1999.

Histórico de oitenta anos de atividade da Villares, tradicional grupo industrial paulista, apresentado em uma das excelentes edições da Dórea Books and Arts. A documentação fotográfica provém do arquivo da indústria e foi enriquecida com um ensaio fotográfico de Rômulo Fialdini (v.).

BRANDÃO, THÉO

A chegança: artes e graças do povo.

S.l.: Editora Gráfica Caeté Ltda., s.d.

Curioso álbum impresso em folhas de cartolina forte, contendo o texto de um "auto marítimo" alagoano comentado por Théo Brandão, e dezesseis folhas com desenhos a bico de pena de Hercules Mendes que ilustram o saveiro da festa e sua tripulação.

BRANDI, ARY

Fotógrafo brasileiro contemporâneo (1957). Iniciou sua carreira retratando a comunidade teatral e se dedica atualmente também à ecologia. De sua autoria as ilustrações para Pantanal, *de Manoel de Barros (v.).*

BRASIL

Muitas foram as exposições e muitos os livros que tiveram e têm por tema o País ou aspectos vários da cultura nacional, da paisagem à cidade, do rio à rodovia, do monumento à arquitetura, além de muitas obras de valor cultural e artístico; muitas outras, por outro lado, são tão-só de divulgação turística, sobretudo através da fotografia. Serão incluídas neste tópico alguns catálogos de exposições comemorativas de datas históricas nacionais, bem como algumas edições estrangeiras que se destacam pela qualidade dos desenhos ou das fotografias e as obras alusivas aos "500 anos".

Le nord du Brésil et ses richesses naturelles = O norte do Brasil e suas riquezas naturaes.

Recife: Hugo Falangola, s.d.

Típico álbum de cunho comercial, enfoca os estados de Pernambuco, Amazonas, Pará, Paraíba, Piauí, Maranhão e Ceará; com muito texto, estatística, e interessantíssima propaganda, mas fotografias inexpressivas e mal reproduzidas.

Atlas cultural do Brasil.

1ª ed. S.l.: MEC – Ministério da Educação e Cultura/CFC – Conselho Federal de Cultura/Fename – Fundação Nacional de Material Escolar, [1972].

Publicação oficial de divulgação cultural e comemorativa do sesquicentenário da independência, bem feita e bonita, contendo texto competente e um amplo conjunto de gravuras antigas, mapas, fotografias, pintura antiga e moderna. Muito interessante.

A paisagem brasileira: 1650-1976.

São Paulo: Sociarte, 1980. (Catálogo de exposição, 1980)

Catálogo de uma grande exposição realizada no Paço das Artes de São Paulo, com quadros de colecionadores associados à Sociarte de São Paulo (v.); apresentados por Duilio Crispin Farias e com um breve esboço biográfico dos artistas, os 151 quadros expostos foram razoavelmente reproduzidos em cores.

A paisagem pitoresca no Brasil.

Rio de Janeiro: Museu Chácara do Céu, [1998]. (Catálogo de exposição, ago. 1998-jan. 1999)

Em conjunto com a Biblioteca Nacional e com o Museu Nacional de Belas Artes, o Museu da Chácara do Céu (atual Museus Castro Maya) realizou importante exposição de sua "Brasiliana", da qual o presente e lindo catálogo é testemunho. A curadoria e o texto (em português e inglês) foi confiado ao historiador Julio Bandeira, que também elaborou descrição técnica de todas as obras e uma extensa bibliografia.

Arte e imagem: 40 anos de Brasil.

[Brasil]: Bosch, 1994. (calendário)

Um calendário comemorativo de quarenta anos de atividade industrial da Robert Bosch no Brasil. Nas dimensões de 50 x 31 cm, conta com a reprodução de treze quadros a óleo de diversos pintores acadêmicos que se basearam em fotografias da década de 1950 para reproduzirem vistas marcantes do país: o Vale do Anhangabaú (São Paulo), por Ivette Lietard (belga, ativa há quarenta anos em Embu); Florianópolis, a Universidade Federal (Curitiba), o Largo Ferreira (Fortaleza) e o Teatro Amazonas (Manaus) por Carlos Marcos Gonçalves Zechetto; a Ponte de Pedra (Porto Alegre) e a Praça Cívica (Goiânia) por Luiz Zeminian; a Ladeira do Pelourinho (Salvador) por Dantas Santos; o Mercado Ver-o-Peso (Belém) e a Praia de Copacabana, por Ludemar Victor; panorama de Belo Horizonte por Simeão de Oliveira neto; e, finalmente, Sete Quedas por Rosa Maria Monteiro da Silva. Além da estranha escolha dos artistas, o resultado final não fez jus à intenção de comemorar uma efeméride importante.

Aspectos brasileiros: meados do século XIX.

Rio Grande: Biblioteca Rio-grandense, 1927.

Reprodução razoável de 17 desenhos de um álbum anônimo da Biblioteca Rio-grandense (Rio Grande, RS), contendo seis desenhos do Rio de Janeiro, dois do município de Vassouras, um de Pati do Alferes e seis diversos do Sul, identificando-se alguns com as iniciais "F. S. A." e três outros com "Camara". Ainda que desprovido de estudo, é um documentário muito interessante.

Aspectos da paisagem brasileira: 1816-1916.

[Rio de Janeiro]: MEC/DAC/Funarte/INAP/MNBA, 1977. (Catálogo de exposição, abr. 1977)

Catálogo com quinze reproduções de quarenta bons quadros expostos.

Brasil: a costa = the coast = la côte.

[Rio de Janeiro: Odebrecht]/Spala Editora, [1983].

Muito longe de ser apenas um conjunto de aspectos da costa brasileira, como aparenta o título, este importante documentário fotográfico nos apresenta também as cidades, os faróis marítimos, os marcos históricos e muitos outros aspectos das regiões focalizadas. Esta é mais uma das notáveis edições patrocinadas pela Odebrecht (v.) e, como as demais, também é uma edição de luxo. As fotografias foram em grande parte confiadas à competência de Pedro Oswaldo Cruz (v.). Muito recomendável.

Brasil: 217 photographies de = photographs by = fotografias de A. Bon, M. Gautherot, P. Verger.

[França]: Livraria Agir Editora, [1951].

Alta qualidade artística e boa reprodução caracterizam este álbum de fotografias de Antoine Bon (que também escreveu o prefácio), Marcel Gautherot e Pierre Verger (v. estes).

Brasil: paisagens e costumes.

São Paulo: Edições Melhoramentos, 1962.

Com boa coleção de fotografias de diversos, incluindo Erich Joachim Hess e Harald Schultz (v. estes), pode-se dizer que esta foi uma versão colorida, melhorada (maior dimensão) e mais luxuosa da prestimosa coleção "Isto É" da Companhia Melhoramentos. Além das fotografias, todas com verbetes em português e inglês, a obra conta com um prefácio do professor universitário M. R. Lourenço Filho e numerosos desenhos de Percy Lau (v.), muito bem inseridos entre as imagens.

Travel in Brazil: Brazilian Representation New York World's Fair 1939 (official publication).

[Rio de Janeiro: Brazilian Representation New York World's Fair, 1939].

Obra oficial para representar o País na Exposição Internacional de New York de 1939; em quarto grande e sem texto, ostenta abundante e riquíssima documentação fotográfica sem declinar autoria. Importante.

Brasil: 500 anos de povoamento.

Rio de Janeiro: Instituto Brasileiro de Geografia e Estatística – IBGE, 2000.

Obra portentosa sobre assunto importante; de grande porte e ricamente ilustrada, traz artigos subscritos por especialistas sobre os diversos componentes étnicos que formaram o povo brasileiro. A apresentação gráfica deixa algo a desejar, sobretudo na reprodução das telas a óleo; as ilustrações são muitas mas comuns, assim como os textos tendem fortemente a uma visão estritamente estatística e são de qualidade bastante variável. Em resumo: é uma obra de elevado custo de aquisição que deveria ter sido muito melhor.

Brasil: terra mágica.

Dortmund: Hanns Reich Verlag, 1974.

Com fotos de George Love, Claudia Andujar, Maureen Bisilliat, David Drew Zingg (v. estes) e outros grandes fotógrafos ativos no Brasil, este importante álbum revela um Brasil diferente dos tradicionais cartões-postais turísticos. A edição é em inglês e o texto é de Robert Appy, economista francês radicado em São Paulo; completado por um índice comentado das fotografias. Muito recomendável.

Brasil histórico.

São Paulo: Safra, s.d. 3 v.

Curiosa edição de propaganda do Banco Safra (v.) de São Paulo. Em três pequenas caixas-estojo de 21,5 x 21,5 cm, encontra-se um conjunto de trinta folhetos que relatam histórica, turística e pictoricamente algumas das cidades (e alguns de seus bairros) em que o banco mantém agências.

Brasil 1900: a virada do século.

São Paulo: Abril, 1980.

Às vésperas da conclusão do século XX, a Fiat do Brasil resolveu oferecer esta interessante obra que apresenta aspectos da civilização brasileira na virada do século anterior, uma visão transmitida por imagens muito bem selecionadas e sucintamente comentadas. Obra de razoável apresentação, digna de nota e recomendável.

Brasil por Elizabeth Bishop y los redactores de 'Life' en Español.

México: Editado por Offset Multicolor S/A, 1962. (Biblioteca Universal de Life en Español)

Como um dos exemplares da coleção "Biblioteca Universal da Life en Español", este álbum se distingue pela inusitada escolha do material fotográfico e pelo texto confiado à grande e infeliz poetisa Elizabeth Bishop (1911-1979), que viveu no país por muitos anos (1951-1967) e recebeu o Prêmio Pulitzer em 1956. Por outro lado, comparada com o original americano, a impressão desta edição é pobre.

Brasil por João de Barros, José Osorio de Oliveira, Gastão de Bettencourt.

Lisboa: Edições Europa, 1938.

Uma edição de alta qualidade e categoria, feita por portugueses para portugueses. Além de excelentes fotografias e um texto erudito sobre o Brasil histórico e cultural, contém reproduções de quadros de paisagistas brasileiros então em evidência, incluindo diversos de Portinari.

Brasil 500 anos; a arte no ciclo do ouro.

São Paulo: Byk Química e Farmacêutica, 2000.

Colaborando com os festejos dos 500 anos, uma empresa químico-farmacêutica editou esta obra que classificou como "livro de sólido conteúdo editorial, magnificamente ilustrado e de interesse permanente", uma autopromoção que no presente caso corresponde em tudo à realidade.

Brasilien: Entdeckung und Selbstentdeckung.

Bern: Benteli Verlag, 1992.

Para os festejos das tradicionais e anuais "semanas juninas" em Zürich (Suíça), o tema escolhido para 1992 foi o da "descoberta e redescoberta do Brasil", tema para o qual foi designado como coordenador Hugo Loetscher, conhecido historiador e iconógrafo suíço. As diversas exposições então montadas foram subordinadas aos temas: história, iconografia, artes plásticas, fotografia, Nordeste, cultura afro-brasileira, arte plumária, Amazônia, cinema; alguns destes temas foram complementados com seções especializadas: fauna e flora, arquitetura barroca, expedição de von Spix e von Martius (v. estes), coleções Pimenta Camargo e Emanoel Araújo (v. estas), cartografia, carrancas do Rio São Francisco, cordel etc. O catálogo, um autêntico tratado que englobou todo este imenso e importante material, só poderá ser descrito como obra de arte; os textos foram confiados aos melhores especialistas, assim como as ilustrações. Muito importante.

Brasilianische Tage: Katalog.

Ingelheim am Rhein: s.n., 1970. (Catálogo de exposição, abr.-maio 1970)

Catálogo de uma grande exposição realizada em Ingelheim (Alemanha), em 1970, reunindo material sobre Frans Post, Jean-Baptiste Debret, Príncipe Maximilian (v. estes), arte sacra e votiva, bem como aspectos etnográficos e da cultura afro-brasileira. Além de vários estudos excelentes (incluindo um do etnólogo brasileiro Herbert Baldus), apresenta ótima documentação pictórica.

Brazil illustrado. Archivo de conhecimentos uteis.

[Rio de Janeiro]: Atelier artistico de Alfredo Pinheiro.

Manoel Joaquim da Costa Pinheiro (1832-1903) chegou ao Rio de Janeiro em 1843, partiu para Santos e retornou ao Rio de Janeiro em 1850, estabelecendo-se em 1852 com oficina como "Pinheiro & Cia.". O filho Alfredo (1859?-após 1901?) estudou em Portugal e após seu retorno ao Brasil se estabeleceu por conta própria em 1879.

Bresil.

[Barcelona]: Geocolor, 1979.

Uma das obras da série de divulgação geográfica da editora espanhola Geocolor, com inúmeras boas fotografias de autor não revelado; acompanha sucinto texto explicativo de M. M. Wiesenthal.

Brésil: oui.

Brasília: Banco do Brasil, 1982.

Obra de propaganda, bem feita, com texto da pesquisadora Elena Georgina Tomás Salles, conta com uma coleção de boas, mas convencionais, vistas do país, cabendo a maior parte a Jean Charles Pinheira e uma bem menor a Orlando Alli. A tiragem foi de mil exemplares em português, francês, inglês e espanhol.

Catálogo da exposição de documentos históricos comemorativa do cincoentenário da República.

Rio de Janeiro: Ministério das Relações Exteriores, [1939]. (Catálogo de exposição, nov. 1939)

Pequena mas importante exposição de mapas e documentos sobre questões limítrofes do Brasil. Todos os itens foram comentados; reproduzida uma fotografia do Marechal Deodoro (1890) e outra de Floriano Peixoto (1871), além de uma "Planta geral do Palacio do Governo e suas dependências", levantada por Nicolao Moniz Freire (1843).

Cinco visões do Brasil: exposição comemorativa da Semana da Independência.

Brasília: s.e., 1977. (Catálogo de exposição, 1977)

As visões do título desta exposição são transmitidas neste catálogo pelas aquarelas de Margaret Mee (v.), as fotografias de Neil Montanus (fotógrafo oficial da Casa Branca e colaborador da Kodak desde 1956) colhidas em 1977, os desenhos a bico de pena de Tom Maia (v.), as obras do cinegrafista e fotógrafo sueco Arne Eduard Sucksdorff (imigrado em 1967 mas já ativo no Brasil para a Unesco desde 1963), e finalmente o Centro Brasileiro de Informação Turística (sob a direção de Nadir Regina Titton), encarregado da elaboração de calendários turísticos, representado nesta mostra por fotografias de festas populares cedidas pela revista *Manchete*.

Cores do Brasil; colors of Brazil.

São Paulo: Soer & Boccato Editores, 1989.

Mais uma das muitas antologias visuais, mas esta por editora especializada em fotografia e com o concurso de profissionais competentes e importantes.

DU.

Zürich, nº 5, maio 1956.

Edição da revista suíça *DU* dedicada ao Brasil, com excelentes fotografias de Jean Manzon, Harald Schultz, Marcel Gautherot (v. estes), Jakob Bräm, Yvan Dalain, Othmer Danesch.

El Brasil: riquezas, posibilidades.

Rio de Janeiro: Ministério das Relações Exteriores, 1946.

Típica obra de divulgação do País. Organizada pelo Rotary Club do Rio de Janeiro para a 39ª Convenção do Rotary Internacional com apoio do Ministério das Relações Exteriores, traz muitas das costumeiras e convencionais ilustrações das principais atrações do país e de seus produtos, além da reprodução de dez aquarelas de João José Rescala (1910), estas totalmente alheias ao tema. Em seu conjunto, esta obra trilíngüe é muito pouco interessante.

Exposição de paisagem brasileira.

Rio de Janeiro: Ministério da Educação e Saúde/Museu Nacional de Belas Artes, 1944. (Catálogo de exposição, fev. 1944)

Boa exposição de paisagistas ativos nas primeiras décadas de nosso século, contando com 12 reproduções dos 126 itens relacionados.

Galeria de historia brazileira: 1500-1900: organizada, sob a direcção do Dr. B.F. Ramiz Galvão segundo quadros, monumentos e estampas celebres.

Rio de Janeiro/Paris: H. Garnier, Livreiro Editor, s.d.

Este rico álbum tornou-se uma espécie de clássico da história visual do País, assim como clássico é o desenho alegórico na capa, assinado por Pedro Américo (1843-1905). Todas as obras reproduzidas foram acompanhadas de comentário histórico por Ramiz Galvão, antigo diretor da Biblioteca Nacional. Obra muito recomendável, que se tornou bibliófila.

Grandes personagens da nossa História: volumes I-V.

[São Paulo]: Abril Cultural, [1969]. 5 v.

Obra de divulgação cultural em cinco alentados volumes encadernados, com textos confiados a professores universitários, ricamente ilustrados com documentos, retratos, gravuras, fotografias e quadros antigos. A paginação e a reprodução das imagens deixam a desejar, mas não impedem que a obra seja útil para estudos. NOTA: O quinto volume, *Mapas históricos brasileiros*, editado em formato oblongo e maior dimensão (26 x 31 cm), será resenhado em CARTOGRAFIA.

Guia dos bens tombados.

Rio de Janeiro: Expressão e Cultura, [1980].

Por iniciativa de uma editora particular e com o concurso de um grupo de especialistas sob a competente coordenação da museóloga Maria Elisa Carrazzoni, foram coligidos dados de muitas fontes para o levantamento e a descrição dos bens tombados da Nação, um trabalho realizado sem subsídios oficiais e o imprescindível concurso de visitas de inspeção aos monumentos estudados. As ilustrações foram confiadas a Jimmy Scott e Sussy (excelentes desenhistas, dos quais não foi possível obter dados), mas seus simpáticos desenhos nem sempre focalizam a totalidade do imóvel e muitas vezes apenas um detalhe importante, sempre sem tomar em consideração o estado de conservação; acresce notar que apenas 163 dos 782 monumentos arrolados foram assim reproduzidos. Independente dos senões, esta obra pioneira é muito importante. NOTA: A mesma editora publicou posteriormente um *Guia dos bens tombados* para os Estados Bahia, Minas Gerais e São Paulo (v. estes).

Image du Brésil = Beeld van Brazilië = Image of Brazil.

Bruxelas: [Museu de Arte de São Paulo Assis Chateaubriand], 1973. (Catálogo de exposição, nov. 1973)

Ainda que a Exposição da Feira Internacional de Bruxelas (1973) fosse comercial, o Brasil apresentou uma grande mostra da cultura nacional organizada pelo MASP. O catálogo resultante, que inclui riquíssimo material iconográfico e notáveis estudos, é uma pequena obra-prima e muito importante.

Imagens do Brasil.

São Paulo: DBA – Dórea Books of Art, 1994.

Publicado sob a responsabilidade pessoal do editor, Alexandre Dórea Ribeiro, e fiel à tradição de qualidade superior, este pequeno álbum de fotografias por diversos é excelente.

Memória da independência: 1808/1825.

[Rio de Janeiro]: Museu Nacional de Belas Artes, [1972]. (Catálogo de exposição, 1972-1973)

Comemorando o sesquicentenário da Independência, o Ministério da Educação organizou uma grande e importante exposição que contou com 902 itens entre documentos históricos, paisagens, tipos e costumes, medalhas, projetos e aspectos arquitetônicos; ótimos os comentários e as resumidas biografias de personagens da época, mas a reprodução das ilustrações não foi das melhores. NOTA: Para a mesma exposição e com o mesmo título, foi editado um catálogo reduzido, sem os comentários e as ilustrações.

Mostra do Redescobrimento: Brasil 500 anos.

São Paulo: Associação Brasil 500 Anos Artes Visuais, 2000.

Como parte dos festejos do V Centenário do Descobrimento do Brasil, realizou-se em São Paulo a exposição temática "Mostra do Redescobrimento", uma exposição que provavelmente passará aos anais como a mais importante, vistosa, bela, expressiva e abrangente de todas as do gênero até então realizadas. Formada com base em treze temas distintos, foi cada um destes módulos dotado de um catálogo em quarto grande encadernado, todos de excepcional qualidade editorial e gráfica e todos confiados a especialistas, formando um conjunto notável e indispensável em qualquer boa biblioteca:

Arqueologia = Archaelogy: Mostra do Redescobrimento
Arte afro-brasileira = Afro-Brazilian art: Mostra do Redescobrimento
Arte barroca = Baroque art: Mostra do Redescobrimento
Arte contemporânea = Contemporary art: Mostra do Redescobrimento
Arte do século XIX = 19th century art: Mostra do Redescobrimento
Arte moderna = Modern art: Mostra do Redescobrimento
Arte popular = Popular arts: Mostra do Redescobrimento
Arte: evolução ou revolução? A primeira descoberta da América = Art: evolution or revolution? The first discovery in America: Mostra do Redescobrimento
Artes indígenas = Native art: Mostra do Redescobrimento
Carta de Pero Vaz de Caminha = Letter from Pero Vaz de Caminha: Mostra do Redescobrimento
Imagens do inconsciente = Images of unconscious: Mostra do Redescobrimento
Negro de corpo e alma = Black in body and soul: Mostra do Redescobrimento
O olhar distante = The distant view: Mostra do Redescobrimento

Foram também publicados os suplementos "Arte: evolução ou revolução? A primeira descoberta da América = Art: evolution or revolution? The first discovery in America: Mostra do Redescobrimento: Brasil 500 é mais", "Mostra de Redescobrimento: Brasil + 500", "Mostra do Redescobrimento: versão abreviada", "Guia do redescobrimento: conheça a exposição que usa obras e objetos desde a pré-história até a arte contemporânea para recontar a trajetória das culturas brasileiras", também estes muito bem ilustrados. NOTA: Os catálogos interessantes à pesquisa encontram-se resenhados nos correspondentes verbetes.

Natureza brasileira: registros na coleção do MASP.

[São Paulo]: MASP, [1996]. (Catálogo de exposição, abr. 1996?)

Catálogo de uma mostra de paisagens pertencentes ao acervo do MASP de São Paulo, dos quais três Gobelins de 1723, cinco obras de Frans Post, duas de Jean-Baptiste Debret, uma de Henry Chamberlain (v. estes) e uma de Schute; as restantes são do século XIX. Reproduz apenas cinco de 22 quadros.

O Brasil em 80 fotografias.

Rio de Janeiro: Sarsa, ?

Álbum de forma oblonga, de 18 x 25 cm, com boas fotografias, provenientes do estúdio de Jean Manzon (v.), publicado como brinde pelo Laboratório Silva Araujo Roussel na década de 1950.

O Brasil na tapeçaria do século XVIII.

São Paulo: EPCINT, 1997. (calendário)

Calendário de grande dimensão, com reprodução do gobelin *Os Touros*, uma das quatro peças que compõem a série "Les Nouvelles Indes", executada por Leblont em 1753, sob risco de François Desportes (1661-1743), baseado em desenho original de Albert Eckhout (v.). Além da ilustração completa na capa, o calendário comporta seis reproduções de detalhes desta famosa tapeçaria.

O Brasil pintado por mestres nacionais e estrangeiros: séculos XVII-XX.

[São Paulo]: Museu de Arte de São Paulo Assis Chateaubriand, 1987. (Catálogo de exposição, 1987)

Exposição do acervo do MASP sobre o tema do título; boas reproduções nesta bem cuidada edição, que conta com comentários de Luis Marques (curador do museu).

O homem brasileiro e suas raízes culturais.

São Paulo: MASP/Kodak, 1980. (Catálogo de exposição, set. 1980)

Folhas soltas em papel couché (29 x 29 cm), acondicionadas em um envelope, constituem este excepcional catálogo de uma exposição da obra de 175 fotógrafos brasileiros sobre o tema do título; as fotografias, em cores e em branco e preto, foram reproduzidas com a alta qualidade peculiar à patrocinadora.

Paisagem cultural brasileira: região sudeste = Brazilian cultural landscape: southeastern region.

Texto/text: Alcino Izzo Jr. Fotos/photos: Antonio Di Ciommo, Evelyn Muller, Franklin Nolla, Iatã Canabrava, Juvenal Pereira, Lau Polinésio e Rosa Gauditano. São Paulo: Editora Terceiro Nome, 2000.

Paisagem cultural brasileira: região Centro-Oeste = Brazilian cultural landscape: mid-west region.

Texto/text: Alcino Izzo Jr. Tradução/translation: Juliana Spink Mills. São Paulo: Editora Terceiro Nome, 2001.

O tema destas duas obras nos é revelado pelo título e pelas belas fotografias dos profissionais relacionados.

Parques Nacionais: Brasil.

São Paulo: Empresa das Artes, 1997.

Documentário fotográfico que contou com a coordenação da equipe técnica do Ibama. Fiéis ao espírito desta equipe, as expressivas fotografias são essencialmente ecológicas, geralmente dedicadas a uma vista geral de cada parque e outra de uma característica zoológica ou botânica da região. Foram retratados e descritos os 35 parques existentes; os fotógrafos não foram revelados, mas a coordenação foi confiada a Zé de Boni (v.). Recomendável.

Pintura Brasil séc. XIX e XX.

[São Paulo]: Banco Itaú, 1989.

Catálogo de grande qualidade e excelentes reproduções, retrata quase exclusivamente paisagistas na parte reservada ao século XIX. No século XX constam paisagistas e retratistas, mas predominam os abstratos.

500 anos de Brasil: relatório anual.

São Paulo: Banco Safra, 1999.

Este relatório difere ainda mais de qualquer outro do gênero por ter dedicado grande parte da obra ao tema do título, com vários estudos de historiadores eruditos e ampla documentação iconográfica. Importante.

Sesquicentenário da Independência do Brasil: programa.

S.l.: Presidência da República, [1972]. (Programa, 1972)

Rica plaqueta que apresenta a programação dos festejos da efeméride do título. Ilustrada em cores com quadros iconográficos antigos e modernos, todos com pequenos comentários.

Brasilien.

Edição especial de *Merian: Das Monatsheft der Städte und Landschaften im Hoffmann und Campe Verlag*, Hamburg, nº 11/ XXVIII, [1975?].

Um dos números especiais (nº 11 do volume 28) da série "Merian" da editora, abrange aspectos físicos, históricos e culturais do Brasil confiados a especialistas como Hermann Görgen, Sergio Cabral, Hugo Loetscher, Jorge Amado, Gilberto Freyre, Wolfgang Pfeiffer e outros; muito bem ilustrado com fotografias, algumas em cores.

BRASÍLIA

Planejada por Lucio Costa e executada com projetos arquitetônicos de Oscar Niemeyer (v. estes), a cidade nasceu em 1964 como o novo Distrito Federal e capital do País.

Brasília.

Rio de Janeiro/Brasília: Edições Alumbramento, 1986.

Para esta bela edição convém usar a definição que consta de sua apresentação: "Este livro é singular. Lembra, como inspiradora sugestão, o trevo de quatro folhas que se abre como as asas do Plano Piloto estendidas sobre o Planalto Central". Criou-se assim um álbum em um só volume e quatro tomos, dos quais três focalizam os arquitetos Oscar Niemeyer, Lúcio Costa e Burle-Marx (v. estes), respectivamente, e o quarto, os artistas Alfredo Ceschiatti, Athos Bulcão, Bruno Giorgi e Marianne Peretti. Excelentes fotografias de Claus Meyer (v.). Importante.

Brasilia: história, urbanismo, arquitetura, construção = history, city planning, architecture, building.

2ª edição = 2nd printing. [São Paulo]: Uma edição Acropole, 1960.

Esta foi uma publicação de cunho comercial, mas nem por isso deixa de ser um importante tratado sobre os temas do título. Além de textos dos arquitetos Eduardo Kneese de Mello, Jorge Wilheim, Lucio Costa e dos projetos de Oscar Niemeyer (v. estes), conta com farta documentação fotográfica e muitas plantas arquitetônicas.

Brasília ano 20: depoimento de 35 fotógrafos de Brasília.

[Brasília]: Agil, [1980].

Apesar de editado pela União dos Fotógrafos de Brasília e contar com alguns bons participantes, este álbum não apresenta qualidades editoriais e tampouco as de bom fotojornalismo.

Souvenir de Brasília.

[São Paulo: Edição Mercator], s.d.

Típico álbum para a finalidade do título, diferindo de outros similares pela qualidade da edição e das catorze boas fotografias do editor Alfredo Colombo.

Brasília.

Texto de Celso Antunes. São Paulo: Gráficas Brunner, 1976.

Como primeiro volume da "Coleção Mercator colorida" da editora, este simpático álbum de pequeno formato ostenta bom texto e muito boas fotografias de autor não revelado.

Brasília: trilha aberta: homenagem a Juscelino Kubitschek: 10º aniversário de sua morte.

Brasília: s.e., 1986. (Catálogo de exposição, 1986)

Catálogo de uma exposição promovida pela Secretaria de Cultura e Fundação Cultural do Distrito Federal, uma obra comparável a uma edição de luxo em sua apresentação, formado que é por uma plaqueta contendo o texto explicativo e a reprodução de mais de cinqüenta fotografias sobre papel couché pesado, todas com verbetes explicativos no verso, cuja maior parte retrata a época de formação e alguns dos projetos premiados, e as restantes são coloridas e recentes.

Palácio Itamaraty: Brasília: Rio de Janeiro.

[São Paulo]: Banco Safra, [1993].

Dois edifícios de grande importância arquitetônica e valiosos acervos, que simbolizam duas eras da história da diplomacia nacional: a que se estendeu até meados do nosso século e teve o Império como ponto culminante e a que se criou com o advento de Brasília. Silvia Escorel nos faz sentir a importância destas fases e as fotografias de Rômulo Fialdini (v.) as visualizaram nesta edição da série "Museus" do Banco Safra (v.). NOTA: Como 21ª edição da série "Museus", o Banco Safra publicou para 2002 uma segunda edição desta obra.

Praça dos Três Poderes = Three Powers Square.

Brasília: Gráfica Ipiranga, 1998.

Boa plaqueta projetada pela Fundação Oscar Niemeyer, com textos do arquiteto e fotografias de Marcel Gautherot (v. estes). Recomendável.

Relatório do plano piloto de Brasília.

Brasília: s.e., 1991.

A declaração de Lucio Costa, "Brasília, cidade que inventei", foi o lema que orientou este bom documentário fotográfico por diversos. Recomendável.

BREIVIK, BÅRD

Brazil 1991; dead angle.

Malmö: s.e., 1991.

Em 1978 o escultor norueguês Breivik empreendeu uma rápida viagem à América do Sul, que repetiu em 1987 com a inclusão do Brasil. Em 1990, quando foi designado representante da Noruega na XXI Bienal Internacional de São Paulo, resolveu conhecer melhor o País e, para tanto, seguiu os passos da expedição Roncador-Xingu, de 1943. O resultado desta viagem é a presente obra, uma pequena jóia; segundo o próprio autor, é uma reportagem visual mais do que um álbum de fotografias, um *sketch-book*, com múltiplos desenhos próprios adicionais. Muito interessante. NOTA: Publicado expressamente para apresentação na XXI Bienal de São Paulo, esta edição de dezesseis fotografias diminutas deverá ter no futuro uma edição especial em formato maior.

BRENNAND, FRANCISCO

Pintor e ceramista (1927).

Brennand: esculturas 1974/1998.

São Paulo: Pinacoteca do Estado, 1998.

O catálogo de uma simples exposição de esculturas não caberia normalmente nesta resenha, mas no presente caso é uma edição monumental sobre um grande artista cujas obras se encontram atualmente em praças públicas Brasil afora, a começar por várias que ornam o pátio da própria expositora; além disto, este "catálogo" não se limitou a reproduzir as peças expostas, mas também dedicou amplo espaço ao museu destas mesmas peças, formado pelo artista em sua oficina de cerâmica no antigo Engenho São João da Várzea, em Recife. Textos, ilustrações, diagramação: tudo excelente.

BRENTANI, GERDA

Desenhista e caricaturista (Itália, 1909-São Paulo, 1999).

São Paulo: casas e fachadas.

[São Paulo: Editora Rios Ltda., 1983].

Imigrada em 1939 e radicada em São Paulo, a artista iniciou em 1940 seus passeios pela cidade, onde "as velhas moradias tinham para mim um encanto especial, sobretudo pela ausência total de qualquer estilo arquitetônico ou a mistura caprichosa de muitos estilos", motivos que a levaram ao "anacrônico, aquilo que destoa do bom gosto consensual", na análise da prefaciadora Vera d'Horta Beccari, ou, em outras palavras, a uma visão caricata, como efetivamente é a destas lindas aquarelas. Álbum encadernado em tiragem de 700 exemplares.

BRIGGS, FREDERICO GUILHERME

Nascido e falecido no Rio de Janeiro (1813-1870) mas registrado como cidadão britânico, estudou em colégios particulares e como voluntário na Academia Imperial de Belas Artes do Rio de Janeiro, participando das exposições gerais de 1829 e 1830. Além do ensino do desenho, dedicou-se à litografia e, de 1836 a 1837, buscou aperfeiçoamento na oficina litográfica de Day & Haghe em Londres. Em fins de 1843 formou com o litógrafo alemão Peter Ludwig (v.) a oficina litográfica Ludwig & Briggs, uma das mais importantes da época e da qual participou até 1868. Sua vida e importante produção artística não lograram estudo especial até a data (talvez por força da grande raridade atual das peças) e muito pou-

co se encontra reproduzido. Notícias várias encontram-se em Imagem e Letra *de Orlando da Costa Ferreira, uma relação de suas obras (sem reproduções) em* Iconografia do Rio de Janeiro *de Gilberto Ferrez (v.), várias aquarelas reproduzidas em* Visões do Rio na Coleção Geyer *(v.) e, sobretudo, as aquarelas da edição fac-similada* Lembrança do Brasil *a seguir referida:*

Lembrança do Brasil: Ludwig & Briggs.

Rio de Janeiro: Sedegra, s.d.

Entre 1846 e 1849 foram executadas, na oficina litográfica de Pedro Ludwig (alemão, 1816-?) e Frederico Guilherme Briggs (anglo-brasileiro, 1813-1870), trinta estampas coloridas de costumes brasileiros, reunidas a seguir no álbum *The Brazilian Souvenir – A selection of the most peculiar costumes of the Brazils*, atualmente raríssimo. Este álbum foi fac-similado com o título acima e dotado de bibliografia e o estudo "Frederico Guilherme Briggs e sua oficina litográfica", da iconógrafa Lygia Fonseca Fernandes da Cunha (v.). Uma pequena jóia importante e recomendável.

BRILL, ALICE

Pintora e fotógrafa (Alemanha, 1920), filha do pintor Erich Brill (v.), chegou ao Brasil em 1934 e radicou-se em São Paulo; com estudos nos Estados Unidos e posterior doutorado em São Paulo, participou de várias Bienais de São Paulo e foi autora de Mário Zanini e seu tempo: do grupo Santa Helena às Bienais *(São Paulo, 1984) e* Samson Flexor: do figurativismo ao abstracionismo *(São Paulo, 1990). Como fotógrafa participou das obras* Brazil. Portrait of a great country, Isto é a Bahia! *e* Arte e inconsciente: três visões sobre o Juquery *(v. estas); consta da "Coleção Pirelli" do MASP (v.) e em 2001 doou seu acervo fotográfico ao Instituto Moreira Salles (v.).*

BRILL, ERICH

Pintor alemão (1895-1942), formado em sociologia e filosofia, dedicou-se a seguir às artes estudando em Berlim, Frankfurt e Hamburgo. Após várias exposições na Europa, emigrou em 1934 para o Brasil, expondo no Rio de Janeiro e em São Paulo. Retornou à Alemanha em 1937, onde foi encarcerado, e faleceu em 1942.

Erich Brill: pintor e viajante.

Curadoria: Alice Brill. São Paulo: Pinacoteca do Estado, 1995. (Catálogo de exposição, 1995)

Catálogo em quarto grande e bem feito de uma exposição retrospectiva deste importante paisagista.

BRITO, ORLANDO

Senhoras e senhores.

[São Paulo]: Fiat do Brasil, 1993.

Fotojornalista mineiro (1950), trabalhou por muitos anos para a revista *Veja* e a seguir em *Caras*, atividade esta que ensejou os contatos e oportunidades para obter as entrevistas-relâmpago e os retratos das personalidades do mundo político, social e artístico nacional que se encontram neste álbum de formato pequeno e ótimo acabamento. Interessante.

BRUGIER, ALAIN

Fotógrafo francês (1941), ativo no Nordeste, participou das obras Alcântara: cantos do silêncio *e* Olinda 450 anos *(v. estas) e ilustrou* Ilha de Fernando de Noronha, *de Isa Adonias (v.); também consta com o lindo ensaio "Alcântara" na revista* Ventura, *ano 2, nº 5 (1988).*

BRUNO, ERNANI DA SILVA

Jornalista e historiador (1912), autor do clássico História e tradições da cidade de São Paulo.

Imagens da formação do Brasil: o trabalho e a produção; comunicações e transportes; a sociedade e os costumes.

Reproduções fotográficas: Germano Graeser. São Paulo: Editora Cultrix, [1962].

Bastaria o título para revelar a importância da obra, um álbum em quarto grande, ricamente ilustrado com gravuras dos "viajantes" e algumas vinhetas de Guilherme Valpeteris.

O equipamento da casa bandeirista segundo os antigos inventários e testamentos.

[São Paulo]: Departamento do Patrimônio Histórico, [1977]. (Registros, 1)

Apesar de se tratar de obra destinada a servir de complementação ao acervo do Museu da Casa Bandeirista, este estudo de um grande conhecedor da historiografia paulista inexplicavelmente deixou de ser ilustrado. Muito interessante.

Memória da cidade de São Paulo: depoimentos de moradores e visitantes: 1553-1958.

[São Paulo]: Prefeitura do Município de São Paulo/Secretaria Municipal da Cultura/ Departamento do Patrimônio Histórico/Seção Técnica de Divulgação e Publicações, 1981. (Registros, 4)

Além de fotografias das mais antigas (algumas de 1860), a obra conta com reprodução de muitas aquarelas de Thomas Ender, Landseer, Debret (v. estes), Armand-Julien Pallière e vários anônimos, plantas e mapas.

BUDWEG, HEINZ

Desenhista e pintor alemão (1940), estabelecido em São Paulo a partir de 1953, realizou várias exposições individuais e coletivas e, em 1960 e 1966, expôs no Museu de Arte de São Paulo Assis Chateaubriand. Contribui regularmente com artigos em jornais e revistas sobre temas de sua especialidade (demonstrando forte discordância com a arte moderna), atua como ilustrador de livros e calendários e dirigiu por vários anos o Instituto Hans Staden em São Paulo.

Vida caiçara: pequena história para gente grande.

[São Paulo: s.e., 1977?].

Álbum de grande dimensão com reprodução de dez desenhos a nanquim.

Uma viagem pictórica pelo Brasil: volumes I e II.

[São Paulo: s.e., 1977]. 2 v.

Dois álbuns de 43 x 40 cm, contendo cada um reprodução de doze desenhos e uma folha de índice explicativo.

Ilha de Marajó; chuva sobre os campos.

S.l.: s.e., [1986?].

Seja no campo da qualidade gráfica, seja no da inspiração artística, este é o melhor dos álbuns do autor.

Minas colonial.

[São Paulo: Instituto Hans Staden], 1989.

Calendário do Instituto Hans Staden de São Paulo para o ano de 1989, reproduzindo doze grandes telas a óleo de Heinz Budweg, todas datadas de 1988.

BURCHELL, WILLIAM JOHN

Botânico inglês (1781-1863), filho do botânico Matthew Burchell, foi admitido como membro da Linnean Society em 1803 e em 1805 partiu para a Ilha de Santa Helena, onde criou e dirigiu um jardim botânico até partir para a África do Sul em 1810; retornou à Inglaterra, em 1815, com grande coleção botânica e para publicar sua obra Travels in the interior of South Africa. *Por sugestão do zoólogo William Swanson (que viajou pelo Brasil de 1817 a 1818), resolveu visitar o Brasil e para tanto se juntou à missão diplomática de Sir Charles Stuart; viajou muito pelo País até 1830 quando regressou à Inglaterra. O Botanical Garden de Kew, em Londres, conserva de sua autoria um* Catalogus Geographicus Braziliensis, *em nove volumes, mas desconhece-se o paradeiro de seus Diários e das Notas sobre suas viagens ao Brasil, documentos sobre os quais dava notícias por cartas ao pai e a amigos. A maior parte de seus desenhos brasileiros (260, dos quais 40 do Rio de Janeiro) encontram-se na Biblioteca da Universidade de Witwatersrand em Johannesburgo (África do Sul), onde também se encontra um grande panorama do Rio de Janeiro, um conjunto que nos é apresentado por Gilberto Ferrez (v.) em* O Brasil do Primeiro Reinado visto pelo botânico William John Burchell: 1825-1829 *(Rio de Janeiro, 1981) e em* O mais belo panorama do Rio de Janeiro (1825) por William John Burchell *(Rio de Janeiro, 1966). Outros desenhos foram entregues pelo artista a Sir Charles Stuart e por este reunidos com desenhos de Charles Landseer, Henry Chamberlain e Debret (v. estes) para a formação de um álbum que passou a ser conhecido por* Sketchbook of Highcliff, *este adquirido por Alberto Rangel em 1926 para a coleção de Candido Guinle de Paula Machado e atualmente no acervo do Instituto Moreira Salles (v.). Estes desenhos foram relacionados e parcialmente reproduzidos no capítulo "Brazil 1825-1826. Charles Landseer and the British Mission with works of Burchell, Chamberlain and Debret", do catálogo* Exploration and Travel *(1999) da Christie's (v.). Desenhos avulsos encontram-se ocasionalmente reproduzidos: uma aquarela no catálogo* Topographical pictures *da Christie's (1997) e em artigos na* Gazeta Mercantil *(5 de março de 1999) e n'*O Estado de S. Paulo *(9 de março de 1999).*

BURITY, GLAUCE MARIA NAVARRO

A presença dos franciscanos na Paraíba, através do Convento de Santo Antonio: dissertação apresentada ao curso de mestrado em História da Universidade Federal de Pernambuco.

Rio de Janeiro: s.e., 1988.

Publicação particular de uma obra histórica apresentada como tese de mestrado na Universidade Federal de Pernambuco. Esta obra erudita inclui um capítulo dedicado à "época do esplendor artístico: aspectos arquiteturais (século XVIII)", um capítulo que inclui uma excelente documentação fotográfica por Nilton Ricardo, formada em 1988 após a conclusão das obras de restauro do Convento para ilustrar a publicação da tese concluída em 1984.

BURLE-MARX, ROBERTO

Paulista de nascimento (1909-1994), estudou por dois anos na Alemanha e em 1929 radicou-se no Rio de Janeiro. Após cursar a Escola Nacional de Belas Artes por pouco tempo, foi aluno de Leo Putz (Alemanha 1869-1940), do escultor Celso Antonio e do botânico Melo Barreto, passando a dedicar-se ao paisagismo e assumindo, em 1934, a direção dos Parques e Jardins em Recife, onde criou, em 1937, o primeiro parque ecológico nacional. Além de autor dos mais famosos parques do país: Pampulha (Belo Horizonte), Ibirapuera (São Paulo), Museu de Arte Moderna e Aterro do Flamengo (Rio de Janeiro), Eixo Monumental (Brasília) e Centro Cívico de Curitiba, também foi paisagista de jardins particulares, especialidade que lhe valeu renome internacional e o tornou alvo de estudos de P. M. Bardi, Lélia Coelho Frota (v. estes), Flavio Motta, W. H. Adams e outros. Dedicou-se também ativamente à pintura e à litografia, além de design *de jóias, promovendo muitas exposições individuais.*

Um esforço de preservação do meio ambiente: Roberto Burle-Marx.

Rio de Janeiro: Solar Grandjean de Montigny, 1980.

Modesto, mas nem por isso menos importante catálogo de uma notável exposição da obra de Burle-Marx subordinada ao tema do título. "Burle-Marx e a valorização da flora autóctone" constitui importante artigo de José Tabacow e as fotografias (razoavelmente reproduzidas), confiadas a Marcel Gautherot (v.), nos transmitem uma visão global dos grandes projetos do maior dos paisagistas brasileiros.

Roberto Burle-Marx: pintura, escultura, paisagismo.

[São Paulo]: Museu de Arte de São Paulo Assis Chateaubriand, 1979. (Catálogo de exposição, out. 1979)

Catálogo de exposição, modesto mas bem feito, com bons textos e boas ilustrações, algumas em cores; extensa relação das exposições e obras do artista.

Burle Marx; litogravuras.

Curitiba: Associação Cultural Avelino A. Vieira, [1994?].

Curiosa e interessante publicação comemorativa de 43 anos de atividades do Banco Bamerindus. Formada por um álbum em papelão grosso, com nove folhas em cartolina forte reciclada, é destinada a prestar uma homenagem ao então recém-falecido paisagista através da reprodução de quatro de suas litografias "ecológicas", doadas pelo próprio artista ao Museu Nacional de Belas Artes em 1990 e pela primeira vez reproduzidas.

Arte e paisagem: a estética de Burle Marx.

São Paulo: USP/MAC, 1997. (Catálogo de exposição, abr.-maio 1997)

Catálogo de uma exposição sobre o tema do título, com poucas mas expressivas reproduções, um estudo de Lélia Coelho Frota (v.) e uma relação completa de seus projetos.

Relatório anual: 1994: Safra.

São Paulo: Banco Safra, [1994].

Um dos relatórios anuais do Banco Safra, este sob o tema "A natureza através do meu jardim. Roberto Burle-Marx". Além de muitas belas fotografias de alguns jardins projetados por Burle-Marx, constaram as do grande hall, jardim e outros detalhes do paisagismo executado para a sede do banco em São Paulo.

Roberto Burle Marx.

Rio de Janeiro: Lemos Editorial e Gráficos, 1996.

Um "trabalho jornalístico" em edição bem cuidada, patrocinada pela Bayer, apresenta parte da produção do grande paisagista brasileiro, com ênfase na sua obra pictórica. O texto foi compilado de obras diversas pelo editor Paulo Lemos e as fotografias em grande parte devidas a Haruyoshi Ono (1943), colaborador de Burle-Marx. Interessante.

Burle Marx: Landschaftsgestaltung in Brasilien = Burle Marx: Paisagismo no Brasil: Brasiliana de Frankfurt.

São Paulo: Câmara Brasileira do Livro, 1994.

Uma das belas obras publicadas pela Câmara Brasileira do Livro para participação na homenagem promovida pela Feira Internacional do Livro de Frankfurt (Alemanha) ao Brasil. Também esta edição não fugiu à regra de alta qualidade das demais, reproduzindo jardins, projetos, desenhos e aquarelas, além de pinturas e jóias. A quase totalidade das fotografias são devidas a Haruyoshi Ono (Rio de Janeiro 1943), arquiteto, colaborador e sócio de Burle-Marx. NOTA: A edição conta com uma plaqueta anexa com o mesmo título, redigida em alemão, que apresenta uma relação dos projetos de Burle-Marx e um curriculum completo do arquiteto Haruyoshi Ono. Muito recomendável.

BURMEISTER, HERMANN

O zoólogo alemão Hermann Burmeister (1807-1892) chegou ao Brasil em 1850, viajou pelas então Províncias do Rio de Janeiro e Minas Gerais e trabalhou durante cinco meses com o paleontólogo sueco W. Lundt na Lagoa Santa (MG); viajando a seguir para o Rio de Janeiro, tornou-se diretor do Museu Nacional até seu retorno à Europa em 1852. Em 1862 foi nomeado diretor do Museu Nacional em Buenos Aires, cargo que ocupou até seu falecimento. Sua importantíssima obra, Reise in Brasilien durch die Provinzen Rio de Janeiro und Minas Geraes... *(Berlim, 1853) foi acompanhada de um álbum,* Landschaftliche Bilder Brasiliens und Portraits einiger Urvölker... *(Berlim, 1853) com onze litografias executadas, segundo seus desenhos, por W. Loeillot em Berlim, nas dimensões 24 x 47 cm, um álbum de grande beleza e de grande raridade quando completo.*

Viagem ao Brasil através das províncias do Rio de Janeiro e Minas Gerais visando especialmente a história natural dos distritos auri-diamantíferos.

São Paulo: Livraria Martins Editora S.A., [1952]. (Biblioteca Histórica Brasileira, 19)

Esta primeira versão brasileira do original alemão *Reise in Brasilien* também reproduz o grande mapa e as onze litografias do álbum original; a ordem das gravuras, entretanto, não foi respeitada, as três estampas duplas foram separadas, os títulos traduzidos (com algumas incorreções) e as subscrições omitidas. A grande importância desta obra reside não somente no texto, mas também nas belíssimas gravuras. NOTA: A edição teve uma tiragem especial de cem exemplares em formato maior. Uma edição da Editora Itatiaia, 23° volume da "Coleção Reconquista do Brasil. Nova série" (1980), contém a reprodução das mesmas gravuras, mas omite o mapa.

BURY, JOHN

John-Bernard Bury, historiador inglês, estudou em Oxford de 1935 a 1938 e esteve no Brasil de 1947 a 1948 para o estudo do barroco brasileiro, tema que usou para conferências realizadas a partir de 1949 em universidades inglesas. Em 1972 contribuiu com o estudo "A arquitetura e a arte do Brasil colonial" para a The Cambridge History of Latin America, *sem ilustrações.*

Arquitetura e arte no Brasil colonial.

Tradução Isa Mara Lando. [São Paulo]: Nobel, [1991].

Além do estudo constante do título, esta obra inclui um prefácio e vários outros estudos do autor, relacionados ao barroco brasileiro e deste com o de Portugal; ilustrada com desenhos e croquis arquitetônicos, gravuras e fotografias do próprio autor, além de fotografias complementares de Eduardo Fernandes de Mello, fotógrafo do SPHAN. Muito recomendável.

BUVELOT, LOUIS

Abraham Louis Buvelot, pintor paisagista suíço (1814-1888), estudou com Marc-Louis Arland em Lausanne, com Volmar na Academia de Berna e com Camille Flers em Paris. Chegado ao Brasil em 1840, trabalhou em Salvador e no Rio de Janeiro como paisagista, retratista e fotógrafo e participou das exposições da Academia Imperial de Belas Artes; entre 1842 e 1844 publicou no Rio de Janeiro, em conjunto com Louis Auguste Moreau (v.), o álbum de litografias Rio de Janeiro Pittoresco. *Em 1855 emigrou para a Austrália, onde se tornou famoso e veio a falecer.*

Brasil antigo: 8 quadros inéditos = eight unpublished paintings.

[São Paulo]: CBPO – Companhia Brasileira de Projetos e Obras, 1981.

Magnífico álbum de grande dimensão (46 x 56 cm) reproduzindo oito lindas paisagens provenientes de coleções particulares suíças; as excelentes reproduções foram montadas em *passe-partout*. Um rápido estudo de Maurice Pianzola (v.) sobre o artista e os sempre abalizados comentários explicativos do iconógrafo Gilberto Ferrez (v.) completam esta bela obra. NOTA: Seis das oito estampas que compõem o álbum supra foram utilizadas pela Livraria Kosmos para um calendário de 1988, "Brasil Antigo".

BUVELOT, L. e MOREAU, Auguste. *Rio de Janeiro pitoresco.*

São Paulo: Livraria Martins Editora, [1943]. (Álbuns do Brasil, 1)

Louis Buvelot e Auguste Moreau (Louis Auguste Moreaux, ou Moureau, 1817-1877, v.) se associaram para a produção do álbum supra, formado por dezoito litografias publicadas em fascículos, cabendo as paisagens a Buvelot e as figuras a Moreau. Álbum muito raro quando completo, foi muito bem reproduzido nesta fascinante edição, para a qual também foi aproveitada a capa original, com o brasão imperial e sem título.

C

CABRAL, OSWALDO R.

As defesas da Ilha de Santa Catarina no Brasil-Colônia.

S.l.: Conselho Federal de Cultura, 1972.

Obra erudita de renomado historiador, membro do Instituto Histórico e Geográfico, ilustrada com aquarelas antigas que retratam em cores as fortalezas e as tropas em seus uniformes, muito bem reproduzidas. O mesmo não pode ser dito das fotografias atuais, em branco e preto, todas amadorísticas e provavelmente do próprio autor.

CACCAVONI, ARTHUR

Album descriptivo amazonico.

Rio de Janeiro: s.e., 1899.

Álbum notável, publicado especialmente para a Exposição Universal de Paris em 1900. Ainda que obra essencialmente comercial, contou com excelente texto de seu autor-editor e importante documentação fotográfica de prédios e estabelecimentos comerciais e industriais de Belém do Pará, bem como a mesma temática e muitas vistas gerais de Manaus; contou ainda com uma grande planta de Manaus e outra em página dupla de Belém. Esta obra foi editada em português e italiano, em tiragem de mil exemplares, todos assinados pelo editor e artisticamente encadernados; a extraordinária fototipia foi executada na Itália. NOTA: No prefácio deste seu álbum, o editor faz referência a um álbum anterior sobre o mesmo assunto e também de sua autoria, ilustrado com quarenta fotografias e premiado na Exposição de Torino em 1898.

CAFI

O pernambucano Carlos da Silva Assunção Filho (1950) se dedica, desde 1968, à fotografia nos ramos de programação visual, cartazes, capas de discos, etc. Vários de seus ensaios fotográficos se encontram em exposição permanente no Museu do Folclore e no Museu da República, no Rio de Janeiro, além de constarem em obras diversas, como o álbum Os brasileiros: 25 postais fotográficos: nº 1, *o catálogo* A arte do povo brasileiro *(v. estes),* 27 poemas de Augusto Rodrigues *e* Humor voador.

CALDAS, JOSÉ ANTÔNIO

Nascido na Bahia em 1735, abraçou a carreira militar e em 1768 foi promovido a sargento-mor de Engenharia, com o cargo adicional de Professor de Fortificações em Salvador.

Noticia geral de toda esta capitania da Bahia desde o seu descobrimento até o presente ano de 1759.

Edição fac-similar. [Bahia]: Tipografia Beneditina Ltda., 1951.

Comemorando o 4º centenário de fundação da cidade do Salvador, a Câmara Municipal editou esta obra monumental em belíssima edição, em quarto grande, com todas as plantas de fortalezas e mapas, bem como o grande "Prospecto" de Salvador, todos da lavra do autor. Muito interessante.

CALIXTO, BENEDITO

Benedito Calixto de Jesus (1853-1927), historiador e pintor; praticamente autodidata, teve grande insucesso em sua primeira exposição em 1881 (São Paulo). Em 1883, partiu para a França e estudou na Academie Julien em Paris, completando os estudos com Silva Porto e Malhôa em Lisboa; retornou ao Brasil em 1885. Sua obra paisagística, especialmente a portuária e praieira, sempre foi considerada importante para a iconografia brasileira, uma distinção à qual não pôde fazer jus nos demais ramos artísticos aos quais se dedicou. Em Santos, sua cidade natal, foi criada a Pinacoteca Benedito Calixto e instalada em um prédio histórico, descrito em A casa das artes *(v.), onde também se encontra um estudo sobre sua vida e obra e a reprodução de vários de seus quadros. Muitas de suas obras encontram-se freqüentemente reproduzidas em livros da história paulista e de arte, merecendo especial destaque* A paisagem paulista à época do telefone *(v.).*

Benedito Calixto: encontro com o mar.

São Paulo: Fundação Maria Luisa e Oscar Americano, s.d. (Catálogo de exposição)

Lindo catálogo em forma de grande *folder* de quatro folhas, reproduzindo doze quadros do acervo do Banco Boavista sobre o tema desta importante exposição.

Benedito Calixto: reprodução de seis telas do grande pintor.

Santos: Prodesan – Progresso e Desenvolvimento de Santos S/A, 1978

Álbum de pranchas soltas (48 x 33 cm) reproduzindo em cores e de forma tolerável dois quadros históricos e quatro grandes telas retratando a cidade de Santos. Acompanha a obra um bom esboço biográfico e uma útil relação completa de "Telas e Decorações", além de um retrato do pintor.

Benedito Calixto.

[Santos]: Prodesan – Progresso e Desenvolvimento de Santos, 1976. (Calendário, 1976)

Um calendário de grande formato para o ano de 1976, com sofrível reprodução de doze quadros a óleo retratando a cidade de Santos e seu porto.

Benedito Calixto: memória paulista.

[São Paulo]: Pinacoteca do Estado, [1990].

Livro-catálogo dos mais interessantes e bem feitos para uma exposição nacional. Além de relacionar e reproduzir mais de sessenta obras, foram apresentadas quinze das mais expressivas telas em grande formato e papel especial. Constou ainda o confronto de alguns quadros com as correspondentes vistas por José Wasth Rodrigues e Augusto Malta (v. estes), com comentários do arquiteto Benedito Lima de Toledo (v.), de Maria Alice Milliet e outros. Muito recomendável.

CALMON, PEDRO

O Palácio da Praia Vermelha: 1852-1952.

Rio de Janeiro: s.e., 1952.

O conhecido historiador Pedro Calmon Moniz de Bittencourt (1902-1985) apresenta neste pequeno estudo a origem e a evolução deste palácio do Rio de Janeiro, planejado como Instituto para Alienados, transformado em hospital e posteriormente na atual sede da Universidade do Brasil. Edição modesta em péssimo papel, conta, no entanto, com excelentes e bem reproduzidas fotografias em papel especial.

CAMÊU, HELZA

Introdução ao estudo da música indígena brasileira.

S.l.: Conselho Federal de Cultura e Departamento de Assuntos Culturais, 1977.

Foi esta uma exposição interessante, mas não com instrumentos originais do acervo dos Museus Nacional e do Índio, mas com 28 desenhos originais em cores destes instrumentos por José Coelho, desenhista da Funai. Cada um dos desenhos foi reproduzido em preto e branco; em anexo são oferecidos dados descritivos e técnicos e extensa bibliografia, confiados a uma musicóloga.

CAMÕES, EDUARDO COSTA

Eduardo Costa Camões (1955), autodidata, trabalhou e expôs nos EUA *durante o ano de 1973 e em 1975 e 1976 em Brasília, estabelecendo-se com galeria própria no Rio de Janeiro a partir de 1977 e participando de diversas exposições.*

Iconografia do Rio de Janeiro: 1860-1918.

Rio de Janeiro: Galeria de Arte Borghese, 1988. (Catálogo de exposição, 1988)

O pintor Camões se confessa adepto da corrente artística do hiper-realismo e especializou-se em pinturas a óleo baseadas em fotografias e cartões-postais antigos. Esta sua visão "romântica" nos é apresentada neste álbum-catálogo oblongo, muito bem feito e vistoso, mas...

Rio antigo por Camões = Old Rio by Camões.
Rio de Janeiro: Art Collection Studio Editora, 1994.

Álbum oblongo e encadernado, de muito bom acabamento, que serve, de um lado, como apresentação da obra pictórica e, de outro, como propaganda para a editora. A pesquisa e o texto são do próprio artista e em seu posfácio Antonio Bento (v.) explica a evolução da pintura de Camões do hiper-realismo para pós-hiper-realismo, definindo-a em resumo como "realismo mágico". O resultado é idêntico ao do catálogo do verbete anterior.

CAMPIGLIA, G. OSCAR OSWALDO

Igrejas do Brasil: fontes para a história da Igreja no Brasil.
[São Paulo]: Edições Melhoramentos, s.d.

O texto deste pintor e crítico de arte (1906-1977) é conciso, consistindo a importância e o pioneirismo desta obra nas 441 fotografias próprias, colhidas em todos os Estados do País e muito bem reproduzidas; também importantes a relação de obras de arquitetura religiosa e as Notas Explicativas do autor, dotadas de seus desenhos esquemáticos de plantas e frontões. Muito importante. NOTA: Como complementação a esta importante obra, é útil a consulta a um artigo do autor na *Revista do Instituto Histórico e Geográfico Guarujá-Bertioga* (nº 11): "Aspectos artísticos das velhas cidades do Brasil", sem ilustrações.

CAMPOFIORITO, QUIRINO

Pintor, crítico de arte e professor da Escola Nacional de Belas Artes (1902-1993).

Sylvio Pinto: vida e obra em depoimentos.
[Rio de Janeiro]: Arte Hoje Editora/Cabicieri Editorial Ltda., [1985].

Estudo biográfico e coletânea de depoimentos sobre este pintor marinhista e paisagista acadêmico (1918) que participou da I Bienal de São Paulo e obteve o prêmio de viagem ao exterior (1953) e o prêmio de viagem ao país (1954) no Salão Nacional de Belas Artes. Encontra-se bem reproduzido o que será certamente a totalidade de sua numerosa obra paisagística, fortemente influenciada por Pancetti, mas classificada como secundária por José Roberto Teixeira Leite (v.).

CAMPOS, ADALGISA ARANTES

Roteiro sagrado: monumentos religiosos de Ouro Preto.
Belo Horizonte: Editora Francisco Inacio Peixoto, 2000.

Abalizado texto de uma historiadora da Universidade Federal de Minas Gerais, aliado a ilustrações de Docelina M. S. A. Marques e fotografias de Germano Silva Neto e outras de arquivos diversos, resultou neste simpático e bom guia cultural.

CAMPOS, ALEXANDRE

Dicionário de curiosidades do Rio de Janeiro.

São Paulo: Comércio e Importação de Livros Cil S/A, s.d.

Obra interessante e útil, mas fraca em matéria de ilustração, pois conta apenas com poucas fotografias e algumas vinhetas a bico de pena imitando desenhos antigos.

CAMPOS, FERNANDO FERREIRA

Um fotógrafo, uma cidade: Augusto Malta, Rio de Janeiro.

Rio de Janeiro: Maison Graphique, 1987.

Álbum importante, ainda que pequeno e modesto e com reproduções apenas razoáveis. Este estudo enfoca Augusto Malta (v.) como fotógrafo oficial das obras do Prefeito Pereira Passos (virar do século XX), como fundador da Sociedade Cartófila Emanuel Hermann e editor de cartões-postais, como fotógrafo do povo em geral e das figuras carnavalescas. As fotografias reproduzidas completam cada um dos capítulos.

CAMPOS, JURANDYR FERRAZ DE

CAMPOS, Jurandyr Ferraz de, CARVALHO, Fernando e PAULA, Tunico de. *Santa Anna das Cruzes de Mogy: humilde villa de serra a sima.*

S.l.: Global Editora/Universidade de Mogi das Cruzes, [1978].

Um breve histórico da cidade de Moji das Cruzes (SP) e da região por ela ocupada na era colonial (inclui atualmente Salesópolis, Santa Isabel e Itaquaquecetuba), cujo conciso texto é ilustrado com vinhetas e desenhos de Fernando Carvalho e Tunico de Paula, pintores acadêmicos e ativos na região. Nas folhas de guarda, reprodução da "Carta Topographica de parte da Diocese Paulopolitana".

CANABRAVA, IATÃ

Fotógrafo brasileiro (1963), participou da ilustração das obras Sala São Paulo: café, ferrovia e metrópole, São Paulo: gigante e intimista *e* Paisagem cultural: região sudeste *(v. estes).*

Casas paulistas: fragmentos de uma utopia urbana.

São Paulo: FormArte, 2000.

Este ensaio fotográfico em impecável edição é, nas palavras do autor, uma visão "que traça um panorama dos vários conceitos de morar que surgiram ao longo da história de São Paulo", uma visão muito pessoal mas também muito interessante.

CANSTATT, OSCAR

Brasil: a terra e a gente: 1871.

Traduzido do original alemão por Eduardo de Castro Lima. Rio de Janeiro: Irmãos Pongetti Editores, 1954.

Tradução do original alemão *Brasilien, Land und Leute* (Berlim, 1871), em edição de papel de qualidade inferior. Além do texto consagrado, esta obra conta com gravuras importantes executadas sob desenho de Rudolf Canstatt, irmão do autor, além de diversas fotografias, provavelmente do mesmo.

CAPELOSSI FILHO, SAVIO

CAPELOSSI FILHO, Savio e SEYNAEVE, Raymond J. M. *Guia histórico e turístico da cidade de Belém.*

[Belém]: Edições CEJUP, [1992].

Ótimo guia turístico moderno, rico em informações competentes e boas ilustrações a bico de pena de Seynaeve; acompanhado por dois bons mapas.

CAPRI, ROBERTO

O Estado de São Paulo e seus municípios.

São Paulo: Typ. Pocai & Weiss, 1913.

Entre os álbuns comemorativos e descritivos muito utilizados na época, o presente não é excepcional mas é bom; muito ilustrado com fotografias convencionais, sem propaganda e bom texto do autor-editor. Importante.

Minas Geraes e seus municípios: Bello Horizonte: Zona da Matta.

São Paulo: Typ. Pocai & Weiss, 1916.

Organizado e redigido pelo editor Roberto Capri, este álbum de cunho histórico contou com boa reprodução de ótimas fotografias.

CARDIM FILHO, CARLOS A. GOMES

É preciso conhecer Parati.

2ª edição. São Paulo: ed. part., 1981.

Edição particular de um discurso pronunciado na Faculdade de Belas Artes de São Paulo (1966) por este engenheiro-arquiteto (1899-?), um dos fundadores e diretor da Escola de Belas Artes de São Paulo. As fotografias são provavelmente próprias e são boas, mas de pequena dimensão e sofrível reprodução. A capa desta plaqueta reproduz o desenho de um sobradão de Parati pelo autor.

CARELLI, MARIO

Brasil-França; cinco séculos de sedução = Cinq siècles de séduction: France-Brésil.

Rio de Janeiro: Espaço e Tempo, 1989.

A pretexto de comemorarem o bicentenário da Revolução Francesa e o da Inconfidência Mineira, os editores criaram esta obra para retratar a interação dos dois países ao longo dos séculos, fruto dos ideais que motivaram aqueles eventos históricos. Foram assim criados os capítulos "A terra dos papagaios", "A efêmera França Antártica", "A França Equinocial", "De Rousseau a Tiradentes", "A coqueluche francesa", "As idéias progressistas", "La belle époque", "Os sinais da modernidade" e "Um diálogo diferente", todos profusamente ilustrados por artistas franceses com temas brasileiros; a parte de fotografias coube a Ivan Lima, que expunha em Paris e atualmente se encontra ativo no Rio de Janeiro. Excelente acabamento e muito interessante.

CARNEIRO, NEWTON

Historiador (1914-1987), professor de Dasonomia na Universidade Federal do Paraná e ex-Secretário da Cultura do Paraná, foi também um grande bibliófilo, colecionador de louça brasonada e estudioso de iconografia brasileira.

Rugendas no Brasil.

Rio de Janeiro/São Paulo/Porto Alegre: Livraria Kosmos Editora S/A, [1979].

Entre as obras nacionais que estudam a atuação e obra de Johann Moritz Rugendas (v.) no Brasil, a presente é incontestavelmente a melhor, quer pelo texto erudito quer pela excelente escolha e reprodução das obras; edição de luxo em tiragem de mil exemplares assinados. Muito importante.

O mate nas artes luso-brasileiras.

Curitiba: Faculdade de Filosofia, Ciência e Letras da Universidade Federal do Paraná, 1966.

É bem provável que esta seja a única obra nacional dedicada à iconografia do mate; estudo erudito por um grande colecionador de bocais e cuias de mate em prata, com poucas e boas ilustrações.

Iconografia paranaense: anterior à fotografia.

Curitiba: Impressora Paranaense S/A, 1950.

Único e provavelmente definitivo estudo sobre o assunto, tiragem de 500 exemplares. Muito importante.

As artes e o artesanato no Paraná.

Curitiba: s.e., 1955.

Publicação de uma conferência realizada em janeiro de 1953 no encerramento do Seminário de Geografia e História do Paraná. Este pequeno e sólido estudo foi muito bem ilustrado, incluindo um dos poucos documentos fotográficos que nos revelam a velha igreja alemã de Curitiba, projetada e construída por Carlos Wieland em enxaimel de pinho, demolida em 1892.

A Fábrica Colombo e a cerâmica artística no Brasil.

[Curitiba]: s.e., s.d.

Modesta plaqueta publicada para a exposição "Italianos no Brasil" em 1979 no Badep, para este estudo sobre a fábrica de louça branca do italiano Busato, sempre ornada com desenhos do veneziano João Ortolani (que dirigiu a fábrica de 1897 a 1907) e outros. Interessante.

CARNICEL, AMARILDO

O fotógrafo Mario de Andrade.

[Campinas]: Editora da Universidade Estadual de Campinas, [1993].

Estudo sobre a produção fotográfica de Mário de Andrade, autor de *O Turista Aprendiz*, e suas viagens ao Nordeste em 1928 e 1929, sobretudo durante os três meses como correspondente do *Diário Nacional* em companhia do historiador e folclorista Luiz da Câmara Cascudo (v.). O capítulo "Memória Iconográfica" confronta vinte das fotografias de Mário de Andrade com outras tantas recentes do autor sobre o mesmo assunto.

CARPEAUX, OTTO MARIA

Escritor e crítico literário (Viena, 1900-Brasil, 1978).

Ouro Preto.

Belo Horizonte: Editora Itatiaia, 2000. (As sete cidades do ouro, 1)

Como primeiro volume da série "As Sete Cidades do Ouro" da editora, esta é a publicação do pequeno artigo "Uma visão de Ouro Preto" (não consta onde teria sido publicado originariamente) do ensaísta e crítico Otto Maria Carpeaux, com aditamento de longos capítulos de informações turísticas sobre os atrativos da cidade coligidos por Manuel Pastor e Bueno de Rivera. O atrativo da obra reside nas 32 fotografias em cores de Eduardo Tropia (v.).

CARTA, MINO

Histórias da Mooca, com a bênção de San Gennaro.

[Rio de Janeiro]: Berlendis e Vertecchia Editores Ltda., [1982].

O título revela o conteúdo desta obra do jornalista italiano Mino Carta (1933) que também estudou pintura (com Carlo Carrá em Milão) e a ela continua fiel, como se verifica pelas vinhetas a nanquim de página inteira e pela reprodução de um de seus quadros nas folhas de guarda. As fotografias antigas, bem como as atuais de Helio Campos Mello que ilustram a obra, são boas e evocativas.

CARTOFILIA

A cartofilia (um neologismo criado por colecionadores de cartões-postais) é antiga no Brasil, mas relativamente recente a correspondente literatura. Data de 1904 a Sociedade Cartophila Emmanuel Hermann do Rio de Janeiro, agremiação que teve muitos seguidores ao longo do século, cabendo à década de 1980 o início de estudos abalizados, como a pioneira O que é cartofilia, *de Antonio Miranda, o catálogo de Paulo Berger (v.) e as obras de J. E. Girardete, Sergio Tebert e Sergio Fridman (v. estes). Existem atualmente grandes coleções nacionais de cartões-postais (e de arte postal), bem como uma desenvolvida e sofisticada comercialização do produto, nesta incluídos grandes leilões públicos (geralmente promovidos por* marchands*) dotados de extensos catálogos ilustrados-descritivos (alguns em cores). As exposições das coleções particulares têm sido tímidas até a data e o único museu nacional dedicado ao assunto, o "Tempostal" em Salvador (que mantém a coleção de Antonio Marcelino do Nascimento adquirida pelo Estado em 1993), inaugurado em 1997, ainda não conta com catálogo. Os cartões-postais, as obras que os estudam e os catálogos de exposições e de venda são inestimáveis fontes para o estudo da iconografia das cidades e das paisagens, da arquitetura, dos usos e costumes.*

Bello Horizonte; bilhete postal – Coleção Otávio Dias Filho.

Belo Horizonte: Sistema Estadual de Planejamento/Fundação João Pinheiro/Centro de Estudos Históricos e Culturais, 1997. (Coleção Centenário)

Este autêntico guia visual e histórico da cidade de Belo Horizonte é uma das mais belas e importantes obras desta "Coleção Centenário da Fundação João Pinheiro". Uma significativa parte da coleção de Otávio Dias Filho, editor de postais, enriquecida com peças provenientes de outras importantes coleções, nos revela a cidade de Belo Horizonte de sua fundação em 1897 até os fins da década de 1940. Couberam a Maria Marta Martins de Araujo a importante e bem-sucedida relação das peças e os textos explicativos, além de um breve capítulo sobre a cartografia e o histórico da fundação da cidade, conjunto que torna esta obra importante. NOTA: Segundo aviso no prefácio da obra, a parte referente à segunda metade do século XX será publicada em um segundo volume.

Lembrança de São Paulo: exposição de postais no Club Atlético Paulistano.

[São Paulo: Club Atlético Paulistano], 1988. (Catálogo de exposição, mar. 1988)

Grande e expressiva exposição da coleção de João Baptista Moreira da Silva sobre São Paulo antigo. O catálogo é modesto e conta com uma única ilustração, mas transcreve as 171 peças expostas. NOTA: Doze das mais importantes peças desta coleção foram utilizadas para ilustrar o calendário de mesa da Metal Leve (v.) para o ano de 1989.

Memória paulistana: postais.

São Paulo: Secretaria da Ciência, Tecnologia e Desenvolvimento Econômico, [1990?]. (Catálogo de exposição, 1990?)

Esta grande exposição, organizada pelo Governo do Estado de São Paulo, sob a curadoria de João Spinelli, apresentou a coleção de Rubens Marini e logrou este modesto mas bem apresentado catálogo que reproduz 29 peças.

Cartão postal: fascínio & memória: exposição organizada pela Associação de Cartofilia do Rio de Janeiro.

Rio de Janeiro: Solar Grandjean de Montigny, 1986. (Catálogo de exposição, ago.-set. 1986)

Esta primeira exposição de uma associação carioca de cartofilia deve ter sido monumental com suas mais de 500 peças distribuídas em 52 capítulos temáticos: o catálogo relaciona todas as peças, com os comentários do especialista Elysio V. Belchior e a reprodução de um dos cartões de cada capítulo. Muito interessante.

A propaganda no Brasil através do cartão-postal: 1900-1950.
Rio de Janeiro: [Samuel Gorberg], 2002.

A exemplo da anterior organização da obra *Estampas Eucalol* (v.), o colecionador carioca Samuel Gorbeg (1937) apresenta esta nova e monumental "antologia" dos produtos do título. Fascinante.

O Governo Abreu Sodré do Estado de São Paulo publicou como propaganda do turismo no Estado muitas carteiras sanfonadas de cartões-postais, todas com fotografias coloridas; foi possível apurar as abaixo relacionadas.

Turismo em São Paulo.
São Paulo: Secretaria de Turismo, 1970?. (Cartões-postais)

Atrações turísticas do Estado de São Paulo.
São Paulo: Secretaria de Turismo, 1970?. (Carteira sanfonada com dez cartões-postais)

Litoral Norte.
São Paulo: Secretaria de Turismo, 1970?. (Cartões-postais)

A editora Paraná Cart de Curitiba também editou estas carteiras sanfonadas no formato de cartão-postal, mas sem a característica impressão; destas foi possível apurar:

Petrópolis: Estado do Rio.
Curitiba: Paraná-Cart, s.d.

Entre os grandes colecionadores de cartões-postais, Yolanda Roberto (que também atua como importante marchand*) merece especial destaque por ter promovido freqüentes exposições temáticas, apresentando peças próprias e de terceiros, todas com catálogos dotados de bons estudos especializados, muito bem ilustrados e apresentados em tiragem de 2 500 exemplares (alguns com tiragem adicional de cem exemplares em papel superior e encadernados), todos em edição própria pela Yolanda Roberto Marketing e Projetos Culturais. Destes catálogos fazem parte:*

Exposição Nacional 1908: o tradicional bairro de Botafogo no cartão-postal: 1900/30.
Rio de Janeiro: Yolanda Roberto, 1988. (Folder de exposição, set. 1988)

NOTA: O catálogo desta primeira exposição foi um simples *folder* de quatro folhas, mas contou com a reprodução de vinte cartões em pequena dimensão.

A orla do Rio; o eterno cartão-postal: 1900-1940.
Rio de Janeiro: s.e., 1992. (Catálogo de exposição, 1992)

NOTA: Esta exposição também contou com um *folder* como catálogo, este com 12 folhas e 27 reproduções, três das quais em cores.

Os anos dourados do cartão-postal; coleção Yolanda Roberto.

Rio de Janeiro: Itanhangá Golf Club, 1988. (Catálogo de exposição, set. 1988)

Celebridades e mitos; o mundo do teatro em antigos cartões-postais.

Novembro/dezembro 1989: Academia Brasileira de Letras. Coleção, introdução e texto: Marcelo Del Lima. Rio de Janeiro: Academia Brasileira de Letras, 1989.

A família imperial brasileira em antigos e raros cartões-postais: coleções: Eduardo Gasparian, Marcelo Del Cima, Yolanda Roberto.

Introdução e texto: Marcelo Del Cima, Yolanda Roberto. Petrópolis: Museu Imperial, 1991. (Catálogo de exposição, 1991)

Lembrança da Exposição Internacional do Rio de Janeiro no centenário da independência do Brasil: 7 de setembro de 1922: coleção Yolanda Roberto.

Introdução e texto: Elysio de Oliveira Belchior. Rio de Janeiro: Fundação Museu da Imagem e do Som, set. 1992. (Catálogo de exposição, set. 1992)

São Luís do Maranhão; memorabilia de antigos e raros cartões-postais: coleções Antonio Miranda, Elysio de Oliveira Belchior, Yolanda Roberto.

Introdução e texto: Jomar Moraes. Rio de Janeiro: Yolanda Roberto Marketing e Projetos Culturais, 1993. (Catálogo de exposição, 1993)

NOTA: Exposição itinerante do "Projeto Reviver".

Curitiba 300 anos; um encontro com o passado em antigos cartões-postais: coleção Yolanda Roberto.

Introdução e texto: Maria Luiza (Mai) Nascimento Mendonça. Rio de Janeiro: Yolanda Roberto Marketing e Projetos Culturais, 1993. (Catálogo de exposição, 1993)

NOTA: Exposição itinerante em Curitiba.

Ipanema 100 anos; a memória de um bairro em antigos cartões-postais.

Texto: Elysio de Oliveira Belchior; legendas: Paulo Berger. Rio de Janeiro: Yolanda Roberto Marketing & Projetos Culturais, 1994.

Publicidade; uma história de sucesso: cartões-postais: coleção Yolanda Roberto.

Introdução e texto: Elysio de Oliveira Belchior. Rio de Janeiro: Yolanda Roberto Marketing e Projetos Culturais, 1996. (Catálogo de exposição, 1996)

CARTOGRAFIA

A cartografia (ou cosmologia) é a ciência, arte e técnica da apresentação gráfica do universo terrestre e suas partes, dos rios aos mares, das planícies às serras, de região a região e destas aos países e continentes, além das aglomerações humanas e seus detalhes. Ao estudioso da iconografia interessam principalmente os mapas, mas não deixa de apreciar também os globos, as cartas marítimas, as plantas topográficas e outros.

Mapas históricos brasileiros.

[São Paulo]: Abril Cultural, [1969]. (Grandes personagens da nossa História, 5)

O quinto volume da série "Grandes Personagens da Nossa História" (v.) foi publicado em formato diferente dos quatro precedentes: como álbum oblongo e em maior dimensão (26 x 31 cm). A uma resumida introdução à cartografia e a um índice dos mapas segue-se a razoável reprodução de 56 mapas antigos, cada um dotado de um comentário no estilo que norteia esta obra de divulgação cultural. Útil para estudos.

Carta do Brasil ao milionésimo: organizada pelo Conselho Nacional de Geografia.

S.l.: [Instituto Brasileiro de Geografia e Estatística], 31 de janeiro de 1960.

Álbum encadernado em fólio de 55 x 40 cm, primeiro mapa do Brasil projetado na escala do milhão. Cada um dos mapas é acompanhado de um histórico sobre os levantamentos topográficos e várias imagens de características locais em aerofotogrametria. Muito útil. NOTA: Consta existir uma segunda edição.

Exposição de mapas antigos: séculos XVI, XVII, XVIII, da coleção de Sua Excelência o Embaixador Renato Mendonça.

[Rio de Janeiro]: Centro Lume, 1972. (Catálogo de exposição, jul.-ago. 1972)

Inaugurando um centro cultural do grupo empresarial carioca Lume, foi apresentada esta importante coleção. Todos os mapas foram descritos em português e inglês, cinco deles reproduzidos em branco e preto, e o de Varhangen (1595) em cores na capa.

Cartas de uma aventura: América 92.

[São Paulo]: Universidade de São Paulo, [1992?]. (Catálogo de exposição, ago. 1992?)

Linda plaqueta que serviu de catálogo a uma exposição dedicada aos mapas "imaginários" das Américas nos séculos XIV e XV; com texto histórico e notas da renomada bibliotecária e cartógrafa Rosemarie Erika Horch (v.). Como ilustração conta tão-só com o "Globo Terrestre" de Waldseemüller.

Archivos, bibliotheca e mappotheca do Ministerio das Relações Exteriores.

Rio de Janeiro: s.e., 1930.

Luxuosa plaqueta com texto de Octavio Mangabeira sobre o novo prédio da Biblioteca e Mapoteca do Itamaraty, projeto do arquiteto inglês Robert Russell Prentice (1883) e do austríaco Anton Floderer (1884), vencedores do concurso internacional em 1927. Em anexo, oito lâminas, das quais seis com as plantas do edifício e duas com desenhos de Floderer.

Catalogo da Mappotheca do Ministerio das Relações Exteriores.

Primeira parte: Limites do Brasil: Novo Continente, America Meridional, Brasil, Regiões Limitrophes do Brasil. Segunda parte: Planispherios, Atlas, Europa, Novo Continente, America Septentrional, America Meridional, Brasil: mapas geraes, Estados maritimos, Estados centraes, Acre, Series hidrographicas. Rio de Janeiro: Imprensa Nacional, 1926-1929.

O título revela o conteúdo destes dois volumes, sem ilustrações, mas importantes.

Catálogo das cartas históricas da Mapoteca da Diretoria do Serviço Geográfico do Exército: Primeira Exposição Geral do Exército organizada na administração do General Caunrobert P. da Costa.

[Rio de Janeiro]: República dos Estados Unidos do Brasil/Ministério da Guerra/Secretaria Geral/Imprensa Militar, 1953.

Catálogo descritivo de 1 474 itens; sem ilustrações.

Catálogo de mapas existentes na Biblioteca do Arquivo Nacional: notícia apresentada à II Reunião Pan-Americana de Consulta sobre Geografia e Cartografia realizada no Rio de Janeiro.

Rio de Janeiro: Arquivo Nacional/Ministério da Justiça e Negócios Interiores, 1944.

Catálogo descritivo das peças do título, com reprodução de um mapa de cada território federal da época.

Portos do Brasil: atlas: primeiro centenário da Independência: 1822-1922.

Rio de Janeiro: Inspectoria Federal de Portos, Rios e Canaes/Empreza Brasil Editora, 1923.

O exemplar examinado dispõe de capa e de 26 estampas numeradas de plantas de portos brasileiros, todas desdobráveis; sem folha de título ou outro qualquer texto, é provável tratar-se de um anexo a um volume de texto do mesmo título.

Mapas antigos séculos XVI-XVIII: catálogo da exposição organizada pela Seção de Iconografia.

Rio de Janeiro: Biblioteca Nacional, 1978. (Catálogo de exposição, 1978)

Catálogo de uma exposição de mapas manuscritos, com textos de Lygia F. F. da Cunha (v.), diretora da Seção de Iconografia, e da bibliotecária Marlene M. C. Martins; reprodução de três peças raras.

Pequeno atlas do Brasil: brinde da Casa Baruel.

São Paulo: Casa Baruel, 1923.

Este pequeno atlas, na dimensão de 15 x 17 cm, um brinde da Casa Baruel (laboratório químico e farmacêutico), é na realidade uma cópia em cores do *Atlas* do Instituto Geográfico de Agostini (Novara, Itália), apresentando todos os Estados com correspondente descrição e dados estatísticos. No dorso, fotografia da sede da Casa Baruel em São Paulo, imponente prédio em estilo arquitetônico eclético, atualmente demolido.

Evolução da cartografia náutica da Baía de Todos os Santos: 1574-1962.

Rio de Janeiro: Centro Cultural Leme, 1974.

Catálogo de uma exposição de apresentação do acervo destinado ao Museu da Hidrografia que será instalado no Forte de Santo Antônio da Barra, em Salvador. Bem feito e ilustrado e muito interessante.

Brasil geográfico.

[São Paulo]: Difusão Nacional do Livro, s.d. (Série Documentos Históricos, 10)

Último dos dez volumes da série "Documentos Históricos. 1ª Série", cartonado em fólio de 57,0 x 38,5 cm, que reproduz por processo gráfico pouco adequado detalhes de importantes mapas antigos, todos comentados. Interessante. NOTA: Esta obra foi reeditada no quarto volume da série "Brasil histórico e geográfico" (v.) em menor dimensão.

Leituras cartográficas, históricas e contemporâneas.

São Paulo?: USP/MAC/Brasil Connects/Fundação Cultural Exército Brasileiro, 2002?.

Obra publicada por Brasil Connects em parceria com MAC/USP e Fundação Cultural do Exército Brasileiro, apresenta, em álbum oblongo encadernado, uma coletânea de mapas provenientes do Arquivo Histórico do Exército, provavelmente não divulgada anteriormente; acompanha interessante ensaio fotográfico de Marco Buti.

Atlas Vingboons; desenhos da terra.

Recife: s.e., 2003.

Notável catálogo da exposição do *Atlas Vingboons*, um manuscrito em aquarela em poder do Instituto Arqueológico, Histórico e Geográfico de Pernambuco. Este *Atlas*, contendo 34 dos primitivos 57 mapas manuscritos de várias das capitanias brasileiras, adquirido pelo Instituto em 1886, é obra do cartógrafo holandês Johan Vingboons (1616-1670), que o executou na Holanda com base em informações de membros da equipe do Conde Maurício de Nassau (v.). Recém-restaurado, encontra-se magnificamente reproduzido neste catálogo de alta qualidade gráfica, que também conta com um estudo muito recomendável dos curadores Marcos Galindo e José Luiz Mota Menezes. Muito importante.

CARVALHO, ALFREDO DE

Bibliotheca exotico-brasileira.

Rio de Janeiro: Empreza Graphica Editora Paulo Pongetti & C., 1929-1930. 3 v.

O engenheiro Alfredo Ferreira de Carvalho (1870-1916) foi também um estudioso da história e da cultura brasileira, autor de muitas obras e artigos publicados e por publicar e possuidor de importante biblioteca. Em 1915 mandou imprimir o catálogo *Bibliotheca brasiliense selecta* para a venda de cerca de 2 500 obras desta sua biblioteca, parte da qual foi adquirida em 1920 pela Biblioteca Nacional. Entre muitos manuscritos de sua lavra, foi encontrado o da *Bibliotheca exotico-brasileira*, um estudo que pretendia relacionar as obras sobre o Brasil publicadas no exterior e que foi entregue, em 1928, a Eduardo Tavares de Melo (antigo Diretor da Biblioteca Pública de Pernambuco) para sistematização e complementação, tarefa da qual resultou a presente obra em três volumes, que se estende tão-só aos verbetes da letra "M". Obra sem ilustrações, mas imprescindível para estudos. NOTA: No volume 77 dos *Anais da Biblioteca Nacional* (1957), foi publicada a vida e obra de Alfredo de Carvalho por José Honório Rodrigues e a parte restante do manuscrito da "Bibliotheca" referente aos verbetes da letra "N" a "Z"; foram ainda incluídos os manuscritos inéditos "Bibliotheca geographica brasileira" e "Bibliotheca exotico-pernambucana". Esta publicação também é imprescindível para estudos.

CARVALHO, ANNA MARIA FAUSTO MONTEIRO DE

Mestre Valentim.

São Paulo: Cosac & Naify Edições, 1999.

Outra excelente edição da série "Espaços da arte brasileira" e com certeza a mais completa e perfeita obra sobre Valentim de Fonseca e Silva, o Mestre Valentim (1750-1813), inesquecível planejador e executor do Passeio Público no Rio de Janeiro (1787). Muito recomendável.

CARVALHO, BENJAMIN de Araújo

Arquiteto brasileiro (1914), autor de A história da arquitetura *(Edições Ouro) e* Duas arquiteturas do Brasil.

Igrejas barrocas do Rio de Janeiro.

Rio de Janeiro: Editora Civilização Brasileira S/A, [1966]. (Imagens da Terra e do Povo, 4)

Bem ilustrado com desenhos e fotografias do autor, o tema do título é precedido de um estudo sobre a arquitetura religiosa barroca em geral.

CARVALHO, JOSÉ ANTONIO

O Colégio e as residências dos jesuítas no Espírito Santo.

Rio de Janeiro: Expressão e Cultura, 1982.

Um trabalho de mestrado na Escola de Comunicações e Arte da Universidade de São Paulo, focalizando o Palácio Anchieta, atual sede do governo capixaba, e as quatro residências jesuítas de Carapina, Guarapari, Anchieta e Nova Almeida, todas erigidas no período colonial e, na opinião do autor, de acordo e em cumprimento a um programa construtivo. Riquíssima a parte dedicada aos desenhos e plantas arquitetônicas (incluindo muitos de Lucio Costa, v.) e igualmente riquíssimo o material fotográfico, sofrendo este um pouco com deficiente reprodução.

CARVALHO, José dos REIS

Nascido no Ceará, ingressou em 1826 na primeira turma da Academia Imperial de Belas Artes do Rio de Janeiro e tornou-se discípulo de Debret; especialista em pintura de flores, foi também retratista e paisagista, obtendo medalha de ouro no Salão de 1865. Faleceu após 1889.

Reis Carvalho: de Debret à missão científica.

Rio de Janeiro: Investiarte, 19??.

Folheto de oito folhas que serve de catálogo a uma exposição de 51 de suas aquarelas (da coleção Bruno Pedrosa), das quais muitas sobre uma missão científica ao Ceará, da qual participou em 1859. Seis ilustrações, em reduzidas dimensões.

CARVALHO, MARIA CRISTINA WOLFF DE

Ramos de Azevedo.

São Paulo: Edusp/Fapesp, 2000. (Artistas Brasileiros, 14)

Estudo erudito de uma jovem arquiteta que não apresenta apenas uma biografia deste grande arquiteto e construtor (v.), mas também examina o estilo eclético dominante na época e a importância do biografado como seu maior representante nacional, sempre ressaltando o fato desta sua arquitetura voltar-se essencialmente para questões de modernização e racionalização dos espaços públicos e privados. Ricamente ilustrado, é importante.

CARVALHO, MURILO

O vale do São Francisco; uma viagem de canoa, de Minas Gerais ao Oceano Atlântico = The São Francisco Valley; canoeing from Minas Gerais to the Atlantic Ocean.

S.l.: Tenenge, 1989.

Patrocinados pela Tenenge, empreiteira multinacional no ramo de energia elétrica, o jornalista Murilo Carvalho e o fotógrafo Ronaldo Kotscho repetiram a viagem em canoa empreendida em 1867 pelo viajante inglês Richard Burton (v.), cônsul britânico em Santos em 1861, e desceram o Rio São Francisco de Sabará até a foz. O relato comparativo destas duas aventuras e a correspondente e competente documentação fotográfica produziram esta simpática e instrutiva obra, na qual encontramos uma parte dedicada às usinas elétricas de Delmiro Gonçalves, Itaparica, Paulo Afonso, Sobradinho e a recente Xingó. Obra interessante em primorosa edição de 3 000 exemplares.

CARVALHO, Murilo e SILVA, Silvestre P. *Raso da Catarina.*

São Paulo: RMB, 1988.

Belo ensaio fotográfico de Silvestre P. da Silva sobre uma vasta região de caatinga baiana conhecida por "Raso da Catarina" e atualmente reserva ecológica Sema. O texto do autor se resume a sucintos comentários às fotografias subordinadas aos temas: terra, águas, plantas, animais, gente e luta.

CARVALHO, TRAJANO AUGUSTO de

Nossa Marinha: seus efeitos e glórias = Our Navy: its deeds and glories: 1822-1940.

[Rio de Janeiro]: Odebrecht S/A, [1986].

O Almirante Carvalho (1876-1942) também foi um bom aquarelista amador (sob o pseudônimo de "Atlo") e tomou a si o encargo de pintar os navios que serviram à Marinha brasileira de 1822 a 1940. O resultado é esta bela publicação que reproduz 89 aquarelas que se encontram no Museu Naval do Rio de Janeiro; cada uma das ilustrações é encimada por uma vinheta do próprio artista e acompanhada de um texto histórico por Belmiro de Lyra Maia. Um documentário muito interessante.

CARYBÉ

(Hector Julio Paride Bernabo) Desenhista nascido na Argentina em 1911 e falecido em Salvador em 1997.

Iconografia dos deuses africanos no candomblé da Bahia.

Textos: Jorge Amado, Pierre Verger, Waldeloir Rego. [São Paulo]: Raízes, [1980].

Álbum monumental, reproduzindo 128 aquarelas executadas entre 1940 e 1980 sobre o tema do título. Com textos de grandes especialistas, esta obra editada pela Fundação Cultural do Estado da Bahia, pelo Instituto Nacional do Livro e pela Universidade Federal da Bahia é muito bela e recomendável.

Cipó: usos e costumes da Bahia: aquarelas.

Texto Rubem Braga. [São Paulo]: BASF Brasileira S/A – Indústrias Químicas/BASF Química da Bahia S/A, 1981.

Outro álbum monumental comportando 58 pranchas (quase todas de 1964) em edição de mil exemplares patrocinada pela Basf Química da Bahia; muito bonito e recomendável.

1. *A pesca do xaréu.* 21 desenhos de Carybé.
2. *Pelourinho.* 27 desenhos de Carybé.
3. *O jogo da capoeira.* 24 desenhos de Carybé.
4. *Feira da Água de Meninos.* 27 desenhos de Carybé.
5. *Festa do Bonfim.* 27 desenhos de Carybé.
6. *Conceição da Praia.* 26 desenhos de Carybé.
7. *Festa de Yemanjá.* 27 desenhos de Carybé.
8. *Rampa do mercado.* 28 desenhos de Carybé.
9. *Temas de candomblé.* 27 desenhos e texto de Carybé.
10. *Orixás.* 38 desenhos de Carybé.

Bahia: Livraria Progresso Editora,1955. (Coleção Recôncavo) 10 v.

Dez encantadores fascículos que formam a "Coleção Recôncavo" com reprodução de desenhos a nanquim sobre os títulos enunciados, alguns acompanhados de textos elucidativos por Odorico Tavares, Vasconcelos Maia, José Pedreira, Carlos Eduardo e Pierre Verger. Muito interessante.

CASAIS, JOSÉ

Roteiro balneário.

Rio de Janeiro: ?, 1942.

Com texto do escritor argentino José Casais Santaló e tradução de Aires da Mata Machado Filho, estamos perante um bom estudo sobre os balneários de Minas Gerais, profusamente ilustrado com fotografias do autor.

Congonhas do Campo.

Tradução do texto inédito espanhol por Aires da Matta Machado Filho. Sessenta e cinco fotografias originais do autor especialmente obtidas para esta obra. Rio de Janeiro: F. Timon & Cia. Ltda., 1942.

Excelentes texto e fotografias nesta obra em edição modesta mas muito recomendável.

CASCUDO, Luis da CÂMARA

Folclorista e historiador brasileiro (1898-1986).

Dicionário do folclore brasileiro.

2ª edição, revista e aumentada. Rio de Janeiro: Instituto Nacional do Livro/Ministério da Educação e Cultura, 1962. (Enciclopédia Brasileira. Biblioteca de Obras Subsidiárias) 2 v.

Obra incluída na série "Enciclopédia Brasileira. Biblioteca de Obras Subsidiárias", este é o único dicionário completo e praticamente definitivo sobre o assunto. As fotografias que ornam esta importante e indispensável obra são muito elucidativas mas também muito mal reproduzidas.

O Príncipe Maximiliano de Wied-Neuwied no Brasil: 1815/1817.

Rio de Janeiro: Livraria Kosmos Editora, 1977.

Monografia datada de 1935 mas publicada somente em 1977, precedeu em cinco anos a tradução integral da obra *Viagem ao Brasil* do Príncipe Maximilian (v.). Além de sucintas porém preciosas notas sobre o Príncipe Maximilian e seus companheiros de viagem Friedrich Sellow e Georg Wilhelm Freyreis (v. estes), esta pequena jóia literária e histórica conta com reprodução de oito desenhos originais do Príncipe, pertencentes à Coleção Brasiliana da Fundação Bosch (v.).

CASTAGNETO, JOÃO BATISTA

Giovanni Battista Felice Castagneto (Itália 1851-Brasil 1900), marinheiro de profissão, chegou ao Brasil em 1874 e, em 1878, matriculou-se na Academia Imperial de Belas Artes do Rio de Janeiro, no curso de desenho, como aluno de Zeferino da Costa, Victor Meirelles e Georg Grimm. Em 1884 deixou a Academia e aderiu ao ateliê ao ar livre organizado por Georg Grimm (v.) em Niterói. Partindo para a França em 1890, retornou ao Rio de Janeiro em 1893, onde veio a falecer. Em 1886 realizou sua primeira exposição, seguida das de 1887, 1889, 1890 (Juiz de Fora), 1894 e as duas últimas em 1895 (São Paulo). Sua vida e obra encontra-se em Giovanni Battista Castagneto, *de Carlos Roberto Maciel Levy (v.).*

Exposição João Baptista Castagneto.

Rio de Janeiro: Ministério da Educação e Saúde/Museu Nacional de Belas Artes, 1944. (Catálogo de exposição, jun.-jul. 1944)

Esta exposição retrospectiva do grande marinhista, organizada pelo Museu Nacional de Belas Artes do Rio de Janeiro, deve ter sido uma festa visual, com suas 219 telas, 32 desenhos e 11 diversos, entre os quais suas paletas e um álbum de seus desenhos; foi a primeira exposição que se realizou desde a última do próprio artista em 1895. O presente e alentado catálogo, entretanto, prima pela ausência total de metodologia museológica e pela péssima reprodução de vinte importantes paisagens. NOTA: Constou deste catálogo a curiosa notícia de que todos os quadros tinham sido submetidos a um júri de seleção para detectar as numerosas telas falsas apresentadas.

Exposição João Baptista Castagneto: 1862-1900: quadros de coleções de sócios da Sociarte.

São Paulo: [Sociarte], 1978. (Catálogo de exposição, 1978)

Como as demais exposições periódicas da Sociarte (v.), uma sociedade paulista de colecionadores, também esta foi de boa qualidade. O catálogo é bem apresentado mas a reprodução de 47 telas apenas razoável.

CASTANHO, EDUARDO

Formado em Comunicação Social, dedica-se à fotografia desde 1971; em 1983 e 1984 especializou-se nos EUA e em 1989 passou a curador de fotografia do Museu da Imagem e do Som de São Paulo. Com obras na "Coleção Pirelli" do MASP (v.), é também autor de todas as fotografias que ilustram a obra O livro do Tietê *e* Centro Empresarial Itaú-Conceição: uma proposta arrojada *(v. estas).*

Paulista, símbolo da cidade.

São Paulo: Banco Itaú, 1990.

A Avenida Paulista não é apenas um divisor de águas geográfico da cidade de São Paulo mas também o seu "símbolo divisor", conforme definido em inquérito popular promovido pelo Banco Itaú, que deu origem a este interessante e belo documento fotográfico, no qual Eduardo Castanho soube captar a magia que também arranha-céus podem transmitir; excelentes também o texto de Ignácio de Loyola Brandão e o projeto gráfico do arquiteto Ricardo Ohtake.

CASTRIOTA, LEONARDO Barci

Arquitetura e modernidade.

Belo Horizonte: Editora UFMG/Instituto dos Arquitetos do Brasil, 1998.

Estudo acadêmico por diversos autores em edição bem cuidada e paginada, com numerosos desenhos arquitetônicos e fotografias antigas e atuais.

CASTRO, ANDRÉ

Rural... em bons momentos.

São Paulo: Empresa das Artes, 1994.

Lindo álbum de boas fotografias focalizando aspectos externos e internos das sedes de onze fazendas, citadas no prefácio mas não identificadas junto às imagens.

CASTRO, CELSO Falabella de

Mergulho no passado.

Belo Horizonte: Estabelecimentos Gráficos Santa Maria, 1959.

Destinada a servir de guia de Ouro Preto a participantes de um congresso de securitários, esta simpática plaqueta contou com bom acabamento e texto e foi ilustrada com vários desenhos a bico de pena do autor.

CASTRO, JOSUÉ DE

Médico brasileiro (1908-2001), autor de Geopolítica da Fome.

Fatores de localização da cidade do Recife: um ensaio de geografia urbana.

S.l.: Imprensa Nacional, 1948.

Estudo especializado, muito bem ilustrado com gravuras antigas de boa reprodução. NOTA: Uma modesta reedição pela Livraria-Editora da Casa do Estudante do Brasil (Rio de Janeiro, 1954), sob o título *A cidade do Recife: ensaio de geografia urbana*, contou com as mesmas ilustrações.

CASTRO, MARCIA DE MOURA

Ex-votos mineiros: as tábuas votivas no ciclo do ouro.

Rio de Janeiro: Expressão e Cultura, 1994.

A excelente reprodução de importantes tábuas votivas colhidas na região de mineração aurífera em Minas Gerais é de quase secundária importância em face da beleza geral da obra, do texto extremamente competente, da apresentação gráfica e dos desenhos de Felipe A. de Souza que retratam as igrejas que hospedam os tesouros apresentados. Uma pequena e fascinante jóia.

CASTRO, MARIA WERNECK DE

Aquarelas: espécies vegetais em extinção.

Rio de Janeiro: Salamandra, 1987.

A autora (nascida em 1905), autodidata, trabalhava no Rio de Janeiro como desenhista de anatomia patológica; transferida para Brasília na década de 60, passou a interessar-se pela vegetação do cerrado, chegando a expor seus desenhos na Hunt Botanical Library, dois dos quais adquiridos pela Carnegie Mellon University (Pittsburgh). Fixando-se novamente no Rio de Janeiro a partir de 1972, passou a colaborar com o Centro Botânico da Feema e expôs em 1973 na África do Sul, em 1981 e 1987 no Rio de Janeiro e em 1986 em Copenhagen, participando ainda de um projeto multinacional "Projeto Brasil 3310 – Espécies ameaçadas da flora brasileira". O resultado desta extraordinária carreira pode ser apreciado neste lindo álbum de folhas soltas (22 x 44 cm) que reproduz vinte de suas aquarelas sobre o tema do título; os textos introdutórios de Luiz Emygdio de Mello Filho e Lélia Coelho Frota (v. estes), bem como as notas botânicas por especialistas, encontram-se em português e inglês.

CASTRO Y ORDONEZ, Rafael

Pintor espanhol, estudou em Madri e com Cogniat em Paris; graças ao grande êxito de suas exposições de 1858 e 1861 em Madri, foi nomeado desenhista e fotógrafo oficial da grande Expedição Científica Espanhola às Américas de 1862. Esta expedição encontra-se narrada por Robert Ryal Miller em Por la ciencia y la gloria nacional. La expedicion cientifica española a America. 1862-1866; *após passar vários meses no Brasil, a expedição chegou a Guayaquil em fins de 1865, onde Castro se desligou e retornou à Europa, suicidando-se pouco depois em Madri. Sua produção conhecida consiste de 300 fotografias em vidro, das quais 170 foram apresentadas no Jardim Botânico de Madri em 1866; de seus desenhos e ilustrações científicas consta não se conhecer o paradeiro.*

El Museo Universal: periodico de ciencias, literatura, industria, artes y conocimientos utiles ilustrado com multidud de laminas y grabados por los mejores artistas españoles.

Madrid, Año setimo, 1863, Año octavo, 1864.

Importante revista científica e cultural espanhola, com 52 números para cada ano. Nos números correspondentes aos sétimo e oitavo ano encontram-se dez artigos no primeiro, e cinco no segundo, em que Castro relata suas impressões do Brasil, ilustradas com numerosas gravuras baseadas em suas fotografias, além de um único desenho de sua autoria; consta ainda do nº 40, uma fotografia: "El Señor Azaroch y los Señores Espada, Isern y el fotografo Don Rafael Castro en la expedicion que hicieron a Isola Grande y Pan de Azucar". Muito interessante.

CAVALCANTI, NIREU OLIVEIRA

Arquiteto, pintor e escultor (1944).

Rio de Janeiro: centro histórico: 1808-1998: marcos da colônia.

Rio de Janeiro: Dresdner Bank Brasil, 1998.

Constatando que "a arquitetura colonial carioca quase só existe hoje em plenitude na farta iconografia da cidade", a patrocinadora e editora desta bela obra considera-a "uma contribuição [...] de reconstituir a estrutura espacial da cidade colonial, referindo-a, sempre que possível, aos marcos atualmente existentes", intenção que foi cumprida pelo autor com grande êxito e que nos oferece consistente e importante ilustração histórica, à qual foram acrescidos muitos interessantes desenhos a bico de pena do próprio autor. O trabalho é concluído com um grande mapa desdobrável (49 x 83 cm) que assinala as edificações e os logradouros antigos, além das denominações atuais. Muito recomendável.

CEARÁ

O atual Estado do Ceará, com 125 de seus 142 municípios localizados no Polígono das secas do Nordeste, foi uma das primitivas capitanias hereditárias que não lograram desenvolvimento durante o século XVI e muito pouco nos séculos seguintes, uma situação que causou constante migração populacional ao longo das estradas de tropeiros que entreligavam as províncias da região e impediu a formação de centros de expressão histórica; a região litorânea teve praticamente o mesmo destino e a atual capital, Fortaleza, formou-se como vila tão-só em 1723 e como cidade em 1823.

Fortaleza: 1910.

[Fortaleza]: Universidade Federal do Ceará, [1980].

A Casa Boris Frères & Cie., casa comercial estabelecida no Ceará na virada dos séculos XIX/XX, editou em 1910 um álbum de vistas de Fortaleza impresso em Nice (França) e atualmente muito raro, em dez fotografias de pequena dimensão em cada folha, que focalizava a vida da cidade e suas ruas, avenidas, parques, escolas, igrejas e edifícios públicos. A presente edição é uma reimpressão fac-similada, com acréscimo de uma poesia de literatos locais em cada folha. A capa e a contracapa ostentam um simpático desenho de Anchises, de 1980.

Teatro José de Alencar: obra de restauração: 1989-1991.

[Porto Alegre]: L&PM Editores, [1991?].

Muito mais do que uma obra sobre o restauro do teatro do título, esta é um estudo histórico e fotográfico sobre o nonagenário teatro em Fortaleza, no Ceará; um excelente estudo de José Antonio Pinheiro Machado (1949) é completado pelas igualmente excelentes fotografias de Cristiano Mascaro (v.), criando uma interessante obra patrocinada pelas firmas encarregadas da reforma.

Relatório anual.

S.l.: Bicbanco, 1990.

Este seria um relatório bancário como tantos outros não fosse a apresentação de um surpreendente ensaio fotográfico do litoral cearense pelos fotógrafos Celso de Oliveira e Mauricio Albano.

CELESTINO, WAGNER

Cortiços; uma realidade que ninguém vê.

São Paulo: AAMRL – Associação de Auxílio Mútuo da Região Leste, 1998.

Realizado com o apoio do "Fundo Católico para o Desenvolvimento", uma ONG inglesa, este álbum de fotografias de Wagner Celestino é artisticamente muito bom e impressionante pelo tema abordado. Contrariando a tendência fotojornalística de apresentar apenas cenas chocantes, o fotógrafo visitou conhecidos cortiços da capital paulista e flagrou cenas do dia-a-dia colhidas nos pátios e nos recintos familiares, focalizando sobretudo as crianças e suas mães, além de aspectos de desordem e sujeira contrastando com outros de asseio e pobreza digna ou, nas palavras do prefaciador, Cardeal Dom Evaristo Arns, "este ensaio fotográfico quer ser, sobretudo, um portal de esperanças e mudança". É a impressão que a obra dá e por isto é muito recomendável.

CERSÓSIMO, LUIZ

São Paulo; 20 postcards.

São Paulo: Mr. Postman Editora, 1997. (Cartões-postais)

Álbum em forma de livreto contendo vinte cartões-postais destacáveis com boas fotografias de Luiz Cersósimo, profissional que só trabalha em preto e branco e ativo em São Paulo desde 1982; texto em português e inglês.

CHAMBERLAIN, HENRY

Tenente da Marinha inglesa e pintor amador (1796-1844), era filho de Sir Henry Chamberlain (cônsul-geral inglês de 1811 a 1826 no Rio de Janeiro). Esteve no Brasil de 1819 a 1820, e provavelmente acompanhava o pai em suas excursões em busca de raridades botânicas. Em 1822 publicou em Londres a obra Views and costumes of the city and neighbourhood of Rio de Janeiro... *com 36 águas-tintas coloridas, cinco das quais em página dupla, gravuras consideradas por R. V. Tooley as melhores águas-tintas em obras sobre o Brasil.*

Vistas e costumes da cidade e arredores do Rio de Janeiro em 1819-1820, segundo desenhos feitos pelo Tte. Chamberlain, da artilharia real durante os anos de 1819 e 1820 com descrições.

Tradução de Rubens Borba de Moraes. Rio de Janeiro: Livraria Kosmos Editora/São Paulo: Erich Eichner & Cia. Ltda., [1943]. (Coleção de Temas Brasileiros, 1)

Como primeiro volume da "Coleção de Temas Brasileiros" da Livraria Kosmos Editora do Rio de Janeiro, esta também foi a primeira edição nacional do raríssimo original inglês *Views and costumes of the city and neighbourhood of Rio de Janeiro, Brazil, ...* (Londres, 1822). Além de boa reprodução das 36 gravuras coloridas, foram também reproduzidas cópias fotográficas de quatro aquarelas inéditas de Chamberlain (da coleção de Joaquim de Sousa Leão), e uma "Planta da cidade de S. Sebastião do Rio de Janeiro", por Debret (v.); texto e tradução de Rubens Borba de Moraes. A tiragem foi de 1 321 exemplares, dos quais 321 em papel Westerpost, formato maior e encadernados, com a primeira das gravuras colorida à mão por F. Moldan, diletante austríaco em São Paulo. Edição bela e muito recomendável.

Views and costumes of the city and neighbourhood of Rio de Janeiro, Brazil, from drawings taken by Lieutenant Chamberlain, Royal Artillery, during the years 1819 and 1820, with descriptive explanations.

Edição fac-similar da impressa em Londres para Thomas M'Lean, em 1822. Brasil: Livraria Kosmos Editora, 1974.

Edição fac-similar executada na Holanda em 1974 para a Livraria Kosmos Editora (Rio de Janeiro), em tiragem de 360 exemplares numerados. Qualidade insuperável faz este fac-símile digno de rivalizar com o original, uma das mais importantes obras da iconografia brasileira. A edição é acompanhada por uma plaqueta em fólio, "Biographical Notes by Joaquim de Sousa Leão", um estudo que se dedica preponderantemente ao pai do artista, o cônsul-geral Sir Henry Chamberlain (1773-1829), e ao período de 1811 a 1826 em que ele esteve ativo no Rio de Janeiro. Do artista, pouco ou quase nada consta e se sabe. Muito recomendável. NOTA: Aproveitando um excedente das estampas, a editora mandou confeccionar 2 000 pastas com o título "Rio: Chamberlain: gravuras selecionadas: 1819-1820" para comercializar seis estampas da edição, adicionando uma folha de texto com o estudo "Tenente Chamberlain", de Joaquim de Sousa Leão (v.). Com as mesmas estampas excedentes e o acréscimo da estampa *N. Senhora da Glória* para a capa, a editora confeccionou o calendário "Rio antigo = Old Rio" para o ano de 1983, e para o ano de 1998 o calendário "Lt. Chamberlain. Brasil Antigo", aproveitando outras seis diferentes estampas excedentes e a mesma *N. Senhora da Glória* para servir de capa, aproveitando ainda a folha com o texto de Joaquim de Sousa Leão. Foram ainda utilizadas estas estampas para a pasta "Rio antigo: 14 gravuras selecionadas: Chamberlain/Bertichem".

Rio antigo: gravuras do Lieut. Chamberlain RA: 1819.
S.l.: s.e., s.d.

Um estranho e belo álbum de pequeno formato e ótimo acabamento, contendo dez cartões de carta forte de 30,0 x 20,5 cm, comportando cada um o título em inglês de um quadro de Chamberlain e a data "Rio de Janeiro 1819", além de um enquadramento tipográfico no qual se encontra colada em dimensão reduzida (9,5 x 14,0 cm) uma reprodução da gravura correspondente do álbum *Views and costumes...*, resenhado no verbete anterior. A capa do álbum tem o mesmo acabamento dos cartões e reproduz *Na. S^a^ da Gloria*.

CHAVES, MARIA PAULA RAMOS

Belém; onde se afirmam as promessas da Amazônia; aspectos históricos e modernos.
Belém: s.e., 1970.

Pequeno guia histórico-sentimental, bem elaborado mas não tão bem apresentado, dotado de boas mas mal reproduzidas fotografias de diversos, além de desenhos de Guilherme Leite.

CHILDE, ALBERTO

Alberto Childe, pseudônimo de Dimitri Vonizin (Rússia, 1870), chegou ao Brasil em 1900 e em 1912 ingressou no Museu Nacional, onde publicou muitos estudos científicos e de arqueologia. Foi também hábil desenhista e pintor, autor do ex-libris de Manuel Bandeira, do retrato gravado de Rocha Lima e das ilustrações de Rondônia *e de* Samambaia, *de Roquete Pinto (v.).*

Guia das colleções de archeologia classica: Museu Nacional do Rio de Janeiro, IV Secção.
Rio de Janeiro: Imprensa Nacional, 1919.

Redigido pelo conservador da seção arqueológica do museu, conta com muitas fotografias das peças e ilustrado com boas vinhetas próprias.

CHORIS, LOUIS

Ludwig ou Louis Choris, pintor e litógrafo russo (1795-1828), acompanhou como desenhista a expedição de von Bieberstein ao Cáucaso e a de 1815 a 1818 por Otto von Kotzebue aos mares do Sul; prosseguindo com estudos em Paris, parte em 1827 para a América do Sul, falecendo no México. Na segunda de suas viagens permaneceu por pouco mais de um mês na Ilha de Santa Catarina, onde colheu material para ilustrar a obra Entdeckungsreise um die Welt. 1815-1818, *de Adalbert von Chamisso, e a obra própria* Vues et paysages des regions equinoxiales... *(Paris, sem data), esta contendo quatro gravuras coloridas sobre temas brasileiros que se encontram reproduzidas na obra* Ilha de Santa Catarina: relatos de viajantes estrangeiros nos séculos XVIII e XIX *e em* Cinco peças da velha iconografia catarinense. 1815, *de Affonso d'E. Taunay (v. estes).*

CHRISTIANO JUNIOR

José Christiano de Freitas Henriques Junior, nascido provavelmente em Portugal por volta de 1830. Seu nome surge pela primeira vez no Almanaque Laemmert de 1863 entre os fotógrafos do Rio de Janeiro e em 1864 como sócio de Fernando Antonio de Miranda na "Photographia do Commercio". A partir de 1865 volta a trabalhar sozinho (Rua da Quitanda nº 53) e a partir de 1867 deixa de figurar no Almanaque, sendo provável que tenha partido para a Argentina, onde foi premiado por diversas vezes e faleceu em 1902. Foi na edição do Almanaque Laemmert de 1866 que anunciou uma coleção de fotografias de negros e no mesmo ano participou da Exposição Nacional, onde obteve medalha de bronze mas não conseguiu classificação para participar da Exposição Universal de Paris em 1867.

Escravos brasileiros do século XIX na fotografia de Christiano Jr.

[São Paulo]: Ex Libris, [1988].

Deve-se aos pesquisadores Paulo Cesar de Azevedo e Mauricio Lissovsky o descobrimento de uma série de importantes fotografias de Christiano Junior que se encontravam nos arquivos do SPHAN, série que serviu para ilustrar este belo álbum de aspecto artesanal. A estes retratos de escravos foram acrescidos alguns outros da coleção Gilberto Ferrez (v.) e do Museu Histórico Nacional.

CINTRA, Francisco de ASSIS

(1887-1937)

O Brasil de outrora: usos, costumes e história através de gravuras e documentos.

São Paulo: Monteiro Lobato & Co. Editores, [1922].

Uma obra esdrúxula que, nas palavras do autor, "constitue, por assim dizer, uma collectanea de documentos graphicos e historicos sobre o Brasil antigo". Na realidade, não é mais do que uma transcrição pura e simples de um grande número de documentos, cartas e leis da década da Independência e foi ilustrada com um grande número de gravuras da mesma época (quase exclusivamente de Rugendas e sem comentários, e algumas poucas do domínio holandês), todas mal reproduzidas e em nada relacionadas com os acontecimentos históricos documentados. Apesar das ilustrações, é uma obra dispensável.

CIRINEI, MARINA

Italiana, é formada em Letras por Roma mas também se dedica à fotografia; realizou muitas exposições individuais, inclusive em Buenos Aires.

Navegar um transatlântico: fotografia di Marina Cirinei.

[Roma: Galeria de Arte Casa do Brasil, 1988]. (Catálogo de exposição, out.-nov. 1988)

Lindo álbum com pequenos poemas da autora (em italiano e português) e suas imagens fotográficas do Brasil, sobretudo de Olinda (Pernambuco); interessante documentário-ensaio de Carlo Apuleo e Nimi Candalino.

COARACY, VIVALDO de Vivaldi

Engenheiro, jornalista e escritor (1882-1967).

Memórias da cidade do Rio de Janeiro.

Rio de Janeiro: Livraria José Olympio Editora, 1955. (Coleção Documentos Brasileiros, 88)

Este clássico guia histórico-sentimental conta com vinhetas e ornatos de G. Bloow e vinte importantes gravuras do século XIX, fora do texto.

O Rio de Janeiro no século dezessete.

(2ª edição revista e aumentada). Rio de Janeiro: Livraria José Olympio Editora, 1965. (Coleção Rio 4 séculos, 6)

Outro clássico do mesmo autor; 43 mapas e ilustrações antigas encontram-se muito bem reproduzidas, além de muitas vinhetas de Luís Jardim (v.).

CODINA, JOAQUIM JOSÉ

Como "riscador" (ou desenhista) no Gabinete de História Natural do Museu da Ajuda em Lisboa, foi destacado com o também "riscador" José Joaquim Freire (v.) para participarem da expedição de Alexandre Rodrigues Ferreira (v.) à Amazônia, expedição que se estendeu de 1783 a 1793 e passou a ser conhecida como "Viagem Filosófica" (v.). Sua obra pictórica encontra-se reproduzida nas obras de Alexandre Rodrigues Ferreira (v.).

COELHO, JOSÉ EFIGENIO PINTO

Aleijadinho; anjos e arcanjos: 1738-1988.

Ouro Preto: Imprensa Universitária/UFOP, 1988.

Para comemorar os 250 anos de nascimento de Antônio Francisco Lisboa, o Aleijadinho (v.), o pintor mineiro José Efigenio Pinto Coelho apresenta, neste álbum de folhas soltas (em tiragem de 500 exemplares), vários desenhos que expressam sua visão das esculturas e imagens sacras do homenageado. NOTA: Ainda em 1988, em Ouro Preto e com o mesmo título supra, mas sem indicação do editor, foi publicado um pequeno envelope contendo cinco cartões-postais com reprodução de desenhos do álbum.

COELHO, MIGUEL C. da SILVA

Pintor autodidata (1934), também conhecido como escultor, gravador, programador visual, ilustrador, poeta e compositor, além de crítico de arte. Os três álbuns a seguir relacionados reúnem desenhos de sua autoria sobre o tema dos títulos, álbuns muito bem apresentados em folhas soltas e com bons textos explicativos (os dois últimos com texto também em inglês); tiragem de mil exemplares.

14 igrejas que contam a história de Niterói. PIMENTEL, Luis Antônio.

[Niterói: Universidade Federal Fluminense/EDUFF – Editora Universitária, 1986].

Fazendas de Quissamã: velhas pioneiras. OLIVEIRA, Lucia Teixeira de Siqueira e.

[Niterói]: Universidade Federal Fluminense/EDUFF – Editora Universitária/PROED, [1986].

Fortes de Niterói: sentinelas históricas da Vila Real de Praia Grande. OLIVEIRA, Lucia Teixeira de Siqueira e.

[Niterói]: Universidade Federal Fluminense/EDUFF – Editora Universitária/PROED, [1986].

Para Lucia T. de Oliveira, o desenhista é "escultor da página em branco" e para Luis Antonio Pimentel, "seus trabalhos, no fundo, no fundo, se bem pesquisados, apresentam subconscientemente inspiração das obras do Aleijadinho povoando as visões barrocas de sua infância"; o próprio artista confessa, finalmente, influências recebidas de Alberto Guignard, Cândido Portinari, Siqueiros, Corot, Tintoretto e Ouro Preto. Esta multiplicidade de atividades e influências talvez possa definir o valor das ilustrações destes álbuns de desenhos que documentam importantes marcos iconográficos e como tal são sempre válidos; técnica e artisticamente, entretanto, são de inspiração quase infantil.

COLEÇÕES

Até o fim da década de 1940 era comum os grandes leilões de arte publicarem seus catálogos com o título de "Coleção", normalmente formados por conjuntos de quadros, jóias, alfaias, móveis e utensílios provenientes de massas falidas ou espólios e habitualmente "enriquecidos" com peças dos próprios leiloeiros (freqüentemente relacionados em várias "coleções"). Estes grandes leiloeiros faziam as vezes de antiquários e foi somente no início da década de 1950 que se viram substituídos por antiquários profissionais e decoradores, época que também coincide aproximadamente com a formação de importantes coleções particulares, quase todas ainda existentes, sendo provável que muitas estejam informatizadas mas poucas providas de estudos artísticos e técnicos que ensejem adequada publicação. Dada a reduzida quantidade de catálogos e publicações existentes sobre estas coleções, optou-se por apresentar indistintamente os que foram encontrados, incluindo acervos de galerias de arte, bancos e órgãos públicos.

Coleção Brasiliana

Curador da coleção: Carlos Martins. Pesquisadora: Valeria Piccoli. São Paulo: ed. part., 1997.

Para todos os apreciadores da iconografia brasileira, a semimítica coleção de brasiliana do antiquário francês Jacques Kugel veio a confirmar-se como real tão-só por ocasião da exposição "France-Brésil" (v.) em Paris (1955), na qual foram apresentadas e relacionadas no catálogo várias de suas peças. Esta importante coleção foi adquirida na década de 1990 pela Fundação Rank-Packard, transferida ao Brasil e entregue à Fundação Estudar para promover o estudo, a identificação e a sistematização das obras, tarefa confiada ao pintor e gravador fluminense Carlos Martins (1924). Foi com a finalidade de apresentação e confrontação para museólogos que a Fundação Rank-Packard mandou imprimir o presente álbum oblongo, de tiragem limitada, que relaciona 161 peças tentativamente identificadas e das quais 70 fotograficamente reproduzidas.

Brasil século XIX: uma exuberante natureza.

[São Paulo]: Coleção Brasiliana/Fundação Rank-Packard/Fundação Estudar, 1998. (Catálogo de exposição, abr.-maio 1998)

Concluída a apresentação e a fase de classificação de sua "Coleção Brasiliana" (acima referida), a Fundação Rank-Packard apresentou publicamente e pela primeira vez uma parte de seu acervo artístico na Fundação Maria Luisa e Oscar Americano de São Paulo, servindo esta linda plaqueta, de 30 x 21 cm, em quatro folhas, de guia e catálogo dos 28 quadros expostos, dos quais seis reproduzidos em cores; texto em português e inglês.

Coleção Brasiliana.

Curadoria e texto de Carlos Martins. São Paulo: Pinacoteca, 2000. (Catálogo de exposição, 2000)

Rica e primorosa plaqueta que serviu de catálogo da segunda e ampliada exposição da "Coleção Brasiliana" da Fundação Rank-Packard, exposição que contou com a instalação especial do grande painel de papel de parede executado pela Manufatura Zubel de Zürich (1830) sob desenho de Deltil (v.). A reprodução deste painel, composição de imagens colhidas em gravuras de Rugendas (v.), serviu de capa e contracapa desdobrável à plaqueta, criando por si só uma estampa digna de enquadramento; vinte e nove telas foram reproduzidas em cores. Muito interessante e importante.

Revelando um acervo: coleção Brasiliana: Fundação Rank-Packard/Fundação Estudar.

São Paulo: Bei Comunicação, 2000.

Após a grande exposição "O Brasil redescoberto" (v.), cuja curadoria geral coube a Carlos Martins, foi organizada pelo mesmo curador esta nova e excelente mostra nos mesmos moldes daquela, mas com base quase exclusiva na "Coleção Brasiliana" da Fundação Rank-Packard; foram adicionadas, a título de comparação, algumas obras das mesmas épocas provenientes de outras coleções, comparação que proporcionou excelente resultado. Excelente também a apresentação do presente catálogo, que contou com várias folhas desdobráveis e uma duplamente desdobrável para a reprodução integral do grande panorama em papel de parede de Deltil (v.). Muito interessante e recomendável.

O espírito criador do povo brasileiro através da coleção de Abelardo Rodrigues do Recife: comemorações do sesquicentenário da independência do Brasil.

Brasília: Palácio do Itamaraty, 1972. (Catálogo de exposição, 1972)

Bela e excepcional plaqueta publicada a título de catálogo da primeira exposição global da coleção de Abelardo Rodrigues (1908-1971), pintor e paisagista que reuniu um dos mais importantes conjuntos de artes plásticas e, principalmente, de arte sacra e popular. Hermilo Borba Filho se encarregou da imaginária religiosa, Ariano Suassuna da arte popular e o próprio Abelardo Rodrigues da cerâmica popular; fotografias por Edmond Dansot (v.) e outros, e textos de grande importância. NOTA: O conjunto de arte sacra, com mais de oitocentas peças, foi adquirido pelo Governo da Bahia e se encontra atualmente exposto como Museu Abelardo Rodrigues no Solar do Ferrão, no Pelourinho, em Salvador (BA).

Matrizes e gravuras brasileiras da coleção Guita e José Mindlin.

[Lisboa]: Fundação Calouste Gulbenkian/Centro de Arte Moderna, 1993. (Catálogo de exposição, set.-nov. 1993)

Os colecionadores: Guita e José Mindlin, matrizes e gravuras.

São Paulo: Leo Burnett/Centro Cultural Fiesp, 1998. (Catálogo de exposição, nov. 1998-fev. 1999)

Conhecido como o maior dos bibliófilos brasileiros, José Mindlin (v.) e sua esposa Guita também são grandes colecionadores de obras de arte em geral, apresentando esporadicamente partes deste acervo artístico em exposições temáticas nacionais e também no exterior, como a "Juan Mauricio Rugendas: pintor y dibujante" (v.) em Santiago do Chile. Os dois catálogos relacionados apresentam a notável coleção de gravuras brasileiras e de suas matrizes, incluindo uma importante parte dedicada às xilogravuras de cordel (v.); ambos são de grande qualidade gráfica, destacando-se o nacional pela apresentação mais luxuosa e com bem maior número de ilustrações. Muito recomendáveis.

Casa da xilogravura.

[Campos do Jordão: Editora Mantiqueira de Ciência e Arte Ltda., 1992]. (Folheto)

Folheto de apresentação e divulgação da coleção de gravuras de Antonio F. Costella (professor universitário em São Paulo e artista plástico amador), instalada em casa de sua propriedade em Campos de Jordão (SP), aberta à visitação pública e onde são ministrados cursos de iniciação à xilogravura.

Jockey Club de São Paulo: catálogo geral de seu patrimônio artístico: 110 anos: 1875-1985.

[São Paulo: Jockey Club de São Paulo, 1986].

Esta agremiação turfística e social paulistana conta com notável biblioteca e rico acervo artístico, finalmente dada a público nesta bela obra, valorizada com as fotografias de Rômulo Fialdini (v.). Muito interessante. NOTA: Notícias anteriores sobre partes deste acervo, sempre bem ilustradas, encontram-se no folheto "Museu do Turfe" e nas revistas *O Jockey* (nº 51, dezembro de 1986) e *Jockey Club: esporte e sociedade* (ano I, nº 1, maio de 1989).

Colecção Beatriz e Mário Pimenta Camargo.

[Lisboa]: Fundação Calouste Gulbenkian, 1991. (Catálogo de exposição, jul.-ago. 1991)

Entre as poucas publicações do gênero, destaca-se este riquíssimo catálogo da exposição de uma coleção do casal paulista Beatriz e Mário Pimenta Camargo. Trata-se de um notável conjunto de livros, móveis, louças, alfaias, tapeçarias e importantíssimas peças iconográficas, merecedor da definição "arte no Brasil do século XVIII ao século XIX" que lhe conferiu José Sommer Ribeiro, curador português desta exposição. Muito recomendável e importante. NOTA: Parte desta coleção foi apresentada e comentada no artigo "Das Sammelehepaar Beatriz und Mario Pimenta Camargo" ("O casal colecionador Beatriz e Mário Pimenta Camargo") por René Haguenauer, publicado no catálogo *Brasilien: Entdeckung und Selbstentdeckung* (v.).

O sagrado e o profano: coleção Beatriz e Mário Pimenta Camargo.

Salvador: Museu Carlos Costa Pinto, 2001. (Catálogo de exposição, 2001)

Lindo catálogo de uma exposição formada por parte da prataria sacra e dos móveis-miniatura de uma das mais importantes coleções brasileiras; excelente diagramação, a perfeição das fotografias de Rômulo Fialdini (v.) e o texto de Mercedes Rosa, Diretora do Museu Carlos Costa Pinto, valorizaram esta obra.

Livro de convidados = Guest book.

São Paulo: Ars Libris Editora, 1991.

Edição que se destaca de congêneres pelo luxo da apresentação e excelente reprodução de onze peças da coleção Beatriz e Mário Pimenta Camargo, todas fotografadas por Rômulo Fialdini (v.) e comentadas no final.

Catálogo de desenhos de arquitetura da biblioteca da FAU-USP.

São Paulo: Faculdade de Arquitetura e Urbanismo, 1988.

Um catálogo importante, como já revela o título, mas a reprodução das ilustrações não faz jus a esta importância.

Brasiliana: coleção Sir Henry Lynch.

Rio de Janeiro: Sociedade Brasileira de Cultura Inglesa, 1959. (Catálogo de exposição, 1959)

Henry Lynch, cidadão britânico (1878-1958), nasceu e faleceu no Rio de Janeiro; após estudos na Inglaterra, retornou ao Brasil e dedicou-se ao comércio, presidindo por longos anos a Câmara de Comércio Britânico. Foi também um dos fundadores e o grande incentivador da Sociedade Brasileira de Cultura Inglesa, à qual legou em testamento sua imensa biblioteca e o acervo de obras de arte, reproduzidos em *Iconografia e paisagem; coleção Cultura Inglesa* (v.). O presente catálogo contou somente com a "Brasiliana"; foi organizado pelas bibliotecárias Julia Godois Vianna e Maria Carolina Minelli, que também selecionaram os verbetes explicativos provenientes de bibliografias nacionais e estrangeiras. Muito importante; sem ilustrações.

Iconografia e paisagem: coleção Cultura Inglesa = Iconography and landscape: Cultura Inglesa collection.

Rio de Janeiro: Edições Pinakotheke, 1994.

Nascido no Brasil, o comerciante inglês Sir Henry Joseph Lynch (1878-1958) residiu grande parte de sua vida no Rio de Janeiro, onde formou importante biblioteca brasiliana e grande acervo de quadros, gravuras, fotografias e objetos de arte, coleção que destinou por testamento à Sociedade Brasileira de Cultura Inglesa. Comemorando sessenta anos de existência, esta sociedade expôs parte deste acervo e editou esta linda obra, enriquecida com textos de importantes historiadores de arte e soberbamente ilustrada; foi publicado também um pequeno e belo catálogo, com prefácio de Carmen Lucas, descrição de todos os itens e cinco boas reproduções. Muito importante. NOTA: Em 2001 esta coleção foi vendida a Ricardo Brennand, industrial e colecionador pernambucano, atualmente franqueada ao público.

Obras para museu: coleção de Maria Anna e Raul de Souza Dantas Forbes.

[São Paulo: Galeria de Arte São Paulo, [1987?]. (Catálogo de exposição, 1987?)

Um belo catálogo para uma exposição de 65 de mais de 400 telas que constituem uma importante coleção de arte brasileira. A seleção destas peças, como faz prever o título, atendia à possibilidade de aquisições seguidas de doação a museus, com aproveitamento de incentivo fiscal, um plano que infelizmente não chegou a se concretizar. Um estudo sobre colecionadores e museus por Aracy Amaral (v.) e uma apreciação do valor artístico das obras por Olívio Tavares de Araújo completam este bem ilustrado catálogo.

Shell do Brasil.

S.l.: Shell do Brasil, 1976.

Um álbum em cartonado marrom, com símbolo da companhia como título, contendo seis lâminas em cores em papel couché telado, reproduzindo seis das quarenta obras que constituem a pinacoteca formada até a data da publicação. No verso de cada estampa encontra-se um texto biográfico do artista, reproduzido do *Dicionário das artes plásticas no Brasil* de Roberto Pontual (v.). Ignora-se a existência de posterior divulgação de obras desta pinacoteca em formação, mas, a julgar pela amostra apresentada, não será muito boa esta coleção de "Artistas Brasileiros Contemporâneos".

Brasilianische Volkskunst: Werke aus der Sammlung Casa do Pontal = Brazilian popular art: exhibits from the Casa do Pontal collection = Arte popular brasileira: peças da coleção Casa do Pontal: Brasiliana de Frankfurt.

[São Paulo]: Câmara Brasileira do Livro, [1994].

Por ocasião da 46ª Feira do Livro de Frankfurt (Alemanha), dedicada ao tema "Brasil – Confluência de Culturas", a Câmara Brasileira do Livro publicou quinze obras sobre diversos aspectos da cultura brasileira, incluindo a presente sobre uma coleção de arte popular brasileira conhecida como "Casa do Pontal", no Rio de Janeiro. Esta importantíssima coleção foi formada por de Jacques van de Beuque, um belga nascido na França em 1922, e continua de sua propriedade. Van de Beuque, após estudos de arte em Valenciennes, Lyon e Paris, emigrou para o Brasil em 1946, trabalhou com Burle-Marx (1947) e a seguir como promotor autônomo de eventos sociais e artísticos no Rio de Janeiro. Durante décadas esta sua sempre crescente coleção encontrava-se alojada em sua chácara no distrito de Pontal no Rio de Janeiro, residência que terminou por adaptar para museu franqueado ao público, passando a coleção a ser conhecida por "Casa do Pontal". Na presente e fascinante obra encontra-se uma parte desta imensa coleção, dos bonecos de mamulengo a figuras de Vitalino (v.) e outros "bonequeiros" aos mais variados objetos em madeira, lata e cerâmica, conjunto excepcionalmente bem reproduzido em cores, acompanhado de bons textos (em alemão, português e inglês). Muito interessante e recomendável. NOTA: É freqüente a reprodução de peças desta coleção em obras as mais diversas, destacando-se *A peleja*, de Ana Maria Machado (v.).

A arte do povo brasileiro.

[São Paulo]: Museu de Arte de São Paulo Assis Chateaubriand, 1986. (Catálogo de exposição, abr. 1986)

Sob o patrocínio da Esso do Brasil, o MASP promoveu a exposição de diversas peças de arte popular formada por parte da coleção de Jacques van de Beuque, atualmente conhecida por "Casa do Pontal". O presente catálogo é uma pequena jóia, reproduzindo com perfeição mais de setenta peças fotografadas por Cafi (v.) e acrescentando bom texto de Jacob Klintowitz (v.). Muito interessante.

Arte popular brasileira.

Rio de Janeiro: Museu de Arte Moderna do Rio de Janeiro, 1976. (Catálogo de exposição, 1976)

Catálogo de uma exposição de importantes peças da coleção de Jacques van de Beuque (atualmente reunidas no Museu Casa do Pontal), com estudos de Clarival do Prado Valladares e Lélia Coelho Frota (v. estes); bem ilustrada.

Acervo Unicamp: 1984.

[Campinas]: Universidade Estadual de Campinas, 1984.

Curioso catálogo de uma exposição realizada sob o título "Arte contemporânea de Campinas. 1958/78", reunindo obras de artistas plásticos que expuseram em Campinas ao longo dos anos e doaram uma de suas obras para a formação do acervo da Unicamp. Tudo indica que o catálogo esteja reproduzindo (razoavelmente) a totalidade deste acervo, notando-se a falta de um estudo crítico para avaliação da qualidade das obras reveladas.

Acervo de arte da Caixa Econômica Federal.

[Brasília: Caixa Econômica Federal, 1955].

Excelente catálogo em brochura reproduzindo em cores mais de quarenta obras que serviram para ilustrar seus bilhetes lotéricos, todas relacionadas a grandes efemérides nacionais e de artistas do porte de Di Cavalcanti, Djanira, Scliar, Rebolo e outros, e todas muito bem comentadas (provavelmente pela curadora Vera Pacheco Jordão).

Exposição do acervo da Caixa.

S.l.: Caixa Econômica Federal, 1997. (Catálogo de exposição, 1997)

Rico catálogo para as exposições apresentadas nos conjuntos culturais da Caixa Econômica Federal em Porto Alegre, São Paulo, Curitiba e Rio de Janeiro. O texto, "60 anos de arte brasileira", foi confiado ao Prof. José Augusto Avancini, da UFRGS.

Espelho selvagem: arte moderna no Brasil da primeira metade do século XX: coleção Nemirovsky.

São Paulo: MAM, 2002. (Catálogo de exposição, mar.-jun. 2002)

Catálogo de alta categoria gráfica para a exposição de uma das mais importantes coleções de artes plásticas do País: a do casal José (1914-1987) e Paulina Nemirovsky; texto crítico de Olívio Tavares de Araújo e impecável reprodução dos quadros.

Galeria das Moedas: coleção numismática do Museu de Arte Sacra de São Paulo.

[São Paulo]: Departamento de Museus e Arquivos/Secretaria de Estado da Cultura/Banco Safra, s.d. (Folheto)

Primeira notícia sobre esta coleção de moedas do Museu de Arte Sacra de São Paulo e também a primeira exposição promovida pelo Banco Safra (v.) para o seu "Projeto Cultural"; esta plaqueta que serviu de catálogo é de alta qualidade e bem ilustrada.

Coleção Denison: arte contemporânea brasileira.

[São Paulo: s.e., 1986].

Álbum com apresentação parcial do acervo da Denison, uma empresa paulista de propaganda fundada pelo artista plástico Sepp Baendereck (v.); impecável apresentação.

Antonio Bandeira: guaches inéditos; coleção particular Fronteira Arte e Hotelaria.

Visconde de Mauá: Fronteira Arte e Hotelaria, s.d.

Bela e bem diagramada plaqueta para apresentação de dez pequenos guaches de Antonio Bandeira (1922-1967), da coleção de Ivan Marinho, em exposição permanente na Pousada

Fronteira em Visconde de Mauá (RJ); textos de Cassio Barsante e Affonso Romano de Sant'Anna (v.).

Arte hoje: uma revista mensal da Rio Gráfica Editora.

Rio de Janeiro, ano 1, nº 8, fev. 1978.

Uma das boas revistas de arte do País que apresenta em seu nº 8 o tema "Miniaturas, um painel histórico" e o artigo "A pequena grande coleção" de Ethel Leon, que estuda a coleção de retratos em miniatura do advogado mineiro Moacir Pitaguari; boa a reprodução de muitas peças, infelizmente sem identificação.

Acervo do Grupo Sul América de Seguros: artistas brasileiros.

Textos de Walmir Ayala. Rio de Janeiro: Colorama, 1975.

Boa plaqueta de apresentação de parte do acervo, com reprodução de mais de cinqüenta telas a óleo e bom texto de Walmir Ayala (v.).

Metal Leve.

São Paulo: Metal Leve S.A., 1988. (Calendário de mesa, 1988)

Um dos tradicionais calendários de mesa da indústria paulista Metal Leve, apresentando a coleção de artes plásticas brasileiras de A. Buck, um dos fundadores e Diretor da empresa. Esta coleção de alto nível artístico foi assim apresentada pela primeira vez nesta seleção de 26 peças.

Coleção Theon Spanoudis: doação para o acervo do Museu de Arte Contemporânea da Universidade de São Paulo.

São Paulo: Museu de Arte Contemporânea, [1979]. (Catálogo de exposição, dez. 1979-mar. 1980)

Catálogo da notável exposição do acervo de Theon Spanoudis (Turquia 1915, falecido em São Paulo), psicanalista grego, historiador e crítico de arte. Esta coleção foi sempre considerada muito importante no campo do "construtivismo" brasileiro e esta "liderança" é confirmada na leitura da relação de 301 obras, das quais apenas dez foram bem reproduzidas. Os estudos históricos couberam a Wolfgang Pfeiffer (v.) e ao próprio doador.

Seis décadas de arte moderna na coleção Roberto Marinho.

Por José Roberto Teixeira Leite et alii. Introdução por Quirino Campofiorito. Rio de Janeiro: Edições Pinakotheke, 1985.

De um universo de mais de 600 obras de artes plásticas de diversas nacionalidades que formam o acervo de Roberto Marinho foram estudadas e reproduzidas 140 telas de artistas nacionais nesta monumental e muito recomendável obra.

Exposición pintura moderna brasileña: colección Roberto Marinho.

Buenos Aires: Museo Nacional de Bellas Artes, 1987. (Catálogo de exposição, jul.-ago. 1987)

Bom catálogo desta exposição de 122 peças da coleção Roberto Marinho.

Mostra da coleção particular Sr. Sra. Luiz Carlos Moreira: artistas brasileiros.

[São Paulo]: Departamento Artístico-Cultural/Escola Superior de Artes Santa Marcelina, [1979]. (Catálogo de exposição, jun. 1979)

Modesta plaqueta de apresentação de uma exposição de 56 telas, sem ilustrações; prefácio de Wolfgang Pfeiffer (v.), que provavelmente também redigiu os comentários.

Coleção Leirner.

[São Paulo]: Galeria de Arte da Folha, junho 1960. (Catálogo de exposição, jun. 1960)

Pequeno e modesto álbum oblongo que apresenta a coleção de pintura internacional de Isaía Leirner, um industrial paulista que patrocinou por longos anos o "Prêmio Leirner" para as artes plásticas brasileiras.

Museu Manchete.

[Rio de Janeiro]: Edições Bloch, [1982].

Apesar do título, este "museu" é na realidade a "Coleção Manchete de arte moderna brasileira", conforme a define o editor e colecionador Adolfo Bloch no prefácio desta obra comemorativa de trinta anos da revista *Manchete*; a qualidade das reproduções condiz com o tipo popular da revista, mas bons são os comentários de Flavio de Aquino.

Visões do Rio na coleção Geyer.

Rio de Janeiro: Centro Cultural Banco do Brasil, 2000. (Catálogo de exposição, set.-dez. 2000)

Lindo álbum publicado como catálogo da maior e mais importante coleção iconográfica brasileira. Esta imensa coleção de Maria Cecilia e Paulo Fontainha Geyer foi doada pelo casal ao Museu Imperial de Petrópolis, doação que incluiu a residência em antiga sede de fazenda de café do século XVIII (aos pés do Corcovado), a biblioteca, o mobiliário e a prataria. Importante e muito recomendável.

150 anos de pintura no Brasil: 1820/1970: ilustrada pela coleção Sergio Sahione Fadel.

[Rio de Janeiro: Colorama, 1989].

Foi através desta bela obra que se tornou conhecida a coleção do advogado carioca Sergio Fadel, uma das mais importantes coleções particulares do País. Imprescindível a leitura dos estudos de Jean Boghici e Rogerio Faria para posterior apreciação visual desta fascinante coleção fotografada por Dimitri Lambru (v.) e outros.

Fundação Pierre Chalita; um exercício de guarda.

S.l.: s.e., 1991.

O arquiteto e pintor Pierre Chalita (1930) instituiu uma Fundação e a ela doou sua residência em Maceió com a instalação do museu de sua obra artística e a coleção de arte sacra brasileira. Com estudo introdutório de Fernanda de Camargo-Moro, esta simpática obra apresenta alguns trabalhos do artista e uma boa seleção de peças das mais expressivas da coleção.

Coleção Gilberto Chateaubriand: Museu de Arte Moderna – RJ: Galeria de Arte do SESI: São Paulo.

São Paulo: Galeria de Arte do SESI, [1992]. (Catálogo de exposição, set. 1992-jan. 1993)

Coleção Gilberto Chateaubriand: anos 60/70.

São Paulo: s.e., 1992. (Catálogo de exposição, 1992)

Do moderno ao contemporâneo: coleção Gilberto Chateaubriand.

Rio de Janeiro: Museu de Arte Moderna do Rio de Janeiro, 1981. (Catálogo de exposição, maio-jul. 1981)

Portrait of a country: Brazilian modern art from the Gilberto Chateaubriand collection.

Londres: Barbican Art Gallery, 1984. (Catálogo de exposição, 1984)

Gilberto Chateaubriand Bandeira de Mello (1925), diplomata aposentado, é considerado o maior colecionador de arte moderna do País, uma imensa coleção atualmente sob guarda do Museu de Arte Moderna do Rio de Janeiro. As obras acima relacionadas são luxuosos catálogos de exposições temáticas de tendências e épocas da produção artística nacional, indispensáveis para o estudo específico da arte moderna brasileira e sua evolução.

Coleção de arte brasileira.

João Marino. São Paulo: s.e., 1983.

Bela obra de apresentação da coleção particular de João Marino (v.) de imagens sacras e artes plásticas do século XX e, principalmente, da prataria sacra e utilitária antiga, acompanhada de estudo muito competente por João Hermes Pereira de Araújo. Muito recomendável.

Frans Post e o Brasil holandês na coleção do Instituto Ricardo Brennand = Frans Post and Dutch Brazil in the collection of Instituto Ricardo Brennand: catálogo da exposição = exhibition catalogue

Organização e textos = selection and texts: Bia Corrêa do Lago. Recife: RB, 2003. (Catálogo de exposição, 2003)

O industrial pernambucano Ricardo Brennand formou, em poucos anos, uma das mais notáveis e ricas coleções do País, destacando-se uma parte substancial dedicada ao Governo do Conde Maurício de Nassau (v.) em Pernambuco de 1630 a 1644. Por ocasião da histórica visita da Rainha da Holanda ao Brasil em 2003, Ricardo Brennand apresentou em seu Instituto esta inigualável coleção formada por três partes distintas: um conjunto de quinze telas do pintor Frans Post (v.) e as gravuras que ilustram a obra *Rerum per octennium in Brasilia...* (Amsterdam, 1647), de Barleus (v.), os mapas, documentos, objetos e livros relacionados ao Governo de Maurício de Nassau e, finalmente, quatro das grandes tapeçarias francesas baseadas em desenhos de Albert Eckhout (v.). Muito mais do que o catálogo do título, a presente obra é um tratado sobre o assunto por Bia Corrêa do Lago, a curadora, e Pedro Corrêa do Lago, atual Diretor da Biblioteca Nacional. Muito importante.

COMÉRCIO E INDÚSTRIA

O Brasil colonial não chegou a conhecer estabelecimentos industriais, limitando-se as correspondentes atividades ao exercício quase doméstico de diversos ofícios, como os de forja-

ria, olaria, curtume e cerâmica. A transferência do Governo português ao Brasil e a abertura dos portos em 1808 criou paulatinamente pequenos estabelecimentos que se agrupavam em núcleos e passaram a tomar forma e expressão nas últimas décadas do século XIX; pequena é a documentação iconográfica deste período e o material existente é principalmente formado por fotografias utilizadas para fins de propaganda. O comércio, por outro lado, muito ativo há séculos em Portugal, também o foi no período colonial brasileiro e muito evoluiu no século XIX, dando margem a uma grande variedade de testemunhos visuais de suas múltiplas atividades.

100 anos de Melhoramentos: 1890-1990.

São Paulo: Melhoramentos, 1990.

Inteligência e qualidade seriam os primeiros atributos que se deveriam conceder a esta obra comemorativa, na qual o tradicional culto à personalidade deu lugar a um histórico muito competente sobre a região de origem da indústria, o início do empreendimento pela família Rodovalho e a sucessão por gerações Weiszflog, a mudança de rumo e a evolução para a auto-suficiência na produção de papel, e finalmente o campo editorial do livro escolar, literário e histórico. Acrescente-se a estas qualidades uma excepcional documentação iconográfica (muito bem reproduzida) e o texto de Hernani Donato, e obtém-se uma obra imprescindível para o estudo da indústria do papel no País.

La fabbrica Olivetti in Brasile.

S.l.: s.e., s.d.

Uma bela plaqueta de vistas gerais desta imponente fábrica projetada pelo arquiteto italiano Marco Zanuso e construída em Guarulhos (São Paulo) em fins da década de 1940, um projeto arrojado para a época. NOTA: A fábrica serviu para sua finalidade original por mais de quarenta anos; desativada na década de 1990, encontra-se atualmente adaptada como *shopping center*.

Album de vistas: commercio e industria do Brazil: 1500-1900.

2ª ed. São Paulo/Rio de Janeiro: À venda na Livraria Alves, [1901].

Conforme nos informa o prefácio, este álbum é "uma forma nova e original de propaganda, pelo annuncio illustrado com as vistas exteriores dos estabelecimentos commerciaes e industriais do Brasil..."; descrição plenamente justificada nesta interessante publicação que proporciona as propaladas vistas de prédios, hotéis, monumentos, praças, fábricas e livrarias que acompanham os anúncios. Muito interessante.

Memórias do comércio.

São Paulo: FCESP/Sesc/Senac/Sebrae, 1995.

Interessante obra organizada pelo Museu da Pessoa, entidade privada que procura registrar a memória social através de depoimentos de indivíduos de todas as camadas e atividades sociais. No presente caso foram entrevistadas 61 pessoas em um universo de 200, escolhidas segundo os critérios de modalidade, gênero, pioneirismo e inovação. Ilustrada com muitas fotografias em pequenas dimensões que focalizam diversos aspectos das atividades comerciais.

O comércio e suas profissões: imagens: Brasil 1500/1946.

Rio de Janeiro: Serviço Nacional de Aprendizagem Comercial/Departamento Nacional/Divisão de Planejamento/ Coordenadoria de Divulgação e Promoções, 1983.

O título revela o conteúdo deste excelente estudo organizado e apresentado por Arthur Bosisio Jr. Além de uma boa seleção de gravuras, prevalecendo as de Debret e Rugendas (v. estes), o trabalho conta com farto material fotográfico colhido no início do século XX, em grande parte de Augusto Malta (v.).

Homenagem ao comerciante: 1985.

São Paulo: Sesc/Senac, 1985.

Pequena agenda de capa dura sob a responsabilidade do historiador Benedito Lima de Toledo (v.), contendo doze vistas de lojas antigas em fotografias atuais por Valderez Moraes Frota.

Recordações da Exposição Nacional de 1861.

[Rio de Janeiro: Confraria dos Amigos do Livro, 1977].

Esta foi a primeira edição da Confraria dos Amigos do Livro após o falecimento de Carlos Lacerda (v.), seu fundador e editor. Da importante exposição de 1861, a primeira do País para produtos nacionais, foi reproduzido em sua integridade o raríssimo catálogo impresso e litografado no Instituto Artístico de Henrique Fleiuss e Carlos Linde, e muitas das gravuras (provavelmente todas) sob desenho de Carlos Linde (v.). Uma bela edição, que conta com um estudo de Luiz Forjas Trigueiros sobre a exposição e sua época.

Rotermund & Co.: 60 annos/jahre: 1877-1937.

São Leopoldo: Rotermund & Co., 1937.

Boa plaqueta comemorativa de sessenta anos de atividade de uma editora sediada em São Leopoldo (RS), fundada pelo pastor protestante Dr. Wilhelm Rotermund (?-1925) e dedicada à publicação de livros didáticos, obras literárias e jornal próprio. Publicado como livro de bloco, este pequeno álbum conta com boas fotografias do arquivo da editora e desenhos a bico de pena de Ernst Zeuner (Alemanha 1901-?), bem como um retrato do fundador por "R.S." de 1923.

A Hering de Blumenau: um século: 1880-1980.

Blumenau: [Hering], 1980.

Típica obra comemorativa com rica documentação fotográfica pouco expressiva de arquivo próprio.

Museu de rua; história do comércio de Catanduva.

Catanduva: Sesc, 1996.

Projeto do escritório paulista de Julio Abe Wakahara para o Sesc de Catanduva; as fotografias abrangem o período de 1916 a 1974.

COMMELYN, ISAAK

Escritor e editor holandês (1598-1676), autor de uma biografia do Príncipe Frederico Henrique de Nassau e a história da Holanda durante o período de ocupação holandesa do Nordeste do Brasil.

História das conquistas hollandezas no Brasil: capítulos extraídos da "Vida do príncipe D'Orange Frederico Henrique de Nassau".

Traduzidos por José de Campos Novaes. São Paulo: Typographia Brazil de Rothschild & Cia., 1908.

Tradução de partes do original holandês (Amsterdam, 1651) referentes à conquista do Nordeste do Brasil, reproduzindo (muito mal) as famosas seis gravuras das batalhas navais. Muito interessante.

COPPOLA, HORACIO

Fotógrafo argentino (1906), aluno da Bauhaus em Berlim (1932-1933).

Esculturas de Antonio Francisco Lisboa, o Aleijadinho: 1738-1814.

Buenos Aires: Ediciones De La Llanura, [1955].

Um documentário fotográfico dos mais completos e fascinantes sobre a obra escultórica e arquitetônica do Aleijadinho por um grande fotógrafo argentino que realizou a presente obra em 1945. NOTA: Da edição, foi feita uma tiragem especial de 80 exemplares encadernados, assinados pelo autor. Muito recomendável.

CORDEL

Cordel, segundo os nossos dicionários, é sinônimo de barbante, ou cordinha. Este vocábulo, entretanto, passa a ter conotação diferente no linguajar nordestino (conotação não assinalada pelos mesmos dicionários) quando o cordel é utilizado em barracas de feiras populares para servir de varal a pequenos folhetos impressos que ostentam a produção poética de algum "cantador", "desafiante" ou "contador" de histórias presentes e passadas, uma produção literária popular e centenárias que passou a ser conhecida por "cordel" e recentemente à denominação erudita de "literatura de cordel". A este termo coletivo de "cordel" se ajuntou, por extensão, a popular e igualmente ilustração xilográfica que ilustra e orna a capa dos folhetos, uma arte praticada muitas das vezes pelo próprio autor. Esta antiga poética popular e sua arte xilográfica floresceu a partir de fins do século XIX e passou a estudos sistemáticos tão-só em meados do século XX, quando simultaneamente se notou o início de seu declínio. Ao iconógrafo interessa naturalmente a arte xilográfica do "cordel", aquela que retrata os heróis mágicos, históricos e populares dos "contos", assim como retrata o cotidiano da vida no Agreste nordestino e na cidade e o retrato do "desafiante", do cidadão e do político, um conjunto que forma inestimável fonte iconográfica. Os xilógrafos populares, entretanto, não se ativeram somente à ilustração de folhetos, partindo alguns deles para uma produção mais erudita e elaborada, geralmente reunida em álbuns temáticos, como é o caso de José Costa Leite, Mestre Nosa, Marcelo Soares, Abraão Batista, Jeronimo Soares (v. estes) e outros, encontrando-se os álbuns sem autor declarado abaixo relacionados. NOTA: *Na atual e declinante produção de folhetos de "cordel" nota-se acentuada inclinação aos temas do noticiário policial, esportivo, de moda e social, em detrimento aos anteriores ligados ao "romanceiro" popular e ao cenário nacional; assim também se nota a gradativa substituição da tradicional ilustração xilográfica por simples estampas de imagens cinematográficas e esportivas, extraídas de jornais e revistas.*

Brazilian performance: an economic review published by Unibanco – Banco de Investimentos do Brasil.

São Paulo: Unibanco, v. II, nº 3, 1976.

Revista de alto gabarito técnico, econômico e artístico dedicada à clientela estrangeira de um Banco brasileiro, contém o artigo "Cordel writing and engravings", um sólido estudo sobre a poética e a arte xilográfica do cordel, muito bem ilustrada com xilogravuras dos "cordelistas" José Costa Leite, Amaro Francisco Borges (A. F.) e J. Barros (João Antonio de Barros), provenientes de uma coleção particular paulista. Importante.

100 anos de cordel.

São Paulo: Sesc, 2001. (Catálogo de exposição, 2001)

Extraordinário catálogo de uma grande e importante exposição temática apresentada em vários módulos, entre os quais a mostra "A história que o povo canta", "Benditos" e uma coleção particular de folhetos de cordel, além de fotografias de Tiago Santana e diversas barracas de "cordelistas" com seus produtos em xilogravuras. Fascinante. NOTA: Para esta exposição foi publicado um pequeno guia do mesmo título e na forma de um folheto de cordel, contendo uma poesia de Téo Azevedo alusiva ao evento e na capa a xilogravura que serviu de símbolo à efeméride.

Doze gravadores populares do Nordeste.

[Recife]: Guariba Editora de Arte Ltda., [1974].

Álbum em tiragem de 550 exemplares contendo exemplares da produção de doze "cordelistas" nordestinos, com cada xilogravura provida de *passe-partout*.

Gravura.

Natal: Imprensa Oficial, 1966.

Álbum de dezesseis estampas de gravuras de nove renomados xilógrafos nordestinos, todas em estilo e temas de cordel.

Gravuras: 1ª série.

Apresentação de M. Cavalcanti Proença. Rio de Janeiro: Gavião, 1962.

Pequeno álbum em tiragem de 250 exemplares, com reprodução de muitas xilogravuras populares.

Os Borges de Bezerros – Pernambuco: xilogravuras de Amaro Francisco Borges, José Francisco Borges, José Miguel Borges.

Texto: Raul Lody. Fotografia: Edmond Daussot. Apoio: Rita Smolianinoff. [Recife]: Coperbo/Assessoria do Instituto Nacional do Folclore/Fundação Nacional de Arte/Ministério da Cultura, [1985].

Modesto álbum oblongo contendo quatro xilogravuras sobre papel forte, das quais duas de J. Borges e um dos demais, todas de tema "cordelista", assinadas e muito bem executadas. Interessante introdução histórica e artística de Raul Giovanni da Motta.

CORONA, EDUARDO

Arquiteto brasileiro (1921-2001).

CORONA, Eduardo e LEMOS, Carlos. *Dicionário da arquitetura brasileira.*

1ªedição. [São Paulo]: Edart – São Paulo Livraria Editora Ltda., 1972.

Clássica obra dos arquitetos Eduardo Corona e Carlos Alberto Cerqueira Lemos (1925-2001) sobre os termos usados na arquitetura brasileira e para a construção e seus materiais. Imprescindível.

CORONA, Eduardo e LEMOS, Carlos. *Roteiro arquitetura contemporânea: São Paulo.*

Separata da *Revista Acrópole*, São Paulo, nº 295-296.

Uma seleção da arquitetura paulista organizada e comentada por dois renomados arquitetos e historiadores da arquitetura e apresentado neste álbum-miniatura; muito bem ilustrado, apresentando sempre uma visão geral da obra retratada e algum detalhe expressivo.

CORONEL, LUIZ

Cidades gaúchas: portfolio poético e documental das cidades do Rio Grande do Sul.

Porto Alegre: s.e., 1996.

Obra pretensiosa cujo tema nos é revelado no título. Cada uma das trinta cidades poeticamente evocadas é apresentada por uma correspondente vista e inserida uma segunda diferente e bem menor, um curioso sistema que acaba diminuindo o efeito visual de ambas.

CORRÊA, LUIZ DE MIRANDA

Guia de Manaus: roteiro histórico e sentimental da cidade do Rio Negro.

[Rio de Janeiro]: Editora Artenova Ltda., [1969].

Um guia muito recomendável por um jornalista com estudos de História e História da Arte na Sorbonne (Paris); com texto elogiado por Leandro Tocantins e por diversas vezes premiado, a obra foi enriquecida com desenhos do pernambucano Luis Jardim (v.).

CORRÊA, MAGALHÃES

Terra carioca: fontes e chafarizes.

Rio de Janeiro: Imprensa Nacional, 1939.

Após estudos de aperfeiçoamento em Paris com prêmio de viagem obtido no Salão Nacional em 1912, o desenhista, escultor e professor Armando de Magalhães Corrêa (1889-1944) passou a dedicar-se a estudos históricos na década de 1930, colaborando com artigos e desenhos no *Correio da Manhã* do Rio de Janeiro. Estes desenhos e estudos foram reunidos e publicados no volume 170 da *Revista do Instituto Histórico e Geográfico Brasileiro* (1935) e republicados nesta edição modesta (em papel de segunda) da Imprensa Nacional. Ilustram os artigos inúmeras vinhetas e desenhos próprios a bico de pena, muitos fora do texto e alguns desdobráveis. Muito interessante. NOTA: A edição original na revista do IHGB (1935) foi fac-similada e publicada na "Coleção Memória do Rio".

O sertão carioca.

Rio de Janeiro: Imprensa Nacional, 1936.

No mesmo tipo de edição do item anterior foi republicada (da *Revista do Instituto Histórico e Geográfico Brasileiro*, nº 167) esta obra que estuda a região circundante da antiga Capital Federal em seus aspectos geográficos, etnográficos e botânicos; também esta encontra-se ilustrada com muitos desenhos e vinhetas do próprio autor. NOTA: Como integrante da "Coleção Memória do Rio", a Prefeitura do Rio de Janeiro publicou sob nº 5 uma reimpressão fac-símile desta reedição.

CORTESÃO, ARMANDO

Cartógrafo português.

CORTESÃO, Armando e MOTA, Avelino Teixeira da. *Portugaliae monumenta cartographica: reprodução fac-similada da edição de 1960.*

Lisboa: Imprensa Nacional/Casa da Moeda, 1987.

Obra básica para a cartografia portuguesa e, por extensão, também a brasileira, e considerada por Alfredo Pinheiro Marques (cartógrafo e historiador português) como "magnum opus" de Armando Cortesão e do Almirante Avelino Teixeira da Mota. Esta magnífica edição é a reprodução fac-similar (em tamanho reduzido) dos cinco volumes da edição original (1960), com acréscimo de um volume de adendos e retificações e um sétimo em fólio, com reprodução em dimensão maior de alguns mapas de especial importância. Muito importante e imprescindível para os estudiosos.

Cartografia e cartógrafos portugueses dos séculos XV e XVI (contribuição para um estudo completo).

Lisboa: Edição da Seara Nova, 1935.

O título revela a temática desta volumosa obra em dois volumes, precursora da monumental *Portugalia monumenta cartografica*. A ilustração restringe-se a cerca de cinqüenta mapas, mas nem por isso deixa de ser obra imprescindível para estudos.

CORTESÃO, JAIME

Escritor, historiador e cartógrafo português (1884-1960), viveu no Brasil de 1940 a 1955 e produziu importantes obras de pesquisa histórica.

História do Brasil nos velhos mapas: tomo I.

Rio de Janeiro: Instituto Rio Branco/Ministério das Relações Exteriores, [1965]. v. 1.

História do Brasil nos velhos mapas: tomo II.

Rio de Janeiro: Instituto Rio Branco/Ministério das Relações Exteriores, [1971]. v. 2.

Ainda que sem ilustrações, é obra básica e imprescindível para estudos.

COSTA, CACILDA TEIXEIRA DA

O sonho e a técnica; a arquitetura do ferro no Brasil.

[São Paulo]: Edusp, [1994].

Importante obra sobre a "arquitetura metalúrgica", uma fase da história da construção no Brasil que teve seu apogeu durante a segunda metade do século XIX. A autora conseguiu amenizar um tema algo técnico com a introdução de notáveis ilustrações que, por sua vez, foram inseridas no texto por uma diagramação também muito especial de Silvia Steinberg e Marcellus Schnell. Muito interessante.

COSTA, F.A. Pereira da

Escritor pernambucano (1851-1923), membro do Instituto Histórico e Geográfico Brasileiro, e autor de Os anais pernambucanos.

Arredores de Recife.

Recife: Fundação de Cultura Cidade do Recife, 1981. (Coleção Cidade do Recife, 10)

Reedição do estudo de F. A. Pereira da Costa sobre o tema do título, ao qual foi acrescido um "Álbum Iconográfico", com 25 gravuras do século XIX, de Luiz Schlappriz, F. H. Carls e Emil Bauch (v. estes) e adicionado o artigo "Capunga: crônica de um bairro recifense", do historiador J. A. Gonsalves de Mello.

COSTA, IVAN SARNEY

São Luís: uma ilha bela por natureza = Nature's island of loveliness.

S.l.: Global Editora, s.d.

Um belo álbum, do qual nem tudo é iconográfico; uma grande primeira parte é dedicada a "A ilha e sua população", "O homem e o seu meio ambiente" e "A ilha vista por artistas de hontem e de hoje", com duas boas fotografias de Gaudêncio Cunha (v.), de 1908. A última parte compreende "Salve a cultura popular", "Religiosidade e fontes populares" e "Artesanatos, Artesãos e Artistas", e principalmente as partes dedicadas a "A museologia secular da cidade", "Arquitetura" e "Cultura material dos Barões e Senadores", com fotografias de Geraldo Kosinski.

COSTA, LUCIO

Lucio Marçal Ferreira Ribeiro de Lima e Costa, arquiteto brasileiro (1902-1998), criador de Brasília.

Registro de uma vivência.

2ª edição. São Paulo: Empresa das Artes, 1997.

Este conjunto de cartas, depoimentos, entrevistas, artigos, críticas, aulas e outras manifestações pessoais ou de terceiros formam uma autêntica autobiografia deste singular arquiteto urbanista, criador do plano-piloto de Brasília. A ilustração formada por fotografias (a grande maioria em preto e branco), desenhos e croquis arquitetônicos próprios, está à altura da grande importância do texto. Imprescindível para estudos.

COSTA, MARIA DE FÁTIMA G.

Percorrendo manuscritos entre Langsdorff e D'Alincourt.

Cuiabá: UFMT Editora Universitária, 1993.

Organizado e dirigido por uma professora da Universidade Federal do Mato Grosso, este importante estudo transcreve e analisa um manuscrito em língua portuguesa do início do século XIX, "Geografia estatística e natural", mantido na Academia de Ciências de São Petersburgo no acervo do Barão von Langsdorff (v.) e a ele atribuído; esta autoria foi recentemente creditada a Louis d'Alincourt (v.), engenheiro português que visitara Mato Grosso em 1818, autor de *Memória sobre a viagem do Porto de Santos à cidade de Cuiabá.* A ilustração foi confiada ao artista plástico Bené Fonteles, que utilizou imagens iconográficas da Expedição Langsdorff para criar variantes e projetá-las junto ao texto como iluminuras imaginárias do manuscrito, criando efeito muito interessante mas prejudicado pela imperfeição da reprodução.

História de um país inexistente; o Pantanal entre os séculos XVI e XVIII.

São Paulo: Estação Liberdade/Livraria Kosmos Editora, 1999.

Outro importante estudo histórico de Matia de Fátima G. Costa sobre uma vasta região do território nacional tradicionalmente considerada apenas como acidente geográfico; muito bem ilustrado.

COSTA, Maria de Fátima e DIENER-OJEDA, Pablo. *Viajando nos bastidores: documentos de viagem da Expedição Langsdorff.*

[Cuiabá: Ed. da UFMT, 1995].

Em co-autoria com o marido Pablo Diener (v.), a autora estuda diversos documentos dos arquivos da Academia de São Petersburgo (Rússia), de Mato Grosso e da família Florence sobre a expedição de von Langsdorff (v.), com simpáticas ilustrações de Bené Fontelles recriando desenhos de Hercules Florence (v.); contém ainda um auto-retrato de Adrien Aimé Taunay (v.).

COSTA, NELSON Nunes da

O Rio através dos séculos: a história da cidade em seu IV centenário.

[Rio de Janeiro]: Edições O Cruzeiro, [1965].

Uma espécie de guia de eventos vários ao longo dos tempos; obra de divulgação e agradável leitura, conta com um número razoável de ilustrações algo comuns.

COSTA, SEBASTIÃO

Ilha de Itamaracá.

Itamaracá: s.e., 1978.

Pequeno guia histórico-sentimental da Ilha de Itamaracá (litoral norte de Pernambuco) que mereceu prefácio de Gilberto Freyre e uma apreciação de Adauto Barreto na orelha do livro. As fotografias do autor, entretanto, são convencionais e mal reproduzidas.

COURCY, ERNEST DE

Seis semanas nas minas de ouro do Brasil.

Tradução de Júlio Castañon Guimarães. Belo Horizonte: Sistema Estadual de Planejamento/Fundação João Pinheiro/Centro de Estudos Históricos e Culturais, 1997. (Coleção Mineiriana – Série Clássicos)

O Visconde Ernest de Courcy realizou em 1886 uma viagem a Minas Gerais, cujo relato *Six semaines aux mines d'or du Brésil* (Paris, 1889) foi revisto e traduzido por Julio Castañon Guimarães para esta versão brasileira; acompanha um estudo crítico de Douglas Cole Libby. Como um dos volumes da "Coleção Mineiriana – Série Clássicos" da Fundação João Pinheiro (sempre de excepcional qualidade), esta edição de mil exemplares cartonados é muito bem feita, tornando-se apenas incompreensível o sistema usado para a reprodução das ilustrações, originariamente de pequenas dimensões (17,0 x 11,5 cm) e aqui muito ampliadas, tornando-as distorcidas e quase irreconhecíveis.

CRAIG, NEVILLE B.

Estrada de ferro Madeira-Mamoré: história trágica de uma expedição: edição ilustrada.

Tradução de Moacir N. Vasconcelos. [Rio de Janeiro]: Companhia Editora Nacional, 1947. (Brasiliana. Biblioteca Pedagógica Brasileira. Série 5ª, 242)

Obra interessante publicada em péssimo papel, com um mapa e poucas e mal reproduzidas fotografias.

CRAVO NETO, MARIO

Nascido em 1947, filho e discípulo do escultor Mario Cravo Jr., estudou inicialmente na Alemanha e de 1969 e 1970 em New York. Escultor por vocação, dedica-se também e cada vez mais à fotografia, constando suas obras no álbum Os estranhos filhos da casa *(1985), nos abaixo relacionados e na "Coleção Pirelli" do MASP (v.).*

Salvador: editado por Mario Cravo Neto.

Salvador: Aries Editora, 1999.

Belíssimo ensaio fotográfico por um dos melhores artistas da atualidade, um trabalho que "faz a dureza física da luz de Salvador passar pelo filtro espiritual que anima na cidade", na opinião do cantor baiano Caetano Veloso. São 240 magníficas imagens em edição luxuosa de 3 000 exemplares, acompanhadas de textos do Padre Antonio Vieira e do escritor Jorge Amado (v.), além de um estudo de Wilson Rocha. Muito recomendável.

A cidade da Bahia.

Fotografias de Mario Cravo Neto. Texto de Jorge Amado, Carybé, Mário Cravo. [São Paulo]: Áries Editora, [1984].

Belo álbum sobre o tema do título, com 145 imagens coloridas. Muito recomendável.

Cravo.

Esculturas de Mario Cravo = sculptures by Mario Cravo; fotografias de Cravo Neto = photographs by Cravo Neto. [São Paulo: Raízes Artes Gráficas Ltda., 1983].

"Poucos ousam penetrar na intimidade do objeto da representação", segundo Boris Kossoy (v.) e Mario Cravo Neto foi um destes poucos que ousou e conseguiu neste extraordinário ensaio fotográfico que tem por tema as esculturas de seu pai, Mario Cravo Jr.

Ex voto.

De Mario Cravo Neto, texto de Bardi, Gilberto Freyre, Mário Barata. S.l.: Áries Editora, [1986].

Outro belo ensaio fotográfico que nos apresenta sob um prisma visual poético e estético objetos da crendice popular, aparentemente simples e toscos.

Laróyè.

Salvador: Áries Editora, 2000.

Imponente álbum, em descomunal dimensão de 24 x 36 cm, contendo muitas dezenas de excepcionais imagens em cores com as quais um dos maiores fotógrafos do Brasil nos apresenta uma Bahia criada por Exu, um orixá iorubá, invocado pelo artista através da saudação "Laróyè". Este magnífico testemunho é coroado com o poema *Exu*, de autoria de seu pai, Mario Cravo Junior. Muito interessante.

CRULS, GASTÃO Luis

Médico sanitarista e literato, bibliotecário da Universidade do Rio de Janeiro (1888-1959).

Aparência do Rio de Janeiro: notícia histórica e descritiva da cidade.

Rio de Janeiro: Livraria José Olympio Editora, 1949. (Coleção de Documentos Brasileiros, 60)

Este é um clássico da historiografia carioca e recebeu o "Prêmio Vieira Fazenda". Com prefácio de Gilberto Freyre, contou no primeiro volume com ótimos desenhos de Luis Jardim (v.), e no segundo, com fotografias de Sascha Harnisch (v.). Da edição, uma tiragem de luxo de 300 exemplares em papel linho telado e 200 em papel Westerledger, assinados pelo autor. Muito interessante.

Aparência do Rio de Janeiro: notícia histórica e descritiva da cidade / edição do IV Centenário.

Rio de Janeiro: Livraria José Olympio Editora, 1965. (Coleção Rio 4 séculos, v. 1-2)

Nesta terceira edição da obra, a editora não poupou esforços para dotá-la da mais suntuosa coleção de ilustrações (cerca de 800) de gravuras e quadros de artistas dos séculos XIX e XX, além de inúmeros bicos de pena de Luis Jardim (v.), fotografias de diversos, várias plantas e mapas, e inúmeras caricaturas sobre eventos significativos da época. Muito interessante e recomendável.

Hiléia amazônica.

Rio de Janeiro: Companhia Editora Nacional, 1944.

Ainda que declare no prefácio julgar-se "quasi um leigo nas disciplinas que aqui o preocupam", o autor pretendeu e conseguiu um "trabalho essencialmente iconográfico" e de alta qualidade, quer seja com a inclusão de 24 aquarelas de Armando Pacheco (v.), 23 de Heloisa Velloso e 1 de Georges Julien Simoni, como na descrição das ilustrações e no texto dedicado à flora, fauna, arqueologia e etnografia. Edição em fólio grande e muito recomendável.

CRUZ, ERNESTO

Escritor e historiador, membro do Instituto Histórico e Geográfico do Pará, foi diretor da Biblioteca e do Arquivo Público do Pará e autor de muitas obras sobre seu estado natal.

As edificações de Belém: 1783-1911.

Belém: Conselho Estadual de Cultura, 1971. (Coleção Histórica do Pará. Série Arthur Vianna)

Como parte da coleção "História do Pará", esta obra é complementação de uma anterior, *Ruas de Belém* (1970), da mesma editora. Para sua elaboração, o autor valeu-se das impressões que nos legaram viajantes e estudiosos de várias épocas, como Alexandre Rodrigues Ferreira (1784), Hercules Florence (1826), Henry W. Bates (1824-1892), Alfred R. Wallace (1848) (v. estes), Antonio José de Lemos (1908) e outros, comentando, analisando e acompanhando as observações de então até a atualidade. A ilustração é abundante, mas peca por convencionalidade e reprodução apenas sofrível. NOTA: Da presente edição consta uma relação de obras do autor, notando-se: *Pequeno guia histórico de Belém* (1950), *Belém através de seu traçado e das suas construções coloniais* (1952) e *As obras públicas no Pará* (1970), provavelmente interessantes para o iconógrafo.

Igrejas e sobrados do Maranhão: São Luís e Maranhão.

Rio de Janeiro: Livros de Portugal S/A, 1953.

Uma boa obra histórica amplamente ilustrada com imagens convencionais, razoavelmente reproduzidas.

Monumentos de Belém.

[Belém]: s.e., 1945. v. 1.

Importante obra sobre o tema do título; a documentação fotográfica de cada monumento, muito convencional e sofrivelmente reproduzida, é de autoria do DEI, um órgão público. NOTA: De uma relação de obras de Ernesto Cruz em 1971, não constava a publicação de um eventual segundo volume dos *Monumentos de Belém.*

Igrejas de Belém.

[Belém]: s.e., 1953.

Pequeno álbum oblongo, publicado como edição comemorativa do Sexto Congresso Eucarístico Nacional, com bom texto e sofríveis fotografias.

Igrejas de Belém.

Belém: Prefeitura Municipal de Belém, 1974.

Uma reedição do item anterior promovida pela Secretaria Municipal de Belém, dotada de boas fotografias coloridas.

CRUZ, PEDRO OSWALDO

Fotógrafo brasileiro contemporâneo, cujas obras constam em numerosos álbuns, como Fazendas. Solares da época cafeeira do Brasil imperial, Brasil: a costa *e* A floresta da Tijuca e a cidade do Rio de Janeiro, *além das obras* Palácio de Laranjeira, *de Mario Torres,* Encantos do Rio, *de Eliane Canedo de Freitas Pinheiro e Augusto Ivan de Freitas Pinheiro,* Barroco, alma do Brasil, *de Affonso Sant'Anna, e* Mestre Vitalino, *de Lélia Coelho Frota, todos também resenhados.*

Maranhão.

[Rio de Janeiro]: Alcoa, [1981].

Bela e excepcional obra sobre o Estado do Maranhão em edição de luxo de 30 x 38 cm, com riquíssima documentação fotográfica focalizando as cidades históricas, suas igrejas e monumentos. Muito recomendável.

CUNHA, ALFREDO DA

Elogio historico de Sua Majestade o imperador do Brazil D. Pedro II recitado na sessão solemne de 16 de abril de 1893 sob a presidencia de honra de Sua Majestade El-Rei o Senhor D. Carlos I na Real Associação dos Architectos Civis e Archeologos Portugueses por Alfredo da Cunha.

Lisboa: Typographia Universal (Imprensa da Casa Real), 1893.

Esta plaqueta em fólio médio e encadernação original distingue-se de outras deste tipo por uma grande gravura em aço retratando D. Pedro *II*, de autoria do gravador uruguaio Francisco Pastor (v.).

CUNHA, GAUDÊNCIO R.

Chegaram a São Luís do Maranhão em 1888, provenientes de Belém do Pará, Gaudêncio R. Cunha e João d'Oliveira Pantoja, e se estabeleceram com um ateliê fotográfico; após pouco tempo adquiriram um segundo ateliê e passaram a geri-los individualmente. Desfeita a sociedade em 1895, Gaudêncio continuou em seu ateliê atuando como "Photographia União" e a partir de 1896 como "Gaudêncio R. Cunha & Cia.", estabelecimento ainda ativo em 1915. Gaudêncio foi autor do álbum fotográfico Maranhão Ilustrado *(1899), enviado pelo Governo à Exposição Mundial de Paris, e do álbum fotográfico* Álbum do Maranhão, *de 1908. Duas fotografias de sua autoria encontram-se reproduzidas em* São Luís: uma ilha bela por natureza, *de Ivan S. Costa (v.).*

Maranhão: 1908.

Rio de Janeiro: Spala, 1987.

Por encomenda oficial, o fotógrafo Gaudêncio R. Cunha foi autor em 1908 do álbum fotográfico *Álbum do Maranhão*, destinado a representar o estado do Maranhão na exposição nacional de 1908, um álbum que obteve medalha de ouro. Este é o álbum que se encontra reproduzido em fac-símile completo (com exclusão de algumas poucas fotografias danificadas) nesta excelente edição, que contou com texto da cartógrafa Isa Adonias (v.). Muito recomendável.

CUNHA, LYGIA FERNANDES FONSECA DA

Destacada historiadora e iconógrafa contemporânea que ocupou, por muitos anos, a direção da Seção de Estampas e Obras Raras da Biblioteca Nacional.

Álbum cartográfico do Rio de Janeiro: séculos XVIII e XIX.

Rio de Janeiro: Biblioteca Nacional/Ministério da Educação e Cultura/Divisão de Publicações e Divulgação, 1971.

Dos mais importantes para a cartografia brasileira este álbum de 32 x 46 cm, com reprodução de 22 mapas entre os mais significativos e raros do Rio de Janeiro, todos descritos e comentados com a conhecida e grande autoridade da autora.

Iconografia baiana do século XIX.

In *Anais da Biblioteca Nacional*, Rio de Janeiro, v. 101, 1981.

Pequeno mas importante estudo sobre dois conjuntos de desenhos adquiridos pela Biblioteca Nacional. O primeiro refere-se a um álbum com 153 desenhos de Emma Juliana Smith (v.), inglesa, esposa do comerciante inglês J. P. G. Smith, estabelecido em Recife em 1844, colhidos nos anos 1864 e 1865 nas viagens pelo Brasil em companhia do marido; cinco destes desenhos foram estudados, e três reproduzidos. O segundo conjunto reúne aquarelas da Bahia e de Pernambuco, de autor anônimo, atribuídos por Rodolfo Garcia (diretor da Biblioteca Nacional) a Maria Graham; comparações estilísticas convenceram a autora de que as aquarelas da Bahia são de artista anônimo, e de que as de Pernambuco são de H. Lewis (v.). Foram comentadas as 52 aquarelas da Bahia, e duas delas foram (mal) reproduzidas.

O Rio de Janeiro através das estampas antigas.

Rio de Janeiro: Divisão de Publicações e Divulgação, 1970. (Coleção Rodolfo Garcia, Série B, Catálogos e Bibliografias)

Este é um levantamento das estampas da Biblioteca Nacional, incluindo os álbuns consultados. Extensa bibliografia e um histórico das regiões e correspondentes épocas, além da arquitetura e dos usos e costumes, completam este estudo, que conta com quatro ilustrações (de razoável reprodução). Imprescindível para estudos.

CURADO, GLORIA GRACE

Pirenópolis: uma cidade para o turismo.

[Goiânia]: Oriente, [1980].

Tese da autora apresentada para graduação no curso de Arquitetura da Universidade Católica de Goiânia, adaptada para formar este pequeno guia, que inclui 78 fotografias comparativas próprias e antigas.

D

D'AVILA, ANTONIO CARLOS

Antonio Carlos d'Avila (1955), Doutor em Fotografia e professor na USP, participou de muitas expedições ecológicas e encontra-se representado na "Coleção Pirelli" do MASP (v.).

A.C. D'Ávila.

[São Paulo: Massao Ohno, Editor, 1976].

Álbum de 40,0 x 25,5 cm com um retrato do autor e fotografias originais em tiragem de 250 exemplares assinados. Um poema de Lea Mara Langone serve de prefácio a este simpático ensaio fotográfico.

DAMM, FLAVIO

Fotógrafo gaúcho (1928), iniciou seus estudos no laboratório do fotógrafo alemão Ed Keffel em Porto Alegre e em 1946 teve suas fotografias publicadas na Revista da Globo, *dedicando-se a seguir ao fotojornalismo no Rio de Janeiro e realizando uma exposição com José Medeiros (v.) no MAM-RJ em 1962. Entre os vários álbuns publicados com fotografias próprias, constam:* Bahia de Todos os Santos *(1960),* Bahia, boa terra Bahia *(1965), ambos com texto de Jorge Amado,* Pernambuco sim *(1974) e* Brasil futebol rei.

Fotografias de Flavio Damm.

Apresentação de José Medeiros. Rio de Janeiro: Publicado por Ultra-Set Editora Ltda., [1990].

Pequeno e belo álbum de sessenta fotografias que dispensam títulos e textos, segundo o artista e a crítica.

Um cândido pintor Portinari.

S.l.: Editora Expressão e Cultura e co-edição com AGS – Indústrias Gráficas S/A, [1971].

A amizade com o pintor Enrico Bianco e deste com Portinari possibilitou ao fotógrafo partilhar do cotidiano do grande pintor nos dois últimos anos de sua vida, flagrando cenas de seu trabalho criativo e outras de lazer e ternura com a netinha Denise.

DANON, DIANA DOROTHÉA

Escritora, poetisa e pintora (São Paulo 1929), formou-se na Escola de Belas Artes de São Paulo em 1959 e estudou arqueologia e história da arte na Universidade de São Paulo. Realizou exposições individuais e participou de coletivas em São Paulo.

DANON, Diana Dorothéa e ARROYO, Leonardo. *Memória e tempo das igrejas de São Paulo.*
São Paulo: Companhia Editora Nacional/Editora da Universidade de São Paulo, 1971.

Edição em quarto médio e encadernada de uma coleção de desenhos a nanquim sobre o tema do título, com texto por um especialista da matéria, autor de *Igrejas de São Paulo* (v.).

DANON, Diana Dorothéa e TOLEDO, Benedito Lima de. *São Paulo: Belle Époque.*
[São Paulo]: Companhia Editora Nacional/Editora da Universidade de São Paulo, [1974].

Em edição igual à precedente, a autora apresenta seus desenhos focalizando as ruas e as residências da cidade de São Paulo na época dos "barões do café", uma visão que se transformou em memória. Excelente o texto do arquiteto Benedito Lima de Toledo (v.), assim como o índice das ilustrações que fornece dados históricos sobre os prédios focalizados, ambos ilustrados com vinhetas da artista. Muito interessante.

DANON, Diana Dorothéa e FRAGELLI, Marcello. *O Metrô de São Paulo.*
[São Paulo]: Companhia Editora Nacional/Editora da Universidade de São Paulo, [1975].

Obra com idêntico bom acabamento dos anteriores, revela em guaches fases múltiplas da construção do metrô de São Paulo. Bom texto de Marcello Fragelli, ilustrado com vinhetas da artista.

DANSOT, EDMOND

Fotógrafo francês contemporâneo, ativo em Pernambuco, ilustrou integralmente a obra Arte popular pernambucana *e participou da obra* O espírito criador do povo brasileiro através da coleção de Abelardo Rodrigues do Recife *(v. estas).*

DARBOIS, DOMINIQUE

Indiens d'Amazonie.
Paris: [Les Editions Mondiales, 1953]. (Collection Mondes et Visages del Duca-Editeur)

A fotógrafa francesa Darbois, em companhia de Francis Mazirée e do cinegrafista Wladimir Iwanow, realizaram viagem de estudo aos índios Oyana do maciço Tumuc-Humac na divisa da Guiana com o Brasil, cujo resultado é este primeiro volume da série "Monde et Visages" do editor Duca, de Paris, típica obra jornalística de "divulgação" em edição encadernada com imagens em preto e branco e algumas poucas em cores.

DAVATZ, THOMAS

Memórias de um colono no Brasil: 1850.

Tradução de Sergio Buarque de Holanda. São Paulo: Livraria Martins, [1941]. (Biblioteca Histórica Brasileira, 5)

Esta importante obra sobre uma malograda experiência de trabalho agrícola com imigrantes suíços (meados do século XIX) na Fazenda Ibicaba do Senador Vergueiro (São Paulo) foi traduzida do raríssimo original em alemão (Chur, 1858) e provida de fundamental estudo por Sérgio Buarque de Holanda. O original não era ilustrado, mas a presente edição (da qual foi feita uma tiragem especial de 150 exemplares em formato maior) conta com várias gravuras antigas retratando a Fazenda Ibicaba (infelizmente sem identificação de autoria) e com a reprodução da rara gravura do cais de Santos, por Rudolf Canstatt, cujo original se encontra em *Brasilien, Land und Leute* (Berlim, 1877), de Oscar Canstatt (v.), e reproduzida na versão brasileira *Brasil: Ontem e Hoje.*

DAVID, ION

Chapada dos Veadeiros.

São Paulo: DBA, 2000.

Ótimo ensaio fotográfico por um jovem goiano (1974) que ocupa o cargo de ambientalista-guia no Parque Nacional da Chapada dos Veadeiros; excelente apresentação gráfica desta edição.

DE BONA, THEODORO

Pintor e professor (1904), aluno de Alfredo Andersen, foi professor da Escola Nacional de Belas Artes do Rio de Janeiro e seu Diretor em 1970.

O Paraná de De Bona: um retrato escrito e seis paisagens.

S.l.: s.e., s.d.

Álbum de folhas soltas reproduzindo em cores seis paisagens paranaenses. Bem cuidada edição particular, com tiragem de 800 exemplares, numerados e assinados pelo artista.

DE BONI, ZÉ

Fotógrafo brasileiro (1951), formado em Biologia, criou e dirigiu a galeria "Álbum" de 1980 a 1982. Participou da ilustração das obras Verde lente, fotógrafos brasileiros e a natureza, Parques nacionais: Brasil *e o* Relatório Anual 1994 *da Duratex; consta da "Coleção Pirelli" do MASP (v.).*

Paisagem mágica: fotografias da Chapada Diamantina.

S.l.: s.e., s.d.

Autêntico espírito ecológico exala deste belo álbum de Zé de Boni, que também descreveu cada uma das imagens captadas; completa este clima o excelente histórico-descritivo de Walfrido Moraes. Muito recomendável.

DE BRY, THEODOR

Gravador e editor holandês (1528-1598), ativo na Alemanha durante a maior parte de sua vida. Em viagem a Londres (1587) visitou o geógrafo Hakluyt, que o incentivou a publicar coleções de viagem, dando assim início em 1590 à publicação da série que se tornou conhecida por "Grands Voyages" e dedicada às Américas; as seis primeiras obras desta série foram ilustradas com gravuras próprias e as restantes, bem como as da nova série "Petits Voyages", publicadas por seus filhos e sucessores.

Americae.

[München: Konrad Kölbl, 1970].

Fac-símile da edição original alemã dos seis primeiros volumes da série das Grandes Viagens, reunidas nesta magnífica edição sob o título *Americae*, com todas as gravuras e mapas. Bela e muito importante edição.

DE MARTINO, EDOARDO

Nascido na Itália em 1832, cursou a Escola Naval de Nápoles a partir de 1845 e tornou-se tenente da Marinha italiana, sendo provável ter aprendido desenho como complemento de sua formação profissional. Dados diversos, imprecisos e conflitantes, revelam sua chegada ao Brasil em 1866, sua visita aos cenários da Guerra do Paraguai, sua permanência em Porto Alegre em 1869 e seu regresso ao Rio de Janeiro em 1870, participando do Salão deste mesmo ano, em 1872 e 1873. Em 1875 partiu para a Inglaterra, onde se tornou pintor marinhista oficial da Rainha Victoria, falecendo em 1912. Deixou no Brasil uma grande quantidade de pinturas, desenhos e aquarelas sobre a Guerra do Paraguai, obra tachada pelos críticos da época como amadorística, mas atualmente como muito boa e importante. De Martino tinha por hábito, muito comum na época, colher suas impressões visuais através de pequenos desenhos e aquarelas, estudos que utilizava posteriormente em seu estúdio para a composição dos cenários de suas grandes telas a óleo. Estes estudos surgem atual e esporadicamente em grandes leilões de arte e devem constar em muitas coleções particulares, como em uma paulista com 72 peças (em grande parte da Guerra do Paraguai), das quais 26 foram reproduzidas como Desenhos inéditos de um célebre pintor, *para ilustrar o estudo "A participação de São Paulo na Guerra do Paraguai", de Miguel Angelo Barros Ferreira (in* Revista do Arquivo Municipal, *São Paulo, v. 183); estas e duas adicionais foram reproduzidas no artigo* Fixados em desenhos inéditos imagens da Guerra do Paraguai, *do mesmo autor (*in Diário Popular, *2 de julho de 1970).*

Eduardo De Martino: pintor e marinheiro.

[São Paulo]: s.e., [1988].

Magnífico álbum de 31 x 41 cm reproduzindo 19 desenhos e aquarelas do acervo do Museu Naval, com cada estampa montada em *passe-partout*. Acompanha um rápido estudo da iconógrafa Ana Maria de Moraes Belluzzo (v.) e um índice com descrição técnica dos quadros. Muito recomendável.

DEBRET, JEAN-BAPTISTE

Pintor francês (1768-1848), aluno de David, obteve o Prêmio Roma em 1791 e expôs regularmente de 1799 a 1814 no Salão. Em 1816 chegou ao Brasil como membro da Missão Artística Francesa (v.) dirigida por Joachim Le Breton e contratada por D. João VI para a instalação de uma Academia de Belas Artes. Além de professor na Academia, obteve o título de pintor da corte imperial e em 1831 regressou à França, ocasião em que levou seus desenhos e aquarelas, muitos dos quais reproduzidos por gravadores importantes para ilustrarem sua obra Voyage pictoresque et historique au Brésil ou séjour d'un artiste français au Brésil... *(Paris, 1834-1839), em 26 fascículos formando três volumes, comportando 156 gravuras em 104 pranchas. Alguns dos desenhos não utilizados para esta obra foram colecionados pelo antiquário parisiense Robert Heymann e apresentados em exposição na Casa Brasil em Paris (1938) com um catálogo em fólio* Aquarelas inéditas de J. B. Debret relativas ao Brasil *(Paris, 1938), reproduzindo oito delas; esta coleção foi adquirida em 1939 por Raymundo Ottoni de Castro Maya e se encontra no Museu da Chácara do Céu, atual Museus Castro Maia (v.). Um outro conjunto, do acervo do Conde de Bonneval e formado por quarenta aquarelas, foi estudado e reproduzido na obra* Quarenta paisagens inéditas... *(v. a seguir) e posteriormente vendido a diversos colecionadores brasileiros. Apesar da importância de Debret na criação da Academia Imperial de Belas Artes e na publicação de seu álbum, a vida e a obra deste pintor não foram estudadas a fundo, sendo quase necessário recorrer a obras gerais sobre a Missão Artística Francesa (v.). As gravuras avulsas de sua obra tornaram-se itens cobiçados por colecionadores e decoradores, uma tendência que também se estendeu às reproduções. Assim, na década de 1980, a Livraria Kosmos Editora (Rio de Janeiro) adquiriu doze gravuras coloridas da coleção Carlos Soulié Franco do Amaral, das quais seis verticais e seis horizontais, gravuras que mandou reproduzir (muito bem) na Gráfica Danúbio para comercializá-las em duas partes intituladas* Brasil Imperial, *tiragem de 2 000 exemplares cada uma; foram também utilizadas para os calendários da editora* Old Rio antigo *de 1986 (as verticais) e* Brasil Imperial *de 1987 (as horizontais). Todas as gravuras de Debret encontram-se freqüentemente reproduzidas en obras de cultura brasileira em geral e, especialmente, no campo da escravidão.*

Viagem pitoresca e histórica ao Brasil: tomo I (volumes I e II): tomo II (volume III).

Tradução de Sérgio Milliet. São Paulo: Livraria Martins, [1940].

Como volume IV da "Biblioteca Histórica Brasileira" (sob a direção do bibliotecário Rubens Borba de Moraes), esta foi a primeira edição completa desta célebre e linda obra de Jean-Baptiste Debret, cuidadosamente traduzida e anotada por Sérgio Milliet, diretor da Biblioteca Municipal de São Paulo. Esta edição em dois volumes teve uma tiragem comum e uma tiragem de luxo de 200 exemplares (em quarto grande e papel especial); as gravuras em preto e branco foram reproduzidas em papel couché e dotadas de títulos em português, omitindo-se as subscrições.

Album Debret: 1835-1935: offerta da 'Revista da Semana' aos seus leitores.

[Rio de Janeiro: Revista da Semana, 1935].

Foi esta a primeira publicação nacional da obra pictórica de Debret. Foram 187 pranchas publicadas pela *Revista da Semana* (separando algumas gravuras duplas e incluindo alguns desenhos da coleção do Instituto Histórico e Geográfico Brasileiro), muitas em cores, com títulos em português e omissão das subscrições. Ao conjunto das estampas foi acrescida uma folha de título com pequeno texto explicativo e uma folha de índice para a formação de um álbum; as gravuras foram muito bem reproduzidas para o fim a que se destinavam e para a época (as coloridas nem tanto).

Voyage pittoresque et historique au Brésil ou séjour d'un artiste français au Brésil, depuis 1816 jusqu'en 1831 inclusivement, époque de l'avénement et de l'abdication de S.M. D. Pedro Ier, fondateur de l'Empire Brésilien: tome premier: tome deuxième: tome troisième.

Fac-símile da edição original de Firmin Didot Frères, Paris, 1834. Rio de Janeiro: Distribuidora Record/New York: Continental News, 1965.

Belíssima reprodução fac-similar desta obra clássica e expressiva de um dos membros da Missão Artística Francesa ao Brasil em 1816. Impressa no Japão em papel especial filigranado "J.B. Debret", foi editada nos originais três volumes, em tiragem de mil exemplares, dos quais 100 com *double suite*. Apesar da beleza e da perfeita reprodução das 104 pranchas (em preto e branco), esta edição não logrou popularidade, em grande parte por seu elevado custo, mas também por sua dimensão, peso e dificuldade de manuseio, aliados à falta de um estudo especial e imprescindível para este tipo de obra e edição. Muito recomendável.

Viagem pitoresca e histórica ao Brasil.

[São Paulo]: Editora Itatiaia Ltda./Editora da Universidade de São Paulo, [1989]. (Coleção Reconquista do Brasil. 3ª Série, 10-12)

Como volumes 10-12 da Coleção "Reconquista do Brasil. 3ª Série", a Itatiaia publicou em quarto grande esta edição completa em três volumes. As estampas são boas reproduções de um original colorido pelo próprio artista, segundo alegação no colofon. Encadernação original, com reprodução de gravuras nas folhas de guarda e com sobrecapa que ostenta gravuras na frente e no verso. Muito recomendável. NOTA: Esta edição foi precedida de anterior em dois volumes da mesma coleção, 1ª série (volumes 56-57).

O Brasil de Debret.

[Belo Horizonte]: Villa Rica, [1993]. (Imagens do Brasil, 2)

Como segundo volume da coleção "Imagens do Brasil. 2ª Série", a editora publicou esta excelente edição que reproduz as 104 gravuras da edição original (de um exemplar com gravuras coloridas), todas em folhas soltas impressas de um só lado do papel couché e acondicionadas em caixa. Acompanha um plaqueta em fólio com diversos textos, destacando-se "Debret, um itinerário de amor", de Antonio Carlos Villaça. Muito recomendável.

O índio.

[São Paulo]: Difusão Nacional do Livro, s.d. (Série Documentos Históricos, 2)

O negro.

[São Paulo]: Difusão Nacional do Livro, s.d. (Série Documentos Históricos, 3)

Fauna e flora.

[São Paulo]: Difusão Nacional do Livro, s.d. (Série Documentos Históricos, 4)

Usos e costumes coloniais.

[São Paulo]: Difusão Nacional do Livro, s.d. (Série Documentos Históricos, 6)

Brasil império.

[São Paulo]: Difusão Nacional do Livro, s.d. (Série Documentos Históricos, 9)

Estas obras fazem parte de um conjunto de dez volumes da série "Documentos Históricos" (v. estes), todos em fólio de 57 x 39 cm e cartonados. As ilustrações em preto e branco são apenas partes das gravuras originais e foram muito ampliadas, assim como o texto é formado por extratos da obra original. Para a divulgação cultural a que se destinam, estas obras são aceitáveis e mesmo recomendáveis. NOTA: O sétimo volume desta série, *Rugendas e Debret: paisagem colonial* (v.), traz obras de Rugendas (v.) e Debret. NOTA: Estas mesmas obras encontram-se novamente reproduzidas na coleção "Brasil histórico e geográfico" (v.), da Companhia Distribuidora de Livros (São Paulo), uma coleção em quatro volumes e dimensão menor, mas em tudo idêntica ao verbete anterior.

O índio por J. B. Debret em detalhes.

S.l.: Editora Debret, s.d. (Série Documentos Brasileiros, 1)

Álbum de folhas soltas, de 39 x 29 cm, com capa dura, apresentando somente um detalhe de catorze gravuras diferentes por um péssimo sistema de reprodução. Edição sem atrativos.

Pranchas de Jean Baptiste Debret extraídas de sua obra clássica Voyage Pictoresque et Historique au Brésil.

[São Paulo: Editora Formas Ltda.], s.d. (Galeria Clássica)

Um álbum do tipo divulgação, contendo quinze pranchas em dimensão original, em cores e mal reproduzidas, acompanhadas de um sucinto texto sobre a vida e a obra do artista.

Viagem pitoresca e histórica ao Brasil: aquarelas e desenhos que não foram reproduzidos na edição de Firmin Didot 1834.

Paris: Raymundo de Castro Maia, 1954.

Edição monumental, uma das mais belas e perfeitas publicações de iconografia brasileira. Esta coleção de aquarelas inéditas, adquirida pelo editor em Paris e por ele doada à Fundação que ostenta seu nome (mais conhecida como Museu da Chácara do Céu, ou Museus Castro Maya – v.), é formada por 139 peças, aqui reproduzidas com insuperável perfeição em fototipia e coloridas *au pochoir*; as placas foram destruídas após a tiragem de 400 exemplares. Muito recomendável e importante.

Viagem pitoresca e histórica ao Brasil.

São Paulo: Editora Itatiaia Limitada/Editora da Universidade de São Paulo, [1989]. (Coleção Reconquista do Brasil. 3ª Série, 7)

Boa edição das 139 aquarelas da coleção Raymundo de Castro Maya, impressas de um só lado do papel couché e acondicionadas em caixa.

Aquarelas e desenhos de Jean-Baptiste Debret pertencentes ao acervo da Fundação Raymundo de Castro Maya.

[Curitiba]: Badep, 1979. (Catálogo de exposição, maio-jun. 1979)

Entre as importantes exposições realizadas pelo Banco de Desenvolvimento do Paraná (Badep), destacou-se a presente, que apresentou um conjunto de 132 aquarelas (além de documentos e livros) do acervo da Fundação Raymundo Castro Maya (atual Museus Castro Maya, v.). Poucas foram as ilustrações nesta simpática plaqueta-catálogo, mas muito boa a descrição técnica de todas as aquarelas; contou ainda com importante estudo de Newton Carneiro (v.) e a transcrição de um texto do catálogo da Fundação Castro Maya.

Quarenta paisagens inéditas do Rio de Janeiro, São Paulo, Paraná e Santa Catarina.

São Paulo: Companhia Editora Nacional, 1970.

Grande foi a surpresa dos estudiosos quando se tornou pública a existência de mais uma coleção de aquarelas de Debret; foi adquirida na Europa na década de 1950 por um membro da família Almeida Prado e transferida por herança ao Conde de Bonneval (atual Marquês de Bonneval). Nesta publicação comemorativa do cinqüentenário da Companhia Editora Nacional, esta importante coleção foi utilizada para reprodução em álbum de folhas soltas de 46 x 32 cm, em mil exemplares. Um extenso e fundamentado estudo de J.F. Almeida Prado valoriza esta bela edição, executada com capricho mas sem ser excepcional ou de luxo. Contrastando com as ilustrações da obra original de Debret, quase todas dedicadas aos usos, costumes e aspectos do Rio de Janeiro, estas quarenta aquarelas são paisagens captadas pelo artista em sua viagem ao Sul do país. Muito recomendável, com importantes notas de Newton Carneiro (v.). NOTA: Alguns anos após esta publicação, o Marquês de Bonneval retornou à França e vendeu grande parte deste conjunto de aquarelas para colecionadores brasileiros.

Flowers & fruits.

Rio de Janeiro: Edições Alumbramento, 1993-1994.

Um álbum de grande luxo e primorosa execução, característica das Edições Alumbramento. As belas aquarelas reproduzidas provêm da Fundação Raymundo Castro Maya, atual Museus Castro Maya (v.) e da coleção Jean Boghici, cada uma com verbete explicativo; acompanha um prefácio de Burle-Marx (v.) e texto e dados científicos de Luiz Emygdio de Mello Filho, antigo diretor do Museu Nacional do Rio de Janeiro; as cópias fotográficas foram confiadas a Claus Meyer (v.). Esta edição é lindíssima e muito recomendável.

J. B. Debret: aquarelas: exposição comemorativa aos 150 anos de lançamento da primeira edição da Viagem pitoresca e histórica ao Brasil: 1834-1984.
São Paulo: Secretaria de Estado da Cultura, 1984. (Catálogo de exposição, fev.-mar. 1984)

Comemorando a efeméride do título, foi realizada uma exposição das 40 aquarelas da coleção do Marquês de Bonneval e 61 da coleção da Fundação Raymundo Ottoni de Castro Maya (atual Museus Castro Maya, v. este). O catálogo é rico e reproduz 16 das aquarelas de Bonneval e 15 das demais, além de uma lista de todas as peças, com completa descrição técnica. Conta ainda com excelentes estudos de J.F. Almeida Prado (v.) e Miriam Ellis, tornando este catálogo interessante, ainda que a reprodução não tenha sido muito feliz. NOTA: Na mesma ocasião foi publicado um belo cartaz, reproduzindo em cores a *Ponte de Santa Efigenia, em São Paulo*, de Debret.

Viagem pitoresca e histórica ao Brasil: 1816-1831: excertos e ilustrações: o texto e as gravuras desta edição foram selecionados por Ariosto Augusto de Oliveira; introdução de Myriam Ellis; os excertos são de tradução de Sérgio Milliet.
[São Paulo]: Edições Melhoramentos, [1971].

Boa edição reproduzindo razoavelmente 107 gravuras, das quais quatro provenientes da coleção Bonneval; parte das reproduções foram em cores.

DELGADO, LUIZ

O Convento de Santa Teresa em Olinda: edição ilustrada.
Recife: Universidade Federal de Pernambuco, 1979.

Pequeno estudo de um importante intelectual pernambucano, publicado postumamente nesta modesta edição universitária, integralmente ilustrada com desenhos da arquiteta Maria de Fátima Tigre Leão.

DELTIL, JEAN JULIEN

Retratista e paisagista francês (1791-1863), aluno de J.B. Debret na Escola de Belas Artes de Paris, participou do Salão de 1812, 1814 e 1824. Em 1829 foi contratado pela Manufatura Jean Zuber (estabelecimento suíço de papéis pintados) para elaborar um grande panorama de motivos brasileiros destinado à reprodução em papel de parede, encomenda para a qual utilizou-se de diversos desenhos de Johann Moritz Rugendas (v.) que se encontravam em mãos do litógrafo Gottfried Engelmann para a edição do futuro álbum Malerische Reise in Brasilien *(Paris, 1835). A peça estampada em papel então produzida,* Vues du Brésil, *em trinta tiras, é uma das mais notáveis e raras da iconografia brasileira; um exemplar completo encontra-se no Museu de Artes Decorativas de Paris e reproduzida em* Papiers peints panoramiques *(Paris: Musée des Arts Décoratifs/Flammarion, 1998), e outro na coleção da Fundação Rank-Packard (v.), exposta em 1999 no Paço Imperial do Rio de Janeiro e na Pinacoteca do Estado de São Paulo, este estudado e integralmente reproduzido em duas folhas desdobráveis em* Revelando um acervo: coleção Brasiliana: Fundação Rank-Packard/Fundação Estudar *(v.).* NOTA: *No catálogo* Dutra Leilões *(junho de 2002) encontra-se reproduzida em cores uma parte em quatro tiras deste grande panorama* Vues du Brésil.

DEMONTE

Conhecidos e prestigiados no exterior, os três irmãos Demonte são artistas plásticos brasileiros praticamente desconhecidos no País. Rosalia Demonte Blower (1921), Etienne (1923) e Yvonne (1925) são autodidatas e se dedicam a estudar e retratar a fauna e a flora brasileira, com preferência, respectivamente, por peixes e insetos, pássaros e plantas e mamíferos. Em 1984 expuseram no Instituto de Cooperación Interamericana (Madri) e em 1985 no Hunt Institute for Botanical Documentation (Pittsburgh, EUA) e as obras de Yvonne e Etienne podem ser conferidas nas do ornitólogo Augusto Ruschi (v.), em Mamíferos do Brasil *(v.) e em* Miscelanea zoologica, *de Eurico Santos. Yvonne e Etienne também produziram ilustrações para selos brasileiros, destacando-se a série dos búfalos (1984) e a de tucanos (1985).*

DEMONTE, YVONNE

Parati-poemas.

[São Paulo]: Editora Rios Ltda., 1984.

Além de uma evocação histórico-sentimental de Roberto Goldkorn, este álbum de folhas soltas comporta a reprodução de seis aquarelas (e uma sétima na capa) de Yvonne Demonte sobre os aspectos mais significativos desta cidade histórica tombada. As aquarelas são bem acadêmicas, mas agradáveis.

Mamíferos do Brasil = Mammals of Brazil

Ilustrações: Yvonne Demonte, versão: Alasdair G. Burman. S.l.: Editora Rios, s.d.

Álbum de 42 x 32 cm contendo seis belas estampas de aquarelas desta extraordinária intérprete da fauna brasileira.

DENIS, FERDINAND

Brasil.

São Paulo: Livraria Itatiaia Editora/Editora da Universidade de São Paulo, 1980. (Coleção Reconquista do Brasil, 46)

Ao que consta, esta é a primeira das edições nacionais do *Brésil* que conta com a reprodução de todas as gravuras publicadas fora do texto na edição original de 1838, ilustrações que foram regravadas de Debret, Rugendas, Maximilian (v. estes) e outros. O sistema adotado nesta edição de inserir as gravuras no texto foi bom e tornou a obra ainda mais interessante; foi também incluído o mapa "Brésil", de Duvotenay (geógrafo francês, 1796-1875). Muito interessante. NOTA: O original da obra de Denis foi publicado na coleção "L'Univers. Histoire et description de tous le peuples" (Paris, 1838) e vertido para o vernáculo (sem indicação do tradutor) pela primeira vez em uma edição não datada de H. Garnier, em dois volumes, com reprodução deficiente de cerca de trinta das gravuras originais, obra da qual a Biblioteca conta tão-só com o primeiro volume.

DESCOURTILZ, J. THÉODORE

Ornitólogo francês (?-1855), chegou ao Brasil em 1830 (data discutida). Sempre pesquisando, começou a trabalhar em companhia de cientistas do Museu Nacional do Rio de Janeiro em 1851, tendo sido nomeado Adjunto do Museu por decreto imperial de 31 de julho de 1854, função que exerceu até 13 de janeiro de 1855, quando faleceu durante viagem de pesquisas à Província do Espírito Santo. Deixou várias obras publicadas e numerosos trabalhos inéditos no Museu Nacional, entre os quais o magnífico álbum Oiseaux-mouches orthorynques du Brésil, *de 1831, com 23 aquarelas e texto explicativo. Em 1834 publicou em Paris* Oiseaux brillants du Brésil, *e em 1854 o* Ornithologie brésilienne *(sem data), muito raros atualmente.* NOTA: *Sobre suas atividades anteriores à chegada ao Brasil, há uma referência no* Manuel du Libraire, *de Brunet, sobre a obra* Flora medical des Antilles, *de J. M. E. Descourtilz, publicada de 1821 a 1829 em oito volumes (Paris) com pinturas de J.Th. Descourtilz.*

Pageantry of Brazilian birds in their natural surroundings.

Amsterdam/Rio de Janeiro: Colibris Editora Ltda., 1960.

Edição fac-similada das 60 aquarelas que ilustram a raríssima obra *Oiseaux brillants et remarquables du Brésil placés près des végétaux dont les fruits les nourrissent. Peint sur les lieux par J. T. Descourtilz* (1835); destes originais, 32 foram reproduzidos em cores e 28 em preto e branco. O ornitologista brasileiro João Moojen cooperou com uma descrição de cada espécie em substituição à do autor (atualmente considerada não muito precisa em alguns detalhes). Esta bela edição, em rica encadernação com sobrecapa, foi acompanhada por uma brochura em fólio e na mesma dimensão (44 x 29 cm) transcrevendo o texto completo da edição original francesa. NOTA: A folha de título reproduzida nesta brochura porta a data 1835 e o brasão imperial brasileiro. Rubens Borba de Moraes, que descreve a obra, informa que a folha de título porta a data: "Paris. 1834", e o CEHB, sob o nº 11 634, relaciona a obra como sendo de Paris, 1832. Aproveitando as estampas excedentes desta edição, a Livraria Kosmos do Rio de Janeiro (registrada como "Editora Colibris" em Amsterdam) utilizou-se de seis destas (desprovidas da numeração que foi adicionada aos exemplares da obra completa) para comercializá-las em um simples envelope com o título *Pássaros Brasileiros*, tornando-as assim mais acessíveis monetariamente. Dada a qualidade destas estampas, este álbum aparentemente modesto passou a ser uma obra de arte.

Beija-flores do Brasil.

Tradução de Carlos Drummond de Andrade. Rio de Janeiro: Livraria São José, 1960.

Edição fac-similada deste manuscrito inédito de 1831 que se encontra no Museu Nacional. O álbum é formado por 23 aquarelas, texto explicativo em letra autógrafa e uma folha de título, *Oiseaux-mouches orthorynques du Brésil* (Rio de Janeiro, 1831). Tradução do poeta Carlos Drummond de Andrade e parte científica anotada pelo ornitólogo Olivério M. de O. Pinto. A edição de mil exemplares numerados não é especial, mas bonita e agradável.

DESMONS, ILUCHAR

Iluchar Desmons nasceu na França em 1803 e chegou ao Brasil em 1840, fixando-se em 1843 no Rio de Janeiro como professor de desenho. É provável que tenha regressado à França em 1854 para publicar sua obra Panorama de la Ville de Rio de Janeiro *(Paris, 1855), com treze gravuras sob desenhos próprios (provavelmente baseadas em daguerreótipos), um álbum atualmente muito raro. As gravuras, muito raras e muito disputadas pelos colecionadores, são providas de numeração 2 a 12, encontrando-se sem numeração a 1ª e a 13ª. A série encontra-se relacionada no* CEHB *(nº 17060), sem menção do álbum.* NOTA: *Além das vistas deste álbum, é conhecida outra litografia executada sob seu desenho, um raríssimo tríptico que forma o panorama "Botafogo", gravado por Paul Saint-Martin (litógrafo francês, 1816-?), relacionado sob o nº 17109 no* CEHB *e reproduzido em* Visões do Rio na Coleção Geyer *(v.).*

Panorama da cidade do Rio de Janeiro: coleção das 13 vistas do Rio de Janeiro desenhadas por Desmons, litografadas por Ciceri, Fichoti, Aubrun, Benoist, Perjeunne e Jacothet.

[Rio de Janeiro]: Banco do Estado da Guanabara S.A., 1963. (Coleção Mauá, 2)

Este álbum em folhas soltas de 38 x 31 cm reproduz em offset as treze litografias do raríssimo álbum *Panorama de la Ville de Rio de Janeiro* (Paris: Chez Lemercier, 1854), gravuras executadas por diversos artistas da oficina de Lemercier sob desenho de Iluchar Desmons; as gravuras originais fazem parte do acervo da Biblioteca Nacional e foram relacionados no CEHB sob o nº 17060, sem menção de álbum. Como os desenhos originais foram provavelmente copiados de daguerreótipos, este álbum é fundamental para o conhecimento da cidade em meados do século XIX. A tiragem foi de 975 exemplares numerados e adicionais 25 especiais, coloridos e encadernados em couro, todos rubricados pelo presidente do banco; a reprodução das imagens não foi das melhores. Muito recomendável e importante. NOTA: Em coleção particular paulista encontram-se duas gravuras que reproduzem as litografias nº 10 e 13 (16,0 x 21,0 cm na folha de papel Fabriano e 9,0 x 14,5 cm na memória) deste álbum de Desmons, tituladas *Rio de Janeiro 1845* [*sic*] e subscritas: "Desmond[sic] pinx. Stenzel fec. Lemercier Paris. Ed. Arnau. Rio. Imp.", fazendo crer que o editor Frank Arnau do Rio de Janeiro mandara executar em gravura a reprodução (em dimensão menor) das litografias para a edição de um novo álbum ou utilização das gravuras para fins de propaganda de produtos farmacêuticos, como era costume na época.

Panorama da cidade do Rio de Janeiro: coleção das 12 vistas do Rio de Janeiro, desenhadas por Desmons, litografadas por Eug. Ciceri, Fichet, Aubrun, Ph. Benoist, Perjeunne e Jacottet.

Reedição. [Rio de Janeiro: Artes Gráficas Arnau Ltda. e Le Conoisseur, 1944].

Doze litografias desta coleção de treze (omissão do nº 6) foram utilizados pelo editor carioca Frank Arnau para reprodução (em offset bicolor e dimensão menor que o original) neste simpático álbum em tiragem de 200 exemplares comuns e 30 em papel especial encadernados em couro, dos quais cinco coloridos à mão.

DIAS, DEMÓSTHENES DE OLIVEIRA

O solar da Marquesa de Santos: edição ilustrada.

Rio de Janeiro: Editor Carlos Ribeiro. Livreiro Antiquário. Mercador de livros, estampas e autógrafos, 1972.

Bom estudo sobre este famoso e belo solar do Rio de Janeiro, acompanhado de 32 fotografias em preto e branco mal reproduzidas, e em cores os quatro quadros a óleo de Francisco Pedro do Amaral (falecido em 1830), estes bem reproduzidos.

São Sebastião do Rio de Janeiro: história: tradições: edição comemorativa do IV centenário.

Rio de Janeiro: À venda na Loja de Carlos Ribeiro, Mercador de Livros, Estampas e Autógrafos, 1964.

Edição modesta de um pequeno estudo sobre a localização do Concelho, ou Câmara do Rio de Janeiro, ao longo dos séculos. Conta com três ilustrações que mostram os últimos prédios ocupados pela Câmara, todos demolidos, e uma quarta da atual Assembléia Legislativa.

DICIONÁRIOS

Poucos os dicionários nacionais dedicados às artes no Brasil; todos bem recentes. Como repositório de dados sobre os artistas, as épocas e as tendências, não são só úteis para consulta e pesquisa, mas também para conhecimento da visão dos autores sobre a produção artística em geral. Assim, para uma apreciação abrangente da produção existente, optou-se por reunir todos os dicionários que foram encontrados, resenhando-se os de Walmir Ayala, José Roberto Teixeira Leite, Marieta Alves, Frederico Porta, Luiz Fernando Marcondes, Eduardo Corona, Regina M. Real, José de Almeida Santos, Rodolpho von Ihering, Luis da Câmara Cascudo sob os respectivos autores.

Dicionário brasileiro de artistas plásticos: 1º volume – A a C: organizado por Carlos Cavalcanti.

Brasília: Ministério da Educação e Cultura/Instituto Nacional do Livro, 1973. (Dicionários Especializados, 5) v. 1.

Dicionário brasileiro de artistas plásticos: 2º volume – D a L: organizado por Carlos Cavalcanti.

Brasília: Ministério da Educação e Cultura/Instituto Nacional do Livro, 1975. (Dicionários Especializados, 5) v. 2.

Dicionário brasileiro de artistas plásticos: 3º volume – M a P: coordenação Walmir Ayala.

Brasília: Ministério da Educação e Cultura/Instituto Nacional do Livro, 1977. (Dicionários Especializados, 5) v. 3.

Dicionário brasileiro de artistas plásticos: 4º volume – Q a Z: coordenação Walmir Ayala.

Brasília: Ministério da Educação e Cultura/Instituto Nacional do Livro, 1980. (Dicionários Especializados, 5) v. 4.

Até a data é esta a mais completa das poucas obras similares que se publicaram no país; paradoxalmente, entretanto, também é a mais incompleta e menos confiável, fruto de uma nítida falta de revisão parcial e final. Confiada a organização da obra a Carlos Cavalcanti (crítico e historiador de arte, 1909-1975), foi por ele coordenada e redigida até seu falecimento em 1975, passando a tarefa de complementação e conclusão ao poeta e crítico de arte Walmir Ayala (v.). Por este, ou outros inexplicáveis motivos, esta obra se ressente de falta de pesquisa, de grande número de erros e omissões (como, por exemplo, Galileo Emendabili, William Zadig e todos os fotógrafos) e verbetes em duplicata sob grafias diferentes. As ilustrações, em preto e branco e em grande número, seguiram estranho critério de valor estético e de representação, cabendo, por exemplo, dezoito a Pedro Américo e treze a Rodolpho Amoedo, contra sete a Cândido Portinari e cinco a Victor Meirelles, contrastando ainda com as três de Tarsila do Amaral e outros bons artistas com outras tantas de fraquíssimo valor artístico; coube ainda uma única ilustração a luminares como Hélio Oiticica, Lygia Clark, Nicolau Facchinetti, Sérgio Camargo, Araújo Porto-Alegre (v. estes), entre outros. Os artistas paisagistas estrangeiros do século XIX encontram-se razoavelmente bem representados e com uma ilustração para cada um, notando-se a falta de ilustração para Georg Grimm, Felix Emile Taunay e seus irmãos (v. estes). É uma obra necessária, mas requer fundamental revisão, uma tarefa que foi anunciada através da imprensa em princípios de 1997 e da qual até a data não se teve notícia.

DIENER-OJEDA, Pablo

Chileno, doutor em História da Arte, foi curador de uma grande exposição de Rugendas (v.) em Santiago do Chile e se encontra atualmente ativo no Brasil.

Rugendas: 1802-1858.

Wissner/Augsburg: CEAL – Consejo Empresario de America Latina, 1997.

Concebido como *catalogue raisonné* para tese de doutorado, o historiador de arte Pablo Diener produziu a mais completa obra sobre a vida e a produção artística de Johann Moritz Rugendas (1802-1858, v. este), um dos mais expressivos artistas viajantes e provavelmente o mais importante dos que passaram pelo Brasil, autor da obra *Malerische Reise in Brasilien* (*Viagem pitoresca pelo Brasil*). Além de vistosa e com excepcional acabamento gráfico, esta obra é indispensável para estudos, incluindo as obras produzidas no México e no Chile.

DIENER, Pablo e COSTA, Maria de Fátima. *Rugendas e o Brasil.*

São Paulo: Capivara, 2002.

Após a publicação da magistral obra retro-examinada, que abrange a obra completa de Rugendas realizada no México, no Chile e no Brasil, Pablo Diener "reescreveu" aquela obra em companhia da esposa Maria de Fátima Costa (v.) para estudar somente a produção artística brasileira. Para tanto apresentou uma notável inovação ao estudar e comparar a conhecida produção gráfica com os esboços e estudos a lápis e aquarelas disponíveis, uma comparação fascinante e reveladora da visão e da arte dos gravadores da época. Notável qualidade gráfica em obra indispensável para estudos.

DIESENDRUCK, ARY

Fotógrafo brasileiro contemporâneo, ilustrou a obra Luz no êxtase. Vitrais e vitralistas no Brasil, *de Ignacio de Loyola Brandão (v.).*

São Paulo: Brasil.

[São Paulo]: Callis Editora, [1993].

Um álbum diferente das habituais vistas panorâmicas da cidade, focalizando áreas e aspectos pouco divulgados, como mercearia, sinagoga, banca de jornais e de flores, praças esportivas, indústria. As fotografias de Ary Diesendruck são muito boas e bons também os textos subscritos por Sergio Sister e Claudio Cerri. Muito interessante.

DIJK, WIM. L. VAN

Pintor holandês (1915), ativo em Petrópolis.

Petrópolis 1958: álbum com 40 desenhos a pincel = album of 40 brush sketches.

[Petrópolis: s.e., 1958]

Como contribuição pessoal ao centenário da fundação de Petrópolis, o artista editou este álbum com reprodução de quarenta de seus desenhos a pincel, retratando poeticamente os aspectos urbanos mais característicos. O álbum foi enriquecido com o brasão de armas da cidade (e sua descrição) e um "Roteiro" traçado pelo autor e reproduzido nas folhas de guarda.

DIVERSOS

Muitas são as obras editadas sem autor declarado sobre assuntos que não se enquadram em títulos adotados neste estudo.

1ª exposição de auto-retratos.

Rio de Janeiro: Museu Nacional de Belas Artes/Ministério da Educação e Saúde, 1944. (Catálogo de exposição, fev. 1944)

Catálogo com rápidos esboços biográficos e reprodução de 12 dos 144 quadros expostos.

A ciência a caminho da roça: imagens das expedições científicas do Instituto Oswaldo Cruz ao interior do Brasil entre 1911 e 1913.

[Rio de Janeiro]: Fundação Oswaldo Cruz/Casa de Oswaldo Cruz, [1991].

Impossível associar o título à riqueza da documentação iconográfica contida nesta obra. Conforme somos informados pelo prefaciador Marcio de Souza, a Fundação Oswaldo Cruz mantém mais de 25 mil fotografias em seu arquivo, quase todas produzidas pelos funcionários José Teixeira, João Stamato e J. Pinto, este último o mais importante. Das fotografias referentes às expedições do título foram selecionadas as melhores para esta quase suntuosa obra; entre notáveis imagens de longínquos recantos e cidades do território nacional, surpreendentes mostras de arquitetura rural e urbana, estradas, rios, tipos humanos e meios de transporte, também se encontram algumas sobre as doenças que assolavam estas regiões e as medidas sanitárias então tomadas. Textos excelentes. Importante e muito recomendável. NOTA: Uma parte destas expedições foi dedicada à Amazônia e esta região foi revisitada em nova e recente expedição cujos resultados foram publicados como *Revisitando a Amazônia: expedição aos rios Negro e Branco refaz percurso de Carlos Chagas em 1913* (v.), tornando-se interessante e importante a comparação da presente com aquela obra.

A Embaixada do Brasil em Londres: Mount Street e Green Street = The Brazilian Embassy in London: Mount Street and Green Street.

Organização e apresentação: Rubens Antonio Barbosa. São Paulo: Dórea Books and Art, 1995.

Londres ostenta uma das fabulosas embaixadas brasileiras, esta formada por dois prédios distintos, ambos arrendados de seus atuais proprietários. O primeiro, na Mount Street, foi construído em 1896 para Lord Windsor, Conde de Plymouth, projeto do arquiteto Fairfase B. Wade. O segundo, na Green Street, construído para o Barão Ribblesdale em 1897, projeto do arquiteto Sidney R.J. Smith. Servindo de residência e chancelaria respectivamente, estas belas vivendas encontram-se muito bem ilustradas nesta linda obra editada com a alta qualidade da DBA e sob a supervisão do Itamaraty.

A metrópole e a arte.

[São Paulo]: Banco Sudameris do Brasil, [1992]. (Arte e Cultura, 13).

Após a publicação de doze obras sobre cultura nacional que o Banco Sudameris confiara a Pietro Maria Bardi (v.) para a série "Arte e Cultura", e em face da desistência deste para prossegui-la por motivos de saúde, o Banco Sudameris decidiu publicar este 13° volume da série, confiando a diversos escritores e artistas a tarefa de focalizar visualmente vários aspectos da aplicação das artes no panorama das cidades brasileiras. Bela edição. NOTA: Após este 13° volume, a série "Arte e Cultura" foi encerrada.

Anchieta: obras na Biblioteca Nacional: catálogo da exposição comemorativa do IV centenário de falecimento do Padre José de Anchieta S.J.

Rio de Janeiro: Fundação Biblioteca Nacional, 1997. (Catálogo de exposição)

Catálogo extraordinário, em quarto grande, desta exposição comemorativa de José de Anchieta, que contou com a relação de todo o material exposto e significativa documentação iconográfica.

Armas que não vão à guerra.

[Rio de Janeiro]: Museu Histórico Nacional, 1988. (Catálogo de exposição, out. 1988)

Catálogo de uma exposição definida no prefácio como: "a origem, o desenvolvimento e o papel das armas na vida social [...] como elementos de trabalho, meios de lazer ou mesmo como símbolos". Além da reprodução das peças mais importantes desta coleção museológica, constam três aquarelas de Jean-Baptiste Debret (v.) alusivas ao tema.

Arqueologia = Archaeology: Mostra do Redescobrimento.

São Paulo: Fundação Bienal de São Paulo/Associação Brasil 500 Anos Artes Visuais, 2000. (Catálogo de exposição, abr.-set. 2000)

Um dos treze excelentes catálogos, em quarto grande, da "Mostra do Redescobrimento", com boas ilustrações e textos.

Arte arteira: brinquedos, brinquedeiros, brincadeiras = Artful art: toys, toy makers, games.

São Paulo: MD Comunicação e Editora, 1992. (Biblioteca Eucatex de Cultura Brasileira)

Entre as várias obras desta série cultural da Eucatex, esta é sem dúvida a mais notável, não tanto pela habitual qualidade das fotografias e dos textos, mas pelo assunto abordado, praticamente ignorado pelos estudiosos nacionais. Muito recomendável.

Arte colonial – mobiliário = Art colonial – mobilier.

São Paulo: Rhodia/Editora das Américas S/A – Edameris, [1977].

Interessante obra patrocinada pela Rhodia, com texto de Luiz Seraphico e as perfeitas fotografias do profissional Horst Merkel (v.).

Arte e indústria.

Rio de Janeiro: Libris Editora, 1992.

Patrocinada pelo Senai em comemoração aos seus 56 anos de atividade, esta obra curiosa apresenta alguns conceituados artistas plásticos brasileiros em seus afãs habituais e na produção de obras de arte através da habilidade manual e técnica aliada à sensibilidade e energia criadora.

Arte e transportes.

[Brasília]: Ministério dos Transportes/Serviço de Documentação, 1970.

Um álbum artístico sobre o tema do título, contendo 26 serigrafias em dimensão descomunal de 72 x 50 cm. Treze artistas (entre os quais Ana Leticia, Carlos Scliar e Frank Schaeffer) contribuíram com duas obras, que assinaram e numeraram de 1 a 100. Esta estranha e vistosa obra contou com prefácios de Rubem Braga e do arquiteto Murilo Miranda.

Arte no Brasil: uma história de cinco séculos.

São Paulo: Museu de Arte de São Paulo Assis Chateaubriand, 19??. (Catálogo de exposição)

Este título genérico impede imaginar a importância que teve esta exposição revelada por este catálogo bem feito, documentado e muito bem ilustrado.

Arte no trabalho.

São Paulo: Eucatex, 1991. (Biblioteca Eucatex de Cultura Brasileira)

Mais um dos estudos patrocinados pela Eucatex, este dedicado ao artesanato do trançado, à cerâmica, ao entalhador e ao santeiro, aos instrumentos musicais e à vestimenta. Os textos, em português e inglês, como sempre, são de boa qualidade.

Azulejos na cultura luso-brasileira.

Organização: Dora de Alcântara. S.l.: Instituto do Patrimônio Histórico e Artístico Nacional, 1997.

Aos textos de Benedito Lima de Toledo, Frederico Morais (v. estes) e Irisalva Moita segue o estudo principal desta bela obra, o de Dora de Alcântara sobre a azulejaria nos Museus Castro Maya (v.); excelentes reproduções.

Brasil: sons e instrumentos populares.

São Paulo: Instituto Cultural Itaú, 1997. (Catálogo de exposição, 1997)

Catálogo de uma exposição interativa realizada sob a curadoria do etnomusicólogo Alberto Ikeda, com reprodução dos instrumentos e seus intérpretes e cenas dos folguedos populares.

Brasilianische Literatur: Einzigartig und Umfassend = Brazilian literature: singular and plural = Literatura brasileira: singular e plural.

[São Paulo: Câmara Brasileira do Livro, 1994.] (Brasiliana de Frankfurt)

Uma das doze obras apresentadas pela Câmara Brasileira do Livro para a divulgação da cultura brasileira na Feira Internacional do Livro em Frankfurt (Alemanha). O pretexto foi a literatura brasileira, confiando-se pequenos estudos a Affonso Romano de Sant'Anna e Luiz Roberto de Nascimento e Silva; as legendas foram de Marcio Souza e a biobibliografia de Domicio Proença Filho. A ilustração é um curioso e interessante exercício de colagem de gravuras do século XIX com capas de livros, fotografias dos autores, objetos vários. Edição rica, luxuosa e interessante.

Cachaça, uma alegre história brasileira.

São Paulo: Caninha 51, 1988.

Com texto de Murilo Carvalho e boas fotografias de Silvestre P. Silva, a Caninha 51, a maior fabricante de aguardente do país, editou esta bem-humorada e inspirada obra sobre a bebida popular "caninha", ou cachaça, desde o plantio da cana até o consumo, passando pela fabricação, marcas e distribuição, usos e costumes e festas.

Café = Coffee.

Rio de Janeiro: AC&M, 1988.

Patrocinada pela Melitta, multinacional do ramo de café, esta obra propagandística é vistosa e rica em ilustrações fotográficas de Paulo Artur Andrade Correia e reprodução de gravuras antigas, mas em seu conjunto não consegue agradar; texto de Elbe Reale.

Capoeira.

Bahia: Editora Itapuã, 1969.

Álbum muito interessante mas com as imagens muito mal reproduzidas.

Carruagens para o imperador: quinze ilustrações selecionadas = fifteen selected illustrations / Ehrler: fabricant de voitures.

S.l.: Cobafi – Companhia Bahiana de Fibras/[Livraria Kosmos Editora], [1988].

A inclusão desta obra na relação de iconografia brasileira justifica-se tão-somente por se tratar de uma edição nacional de um álbum pertencente à Biblioteca Nacional. Este álbum, na realidade, é um catálogo manuscrito de carruagens de fabricação francesa, oferecido a D. Pedro II para uma eventual aquisição (não realizada), permanecendo o catálogo em mãos do Imperador. As quinze belíssimas ilustrações foram montadas em *passe-partout* e o álbum foi enriquecido com um artigo do diretor do Museu Imperial sobre "Meios de transporte" e a descrição de cada carruagem.

Cerâmica: arte da terra.

Editado por Miriam B. Birmann Gabbai. São Paulo: Callis Editora, 1987.

Além de bela e luxuosa, também é uma obra técnica, didática, de agradável leitura e apresentação visual fora do comum. As fotografias são devidas a Alexandre Sardá e em pequena parte a Rômulo Fialdini (v.); os textos de diversos e da coordenadora (com curso no Museum of Fine Arts de Boston). Interessante.

Circo.

[São Paulo: Prêmio/Eucatex, 1990]. (Biblioteca Eucatex de Cultura Brasileira)

Um mundo de fantasia e fascinação através de excelentes fotografias coloridas por profissionais não identificados, em mais uma das notáveis edições culturais da Eucatex. Muito recomendável.

Compromisso de Brasília.

[São Paulo]: Departamento de História USP/IAB – Departamento de São Paulo, 4° Distrito do IPHAN, 1970.

Reunião convocada pelo Ministro da Educação e Cultura com a diretoria do Patrimônio Histórico e Artístico Nacional e os governadores e autoridades estaduais e municipais, para o estudo de "medidas complementares de proteção e revalorização do acervo cultural do país"; teve por resultado o importante "Compromisso de Brasília" que, por sua vez, abriu caminho para convênios diversos sobre os bens públicos e artísticos pertencentes ao 4° Distrito do IPHAN, cada um muito bem fotografado; edição modesta com os comentários de Luis Saia (v.) sobre os 24 sítios históricos. Importante.

Correios no Brasil = The Brazilian post.

Rio de Janeiro: Spala Editora, 1990.

A Empresa Brasileira de Correios e Telégrafos encarregou-se de patrocinar e coordenar este fascinante relato histórico-ilustrado do desenvolvimento do correio no Brasil, confiando o texto a Maria do Carmo Dutra Lacombe e utilizando material iconográfico de arquivo próprio. Obra bela, que também aborda o campo da filatelia e traz muitas ilustrações de Jô Oliveira (aquarelas em estilo de gravuras de cordel), extraídas da obra *Uma pequena história do selo*.

De Tordesilhas ao Mercosul: uma exposição da história diplomática brasileira.

Rio de Janeiro/São Paulo: Memória Brasil, s.d.

Bela plaqueta que acompanha esta exposição comemorativa do Tratado de Tordesilhas; muito bem ilustrada com fotografias, documentos e gravuras que acompanham o histórico do título (em português e inglês).

Embarcações típicas do Brasil = Typical boats of Brazil.

Rio de Janeiro: Indústrias Reunidas Caneco S/A / Editora Index, [1985].

Comemorando o centenário de fundação, o Estaleiro Caneco do Rio de Janeiro editou este interessante álbum que nos apresenta os veículos de transporte marítimo movidos a vela, remo e vara, que se tornaram quase arqueológicos neste fim de século. Lindas as fotografias do arquivo dos poucos tipos ainda em ação, e fascinantes os desenhos de T. Selling Jr. que se encontram no Serviço de Documentação da Marinha, e os atuais de Paulo Lyra e Marcia Sussekind, a quem também se devem os desenhos das ferramentas utilizadas na construção. Muito interessante.

Especial: Patrimônio histórico = Spécial: Patrimoine historique.

Suplemento especial de *P.D. – Planejamento e Desenvolvimento*, Rio de Janeiro, 1978?

Número especial da revista *P.D.*, integralmente dedicado ao patrimônio histórico nacional e sua conservação; texto em português e francês. As fotografias, todas em cores, provêm de diversos arquivos e não são especiais, mas apresentam vistas pouco comuns.

Fontes e chafarizes do Brasil = Fountains and fountain heads of Brazil.

São Bernardo do Campo: Mercedes Benz do Brasil, 1991.

Bela obra sobre o tema do título em edição de luxo e tiragem de 2 000 exemplares. Muitas destas fontes se encontram integradas no perfil e na vida das cidades, e assim foram fotografadas por Robert Ostrowski. Como atrativo especial e muito interessante, a inclusão de uma pintura anônima do chafariz de Mestre Valentim no Rio de Janeiro, um projeto de chafariz de Jacques Funck (engenheiro e arquiteto sueco, século XVIII, v. este) para o Largo do Paço no Rio de Janeiro (em duas páginas duplas), não executado, um projeto do Aleijadinho para o chafariz do Palácio dos Governadores em Ouro Preto, e um projeto de chafariz de Grandjean de Montigny (v. estes).

Guia do Museu de Rafael Bordalo Pinheiro: Sala Brasil.

Lisboa: Câmara Municipal de Lisboa, 1943.

No museu português dedicado ao grande jornalista e caricaturista Rafael Bordalo Pinheiro (1846-1905) encontra-se uma sala especial dedicada à sua permanência no Brasil de 1875 a 1879 e sua atuação nos jornais satíricos *O Mosquito*, *Psit* e *O Besouro*. Este pequeno e modesto catálogo contém um estudo sobre a sua atuação brasileira e a reprodução de nove de seus desenhos.

História da mineração no Brasil = History of mining in Brazil.

São Paulo: Empresa das Artes, 1989.

Com textos de Roberto Borges Martins para os períodos colonial e imperial, e de Octavio Elísio Alves de Brito para o republicano, as belas fotografias da arquiteta Renata Falzoni (v.) ilustram esta vistosa obra, importante para estudos, que também conta com a reprodução de muitas gravuras antigas.

História da imigração no Brasil: as famílias.

4ª edição. São Paulo: SNDCB – Serviço Nacional de Divulgação Cultural Brasileiro, s.d.

Álbum, em quarto grande, sobre as imigrações italiana, alemã, árabe, japonesa e húngara e algumas das principais famílias, com boa seleção de fotografias antigas e recentes e péssima reprodução das mesmas.

História e energia.

A chegada da Light. (nº 1, mai 1986)

A eletrificação no Brasil. (nº 2, out 1986)

O metrô da Light. (nº 3, nov 1986)

A Light e a Revolução de 24. (nº 4, set 1987)

A Light revela São Paulo; espaços livres de uso público do Centro nas fotografias da Light: 1899-1920. (nº 9, 2001)

São Paulo: Fundação do Patrimônio Histórico da Energia de São Paulo, 1986.

Os títulos destas publicações da atual Fundação do Patrimônio Histórico da Energia de São Paulo revelam por si a importância das obras, todas ricamente ilustradas com fotografias do arquivo histórico.

Instrumentos musicais brasileiros.

[São Paulo]: Projeto Cultural Rhodia, 1988.

Talvez não seja esta a única obra sobre o assunto no País, mas é importante e de grande impacto visual, devido à qualidade das imagens colhidas por Rômulo Fialdini (v.).

Inventário do acervo cultural farmacêutico no Brasil.

Rio de Janeiro: Roche/Fundação Roberto Marinho, s.d.

Coordenada pelas museólogas Heloisa M. Duncan, Margarida R. M. Ramos e Suely R. P. F. de Souza, este catálogo pode aspirar ao título de excelente, como excelentes são as numerosas ilustrações.

Museu Postal e Telegráfico da E.C.T.: evolução dos uniformes de carteiros.

S.l.: Correios, s.d.

Pequeno álbum contendo o texto “O carteiro no Brasil” e dez cartões-postais com ilustrações de Ivan Wasth Rodrigues sobre o tema do título.

O Exército na história do Brasil.

Rio de Janeiro/Bahia: Biblioteca do Exército/Odebrecht, 1998. 3 v.

Como mais uma das importantes obras patrocinadas pela Odebrecht (v.), esta obra, em quarto, se distingue por sua monumentalidade e pela descomunal dimensão (32 x 32 cm). Com textos editados pelo filósofo Olavo de Carvalho e a contribuição de uma equipe especial para as fotografias, que inclui Bruno Furrer (v.), conta nos dois primeiros volumes

("Colônia" e "Reino Unido e Império") com grande quantidade de excelentes gravuras; o volume "República" limitou-se a imagens fotográficas da política e das Forças Armadas, e o último apresenta esboços cartográficos e históricos das lutas armadas que formaram e consolidaram o território nacional. Importante.

O vidro no Brasil.

São Paulo: Cisper, 1989.

Patrocinada pela Cisper, pioneira da indústria de garrafas no País, esta obra apresenta uma história global do vidro dos primórdios egípcios aos nossos dias, com ênfase no seu uso anterior e posterior à abertura dos portos brasileiros em 1808, da primeira indústria de Francisco J. S. Nobre em 1810 à grande Exposição Nacional de 1861 e, finalmente, ao início da indústria nacional na virada do século XX, incluindo a própria Cisper. Esta fascinante obra, redigida por Cícero Sandroni, contou com excelente documentação fotográfica antiga e moderna (esta por Paulo Rubens Fonseca), tornando-a importante para estudos.

Os sertões; 80 anos de publicação.

São Paulo: Museu de Arte de São Paulo, [1982]. (Catálogo de exposição, dez. 1982-jan. 1983)

Catálogo de uma grande exposição temática, com muita documentação fotográfica sobre a obra *Os sertões* e o relacionamento de Euclides da Cunha com a Academia Brasileira de Letras, incluindo os retratos de todos os membros da Academia em 1903, e um texto de Henrique L. Alves sobre o ingresso de Euclides da Cunha nessa sociedade.

Ouro no Brasil.

[São Paulo: Banco Sudameris Brasil S/A, 1988]. (Catálogo de exposição, nov. 1988)

Catálogo de uma importante exposição, bem feito e muito bem ilustrado.

Pharmacias e boticas.

[Rio de Janeiro]: Museu Histórico da Cidade, 1981. (Catálogo de exposição, jun.-set. 1981)

Catálogo muito mal impresso de uma exposição temática; reproduz alguns aspectos gerais, o quadro *Botica* de Jean-Baptiste Debret (v.) e a fotografia de bela farmácia antiga.

Pontes e viadutos = Bridges and viaducts.

São Bernardo do Campo: Mercedes Benz do Brasil, 1992.

Com fotografias de Robert Ostrowski e texto de Antonio Paulo Klein, esta bela obra apresenta um tema até a data nunca apresentado como unidade. Muito interessante.

Primeira exposição geral do exército: catálogo de obras raras, manuscritos e gravuras.

Rio de Janeiro: Imprensa Militar/Ministério da Guerra, 1952. (Catálogo de exposição)

Organizada para divulgação cultural a seus membros, o Exército reuniu manuscritos, livros, folhetos, estampas, códices e mapas do acervo próprio, da Biblioteca Nacional e do Ministério das Relações Exteriores, para uma grande exposição e o catálogo, que conta com a reprodução de uma linda "Prospectiva da cidade do Rio de Janeiro" (cerca de 1760) e um estudo de Paranhos Antunes sobre a autoria desta, que atribui ao escravo Manuel da Cunha (que estudou em Portugal e em 1760 pintou o retrato do Conde de Bobadela, o mesmo que mandou executar a "Prospectiva...").

Relíquias do velho Brasil.

[São Paulo]: s.e., 1963. (Catálogo)

Catálogo para um espetáculo em benefício de uma sociedade beneficente de São Paulo; subordinado ao tema "Desfile de personagens históricos", contou com exposição de objetos e quadros do título, encontrando-se relacionados tão-só os provenientes de membros da Casa Imperial. Reproduz um retrato de D. João VI, algumas alfaias e um retrato de D. Pedro I por Simplício de Sá (?-1839).

Seis grandes pintores: João Baptista da Costa, Clodomiro Amazonas, Giovanni Battista Castagneto, Antonio Garcia Bento, Pedro Alexandrino, Jurandir Ubirajara Campos.

S.l.: Fundação Pinacoteca Benedito Calixto, 1993. (Catálogo de exposição, 1993)

Ao completar um ano de atividades, esta pinacoteca da cidade de Santos (SP) promoveu uma grande exposição de "pintores brasileiros acadêmicos" de propriedade de membros da Sociarte (v.), de São Paulo. Como todas as demais exposições desta sociedade, também esta contou com um bom catálogo, reproduzindo em cores os 116 quadros expostos (quase todos paisagísticos) e contendo um histórico crítico de cada artista por Augusto Velloso e José Cornelsen.

Serviço do Patrimônio Histórico e Artístico Nacional: exposição permanente.

[Rio de Janeiro]: Ministério da Educação e Cultura, 1938. (Catálogo de exposição, nov.-dez. 1938)

Traz reproduções fotográficas de vários monumentos históricos e artísticos, um quadro de Dimitri Ismailowitch (1892-1976) e aquarelas de Francisca A. Leão. Mobiliário, prataria e algumas peças de arte indígena completam este catálogo.

Trabalho: a energia do homem.

São Paulo: Prêmio, 1988. (Biblioteca Eucatex de Cultura Brasileira)

Um dos volumes desta excelente série, com texto em português e inglês; obra excelente sobre o tema visualmente pouco explorado das profissões marginais, muitas das quais em vias de extinção: gaioleiro, lambe-lambe, tocador de realejo, cesteiro. Boas as fotografias de uma equipe liderada por Fabiana Marchezi e o texto do jornalista e historiador Breno Altman.

Três séculos de iconografia da música no Brasil.

Rio de Janeiro: Divisão de Publicações e Divulgação/Biblioteca Nacional, 1974. (Catálogo de exposição, 1974)

Catálogo de uma exposição sobre o tema do título, formado por um estojo com dezoito cartões que ilustram danças populares e o uso de instrumentos, cada um com uma descrição técnica. Acompanha estes cartões um livreto que relaciona todos os itens expostos e reproduz detalhes de atinentes gravuras antigas.

Usos e costumes da época da independência.

Recife: Museu do Açúcar, 1972. (Catálogo de exposição, 1972)

Pequena exposição histórica organizada pelo Museu do Açúcar, pelo Estado de Pernambuco e pelo Estado de Goiás, apresentou principalmente alfaias e imagens religiosas, todas relacionadas sem comentários. Este catálogo é uma pequena jóia, com poucas mas belas ilustrações.

Visite a nossa história: 9 roteiros: guerras da independência, descobrimento, República Juliana, invasão holandesa, independência, Inconfidência, Império, Anchieta e Missões: edição especial de turismo em dois volumes.

Quatro Rodas, nº 145A, ago. 1972.

Uma revista essencialmente turística que enfoca os recursos hoteleiros disponíveis ao longo de nove roteiros de viagem por sítios históricos; surpreendente para este tipo de publicação é o excelente texto, um bom mapa e boas e importantes ilustrações.

DORTA, SONIA FERRARO

DORTA, Sonia Ferraro e CURY, Marília Xavier. *A plumária indígena brasileira no Museu de Arqueologia e Etnologia da USP.*

São Paulo: Edusp/Imprensa Oficial, 2000. (Uspiana Brasil 500 anos)

Como um dos doze títulos da série "Uspiana", esta obra merece a definição de deslumbrante, não só pela beleza das peças reproduzidas, como também pela apresentação geral em dimensão de 31 x 26 cm. Além das perfeitas fotografias coordenadas por Wagner Souza e Silva, constou um interessante documentário fotográfico por diversos para acompanhar capítulo dedicado à "arte do expressar".

DUBUGRAS, VICTOR

Nascido na França em 1868, estudou em Buenos Aires, foi assistente do arquiteto argentino Tamborini (que projetou o Teatro Colón) e em 1890 formou-se em arquitetura. Em 1891 transferiu-se para São Paulo, foi nomeado professor da Escola Politécnica em 1894 e de 1895 a 1897 trabalhou na Diretoria de Obras Públicas do Estado, além de iniciar carreira profissional independente. Sua extensa obra de projetista de residências, prédios, escolas, igrejas e hospitais encontra-se estudada e analisada em Racionalismo e proto-modernismo na obra de Victor Dubugras, *de Nestor Goulart dos Reis (v.).*

Monumentos da Serra do Mar: guia do patrimônio cultural.

São Paulo: Eletropaulo, s.d.

Plaqueta bem feita pelo Departamento do Patrimônio Histórico da Eletropaulo; bem ilustrado, comporta em anexo um pequeno mapa-esboço da região.

DUGUAY-TROUIN, RENÉ

Memórias do Senhor Duguay-Trouin: Tenente-General das Forças Navais da França e Comandante da Ordem Real e Militar de São Luís.

Apresentação: Francisco Carlos Teixeira da Silva, Alexandre Martins Vianna. S.l.: Imprensa Oficial/Arquivo Nacional, 2003.

Boa edição da tradução das *Mémoires* do corsário francês Duguay-Trouin (1673-1736), que em 1711 atacou e ocupou o Rio de Janeiro; também muito bom o estudo preliminar sobre Duguay-Trouin e seu tempo. As grandes gravuras e o mapa do Rio de Janeiro que ilustram o original (todos desdobráveis) tiveram suas dimensões muito reduzidas e foram inscritas no texto, mas foram bem reproduzidas. Muito interessante.

DUNLOP, CHARLES JULIUS

Filho de ingleses, nasceu em Niterói; formado em Direito, dedicou, entretanto, sua atividade profissional à companhia de eletricidade e transporte urbano Light & Power do Rio de Janeiro, e foi Presidente da Companhia Ferro-Carril Carioca; interessante estudo sobre a época encontra-se em The Tramway of Brazil, *de Allen Morrison (v.). Contribuiu com estudos de sua especialidade em jornais e revistas e publicando obras como* Apontamentos para a história da iluminação do Rio de Janeiro *(1949),* Subsídios para a história do Rio de Janeiro *(1957) e* Petrópolis antigamente *(1986).*

Rio antigo.

Rio de Janeiro: Editora Rio Antigo Ltda., [1956-1963].

Uma das boas obras para o conhecimento do Rio de Janeiro de antanho, bem escrita e muito bem ilustrada (a reprodução deixa a desejar). Importante, ainda que as gravuras antigas não se encontrem identificadas. NOTA: A presente edição consta de três volumes da edição original, encadernados em um só tomo.

Álbum do Rio antigo.

Rio de Janeiro: Editora Rio Antigo Ltda., [1965].

Álbum publicado em comemoração ao 4º centenário do Rio de Janeiro (1965), nada mais é do que um conjunto de fotografias e gravuras selecionadas da obra *Rio antigo* do verbete anterior. De acabamento modesto, com reproduções sofríveis.

Apontamentos para a história da Estrada de Ferro do Corcovado: 1882-1910.

Rio de Janeiro: s.e., 1951.

Edição de 500 exemplares em Multilith. Estudo especializado, dotado de uma fotografia do Engenheiro Pereira Passos e dezessete outras raríssimas, referentes ao título (16 x 22 cm); impressas em offset sépia.

Apontamentos para a história dos bondes no Rio de Janeiro / livro I: A Companhia de Carris de Ferro da Tijuca.

S.l.: s.e., 1952.

Com as mesmas características da anterior, um retrato de Thomas Cochrane e treze fotografias adicionais sobre o tema.

Chronicas: fatos, gentes e coisas da nossa história.

Rio de Janeiro: CEA, 1973.

Estas *Chronicas...*, em grafia arcaica, são deliciosas e instrutivas, realçadas por ilustrações muito diversificadas e interessantes, misturando desenhos, caricaturas, gravuras antigas e fotografias.

Os meios de transporte do Rio antigo.

2ª edição. Rio de Janeiro: Grupo de Planejamento Gráfico Editores, 1973.

Plaqueta bem feita para um estudo com preciosa e abundante ilustração.

Subsídios para a história do Rio de Janeiro.

Rio de Janeiro: Editora Rio Antigo, 1957.

O autor reuniu e ampliou antigos estudos sobre iluminação pública, o trem do Corcovado e os bondes do Rio de Janeiro, acrescentando notícias sobre o plano inclinado de Santa Tereza. Bom estudo e fotograficamente bem documentado.

DUPLAIN, GEORGES

Les dessins de la Providence.

Yverdon: Editions du Journal d'Yverdon, 1981.

Esta é a obra mais conhecida e disponível no Brasil sobre Carl Wilhelm (ou Charles Guillaume) Theremin (v.), cônsul da Prússia no Rio de Janeiro de 1820 a 1835. Theremin (1784-1852), comerciante e muito ativo na vida social no Rio de Janeiro, também foi um bom desenhista; executou catorze álbuns de desenhos até o ano de 1838, dos quais apenas os de nº 6, 10 e 14 são conhecidos, e nesta magnífica edição reproduzidos, estudados e comentados. Entre os desenhos reproduzidos encontra-se uma boa parte realizada no Brasil (contida no álbum nº 10), mas o autor também estuda e reproduz as seis gravuras do raro álbum *Saudades do Rio de Janeiro*, de Theremin, e o grande desenho *La procession du mercredi des cendres* (o mesmo desenho que consta como *Procession de vendredi saint* em *O sketch-book de Carlos Guilherme von Theremin*, de Gilberto Ferrez, v.). O estudo também abrange a família, a vida e a obra do artista, com muitos dados e fatos desconhecidos da historiografia nacional. Uma pequena jóia, muito recomendável.

DUVAL, J. GUERRA

Album das curiosidades artisticas da Bahia.

Rio de Janeiro: Litho-Typographia Fluminense, S/A, 1928.

O título desta obra pode ser considerado inadequado, pois trata-se na realidade de um bom ensaio fotográfico que o autor define como "simples reportagem photographica": vistas da cidade do Salvador e de duas igrejas em Cachoeira.

E

EARLE, AUGUSTUS

Pintor inglês (1793-1838), estudou na Academia de Londres e, a partir de 1815, percorreu o mundo durante vinte anos, permanecendo no Brasil por dois meses em 1820, por quatro anos a partir de 1821 e passando no Rio de Janeiro a bordo do Beagle *em 1832. Apesar desta longa permanência no País, só existe um pequeno estudo de David James na* RPHAN *(nº 12, 1955) sobre sua extensa obra conservada no Museu Britânico e na Biblioteca de Camberra (Austrália). Em obras nacionais existem apenas as reproduções de Maria Graham (v.) em* Viagem ao Brasil, *em* Viagem pitoresca ao velho e novo Rio de Janeiro, *de Herculano Gomes Mathias (v.), o quadro* Vista do Morro da Cacovada *[sic]* perto do Rio *em* Rio de Janeiro dos viajantes: o olhar britânico, *de Luciana L. Martins (v.) e os quadros* Terreiro do Paço *e* O povoado de Fernando de Noronha *no catálogo* Leilão Imperial *de Mauricio Pontual (v.). Referências à sua obra se encontram no* DicMEC, *em Teixeira Leite, no* CEHB *(nº 16971) e em* Iconografia do Rio de Janeiro, *de Gilberto Ferrez (v. estes).*

EBEL, ERNST

O Rio de Janeiro e seus arredores em 1824: edição ilustrada.

Tradução de Joaquim de Sousa Leão Filho. São Paulo: Companhia Editora Nacional, [1972]. (Brasiliana, 351)

Versão brasileira de uma obra, publicada anonimamente em São Petersburgo (1828), que relata, em forma de cartas ao amigo, uma viagem da Dinamarca ao Rio de Janeiro. Na presente modesta edição da "Brasiliana" (volume 351), não foram reproduzidos os dois mapas que ilustram a edição original, mas, em compensação, aparecem mais de trinta belas aquarelas de diversos "viajantes", das quais várias muito pouco divulgadas.

ECKHOUT, ALBERT

Pintor holandês (1610?-1665?), provável aluno do pintor e tio Gheert Roeleffs. Em 1637 chegou ao Recife na comitiva do Conde Maurício de Nassau (v.), Governador-Geral na ocupação holandesa. Trabalhou durante a maior parte de sua estadia em Recife, mas visitou brevemente a Bahia em 1640 e o Chile em 1642, voltando à Holanda em 1644. Em 1653 transferiu-se para Dresden (Alemanha), onde trabalhou durante dez anos para o Príncipe-Eleitor Johann Georg II; retornou a seguir à Holanda, onde veio a falecer. Sua obra pictórica, de grande importância para o Brasil, passou esquecida por séculos e só recentemente veio a ser estudada por Thomas Thomsen e Whitehead (v. estes) e pelos autores nacionais Clarival do Prado Valladares, Enrico Schaeffer, José Roberto Teixeira Leite e Ana Maria Belluzzo (v. estes), além de apresentada em importantes exposições como foram: "O Brasil e os holandeses" e "Imagens do Brasil holandês" (v. estes). Suas obras também se encontram freqüentemente reproduzidas em revistas importantes, como o foi em Vogue Arte *(nº 183-A), com reprodução de* Mulher mameluca *e dez de seus quadros de índios, negros e naturezas-mortas; idem em* O Estado de S. Paulo – Caderno 2 *de 19 de setembro de 1998 e 25 de outubro de 2000 e em* Veja *de 27 de junho de 1984 e 25 de setembro de 1991.*

Albert Eckhout e seu tempo: Brasil holandês: 1637-1644.

S.l.: Museu Nacional da Dinamarca/MASP – Museu de Arte de São Paulo, 1991. (Catálogo de exposição, 1991)

Manuseando este pequeno e bem feito catálogo, podemos imaginar a beleza que deve ter sido esta importante exposição no MASP, comemorando o centenário do Clube Escandinavo de São Paulo com a cooperação do Museu Nacional da Dinamarca. Excelentes os estudos, incluindo os de José Antonio Gonsalves de Mello e José Roberto Teixeira Leite. Reproduções de grande classe.

Pássaros do Brasil.

[Rio de Janeiro]: Agir, [1970].

Retornando à Holanda em 1644, Eckhout desligou-se do Conde Maurício de Nassau (v.) e viveu por algum tempo em Amersfoort e Gröningen. Em 1653, a convite do Príncipe Johann Georg II da Saxônia, mudou-se para Dresden, onde permaneceu até 1663 e pintou, entre outros, oitenta quadros de pássaros brasileiros para um castelo de caça, o Hofloessnitz, perto de Dresden. Estes quadros, todos em 90 x 90 cm, foram pintados com espírito mais poético do que científico, e com cenas e paisagens brasileiras como fundo. O crítico de arte Enrico Schaeffer (v.), grande conhecedor da pintura holandesa no Brasil, informa que estes quadros (com poucas exceções) nunca foram anteriormente reproduzidos em cores. Neste álbum de 45 x 32 cm foram razoavelmente reproduzidos em cores vinte dos mais belos desenhos.

Albert Eckhout volta ao Brasil = Albert Eckhout returns to Brazil: 1644-2002.

Copenhagen: Nationalmuseet, 2002.

Linda e vistosa obra publicada para acompanhar a monumental exposição de mesmo título realizada sucessivamente no Instituto Ricardo Brennand (Recife), Caixa Econômica (Brasília) e Pinacoteca do Estado de São Paulo. Com excelente apresentação pictórica e importantes textos de especialistas ligados ao Museu Nacional de Copenhagen e outros institutos internacionais, incluindo um capítulo sobre as relações de Albert Eckhout e o *Thierbuch* de Zacharias Wagener (v.), esta obra é muito recomendável.

ECOLOGIA

Sob este título serão reunidas as obras sem autor declarado que se ocupam especificamente de aspectos gerais da natureza e do meio ambiente, assim como problemas concernentes a esses aspectos.

Ecologia no Brasil; mitos e realidades.

Rio de Janeiro: Gráfica J.B., 1992.

Uma das poucas obras do gênero em que os textos superam em qualidade a documentação fotográfica, uma documentação em si abundante e rica e produzida por uma plêiade de profissionais competentes, mas um pouco inadequada aos textos; nem por isso deixa de ser visualmente muito bonita.

Natureza: quatro séculos de arte no Brasil = Nature: four centuries of art in Brazil.

Rio de Janeiro: Centro Cultural Banco do Brasil, 1992.

Bem elaborado e lindo catálogo desta expressiva exposição organizada para "uma abrangente retomada de nossa paisagem enquanto representação pictórica".

Visões da natureza = Visions of nature.

São Bernardo do Campo: Mercedes Benz do Brasil, 1989.

Linda obra que apresenta as fotografias de Carlos Puppin sobre o tema do título, colhidas em ecossistemas brasileiros, com outras fotografias em pequena dimensão que ilustram os textos e provêm do arquivo da editora.

EDMUNDO, LUIS

Luis Edmundo de Mello Pereira (1878-1961) foi por muitos anos colaborador do Correio da Manhã *do Rio de Janeiro e se tornou o cronista de sua cidade natal; são muito importantes as suas obras históricas.*

A corte de D. João no Rio de Janeiro: 1808-1821.

Rio de Janeiro: Imprensa Nacional, 1939. (Biblioteca Militar, 3 v.)

Esta obra clássica foi editada pela Editora Biblioteca Militar, em papel de qualidade inferior. As ilustrações e as vinhetas são muito boas, contando o primeiro volume com reprodução de sete das gravuras de Johann Jakob Steinmann, cinco aquarelas de Maria Graham, Henry Chamberlain e Henry Koster (v. estes), além de duas de Caldecleugh (naturalista inglês, viajou pelo Brasil de 1819 a 1821); o segundo volume reproduziu 28 das então recém-adquiridas aquarelas de Jean-Baptiste Debret (v.) pelo colecionador Raymundo Ottoni Castro Maya (todas atualmente no Museu Chácara do Céu), e o terceiro volume reproduz as litografias completas dos álbuns de Rugendas e Debret (v. estes). Importante.

O Rio de Janeiro do meu tempo.

Rio de Janeiro: Imprensa Nacional, 1938. 3 v.

Como já faz prever o título, é um livro de memórias que nos revela a cidade no início do século e no auge da vida intelectual e boêmia, por um dos seus representantes mais ilustres. A ilustração é formada por desenhos originais dos melhores artistas da época, entre os quais Marques Júnior, Henrique Cavalheiro, Raul, Benedito Calixto, J. Carlos (v. estes), Julião Machado; o ponto alto são as fotografias antigas de Marc Ferrez (v.), Luiz Bueno, W. Crown e Augusto Malta (v.), fixando aspectos pouco usuais e de locais atualmente destruídos, como é o caso das muitas fotografias do Morro do Castelo, que constam do primeiro volume. O terceiro e último volume se destaca por um extenso capítulo especial, "Interessantes confrontos entre o Rio de Janeiro do começo do século e o Rio de Janeiro de 1937", que inclui retratos das personalidades da época. Muito interessante.

O Rio de Janeiro no tempo dos vice-reis: 1763-1808.

Revista do Instituto Histórico e Geográfico Brasileiro, Rio de Janeiro, v. 163, tomo 109, 1932.

Esta é a primeira edição desta obra clássica e monumental, publicada como número especial da *Revista do Instituto Histórico e Geográfico Brasileiro*. A ilustração é muito atraente e formada por desenhos de José Wasth Rodrigues (v.), a grande maioria, de Carlos Chambelland (1884-1950) e de Salvador Ferraz (1924), além de alguns outros avulsos; cada capítulo é titulado e ilustrado com um desenho em folha inteira. Entre as ilustrações fora de texto de gravuras e fotografias, encontram-se vários desenhos interessantíssimos, infelizmente apenas identificados como provindos da Coleção Alberto Souza, de Lisboa. Importante.

ELIOVSON, SIMA

The gardens of Roberto Burle Marx.

New York: Harry N. Abrams, Inc./Saga Press, Inc., [1991].

Sima Eliovson, escritora e fotógrafa sul-africana especializada em floricultura e paisagismo (falecida antes de 2001), criou esta bela obra sobre os jardins de Roberto Burle-Marx (v.), e também foi provavelmente autora de todas as fotografias. Além de amplo glossário sobre as plantas referidas no texto, a obra também conta com a enumeração de todos os projetos paisagísticos de Burle-Marx. Muito interessante e recomendável.

ELTON, ELMO

Logradouros antigos de Vitória.

Vitória: Instituto Jones dos Santos Neves, 1986. (Coleção Temas Capixabas, 1)

Esta obra por um membro do Instituto Histórico e Geográfico do Espírito Santo é consistente e bem ilustrada com fotografias antigas, uma gravura do século XIX e reprodução de oito desenhos de vistas antigas por André Carloni.

ENDER, THOMAS

Nascido em Viena (1793-1875), ingressou com doze anos na Academia de Belas Artes como aluno de Mössner e Steinfeld. A obtenção de importante prêmio em paisagismo chamou a atenção do Primeiro-Ministro Metternich e lhe valeu o cargo de pintor oficial da comitiva que acompanhou a Arquiduquesa Leopoldina em sua viagem ao Brasil. Chegando em 14 de julho de 1817, executou cerca de oitocentos trabalhos e em 1º de junho de 1818 regressou a Viena, onde estas obras foram incorporadas ao Museu Brasileiro (criado naquela época por von Schreiber), atualmente no Gabinete de Gravuras da Academia de Belas Artes de Viena. Esteve na Itália de 1819 a 1822, em Paris em 1826 e fixou-se definitivamente em Viena, tornando-se pintor do Arquiduque Johann, para o qual executou um grande número de obras. Lecionou na Academia de 1836 até sua aposentadoria. Sua importante obra artística brasileira passou despercebida por mais de um século, tornando-se tão-só conhecida na exposição organizada pelo Governo austríaco para as comemorações do IV *centenário de São Paulo (1954), ocasião que ensejou os estudos pioneiros de Gilberto Ferrez e João Fernando Almeida Prado (v. estes) sobre o artista. Muitas de suas aquarelas foram a seguir freqüentemente reproduzidas em obras diversas e em calendários, cartões de Boas Festas, jornais e revistas, merecendo especial destaque a* Brazilian Performance *(volume 4, nº 5, 1978 – uma revista econômica publicada em inglês pelo banco Unibanco de São Paulo), com o artigo "Unique portrayal of 1817 Brazil", com reprodução de várias aquarelas, incluindo a do Palácio São Cristóvão (Rio de Janeiro), em página dupla.*

Thomas Ender: Brasilien-Expedition 1817 = Expedição ao Brasil 1817: Aquarelle aus dem KupferstichKabinett der Akademie der bildenden Künste Wien = Aquarelas do Gabinete de Gravuras da Academia de Artes Viena.

Hispanic Division DC 1993: Biblioteca Nacional, Rio de Janeiro, saguão nobre 1994. Handbuch und Katalog. Gloria Kaiser und Robert Wagner. Graz: Akademische Druck u. Verlagsanstalt, 1994.

Grande exposição apresentada na Biblioteca do Congresso em Washington (EUA) e na Biblioteca Nacional do Rio de Janeiro com reproduções de quarenta aquarelas de Thomas Ender que foram produzidas durante sua estadia no Brasil em 1817. Para esta exposição foi editado este catálogo com reprodução de todos os originais e os textos em alemão e português de Gloria Kaiser sobre a Imperatriz Leopoldina e de Robert Wagner sobre Thomas Ender. Importante.

Thomas Ender: catálogo de desenhos.

Rio de Janeiro: Divisão de Publicações e Divulgação/Biblioteca Nacional, 1968.

Organizado, introduzido e comentado pela notável iconógrafa Lygia da Fonseca Fernandes da Cunha (v.), este modesto mas nem por isso menos importante catálogo traz uma relação de 246 de seus desenhos, 10 litografias baseadas em seus desenhos e aproveitadas em obras diversas, e 61 aquarelas do acervo do Gabinete de Gravuras da Academia de Belas Artes de Viena. Foram reproduzidos sete desenhos.

Thomas Ender: aquarelas brasileiras.

[Rio de Janeiro: Livraria Kosmos, 1954?].

Álbum que reproduz razoavelmente, em fac-símile, treze aquarelas do acervo da Academia de Belas Artes de Viena, acompanhadas de um texto especial e sempre competente de Lygia Cunha: "Thomas Ender. O artista da missão científica austríaca".

Calendário histórico: Thomas Ender 1817.

[Rio de Janeiro]: Livraria Kosmos, 1955. (Calendário, 1955).

Com texto de Gilberto Ferrez, a editora reproduz, em formato reduzido, doze das vinte aquarelas de uma coleção particular do Barão von Hügel, filho natural do primeiro-ministro austríaco Metternich.

Thomas Ender in Brasilien: 1817-1818: Aquarelle und Zeichnungen aus dem Kupferstich Kabinett.

Robert Wagner. Mit einem Beitrag über Erzherzogin Leopoldine, Kaiserin von Brasilien, von Gloria Kaiser. Viena: KupferstichKabinett der Akademie der bildenden Künste, 1994.

Um estudo sobre a obra de Thomas Ender que se encontra conservada no Gabinete de Gravura da Academia de Belas Artes de Viena, publicado para uma grande exposição neste mesmo local, em novembro de 1994. Dos 776 itens, descritos tecnicamente, 40 aquarelas foram magnificamente reproduzidas. Além da organização, Robert Wagner (Diretor do Museu) apresenta um texto sobre a expedição científica da Arquiduquesa Leopoldina. Peter Kann, do Museu de Etnologia de Viena (atualmente seu diretor), contribui com um estudo sobre as peças científicas colhidas nesta expedição, e Gloria Kaiser traça um perfil biográfico da Imperatriz Leopoldina. Importante.

Thomas Ender no Brasil: 1817-1818: aquarelas pertencentes à Academia de Belas Artes em Viena.

Robert Wagner. Graz: Akademische Druck und Verlagsanstalt, 1997.

Em maio de 1997 o Banco BBA de São Paulo promoveu uma exposição de algumas das aquarelas de Thomas Ender do enorme acervo que se encontra na Academia de Viena. Um conjunto de 55 aquarelas das mais expressivas e onze peças diversas do Museu de Etnologia de Viena foi apresentado no Museu de Arte de São Paulo e a seguir no Museu Nacional de Belas Artes do Rio de Janeiro; o catálogo é uma versão reduzida, em português, do verbete anterior, do qual não foram aproveitados os textos de Gloria Kaiser e outros, mas foi acrescido um estudo introdutório de Ana Maria Moraes Belluzzo (curadora da exposição) e reproduzidas somente as peças expostas. Apesar desta limitação, também é da maior importância e não só pela mesma excelente apresentação e altíssima qualidade das reproduções. NOTA: Acompanhou este catálogo um folheto-guia em português dos quadros expostos.

ERMAKOFF, GEORGE

Juan Gutierrez: imagens do Rio de Janeiro: 1892-1896.

Apresentação: Pedro Karp Vasquez. Rio de Janeiro: Edições Capivara, 2001. (Coleção Visões do Brasil, 1)

Competente estudo sobre Juan Gutierrez (v.), notável fotógrafo espanhol do qual poucos dados pessoais são conhecidos, falecido em 1897 durante a Campanha de Canudos. Excelente reprodução das fotografias conhecidas e agrupadas como *Vistas do Rio de Janeiro*, *Revolta da Armada* (1893) e *Festejos nacionais* (1894). Muito recomendável.

ESCOBAR, MIRIAM

Esculturas no espaço público em São Paulo.

São Paulo: Veja, 1998.

A arquiteta Miriam Escobar conseguiu harmonizar fotografia e texto próprios nesta bela obra, um perfeito "pensar con los ojos", como consta de um dos prefácios. Edição em português e inglês e excelente acabamento gráfico.

ESPÍRITO SANTO

Esparsamente povoado ao longo da faixa litorânea durante o século XVI *e praticamente até meados do século* XIX, *o Estado teve na região serrana o início de seu progresso através de contingentes migratórios de diversas origens que lá se estabeleceram, progresso que se estendeu ao Vale do Rio Doce ao Norte e à região da cultura cafeeira ao Sul.*

Catálogo de bens culturais tombados no Espírito Santo.
São Paulo/Vitória: Massao Ohno Editor, 1991.

Trabalho organizado por uma equipe do Governo do Estado e pela Universidade Federal, bem apresentado em edição em quarto grande e tiragem de mil exemplares. Além dos imóveis, foi apresentado um levantamento da "Floresta Atlântica". As fotografias não são excepcionais, mas são boas e foram bem reproduzidas.

Convento de Nossa Senhora da Penha do Espírito Santo.
3ª edição. Espírito Santo: Vila Velha, 1983.

Compilação de obra histórica maior, esta é uma apresentação popular em edição comercial de um dos maiores santuários do País; as ilustrações são mal reproduzidas mas muitas e boas, incluindo os grandes painéis de Benedito Calixto (v.).

ESTRADA DE FERRO MADEIRA-MAMORÉ

O capítulo da construção da Ferrovia Madeira-Mamoré, a "Ferrovia do Diabo", é uma das mais trágicas histórias do gênero e estendeu-se por várias décadas. Planejada e iniciada no início da década de 1880, várias vezes interrompida e finalmente concluída em 1912, entrou em decadência em meados do século XX *e na década de 1980 foi quase totalmente inativada. Foi em 1907 que se processou um dos reinícios da obra pela Madeira Mamoré Railway e em 1909 a contratação do fotógrafo americano Dana Merril (v.) para acompanhar as obras, tarefa que cumpriu até 1912. Entre as várias obras sobre o assunto destacam-se as de Neville B. Craig, Manoel Rodrigues Ferreira e Marcos Santilli (v. estes).*

ETNOGRAFIA

Sob este termo científico serão resenhadas as obras que apresentam aspectos gerais da cultura indígena, da caça à oca, reservando para o verbete ARTE INDÍGENA *as obras sobre os artefatos de uso.*

Arte indígena brasileira.
[Rio de Janeiro]: Museu Nacional de Belas Artes, [1983]. (Catálogo de exposição, abr.-maio 1983)

Mais do que um bem feito catálogo de uma grande exposição, o presente é um tratado sobre o assunto por Maria Heloisa Fenclon Costa, etnóloga do Museu Nacional, fruto de pesquisas de campo entre 1961 a 1983. Além de abundante bibliografia e lista comentada de todas as peças, o catálogo conta com excelente ilustração.

História dos índios no Brasil.

2ª edição. São Paulo: Companhia das Letras, 1992.

Volumoso compêndio etnológico, organizado por Manuela Carneiro da Cunha, historiadora da Universidade de São Paulo. Além da grande quantidade de fotografias históricas, da reprodução de desenhos de índios e outros por Hercules Florence (v.), e inúmeras vinhetas sobre utensílios, vegetação e ornamentos (de autor não revelado), a obra conta com reprodução de um quadro de Albert Eckhout (v.) na capa, 32 estampas coloridas e uma extensa bibliografia. Importante.

Mapa etno-histórico de Curt Nimuendajú editado em colaboração com a Fundação Nacional Pró-Memória.

1ª edição, 2ª reimpressão. Rio de Janeiro: IBGE, 1987.

Um mapa geográfico, desdobrável e de grande dimensão (2,10 x 1,00 m), que serve de base para a inserção de gráficos que revelam as migrações de alguns povos indígenas pelo território nacional.

Nas vésperas do mundo moderno: Brasil.

Lisboa: Comemorações Descobrimentos Portugueses, 1992.

Este suntuoso catálogo foi publicado para a grande exposição "Nas vésperas do mundo moderno: África e Brasil" organizada pelo Museu Nacional de Etnologia (Lisboa) em 1992. À riqueza da documentação iconográfica, que inclui muito material proveniente da "Viagem Filosófica" de Alexandre Rodrigues Ferreira (v.), soma-se a alta qualidade dos textos e nos revela material etnográfico em grande parte inédito, proveniente de museus europeus, africanos e americanos. Imprescindível para estudos.

Xingu.

[São Paulo]: Olivetti, [1985].

Como antologia de fotografias coloridas (muito bem reproduzidas) de múltiplas procedências (incluindo Luigi Mamprim, Maureen Bisilliat e George Love), este documentário sobre os índios do Alto Xingu é certamente um dos mais importantes e belos álbuns destes últimos tempos, sem falar no igualmente importante texto de Washington Novaes.

Xingu dia: Xingu noite: Xingu terra.

[São Paulo: Fundação Bienal de São Paulo], 1975. (Catálogo de exposição, out.-dez. 1975)

Na XIII Bienal Internacional de São Paulo foi incluída uma das mais notáveis exposições didáticas até então apresentadas sobre a cultura indígena. Coordenada por Fernando Lima e a fotógrafa Maureen Bisilliat (v.), teve por testemunho o presente álbum, uma pequena obra de arte que comporta fotografias da coordenadora e algumas de Claudio Kubrusly e dos irmãos Villas-Boas. Muito interessante.

ETZEL, EDUARDO

Historiador de arte (1906-?).

Nossa Senhora da Expectação ou do Ó: história: iconografia: características brasileiras.
São Paulo: s.e., 1985.

Anjos barrocos no Brasil: angelologia.
[Rio de Janeiro]: Livraria Kosmos Editora, [1995].

Divino: simbolismo no folclore e na arte popular.
[Rio de Janeiro]: Livraria Kosmos Editora, [1995].

Imagem sacra brasileira.
São Paulo: Edições Melhoramentos/Editora da Universidade de São Paulo, [1979]. (Série Arte e Cultura)

Arte sacra popular brasileira: conceito, exemplo, evolução.
[São Paulo]: Edições Melhoramentos/Editora da Universidade de São Paulo, [1975].

Arte sacra: berço da arte brasileira.
[São Paulo]: Edições Melhoramentos/com a colaboração do Instituto Nacional do Livro/Fundação Nacional Pró-Memória, [1984].

Os títulos revelam os temas destas obras, todas muito bem ilustradas (a maior parte em cores) e todas muito interessantes. Em uma destas obras o autor afirma que muitas das fotografias que as ilustram foram de sua lavra, mas preferiu creditar a totalidade a seu amigo e colaborador Manuel Gran Fontova.

O barroco no Brasil: psicologia: remanescentes em São Paulo, Goiás, Mato Grosso, Paraná, Santa Catarina, Rio Grande do Sul.
[São Paulo]: Edições Melhoramentos/Editora da Universidade de São Paulo, [1974].

Entre as várias obras do autor, é provável ser esta a mais importante ou, pelo menos, a mais abrangente sobre este assunto de sua especialidade. A apreciação editorial da obra, constante da orelha do livro, coincide com a da resenha: "material fotográfico e documentos históricos impressionantes".

J.B.C.: um singular artista sacro popular: a obra transcende o homem.
São Paulo: Editado e impresso na CESP – Companhia Energética de São Paulo, 1978.

De uma pesquisa sobre arte sacra popular realizada na região de Moji das Cruzes (SP), o autor deparou com um artista até então totalmente desconhecido: José Benedito da Cruz (1877-?), conhecido na região por Zé Pedreiro ou Zé Santeiro, autor de notáveis pinturas na Igreja de Taiaçupeba; bem ilustrado e interessante.

EUCATEX

Indústria paulista do ramo madereiro, a Eucatex criou há longos anos a série "Biblioteca Eucatex da Cultura Brasileira", um conjunto de obras interessantes em edições de alta qualidade gráfica; foi possível apurar as abaixo relacionadas, que serão resenhadas nos correspondentes capítulos:

ACAYABA, Marlene Milan. *Residências em São Paulo: 1947-1975*. (1986)
MILLAN, Betty. *Brasil: os bastidores do carnaval*. (1986)
Trabalho; a energia do homem. (1988)
Circo. (1990)
Arte no trabalho. (1991)
Arte arteira: brinquedos, brinquedeiros, brincadeiras. (1992)
MORAES, Carlos. *Mercados populares do Brasil*. (1993)
BRANDÃO, Ignacio de Loyola. *Luz no êxtase: vitrais e vitralistas no Brasil*. (1994)

EXPEDIÇÃO LANGSDORFF

v. LANGSDORFF, GEORG HEINRICH von

F

FACCHINETTI, NICOLAU Antonio

O aprendizado artístico de Nicola Antonio Facchinetti em sua terra natal (Itália, 1824) não é conhecido; chegando ao Rio de Janeiro em 1849, dedicou-se inicialmente ao ensino do italiano e do desenho, foi cenógrafo e retratista por pouco tempo e firmou-se como pintor da paisagem carioca (apesar das críticas de "amador") principalmente no campo da miniatura. Participou do Salão por diversas vezes e faleceu no Rio de Janeiro em 1900. A obra paisagística de Facchinetti é muito importante e teve grande destaque na Retrospectiva de Pintura Brasileira no Museu Nacional de Belas Artes do Rio de Janeiro em 1948 e na da Paisagem Brasileira na II Bienal Internacional de São Paulo em 1953; são considerados históricos seus desenhos que se encontram em Galeria historica da revolução brazileira de 15 de Novembro de 1889 que occasionou a fundação da Republica dos Estados Unidos do Brazil *(Laemmert, 1890), de Urias A. da Silveira (v.), litografados por Gustavo Hastoy. Sua produção artística foi muito grande e muito conhecida por reproduções em quase todas as obras sobre arte brasileira, assim como nos catálogos dos grandes colecionadores. Sua vida e obra, entretanto, só se encontram adequadamente estudados em* Facchinetti, *de Donato Melo Jr. (v.).*

Nicolau Facchinetti: Calendário 1986.

S.l.: Estrela do Sul Editora, [1986]. (Calendário, 1986)

Belo calendário de grande dimensão, reproduzindo em cores seis quadros a óleo que retratam o Rio de Janeiro; na folha de título outra vista do Rio de Janeiro sobre uma das paletas de Facchinetti e no verso uma apreciação da obra do pintor, sem declinação do autor.

FALCÃO, EDGARD DE CERQUEIRA

Descendente de tradicional estirpe baiana (1904-1987), radicou-se em Santos, no Estado de São Paulo, após sua formatura em medicina. Fotógrafo, pesquisador, historiador, iconógrafo e colecionador, notabilizou-se por um bom número de obras científicas, históricas e de história de arte; perfeccionista, supervisionava pessoalmente as suas edições, garantindo assim uma alta qualidade a todas. NOTA: *As obras a seguir relacionadas, com ou sem justificativa expressa, tiveram exemplares comercializados em encadernação especial, em pergaminho, com algum desenho especial na capa, geralmente de autoria de Frei Paulo Lachenmayer, O. S. B.*

Relíquias da Bahia / Brasil.

[São Paulo]: s.e., 1940.

Foi uma das primeiras obras no campo da documentação iconográfica através da fotografia e obteve grande sucesso. Espantosa a perfeição das fotografias e a correspondente reprodução, assim como a beleza do conjunto. Muito recomendável e importante. NOTA: Desta edição, existe uma tiragem especial que se distingue pelo acréscimo de uma folha de rosto que comporta numeração e assinatura do autor.

Relíquias da Bahia: Brasil.

[São Paulo]: S/A Industrias Graphicas F. Lanzara, 1949.

Reedição da obra do verbete anterior, com acréscimo de texto especial comemorativo do quarto centenário da cidade de Salvador (Bahia). A tiragem foi de 200 exemplares encadernados em pergaminho (com ilustração por Tácito Mendonça na capa e lombo), numerados e assinados e acréscimo do original de uma das fotografias. NOTA: Como complemento muito interessante a esta obra monumental pode ser considerado um pequeno trabalho do autor, não ilustrado: "Monumentos de arte e locais pitorescos a serem visitados preferentemente pelos que forem à Bahia dispondo apenas de poucos dias" (Separata de *Revista de História*, São Paulo, nº 13, pp. 231-234, 1953).

Relíquias da terra do ouro.

São Paulo: S/A Industrias Graphicas F. Lanzara, 1946. (Brasil Pitoresco, Tradicional e Artístico, 5)

Quinto volume da série "Brasil Pitoresco, Tradicional e Artístico" organizada pelo autor, foi este um novo álbum de fotografias próprias e outro grande sucesso editorial. Nenhum monumento, ponte, chafariz ou igreja em Ouro Preto, Mariana, Sabará, Congonhas do Campo e São João del Rei escapou da atenta câmera do autor. Muito recomendável e importante. NOTA: Esta edição foi seguida, no mesmo ano, por uma tiragem especial de 120 exemplares acompanhados de uma fotografia original da obra e uma fotografia colorida retratando o autor, assinada.

Relíquias da terra do ouro: edição comemorativa do octogésimo aniversário natalício de Dom Helvecio Gomes de Oliveira, 2º arcebispo metropolitano de Mariana e do bi-centenário da instituição do Santuário do Bom Jesus do Matozinhos em Congonhas do Campo.

[São Paulo]: s.e., 1957.

Nova edição da obra do verbete anterior, em tinta e papel diferentes, e inclusão de um texto adicional, comemorativo do bicentenário da instalação do Santuário do Bom Jesus do Matosinho, em Braga, Portugal; 85 exemplares encadernados em pergaminho assinados pelo autor, com desenho de Frei Paulo Lachenmayer na capa e na lombada.

Nas paragens do Aleijadinho: guia das Minas Gerais.

[São Paulo]: s.e., 1955.

Obra histórico-descritiva de todas as igrejas e monumentos desta região mineira, enriquecida com desenhos de José Wasth Rodrigues (v.), erudito pintor dos aspectos arquitetônicos das eras colonial e imperial. Edição de 250 exemplares, dos quais cem em tiragem especial, em formato maior (21 x 33 cm) e encadernados em couro.

A Basílica do Senhor Bom Jesus de Congonhas do Campo.

[São Paulo]: s.e., 1962. (Brasiliensia Documenta, 3)

Como terceiro volume da prestigiosa coleção "Brasiliensia Documenta", organizada pelo próprio autor, esta é a obra definitiva sobre o grande santuário de Congonhas do Campo, ricamente ilustrada com fotografias próprias; tiragem de 3 000 exemplares, dos quais cem numerados e assinados.

A fundação da cidade de Salvador em 1549: memorial apresentado à Câmara Municipal da Cidade de Salvador em maio de 1949.

[São Paulo]: s.e., 1949.

Foi uma das primeiras obras no campo da documentação iconográfica através da fotografia. Espantosa a perfeição das fotografias e a correspondente reprodução, assim como a beleza do conjunto. NOTA: Desta edição, existe uma tiragem especial que se distingue pelo acréscimo de uma folha de rosto que comporta a numeração e a assinatura do autor.

FALZONI, RENATA

Arquiteta brasileira (1954), dedica-se integralmente ao fotojornalismo desde 1979 e colabora em várias revistas nacionais. Dirigiu em São Paulo (1998) um workshop *para quinze fotógrafos do qual resultou o álbum* O novo velho centro *(v.); suas fotografias constam de obras como* Ninhal, São Paulo 1984, Praça da Sé, *e ilustram integralmente a* História da mineração no Brasil *(v.).*

FARIA, MANOEL de

A cidade maravilhosa.

São Paulo: Edição do Departamento de Turismo do Centro Carioca, 1941.

O paisagista Manoel de Faria Guimarães (1895-1980) foi aluno do Liceu de Artes e Ofícios e da Escola de Belas Artes do Rio de Janeiro, tendo participado intensamente dos salões oficiais e obtido muitos prêmios. O álbum (23 x 32 cm) reproduz 19 quadros a óleo de fortíssimo cunho acadêmico, quase todos premiados, conforme consta de uma lista anexa; a escolha dos temas foi a mais convencional que se pode imaginar.

FARKAS, THOMAS

Nascido na Hungria em 1924, chegado ao Brasil em 1933, formou-se em Engenharia e passou a atuar como empresário nos campos da fotografia e do cinema e como professor-doutor na Universidade de São Paulo. Algumas de suas fotografias se encontram na "Coleção Pirelli" do MASP *(v.).*

Thomaz Farkas, fotógrafo.

São Paulo: DBA/M, 1997.

Esta é uma espécie de "memória visual" de um homem que foi (e continua sendo) engenheiro, professor universitário, editor, cineasta e fotógrafo, que dedicou todas as suas forças criativas à fotografia. Extraordinária poderá ser a definição para este álbum, que apresenta fotos sem título realizadas ao longo de várias décadas, incluindo algumas sobre a construção de Brasília. Muito recomendável.

2002 por Thomaz Farkas.

São Paulo: DBA, 2002.

Calendário de excepcional dimensão (58 x 36 cm) para o ano 2002, com doze fotografias de grande expressão da década de 1940, reproduzidas com a tradicional qualidade gráfica da editora.

FAUNA E FLORA

Neste verbete não foram incluídas obras gerais ou estudos especializados de botânica e zoologia mas apenas as que comportam integral ou parcialmente desenhos, aquarelas e fotografias de artistas diversos, sobretudo quando referentes à temática Ecologia, Parques Nacionais *e* Parques/Jardins.

Album floristico.

Rio de Janeiro: Ministério da Agricultura/Serviço Florestal, 1940.

Francisco de Assis Iglesias, Diretor do Serviço Florestal, esclarece em seu prefácio ser esta uma segunda edição de obra de 1932, ou, melhor, uma edição praticamente nova e ampliada, tanto textualmente como nas belas telas a óleo que a ilustram. Estas telas reproduzidas em página inteira são de autoria do Príncipe Paulo Gagarin (paisagista russo, 1885-1980, chegado ao Brasil em 1917 e radicado no Rio de Janeiro em 1921, que expôs por diversas vezes no Salão Nacional) e P. (Paschalino?) Vaccari (provavelmente um dos pintores do Serviço Florestal, constando ter participado do 2° Salão de Primavera do Rio de Janeiro em 1924); além destas constaram mais algumas realizadas por J.B. Paula Fonseca para esta segunda edição (v. verbete seguinte). Álbum modesto, mas bem feito e de grande beleza.

Album floristico.

Rio de Janeiro: Serviço Florestal/Ministério da Agricultura, 1945.

O sucesso da edição do item anterior animou um novo Diretor do Serviço Florestal a preparar este segundo volume, confiando os textos ao botânico J.G. Kuhlmann, os desenhos a Newton Leal e as aquarelas ao pintor João Batista Paula Fonseca (1897-1960), funcionário do Serviço Florestal, um pintor paisagista que se especializou na representação da flora brasileira. Muito bonito.

Árvores no Brasil.

[São Paulo]: Duratex/[Premio, 1992].

Bem mais do que um simples álbum sobre o tema do título, este é um belo documento fotográfico das árvores em seus sítios naturais ou em confronto com sua implantação no ambiente urbano. Fotografias de Rômulo Fialdini (v.) e algumas outras avulsas.

Atlantic rain forest.

Rio de Janeiro: Edições Alumbramento, 1991-1992.

Sob o patrocínio do Lloyds Bank, a Alumbramento editou este soberbo e luxuoso álbum cujo texto foi confiado a Luiz Emigdio de Melo Filho, Berta Ribeiro e outros especialistas, e as fotografias a luminares como Claus Meyer, Araquém Alcântara, Luiz Claudio Marigo (v. estes) e outros. À beleza das imagens somam-se cópias de gravuras antigas executadas por Ciro Mariano e inseridas como vinhetas no texto. É uma obra digna de ser possuída.

Colibris: Museu de Biologia Mello Leitão.

[São Paulo]: Associação Pró Parque Modernista, [1991].

Catálogo de uma exposição organizada pelo Museu de Biologia Mello Leitão (ES), com texto de José Tabacow, seu Diretor, e belas fotografias de Claudio Marigo.

Aves no Pantanal = Birds in the Pantanal.

[São Paulo]: Banco Sudameris Brasil, [1994].

Uma das edições anuais do Banco Sudameris, com boa apresentação e rica ilustração fotográfica por muitos profissionais, incluindo Fabio Colombini, Claus Meyer, Araquém Alcântara, Dudu Tresca e Zig Koch (v. estes). Interessante.

Brasil; flora, fauna.

Rio de Janeiro: Livroarte/Edições Alumbramento, 1997-1998.

As edições da Alumbramento primam pela excelente apresentação e também pelos textos, estes confiados aos historiadores Luiz Emygdio de Mello Filho, Ibsen Guimarâes Câmara e Ulisses Câmara; as fotografias a Claus Meyer. O resultado, entretanto, não foi tão satisfatório, fruto das 264 ilustrações confinadas a espaço exíguo para tanto.

Cerrados: vastos espaços: flora e fauna do Brasil Central = Flora and fauna of the Brazilian Savannas.

Rio de Janeiro: Edições Alumbramento, 1992-93.

Após o êxito comercial e editorial da obra resenhada no verbete anterior, a Editora Alumbramento e o mesmo patrocinador produziram esta nova e ainda mais bela obra em edição de alto luxo. Os textos foram novamente confiados a Luiz Emygdio de Melo Filho e outros especialistas, e também as fotografias a Claus Meyer (v.) e outros. Como requinte especial, letras capitulares xilografadas por Ciro Fernandes e a reprodução de uma bela aquarela de Aimé Adrien Taunay (v.).

Flores e pássaros do Brasil.

S.l.: Livraria Kosmos Editora, s.d.

Sob este título generalizado, encontram-se neste álbum de folhas soltas (47,5 x 35,5 cm) quatro desenhos de plantas de von Martius e três desenhos de colibris, todos gravados por William Hooker (pintor de flores e gravador inglês) segundo novos desenhos de Janus Forbes (viajante inglês, 1749-1819). Lygia F. F. da Cunha, com a costumeira competência, presta informações sobre estas gravuras. Boa reprodução.

Fauna e flora brasileira; século XVIII = Brazilian fauna and flora; 18th century.

[Rio de Janeiro]: Spala Editora, [1986].

Outra das espetaculares obras editadas pela Odebrecht (v.), uma das mais belas e fascinantes entre todas. A pesquisa histórica da cartógrafa Isa Adonias (v.) sobre Luis de Albuquerque de Mello Pereira e Cáceres, por 17 anos Governador da Capitania de Mato Grosso e Cuiabá (1772 a 1789), e da grande coleção de documentos, manuscritos, mapas e desenhos levados por ele a Portugal e guardadas na Casa da Ínsua, da família Albuquerque, é muito importante. Entre os manuscritos encontra-se uma coleção de aquarelas parcialmente salva de um grande incêndio ocorrido em Ínsua (1969), coleção atribuída a José Antonio Landi (v.) e reproduzida de forma magnífica na presente obra. A pesquisa científica sobre as obras reproduzidas coube a Arline S. Oliveira e Carmen Lucia A. Ferraz para a botânica, a Dante L.M. Teixeira na ornitologia e a Gustavo W. Nunan para os peixes. Muito recomendável.

Native orchids of Brasil.

[2ª ed.]. [São Paulo]: Associação Orquidófila de São Paulo, [1983].

Documentário fotográfico comemorativo do 10º aniversário de fundação da Associação Orquidófila de São Paulo (1977), destinado à distribuição no Japão e com textos em inglês e japonês. Com ilustrações de Walter Bortolazzo e fotografias de muitos profissionais japoneses sob a direção do veterano fotógrafo Keiju Kobayashi, a obra focaliza as orquídeas em geral, mas também fornece belas vistas das paisagens.

Plantas do Brasil: Semana da Árvore: 1967.

[São Paulo]: Prefeitura Municipal de São Paulo, 1967.

Para a Semana da Árvore de 1967, a Prefeitura Municipal de São Paulo publicou este simpático álbum como início de uma série dedicada ao tema do título. Este primeiro número contou com o desenho artístico e científico das doze árvores mais conhecidas de nossos parques, ruas e jardins, empreendimento confiado a Maria Elisa Weiss, desenhista do Horto Florestal, e ao botânico Harry Blossfeld.

Pindorama.

São Paulo: Mercedes Benz do Brasil, 1993.

Edição de alta qualidade que nos apresenta um tema científico visto através da ótica quase poética de Carlos Puppin (v.) e a descrição da "terra das palmeiras" por Vivina de Assis Viana. À beleza das inúmeras fotografias aditou-se a reprodução de gravuras antigas, especialmente de von Martius, "o pai das palmeiras", e de João Barbosa Rodrigues, o maior dos estudiosos brasileiros sobre o assunto (v. estes). Muito recomendável.

Arte botânica: plantas do Brasil: calendário ano 2002.

Anelise S. de Souza Nunes, Ayrton A. Hecke, Diana Carneiro, Elaine Vaz Daniel, M. de Fátima Seleme Zagonel, Lais Felippu Pinto, Isaurina M.S. Valerio, Maura R. Piccoli. Curitiba: Centro de Ilustração Botânica do Paraná, 2002. (Calendário)

Um calendário para o ano 2002 coordenado pelo Centro de Ilustração Botânica do Paraná, com boa reprodução de desenhos coloridos dos artistas especializados Anelise S. de Souza

Nunes, Ayrton A. Hecke, Diana Carneiro, Elaine Vaz Daniel, M. de Fátima Seleme Zagonel, Laís Felippu Pinto, Isaurina M.S. Valério e Maura R. Piccoli.

FELIZARDO, LUIZ CARLOS

Arquiteto (1949), dedica-se exclusivamente à fotografia desde 1975; realizou muitas exposições individuais e obteve as bolsas Fullbright/Capes e Vitae.

Jogo de olhar: fotografias de Luiz Carlos Felizardo.

[São Paulo]: Museu de Arte de São Paulo Assis Chateaubriand, 1994. (Catálogo de exposição, maio-jul. 1994)

Catálogo de uma grande exposição no MASP, conta com um estudo de Rubens Fernandes Junior e ótima reprodução de sete imagens em papel especial.

FERNANDES, ANNIBAL GONÇALVES

Relatorio da Inspectoria Estadual dos Monumentos Nacionaes, apresentado a 28 de abril de 1928 ao Sr. Secretario de Justiça e Negocios Interiores.

Pernambuco: Imprensa Official, 1929.

Relatorio da Inspectoria Estadual dos Monumentos Nacionaes apresentado a 19 de fevereiro de 1930 ao Sr. Secretario da Justiça e Negocios Interiores.

Pernambuco: Imprensa Official, 1930.

O autor foi Inspetor dos Monumentos Nacionais e Diretor do Museu Histórico e de Arte Antiga de Pernambuco; os presentes relatórios (provavelmente os únicos publicados naquela administração) são dignos de leitura atenta, ainda que sejam burocráticos e cheios de transcrições de leis e portarias. O texto revela grande conhecimento da matéria e zelo pelo bem artístico público, bem como o repúdio a atos de insensata destruição de monumentos arquitetônicos como foram: o Arco de Santo Antônio, a Igreja do Corpo Santo e a Casa Grande de Megahype (apresentados em fotografias), a Sé de Olinda, a perda dos móveis do Teatro Santa Isabel, a dispersão da biblioteca de Alfredo de Carvalho, a venda dos canhões da ocupação holandesa. Ambos notavelmente bem ilustrados e muito interessantes. NOTA: Parte destes relatórios é dedicada à importância da aquisição da coleção do Comendador José Ferreira Baltar pelo Governo do Estado, mas infelizmente a relação dos bens se restringe à descrição burocrática e sucinta, como: "29 gravuras de História Geral do Brasil", "82 litografias grandes e pequenas de aspectos do Recife no seculo XIX", "24 imagens diferentes", "5 albuns de photographias e litographias do Recife".

FERNANDES, CARLOS RENATO

O Paraná.

2ª edição. Curitiba: s.e., 1993.

Como fotógrafo amador e membro do Foto Clube do Paraná e do Instituto Histórico, Geográfico e Etnográfico do Paraná, o autor empreendeu a tarefa de apresentar seu Estado natal visual e historicamente, focalizando aspectos característicos subordinados a temas como: a terra, o povo, as etnias, a Estrada da Graciosa; produziu uma obra simpática e bem realizada.

FERNANDES JÚNIOR, RUBENS

FERNANDES JÚNIOR, Rubens e LAGO, Pedro Corrêa do. *O século XIX na fotografia brasileira: coleção Pedro Corrêa do Lago.*

São Paulo: Fundação Armando Álvares Penteado/Francisco Alves, 2000.

Após a formação de uma significativa coleção de antigas fotografias brasileiras, recentemente vendida ao Instituto Moreira Salles (v.), o *marchand* e livreiro Pedro Corrêa do Lago (v.) formou uma segunda coleção, tão importante quanto a primeira na opinião de Pedro Vasquez (v.) e integralmente reproduzida neste fascinante álbum; comentários de Rubens Fernandes Júnior (1949), professor universitário e curador de várias exposições fotográficas.

FERNANDO DE NORONHA

O arquipélago de Fernando de Noronha é um dos paraísos ecológicos do País; incorporado recentemente ao Estado de Pernambuco, encontra-se atualmente sob a proteção do Ibama. Muitas são as reportagens e documentários fotográficos em revistas e jornais, destacando-se o da revista Ventura *(nº 25, de 1998, v. esta); entre os álbuns publicados destacam-se os referentes aos Parques Nacionais (v. estes) e as obras de Isa Adonias e Carlos Secchin (v. estes).*

Fernando de Noronha.

Brasil: Banco Sudameris/[Prêmio], [1995].

Após a série de treze obras da coleção "Arte e Cultura", esta é uma das novas realizações anuais do Banco Sudameris (v.). É linda a obra, bons os textos e as imagens por diversos profissionais, mas um enfoque excessivo foi dispensado ao parque marinho e às praias.

FERRAZ, EUGENIO

Convento dos Mercedários de Belém do Pará: breve histórico e registro de sua recuperação.

Belo Hrizonte: s.e., 1990.

Gráfica e pictoricamente não é uma obra muito atraente, fruto do predomínio da parte técnica sobre a artística nas fotografias do engenheiro Eugenio Ferraz. O resultado final desta recuperação, entretanto, foi muito positiva, tornando a obra interessante. Por outro lado, o processo visual de recuperação de quase ruína ao atual estado de esplendor é muito interessante.

FERRAZ, MARCELO CARVALHO

Arquitetura rural na Serra da Mantiqueira.

Apresentação: Lina Bo Bardi, Antonio Cândido, Agostinho da Silva. [São Paulo]: Quadrante, [1992].

Esta foi a primeira obra editada pelo Instituto Quadrante, fundado por Lina e P. M. Bardi (v. estes). O autor (1955), arquiteto, assistente e colaborador de Lina Bo Bardi por muitos anos, define este seu belo ensaio fotográfico apenas como um estudo para "captar e revelar um mundo em que as relações do homem com a natureza que o circunda se dão em um estágio genuíno de interação", utilizando-se para tanto da fotografia.

FERRAZ, MARIO DE SAMPAIO

Piracicaba e sua Escola Agrícola.

Bruxelas: Imprimerie V. Verteneuil & L. Desuret, 1911.

Nesta obra sólida sobre um instituto de renome internacional, as excelentes ilustrações fotográficas são enquadradas em estilo *art nouveau* e três das vistas gerais são coloridas; na capa, uma fotografia da Cachoeira de Piracicaba.

FERREIRA, ALEXANDRE RODRIGUES

Nascido em Salvador (1756-1815), estudou e doutorou-se em Coimbra (1779) e a seguir foi indicado e aprovado para chefiar uma missão científica à região amazônica, missão que teve início em 1783, quando chegou a Belém do Pará com o novo Governador das capitanias da região e na qual teve por companheiros Joaquim José Codina e José Joaquim Freire (v. estes), riscadores (desenhistas) do Gabinete de História Natural do Museu da Ajuda, e o jardineiro e botânico Agostinho Joaquim do Cabo. Após um ano de pesquisa e exploração por regiões próximas, iniciou-se a expedição em 1784 para terminar em 1792 novamente em Belém e após percurso de cerca de 40 000 km, indiscutíveis dificuldades e sofrimentos e o falecimento do jardineiro-botânico. Regressando a Portugal (1793), ocupou-se o cientista em organizar sua documentação, mas esta viria a ser confiscada em 1808 (por Geoffroy de Saint-Hilaire por ordem de Junot) e remetida para a França. Após a declaração de paz, foram repatriados os manuscritos e confiados ao Museu da Ajuda em 1815, de onde foram transferidos para a Academia de Ciências de Lisboa em 1838, sendo parte entregue à representação brasileira em Lisboa e encaminhada ao Brasil (1842-1843), onde foram desbaratados e muitos encontrados em mãos de particulares. Alfredo do Valle Cabral, um dos Diretores da Biblioteca Nacional, conseguiu reunificar grande parte do acervo e em 1876 começou a publicar o trabalho "Alexandre Rodrigues Ferreira" nos Anais da Biblioteca Nacional, *obra prevista para sete partes, das quais apenas três chegaram a ser publicadas.* NOTA: *A* Viagem Filosófica *e o correspondente "Diário" de Alexandre Rodrigues Ferreira estão intimamente ligados à documentação iconográfica colhida durante a expedição, toda estudada e comentada, pelo que muitas obras sobre o assunto, ainda que não ilustradas, podem ser consideradas essenciais; assim seriam, entre outras,* Relatos da fronteira amazônica no século XVIII: documentos de Henrique João Wilckens e Alexandre Rodrigues Ferreira *(São Paulo, 1994),* Viagem filosófica ao Rio Negro *(Museu Paraense Emílio Goeldi),* Alexandre Rodrigues Ferreira; vida e obra do grande naturalista *(Brasiliana, 1939), de V. Corrêa Filho, e* O Doutor Alexandre Rodrigues Ferreira *(Lisboa, 1953), de Américo Pires de Lima.*

Viagem filosófica às capitanias de Grão-Pará, Rio Negro, Mato Grosso e Cuiabá: vol. I: desenhos originais coligidos pelo Prof. Dr. Edgard de Cerqueira Falcão.

São Paulo: Editado por Gráficos Brunner Ltda., 1970. v. 1

Esta foi sem dúvida a primeira e também a mais importante reprodução dos desenhos da "Viagem Filosófica", como ficou conhecida a expedição científica de Alexandre Rodrigues

Ferreira. Tendo obtido permissão da Biblioteca Nacional para reproduzir o primeiro volume dos "Cadernos" dos "Prospectos de cidades, vilas, povoações, fortalezas e edifícios, rios e cachoeiras...", relativos à expedição científica de Alexandre Rodrigues Ferreira ao Brasil de 1784 a 1792, Edgard Cerqueira Falcão editou esta belíssima brochura em fólio, redigiu o histórico desta grande expedição e reproduziu em cores 96 aquarelas dos "riscadores" José Joaquim Freire e Joaquim José Codina (v. estes), algumas em página dupla e uma desdobrável, além de 13 desenhos de autoria do arquiteto italiano Antonio José Landi (v.) que faziam parte da documentação e tinham sido doadas por ele ao cientista por ocasião de um encontro em Barcelos em 1786. Esta obra, muito interessante e recomendável, também conta com uma biografia de Landi pelo historiador Clarival do Prado Valladares (v.). NOTA: Exemplares desta obra foram utilizados pelo Governo brasileiro para presentear autoridades na Exposição Internacional de Bruxelas em 1973.

Viagem filosófica pelas capitanias do Grão Pará, Rio Negro, Mato Grosso e Cuiabá: 1783-1792. Volume I – Iconografia: Geografia, Antropologia. Volume II – Iconografia: Zoologia.

Rio de Janeiro: Conselho Federal de Cultura, 1971. 2 v.

Em iniciativa que infelizmente não logrou continuação, foram publicados estes dois primeiros volumes dos resultados artísticos da monumental expedição de Alexandre Rodrigues Ferreira, imortalizada como "Viagem Filosófica". Em folhas soltas de 22 x 37 cm acondicionadas em caixas, foram reproduzidos os desenhos de Joaquim José Codina e José Joaquim Freire, os desenhistas da expedição (v. estes), bem como alguns do arquiteto Landi (v.). Um sucinto mas esclarecedor texto de Arthur Cesar Ferreira dos Reis e a beleza do conjunto das ilustrações tornam esta obra monumental, muito interessante e recomendável, mas cumpre advertir que a primeira parte do primeiro volume é a mesma do item anterior e que o conjunto de todas as reproduções não chega à perfeição daquela, assim como as grandes aquarelas em páginas duplas e desdobráveis, no presente foram reduzidas à dimensão da folha. NOTA: Com o mesmo título supra, o Conselho Federal de Cultura publicou dois volumes de textos correspondentes (em quarto e brochura): "Memórias. Zoologia. Botânica" (1972) e "Memórias. Antropologia" (1974).

Memória da Amazônia: Alexandre Rodrigues Ferreira e a Viagem Philosophica pelas capitanias do Grão-Pará, Rio Negro, Mato Grosso e Cuiabá: 1783-1792.

[Coimbra]: Museu e Laboratório Antropológico/Universidade de Coimbra, [1991]. (Catálogo de exposição, set. 1991)

Bela obra editada como catálogo para a a exposição "Memória da Amazônia", na Universidade de Coimbra (Portugal) em setembro de 1991. Esta exposição visava o espólio etnográfico das coleções de Alexandre Rodrigues Ferreira que foram incorporadas ao acervo daquela universidade em 1806; por não ser especificamente etnógrafo aquele grande viajante e naturalista, entenderam os organizadores ser necessário apresentar outros aspectos de seus trabalhos nos campos de zoologia, botânica e mineralogia. A parte etnográfica propriamente dita foi confiada a Tekla Hartmann, professora do Museu Paulista da Universidade de São Paulo, que também se encarregou da descrição das peças expostas. Muito interessante e muito recomendável.

FERREIRA, MANOEL RODRIGUES

A ferrovia do diabo: história de uma estrada de ferro na Amazônia.

São Paulo: Melhoramentos/Secretaria de Estado da Cultura, [1981].

As bandeiras do Paraupava.

São Paulo: s.e.,1977.

Baseada exclusivamente em documentos e mapas históricos, esta obra traça o roteiro dos bandeirantes paulistas que procuraram, no século XVI, localizar a lendária Lagoa de Paraupava, ou Dourada (identificada atualmente como a Ilha do Bananal), local de grandes tesouros imaginários e presumida fonte dos rios São Francisco, Paraguai e Paraupava (o Araguaia); uma região tão mais importante por se julgar situada praticamente na linha divisória estabelecida pelo Tratado de Tordesilhas. O grande atrativo desta obra reside também na reprodução comentada de 42 mapas brasileiros de arquivos portugueses, dos quais 18 do século XVI e os restantes do século XVII; constam ainda numerosos esboços de plantas de itinerários variados.

FERREIRA, MAURO

Franca: itinerário urbano.

[São Paulo: Laboratório das Artes, 1983].

O autor, nativo de Franca (1952), arquiteto do Departamento de Planejamento Arquitetônico da cidade e professor da Escola de Engenharia de Passos (MG), apresenta estudo sobre o tema do título baseado em uma das mais interessantes, abundantes e importantes documentações fotográficas imagináveis, documentação que teria merecido reprodução mais adequada.

FERREIRA, VIEIRA

Antigas inscripções do Rio de Janeiro e Niterói.

In *Revista do Instituto Histórico e Geográfico Brasileiro*, Rio de Janeiro, tomo 106, v. 160, 2° semestre 1929.

Encontra-se na *Revista do Instituto Histórico e Geográfico Brasileiro*; ao que se saiba, esta obra nunca foi reeditada. O autor não se limitou ao estudo da epigrafia no Rio de Janeiro e contribuiu com fotografias de grande qualidade dos prédios, monumentos e locais públicos em que se encontram as inscrições, preservando assim para a posteridade muitos marcos históricos e arquitetônicos atualmente desaparecidos. Muito interessante.

FERREIRA FILHO, ARTHUR

Palácio Piratini.

Porto Alegre: s.e., 1985.

Álbum comemorativo do decreto estadual que deu o nome Piratini ao Palácio do Governo do Rio Grande do Sul, em Porto Alegre. Além de um prefácio do historiador Moysés Vellinho, um sucinto texto histórico de Arthur Ferreira Filho e minuciosa descrição da ornamentação e decoração artística, o álbum conta com boas fotografias coloridas dos aposentos e das obras de arte que enriquecem o Palácio.

FERREZ, GILBERTO

Considerado o maior historiador da iconografia brasileira do século XX, Gilberto Ferrez (1908-2000) foi também importante bibliófilo e colecionador; neto de Marc Ferrez (v.) e herdeiro de sua imensa produção fotográfica, tornou-se também profundo conhecedor desta arte e de sua história. Suas múltiplas obras iconográficas notabilizaram-se pela alta qualidade dos textos e insuperáveis comentários às ilustrações, destacando-se ainda pelo cuidado editorial. NOTA: Após o falecimento de Gilberto Ferrez em 2000, a coleção de fotografias de Marc Ferrez foi vendida ao Instituto Moreira Salles (v.), assim como se encontram à venda a coleção iconográfica e a biblioteca.

A muito leal e heróica cidade de São Sebastião do Rio de Janeiro: quatro séculos de expansão e evolução.

Paris: Raymundo de Castro Maia/Candido Guinle de Paula Machado, 1965.

Entre todas as suas obras, esta é sem dúvida a mais perfeita e bela; executada na França em fólio grande e papel de linho filigranado, com ilustrações coloridas pelo processo *au pochoir*, teve as matrizes inutilizadas após a tiragem de 1 100 exemplares. Foi de extremo sucesso a proposta do autor de estudar a história da cidade através de suas imagens ao longo de seus quatrocentos anos, um belo ensaio pictórico acompanhado de ótimos comentários e precedido pelo atinente estudo "Retrospecto histórico". Obra muito importante, imprescindível para estudos, tornou-se item bibliófilo apesar da tiragem relativamente grande. NOTA: O Banco Boavista, patrocinador da obra, efetuou no ano de 1992 uma nova edição em fac-símile total (incluindo a encadernação original) em formato menor; a sobrecapa ostenta o título: "Rio de Janeiro. 1565. 1965. 1992" e a editora: "Banco Boavista. Novas idéias. Antigos ideais", e contém na orelha uma vaga justificativa desta edição.

Iconografia petropolitana: 1800-1890.

Petrópolis: Museu Imperial/Ministério da Educação e Cultura, 1955.

Por ocasião do I Congresso de História do Instituto Histórico de Petrópolis em janeiro de 1954, o Museu Imperial realizou importante exposição relacionada à fundação da cidade e sua evolução durante o século XIX. 155 itens foram coligidos, bem reproduzidos e minuciosamente descritos. Alguns poucos documentos referem-se ao Porto de Estrela e à Fazenda Mandioca, localidades afastadas do perímetro urbano mas que constituíram, na época, passagem forçada ou de pernoite dos viajantes. Muito interessante.

Velhas fotografias pernambucanas.

Recife: Departamento de Documentação e Cultura/Prefeitura Municipal do Recife, 1956.

A capa deste álbum ostenta o título *Álbum de Pernambuco e seus arrabaldes* e é na realidade a reprodução da capa de um raríssimo álbum de litografias publicadas em Recife por F. H. Carls por volta de 1850 (o autor pretendeu assim prestar uma homenagem a este famoso litógrafo e editor alemão ativo em Recife em meados do século XIX). O título efetivo, *Velhas fotografias pernambucanas*, encontra-se transcrito na folha de título e revela o conteúdo:

são fotografias de autoria de Augusto Stahl, Marc Ferrez, João Ferreira Vilella (v. estes) e outros, retratando Recife, Olinda e os arredores, contando também com um estudo sobre a fotografia no Brasil e ampla bibliografia. Muito recomendável e interessante; existe uma segunda edição, em tudo idêntica.

Velhas fotografias pernambucanas: 1851-1890.

Rio de Janeiro: Campo Visual, 1988.

Em fólio pequeno, esta é a terceira edição do item anterior; foi substituída a capa da primeira edição pela presente com o título correto, e foi criada uma sobrecapa que ostenta uma fotografia da Rua da Cruz, em Recife, executada por Augusto Stahl (v.) em 1855. O texto foi em parte substancialmente alterado, muitas novas fotografias acrescidas e refeitos os comentários às ilustrações, notando-se por outro lado a inexplicável eliminação da bibliografia. Esta nova edição perdeu em texto e qualidade, pois também as reproduções, embora em papel de tipo muito superior, não chegaram a superar as da edição de 1956.

O velho Rio de Janeiro através das gravuras de Thomas Ender.

São Paulo: Edições Melhoramentos, [1956?].

Sem dúvida é esta a melhor obra nacional sobre a vida e a obra artística do jovem pintor austríaco Thomas Ender (v.), que participou como desenhista oficial da missão científica da Arquiduquesa Leopoldina em sua vinda ao Brasil em 1817. O texto relata a missão austríaca e a paralela bávara de von Spix e von Martius (v. estes), além do estudo sobre o biografado. Para melhor compreensão dos locais retratados e comentados, a folha de guarda conta com a reprodução do raríssimo mapa de J. C. Rivara, "Planta da cidade do Rio de Janeiro" (1812); acompanha ainda esta bela e importante obra um retrato de Thomas Ender por Johann Danhauser (1805-1845), litografado por F. Stöber (1785-1859). Muito recomendável e interessante.

O Brasil de Thomas Ender em 1817.

Apresjlasa. Rio de Janeiro: Fundação João Moreira Salles, 1976.

Edição de luxo em 3 000 exemplares (dos quais 300 em estojo de linho, assinados pelo editor), uma versão ampliada da obra do verbete anterior. Muitos desenhos foram acrescidos e muitos reproduzidos em uma só face da folha, as aquarelas reproduzidas em cores, o texto condensado e refeitos os comentários às ilustrações. Apesar do grande cuidado gráfico, esta edição não superou a qualidade e a importância da anterior. Muito recomendável.

O Brasil do Primeiro Reinado visto pelo botânico William John Burchell: 1825-1829.

Rio de Janeiro: Fundação João Moreira Salles/Fundação Nacional Pró-Memória, 1981.

Relato da viagem ao Brasil deste notável botânico e viajante, "este inglês andarilho, simples, combinação de sábio e artista". William Burchell (v.) viajou pelo Brasil de julho de 1825 a fevereiro de 1830, colecionando plantas e insetos, e fixando com seu lápis a fauna, a flora e a paisagem brasileira. São de propriedade da Biblioteca Pública de Johannesburg (África do Sul) os 257 desenhos primorosamente reproduzidos, quase todos retratando cidades, lugarejos, edifícios públicos e aspectos arquitetônicos. Lindo, interessante e muito recomendável.

O mais belo panorama do Rio de Janeiro (1825) por William John Burchell.

Rio de Janeiro: Instituto Histórico e Geográfico Brasileiro, 1966.

Em suas andanças pelo Brasil (1825-1830), o naturalista inglês William Burchell (v.) preencheu vários cadernos de diários e notas, aos quais se refere em cartas aos amigos, documentos que infelizmente se encontram extraviados até a presente data. Encontra-se também extraviado um grande panorama circular de Recife, do qual se conhece, entretanto, o correspondente índice das localidades. Outro panorama, o presente magnífico desenho circular do Rio de Janeiro em oito folhas, datado de 1825, atualmente na Biblioteca da Universidade de Witwatersrand, em Johannesburg (África do Sul), conta com numeração das localidades principais e era acompanhado de um índice que identificava as ruas, edifícios e acidentes geográficos, atualmente extraviado. O autor obteve daquela universidade uma reprodução do panorama em cartolina, na dimensão original das folhas (37 x 53 cm); estuda e comenta cada uma destas oito folhas e identifica os locais assinalados por números. Com texto em português e inglês, a edição é formada por uma plaqueta de dez páginas, acondicionada com o panorama em um envelope titulado.

Panorama do Recife de 1826-1832.

In *Arte e Literatura.* Suplemento da *Tribuna de Petrópolis*, Petrópolis, nº 22, mai 1951.

Neste suplemento do jornal *Tribuna de Petrópolis*, o autor reproduz a raríssima água-tinta *Panorama de Pernambuco*, gravada por Frederico Salathé (1793-1853) e editada por J.J. Steinmann (v. estes); após comparação com um desenho anônimo que se encontra na Biblioteca Nacional, o original desta gravura, o autor descobriu parte de uma assinatura e indícios que o levam a atribuir a autoria a R. Schmidt, do qual não conseguiu apurar dados biográficos.

O que ensinam os antigos mapas e estampas do Rio de Janeiro: o Largo do Carmo e seus chafarizes: a rua Direita: o Largo da Carioca e seus chafarizes.

Separata da *Revista do Instituto Histórico e Geográfico Brasileiro*, Rio de Janeiro, nº 268, p. 27-42, jul.-set. 1965.

O que ensinam os antigos mapas e estampas do Rio de Janeiro: o Campo da cidade: Largo de São Francisco de Paula: o Rossio, futura Praça Tiradentes: o Campo de Sant'Anna.

Separata da *Revista do Instituto Histórico e Geográfico Brasileiro*, Rio de Janeiro, nº 278, p. 87-104, jan.-mar. 1968.

Estes dois pequenos folhetos englobam um tema que constitui a grande especialidade do autor; as reproduções são de boa qualidade.

Um panorama do Rio de Janeiro de 1775.

Separata da *Revista do Instituto Histórico e Geográfico Brasileiro*, Rio de Janeiro, nº 233, out.-dez. 1956.

Estudo sobre um desenho anônimo de 1775: "Prospecto da cidade de S. Sebastião do Rio de Janeiro...". Além da reprodução integral do desenho e detalhamento de várias de suas partes, foram acrescidas fotografias de vistas antigas e modernas de alguns dos locais assinalados no "Prospecto...", incluindo uma fotografia de Marc Ferrez que focaliza a igreja de São Pedro no Rio de Janeiro, pequena jóia arquitetônica que foi demolida. Reproduções de muito boa qualidade.

O Rio de Janeiro e a defesa do seu porto: 1555-1800.

Rio de Janeiro: Serviço de Documentação Geral da Marinha, 1972. 2 v.

Estudo erudito sobre o assunto do título, em dois volumes, contendo o primeiro o texto histórico, e o segundo (em formato maior, 16 x 32 cm), reproduções das plantas e dos cortes das fortalezas que protegiam o Rio de Janeiro, com correspondentes comentários.

Bahia: velhas fotografias: 1858/1900.

Rio de Janeiro: Banco da Bahia Investimentos S/A/Livraria Kosmos Editora, 1988.

Obra luxuosa que pode ser definida como perfeita em paginação e reprodução de fotografias de Benjamin Mulock, Camillo Vedani, Guilherme Gaensly, J. Schleier, Gaensly & Lindemann, Marc Ferrez e Rodolfo Lindemann (v. estes). Além de um prefácio da historiadora Katia Queiroz Mattoso e um breve estudo do autor sobre os fotógrafos ativos no século XIX, segue o habitual comentário sobre o copioso material reproduzido. Muito interessante e recomendável.

O álbum de Luís Schlappriz: memória de Pernambuco, álbum para os Amigos das Artes, 1863.

Recife: Fundação de Cultura Cidade do Recife, 1981. (Coleção Recife, 7)

Pouquíssimo se conhece sobre o litógrafo suíço Ludwig Schlappriz (v.), chegado ao Brasil por volta de 1858, e que trabalhou para o litógrafo e editor alemão F. H. Carls em Recife. Entre 1863 e 1868 Carls publicou 32 pranchas (notícias nunca confirmadas indicam 33) de vistas de Recife, desenhadas e litografadas por Schlappriz e tiradas em preto e branco ou cor de palha, todas subscritas "L. Schlappriz Dess." na margem inferior esquerda; na direita consta a subscrição "Lith. F. H. Carls. Pernco. (ou Pernambuco, em alguns exemplares) Rua da Cadeia 52 (ou Rua da Cadeia 36 em alguns outros, endereço novo para o qual se mudara a oficina em 1868)"; das quais cerca de 25 eram reunidas tão logo prontas para a formação dos álbuns, atualmente raríssimos, assim como raras as gravuras avulsas. Nesta magnífica edição se encontram reproduzidas as 32 pranchas em preto e branco na dimensão original da mancha litográfica (tiragem de 2 000 exemplares). Um resumido mas esclarecedor texto e um comentário a cada gravura completam esta notável obra, que se inclui entre as mais importantes da iconografia brasileira. NOTA: Para um congresso (ou exposição) não identificado, foi feita a publicação de um álbum em folhas de 31,5 x 36,5 cm, com a reprodução da capa do álbum de Schlappriz como folha de título e reprodução de seis gravuras (*Sítio do Dr. Fonseca*, *Praça da Boa Vista*, *Campo das Princezas*, *Ponte da Boa Vista*, em papel branco, *A entrada de S. S. A. A. I. I. no Porto de Pernambuco* e *Casa de Detenção*, em papel sépia); na margem superior e na margem inferior da folha de título encontram-se impressos (por diversas vezes) os dizeres: "100 anos de arte gráfica". Um número ignorado de estampas foi reproduzido na década de 1970 para distribuição em forma de álbum (ou de peças avulsas) como propaganda de algum laboratório de produtos farmacêuticos.

The Brazil of Eduard Hildebrandt.

Rio de Janeiro: Distribuidora Record de Serviços de Imprensa S/A, [1988?].

Impresso na antiga República Democrática Alemã, esta obra prima pela beleza dos desenhos e aquarelas de grande parte da obra de Hildebrandt, notável pintor alemão (v.), executada no Brasil em 1844. O autor selecionou pessoalmente uma parte do grande acervo mantido na Galeria Nacional de Berlim e acrescentou obras da coleção de Joaquim de Souza Leão (e algumas poucas outras), criando uma das mais lindas edições da iconografia brasileira. Entre as belíssimas reproduções encontra-se um panorama do Rio de Janeiro em seis partes (Joaquim de Souza Leão, no prefácio da obra, afirma que este panorama era formado originalmente por nove partes) e outro de Salvador (Bahia) em duas partes; encontramos ainda uma aquarela inédita de Louis Auguste Moreau (v.) retratando o artista (Rio de Janeiro, abril de 1844), e na folha de guarda um mapa italiano: "Planta della Citta di S. Sebastiano di Rio de Janeiro". Muito interessante e recomendável.

Pioneiros da cultura de café na era da independência: a iconografia primitiva do café.

Rio de Janeiro: Instituto Histórico e Geográfico Brasileiro, 1972. (Coleção Biblioteca do Sesquicentenário, 10)

A pretexto de relatar a história de Louis François Lecesne (esta a grafia correta, ocorrendo variações em citações antigas, como: Lezesne, de Scene, Le Sange), pioneiro da cultura de café no Rio de Janeiro (na região atualmente ocupada pelo Parque Nacional da Tijuca, no Rio de Janeiro), o autor apresenta importante trabalho sobre material iconográfico atinente, em grande parte inédito. Esta edição conta com diagramação do artista gráfico Aloísio Magalhães (v.) e primorosa reprodução das ilustrações.

A Praça 15 de Novembro, antigo Largo do Carmo.

Rio de Janeiro: Riotur Empresa de Turismo do Município do Rio de Janeiro S/A, 1978.

Estudo completo sobre a Praça XV, a mais antiga e importante praça do Rio de Janeiro. Uma gravura antiga, ou uma fotografia, acompanha o relato sobre cada um dos aspectos desta praça, do início do século XVIII aos nossos dias. Como exceção à regra, as reproduções desta edição trilíngüe não são muito boas.

O Paço da cidade do Rio de Janeiro.

Rio de Janeiro: Fundação Nacional Pró-Memória, 1985.

Importante estudo histórico e artístico que complementa a obra do verbete anterior e conta com riquíssimo material iconográfico, muito bem reproduzido. A capa da brochura reproduz detalhe de uma aquarela de August Earle (v.), de 1832.

As primeiras telas paisagísticas da cidade.

Separata da *Revista do Patrimônio Histórico e Artístico Nacional*, Rio de Janeiro, nº 17, 1969.

Neste pequeno estudo sobre as primeiras obras que retratam o Rio de Janeiro, é discutida a autoria de seis telas elípticas, a óleo, atribuídas a Leandro Joaquim (1738-1798), atualmente no Museu Nacional; todas foram detalhadamente descritas, comentadas e reproduzidas (duas delas, em cores). Foram também reproduzidas quatro outras telas de Leandro Joaquim, uma de Francisco Muzzi e um detalhe de uma aquarela de Richard Bate (v.), de 1809, todas relacionadas ao tema principal de atribuição de autoria.

Raras e preciosas vistas e panoramas do Recife: 1755-1855.

S.l.: s.e., 1984. (Coleção Pernambucana, 2ª fase)

O título da obra revela sua característica: a raridade do material coligido, entre o qual duas aquarelas de E. E. Vidal (v.) e os raríssimos panoramas de J.J. Steinmann e Friedrich

Hagedorn (v. estes), além do igualmente raro álbum de W. Bässler (v.); como complemento, os quase ilimitados conhecimentos do autor sobre a matéria.

O sketch-book de Carlos Guilherme von Theremin = The sketchbook of Carl Wilhelm von Theremin.

Rio de Janeiro: s.e., 1982.

Neste lindíssimo álbum encontra-se reproduzida a obra artística do Barão von Theremin (v.), cônsul da Prússia no Rio de Janeiro de 1820 a 1835: esboços a lápis, bicos de pena, aquarelas do Rio de Janeiro, o grande desenho desdobrável *La Procession du Vendredi Saint* (dado como sendo *La procession du mercredi des cendres* por Georges Duplain em *Les dessins de la Providence* – v.), e o álbum *Saudades do Rio de Janeiro*. O texto, em português e inglês, conta com os habituais comentários às ilustrações; analisa também e faz repetidas referências a outro importante texto sobre o artista: "Les dessins de la Providence", de Georges Duplain (v.). A capa também distingue a obra, que sustenta por título tão-só a reprodução de um pequeno desenho de Theremin, marcado: "Fort Lages. 14 Juillet 1822". A sobrecapa reproduz algumas aquarelas e a *Procession*; e as folhas de guarda, finalmente, o mapa "A capital do Brasil", de E. de la Michellerie, de 1831. Muito interessante e recomendável. NOTA: Patrocinada pela CBPO (uma empresa de construção civil) para distribuição à clientela, a obra foi acondicionada em uma caixa especial, que também contém estampas em cores que reproduzem muito bem três das seis gravuras do álbum *Saudades do Rio de Janeiro* (nas dimensões 34,5 x 46,5 cm).

O Recife de Emil Bauch.

Rio de Janeiro: s.e., 1984.

Bastaria a beleza e a extrema raridade das doze cromolitografias do pintor alemão Emil Bauch (v.), executadas em 1852 por F. Kauss em Recife, para justificar qualquer tipo de reprodução e estudo. O autor, conhecido perfeccionista, editou uma das mais belas obras da iconografia brasileira, reproduzindo as gravuras da mesma forma como se apresentam no original: a gravura da ilustração colada sobre outra gravura que lhe serve de moldura, com seu desenho de ramagens estilizadas, o título "Pernambuco" na margem superior e a legenda na inferior, além de numeração no canto superior direito. A tiragem foi de 550 exemplares brochurados, acondicionados em estojo especial. Importante e muito recomendável.

As cidades do Salvador e Rio de Janeiro no século XVIII.

Rio de Janeiro: Instituto Histórico e Geográfico Brasileiro, 1963.

Publicado em formato de fólio pequeno e acondicionado em um envelope que serve como capa e contém o título, é difícil descrever a beleza, riqueza e importância do material coligido, quase todo inédito. Muito recomendável e interessante.

Um passeio a Petrópolis em companhia do fotógrafo Marc Ferrez.

Separata do *Anuário do Museu Imperial*, Petrópolis, 1951.

Longe de constituir tão-só um comentário às fotografias de Marc Ferrez (v.) e a outras da época, também é um bem documentado histórico da região, de seus edifícios e monumentos e das atividades artísticas em fins do século XIX. Esta separata é ricamente ilustrada.

Um passeio a Petrópolis em companhia do fotógrafo Marc Ferrez.

Rio de Janeiro: s.e., 1993.

Feliz e muito bem-sucedida história de uma cidade, por um historiador-memorialista octogenário, e as correspondentes fotografias de seu avô, Marc Ferrez (v.), grande fotógrafo do século XIX. Belíssima obra, enriquecida com os magistrais comentários às igualmente belas e bem reproduzidas fotografias.

Album de dessins anciens des environs de Rio de Janeiro de Benjamin Mary (1792-1846) = Álbum de desenhos antigos dos arredores do Rio de Janeiro de Benjamin Mary (1792-1846).

[Bruges]: [s.e.], [1974].

Gilberto Ferrez consta como autor desta obra, mas na realidade contribuiu apenas com alguns comentários às aquarelas de Benjamin Mary (v.); um conjunto de grande beleza e importância e muito bem reproduzido. Muito recomendável.

Colonização de Teresópolis à sombra do Dedo de Deus: 1700-1900: da Fazenda March a Teresópolis.

Rio de Janeiro: Patrimônio Histórico e Artístico Nacional, 1970. (Publicações do Serviço do Patrimônio Histórico e Artístico Nacional, 24)

Ainda que seja fundamentalmente uma obra histórica, encontra-se em grande parte baseada em documentos iconográficos: uma notável quantidade de ilustrações inéditas e comentadas. A importância desta obra é confirmada pela inclusão nas "Publicações do Serviço do Patrimônio Histórico e Artístico Nacional", onde tomou o nº 24.

Diário anônimo de uma viagem às costas d'África e às Índias Espanholas e os muros da cidade de São Sebastião do Rio de Janeiro.

Separata da *Revista do Instituto Histórico e Geográfico Brasileiro*, Rio de Janeiro, v. 267, abr.-jun. 1965.

Esta separata contém um pequeno estudo formado por duas partes: a primeira, não relacionada à iconografia, traz no entanto uma ilustração de Amedée François Frezier (1682-1773), três mapas e uma rara fotografia da antiga Casa dos Governadores do Rio de Janeiro; a segunda parte é definida pelo título e realçada por cinco ilustrações.

FERREZ, Gilberto e NAEF, Weston J. *Pioneer photographers of Brazil: 1840-1920.*

New York: The Center for Inter-American Relation, 1976.

Apresentada no título a co-autoria de Gilberto Ferrez e Weston J. Naef, somos informados no prefácio de que o autor da obra foi na realidade Weston J. Naef, assistente da curadoria da Seção de Fotografia no Metropolitan Museum de New York, cabendo a Gilberto Ferrez a seleção do material e os comentários às fotografias. De uma viagem que o autor empreendeu ao Brasil em 1975 para conhecer e examinar as coleções particulares de fotografias de assuntos brasileiros, incluindo, naturalmente, a riquíssima coleção de Gilberto Ferrez e o acervo que mantinha da quase totalidade da obra de seu avô, Marc Ferrez (v.), nasceu a idéia de uma grande exposição no Metropolitan Museum de New York. Para esta exposição foi elaborada a presente obra, cuja importância não reside somente nas magníficas fotografias e correspondente reprodução, mas também na reunião e na sistematização do material e de dados até então esparsos em publicações diversas, além de inserir-se entre as pioneiras da história da fotografia no Brasil. Muito importante.

A fotografia no Brasil.

Separata da *Revista do Patrimônio Histórico e Artístico Nacional*, Rio de Janeiro, nº 10, 1953.

Este estudo é praticamente o pioneiro de todas as obras que historiam a fotografia no Brasil; com 79 boas reproduções, conta com ótimos comentários e farta bibliografia. Importante.

A fotografia no Brasil: 1840-1980.

Rio de Janeiro: Fundação Nacional de Arte/Fundação Nacional Pró-Memória, 1985. (História da fotografia no Brasil, 1)

Mais de trinta anos após a publicação da obra do verbete anterior, o autor apresenta esta nova versão substancialmente refundida e ampliada, enriquecida com grande quantidade de novas fotografias e um prefácio do historiador Pedro Vasquez, especialista do assunto. Apesar de se tratar de uma edição rica, mesmo luxuosa, as reproduções não correspondem bem ao nível das habituais do autor; mesmo assim, é fundamental e imprescindível para estudos. NOTA: Com a mesma qualidade foi editada uma versão americana, *Photography in Brazil: 1840-1900* (Albuquerque: University of New Mexico Press, 1990), em tradução de Stella de Sá Rego.

O Rio antigo do fotógrafo Marc Ferrez: paisagens e tipos humanos do Rio de Janeiro: 1865-1918.

São Paulo: João Fortes Engenharia/Editora Ex Libris, 1984.

"Seu legado fotográfico tem a mesma importância do escrito pelos nossos historiadores e coloridos pelos nossos pintores", uma forma poética expressa por Pedro Nava sobre o grande fotógrafo Marc Ferrez (v.), no prefácio desta suntuosa e bela obra. O autor apresenta estudo importante e definitivo sobre Marc Ferrez, seu avô, e comenta magistralmente cada uma das fotografias. NOTA: A revista *Zoom. Le Magazine de l'Image* dedicou um número especial (nº 121), a "Special Brésil 2. Histoire. Cinema. Publicité", para o qual o autor contribuiu com o estudo "Marc Ferrez, le pionnier raconté par Gilbert", no qual traça a biografia de seu avô e reproduz muitas de suas fotografias.

Aquarelas de Richard Bate: o Rio de Janeiro de 1808-1848.

Rio de Janeiro: Galeria Brasiliana, 1965.

Primeira publicação (e, aparentemente, a única) da Galeria Brasiliana (organizada no Rio de Janeiro para a divugação da história e das artes no Brasil), merece constar do rol das mais lindas obras iconográficas no país. Abalizado estudo e comentários acentuam as lindas aquarelas de Richard Bate (1775-1856, v.), comerciante inglês e pintor amador ativo no Rio de Janeiro, cujo acervo artístico encontra-se na Cornell University, nos Estados Unidos. Muito interessante e recomendável.

Uma arribada franceza ao tempo de Bobadela (1748).

In *Revista do Instituto Histórico e Geográfico Brasileiro*, Rio de Janeiro, v. 280, jul.-set. 1968.

Pequeno estudo sobre a forçada visita ao Rio de Janeiro da nau francesa *L'Arc-en-Ciel* em 1748. O autor traduz dois extratos de um jornal de campanha e ilustra estes interessantes depoimentos e a descrição da cidade com quatro raras peças iconográficas: o mapa do Rio de Janeiro do Capitão André Vaz Figueira, que retrata o antigo muro da cidade (1750), o panorama do Rio de Janeiro por Miguel Angelo Blasco (1762), um desenho de Maria Graham (v.) que se encontra no British Museum (1823) e uma aquarela do chafariz do Largo da Carioca por William Smyth (v.).

Iconografia do Recife: século XIX: exposição comemorativa: tricentenário da Restauração Pernambucana: coleção Gilberto Ferrez e outros.

Pernambuco: Comissão Organizadora e Executiva, 1954. (Catálogo de exposição, 1954)

Ainda que não constasse como autor deste catálogo da importantíssima exposição da ocupação holandesa de 1628 a 1654 (v.), Gilberto Ferrez foi o curador responsável pelo material coligido e autor do histórico e dos comentários às excelentes reproduções. Foram 237 itens dos mais raros que retrataram a paisagem e os usos e costumes de Pernambuco no século XIX, muitos dos quais bem reproduzidos em preto e branco. Imprescindível para estudos.

As cidades do Salvador e Rio de Janeiro no século XVIII.

Rio de Janeiro: Instituto Histórico e Geográfico Brasileiro, 1963.

Publicado em formato de fólio pequeno e acondicionado em um envelope que serve como capa e contém o título, é difícil descrever a beleza, riqueza e importância do material coligido, quase todo inédito. Muito recomendável e interessante.

FERREZ, MARC

Nascido no Rio de Janeiro (1843), filho do escultor e medalhista Zepherin Ferrez (1797-1851), um dos membros da Missão Artística Francesa (v.) chegada ao Brasil em 1817, estudou na França e após seu regresso trabalhou na oficina litográfica de Georges Leuzinger, no Rio de Janeiro, onde aprendeu os rudimentos da arte fotográfica com Franz Keller. Em 1865 estabeleceu-se por conta própria no Rio de Janeiro, conquistou grande prestígio e em 1873 perdeu a totalidade de seu ateliê em um incêndio. Após uma viagem à Europa para aquisição de novos equipamentos, seu prestígio voltou a se firmar, e grande foi sua atividade profissional; participou de várias exposições nacionais e internacionais (obtendo muitos prêmios), foi fotógrafo oficial da Comissão Geológica de C. F. Hartt (v.), conquistou o título de "Fotógrafo Imperial da Marinha" e realizou muitas pesquisas, uma das quais publicada: Quadros da historia patria; phototipias de Marc Ferrez *(Rio de Janeiro, 1891), estas mal reproduzidas segundo Berrien. A partir de 1900 passou a dedicar-se à arte cinematográfica e em 1907 instalou um cinema próprio. Aposentou-se em 1914, passou a residir por alguns anos na França e veio a falecer no Rio de Janeiro em 1923. A vida e obra deste importante fotógrafo encontra-se estudada por Gilberto Ferrez, Boris Kossoy e Pedro Vasquez (v. estes) e suas fotografias encontram-se constantemente reproduzidas em publicações nacionais e internacionais. Seu enorme acervo fotográfico passou por herança ao neto Gilberto Ferrez (v.) e deste ao Instituto Moreira Salles (v.).*

O álbum da Avenida Central: um documento fotográfico da construção da Avenida Rio Branco, Rio de Janeiro, 1903-1906.

São Paulo: João Fortes Engenharia/Editora Ex Libris, 1982.

No virar do século XX, Francisco Pereira Passos, prefeito do Rio de Janeiro, contratou o engenheiro Paulo de Frontin para a abertura de uma grande avenida na cidade, um projeto urbanístico de grandes proporções que previa obrigatória construção de prédios nos terrenos lindeiros. Inaugurada a resultante Avenida Central (atual Avenida Rio Branco) em 1905, na ocasião com 30 prédios concluídos e 85 em construção, o governo contratou o fotógrafo Marc Ferrez para documentar o plano e sua execução, incumbência que cumpriu com perfeição, utilizando chapas gigantes de 30 x 40 cm e 30 x 72 cm. Este levantamento monumental foi reunido em um álbum executado em Zurique (Suíça), do qual mais de dois terços de uma tiragem de mil exemplares foram destruídos em 1913. São estas fotografias dos projetos arquitetônicos e dos correspondentes edifícios que se encontram magistralmente reproduzidas na presente obra, reduzidas em 70% do tamanho original e muitas desdobráveis. Uma pequena biografia de Marc Ferrez, um estudo de Gilberto Ferrez sobre o álbum primitivo e o tratado "Arquitetura e urbanismo na Avenida Central", por Paulo F. Santos, completam esta luxuosa edição. Muito recomendável.

Registro fotográfico de Marc Ferrez da construção da Av. Rio Branco: 1903-1906.

Rio de Janeiro: Museu Nacional de Belas Artes, 1982. (Catálogo de exposição, 1982)

Por ocasião do lançamento da obra do verbete anterior, as editoras organizaram uma grande exposição no Museu Nacional de Belas Artes do Rio de Janeiro para apresentação das fotografias originais de Marc Ferrez. O catálogo desta exposição reproduz a quase totalidade das fotografias expostas e transcreve em resumo os textos de Gilberto Ferrez e Paulo F. Santos citados no verbete anterior.

A fotografia no Brasil do século XIX: 150 anos do fotógrafo Marc Ferrez: 1843-1993.

São Paulo: Pinacoteca do Estado de São Paulo, 1993. (Catálogo de exposição, dez. 1993)

Notável exposição sob a curadoria de Gilberto Ferrez, apresentação de Emanoel Araújo e texto do historiador Pedro Vasquez (v. estes). Muito bem ilustrado.

A marinha por Marc Ferrez = The navy by Marc Ferrez: 1880-1910.

Rio de Janeiro: Verôlme/Editora Index, 1986.

Obra de luxo e grande beleza que retrata o trabalho do fotógrafo Marc Ferrez sob encomenda da Marinha Imperial e lhe valeu o título de "Fotógrafo Imperial da Marinha". O álbum conta com uma extensa biografia: "Ferrez por Ferrez", de Gilberto Ferrez; e dois importantes estudos de especialistas em suas matérias: "Ferrez, fotógrafo da Marinha Imperial", de Pedro Vasquez, e "A Marinha na época de Ferrez", do Almirante Max Justo Guedes, diretor do Museu Naval (v. estes), que também assina os comentários sobre as fotografias e as notícias sobre a origem e o destino dos navios. Muito interessante.

Relatório anual: 1993: Safra.

São Paulo: Banco Safra, [1993].

Entre os relatórios anuais apresentados pelo Banco Safra (v.) destaca-se o presente, dedicado a Marc Ferrez, reproduzindo com grande qualidade dezesseis de suas obras mais expressivas (sete das quais em página dupla), além de uma vista da Baía de Botafogo que forma a capa e a contracapa.

Marc Ferrez nas coleções do Quai d'Orsay.

Introdução: Pierre Fournié. Textos e comentários: Pedro Corrêa do Lago. Rio de Janeiro: Contra Capa, 2001.

Pequeno e extraordinário álbum de fotografias de Marc Ferrez, que foram adquiridas por Charles Wiener (diplomata francês, 1851-1913) durante sua permanência no Brasil nos últimos anos do século XIX e entregues ao Ministério das Relações Exteriores da França, onde ainda se encontram. Estas fotografias, entre muitas outras de outros países, foram expostas em Paris em 2000 e a seguir como "Regards sur le monde" no Museu Nacional de Belas Artes do Rio de Janeiro em 2001, daí resultando este interessante álbum que contém várias fotografias inéditas de Marc Ferrez.

FIALDINI, RÔMULO

Fotógrafo brasileiro (1947), trabalhou no MASP de 1971 a 1974 e a seguir dedicou-se à ilustração de livros de arte; realizou exposições individuais e participou de muitas coletivas, e tem obras representadas na "Coleção Pirelli" do MASP (v.) e em muitos álbuns fotográficos, como Árvores no Brasil, Velhos horizontes: um ensaio sobre a moradia no Curral Del Rei, Fortalezas históricas do Brasil, Mosteiro de São Bento, São Paulo, Monumentos urbanos: obras de arte na cidade de São Paulo, Aleijadinho no Antiquarius, Arquitetura: exposição Tradição e Ruptura *e* A mão afro-brasileira *(v. estes).*

Walking.

São Paulo: Banco Sofisa, s.d.

Belo ensaio fotográfico, colhido "ao caminhar, câmara na mão" ao longo de ruas em qualquer parte do mundo. Muito recomendável.

FIDANZA, FELIPE AUGUSTO

Apesar de sua grande importância para a história da fotografia no Brasil e especificamente no Estado do Pará e em Manaus, nada se sabe sobre origem e estudos, constando apenas o ano de 1867 como início de suas atividades em Belém do Pará, desenvolvidas ao longo de quase quarenta anos. Foi o principal cronista visual da cidade de Belém, mas também trabalhou em Manaus e Pernambuco; foi também retratista e representante do ateliê amazonense de Huebner & Amaral (v.), além de editor de obras próprias. Fotografias de sua autoria encontram-se freqüentemente reproduzidas em publicações públicas e particulares da época e com grande destaque em Porto do Recife *(v.).*

Album do Amazonas.

Manáos: F.A. Fidanza, 1901-1902.

Um belíssimo e extraordinário álbum (24 x 32 cm) deste fotógrafo e editor. Impressionantes a qualidade das fotografias e correspondentes reproduções, incluindo vários panoramas desdobráveis; muitas das fotografias encontram-se emolduradas por desenhos em estilo *art nouveau*. Conta ainda com a reprodução de duas aquarelas de Sam Jey (orquídeas em cores) e com o excelente artigo "O Estado do Amazonas", cujo autor anônimo (provavelmente o próprio Fidanza) revela que a fonte fora a clássica obra *Le Pays des Amazones*, de Sant'Anna Nery. Muito recomendável.

Album de Belem.

Pará: Edição F.A. Fidanza, 15 nov. 1902.

Belo e luxuoso álbum impresso em Paris em papel especial e capa com desenho em baixo-relevo. As fotografias são de Fidanza, a julgar pela qualidade, sendo razoável supor que também o texto explicativo seja de sua autoria. Muito recomendável.

Album do Pará em 1899 na administração do Governo de Sua Excia. o Senr. Dr. José Paes de Carvalho.

S.l.: [F.A. Fidanza], s.d.

Uma expressiva e bela obra do importante fotógrafo e editor F.A. Fidanza, com ótima reprodução de suas fotografias reveladas por E. Aders, em Berlim. O texto de Henrique Santa Rosa, em português, italiano e alemão, é orientado para os aspectos econômicos do Estado, mas as ilustrações felizmente muito pouco se ativeram a esta orientação. Fidanza apresenta nesta obra um tipo de panorama geral talvez inédito até aquela data: a cidade vista em diversos painéis montados em um imenso quadro fictício que retrata um terraço panorâmico. No fim do álbum encontram-se as fotografias dos autores. Álbum de grande formato (41 x 29 cm) e capa luxuosa, muito interessante.

FIEGL, MARTIN

Brasil.

Innsbruck: Alpina, [1987?].

São Paulo.

Innsbruck: Alpina, s.d.

Rio de Janeiro.

Innsbruck: Alpina,[1987?].

A editora austríaca Alpina, especializada em obras turísticas ilustradas, patrocinou em 1987 a vinda do fotógrafo profissional Martin Fiegl e da jornalista Christina Richter ao Brasil, com a missão de produzirem documentários fotográficos comentados, missão cumprida com grande êxito, conforme comprovam os pequenos álbuns acima relacionados, todos com muitas dezenas de imagens, texto em português e inglês, e legendas em português, inglês, francês, espanhol, alemão, italiano, japonês e coreano.

Cidades históricas de Minas Gerais: Ouro Preto, Mariana, Congonhas, São João Del Rei, Tiradentes, Sabará, Diamantina.

Innsbruck: Alpina Druck, s.d.

Quarta publicação deste excelente editora austríaca; como as anteriores, também esta dotada de excepcionais fotografias de Martin Fiegl.

FIELDING, NEWTON

Pintor paisagista, gravador e litógrafo inglês (1799) expôs na Water Colour Society de Londres entre 1815 e 1845, mas passou a maior parte de sua vida em Paris, onde faleceu em 1856. De sua autoria a gravura em cobre "Rio de Janeiro from Ilha das Cobras. Engraved by Mr. Newton Fielding from a correct painting in the possession of Messrs John H. Freese & Co. Dedicated by Special Permission to Her Most Faithful Majesty, Dona Maria Segunda Queen of Portugal, Algarves, etc. London. Published for the Proprietors, by R. Lambe & Son, Gracechurch Street. 1838". Esta gravura é de grande dimensão (54 x 87 cm) e não foi destinada a publicação em livro. Considerada muito rara, não constou do CEHB *e de* O Rio de Janeiro através das estampas antigas*; única referência encontra-se no catálogo* Memória da Independência. 1805-1825 *(Rio de Janeiro, 1972), onde o comentarista Gilberto Ferrez (v.) afirma que o desenho original teria sido do pintor francês Edouard Rivière, ativo no Rio de Janeiro em meados do século* XIX*, opinião que alterou em* Iconografia do Rio de Janeiro, *atribuindo a autoria a J.A. Capilcan (nº 1913 e 1972). Consta, por outro lado, existirem tão-só dois exemplares desta gravura no Brasil; uma em coleção particular de São Paulo, sem colorido, e uma colorida do livreiro carioca Walter Geyerhahn (da qual foi tirada uma perfeita cópia xerográfica em 500 exemplares para comercialização e um cartão dobrado, de pequena dimensão, para Natal). Esta gravura colorida foi reproduzida no calendário* Brasil: século XIX *(v.) da Livraria Kosmos para 1995; encontra-se atualmente na coleção Paulo Geyer e reproduzida em cores em* Visões do Rio na Coleção Geyer *(v.).*

FIGUEIREDO, JOSÉ

São Luís – Alcântara: turismo: São Luís, cidade em que a grande atração é ela mesma: Alcântara parou no tempo para nunca morrer.

[Recife]: s.e., 1979.

Pequeno guia turístico, despretensioso, ilustrado com poucas mas evocativas fotografias de razoável reprodução.

FIGURINHAS

As "figurinhas", pequenos cartões ou impressos variados, eram distribuídos como brindes por produtos comerciais ou industriais a título de propaganda e desde o início chamaram a atenção dos colecionadores. Notícias várias apontam a década de 1880 como a criadora das "figurinhas", destacando-se entre as pioneiras a série "Marinha brasileira" (da fábrica de cigarros França & Mursa), que reproduz fotografias de Marc Ferrez (v.) em cromolitografia. Durante anos um semimonopólio dos fabricantes de cigarros, as "figurinhas" passaram a ser utilizadas também pela indústria de guloseimas e de outras no início da década de 1910 com enfoque de assuntos que passaram de históricos, religiosos e artísticos a espor-

tes, moda e cinema, tendência novamente alterada com o advento das "Estampas Eucalol" em 1926 e a abertura para o mundo infantil a partir de 1940, quando também surgiram os álbuns para as coleções.

Figurinhas: histórias para colecionar.

[São Paulo]: SESC Campestre, 1986. (Catálogo de exposição, abr.-maio 1986)

Plaqueta que serviu de catálogo a uma exposição que deve ter sido notável e possivelmente pioneira. Texto histórico do colecionador Paulo Cezar Goulart com significativas ilustrações.

Estampas Eucalol.

Rio de Janeiro: Samuel Gorberg, 2000.

Obra volumosa, em quarto grande, organizada pelo conhecido colecionador carioca Samuel Gorbeg (1937), reproduz em cores a totalidade destas centenas de "estampas" que apresentaram séries de assuntos dos mais variados, de brasões a Debret (v.), de bandeiras a batalhas, de sabonetes a personalidades. Fascinante.

FINDEN, EDWARD FRANCIS

Gravador inglês (1791-1857), aluno e sócio de seu irmão William Finden, foi autor de todas as ilustrações da obra Diário de uma viagem ao Brasil, *de Maria Graham (v.).*

FIRMO, WALTER

Walter Firmo Guimarães da Silva, fotógrafo brasileiro (1937), iniciou-se em fotojornalismo e em 1963 obteve o "Prêmio Esso" de reportagem. Citado na Enciclopédia Britânica em 1971, obteve o Prêmio Internacional Nikon em 1973-1976, 1978, 1980 e 1982, e em 1986 foi nomeado Diretor do Instituto Nacional de Fotografia; em 1982 criou com Pedro Moraes, Cafi e Miguel Rio Branco a série de cartões-postais "Os Brasileiros" (v. CARTOFILIA). Muitas de suas fotografias encontram-se em álbuns coletivos como Brasil, Brasil: autoretrato, Brasil: festa popular, São Paulo *e* Rio; portrait of a city *(v. estes), assim como nas obras* As escolas de samba: o quê, quem, como, quando e por quê, *de Sérgio Cabral,* Nas trilhas do Rosa; uma viagem pelos caminhos de Grande Sertão: Veredas, *de Fernando Granato (v.) e na "Coleção Pirelli" do MASP (v.).*

Walter Firmo: antologia fotográfica.

[Rio de Janeiro]: Ágil/Dazibao, [1989].

Pequeno e belo álbum de 45 fotografias coloridas (e uma adicional na capa) deste excepcional fotógrafo da vida popular.

Walter Firmo: ensaio no tempo; 25 anos de fotografia.

Rio de Janeiro: Museu de Arte Moderna do Rio de Janeiro, s.d. (Catálogo de exposição)

Este pequeno catálogo nos transmite com perfeição a importância da exposição deste grande fotógrafo.

Walter Firmo: ensaio no tempo; 25 anos de fotografia.

São Paulo: Museu de Arte de São Paulo, 1984. (Catálogo de exposição, 1984)

Catálogo de uma exposição retrospectiva com reprodução de catorze das imagens expostas.

FISCHER, ANNA

FISCHER, Anna e CAMPOS, Paulo Mendes. *Ouro Preto: illustrations on a Brazilian colonial tower.*

São Paulo: Companhia Editora Nacional, 1978

Álbum luxuoso em fólio grande e folhas soltas, com quarenta desenhos a bico de pena dos edifícios e monumentos desta cidade histórica tombada, recém-declarada patrimônio da humanidade; texto formado pelo poema "Ouro Preto" de Paulo Mendes Campos (e sua versão inglesa). Os desenhos da autora são arquitetônicos e tradicionais, mas agradam.

FLIEG, HANS GÜNTHER

Nascido na Alemanha em 1923, chegou ao Brasil em 1939, trabalhou em serviços diversos e participou de cursos profissionais de propaganda e litografia. A partir de 1945 passou a trabalhar como freelancer *em agências de propaganda e em 1951 foi nomeado fotógrafo oficial da I Bienal Internacional de São Paulo. Ilustrou com 32 fotografias a obra* Passeio a Ouro Preto, *de Lucia Machado de Almeida (v.) e em 1980 foi homenageado com apresentação de parte de seu enorme acervo fotográfico em exposição circulante da Secretaria de Cultura do Estado de São Paulo. De sua autoria o artigo "Aspectos da fotografia comercial" (in* Revista Objetiva, *nº 5, 1961), ilustrada com oito fotografias próprias; seus ensaios fotográficos sobre história, arte e natureza brasileira ilustraram muitos calendários ao longo de mais de meio século de atividade artística.*

Hans Gunther Flieg: arquivo fotográfico.

[São Paulo]: Comissão de Fotografia e Artes Aplicadas/Governo do Estado de São Paulo/Imprensa Oficial do Estado, 198?. (Cadernos de fotografia, 3)

Pequeno álbum da produção artística da Hans Günther Flieg para uma exposição itinerante promovida pela Secretaria de Cultura do Estado de São Paulo. Como homenagem especial foi cedida ao artista o prefácio para apresentação da obra, um prefácio que compensa uma leitura atenta. Muito interessante.

FLORENÇANO, PAULO Camilher

Roteiro de Ubatuba = Guide to Ubatuba; a place for vacation on the seashore of the State of São Paulo, Brazil.

[São Paulo: Departamento Imobiliário Central, 1951].

Apesar do título bilíngüe, o texto nesta edição não foi traduzido para o inglês e o conjunto formado por desenhos e fotografias de sua autoria não conseguiu sequer atingir a categoria de modesto.

FLORENCE, ADRIANA

No caminho da Expedição Langsdorff.

São Paulo: Grifa/Melhoramentos, 2000.

Obra vistosa e graficamente muito interessante, mas, em matéria de conteúdo textual e visual, algo estranha e estranhável. É um livro que se encontra definido por uma das coordenadoras como sendo, alternadamente, "de arte", "de filme", "de textos", "de imagens", "de emoções", e menos prosaicamente por um outro como um conjunto de imagens fotográficas colhidas durante o documentário cinematográfico de mesmo nome pelo diretor Mauricio Dias. Tudo isto é provavelmente correto, mas na realidade prevalece um aspecto diferente e mais visível: a preponderância e a ênfase da produção artística da aquarelista Adriana Florence, tetraneta de Hercules Florence (um dos artistas que participaram da Expedição Langsdorff de 1824 a 1828, v. esta).

FLORENCE, HERCULES

Nascido na França em 1808, chegou ao Brasil em 1824 e em 1826 foi contratado como segundo desenhista da expedição científica russa dirigida pelo naturalista alemão Barão von Langsdorff (v.), encerrada em 1829. Cabia-lhe auxiliar o titular Adrien Aimé Taunay (v. – a quem substituiu em 1828), cuidar da administração e redigir o diário oficial, o "Esquise pittoresque du voyage de Porto Feliz à Cuyabá et explications des dessins ci-joints", diário com desenhos próprios atualmente arquivados na Academia de Ciências de São Petersburgo (Rússia). Em 1830 casou-se e passou a residir em Campinas (SP), onde se estabeleceu como negociante e iniciou estudos que o levaram à invenção da Zoofonia e da Poligrafia, esta um sistema precursor da fotografia. Faleceu em Campinas em 1879. Sua vida e realizações encontram-se relatadas em Hercules Florence: um herói da sociedade *(São Paulo, 1901), de Estevam Leão Bourroul, as pesquisas fotográficas em* Hercules Florence: a descoberta isolada da fotografia no Brasil, *de Boris Kossoy (v.), e muitas de suas aquarelas em* O poliédrico Hercules Florence, *de P.M. Bardi (v.), e em* O livro do Rio Tietê *(v.).*

Viagem fluvial do Tietê ao Amazonas de 1825 a 1829.

[São Paulo]: Edições Melhoramentos, [1941?].

Além do diário oficial da Expedição do Barão von Langsdorff (v.), Hercules Florence mantinha paralelamente um diário particular e esta é uma tradução parcial deste diário por Alfredo d'Escragnolle Taunay (Visconde de Taunay), anteriormente publicado na *Revista do Instituto Histórico e Geográfico Brasileiro* (anos 1875 e 1876). Ainda que incompleto, este "Diário" é básico para o conhecimento da expedição científica russa do Barão von Langsdorff (v.), assim como são importantíssimos os belos desenhos e aquarelas reproduzidos, indispensáveis ao estudo das cidades e vilas então visitadas, bem como dos indígenas e da população. Boa e muito recomendável edição.

Viagem fluvial do Tietê ao Amazonas pelas províncias brasileiras de São Paulo, Mato Grosso e Grão-Pará: 1825-1829.

São Paulo: Museu de Arte de São Paulo Assis Chateaubriand, 1977. (Catálogo de exposição, 1977)

Comemorando o sesquicentenário da Expedição do Barão von Langsdorff (v.), o Museu de Arte de São Paulo organizou em 1977 uma memorável exposição, para a qual foi publicada esta nova e integral tradução do "Diário" de Hercules Florence por Francisco Alvares Machado e Vasconcellos Florence. Ilustrado com muitos desenhos do diarista-artista, foram alguns deles confrontados com fotografias recentes dos mesmos locais, pelo historiador e fotógrafo Boris Kossoy (v.). Além de uma sucinta introdução pelo tradutor, foram acrescidas "Notas" por diversos especialistas, entre os quais o próprio Kossoy, Newton Carneiro e Thekla Hartmann (v. estes). Esta obra não é mais do que um catálogo, mas de boa qualidade, muito interessante e recomendável.

FOLCLORE

Todas as tradições populares enquadram-se neste capítulo, das crenças aos provérbios, das lendas ao teatro, das canções às festas, mas à resenha interessam apenas as imagens, predominando a das festas profanas e religiosas; o "cordel" será examinado em capítulo à parte.

Além da linha d'água; espetáculo e mostra de artes e artefatos do sertão.

São Paulo: Teatro Sesc Pompéia, 1999. (Catálogo de exposição, 1999)

Plaqueta de grande qualidade para servir de programa para um espetáculo folclórico e de dança apresentado pelo coreógrafo Ivaldo Bertazzo. Muito bem ilustrada e recomendável.

Antologia de carnaval.

Organizado por Wilson Lousada. Desenhos de Percy Deane. Rio de Janeiro: Seção de Livros da Empresa Gráfica O Cruzeiro S.A., 1945.

Conjunto de interessantes estudos sobre o carnaval brasileiro, ilustrado com muitos desenhos e vinhetas a bico de pena de Percy de Mello Deanne (arquiteto, pintor e ilustrador, 1921).

Brasil: festa popular.

Rio de Janeiro: Livroarte Editora, 1980.

Importante obra pelo texto e pelas excepcionais fotografias de Marcel Gautherot, Walter Firmo (v. estes), e das agências Câmera Três e J.B. Além das fotografias coloridas e em preto e branco, são reproduzidas obras de Cândido Portinari sobre o tema e inúmeras vinhetas de Carybé (v. estes).

Festas populares no Brasil = Popular festivals in Brazil.

Rio de Janeiro: Editora Index, 1987.

Com texto da folclorista Lélia Gonzales e fotografias de mais de vinte profissionais competentes, é uma obra muito colorida e alegre, documentando festas populares e religiosas, além de afro-brasileiras e do Carnaval.

FONSECA, EDSON NERY da

O Recife de Manuel Bandeira.

Recife: Pool Editora, 1986.

Da lavra de importante intelectual pernambucano contemporâneo, esta obra evoca a cidade de Recife na época do grande poeta Manuel Bandeira (1886-1968), enriquecida com uma série de fotografias do poeta e da cidade, reprodução em cores de muitos cartões-postais antigos e raros (coleção Edilberto Sousa Alves) e sete das raríssimas gravuras do álbum *Memória de Pernambuco*, de Ludwig Schlappriz (v.).

FONSECA, JOÃO SEVERIANO DA

Doutor em Medicina (1836-?), participou da Guerra do Paraguai, ocupou o cargo de Inspetor Sanitário do Exército e reformou-se como general-de-brigada.

Viagem ao redor do Brasil: 1875-1878: 1º volume.

Rio de Janeiro: Typographia de Pinheiro & C., 1880. v. 1.

Viagem ao redor do Brasil: 1875-1878: 2º volume.

Rio de Janeiro: Typographia de Pinheiro & C., 1881. v. 2.

No relato desta sua longa viagem pelo Brasil como membro de uma comissão dos limites Brasil/Bolívia, o autor incluiu um estudo da então Província do Mato Grosso e apresentou importante mapa das divisas com a Bolívia. O editor da obra, Pinheiro & Co., era na realidade o xilógrafo português Manuel Joaquim da Costa Pinheiro (1832-1903), chegado ao Brasil em 1843 e estabelecido como tipógrafo a partir de 1852 no Rio de Janeiro, que ilustrou a obra em sua quase totalidade com letras capitulares, vinhetas e xilogravuras (algumas poucas por seu filho Alfredo Carvalho (1858-?, v.), que em 1874 estudara xilogravura em Lisboa). Ao citar esta obra, Berrien considera a ilustração péssima, mas na realidade é um produto romântico-ingênuo muito em moda na época e muito usado pelo artista em suas numerosas ilustrações para livros, principalmente para a Livraria Garnier.

FONSECA, LUIS ADÃO DA

Pedro Alvares Cabral: uma viagem.

Lisboa: Comissão Nacional para as Comemorações dos Descobrimentos Portugueses/Edições Inapa, 1999.

Com a habitual alta qualidade gráfica e pictórica das edições da Comissão Nacional para as Comemorações dos Descobrimentos Portugueses, esta é de especial importância e beleza, além do texto por um historiador especialista em Idade Média. Imprescindível para estudos.

FONTENELLE, MARIO MOREIRA

Minha mala, meu destino.

Brasília: Alhambra, 1988.

Este fascinante álbum, coordenado por Raquel Cavalcante, contém o acervo fotográfico de Mario Moreira Fontenelle (Piauí 1911–Brasília 1988), um mecânico que o destino levou a empregado de Juscelino Kubitschek em 1955 e dali a cinegrafista no Rio de Janeiro e fotógrafo oficial da Novacap em 1962; esta carreira lhe permitiu conviver com o nascimento e crescimento de Brasília e registrar (em preto e branco) as construções, os trabalhadores, os Palácios e o Congresso, os Candangos, o lago Paranoá, a Cidade Livre, as personalidades e, posteriormente, as vistas gerais em cores. Este rico acervo encontra-se confiado ao Serviço do Patrimônio Artístico e Cultural do Distrito Federal e foi muito bem reproduzido.

FORTES, FORTALEZAS E FARÓIS

Os diversos tipos de fortalezas sempre foram marcos de soberania e continuam sendo marcos históricos e geográficos, assim como os faróis marítimos em menor grau; ainda que muitos se encontrem atualmente em estado de ruína, continuam despertando o interesse dos estudiosos e iconógrafos.

Banco Safra: relatório anual 1976.

[São Paulo]: Banco Safra, 1976.

Difere este relatório de outros do mesmo tipo por sua dimensão pouco usual (30 x 30 cm) e por ter apresentado o tema historico-cultural "Fortes do Brasil" em destaque separado. Assim, além de um breve histórico, ilustrado com catorze fotografias, foram focalizados nove "fortes", cada um com várias fotografias de autor não identificado.

Faróis da solidão = Lighthouses of solitude.

Porto Alegre: Riocell, 1988.

Entre as muitas obras publicadas pela Riocell, esta é algo curiosa, principalmente por se tratar de uma obra que não trata diretamente dos faróis do título mas destes como símbolos da solidão. A primeira parte da obra foi confiada à jornalista Dinorah Araujo em rápido estudo sobre os faróis da costa gaúcha, ilustrado com fotografias destes faróis intercaladas no texto. A segunda parte é formada por um conjunto de poesias de Liana Timm (arquiteta, artista plástica e professora universitária) e por ela ilustrados, seguida de um longo poema de Armindo Trevisan (professor de História da Arte na UFRGS), ilustrado como fotografias de Edgar Timm (professor universitário) sobre o tema solidão e o símbolo do título; finaliza com um conto de Arnaldo Campos (escritor e crítico literário), ilustrado por Liana e Edgar Timm. NOTA: Segundo a editora, esta obra pertence ao "Ciclo das Águas", um ciclo que contava com duas obras anteriores, *Crônica de um rio* (v.) e *Banhados* (1986).

Fortalezas históricas do Brasil.

[São Paulo: Rhodia, 1983].

Uma bela obra sobre o assunto do título, com fotografias do arquivo da Editora Abril e por Rômulo Fialdini (v.); texto do crítico de arte Jacob Klintowitz. A obra foi enriquecida com a reprodução de muitas plantas originais das fortalezas retratadas. Muito interessante.

Relatório anual 1991: Bradesco.

São Paulo: [Bradesco, 1991].

Os relatórios anuais do Banco Bradesco de São Paulo primam tradicionalmente por uma visão essencialmente técnica e de marketing. O presente não foi exceção à regra, mas usou o farol marítimo como símbolo de segurança bancária e de constante alerta, "mostrando aos seus clientes um rumo a seguir" e apresentando nove belas fotografias de faróis nacionais, sem revelar o fotógrafo.

FOSSARI, DOMINGOS

Gaúcho de nascimento (1914), é desenhista autodidata com aperfeiçoamento na Argentina de 1937 a 1939. Como funcionário estatal catarinense foi autor de um grande número de aquarelas da flora do Estado, muitas das quais publicadas no The Bromelian Society Bulletin *de Los Angeles; foi também autor de um álbum de caricaturas.*

Florianópolis de ontem.

2ª edição. [Florianópolis]: Fundação Catarinense de Cultura, s.d.

Álbum grande e de formato oblongo, reproduz 121 paisagens a bico de pena sobre o tema do título, todas com verbetes de Oswaldo R. Cabral.

FOTOGRAFIA

A invenção da fotografia coincidiu no Brasil com o desabrochar dos interesses científicos do jovem imperador D. Pedro II, que se tornou grande conhecedor e incentivador da nova técnica e abriu caminho para um sempre crescente contingente de profissionais europeus e americanos que se instalaram no País. Nas últimas décadas do século XIX não existia cidade de porte de Manaus ao extremo Sul que não contasse com um ateliê fotográfico, ateliês que se multiplicaram no fim do século com o advento dos cartões-postais e a adoção da ilustração fotográfica em obras de viagem, almanaques, álbuns comemorativos e relatórios de Governo. Apesar da enorme aceitação e para fins utilitários e artísticos, a fotografia não mereceu por muitos anos a qualificação de arte e tampouco por parte de Gonzaga Duque, Araújo Viana, Argeu Guimarães, Laudelino Freire e outros críticos e historiadores de arte, passando assim despercebidos o pioneirismo de um Hercules Florence (v.) e a importância da produção de Marc Ferrez, Huebner, Lindemann, Gaensly (v. estes) e tantos outros; esta tendência se prolongou até o recente Dicionário brasileiro de artistas plásticos *do Ministério da Educação e Cultura (1973-1980), que se diz das artes plásticas e inclui em seu rol ourives, prateiros, professores, críticos de arte e arquitetos, e omite totalmente os fotógrafos, dos quais Victor Frond e Lindemann são os únicos citados mas apenas como pintores. Coube aos historiadores Gilberto Ferrez, Boris Kossoy e Pedro Vasquez (v. estes) e outros a divulgação da obra fotográfica do século XIX e o estudo do posterior desenvolvimento, abrindo assim também espaço para os estudos sobre o fotojornalismo, as exposições individuais e coletivas, a criação dos museus de imagem e som, os ensaios fotográficos e as grandes coleções particulares, destacando-se entre estas as de Pedro Corrêa do Lago, Pirelli e Instituto Moreira Salles (v. estes).*

Cadernos de fotografia: arquivo fotográfico.

[São Paulo]: Comissão de Fotografia e Artes Aplicadas/Governo do Estado de São Paulo/Imprensa Oficial do Estado, 198?. 7 v.

Foi no início da década de 1980 que a Secretaria de Cultura do Estado resolveu criar uma Comissão de Fotografia e Artes Aplicadas sob a presidência do historiador Boris Kossoy (v.), encarregada de promover exposições itinerantes de fotografia capazes de transmitir à população aspectos da civilização paulista e criar interesse pela preservação da documentação visual em benefício da memória nacional. Estas exposições percorreram o Estado e para cada uma foi elaborado um catálogo reproduzindo um bom número das fotografias expostas. De mesmo formato e acabamento, contavam com a capa e a contracapa também ilustradas e com um bom estudo de um especialista sobre o tema da exposição. Todos os catálogos publicados nesta série foram importantes, ainda que as reproduções tivessem sido modestas. A série foi composta pelos seguintes exemplares, que serão examinados nos capítulos correspondentes:

1. *Estação da Luz*, por Antonio Carlos d'Avila e estudo de Odilon Nogueira de Matos.
2. *A visão e a construção da paisagem*, por Carlos Schmidt (v.).
3. *Hans Gunther Flieg: Arquivo fotográfico* (v.).
4. *Fazendas de café. Vale do Paraíba*, por Marcos Santilli (v.) e estudo de Antonio Luiz Dias de Andrade.
5. *Fazendas do ciclo do café. Região de Campinas*, por Antonio Carlos Bellia e estudo de Ernani da Silva Bruno (por ocasião do lançamento deste "Caderno", foi também publicado um cartaz alusivo).
6. *Paranapiacaba*, por João Sócrates de Oliveira e estudo de Janice Theodoro da Silva.
7. *Fazendas de café da Alta Mogiana*, por Gilberto Grecco e estudo de José Roberto do Amaral Lapa.

Os brasileiros: 25 postais fotográficos: nº 1: Cafi, Miguel do Rio Branco, Pedro de Moraes, Walter Firmo.

Texto de Darcy Ribeiro. Rio de Janeiro: s.e., 1982.

Envelope contendo os vinte e cinco postais dos excelentes fotógrafos (v.) que nos apresentam suas visões sobre o tema do título.

Cadernos do MIS.

São Paulo: Museu da Imagem e do Som.

No gênero dos precedentes "Cadernos de Fotografia" da Secretaria de Cultura do Estado de São Paulo e o dos "Registros" da Prefeitura de São Paulo (v. estes), o Museu da Imagem e do Som de São Paulo também iniciou naquela década de 1980 uma série de publicações para tornar pública uma parte de seu acervo. Esta série, coordenada pelo fotógrafo e historiador de arte Boris Kossoy (v.), pretendia apresentar um documentário fotográfico acompanhado de texto para abordar temas específicos de sua especialidade. A iniciativa foi boa e válida, mas na prática as fotografias (poucas) e os textos não foram confiados a especialistas mas a equipes locais, ainda que estas sob orientação do historiador Ernani da Silva Bruno (v.); parece não ter ultrapassado a três o número destes modestos álbuns:

1. *Vale do Ribeira* (1980).
2. *Chapada Diamantina.*
3. *Depoimentos* (sem ilustrações).

O lambe-lambe hoje: o fotógrafo de jardim.

[São Paulo]: Museu Lasar Segall, 1980. (Catálogo de exposição, maio-jun. 1980)

Catálogo de uma importante exposição sobre os fotógrafos ambulantes do início do século XX, os "lambe-lambes", tradicionalmente ativos nos "jardins" públicos e com máquinas conhecidas como "de jardim", por permitirem a revelação do produto na própria máquina e no local de atividade. Bons artigos e boas ilustrações, estas muito mal reproduzidas.

Os lambe-lambe: coisas nossas.

[Rio de Janeiro]: Fundação Nacional de Arte – Funarte/MEC, 1978.

Pequena e modesta plaqueta que estuda a técnica e a arte dos fotógrafos ambulantes, conhecidos como "lambe-lambes", e suas máquinas especiais. O texto é de Leonardo Fróes e as ilustrações muito sugestivas.

Caras Brasil.

S.l.: Sharp, s.d.

Fascinante esta obra em que "entramos nos álbuns da memória, coleção de caras e costumes a mostrar como evoluiu no Brasil a arte e a prática da fotografia", nas palavras de um dos organizadores, Jorge da Cunha Lima. Dos fotógrafos clássicos aos contemporâneos Dulce Carneiro, Magdalena Schwarz (v.) e Hilton Ribeiro, encontramos uma expressiva coletânea de imagens que comprovam uma realidade: "a população brasileira tem muitas caras". A reprodução de algumas antigas *cartes de visite*, um ensaio de Gilberto Freyre e a inserção de fragmentos de poetas contemporâneos enriqueceram esta obra que poderia ser considerada perfeita não fosse a falta de identificação das fotografias antigas.

Contemporâneos brasileiros: 1981.

São Paulo: [Galeria de Arte São Paulo], 1981.

Um álbum curioso e de formato extravagante (29 x 45 cm), uma espécie de galeria de retratos dos artistas representados por uma galeria de arte paulista. Sem texto, os retratos foram confiados a fotógrafos de categoria: Cristiano Mascaro, Arnaldo Pappalardo (v. estes), Antonio Saggese, Ana Theophilo, Verônica Falcão e Claude Kubrusly.

Corpo e alma: fotografia contemporânea no Brasil = Photographie contemporaine au Brésil.

Rio de Janeiro: Funarte/Instituto Nacional de Fotografia, 1984. (Catálogo de exposição, 1984)

Exposição organizada pela Funarte para apresentação no Espaço Latino-Americano do Mês da Foto em Paris. Esta mostra teve como curador o historiador e crítico de arte Roberto Pontual, que propôs substituir a habitual imagem-documento por criação com a imagem, tendo por tema: "Corpo e alma". As imagens reproduzidas neste catálogo-álbum de Alair Gomes, Iole de Freitas, José Oiticica Filho, Lygia Pape, Mário Cravo Neto, Vera Chaves Barcellos e Hugo Denizart comprovam o acerto do critério adotado. Este catálogo é quase *sui generis* em apresentação, qualidade e criatividade, apresentando os dados e seleção de obra de cada um dos sete fotógrafos selecionados e acrescentando o ensaio "Imagem: alma do corpo, corpo da alma", do próprio curador. Muito interessante.

Fotografias: Collecção D. Thereza Christina Maria.

Rio de Janeiro: Biblioteca Nacional, 1987. (Catálogo de exposição, 1987)

Um catálogo simples e modesto que conta com um estudo da iconógrafa Lygia F.F. da Cunha (v.) sobre a coleção doada pelo deposto Imperador D. Pedro II à Biblioteca Nacional do Rio de Janeiro sob a denominação de "D. Thereza Christina Maria". Do enorme conjunto foram separadas por volta de setenta das principais peças para esta exposição de vistas, retratos e álbuns completos. Entre as fotografias reproduzidas (poucas, infelizmente), os retratos da Imperatriz e do Imperador por Francesco Pesce (Nápoles, 1888) e a *Baixa dos Sapateiros* na Bahia, por Benjamin Mullock (ativo na Bahia de 1859 a 1861).

Imagens negociadas: retratos da elite brasileira.

[Rio de Janeiro]: Centro Cultural Banco do Brasil, 1998. (Catálogo de exposição, jul.-out. 1988)

Rico catálogo de uma importante exposição subordinada ao título, na qual se procurou demonstrar que "a confecção desse tipo de imagem atendia diversas necessidades dos clientes da elite", entre os quais naturalmente "prestígio, distinção e poder", além de "pretensões de beleza, bom gosto e elegância, provas de amor e amizade", segundo Sergio Mirelli, curador da mostra e autor de um livro homônimo. Excelentes reproduções de retratos de Cândido Portinari, Almeida Júnior, Tarsila do Amaral, Ernesto De Fiori e outros, além de esculturas de Umberto Cozzo, Bruno Giorgi, José Figueira Jr. e outros, todos comentados pelo curador. Muito interessante.

Mostra de fotografia.

Rio de Janeiro, nº 1-11.

Sob este título a Funarte editou uma fascinante série de onze (?) dossiês entre 1980 e 1983 contendo cada um cerca de cem fotografias selecionadas entre milhares por uma comissão de trabalho em um concurso nacional promovido pela Kodak do Brasil. As fotografias foram muito bem reproduzidas individualmente ou agrupadas nos dois lados de folhas em papel couché.

Museu da fotografia: câmeras e aparelhos de dois séculos do Museu Foto-Historama da Agfa-Gevaert: Colônia – Alemanha.

São Paulo: MIS – Museu da Imagem e do Som, 1981. (Catálogo de exposição, mar.-abr. 1981)

Catálogo de uma exposição itinerante organizada pela Agfa, traduzida e adaptada para o Brasil pelo fotógrafo e historiador Boris Kossoy (v.), que também contribuiu com o pequeno estudo "Cronologia da história da fotografia no Brasil: Século XIX". O texto revela a evolução da fotografia e sua técnica, apresenta as máquinas então utilizadas e reproduz farto material, inclusive brasileiro.

I Trienal de fotografia do Museu de Arte Moderna de São Paulo.

[São Paulo: Museu de Arte Moderna de São Paulo, 1980]. (Catálogo de exposição, jun. 1980)

Catálogo desta exposição que reuniu 71 fotógrafos, com apresentação de dados biográficos e reprodução de uma obra de cada um.

Memória paulistana: 1940 a 1960.

São Paulo: Museu da Imagem e do Som, 1999. (Catálogo de exposição, 1999)

Catálogo de uma exposição que apresenta uma seleção referencial do acervo fotográfico do Museu da Imagem e do Som de São Paulo. Bem ilustrado e muito interessante.

Saudades do Brasil: a era J.K.: fotografia, cinema, vídeo, arqueologia contemporânea.

São Paulo: MASP – Museu de Arte de São Paulo, [1992]. (Catálogo de exposição, jan.-fev. 1992)

Com projeto da CPDOC da Fundação Getúlio Vargas e para a criação da "Memória Brasil", foi realizada esta exposição sobre fotojornalismo, em boa parte muito bem apresentado neste interessante catálogo.

Fotojornalismo.

[São Paulo]: *Folha de S. Paulo*, [1988?].

Edição de 60 000 exemplares como brinde do jornal paulista a seus subscritores; as imagens tendem aos interesses vigentes na época, naturalmente, encontrando-se cada uma documentada e identificada.

Fotojornalismo retrata São Paulo: exposição fotográfica.

[São Paulo]: MASP – Museu de Arte de São Paulo Assis Chateaubriand, 1984. (Catálogo de exposição, 1984)

Alta qualidade gráfica peculiar ao patrocinador Kodak se faz notar neste catálogo de uma exposição de repórteres fotográficos que veio a revelar profissionais de futuro renome, como Emidio Luisi, Rosa Gauditano e Renata Falzoni (v. estes).

O Brasil na máquina do tempo: coleção referencial da história da fotografia brasileira.

[São Paulo]: Instituto Cultural Itaú, s.d. (Catálogo de exposição)

Catálogo de exposição realizada sob a curadoria de Pedro Vasquez (v.), uma exposição que deu início à criação de um banco de dados de fac-símiles da produção de importantes fotógrafos do passado; programa de êxito total a julgar pelo presente catálogo. Importante.

Brasil: auto retrato.

Rio de Janeiro: Riomarket, [1984?].

Pequeno álbum com dezesseis fotografias apresentadas como cartões-postais, destacando-se entre outros as de Marcos Santilli, Pedro Vasquez, Rosa Gauditano, Walter Firmo, Zeka Araujo e José Medeiros (v. estes). Muito interessante.

Fotografia: arte e uso.

São Paulo: MASP/Kodak, 1980. 2 v. (Catálogos de exposição, set. 1980)

Álbum de folhas soltas de 29 x 29 cm em papel couché, servindo de catálogo à exposição "O homem brasileiro e suas raízes culturais", realizada no MASP; participaram 175 fotógrafos com um total de 685 obras, das quais as selecionadas encontram-se reproduzidas neste excelente catálogo, com duas a quatro imagens em cada página e algumas poucas em cores. NOTA: Catálogo em dois volumes, dos quais um dedicado ao tema acima, e o outro a Ernst Haas e ao livro *En France*, de Henri Cartier-Bresson.

Fotografias brasileiras raras da Biblioteca Oliveira Lima.

São Paulo: MIS, 1981. (Catálogo de exposição, jul.-ago. 1981)

Catálogo algo modesto da exposição de 110 fotografias e cartões-postais da coleção particular de Manoel de Oliveira Lima (1867-1928), uma pequena parte desta coleção que se encontra na biblioteca por ele doada à Universidade Católica de Washington (EUA).

Vestígios: Leonardo Carneiro, Martin Streibel, Roosevelt Campo Nina.

S.l.: MEC/Scretaria da Cultura/Funarte/Instituto Nacional de Fotografia, s.d. (Cartões-postais)

Visões urbanas: Cristiano Mascaro, Luiz Carlos Felizardo, Vilma Slomp.

[Rio de Janeiro]: MEC/Secretaria da Cultura/Funarte/Instituto Nacional da Fotografia, [1984?]. (Cartões-postais)

Dois pequenos "álbuns-estojo" publicados pela Funarte para a divulgação de alguns fotógrafos selecionados por concurso; as fotografias foram reproduzidas em cartões-postais e os álbuns dotados de folheto explicativo.

Arquivos e coleções fotográficas da Fundação Joaquim Nabuco.

Ruth de Miranda Henriques Medeiros (org.). Recife: Fundação Joaquim Nabuco/Editora Massungana, 1995.

Obra técnica em edição modesta, muito bem dotada de fotografias e útil para estudos.

O retrato na coleção da Pinacoteca.

[São Paulo]: Governo do Estado de São Paulo/Secretaria da Cultura, Ciência e Tecnologia/Pinacoteca do Estado, 1976. (Catálogo de exposição, ago.-set. 1976)

Aracy Amaral (v.), diretora da Pinacoteca do Estado de São Paulo, aponta a modéstia da coleção de retratos do acervo, mas entende ser necessário divulgá-la por ser desconhecida do público até a data. Bem elaborado e comentado, o catálogo deixa a desejar em suas poucas ilustrações.

FRAGOSO, DANILLO

Velhas ruas do Recife.

Recife: Universidade Federal de Pernambuco/Imprensa Universitária, 1971.

Esta obra, em quarto grande, promete "[...] um roteiro que, sem excluir outros aspectos, orienta e ajuda a conhecer o velho Recife e seus arredores". O autor cumpriu brilhantemente esta sua intenção, mas as belas gravuras antigas utilizadas para ilustrá-la (muitas sem identificação) foram mal reproduzidas. NOTA: Foi publicada uma segunda edição desta obra, em dimensão muito reduzida.

FRANCA, RUBEM

Monumentos do Recife: estátuas e bustos, igrejas e prédios, lápides, placas e inscrições históricas do Recife.

Recife: Governo do Estado de Pernambuco/Secretaria de Educação e Cultura, 1977.

Mais do que nos revela o título, esta obra é um guia para um passeio pela cidade, um guia às vezes poético-sentimental. Excelentes fotografias de autor não revelado (relativamente poucas) e uma competente bibliografia, além de diversos bons índices.

FRANCESES NO BRASIL

Após as malogradas incursões francesas no Brasil durante os séculos XVI e XVII, as famosas Franças Antártica e Equinoxial, não houve outras tentativas de colonização e nem tampouco corrente migratória, limitando-se o grande destaque que tiveram durante o século XIX à atuação de alguns poucos militares, cientistas, viajantes e, sobretudo, a Missão Artística de 1816 (v.); esta Missão, formada por membros da família Taunay (v. estes) e por Debret, Grandjean de Montigny (v. estes) e outros, fora contratada por D. João VI para o ensino das artes e a criação de uma Academia de Belas Artes no Rio de Janeiro, encontrando-se relatada em Affonso d'Escragnolle Taunay, Adolfo Morales de los Rios Filho, Gean Maria Bittencourt e Mario Carelli (v. estes).

France et Brésil.

Paris: [Arquivos Nacionais de França], 1955. (Catálogo de exposição, maio-jun. 1955)

Organizada pelos Arquivos Nacionais da França, esta exposição reuniu mais de 500 itens e contou com excelente estudo de Charles Braibant e colaboração de Jacques Monicat (conservador dos Arquivos), ao qual provavelmente também se devem os abalizados comentários. Poucas as boas ilustrações; a capa e a contracapa comportam a reprodução de um desenho de Rugendas, redesenhado por Jean Julien Deltil (v. estes). Importante.

FRANÇOIS, ANDRÉ

São Thomé das Letras.

S.l.: s.e., 1992.

Um ensaio fotográfico sobre uma pequena cidade em região montanhosa e remota de Minas Gerais, uma cidade que se caracteriza por sua cor branca (a das pedras de quartzito da região) e pela fama de "mágica", dotada de energias espirituais. O jovem fotógrafo André François (1966) demonstra sua capacidade neste álbum de edição própria patrocinada pela Olvebra.

FREIRE, JOSÉ JOAQUIM

Aquarelista e desenhista de cartas geográficas, foi aluno de João de Figueiredo; era segundo-tenente da Armada Real e "riscador" (ou desenhista) no Gabinete de História Natural do Museu da Ajuda (Lisboa) quando foi destacado em 1783 com o também "riscador" Joaquim José Codina (v.) para participarem da expedição do naturalista Alexandre Rodrigues Ferreira (v.) à Amazônia (1783-1793), conhecida como "Viagem Filosófica". Retornou a Portugal após a expedição e voltou a ocupar o cargo anterior, falecendo após 1814. Notícias a seu respeito se encontram em Expedições cientifico-militares enviadas ao Brasil no século XVIII, *de Souza Viterbo, e sua obra pictórica foi reproduzida em obras de Alexandre Rodrigues Ferreira (v.).*

FREITAS, MARCOS VINICIUS DE

Hartt: expedições pelo Brasil Imperial = Expeditions in Imperial Brazil: 1865-1878.

São Paulo: Metalivros, 2001.

Marcos Vinicius de Freitas, professor universitário e Doutor pela Brown University, nos proporcionou não somente a única e provavelmente definitiva obra sobre o cientista Charles Frederick Hartt, como também conseguiu publicá-la em edição das mais perfeitas e belas entre as do gênero. Hartt, nascido no Canadá em 1840 e naturalizado americano, formou-se em Harvard e de 1865 a 1866 participou da expedição de Louis Agassiz (v.) ao Brasil (conhecida por Expedição Thayer). Em 1867 retornou ao Brasil para uma exploração do Arquipélago de Abrolhos e em 1868 tornou-se professor de Geologia na Cornell University, publicando no mesmo ano sua maior obra *Geologia e geografia física do Brasil.* Em 1871 e 1872 realizou uma expedição ao Amazonas, conhecida por Expedição Morgan, e em 1874 retornou pela última vez para formar a Comissão Geológica do Império, missão durante a qual faleceu em 1878. Todas estas fases e viagens encontram-se magistralmente estudadas e ilustradas com seus desenhos e telas mantidas na Cornell University, assim como boa parte das aquarelas de Jacques Burckhardt (v.) e muitas fotografias de George Leuzinger e Marc Ferrez (v. estes), além de fotografias atuais que ilustram o capítulo: "Invertebrados fósseis do Museu Nacional: um legado de Hartt". Além de bela, esta obra é indispensável para o estudo das ciências no Brasil.

FREYRE, GILBERTO de Mello

Sociólogo e historiador pernambucano (1900-1987), autor dos clássicos Casa grande e senzala *e* Sobrados e mucambos.

Apipucos: que há num nome?

Recife: Fundação Joaquim Nabuco/Editora Massangana, 1983.

Nesta crônica poética do bairro recifense de Apipucos (nome indígena que também já foi o de engenho, de povoação, de Visconde, e finalmente, do atual subúrbio), o mestre da sociologia brasileira foi secundado nesta bem-sucedida tarefa pelas significativas e evocativas aquarelas de Eliézer Xavier (v.).

Guia prático, histórico e sentimental da cidade do Recife.

[Pernambuco?: The Propagandist, 1934].

Uma edição muito especial, em tiragem de 105 exemplares, que se tornou um item bibliófilo. Além de gravuras e fotografias, esta obra clássica contou com desenhos de Luís Jardim (v.), algumas coloridas à mão. Lindo e muito recomendável.

Olinda: 2º guia prático, histórico e sentimental da cidade brasileira.

Recife: [Santista], 1939.

Outra obra clássica, à qual se poderá acrescer o atributo de "definitiva". Edição especial em tiragem de 500 exemplares numerados e assinados pelo autor e pelo ilustrador Manoel Bandeira (v.), um desenhista que teve na presente sua obra-prima. Muito recomendável.

Olinda: 2º guia prático, histórico e sentimental da cidade brasileira.

2ª edição. Rio de Janeiro: Livraria José Olympio Editora, 1944. (Coleção Documentos Brasileiros, 44)

Esta segunda edição da obra precedente foi publicada em uma tiragem simples e outra especial em 400 exemplares de grande formato e papel superior. As ilustrações, entre vinhetas e desenhos a carvão, couberam a Luís Jardim (v.), também este um excelente intérprete da vida e paisagem nordestina.

FREYREISS, GEORG WILHELM

Naturalista alemão (1789-1825), trabalhou em São Petersburgo (Rússia) a partir de 1808 e em 1812 juntou-se à comitiva do Barão von Langsdorff (v.) para uma viagem ao Brasil, mas desligou-se desta comitiva após sua chegada em 1813 e participou em 1814 de uma viagem a Minas Gerais em companhia do mineralogista Barão von Eschwege; participou a seguir da expedição do Príncipe Maximiliano de Wied-Neuwied de 1871 a 1819, em companhia do botânico Friedrich Sellow (v.). Freyreiss era exímio desenhista e aquarelista e sua obra integralmente conservada na Academia de Ciências de Stockholm (Suécia), incluindo seu "Diário" da viagem de 1814 a Minas Gerais (ilustrado com desenhos de aves brasileiras) e o manuscrito de sua obra Reisen in Brasilien.

Reisen in Brasilien.

Estocolmo: Biblioteca e Instituto de Estudos Ibero-Americanos de la Escuela de Ciencias Economicas, 1968.

Publicado na Suécia, esta obra é o original alemão do "Diário" de Freyreiss durante sua viagem por Minas Gerais em 1814 em companhia do cientista Barão von Eschwege; foi prefaciado por Stig Ryden e transcrito em português, um longo estudo retratando a vida e a obra do autor. Como única ilustração consta uma gravura de A. do Carmo (padre português ativo no Rio de Janeiro de 1810 a 1818) reproduzindo a aquarela de um índio por Freyreiss.

Viagem ao interior do Brasil.

[São Paulo]: Editora Itatiaia Limitada/Editora da Universidade de São Paulo, [1982].

Como volume 57 da série "Reconquista do Brasil", esta é a versão nacional do manuscrito *Reisen in Brasilien* que se encontra na Academia de Ciências de Stockholm (Suécia); esta edição foi fartamente ilustrada, mas só com gravuras de Rugendas, von Martius e Spix e Martius (v. estes).

FRIDMAN, SERGIO A.

FRIDMAN, Sergio A. e MORAES, Roberto Menezes de. *Morro do Castelo; seus aspectos numa rara coleção de cartões-postais.*
Rio de Janeiro: s.e., 1999.

Pouco antes do início do desmonte do Morro do Castelo no Rio de Janeiro (1920), um fotógrafo anônimo focalizou suas ladeiras, ruelas e prédios históricos que lá se aglomeravam; estas fotografias serviram para a confecção de 21 cartões-postais, conjunto reputado como raro e, sobretudo, importante. O colecionador Sergio Fridman e o historiador Roberto de Moraes apresentam um destes conjuntos neste simpático e muito recomendável álbum, formado por folhas soltas em papel couché (21 x 26 cm), acondicionadas em envelope; a capa reproduz uma vista do Morro por Adolphe d'Hastrel (v.), proveniente da coleção de Beatriz e Mário Pimenta Camargo (v.). É uma edição bem cuidada, prefácio de Milton Teixeira, com bom histórico, bibliografia e um mapa antigo do Morro do Castelo, estranhando-se apenas a reprodução sofrível das imagens, fato talvez imputável a um possível estado de esmaecimento destes cartões.

FRISCH, SVEND

FRISCH, Svend e FRISCH, Johan Dalgas. *Aves brasileiras.*
São Paulo: s.e., 1964.

Obra do engenheiro e ornitólogo Johan Dalgas Frisch, ilustrada com quase cem aquarelas de aves brasileiras de autoria de Svend Frisch, seu pai, também engenheiro e ornitologista dinamarquês. NOTA: As aquarelas ornitológicas de Svend Frisch somam mais de mil e serão sucessivamente publicadas, conforme revelado no prefácio.

FROND, VICTOR

Poucas e conflitantes são as notícias sobre este desenhista, pintor e fotógrafo francês, ativo no Rio de Janeiro na Rua da Assembléia nº 34 por volta de 1855 a 1865. Foi sócio por pouco tempo do litógrafo francês S. A. Sisson (v.) e trabalhou durante o ano de 1858 em Petrópolis, onde obteve grande sucesso como retratista. Muito ativo como fotógrafo e muito prestigiado por D. Pedro II, ignora-se entretanto o paradeiro de sua presumida vasta obra fotográfica, conhecida apenas através das gravuras que ilustram a obra do publicista francês Charles Rybeirolles (v.): Brazil pittoresco. Historia. Descripções. Viagens. Instituições. Colonização. Por Charles Ribeyrolles. Acompanhado de um album de vistas, panoramas, paisagens, costumes, etc, etc, por Victor Frond *(Rio de Janeiro, 1859). O álbum enunciado no título foi publicado por Lemercier (Paris) em 1861 como* Brazil pittoresco. Album de vistas, panoramas, paisagens, monumentos, costumes, etc, com os retratos de Sua majestade imperial don Pedro II et da familia imperial, photographados por Victor Frond lithographados pelos artistas de Paris, MM León Noel, Fanoli, Desmaisons, Ciceri, Sabatier, Tirpeune, Philippe Bénvit, Jaime, Jacottet, Clerget, Laurens, Sorrien, Champagne, Bachelier, Aubrun, Deroy, Fichot, V. Adam, Duroy, Charpentier, Lebreton, etc...*; contém 79 litografias* *de alta qualidade e grande formato (57 x 68 cm), é considerado muito raro, não constou do* CEHB *e as gravuras avulsas são muito disputadas pelos colecionadores.* NOTA: *Victor Frond encontra-se relacionado no DicMEC como pintor.*

FROTA, GUILHERME DE ANDRÉA

Apontamentos para um guia histórico do Rio de Janeiro.

[Rio de Janeiro]: CEA (Companhia Editora Americana), 1971.

Um guia que pode ser classificado de erudito. As ilustrações, belas, não foram bem reproduzidas mas, em compensação, muito bem escolhidas.

FROTA, LÉLIA COELHO

Antropóloga e historiadora de arte, antiga colaboradora do IPHAN, *autora entre outros de* Mitopoética de nove artistas brasileiros.

Mestre Vitalino.

São Paulo: Editora Publicações e Comunicações Ltda., 1988.

Vitalino Pereira dos Santos (1909-1963), o Mestre Vitalino (v.), nada mais é do que um *boucquère*, ou "bonequeiro", um ceramista que conseguiu nos apresentar em barro a melhor das visões do homem do Nordeste, em todos os aspectos do cotidiano de sua vida, das festas à polícia, da música à dança, do plantio ao mercado e à mesa, do casamento à morte. Um significativo conjunto destas esculturas em barro, quase todas dos Museus Castro Maya e Homem do Nordeste (v. estes), encontram-se neste belíssimo álbum que reproduz estas imagens através das lentes de Pedro Oswaldo Cruz (v.) e Celso Brandão, que "penetraram fundo no universo das formas e das situações". Muito recomendável.

Tiradentes: retrato de uma cidade = portrait of a town.

Campos Gerais: Fundação Rodrigo Mello de Andrade, 1993.

Editado pela Fundação Rodrigo Mello Franco de Andrade (à qual se deve, em grande parte, a revitalização da cidade e a preservação de seus tesouros artísticos e culturais), este estudo histórico-artístico dificilmente será superado, quer por sua importância, quer pelas belas fotografias e excelente apresentação gráfica. Muito recomendável.

FRÜHBECK, FRANZ Joseph

Nascido na Áustria em 1795, nada se sabe sobre os estudos deste aquarelista que se candidatou ao cargo de pintor da comitiva científico-artística da Arquiduquesa Leopoldina em sua viagem ao Brasil em 1817; vencido nesta disputa por Thomas Ender (v.), conseguiu não obstante o cargo de assistente de Roque Schüch, encarregado da biblioteca da futura Imperatriz do Brasil. Retornou à Europa em 1818, estabeleceu-se como comerciante em Krieglach e a partir de 1828 em Viena, ocasião em que expôs doze vistas aqueladas de sua viagem ao Brasil (com o auxílio de uma "lanterna mágica", conforme constava). Em 1838 ampliou esta exposição para 24 aquarelas e acrescentou a título de catálogo um opúsculo de 32 páginas, "Skizzen meiner Reise nach Brasilien", atualmente de grande raridade. Estas 24 aquarelas encontram-se atualmente na Hispanic Society of New York e foram estudadas e reproduzidas em Franz Frühbeck's Brazilian journey, *de Robert C. Smith (v.), além do fac-símile do catálogo "Skizzen...". Outros estudos e reproduções encontram-se em "Franz Josef Frühbeck; pintor e desenhista desconhecido", de Carlos Oberacker (in* Humboldt, *nº 7, 1963) e em* A muito leal..., *de Gilberto Ferrez (v.); no catálogo* Quatro séculos do Rio de Janeiro *(v.) encontram-se as reproduções das aquarelas* Saco do Alferes *e* Campo de Santana *que lhe são atribuídas. Em coleção particular paulista encontra-se um pequeno álbum com treze aquarelas e doze desenhos de sua autoria, esboços para as grandes aquarelas da Hispanic Society, das quais duas reproduzidas em* O Brasil dos viajantes, *de Ana Maria Moraes Belluzzo (v.), quatro reproduzidas e todas relacionadas e descritas em* Iconografia do Rio de Janeiro, *de Gilberto Ferrez (v.), e finalmente seis reproduzidas no romance histórico* Grüner Purpur. Brasiliens erste Kaiserin, Erzherzogin Leopoldine *(Viena, 1958), de Olga Obry.*

FUNCK, JACQUES

Jacques, ou Diogo Jacques Funck, engenheiro militar sueco, estudou na Academia de Estocolmo. Em 1745 serviu no exército francês em Flandres e a seguir em Cuba, passando em 1764 ao serviço de Portugal como tenente-coronel; chegando ao Brasil em 1767, foi promovido em 1769 a brigadeiro e destacado para os serviços de Defesa do Porto do Rio de Janeiro. Foi autor de muitos trabalhos cartográficos e técnicos postados para as províncias do Sul e do Rio de Janeiro, conservando a Biblioteca Nacional o manuscrito "Relation general de toutes les places fortifiés autour du port et la ville de Rio de Janeiro, avec leur situation et leur état presente", com doze aquarelas próprias das fortalezas e um plano do Rio de Janeiro, este reproduzido em Aparências do Rio de Janeiro, *de Gastão Cruls (v.). Foi também autor de três projetos para um chafariz no Largo do Paço (atual Praça XV), um dos quais construído mas atribuído ao Mestre Valentim, projetos que se encontram reproduzidos em* Terra carioca: fontes e chafarizes *(1939), de Magalhães Corrêa (v.) e em* Fontes e chafarizes *(v.). Muitos de seus mapas se encontram reproduzidos por Gilberto Ferrez em* O Rio de Janeiro e a defesa de seu porto. 1555-1800 *(nº 45, 48-64, 66) e na* RPHAN, *nº 14 e 15, e todos os referentes ao Rio de Janeiro relacionados e descritos em* Iconografia do Rio de Janeiro *de Gilberto Ferrez (v.).*

FURRER, BRUNO

Fotógrafo suíço, ilustrou Pelourinho; centro histórico de Salvador – Bahia: a grandeza restaurada *(v.).*

Bahia.

São Paulo: Gráficos Brunner, 1970. (Coleção Mercator, 2)

O título denuncia o conteúdo deste simpático segundo volume da "Coleção Mercator" de fotografias coloridas, enriquecido com numerosas vinhetas e desenhos de Carybé (v.).

FUSS, PETER

Rio de Janeiro: Mit 48 Tessar-Aufnhamen von...

Berlin und Zürich: Atlantis Verlag, s.d.

Outro álbum deste grande fotógrafo alemão, de grande beleza e qualidade, ainda que em edição modesta; as imagens, muito pouco usuais, datam do início da década de 1930.

Südamerikanische Reise.

Berlin/Zürich: Atlantis Verlag, s.d.

Brasil.

Berlin/Zürich: Atlantis Verlag, [1937].

G

GAENSLY, GUILHERME

Wilhelm, ou Guilherme Gaensly (1843-1928), chegou ao Brasil ainda criança. Em fins da década de 1860 encontra-se ativo em Salvador como fotógrafo e na década seguinte temporariamente associado aos também fotógrafos J. Schleier e Waldemar Lange. Em 1880 associou-se na Bahia ao fotógrafo alemão Rodolfo Lindemann (v.) como "Gaensly & Lindemann", criando a seguir uma sucursal deste ateliê em São Paulo, onde passou a trabalhar, desenvolvendo grande atividade artística e empresarial e ingressando na editoração de cartões-postais com fotografias próprias. Suas fotografias se encontram reproduzidas em muitas obras e muitas de suas vistas da Bahia relacionadas no CEHB *sob os nº 16 983 (com a colaboração de J. Schleier), 16 977, 16 799, 17 008, 17 009, além de muitos retratos tirados a óleo; estudos e reproduções em* Album de Photographias de São Paulo. 1892, *de Boris Kossoy, e nas obras de história da fotografia brasileira de Gilberto Ferrez, Pedro Vasquez e Boris Kossoy (v. estes).* NOTA: *Seu ateliê paulista encontra-se retratado em uma aquarela de Jules Martin (v.) reproduzida no álbum:* Revista Industrial. Exposição 1900 *(v.).*

São Paulo, 1900.

S.l.: Companhia Brasileira de Projetos e Obras – CBPO/Livraria Kosmos Editora, 1988.

Nesta bela obra, o historiador Boris Kossoy (v.) reproduz 51 fotografias de um conjunto de 65, preparada pelo próprio Gaensly para uma futura edição; com sua conhecida competência, subscreve o estudo "São Paulo em 1900: Gaensly autor e personagem", e comenta cada uma das obras. Um álbum muito recomendável.

Imagens de São Paulo: Gaensly no acervo da Light: 1899-1925.

Organização: Vera Maria de Barros Ferraz. São Paulo: Fundação Patrimônio Histórico da Energia de São Paulo, 2001.

Um dos mais importantes e influentes fotógrafos ativos em São Paulo por mais de trinta anos não merecera um estudo adequado até este princípio do século. A descoberta de centenas de fotografias de São Paulo que se encontravam no arquivo da antiga São Paulo Light & Power trouxeram à luz o nome e a pessoa deste grande fotógrafo e sua apresentação nesta excelente obra que lhe faz justiça, seja pela alta qualidade de sua produção pessoal como pela igualmente alta qualidade da edição. Importante para o estudo de São Paulo.

GAGLIARDI, VILMA LUCIA

A Casa Grande do Tatuapé.

[São Paulo]: Prefeitura do Município de São Paulo/Secretaria Municipal da Cultura/ Departamento do Patrimônio Histórico/Seção Técnica de Divulgação e Publicações, [1983].

Como quinto volume da notável série "Registros" (v.), o presente diverge um pouco dos demais por se tratar essencialmente de um estudo histórico, com reprodução de muitos documentos antigos atinentes. A ilustração restringiu-se a fotografias anteriores ao restauro deste prédio histórico por Hermann Graeser (v.), e algumas recentes.

GAMBINI, ROBERTO

Espelho índio: a formação da alma brasileira.

2ª edição. São Paulo: Axis Mundi/Terceiro Nome, 2000.

A importância da obra é realçada pela beleza da ilustração e de sua integração ao texto.

GARFUNKEL, PAUL

Pintor e desenhista francês (1900-1981); engenheiro de profissão, chegou ao Brasil em 1927 e fixou-se em Curitiba, onde faleceu.

Images du Brésil: vingt litographies rehaussées à la main et signées accompagnèes d'un comentaire de l'auteur.

Curitiba: Editora Cartaz S/A, 1958.

Notável álbum em fólio grande (46 x 33 cm) e tiragem de 275 exemplares, no qual o texto é enriquecido com litografias próprias de dimensões variadas, todas coloridas e assinadas. A capa do álbum é revestida de tecido de linho, portando como título a assinatura fac-similada do artista. A editora publicou em aditamento uma plaqueta com a tradução do texto: *Imagens do Brasil. Vinte litografias assinadas e comentadas pelo autor. Tradução de Eduardo Roche Virmond* (mesma tiragem, sem data). Muito interessante.

Nouvelles images du Brésil: vingt sérigraphies originales en couleur accompagnées d'un comentaire illustré de l'auteur.

São Paulo: Grafica Furest Ltda., 1962.

Com as mesmas características da obra do item anterior, o autor aproveitou o sucesso daquela para este novo trabalho, substituindo entretanto as litografias por serigrafias (tiradas pessoalmente) e acrescentando a reprodução de várias vinhetas a nanquim, além de incluir no texto a tradução para o português. A tiragem foi de 250 exemplares e alguns adicionais fora de comércio. Muito interessante.

Dez concertos da Scabi.

[Curitiba: Editora Cartaz, 1958].

Modesto álbum em tiragem de 300 exemplares numerados e assinados, contendo dez litografias que retratam aspectos de concertos de uma sociedade musical de Curitiba (PR).

Paul Garfunkel: um francês no Brasil = Un français au Brésil.

Organização: Karlos Rischbieter. [Curitiba]: Posigraf, [1992].

Simpática obra que reproduz em cores boa parte da produção artística de Paul Garfunkel, engenheiro por profissão e pintor paisagista por vocação; organização e um dos textos por Karlos Rischbieter, seu genro.

GARRAUX, A.L.

Bibliographie brésilienne: catalogue des ouvrages français & latins relatifs au Brésil: 1500-1898.

Paris: Ch. Chadenat, Libraire/Jablonski,Vogt & Cie., 1898.

Uma bibliografia limitada, como revela o título (mas não por isto menos importante), foi coligida por um livreiro-antiquário de São Paulo e atualmente rara por força da tiragem limitada a 330 exemplares.

GASMAN, LYDINÉA

Documentos históricos brasileiros.

S.l.: Ministério de Educação e Cultura/Fename – Fundação Nacional de Material Escolar, 1976.

O título revela o conteúdo desta obra, escrita e coordenada por uma professora para professores, uma história do Brasil "feita do cotidiano onde atos oficiais fundem-se a comentários de teor político, econômico, social, ou a expressões literárias de romances ou peças de teatro". É uma coleção rica em textos, dos quais muitos ilustrados com gravuras das respectivas épocas, bem escolhidas mas deficientemente reproduzidas.

GASPAR, BYRON

Fontes e chafarizes de São Paulo.

São Paulo: Conselho Estadual de Cultura, [1970].

Competente estudo em estilo jornalístico sobre o tema do título, ilustrado com bicos-de-pena de Paolo Ferretti em estilo acadêmico (um dos quais desdobrável).

GAUDITANO, ROSA

Fotógrafa brasileira (1955) formada em Comunicação, dedica-se ao fotojornalismo e participou de várias exposições coletivas nacionais e internacionais; suas obras encontram-se representadas em Brasil: auto-retrato, São Paulo 1984, São Paulo, gigante e intimista, Paisagem cultural brasileira: região sudeste *(v. estas) e na "Coleção Pirelli" do MASP (v.).*

Índios; os primeiros habitantes = Indians; the first inhabitants: fotografias = photographs.

São Paulo: DBA/Melhoramentos, 1999.

Criado pela Caixa Econômica Federal o Projeto Caixa & Memória para o conhecimento da cidade de São Paulo, o curador Emídio Luisi entendeu estender este conceito ao próprio país e incluir a cultura indígena, confiando a tarefa à fotógrafa Rosa Gauditano, há dez anos dedicada a seu estudo. O resultado pode ser apreciado neste belo álbum de impecável acabamento, um testemunho da qualidade técnica e artística da autora, mas também, infelizmente, o da aculturação do índio e sua inexorável perda de identidade. Muito recomendável.

GAUTHEROT, MARCEL André Felix

Nascido em Paris em 1910, estudou na École des Arts Décoratifs e em 1938 participou da decoração do Museu do Homem de Paris, passando a seguir a dedicar-se também à fotografia. Em 1939 partiu para o Brasil, desembarcando em Belém e viajando pela região amazônica. Participou da 2ª Guerra Mundial em Dakar e em 1940 retornou ao Brasil, passando a colaborar com o Serviço do Patrimônio Histórico e Artístico Nacional do Rio de Janeiro. De lá para cá dedicou-se exclusivamente à fotografia, tornando-se um dos mais importantes fotógrafos do país. Faleceu em 1999. Seu arquivo fotográfico foi adquirido pelo Instituto Moreira Salles (v.) e incorporado à Casa da Cultura do Rio de Janeiro. Suas obras encontram-se representadas na "Coleção Pirelli" do MASP (v.) e em muitas obras coletivas, destacando-se Brasil, Brazil, Vitalino, *de René Ribeiro,* Brésil Baroque, *de Marcel Pianzola,* Tropical gardens of Burle Marx, *de P.M. Bardi,* Igreja da Ordem 3ª da Penitência do Rio de Janeiro, *de Mário Barata,* Roteiro de Minas, *de Romeu Braga,* Modern architecture in Brazil, *de Henrique Mindlin, e* Roberto Burle Marx: a nova visão da paisagem, *de Flavio Mota (v. estes).*

Bahia: Rio São Francisco, Recôncavo e Salvador.

Rio de Janeiro: Nova Fronteira, 1995.

Belíssima e alentada documentação fotográfica do arquivo do fotógrafo, colhido ao longo de quarenta anos de exercício profissional. Abalizado estudo de Lélia Coelho Frota (v.) e uma ampla bibliografia completam esta notável obra.

Brasilia: introduction de Wladimir Murtinho; texte et description des photographies par John et France Knox.

Munich: Wilhelm Andermann Verlag, [1966]. (Collection Panorama)

Rio de Janeiro: Einführung und Bilderlänterungen von John und France Knox.

München: Wilhelm Andermann Verlag, 1970.

São Paulo: text by Oroncio Vaz de Arruda.

Tradução de John Knox. New York: Distributed by Doubleday & Company, Inc., [1968].

Pernambuco: Recife: Olinda

Texte de Edson Nery da Fonseca. Hamburgo: Hamburger Verlagsbuchhandlung, 1970.

Linda série de quatro pequenos álbuns fotográficos desta editora alemã para as inestimáveis fotografias de Marcel Gautherot; todos os volumes foram publicados em diversas línguas e por diversos distribuidores, todos com bom texto introdutório e trinta fotografias.

Marcel Gautherot: retratos da Bahia: fotografias.

Texto: Lélia Coelho Frota. São Paulo: Edições Pinacoteca, 1996. (Catálogo de exposição, 1996)

Belo catálogo, em quarto grande, de uma exposição realizada na Pinacoteca do Estado de São Paulo. Pela perfeição da reprodução e da diagramação, este catálogo vale como síntese da obra deste grande fotógrafo e é muito recomendável.

O Brasil de Marcel Gautherot: fotografias.

São Paulo: Instituto Moreira Salles, 2001.

Tendo adquirido o acervo deste grande fotógrafo e recuperado a maior parte dos negativos originais, o Instituto Moreira Salles apresenta uma primeira visão deste tesouro neste álbum extremamente bem cuidado e acompanhado de importantes estudos por Augusto Silva Telles, Ana Luiza Nobre, Lygia Segala e Rubens Fernandes Junior. Muito recomendável.

GEIGER, PEDRO PINCHAS

Ensaio para a estrutura urbana do Rio de Janeiro.

Separata da *Revista Brasileira de Geografia*, ano XXI, nº 1, jan.-mar. 1960.

Esta separata da *Revista Brasileira de Geografia* contém um estudo acadêmico por um dos geógrafos do Conselho Nacional de Geografia, dotado de importante documentação fotográfica apenas razoavelmente reproduzida.

GELD, ELLEN BROMFIELD

Brazil: portrait of a great country.

Amsterdam/Rio de Janeiro: Colibris Ltda., [1959].

GEORLETTE, F.A.

La métamorphose d'une ville du Brésil.

Anvers: Imprimerie Cl. Thibaut, 1909.

Este estudo do vice-cônsul brasileiro em Anvers (Bélgica) sobre a evolução urbanística do Rio de Janeiro contou com um longo estudo histórico de Oliveira Lima (v.) e foi ilustrado com um antigo mapa do Rio de Janeiro (Laemmert), uma gravura antiga da Igreja da Glória e várias excelentes fotografias do Rio de Janeiro, uma delas por Augusto Malta (v.).

GEPP E MAIA

Um pouco de São Paulo.

[São Paulo]: Imprensa Oficial do Estado/Oficina do Livro Rubens Borba de Moraes, 2002.

Bem-humorado e divertido guia de São Paulo por dois ilustradores que adotaram um estilo peculiar e próprio de ilustração para apresentarem a cidade a dois meninos a vôo de pássaro a bordo do *14-Bis* pilotado pelo próprio Alberto Santos-Dumont (v.).

GERODETTI, JOÃO EMILIO

GERODETTI, João Emilio e CORNEJO, Carlos. *Lembranças de São Paulo; a capital paulista nos cartões-postais e álbuns de lembranças.*

São Paulo: [Studio Flash Produções Gráficas], 1999.

GERODETTI, João Emilio e CORNEJO, Carlos. *Lembranças de São Paulo: o litoral paulista nos cartões-postais e álbuns de lembranças.*

São Paulo: Solaris Edições Culturais, 2001.

Dois álbuns de altíssima qualidade pictórica e gráfica, produto do paciente trabalho de um administrador de empresas e também pintor (1939) e um jornalista e fotógrafo chileno (1961), dois importantes cartofilistas. Os cartões-postais revelados transmitem não só a "rara beleza nostálgica" mas também, e sobretudo, um amplo visual da evolução das cidades de São Paulo, Santos e do litoral paulista ao longo dos tempos. Muito recomendáveis e importantes para o estudo de São Paulo.

GERSON, BRASIL

História das ruas do Rio.

4ª edição, revista, ampliada e ilustrada. Rio de Janeiro: Livraria Brasiliana Editora, 1965. (Coleção Vieira Fazenda, 9)

História dos subúrbios: Botafogo.

[Rio de Janeiro]: Departamento de História e Documentação da Prefeitura do Distrito Federal, s.d.

Duas obras fundamentais para o conhecimento da toponímia urbana do Rio de Janeiro. As fotografias são todas de excelente qualidade e em grande parte inéditas e foram bem reproduzidas; infelizmente, por outro lado, foram poucas quando confrontadas com o volume da obra.

GIBSON, HUGH

Rio, illustrated from photographs.

New York: s.e., 1937.

Boas fotografias, provavelmente do autor.

GIOVANNETTI, BRUNO

Artisti italiani nelle piazze di San Paolo = Artistas italianos nas praças de São Paulo.

2ª edição. [São Paulo]: Consolato Generale d'Italia/Ministerio das Relações Exteriores da Itália, [1993].

Bela obra publicada por ocasião da grande exposição de mesmo título promovida pelo Consulado Italiano no Centro Cultural São Paulo, com texto e excelentes fotografias da lavra de Bruno Pedro Giovannetti (1961); edição em português e italiano em tiragem de mil exemplares.

Arquitetura italiana em São Paulo.

São Paulo: Consulado Geral da Itália, 1994.

Após a grande exposição "Artistas italianos nas praças de São Paulo", realizada no Centro Cultural São Paulo e sintetizada em livro do mesmo título, o consulado italiano promoveu a mostra "Arquitetura italiana em São Paulo", da qual a presente obra também é uma síntese com texto e fotografias novamente confiadas a Bruno Giovannetti, formando um belo e importante documentário fotográfico.

GOBBIS, VITTORIO

Nascido na Itália em 1894, estudou pintura e decoração em Veneza e em 1924 fixou-se em São Paulo, onde faleceu em 1968; participou ativamente da vida artística nacional, obteve muitos prêmios e expôs nas primeiras Bienais de São Paulo.

São Paulo antigo: 10 gravuras de Vittorio Gobbis.

São Paulo: s.e., 1954.

Álbum contendo dez gravuras originais, assinadas e numeradas, realizadas em 1954 para as comemorações do IV centenário de São Paulo. Ótimo documento iconográfico, focalizando aspectos pouco divulgados. Editado em 500 exemplares, com muitos exemplares aquarelados pelo artista ou por terceiros, foi na época largamente utilizado por decoradores, tornando-se muito escassos os exemplares completos. NOTA: O artista efetuava a tiragem das gravuras e a formação dos correspondentes álbuns de acordo com a demanda. Por ocasião de seu falecimento tinha produzido menos da metade da tiragem. Os herdeiros completaram a tiragem prevista e dotaram esta série complementar com um carimbo da assinatura fac-similada e com carimbos para os títulos; a numeração foi acrescida à mão. O presente exemplar é da série póstuma.

GODOFREDO FILHO

Ladeira da Misericórida.

[Salvador]: Edições Macunaíma, [1976].

Plaqueta luxuosa em 39 x 29 cm para um poema de Godofredo Filho de 1940, ilustrado na capa e sete xilogravuras de Karl Heinz Hansen-Bahia (v.); tiragem de 500 exemplares, dos quais cem assinados pelo autor e artista.

GOELDI, EMILIO Augusto

Cientista suíço (1859-1917), ativo no Museu Nacional do Rio de Janeiro a partir de 1884, foi contratado em 1894 para dirigir o Museu Paraense em Belém do Pará (v.), cargo que exerceu até 1907, quando retornou à Europa. Autor de muitos trabalhos científicos, foi também fotógrafo.

Excavações archeologicas em 1895: executadas no littoral da Guyana Brazileira entre Oyapock e Amazonas: 1ª parte – As cavernas funerarias artificiais de indios hoje extintos no Rio Cumary (Goanany) e sua cerâmica.

Reimpressão da edição original de 1900. Pará: Estabelecimento Graphico C. Wiegandt, 1905.

Nesta reimpressão da edição original de 1900 (ambas atualmente raras), o então Diretor do Museu Paraense, Emilio Goeldi, apresenta um estudo científico que conta com três estampas cromolitográficas de cerâmica indígena, executadas segundo fotografias do autor pelo litógrafo E. Lohse (v.).

Album de aves amazonicas.

Organisado pelo Dr. Emilio A. Goeldi Director do Museu Paraense e publicado por ordem de S. Excia. o Snr. Dr. José Paes de Carvalho, Governador do Estado do Para; desenhos do Snr. Ernesto Lohse, desenhista-lithographo do Museu Paraense. Supplemento illustrativo a obra "Aves do Brasil" pelo Dr. Emilio A. Goeldi: Livraria Classica de Alves & Cie.: Rio de Janeiro: 1894-1900: 2 volumes. Museu Paraense de Historia Natural e Ethnographica. 1° fasciculo – estampas 1-12: 1900. 2° fasciculo – estampas 13-24: 1902. 3° fasciculo – estampas 25-48: conclusão: 1905-1906. Zürich: Impressão do Instituto Polygraphico A.G., 1900-1906. 3 v.

Impressa na Suíça, esta é uma das obras antigas mais lindas e perfeitas da iconografia brasileira. São 48 estampas publicadas em três fascículos reproduzindo aquarelas do desenhista-litógrafo Ernest Lohse (v.). Obra muito rara quando completa, é também importante. NOTA: Na década de 1990 foi publicada uma edição fac-similar desta obra.

GOIÁS

Vasta região do Brasil Central, desbravada por bandeirantes paulistas em busca de ouro, foi declarada Capitania em 1749 tendo como sede a Vila Boa de Goiás (anterior Arraial de Santana), esta elevada a cidade em 1818 e como sede da então criada província, permanecendo como capital até 1937 com a nova denominação de Goiás, a atual Goiás Velho.

A cidade de Goiás e o escultor goiano Veiga Valle.

[São Paulo]: Museu de Arte de São Paulo, 1978. (Catálogo de exposição, set.-out. 1978)

Uma importante exposição no MASP deu origem ao presente catálogo em quarto grande, modesto na apresentação gráfica mas rico e importante em conteúdo; além de apresentação pelo historiador Tito Lívio Ferreira e um estudo histórico de Manuel Rodrigues Ferreira (v.), contou com a reprodução dos mapas antigos da região que se encontram na Casa de Ínsua (Portugal) e com imagens sacras de Veiga Valle (1806-1874, escultor em cedro) que se encontram no Museu de Arte Sacra de Goiás Velho. Muito interessante.

Vila Boa de Goiás.

Rio de Janeiro: Berlendis e Vertecchia Editores, 1979.

Uma bela obra sobre a atual cidade Goiás Velho, a antiga capital do Estado de Goiás, com prefácio de Bernardo Ellis e fotografias de Cristina Ferrão e Pierre Leblond. O texto histórico-poético-sentimental (incluindo alguns poemas) é de Marivone Chaim e as fotografias revelam aspectos da cidade, algumas peças religiosas do acervo do Museu da Bandeira e cenas de festas populares. A edição é muito bem cuidada em álbum oblongo, papel Fabriano e, como toque especial, as fotografias coladas nas páginas, imitando álbuns antigos; conta ainda com alguns bons desenhos a bico de pena de artista não revelado. Muito recomendável.

GOIFMAN, FELIPE

Fotógrafo brasileiro, foi um dos colaboradores na obra Monumentos urbanos: obras de arte na cidade do Rio de Janeiro *(v.).*

Ilha do Mel.

[São Paulo: Empresa das Artes, 1989].

A paranaense Ilha do Mel foi em grande parte transformada em reserva e estação ecológica e nos é apresentada neste simpático álbum na visão quase poética de um fotógrafo jovem; texto histórico e descritivo de Carlos Roberto Fonseca Chueri.

GOMES, BERNARDINO ANTONIO

Médico, químico e botânico português (1768-1823), assume em 1797 o posto de cirurgião da Armada Real e parte para o Brasil, retornando a Portugal em 1801. Em 1810 se exonera da Armada, é eleito membro da Academia de Ciências e passa a dedicar-se à pesquisa médica, sendo nomeado em 1817 médico oficial da Arquiduquesa Leopoldina em sua viagem ao Brasil.

Plantas medicinais do Brasil.

São Paulo: s.e., 1972.

Como quinto volume da coleção "Brasiliensia Documenta" organizada pelo historiador Edgard Cerqueira Falcão (v.), este é a reprodução fac-similar de três importantes e muito raros opúsculos deste médico e militar português que visitou o Brasil de 1797 a 1801, e novamente em 1817 como médico oficial da futura Imperatriz Leopoldina em sua viagem ao Brasil. Estes opúsculos contaram com desenhos de sua autoria (atualmente arquivados na Academia de Ciências de Lisboa) gravados por Antonio José Quinto (falecido após 1830), Neves, Manoel L. Rodrigues Vianna (ainda ativo em 1846) e outros artistas portugueses (todos gravadores da oficina do Arco do Cego em Lisboa). A obra, em fólio médio, tem a costumeira qualidade gráfica das publicações sob responsabilidade de Edgard Cerqueira Falcão, e conta com a reprodução de todas as gravuras em folhas desdobráveis e estudos por Olympio de França e José Ribeiro do Valle. Além da tiragem comum, uma especial de 150 exemplares.

GONÇALVES, TELMA Lasmar

Pequeno histórico da Estrada de Ferro Oeste de Minas – EFOM.

Rio de Janeiro: Rede Ferroviária Federal, 1996.

Um álbum interessante que focaliza o tema do título com suas locomotivas, rotundas, o Museu Ferroviário e o de São João Del Rei; lamentável a reprodução das fotografias, impedindo que este interessante álbum também seja considerado bonito.

GONÇALVES, VERGNIAUD CALAZANS

Automóvel no Brasil: 1893-1968.

São Paulo: Editora do Automóvel, [1966].

Uma obra especializada somente no texto e este de muito superado pela riquíssima (ainda que não muito bem reproduzida) documentação fotográfica, que nos revela o automóvel como meio de transporte e os problemas criados nas estradas e nas ruas das cidades.

GONDIM, ADENOR

Fotógrafo brasileiro (1950), biólogo por profissão, expõe individualmente desde 1978 e a partir de 1993 dedica-se fundamentalmente à religiosidade afro-brasileira.

Arte e religiosidade no Brasil: heranças africanas: Irmandade de Nossa Senhora da Boa Morte.

Fotografias: Adenor Gondim. São Paulo: Edições Pinacoteca, 1997.

Um dos seis notáveis catálogos em fólio publicados para a exposição temática do título (v.), apresentando as belas imagens em preto e branco e em cores de cerimônias religiosas nesta Irmandade baiana.

GONDIM, HUGO GONTHIER DE OLIVEIRA

Casa do Brasil em Roma: Palácio Dora Pamphili: histórico e documentação.

Roma: Editado na Oficina Gráfica do Sepro/Embaixada do Brasil, 1963.

Como todos sabem, um dos palácios mais importantes, ricos, suntuosos e vistosos da Itália (construído em 1644 pelo arquiteto Rainaldi para o Papa Inocêncio X em Roma) serve de embaixada brasileira. A presente obra é classificada como "livro branco" pelo próprio autor (Embaixador do Brasil na Itália na época e responsável pela descrição do palácio), ou seja, um pequeno histórico burocrático da aquisição e um conjunto enorme de leis e documentos oficiais sobre a transação e os custos de restauro, além de reprodução das atinentes publicações jornalísticas da época. Importante é a detalhada e ampla documentação fotográfica (que se estende por 160 páginas) do Palácio e de suas dependências, dos estágios das reformas e dos aspectos gerais finais. As fotografias, ainda que tão-só em branco e preto, são ótimas e revelam a riqueza dos detalhes arquitetônicos, decorativos e, principalmente, a grande "Galeria Cortona" e os afrescos restaurados.

GONTIER, BERNARD

Bexiga.

São Paulo: Pontes – Mundo Impresso, [1990].

Talvez seja esta uma das histórias visuais mais bonitas e evocativas de um bairro: o Bela Vista ou "Bexiga", em São Paulo. Muito bem selecionada a documentação fotográfica antiga, e boa a moderna de Ricardo Alves.

Santos.

São Paulo: Mundo Impresso, 1991.

Patrocinada por uma construtora responsável por muitas das principais obras da cidade nas décadas de 1930 a 1950, esta obra é uma homenagem textual e visual a este maior porto brasileiro. Ainda que a reprodução das ilustrações não seja das melhores, a seleção das gravuras e fotografias antigas, assim como as atuais e boas imagens captadas por Ricardo Alves, tornaram a obra recomendável.

GONZAGA, ALICE

Palácios e poeiras; 100 anos de cinemas no Rio de Janeiro.

Rio de Janeiro: Funarte/Ministério da Cultura/Record, 1996.

Alentado estudo sobre a Cinelândia carioca por uma historiadora competente, filha do crítico de cinema Adhemar Gonzaga. Riquíssimo o material fotográfico documental, colhido em antigas revistas especializadas, no Arquivo Nacional e no arquivo da Funarte.

GRAESER, GERMANO

Hermann Hugo, ou Germano Graeser, filho de um fotógrafo alemão e professor de Educação Física, nasceu em São Paulo em 1897 e veio a se tornar um dos mais importantes fotógrafos documentaristas do Serviço do Patrimônio Histórico e Artístico Nacional. De sua autoria as fotografias que ilustram a obra Imagens da formação do Brasil, *de Ernani da Silva Bruno (v.), e boa participação na ilustração de* Construtores e artistas do Mosteiro de São Bento do Rio de Janeiro, *de Dom Clemente Maria da Silva-Nigra (v.).*

Fotografia e documentação: o trabalho de Hermann Graeser.

São Paulo: Museu Lasar Segall, 1981. (Catálogo de exposição, mar.-abr. 1981)

Merecida e necessária exposição da obra deste fotógrafo que documentou por muitos anos as obras tombadas pelo IPHAN. O catálogo, de pequeno formato, prima infelizmente por péssimas reproduções.

GRAF, MONIKA

GRAF, Monika e TAVARES, Tania. *Brasilien: Küche, Land und Menschen.*

Hädeck, 1997.

A cooperação de uma psicóloga alemã, autora de várias obras sobre culinária, e uma professora brasileira, catedrática da Universidade Federal da Bahia desde 1975, produziu esta linda e interessante obra sobre os hábitos alimentares do povo brasileiro, revelando não apenas os pratos tradicionais e regionais, como também os locais de consumo e os usos e costumes no âmbito familiar e na grande cidade, como ainda a forma e os locais de produção dos ingredientes, as colheitas e seus transportes e, finalmente, o consumidor final de todas as classes sociais. A beleza da documentação fotográfica e o competente texto exigem uma urgente edição nacional.

GRÁFICOS BRUNNER

Esta editora de São Paulo publicou vários pequenos álbuns fotográficos de cidades e regiões brasileiras que serão examinados nos correspondentes capítulos; foram todos confiados a excelentes profissionais e apresentados em duas séries:

"Coleção Mercator", em dez volumes:

1. Brasília colorida
2. Bahia colorida
3. Rio de Janeiro colorido
4. Natal colorido
5. Rio Grande do Sul colorido
6. Paraná colorido
7. São Paulo colorido
8. Brasil colorido
9. Minas Gerais colorida
10. Brasil em cinco regiões *(volume que se distingue dos anteriores por falta de numeração, por conter material de propaganda do patrocinador e por apresentar mais de uma imagem por página).*

"Coleção Cultural Mercator", em três volumes:

1. Índios do Xingu
2. Museu de Arte Sacra de São Paulo
3. Museu de Arte de São Paulo Assis Chateaubriand.

A mesma editora também publicou muitas carteiras fotográficas sanfonadas destinadas ao público turístico, todas por bons fotógrafos não revelados e muito bem reproduzidos. Foi possível apurar uma série denominada "Mercator – Fotolembrança", com os seguintes exemplares: Aleijadinho, Ouro Preto *(duas versões),* Museu Arte Sacra – São Paulo, Belo Horizonte, Bahia, Poços de Caldas *e* Rio Grande do Sul; *outras carteiras não enquadradas em série:* Igreja São Francisco – Pampulha, Mariana, Brasília, Recife, São Paulo, Gramado-RS *(duas versões),* Maquiné, Ribeirão Preto, Congonhas, Poços de Caldas, Rio *e* Rio, cidade maravilhosa.

GRAHAM, MARIA

Filha do almirante inglês George Dundas, nasceu em 1785 e teve educação muito primorosa, incluindo o aprendizado de desenho. Em 1809 casou-se com Thomas Graham, comandante do navio Doris *da Marinha britânica, em companhia do qual passou pelo Brasil em 1821, visitando a Bahia e o Rio de Janeiro. Falecendo o marido no percurso ao Chile, permaneceu por algum tempo em Santiago e retornou ao Brasil na comitiva do Almirante Cochrane; permaneceu até 1823 e retornou novamente em 1824 para o cargo de preceptora da Infanta Maria da Glória (futura D. Maria II de Portugal) a convite de D. Pedro I. Partiu definitivamente para a Inglaterra em 1825 e tornou-se conhecida como Lady Calcott, autora de livros infantis e de arte. Maria Graham publicou um diário de sua viagem ao Chile e em 1824 o* Journal of a Voyage to Brazil, *ilustrado com gravuras de Edward Finden (v.), em parte sob desenhos da autora. Sua obra pictórica é muito importante, encontrando-se a maior parte de seus desenhos sul-americanos e brasileiros no Museu Britânico (Londres), dos quais 112 foram xilografados para ilustrarem a obra própria* A scripture herbal *(1842). Alguns de seus desenhos e aquarelas encontram-se em coleções brasileiras e reproduzidas em obras sobre o MASP e as coleções Paulo Geyer e Fadel (v. estas), além de relacionadas sob os nº 1165 a 1233 em* Iconografia do Rio de Janeiro, *de Gilberto Ferrez (v.).*

Diário de uma viagem ao Brasil e de uma estada nesse país durante parte dos anos de 1821, 1822 e 1823.

Tradução de Américo Jacobina Lacombe. São Paulo: Companhia Editora Nacional, [1956]. (Brasiliana. Série Grande Formato. Biblioteca Pedagógica Brasileira. Série 5ª, 8)

Como oitavo volume da excelente série "Grande formato" da "Brasiliana", esta é a primeira versão nacional do importante *Diário* de Maria Graham ao longo de suas três visitas ao Brasil. Foram razoavelmente reproduzidas todas as gravuras de Edward Finden (v.) do original inglês (três sob desenhos de August Earle, 1798-1853, e as demais sob desenhos da autora), além de muitos de seus desenhos que se encontram no Museu Britânico (Londres). Esta obra é um importante documento sobre a época e a declaração da independência do Brasil e, como tal, muito útil para estudo e muito recomendável.

GRANATO, FERNANDO

Nas trilhas do Rosa; uma viagem pelos caminhos de Grande Sertão: Veredas.

São Paulo: Scritta, 1966.

Reportagem baseada em um diário de João Guimarães Rosa que se encontra no Instituto de Estudos Brasileiros da USP, enriquecida com a contribuição de Walter Firmo (v.), grande fotógrafo brasileiro, que acompanhou a viagem sentimental ao longo do trajeto percorrido por Rosa. Uma obra linda.

GRANGEIRO, CÂNDIDO DOMINGUES

As artes de um negócio: a febre photographica: São Paulo: 1862-1886.

São Paulo: Fapesp/Mercado de Letras, 2000.

Estudo por um historiador paulista sobre a importância e a evolução da arte fotográfica durante o seu período áureo na cidade de São Paulo. As fotografias não são muitas e tampouco bem reproduzidas nesta edição que tende a modesta e mal paginada, mas são elucidativas para um tema interessante e importante.

GRANTSAU, ROLF

Os beija-flores do Brasil.

2ª edição. Rio de Janeiro: Expressão e Cultura, 1989.

Nascido na Alemanha em 1928, o autor chegou ao Brasil em 1962 com reputação de especialista em ornitologia. Após trabalhar como desenhista para várias instituições científicas brasileiras, ingressou na Mercedes Benz do Brasil como desenhista e pintor e obteve incentivo para o presente estudo especializado, que comporta 38 pranchas em cores, 105 desenhos e 18 fotos, todos de sua autoria e todos em excelente apresentação.

GRASHOF, OTTO

Pintor alemão (1812-1876), viajou pela Rússia, México, América do Sul e Brasil, onde permaneceu no Rio de Janeiro de 1855 a 1857, tendo participado do Salão em 1859 com o quadro Fernando de Magalhães *(CEHB nº 17754). Cego a partir de 1862, passou a dedicar-se à poesia e a estudos literários. Sua obra artística é praticamente desconhecida no Brasil, constando apenas um pequeno estudo na revista* Cultura, *nº 8, e a obra de Renate Löschner (v.):* Otto Grashof: Die Reisen des Malers in Argentinien, Uruguay, Chile und Brasilien: 1852-1857.

GRAY CALDAS, DORIAN

Gravura, bumba meu boi.

[Natal: Imprensa Oficial do Estado], 1969. v. 2.

Álbum comportando a reprodução de nove xilogravuras sobre o tema do título, o segundo álbum de autoria de Dorian Gray Caldas, ativo em Natal (RN).

GRECCO, GILBERTO

Fazendas de café da Alta Mogiana.

[São Paulo]: Comissão de Fotografia e Artes Aplicadas/Governo do Estado de São Paulo, s.d. (Cadernos de Fotografia, 7)

Pequeno e modesto álbum desta importante série dos "Cadernos de Fotografia" (v.) revelando documentário fotográfico interessante de Gilberto Grecco sob o tema do título.

GREENHALGH, JUVENAL

O Arsenal da Marinha do Rio de Janeiro na história: 1763-1822.

Rio de Janeiro: s.e., 1951.

Obra de um contra-almirante, comporta um texto muito alentado por força da transcrição de inúmeras leis e infindáveis regulamentos. Em quarto grande, conta com mapas, gravuras e desenhos de Armando Pacheco (v.) e Ary Monteiro Martins.

GRIMM, JORGE

Johann Georg Grimm, pintor paisagista alemão (1846-1887), estudou por dois anos na Academia de München e em 1870 iniciou longa viagem pela Europa e a seguir pela África, chegando em 1878 ao Rio de Janeiro, onde trabalhou inicialmente com o decorador alemão Steckel, para o qual executava paisagens topográficas de fazendas cafeeiras. Em 1882 realizou grande exposição no Liceu de Artes e Ofícios do Rio de Janeiro que lhe valeu a contratação como professor de paisagem na Academia, cargo ao qual renunciou em 1884 para se dedicar à pintura ao ar livre em companhia de discípulos que passaram a ser conhecidos como "Grupo Grimm". Sua importância como formador do paisagismo brasileiro é assinalada por todos os críticos e historiadores de arte, mas sua vasta obra artística não se encontra devidamente estudada e catalogada até a data, encontrando-se apenas parcialmente reproduzida em obras de história da arte brasileira e, sobretudo, em O Grupo Grimm, *de Carlos Roberto Maciel Levy (v.), em* Fazendas: solares da região cafeeira do Brasil imperial *e* Antigas fazendas de café da província fluminense, *de Fernando F. F. Pires (v.), e em* Pintores alemães no Brasil durante o século XIX, *de Maria Elizabete Santos Peixoto (v.).*

GUANAES, LUCIA Villar

Brasil = Brésil.

Paris: Marval, 1988.

Um intrigante álbum fotográfico de uma brasileira (1957) voluntariamente exilada na França desde 1977. Segundo o prefaciador Pedro Vasquez (v.), o Brasil que a fotógrafa "nos desvela é muito mais humano e feliz do que o Brasil que nos é dado ver habitualmente, retratando o país e seu povo entre os limites extremos da penúria e do hedonismo". Ou ainda, nas palavras do prefaciador e como avaliação: "é constatar que Lucia soube renegar o pessimismo e o derrotismo para provar que ainda é possível sonhar o Brasil". Muito recomendável.

GUEDES, MAX JUSTO

Contra-almirante da Marinha brasileira (1927), diretor do Museu Naval do Rio de Janeiro.

Brasil – costa norte: cartografia portuguesa vetustíssima / edição comemorativa do centenário da Flotilha do Amazonas 1868-1968.

Rio de Janeiro: Ministério da Marinha – Serviço de Documentação Geral da Marinha, 1968.

Estudo cartográfico e documental erudito pelo diretor do Museu Naval da Marinha. Focaliza a região amazônica baseado em dois importantes conjuntos de cartas do início do século XVII. A obra é muito especializada mas torna-se interessante por reproduzir cinco destes preciosos e inéditos mapas, além de três modernos das regiões correspondentes.

Anônimo – Antônio Sanches c.1633: atribuição da autoria de uma carta náutica original da Biblioteca Nacional do Rio de Janeiro.

Rio de Janeiro: Ministério da Marinha – Serviço de Documentação Geral da Marinha, 1970.

Outro estudo erudito, ainda mais especializado do que o precedente e, de certa forma, menos interessante, pois apresenta tão-só pequenos trechos de mapas do início do século XVII que servem de elementos comparativos com os mesmos trechos de um importante mapa da Biblioteca Nacional, também reproduzido.

Aspectos náuticos da viagem de Pedro Teixeira.

Separata da *Revista de Cultura do Pará*, Belém, ano 6, nº 22-23, jan.-jun. 1976.

Estudo ilustrado com dezesseis mapas de Pedro Teixeira e detalhes dos mesmos.

GUENTHER, KONRAD

Das Antlitz Brasiliens: Natur und Kultur eines Sonnenlandes: Sein Tier und Pflanzenleben.

Leipzig: R. Voigtländer's, 1927.

O título nos revela o conteúdo desta obra erudita por um professor da Universidade de Freiburg (Alemanha): natureza e cultura de um país banhado pelo sol, sua vida animal e vegetal. Obra importante, ilustrada com 71 fotografias e 40 desenhos, todos do autor.

GUERRA DO PARAGUAI

Esta sangrenta e longa guerra da Tríplice Aliança (Brasil, Argentina e Uruguai) contra o Paraguai (1865-1870) foi descrita por muitos historiadores e ficcionistas e visualmente firmada por numerosos artistas, destacando-se entre eles o argentino Cándido Lopez, o marinhista francês Gaston Roullet e o italiano Edoardo De Martino (v. estes), bem como os que colaboraram com Emilio Carlos Jourdan (v.).

Apontamentos biographicos para a historia das campanhas do Uruguay e Paraguay desde MDCCCLXIV.

Rio de Janeiro: Typographia Perseverança, 1866.

Esta obra rara, publicada anonimamente (mas de autoria de Salvador de Mendonça, Antonio Guedes Vaz e Victor Dias), nada mais é do que um laudatório patriótico de figuras de destaque na Guerra do Paraguai; este primeiro volume (único publicado) distingue-se pelas vinte excepcionais litografias de S.A. Sisson (v.) que retratam os biografados, entre os quais D. Pedro II, o Conde d'Eu e o Duque de Saxe.

GUERRA, ANTONIO TEIXEIRA

Paisagem física da Guanabara.

Separata da *Revista Brasileira de Geografia*, Rio de Janeiro, ano XXVII, nº 4, out.-dez. 1965.

Obra essencialmente técnica, é ilustrada com interessantes fotografias do Rio de Janeiro que esclarecem o texto. Conta ainda com importante mapa desdobrável de 51 x 90 cm, "Estado Guanabara: relevo e hidrografia. 1965", do cartógrafo Frank R. Holmes.

GUERRA, FLAVIO

Velhas igrejas e subúrbios históricos.

2ª edição. Recife: Fundação Guararapes, 1970.

A primeira edição (1960) desta obra de um renomado historiador obteve o prêmio "Cidade do Recife"; nesta segunda edição as ilustrações são relativamente poucas, mas compreendem as fotografias das igrejas do texto e, sobretudo, reprodução razoável de raras gravuras anônimas do século XIX que retratam os subúrbios daqueles tempos.

GUERREIRO, INACIO

Os tratados de delimitação do Brasil e a cartografia da época.

Lisboa: Chaves Ferreira Publicações, 2000.

Como uma das publicações comemorativas do quinto centenário do descobrimento, esta é uma das edições mais surpreendentes e importantes. Surpreendente por encontrarmos texto tão importante em um livreto em oitavo aparentemente muito modesto, com boas ilustrações reproduzidas em escala muito diminuta; este livreto, entretanto, é parte de um álbum-estojo comportando treze pranchas de 42 x 29 cm com excelente reprodução de mapas manuscritos do Arquivo Histórico Ultramarino, da Casa de Ínsua e da Biblioteca do Porto.

GUEVARA, ANDRES

Andres Guevara.

[São Paulo: São Paulo Alpagartas, ?].

Caricaturista paraguaio (1904-1965), esteve no Brasil (1923-1930) trabalhando nos jornais *Maçã*, *Pais* e *A Manhã* do Rio de Janeiro; em 1943 fixou-se novamente no Rio de Janeiro para dirigir por longos anos a *Folha Carioca*, colaborando também em outros jornais e revistas. Aproveitando seu sucesso como caricaturista e desenhista, a São Paulo Alpagartas mandou reproduzir alguns de seus desenhos humorísticos para formar um pequeno álbum em folhas soltas de 22,5 x 30,0 cm distribuído como propaganda; álbum interessante e sugestivo que contém as aquarelas: *Tropa de mulas*, *Balsas*, *Feira de Frutas*, *Paulistas vs. Cariocas*, *Luar do Sertão* e *Cana de Açúcar*.

GUIGNARD, ALBERTO DA VEIGA

Pintor brasileiro (1896-1962); estudou pintura e desenho na Alemanha e foi essencialmente paisagista. Numerosas são as obras que estudam e reproduzem a produção artística deste importante pintor, assim como muitos os ensaios sobre algum aspecto específico, constando como ilustrador em Passeio a Sabará *e* Passeio a Diamantina *de Lucia Machado de Almeida (v.) e com afrescos em* A Olinda de Guignard, *de Frederico Morais (v.).*

Guignard.

São Paulo: Editora Cultrix, [1964]. (Mestres do Desenho).

Um dos volumes da clássica coleção “Mestres do Desenho” da Editora Cultrix, com reprodução de catorze desenhos a nanquim deste mestre do desenho que “fez das velhas cidades coloniais de Minas motivos constantes de sua arte”, como podemos verificar no presente álbum. Recomendável.

GUILLOBEL, JOAQUIM CANDIDO

Nascido em Portugal (1787-1859), chegou ao Rio de Janeiro em 1811 e ingressou no Exército, chegando ao posto de coronel de engenheiros. Formou-se em arquitetura na Academia Imperial de Belas Artes, onde veio a lecionar arquitetura e desenho a partir de 1836. Sua obra é formada por desenhos e aquarelas de pequeno formato que retratam tipos ca-

riocas e se encontram quase todas atualmente em coleções particulares, encontrando-se todas relacionadas e comentadas por Gilberto Ferrez (v.) em Iconografia do Rio de Janeiro *(uma das quais reproduzida) e diversas reproduzidas em "O ambiente artístico fluminense à chegada da Missão Francesa de 1816", de Francisco Marques dos Santos (ins* RSPHAN, *nº 5),* O velho Rio de Janeiro através das gravuras de Thomas Ender *e* A muito leal..., *de Gilberto Ferrez (v.), no catálogo* Dutra Leilões *(março de 2001) e em* Visões do Rio na coleção Geyer *(v. Coleções).*

Usos e costumes do Rio de Janeiro nas figurinhas de Guillobel = Life and manners in Rio de Janeiro as seen in Guillobel's small drawings.

[Curitiba]: Cândido Guinle de Paula Machado, 1978.

Lindo álbum que reproduz as sessenta aquarelas da coleção Cândido Guinle de Paula Machado e outras cinco avulsas; esta edição de 525 exemplares, com texto explicativo e biográfico do bibliófilo Paulo Berger (v.), dificilmente poderá ser igualada.

GUIMARÃES, Antonio Augusto LUZO

Litógrafo português, ativo no Rio de Janeiro de 1847 a 1872 na oficina litográfica de Heaton & Rensburg; era conhecido como Luzo Guimarães, considerado um repórter visual e assinava geralmente como "A. L. Guimarães". Os pouquíssimos dados conhecidos sobre sua vida e obra constam em Imagem e Letra *(São Paulo, 1976), de Orlando da Costa Ferreira (v.). Suas gravuras são raríssimas e muito raras as reproduções, conhecendo-se parte em* Iconografia do Rio de Janeiro, *de Gilberto Ferrez (v.), que inclui o raro* Panorama *do Rio de Janeiro, em seis folhas.*

Plano a que se refere o decreto n. 1829 de 4 de outubro de 1856 para os uniformes de officiaes do Corpo da Armada e das classes annexas.

[Rio de Janeiro]: Typ. do Commercio de Brito & Braga, 1857.

Belíssimo e muito raro álbum oblongo contendo catorze pranchas litográficas coloridas, todas marcadas: "A.L. Guimarães fec.".

GUIMARÃES, PAULO S.

Rio de Janeiro: cidade dos contrastes.

S.l.: Tecnoprint Gráfica, s.d.

Um subtítulo que consta da capa informa tratar-se de um "álbum de bolso", ou seja, uma antologia de fotografias sobre o tema do título. Na realidade é um conjunto de visões laudatórias e mal reproduzidas nesta modesta edição; em compensação, são muitas.

GUSTAFSON, MAJ

Vila Rica: Ouro Preto; verdade e lenda.

4ª edição. Belo Horizonte: s.e., 1983.

Obra interessante e boa por uma sueca e antiga residente da cidade, em tradução de Birgitta Lagerblad de Oliveira. Alguns desenhos e todas as fotografias (estas boas, mas em formato pequeno e apenas razoavelmente reproduzidas) são da própria autora.

GUTIERREZ, JUAN

Poucos são os dados disponíveis sobre este fotógrafo espanhol (?-1897), chegado ao Brasil na década de 1880 e estabelecido no Rio de Janeiro na Rua da Carioca nº 114 como "Photo União". Em 1889 obteve o título de fotógrafo da Casa Imperial e em 1891 vendeu seu ateliê, para participar da então criada Companhia Photographica Brasileira; em 1893 fotografou a Revolta da Armada. Em 1896 partiu para a Bahia para acompanhar o conflito da Canudos e lá veio a falecer. Sua obra encontra-se parcialmente em Fotógrafos pioneiros no Rio de Janeiro, *de Pedro Vasquez (v.) e na íntegra em* Juan Gutierrez, *de George Ermakoff (v.).*

H

HAGEDORN, FRIEDRICH

Nada se conhece sobre o aprendizado artístico deste paisageista e aquarelista alemão nascido em 1814 (?), chegado ao Brasil em 1850 e radicado no Rio de Janeiro. Hagedorn viajou muito pela Província do Rio de Janeiro e, a seguir, a Salvador e finalmente ao Recife, acreditando-se que de lá partiu para a Alemanha por volta de 1870, vindo a falecer em 1889. Para José Roberto Teixeira Leite (v.), foi um "artista discreto" e para outros não passou de amador, mas, para Gilberto Ferrez (v.), "deixou uma obra considerável de valor artístico e iconográfico que por si só mereceria um álbum", opinião que se confirma quando estudadas suas têmperas (e várias destas em litografias) reproduzidas em muitas obras sobre iconografia, como em Iconografia do Rio de Janeiro, A muito leal..., Iconografia petropolitana *e* Raras e preciosas vistas de Pernambuco, *de Gilberto Ferrez,* Visões do Rio na Coleção Paulo Geyer, Iconografia brasileira: coleção Itaú: Sala Alfredo Egydio de Souza Aranha *(v. estas) e todas as obras sobre os Museus Castro Maya e Imperial (v. estes). A Biblioteca Nacional conserva um álbum de 26 têmperas de vistas do Rio de Janeiro, Ilha de Paquetá e Petrópolis, até a data não reproduzido; a têmpera* Vista da cidade do Rio de Janeiro *foi apresentada no Salão de 1860 e reproduzida no DicMEC, e outra reproduzida em Teixeira Leite.*

HAGER, ALICE ROGERS

Brazil: giant to the South.

New York: Macmillan Company, 1945.

Obra de divulgação em edição popular, em quarto grande, com típicas fotografias jornalísticas por uma profissional provavelmente ligada à American Geographical Society.

HALFELD, HENRIQUE Guilherme Fernando

Nascido na Alemanha, (1797-1873), este engenheiro de minas chegou ao Brasil em 1825, contratado como um dos oficiais do Corpo de Tropas Estrangeiras do Exército. De 1830 a 1834 trabalhou em São João del Rei (MG), e a seguir em diversas companhias de mineração, e de 1850 a 1854 no levantamento do rio São Francisco e seus afluentes, do qual re-

sultou o importantíssimo Atlas e Relatório ... *do verbete que segue. Foi agraciado com a Ordem da Rosa, distinguido com o título e as honras de Tenente-Coronel da Guarda Nacional e considerado fundador da cidade de Juiz de Fora (MG).* NOTA: *Apesar de sua importância histórica e também artística, existem poucos estudos dedicados ao engenheiro Halfeld, podendo-se destacar apenas uma obra genealógica,* Engenheiro Henrique Halfeld. Sua vida, sua obra, sua descendência, *de Wilson de Lima Bastos (Juiz de Fora, 1975), que contém alguns retratos.*

Atlas e relatorio concernente a exploração do rio de S. Francisco desde a Cachoeira de Pirapora até ao oceano Atlantico, levantado por ordem do governo de S.M.I. o Senhor Dom Pedro II pelo engenheiro civil Henrique Guilherme Fernando Halfeld em 1852, 1853 e 1854, e mandado litographar na Lithographia Imperial de Eduardo Rensburg: Rio de Janeiro: 1860.

2ª ed., reprodução fac-similada. [São Paulo: Empresa das Artes, 1994].

Esta segunda edição da obra original, fac-similada, nos revela um importantíssimo documento iconográfico, tão mais importante quanto nos transmite e confirma a opinião de Manoel de Araújo Porto-Alegre: "Quanto é possivel imaginar-se uma perfeita aliança de ciência com o desenho, encontra-se nesta obra, que, sem o menor escrúpulo, e com a autoridade de pessoas muito competentes, se pode equiparar aos mais belos trabalhos que apresenta a Europa naquele gênero". As 44 plantas originais da obra (folhas duplas de 40 x 29 cm) foram magnificamente litografadas na época por Th. Pfleger (provavelmente gravador do editor Rensburg) e muito bem reproduzidas nesta edição; as duas grandes vistas da Cachoeira de Paulo Afonso litografadas por A. de Pinho (v.) sob desenho do autor (em folha dupla), ponto alto da obra, tiveram entretanto reprodução medíocre, talvez devido à má conservação do exemplar original desta obra rara. Edição numerada, sem justificação de tiragem, constando ter sido de mil exemplares; sobrecapa reproduzindo a folha de título, com a litografia da Cachoeira de Paulo Afonso.

HAMOND, GRAHAM EDEN

Os diários do Almirante Graham Eden Hamond: 1825-1834/38.

Tradução de Paulo F. Geyer. Rio de Janeiro: Editora JB, 1984.

Fascinante este *Diário* do Almirante Hamond, comandante da esquadra britânica para a América do Sul sediada no Rio de Janeiro, assim como fascinante a ilustração com as aquarelas executadas por Emeric Essex Vidal (v.) durante sua estadia no Rio de Janeiro. Obra em quarto pequeno deitado, muito interessante e recomendável.

HANSEN-BAHIA, Karl Heinz

Gravador alemão (1915), estudou na Europa e emigrou para o Brasil em 1950. Participou das Bienais Internacionais de São Paulo em 1951, 1953 e 1961 e de vários salões oficiais, além de realizar exposições individuais e coletivas. Após prolongada estadia na Europa, regressou ao Brasil em 1967, naturalizou-se e fixou-se definitivamente na Bahia, quando adotou o nome "Bahia" e desenvolveu grande e importante atividade como xilógrafo, produzindo vários álbuns de gravuras, dos quais alguns com textos próprios. Faleceu na Bahia em 1979 e legou por testamento à cidade de Cachoeira (cidade histórica no Recôncavo baiano) seu acervo artístico, seu ateliê e a chácara residencial, doação que resultou na Fundação

Hansen-Bahia criada pelo Governo do Estado e na instalação do Museu (v.) em um bicentenário solar no centro histórico da cidade.

Portas e janelas da Bahia.

Bahia: Social, 1968.

Belo álbum em folhas soltas de 57,5 x 38,5 cm com quatro folhas de texto ilustrado e dez xilogravuras em tiragem de 200, todas assinadas. Como era habitual em suas obras, o título é mero pretexto para focalizar algum aspecto da vida urbana da Bahia, ou, nas palavras do prefaciador Luiz Vianna Filho, "benditas portas abertas da Bahia [...] as tem como um braço de rua a entrar pela casa dentro [...] principalmente nos bairros modestos". A capa do álbum, em tecido telado, comporta o título xilografado sob desenhos de Ilse, esposa do artista. Muito interessante.

HANSEN-BAHIA, Karl Heinz e MACHADO, Lourival Gomes. *Brasil: xilogravuras de Hansen.*

São Paulo: Habitat Editora, 1955.

Modesto álbum de folhas soltas de 37 x 26 cm, contendo reprodução de doze excelentes gravuras que retratam aspectos vários do cenário do título. Muito interessante.

Flor de São Miguel.

[Salvador: s.e., 1956].

Esta é a obra mais conhecida e importante do artista, publicada em duas versões: em álbum de grande formato, com todas as xilogravuras assinadas, sem texto; e a presente, como livro em quarto grande, com todas as gravuras e muitas vinhetas adicionais; textos por diversos, incluindo o do artista. Muito interessante.

HANTZSCHEL, RICARDO

Fotógrafo brasileiro, autor do ensaio fotográfico Cuba *(calendário, 2002) e* Fotografia pinhole múltipla *(calendário de bolso, 2003) e ilustração dos catálogos "Museu de Arte Sacra de São Paulo: imaginária séculos XVI e XVII" e "Museu de Arte Sacra de São Paulo: imaginária século XVIII" (v. estes).*

A sombra do porto.

São Paulo: Centro Cultural São Paulo, 1999. (Catálogo de exposição, 1999).

Bom catálogo de uma exposição de flagrantes de Porto de Santos e a atuação dos estivadores. Muito interessante.

HARNISCH, SASCHA

Fotógrafo alemão. Suas fotografias encontram-se em várias publicações nacionais, destacando-se as constantes em "Isto é a Bahia!" (v. BAHIA) e a totalidade do segundo volume da obra Aparência do Rio de Janeiro..., *de Gastão Cruls (v.).*

HARNISCH, WOLFGANG HOFFMANN

O Brasil que eu vi: retrato de uma potência tropical.

Tradução de Humberto Augusto. São Paulo/Caieiras/Rio de Janeiro: Companhia Melhoramentos de São Paulo (Weiszflog Irmãos Inc.)/Editora Proprietária, s.d.

Interessante apreciação histórica e econômica do País, com poucas mas boas e elucidativas fotografias. NOTA: Em observação no verso da folha de título, há referência às fotografias como de autoria de Wolfgang Hoffmann Harnisch Júnior, fazendo supor tratar-se do filho do autor.

O Rio Grande do Sul: a terra e o homem.

Tradução A. Reymundo Schneider e Archibaldo Severo. 2ª edição. Rio de Janeiro/Porto Alegre/São Paulo: Editora Globo, [1952].

Após a obra precedente, *O Brasil que eu vi*, o autor apresenta este relato histórico em forma de um diário de viagem; nesta edição modesta e papel de segunda qualidade, as fotografias do autor (teriam sido de Wolfgang Hoffmann Harnisch? – v. acima) foram muito bem reproduzidas em papel especial. Muito interessante.

HARRIS, ELIZABETH D.

Le Corbusier: riscos brasileiros.

[São Paulo]: Nobel, 1987.

Estudo acadêmico em edição comercial, com importantes texto e ilustração.

HARRO-HARRING, PAUL

Pintor, escritor e revolucionário dinamarquês, (1798-1870), estudou na Academia de Belas Artes de Dresden e em Viena e se especializou em cenas de batalhas. Após uma vida andeja por vários países europeus, chegou a Londres em 1835, onde foi contratado pelo semanário The African Colonizer *para estudar a escravidão no Brasil. Em maio de 1840 chegou ao Rio de Janeiro e em agosto retornou a Londres, após leiloar quinze telas próprias, conforme anunciou em 21 de agosto de 1840 no* Jornal do Commercio, *telas que incluíram quatro vistas do Rio de Janeiro, um panorama de oito pés de comprimento (de paradeiro atual desconhecido) e uma vista do litoral, perto de Macaé* (RJ). *Em 9 de janeiro de 1841 o mesmo jornal* The African Colonizer *anunciou uma exposição de 24 obras brasileiras de sua autoria, acompanhadas por* remarks and observations *(paradeiro destas observações também ignorado), obras adquiridas por Walter Moreira Salles na França e reproduzidas no álbum* Tropical sketches from Brazil. 1840 *(Rio de Janeiro, 1965). Após uma permanência nos Estados Unidos de 1843 a 1848, o artista passou novamente pelo Brasil em 1856 e a seguir fixou-se em Londres, onde veio a falecer.*

Tropical sketches from Brazil – 1840.

Rio de Janeiro: Instituto Histórico e Geográfico Brasileiro, 1965.

Álbum de folhas soltas de 40 x 30 cm reproduzindo em preto e branco as 24 obras anunciadas em 9 de janeiro de 1841 pelo jornal londrino *The African Colonizer*, um conjunto de vistas gerais do Rio de Janeiro e comoventes cenas da vida dos negros sob o regime de escravidão. Este álbum conta com um prefácio de Enéias Martins Filho, que transmite os poucos dados disponíveis sobre a atuação do artista no Rio de Janeiro e aventa a possibilidade das estampas nº 5 e 8 terem sido o estudo básico para o grande panorama a que se refere o jornal londrino (do qual se desconhece o paradeiro). As reproduções foram tecnicamente bem executadas, mas os desenhos originais são delicadas aguadas de pequena dimensão e foram reproduzidas muito ampliadas e em branco e preto, transmitindo assim um desenho tosco que não corresponde à realidade. NOTA: As aquarelas reproduzidas neste catálogo foram anteriormente expostas na Casa da Cultura de Poços de Caldas em junho de 1995, ocasião em que foi publicado o folheto *Paul Harro-Harring. Tropical sketches from Brazil* (Instituto Moreira Salles), com breve notícia sobre os quadros expostos, e o folheto *Paul Harro-Harring. Um revolucionário da Abolição* (Instituto Moreira Salles), transcrevendo anotações do próprio artista sobre os seus quadros; ambos sem ilustrações, formam complemento importante para a compreensão da obra do artista.

Paul Harro Harring: esboços tropicais do Brasil.

São Paulo: Espaço Higienópolis, [1996]. (Catálogo de exposição, ago.-out. 1996)

Após a aquisição em 1965 da obra brasileira de Harro-Harring e a publicação do álbum do item anterior, o Embaixador Walter Moreira Salles expôs a mesma na Casa de Cultura de Poços de Caldas em 1995 (sem catálogo), e a seguir em 1996 no Espaço Higienópolis em São Paulo, uma linda exposição para a qual foi editado como catálogo esta notável plaqueta que reproduz as 24 aguadas e transcreve uma carta do artista endereçada ao *The African Colonizer* (por ele publicada na edição de 16 de janeiro de 1841). Muito interessante.

HARTMANN, THEKLA

A contribuição da iconografia para o conhecimento de índios brasileiros do século XIX.

São Paulo: Edição do Fundo de Pesquisas do Museu Paulista da Universidade de São Paulo, 1973. (Coleção Museu Paulista, Série de Etnologia, 1)

Este trabalho é a tese de doutorado de uma etnóloga do Museu Paulista sobre o índio brasileiro na visão artística dos principais viajantes do século XIX, incluindo a de alguns mais antigos, como as de José Codina e José Joaquim Freire, da expedição de Alexandre Rodrigues Ferreira (v. estes). As ilustrações são quase todas inéditas, e a bibliografia excelente. Importante.

HARTT, CHARLES FREDERICK

Cientista americano (1840-1878), professor da Universidade Cornell, participou da expedição de Louis Agassiz (v.) ao Brasil em 1865 e 1866 e realizou a Expedição Morgan ao Amazonas em 1870 e 1871. Retornando ao Brasil em 1874 para organizar a Comissão Geológica do Império, faleceu em 1878 durante esta missão. Sua vida e obra encontra-se relatada em Hartt: expedições pelo Brasil Imperial. 1865-1878, *de Marcos Vinicius de Freitas (v.).*

Geologia e geografia física do Brasil.

Introdução de E. Roquette-Pinto. Tradução de Edgar Sussekind de Mendonça e Elias Dolianiti. São Paulo/Rio de Janeiro/Recife/Porto Alegre: Companhia Editora Nacional, 1941. (Brasiliana. Biblioteca Pedagógica Brasileira. Série 5ª, 200)

Como volume nº 200 da renomada série 5ª da "Brasiliana", esta é a primeira tradução nacional do original *Geology and physical geography of Brazil* (Boston, 1870). Edição em péssimo papel, reproduz sofrivelmente os 78 importantes desenhos do autor que retratam paisagens brasileiras e outras relacionadas aos temas do título.

HASENCLEVER, ERNST

Hasenclever & Cia: Rio de Janeiro: 1830-1930.

[Rio de Janeiro: s.e., 1930?].

Obra comemorativa do centenário de fundação de uma empresa comercial alemã ativa no Rio de Janeiro. Além da reprodução do arquivo fotográfico desta empresa, a obra conta com uma biografia de Ernst (ou Ernesto) Hasenclever (1806-1859), nascido na Alemanha e ativo no Rio de Janeiro como diretor da empresa de 1837 a 1844, que costumava gravar a lápis as impressões colhidas em muitas viagens pelo país. 24 destes seus desenhos, datados de 1838 e 1839, encontram-se muito bem reproduzidos e compreendem vistas do Rio de Janeiro, São Paulo, Minas Gerais, Parati e São Sebastião. Muito interessante.

HASTOY, GUSTAVO

Desenhista, caricaturista, escultor, arquiteto e litógrafo espanhol, chegou ao Brasil na década de 1870 e fixou-se no Rio de Janeiro. Foi sócio do arquiteto espanhol Adolfo Morales de los Rios na firma de construções "Hastoy-Morales de los Rios", escritório de muito sucesso nos últimos anos do século, que foi dissolvido após seu súbito e inexplicado desaparecimento e provável falecimento na virada do século XX. *Entre seus primeiros trabalhos citam-se xilogravuras em cores publicadas em dois números de* Tiradentes *(1878), sob o pseudônimo de "Yotsah"; sua colaboração máxima foi prestada à* Gazeta de Noticias *entre 1889 e 1895, incluindo o seriado "A Cata de um Barrete. Romance-revista comico-fantastico arranjado do pé para a mão, pelo Zé Daniel, e illuminado da mão para o pé, pelo Hastoy" (2 a 24 de janeiro de 1890) e outro seriado para* O esqueleto, *de Victor Leal, que teria sido de 18 zincografias (a partir de 17 de março de 1890). Os poucos dados que se conhecem sobre sua vida e obra são encontrados em* História da caricatura no Brasil, *de Herman Lima (v.), com reprodução de várias caricaturas. Uma importante visão de sua produção artística encontra-se na rara obra* Galleria historica da revolução brasileira de 5 de novembro de 1889..., *de Urias A. da Silveira (v.), para a qual executou três grandes litografias sob desenhos de Nicolau Facchinetti (v.) e 31 retratos litografados sob desenhos próprios.*

HASTREL, ADOLPHE D'

Pintor e litógrafo francês (1805-1870); na qualidade de oficial artilheiro naval, viajou por diversos países e em 1839 encontrava-se no Le Cerf *para uma missão ao Prata, participando da construção de fortalezas em Montevidéu e pintando muitas vistas da cidade; em 1840 passou alguns meses no Rio de Janeiro. Aposentando-se em 1847, passou a dedicar-se à pintura e à litografia, publicando vários álbuns entre 1847 e 1853; para estes álbuns, costumava contratar a colaboração de outros desenhistas e litógrafos. Em data não especificada (1847 ou 1848), publicou o álbum* Rio de Janeiro ou Souvenirs du Brésil, dessinés d'aprés nature et dediés a S.A.R. Madame la princesse de Joinville par Adolphe d'Hastrel *(Paris e Londres), formado por dez litografias numeradas e uma sem numeração (um panorama desdobrável). Destas gravuras, as de nº 1, 5, 8 e 10 foram de execução própria (sob desenho de Lecreton), as de nº 2, 6 e 7 por G. Müller, as de nº 3, 4 e 9 por Clerget e o panorama pelo Visconde de Morcel. Em* Iconografia do Rio de Janeiro, *Gilberto Ferrez (v.) descreve as onze gravuras e reproduz o grande panorama e a Igreja da Lapa, além de relacionar várias litografias baseadas em seus desenhos e cópias dos desenhos por um anônimo. As obras de Hastrel são freqüentemente utilizadas para reprodução em revistas e obras diversas; em um cartão de Natal da Livraria Kosmos do Rio de Janeiro encontra-se reproduzido um leque com retrato da Princesa Leopoldina (1861) e no catálogo* Exploration & Travel *da Christie's de Londres (setembro de 1998) a tela* Praia de D. Manoel – Rio de Janeiro.

Rio de Janeiro ou Souvenirs du Brésil, dessinés d'après nature et dediés a S.A.R. Madame la Princesse de Joinville: reproduções de litografias coloridas à mão: homenagem ao 4º centenário da fundação da cidade do Rio de Janeiro: 1565-1965.

[Rio de Janeiro]: Civilização Brasileira, [1965].

Em 1965 o colecionador e iconógrafo Gilberto Ferrez (v.) emprestou o seu álbum completo de Adolphe d'Hastrel para reprodução das gravuras, destinada a um calendário do ano 1966. Foram então reproduzidas em offset as gravuras nº 2, 3, 4, 6, 9 e 10 para este calendário, todas coloridas; foram ainda aproveitadas estas cópias para a formação de mil pastas destinadas à comercialização, pastas ornadas na capa com a reprodução da folha de rosto do álbum original. É este o álbum-pasta do presente verbete, com excelente reprodução das litografias, cujos títulos foram traduzidos e o álbum dotado de uma folha com texto do próprio Gilberto Ferrez.

HEADE, MARTIN JOHNSON

Martin Johnson Heade: selection and catalogue by Theodor E. Stebbins.

Maryland: Organized by The University of Maryland, Art Department, 1969.

Catálogo de uma grande exposição apresentada no Museum of Fine Arts de Boston, na Galeria de Arte da Universidade de Maryland e no Whitney Museum de New York, com 63 quadros de Martin Johnson Heade (1819-1858), importante paisagista americano que se especializou em retratar regiões costeiras e pantanosas, colibris, flores e orquídeas. Em fins de 1863, Heade desembarcou no Rio de Janeiro e passou a se dedicar ao desenho e estudo dos beija-flores, expondo doze pequenos quadros sobre este assunto na Academia Imperial de Belas Artes do Rio de Janeiro em princípios de 1864, aos quais deu o título de *Gems of Brazil*, obra que lhe valeu a Ordem da Rosa e que deveria ter sido parte de um conjunto de vinte que pretendia ver representado em livro. Este projeto de reprodução em cromolitografia chegou a ser subscrito pelo Imperador D. Pedro II, mas não se realizou, conhecendo-se apenas quatro provas preliminares. Retornando à Inglaterra em 1864, continuou a viajar muito e a partir de 1870 voltou ao tema dos colibris brasileiros, com aditamento de orquídeas e outras flores. O presente excelente catálogo relaciona diversas de suas obras brasileiras e reproduz seus quadros *Brazilian forest* e *The harbour at Rio de Janeiro*, além de vários de seus quadros de colibris e as quatro cromolitografias, todas em preto e branco. NOTA: O citado quadro *The harbour at Rio de Janeiro* encontra-se também reproduzido na revista *Manchete* (nº 1435) e quatro de seus quadros de colibris na revista *Diálogo* (nº 2, volume 23, 1990). Os quadros a óleo *Pôr-do-sol – Porto do Rio de Janeiro* (Regis Collection de Minneapolis, EUA) e *Rio Sul Americano* (Museum of Fine Arts de Boston, EUA), bem como uma das telas de colibris (Museu Shelburn de Vermont, EUA), foram reproduzidos em "O imaginário brasileiro para o público norte-americano do século XIX", de Katherine E. Mauthorme (in *Revista USP*, nº 30).

HEIL, GÜNTHER

Fotógrafo alemão (1938), formado em Artes Gráficas, especializou-se em guias de turismo, e nesta qualidade foi enviado ao Brasil pela Editora Du Mont de Colônia (Alemanha) para documentar a obra Brasilien. Völker und Kulturen zwischen Amazonas und Atlantik *(1987), de Wolfgang Pfeiffer (v.), documentação fotográfica reaproveitada para ilustrar a obra* As mais belas igrejas do Brasil, *de Percival Tirapelli (v.).*

HENSLER, FRANCISCO

Franz Hensler, ou Henszler, topógrafo e fotógrafo alemão (1864-1925), viajou pelo Paraguai e Argentina e em 1883 chegou ao Brasil, fixando-se em São Paulo e retornando à Alemanha em 1897. Durante a década de 1890 foi sócio por alguns anos do estabelecimento fotográfico Kowalski & Hensler; Kossoy o cita como Friedrich Hensler e reproduz várias de suas fotografias no Album photographico de São Paulo. 1892 *(1984). No álbum* São Paulo *(1895), Gustavo Koenigswald (v.) reproduz doze de suas fotografias e o descreve como amador e como engenheiro que participou de uma expedição da Comissão ao Alto Paraná em 1893, realizada sob a direção de Olavo Hummel. Em 1907 Hensler voltou ao Brasil para o levantamento da Estrada de Ferro Blumenau-Hansa e a seguir trabalhou até 1921 na Estrada de Ferro Santos-Jundiaí.*

HERCULANO, ALFREDO

Tempo de bambas: o Carnaval da Praça Onze.

Rio de Janeiro: Rio Arte, [1983]. (Coleção iconográfica da música brasileira)

Curiosa série de desenhos feitos durante os carnavais cariocas de 1927 a 1929 pelo escultor Alfredo Herculano (1903), ganhador de uma medalha de ouro no Salão de 1945; os desenhos encontram-se reproduzidos em vinte cartões de 15,0 x 10,5 cm, e estes acondicionados em um estojo; acompanha um bom folheto de texto explicativo.

HERKENHOFF, PAULO

Biblioteca Nacional; a história de uma coleção.

2ª edição. Rio de Janeiro: Editora Salamandra, 1996.

Esta é uma obra que se fazia há muito necessária. Boa parte é dedicada aos livros, naturalmente, do manuscrito ao moderno, das obras de devoção ao livro de arte e grande destaque para a "Brasiliana", sempre com belas ilustrações. Especial destaque também mereceram as seções de desenho, gravura, cartografia e fotografia, cujas ilustrações são em boa parte inéditas e de grande importância iconográfica. A qualidade do texto e as fotografias de Pedro Oswaldo Cruz (v.) tornam esta luxuosa obra recomendável para estudos.

HERMITE, TERNAUX COMPANS

Hommage à Guanabara la superbe.

Rio de Janeiro: Irmãos Barthel, Éditeurs, 1937.

Obra panegírica da Snra. Ternaux Compans Hermite, esposa de Louis Hermite, embaixador francês no Brasil. Ilustrada com inúmeras fotografias do Rio de Janeiro, das quais muitas da autora e algumas de Augusto Malta (v.), conta ainda com dezesseis aquarelas próprias e quatro de Mme. Ternaux Compans, sua mãe. Edição luxuosa em 750 exemplares de grande formato e volume, muito bem ilustrada. Muito recomendável.

HERSTAL, STANISLAW

Após os estudos de pintura em sua terra natal (Polônia), emigrou para o Brasil na 2ª Guerra Mundial e estabeleceu-se como antiquário em São Paulo, atividade na qual logrou grande renome e tornou-se reconhecido especialista em prata e imagens sacras brasileiras. Participou do Salão Paulista de 1947 mas sua importância para a iconografia decorre das obras a seguir relacionadas:

Dom Pedro: estudo iconográfico.

São Paulo/Lisboa: s.e., 1972. 3 v.

Esta alentada obra, em três volumosos tomos, faz parte das poucas que podem ser consideradas "definitivas", ainda que se saiba que o autor (falecido no fim da década de 1970) pretendia publicar um "Suplemento". Impressa em Lisboa e com reprodução de mais de oitocentas imagens entre telas, gravuras, medalhas, leques e outros, algumas coloridas, conta ainda com comentários a cada peça, índices importantes, dicionário dos principais artistas e bibliografia. Indispensável para estudos. NOTA: Da tiragem de 1010 exemplares, consta terem sido cedidos cem ao autor a título de honorários, os únicos que aparentemente chegaram a ser comercializados no país.

Imagens religiosas do Brasil = Religious images of Brazil.

São Paulo: s.e., 1956.

Outra obra monumental, provavelmente pioneira na forma de apresentação e estudo da estatuária sacra de pequeno porte, a "portátil". Além da reprodução de 315 imagens (e algumas em cores), o autor procura características gerais para agrupá-las por regiões, épocas e mesmo autoria. Todas as imagens foram fotografadas por Walter E.O. Friedrich e muito bem reproduzidas. A tiragem foi de 2000 exemplares, dos quais 200 encadernados e em papel especial, assinados pelo autor. Muito recomendável.

HESS, ERICH JOACHIM

Isto é o Brasil!

2ª ed. São Paulo: Edições Melhoramentos, s.d.

Um dos álbuns de uma série publicada pela Companhia Melhoramentos para divulgar aspectos do Brasil e seus estados. O fotógrafo alemão Hess, ativo nas décadas de 30 e 40, concentrou sua atenção nas cidades e seus aspectos urbanísticos e arquitetônicos.

HILDEBRANDT, EDUARD

Paisagista alemão (1818-1869), aluno do marinhista Wilhelm Krause de 1838 a 1840 e de Eugène Isabey de 1842 a 1843 em Paris; expôs em Paris e a partir de 1843 fixou-se em Berlim, onde despertou a atenção de Alexander von Humboldt, que lhe proporcionou uma viagem ao Brasil e aos Estados Unidos de 1843 a 1845. A maior parte da produção artística desta viagem encontra-se na Galeria Nacional de Berlim, assim como o produto de uma viagem ao redor do mundo de 1862 a 1864, da qual foram publicados diários pessoais no jornal Montagspost *(Berlim), posteriormente reunidos em livro de três volumes ilustrados,* Reise um die Erde *(Berlim, 1867), que contém muitos desenhos e paisagens brasileiras. No Brasil permaneceu de março a outubro de 1844 e visitou Rio de Janeiro, São Paulo, Salvador e Recife. Apesar da grande importância de sua produção artística para a iconografia brasileira, muito pouco desta obra encontra-se no País e assim, também, muito pouco estudada; algumas poucas reproduções de suas aquarelas encontram-se em* 150 anos de pintura no Brasil: 1820/1970 *(1989),* Pinturas e pintores do Rio antigo *(1990),* Rio de Janeiro em seus quatrocentos anos: fundação e desenvolvimento da cidade *(1965), "Artistas alemães na América Latina" (in* Intercambio, *nº 4-6, 1980), e* A muito leal e heróica... *de Gilberto Ferrez (v.); esta deficiência foi sanada com a obra* The Brazil of Eduard Hildebrandt, *de Gilberto Ferrez.*

HINDEN, HEINRICH

Deutsche und deutscher Handel in Rio de Janeiro: Ein hundertjähriges Kulturbild zur Zentenar Feier der Gesellschaft 'Germania': 1821-1921.

[S.l.: Verfasst von Dr. H. Hinden, August 1921].

Encarregado de redigir um estudo sobre a centenária Sociedade Germania do Rio de Janeiro, Hinden (1876-1952) optou por apresentar um estudo focalizando a atuação da colônia alemã na vida e no comércio da cidade ao longo de cem anos, criando assim uma obra que se tornou clássica e procurada. Bem ilustrada com gravuras e fotografias antigas, contou também com várias das gravuras de von Theremin (v.), um dos sócios fundadores. Muito recomendável.

HOEHNE, FREDERICO CARLOS

Botânico brasileiro dos mais importantes, foi Diretor do Jardim Botânico de São Paulo por longos anos até seu falecimento. Autor de volumosa e renomada obra sobre botânica, agricultura e ambientalismo, dedicou-se também ao desenho e à fotografia a serviço de sua especialidade. Grande parte de sua obra foi publicada pela Secretaria de Agricultura do Es-

tado e distribuída aos competentes órgãos do Estado, todas atualmente escassas, principalmente, a Flora brasilica *quando completa. Entre as poucas publicadas particularmente destacam-se a* Botânica e agricultura no Brasil do século XVI *e* Resenha historica para a comemoração do vigesimo aniversario da Secção de Botanica e Agricultura annexa ao Instituto Biologico do Estado.

O jardim botânico de São Paulo: precedido de prólogo histórico e notas bio-bibliográficas de naturalistas botânicos que trabalharam para o progresso do conhecimento da flora do Brasil, especialmente no Estado de São Paulo.

[São Paulo]: Departamento de Botânica do Estado/Secretaria da Agricultura, Indústria e Comércio de São Paulo, 1941.

Uma obra histórica e botânica que contém, de fls. 19 a 241, um notável dicionário biográfico de naturalistas e botânicos que estiveram no Brasil ou trabalharam ativamente na classificação de espécimes da flora brasileira ao colaborarem com von Martius (v.) e seus sucessores na *Flora brasiliensis* (1840). Vários destes naturalistas mereceram verbete especial e muito extenso, entre os quais von Martius, Friedrich Sellow (v. estes) e Theodor Peckolt. Esta relação biográfica não tem similar na bibliografia nacional, e é imprescindível para estudos. A obra em si é fartamente ilustrada sobre o tema do título. NOTA: Os dados constantes neste trabalho complementam e completam dados anteriores colhidos pelo autor em sua obra *História da Botânica e Agricultura do Brasil do século XVI* (São Paulo: Companhia Editora Nacional, 1937).

Album de orchidaceas brasileiras e o Orchidario do Estado de S. Paulo.

São Paulo: Secretaria da Agricultura, Industria e Commercio de São Paulo, 1930.

Um álbum de formato oblongo, em modesta mas boa apresentação, é uma obra que o autor pretendia considerar como estudo preliminar para futuras pesquisas, "se este album não lograr ser o inicio de uma serie iconographica"; na realidade não só conseguiu seu intento, como criou uma importante obra de referência, um histórico do orquidário, um estudo ambiental sobre sua localização, e o início de uma série de estudos importantes. São 109 ilustrações em branco e preto sobre as instalações e as plantas, além de 58 estampas coloridas de aquarelas dos funcionários Margarida Hoehne, Ruth S. Carvalho e Joaquim Franco Toledo.

Revista dos amigos da flora brasileira.

São Paulo, ano I, nº 1, jan 1941.

Fundada e dirigida por F.C.Hoehne, esta *Revista*, em seu primeiro e único número, apresenta rico material para o estudo da botânica no Brasil. Além do artigo "Dia Amazônico" de von Martius (v.) e seu retrato por Joaquim F. Toledo, reproduz muitas das "Tabulae physiognomicae" da *Flora brasiliensis*, de von Martius, e vários desenhos do próprio Hoehne para ilustrar a história infantil "Coisa lá do fundo do mar", que assinou com o pseudônimo de "Vovô Eficeagá".

Album da secção de Botanica do Museu Paulista e suas dependencias, etc. contendo 218 photogravuras e zincographias e 5 trichromias.

São Paulo: s.e., [1925].

Mais um dos admiráveis trabalhos deste botânico e incansável Diretor do Jardim Botânico de São Paulo. O subtítulo revela a qualidade da ilustração, composta basicamente por fotografias do autor e as do ateliê Massart e Domingues, por desenhos do autor e G. Münch, e por aquarelas de autor não revelado.

HÖFLING, ELIZABETH

HÖFLING, Elizabeth, CAMARGO, Helio F. de Almeida e IMPERATRIZ-FONSECA, Vera Lucia.
Aves na Mantiqueira = Birds of Mantiqueira.

São Paulo: ICI Brasil, 1986.

Duas biólogas e um ornitólogo, unidos pelo ideal de promover educação ambiental, obtiveram a colaboração do pintor e também biólogo Frederico Lencioni Neto (v.) para esta obra simpática de impecável acabamento e beleza.

HOLANDESES NO BRASIL

Muitas foram as incursões de piratas holandeses no Brasil a partir de 1587, seguidas de uma invasão militar na Bahia em 1624 pela então criada Companhia das Índias Ocidentais, nova tentativa em 1627 e definitiva ocupação de Pernambuco de 1630 a 1654. Durante este período foi estabelecida em 1637 a sede do governo do Brasil Holandês em Recife, tendo o Conde Maurício de Nassau (v.) como Governador-Geral até 1644. Este período histórico destaca-se não somente por suas questões militares e econômicas mas também e sobretudo pela participação de arquitetos e pintores da comitiva de Maurício de Nassau: Frans e Pieter Post, Zacharias Wagener, Albert Eckhout, Georg Marcgraf (v. estes) e outros. Básicas para o estudo deste governo e sua época são as obras clássicas de Barleus, Piso (v. estes), Aldenburgk, Laet e outros, além das modernas por Boxer, Câmara Cascudo, Schaeffer (v.), Evaldo Cabral Mello, Gonsalves Melo Neto e outros.

Brasil holandês = Dutch-Brazil: Theatrum rerum naturalium Brasiliae:
I – Icones Aquatilium, Icones Volatilium.
II – Icones Animalium, Icones Vegetabilium.

[Rio de Janeiro]: Editora Index, 1993. 2 v.

Esta é a primeira edição nacional dos quatro volumes que compõem a coleção de desenhos e aquarelas doadas pelo Conde Maurício de Nassau (v.) ao Príncipe-Eleitor Frederico Guilherme (Friedrich Wilhelm) de Brandenburg e coligida pelo médico Christian Mentzel. Esta coleção encontra-se atualmente na Biblioteca Jaquelônica em Cracóvia (Polônia) e é basicamente formada por obras de Albert Eckhout (v.). É uma jóia editorial em dois volumes encadernados, contendo a reprodução perfeita de todos os desenhos e aquarelas e transcrição de todas as notas do original. Muito recomendável.

Brasil holandês = Dutch Brazil.

Rio de Janeiro: Editora Index, 1995. 5 v.

Esta edição é formada por cinco volumes que reproduzem várias coleções de desenhos e aquarelas, em sua maior parte de autoria de Albert Eckhout (v.), que se encontram atualmente na Biblioteca Jaquelônica em Cracóvia (Polônia), coleções que foram doadas ao Príncipe-Eleitor Frederico Guilherme (Friedrich Wilhelm) de Brandenburg, em 1652, pelo Conde Maurício de Nassau (v.). Estas coleções são formadas por quatro volumes conhecidos por *Theatrum rerum naturalium Brasiliae*, dois volumes como *Libri principis* e um volume como *Miscelanea cleyeri*. O primeiro volume é dedicado ao histórico desta fantástica coleção reencontrada em Cracóvia, com fundamental estudo de Dante Martins Teixeira, do Museu Nacional, e a reprodução da *Miscelanea cleyeri*. O segundo e o terceiro volume reproduzem o *Libri principis* e os demais os quatro livros do *Theatrum* (este como nova edição do *Theatrum* do verbete anterior). Esta nova jóia editorial foi patrocinada pela Petrobras e se apresenta em cartonado com caixa. Muito importante e muito recomendável.

Brasil holandês:
Volume I – Documentos da Biblioteca Universitária de Leiden.
Volume II – O 'Thierbuch' e a 'Autobiografia' de Zacharias Wagener.
Volume III – Os quadros do 'Weinbergschlosschen' de Hoflössnitz.

Rio de Janeiro: Editora Index, 1997. 3 v.

Ainda em cartonado em caixa e patrocinada pela Petrobrás, a Editora Index apresenta na mesma alta qualidade das edições precedentes uma coletânea inestimável de documentos iconográficos da época da ocupação holandesa do Nordeste sob o Conde Maurício de Nassau, Governador-Geral. O primeiro volume apresenta o relato de Rodolfo Baro aos índios da Serra de Macaguá em 1647 e um relato de 1639 por Vicente Joaquim Soler, um padre espanhol convertido ao calvinismo, relato este acompanhado de um estudo de B.N. Teensma. O segundo volume reproduz na íntegra a obra de Zacharias Wagener (v.), com todas as suas anotações e a autobiografia que inclui sua permanência no Brasil de 1634 a 1641, precedida de abalizado estudo de Dante Martins Teixeira, do Museu Nacional (este volume tem a peculiaridade de se apresentar em forma oblonga). O terceiro apresenta os quadros de aves brasileiras atribuídos a Albert Eckhout (v.), pintados no teto do Castelinho de Hoflössnitz. Um estudo preliminar de Dante Martins Teixeira conta com fotografia do Castelinho e do salão monumental com suas pinturas, além de um esquema do teto. Também esta é uma edição de alta qualidade e de grande interesse dos relatos de Baro e Soler e da obra de Wagener.

Tricentenário da restauração pernambucana.

Pernambuco: Comissão Organizadora e Executiva, 1954.

Esta foi, sem dúvida, uma das exposições comemorativas mais interessantes, abrangentes e importantes deste século no país. Várias foram as seções que compuseram esta notável mostra, cada uma dotada de um catálogo especial, peças que se tornaram raras e merecem descrição conjunta, ainda que nem todas sejam especificamente iconográficas. Todos os catálogos tiveram transcrito o título supra, e os seguintes subtítulos, em ordem aleatória:

1. "Exposição comemorativa da Biblioteca Nacional, Universidade do Recife, Biblioteca Pública de Pernambuco, Instituto Arqueológico, Instituto Joaquim Nabuco, Gabinete Português de Leitura: catálogo" Precedido de um estudo de José Antonio Gonsalves de Mello, esta seção constava de 124 livros raros sobre o domínio holandês do Nordeste brasileiro, quase todos com ligeiras notas, provavelmente do prefaciador. Contou com reprodução de um raríssimo mapa de Hessel Gerritsz (1581-1632), outro de Commelyn (v.) sobre o ataque e a tomada de Olinda, e o frontispício do *Rerum per octennium in Brasilia*, de Barleus (v.); em anexo, uma relação de seis gravuras raras.
2. "Exposição comemorativa do Museu Histórico Nacional: catálogo" Este documento foi elaborado por Gustavo Barroso (v.), diretor do Museu Histórico Nacional, e relaciona 27 armas e apetrechos bélicos usados pelos combatentes na ocupação holandesa, todos comentados e reproduzidos; foi complementado com oito desenhos de José Wasth Rodrigues (v.) retratando diversos tipos de armas não existentes no museu, além de desenhos de tipos étnicos e de uniformes.
3. "Exposição comemorativa do Instituto Brasileiro de Geografia e Estatística. (Conselho Nacional de Geografia)" Dedicada à cartografia da região nordestina, foi a única seção destituída de maior interesse; restringiu-se a relacionar folhas preparativas para a Carta do Brasil ao Milionésimo (v.) e algumas cartas estatísticas sobre população, alimentação, produtos comerciais, indústria, pecuária e Rio São Francisco, todos da atualidade, além de alguns mapas e cartogramas avulsos e alguns números do *Boletim Geográfico* e da *Revista Brasileira de Geografia*.
4. "Exposição comemorativa da escultura religiosa: coleção Abelardo Rodrigues" É notório que esta coleção "constitue uma das mais importantes coleções particulares ou públicas de especialidade, existentes dentro ou fora do país", e por este mesmo motivo foi uma lástima este catálogo contar somente com um pequeno estudo hagiológico geral de Robert C. Smith (v.). Os 250 santos foram relacionados sem comentários, e alguns poucos reproduzidos em dez fotografias de Gastão de Holanda e cinco de Faria de Azevedo.
5. "Exposição comemorativa do Ministério das Relações Exteriores – Serviço de Documentação" A um breve prefácio descritivo de Gilberto Osório de Andrade segue-se rica documentação cartográfica e iconográfica do Brasil holandês da Mapoteca do Itamaraty (85 peças raras, quase todas comentadas), documentos dos arquivos particulares do Barão do Rio Branco e do Visconde de Porto Alegre. Foram incluídas reproduções de dois mapas manuscritos desdobráveis (não foi declinada a autoria), um mapa manuscrito com anotações do Barão do Rio Branco e duas folhas com suas anotações sobre a *História das lutas com os holandeses*, de Varnhagen.
6. "Exposição comemorativa: iconografia do Recife, século XIX (coleção Gilberto Ferrez e outros)" Ainda que não conste do título, foi Gilberto Ferrez o coordenador desta inigualável exposição, além de autor do prefácio e de todos os comentários às 232 peças relacionadas, das quais, como nos informa, 51 foram inéditas, 21 exemplares únicos e 97 extremamente raros. Fantástico, quase inimaginável o material coligido, entre mapas, gravuras, aquarelas e álbuns raríssimos, dos quais muitos foram bem reproduzidos. A apresentação gráfica deste catálogo também é digna de nota especial, encontrando-se cada uma das ilustrações precedida de uma folha em papel de arroz que porta o título, a descrição e a origem da peça. Muito interessante e importante. NOTA: Este catálogo também consta do verbete Gilberto Ferrez (v.).

'Johan Maurits van Nassau' en de Korte Bloeitidj van Hollandsch-Brazilia: 1636-1644.

[Gravenhage?]: C. Molengraaff-Gerlings, [1930?].

Um álbum sobre a época, o governo e a figura de Maurício de Nassau (v.) como representante da Companhia das Índias Ocidentais e sua atuação em Pernambuco. Estudo importante e muito ilustrado, contém também gravuras provenientes das obras de Piso e Barleus (v. estes), e o retrato de Maurício de Nassau gravado por Th. Matham (1605-1676); constam também fotografias do Recife, datadas de 1930.

Imagens do Brasil holandês: 1630-1654.

S.l.: Fundação Nacional Pró-Memória/MINC – Ministério da Cultura, 1987. (Catálogo de exposição, maio 1987)

Catálogo brochurado de grande formato de uma importante exposição no Paço Imperial do Rio de Janeiro, com reprodução da totalidade do material exposto, entre gravuras, documentos, livros, folhetos, utensílios, moedas, tapeçarias e obras de arte. Texto de Evaldo Cabral de Mello; muito recomendável.

Catálogo da Exposição Nassoviana comemorativa do 3º centenário da chegada de Maurício de Nassau.

Separata de *Annaes da Bibliotheca Nacional*, Rio de Janeiro, v. 51, 1938.

Separata em cem exemplares, dedicada principalmente a livros e folhetos sobre a ocupação holandesa de 1634 a 1654; uma boa e importante parte foi reservada a material iconográfico, com boa descrição técnica de todos os itens. Sem ilustrações, mas imprescindível para estudiosos.

Os pintores de Maurício de Nassau: exposição.

Rio de Janeiro: Museu de Arte Moderna, 1968. (Catálogo de exposição, maio-jul. 1968)

Impresso na Holanda, contou com muitas ilustrações importantes, infelizmente mal reproduzidas. A um pequeno estudo de Joaquim de Sousa-Leão e outro de Enrico Schaeffer (v. estes) aliam-se ótimos comentários a cada item exposto (autor não divulgado).

Documentário ilustrado do tri-centenário da restauração pernambucana.

[Recife]: s.e., [1954].

Típica produção comercial à sombra de uma comissão oficial organizadora dos festejos comemorativos: mal paginada e impressa, confusa, dotada de inúmeros pequenos artigos de autores bons e ruins e de qualidade muito variável, conta ainda com histórico propagandístico de estabelecimentos comerciais e industriais (página 149 à final, 248). Assim mesmo, não deixa de ser um bom documento iconográfico, pois conta com farta ilustração (sem a devida identificação) e uma boa "Síntese histórica do Brasil holandês".

Exposição histórica comemorativa do tricentenário da restauração pernambucana: 1654-1954.

Lisboa: Palácio Foz/Recife: Gabinete Português de Leitura, 1954. (Catálogo de exposição, 1954)

Monumental exposição organizada por Alberto Iria, diretor do Arquivo Histórico Ultramarino de Lisboa, com material colhido nas bibliotecas e arquivos nacionais e comentado por competentes estudiosos portugueses. Farta documentação histórica e seções especiais de cartografia, pintura, desenho, gravura, escultura, fotografia e numismática. Catálogo de excelente qualidade, com alguns poucos retratos de personagens históricos; imprescindível para estudos.

Zo wijd de wereld strekt: Tentoonstelling naar aanlading van den 30 oste sterfdag van Johan Maurits van Nassau-Siegen op 20 december 1979.

Den Haag: Koninklijk Kabinet van Schilderijen Mauritshuis, [1979]. (Catálogo de exposição, dez. 1979-mar. 1980)

Catálogo de uma enorme e importantíssima exposição sobre a atuação de Johan Maurits van Nassau-Siegen, Conde Maurício de Nassau (v.) durante a ocupação holandesa no Brasil, organizada pela Fundação holandesa que leva o nome do conde; dedicado a Joaquim de Sousa-Leão (v.), grande estudioso da matéria, esta exposição foi muito abrangente: a história da expansão holandesa no início do século XVII, a figura do Conde como militar, governador e mecenas, a cartografia da ocupação e as obras dos artistas que estiveram ativos no Brasil: Frans Post, Albert Eckhout, Zacharias Wagener e Georg Marggraf (v. estes), além de obras específicas de botânica e astronomia. Muito ilustrado, este catálogo é muito importante, deixando de ser indispensável tão-só por se encontrar redigido em holandês.

Síntese da arte histórica brasileira da Missão Nassau ao ano de 1922: Grande Mostra Petrobras 88.

Rio de Janeiro: Petrobras, 1988. (Catálogo de exposição, 1988)

Notável exposição sob a curadoria do Museu Nacional de Belas Artes do Rio de Janeiro, que deu origem a este excelente catálogo, muito bem ilustrado (ainda que todas as reproduções em pequena dimensão) e apresentado em cada uma de suas interessantes seções: paisagem, casario e costumes, fatos e vultos ilustres, lendas e ilustrações.

O Brasil e os holandeses: 1630-1654.

Rio de Janeiro: Sextante Artes, 1999.

De uma pequena mas muito rica e expressiva exposição realizada na sede do antigo Banco Real em São Paulo, nasceu esta monumental obra patrocinada pelo AMRO Bank e organizada pelo crítico de arte Paulo Herkenhoff, atual curador de museu. Muitas são as obras que estudam a ocupação holandesa do Nordeste do Brasil, mas nenhuma ostenta a qualidade e beleza da presente, sem falar nos textos confiados a renomados especialistas e as insuperáveis ilustrações. Muito importante e recomendável. NOTA: Esta obra teve uma versão em inglês, em idêntica apresentação e publicada na mesma ocasião.

HOLLANDA, GUY DE

Recursos educativos dos museus brasileiros.

Rio de Janeiro: Centro Brasileiro de Pesquisas Educacionais/Organização Nacional do ICOM (The International Council of Museums), 1958.

Um título que nos induz a pensar em assunto pedagógico revela uma das poucas obras que relacionaram e comentaram os museus brasileiros. O autor era membro do ICOM (International Council of Museums) e ilustrou esta sua obra com boas e elucidativas fotografias. Importante.

HOLLOWOOD, BERNARD

The story of Morro Velho.

Londres: The St. John D'El Rey Mining Company Limited, [1955].

Relatório histórico da administração da mina de ouro "Morro Velho" em Minas Gerais a partir de sua instalação em 1830. O presente difere de outros do gênero por ter sido editado em forma de livro encadernado e bem diagramado e por suas ilustrações, de um lado, formadas pelas clássicas fotografias de vistas e administradores do passado e, de outro, pela reprodução de quadros a óleo anônimos de meados do século XIX, além de um de Georg Grimm (v.), de 1885, e o fac-símile de uma folha do *Illustrated London News*, de 20 de janeiro de 1849, reproduzindo quatro gravuras. Muito interessante.

HORA, ABELARDO DA

Meninos do Recife.

[Recife: Movimento de Cultura Popular, 1962?].

Álbum em fólio com desenhos a nanquim do escultor Abelardo da Hora (1924), obra de grande sensibilidade sobre o tema do título.

HORCH, ROSEMARIE ERIKA

Doutora em Biblioteconomia (1929) e professora da Universidade de São Paulo, é autora de muitas obras sobre bibliografia, cartografia e iconografia, todas publicadas em revistas especializadas e geralmente com poucas ilustrações, mas sempre importantes para estudos.

Álbuns do Rio de Janeiro existentes no IEB.

Separata da *Revista do Instituto de Estudos Brasileiros*, São Paulo, nº 5, 1968.

Estudo sobre os álbuns de viajantes que estiveram no Rio de Janeiro no século XIX e se encontram na coleção do Instituto de Estudos Brasileiros da Universidade de São Paulo; a minuciosa descrição é ilustrada com quatro gravuras razoavelmente reproduzidas.

Viajantes estrangeiros no Brasil: um ensaio bibliográfico.

Separata da *Revista de História*, São Paulo, nº 74, 1968.

O conteúdo deste pequeno estudo consta do prefácio: "[...] O nosso intuito não é indicar os catálogos de Brasiliana já sobejamente conhecidos, mas sim, bibliografias que citam obras de viajantes e artigos ou estudos que relacionam os nomes dos visitantes que vieram ao Brasil". Sem ilustrações, mas necessário.

Álbuns de viajantes que estiveram no Brasil na primeira metade do século XIX.

Separata do Boletim Bibliográfico da Biblioteca Mário de Andrade, São Paulo, 41(3/4):48-149, jul.-dez. 1980.

Uma listagem completa dos álbuns referidos no título, transcrevendo as ilustrações e demais dizeres, incluindo nome dos artistas, gravadores e impressores. Trabalho de fôlego, imprescindível para estudos, conta com uma única ilustração, bem reproduzida.

Dois expoentes da cartografia dos Países Baixos.

Separata da *Revista do Instituto de Estudos Brasileiros*, São Paulo, nº 7, 1969.

Outro bom estudo cartográfico, focalizando o *Theatrum Orbis Terrarum* de Abraham Ortelius (1575) e os nove volumes do *Atlas* de Willem Janszoon Blaeu (1648-1664) e seus filhos (v. estes); os mapas foram razoavelmente reproduzidos.

Quais as fontes para os mapas das Novae Insulae de Sebastian Münster?

Lisboa: Centro de Estudos de História e Cartografia Antiga/Instituto de Investigação Científica Tropical, 1988. (Série Separatas, 193)

Sólido estudo sobre os mapas das Américas de Sebastian Münster, publicados em sua *Cosmographia* nas edições de 1540 e 1588. Os mapas examinados foram sofrivelmente reproduzidos.

Cartas dos Compadres de Belém e de Lisboa: transcrição dos textos originais na íntegra.

São Paulo: s.e., 1977. (Textos e Documentos: coleção da Revista de História, 4)

Estudo sobre os álbuns de viajantes que estiveram no Rio de Janeiro no século XIX e se encontram na coleção do Instituto de Estudos Brasileiros da Universidade de São Paulo; a minuciosa descrição é ilustrada com quatro gravuras razoavelmente reproduzidas.

HÖRMEYER, JOSEPH

O que Jorge conta sobre o Brasil.

Rio de Janeiro: Editora Presença, 1966.

Modesta edição comercial para esta versão do original alemão de 1863, *Was Georg seinen deutschen Landsleuten über Brasilien zu erzählen weiss*, com razoável reprodução das 25 interessantes xilogravuras originais cuja autoria permanece uma incógnita até a data.

HORTA, VERA D'

MAM: Museu de Arte Moderna de São Paulo.

São Paulo: DBA Artes Gráficas, 1995.

Obra importante e muito bem ilustrada, em luxuosa edição; as fotografias foram de Rômulo Fialdini (v.) e Bubby Costa.

HÜ, CHARLES

Le Brésil.

S.l.: Edité par les soins de la Revue France-Brésil, [1908?].

O autor desta obra monumental se identifica no prefácio como Conselheiro do Comércio Exterior da França e diretor da revista *France-Brésil* (a editora); era também o fundador (1893) de um grande estabelecimento de gêneros alimentícios em Bordeaux, com filial em São Paulo. Nesta qualidade, e por ocasião da grande exposição do Rio de Janeiro de 1908, publicou esta importante obra, profusamente ilustrada com aspectos da vida comercial e industrial do País, focalizando as autoridades e personalidades da época, as indústrias e as casas comerciais, os produtos e os meios de transporte, além de aspectos das principais cidades e os panoramas desdobráveis de Manaus e Santos. As fotografias encontram-se emolduradas em estilo *art nouveau*, como era costume em boas publicações da época.

HUASCAR Nicolau de VERGARA

Nada se sabe sobre a origem do cenógrafo, litógrafo e caricaturista conhecido por Huascar e ativo no Rio de Janeiro em meados do século XIX. *Falecido antes de 1880, encontra-se definido em Gonzaga Duque como "homem trabalhador e honesto, porém artista de muito pouco mérito". De sua autoria é conhecida a grande litografia (85 x 44 cm) "Assalto e ocupação de Curuzú pelo 2° corpo do exercito ao mando do Visconde de Porto Alegre em 3 de setembro de 1866", do álbum* Quadros historicos da Guerra do Paraguay *(relacionado sob o n° 17596 no* CEHB*), de Ernesto Carlos Jourdan (v.), a totalidade das ilustrações da* Revista da Exposição Anthropologica Brazileira, *de Mello Morais Filho (v.) e muitas caricaturas reproduzidas em* História da caricatura no Brasil, *de Herman Lima.*

HUE, JORGE DE SOUZA

Uma visão da arquitetura colonial no Brasil.

Rio de Janeiro: Agir, 1999.

Com texto competente e as fotografias de José de Paula Machado e Nelson Monteiro, estamos perante um álbum belo e impecável.

HUEBNER, GEORGES

Como um dos mais importantes fotógrafos e naturalistas que atuaram no Brasil em fins do século XIX, *o alemão Georg August Eduard Hübner, ou George Huebner, como passou a assinar, também foi um dos mais esquecidos até a data. Nascido em 1862, pouco se sabe sobre sua formação profissional, mas acredita-se ter sido aluno de Oscar Schneider, um naturalista alemão que lhe facultou o acesso a uma associação científica em Dresden (Alemanha), da qual se tornaria colaborador e sócio correspondente com o título de "naturalista". Em 1885 chegou a Belém do Pará e permaneceu por um ano na Amazônia, partindo a seguir para explorações no Peru em companhia do fotógrafo Ch. Kroehle; voltou à Alemanha em princípios de 1891 e em fins do mesmo ano retornou à Amazônia, percorrendo a região dos rios Cassiquiara e Rio Branco e colhendo plantas e orquídeas para o botânico belga J.J. Linden (v.). Voltou novamente à Alemanha em 1896 e em 1897 retornou definitivamente ao Brasil, trabalhando inicialmente em Belém do Pará para o editor Arthur Caccavoni (v.) na ilustração fotográfica dos álbuns* Album descrittivo annuario dello Stato del Pará *(1898) e* Album descriptivo amazonico *(1899) e, a seguir, como fotógrafo em Manaus, criando em 1902 o ateliê "Photographia Alemã" e em 1904 o "Huebner & Amaral" (em sociedade com Libanio Amaral, um fotógrafo e professor de desenho na Academia Amazonense de Artes), um ateliê que se tornou famoso como marco de qualidade e pioneiro na edição de cartões-postais (impressos em Dresden) de Manaus e da região. Após a publicação de seu álbum* Vistas do Pará. Brasil *(Manaus, 1899), atualmente muito raro, foi em 1904 nomeado fotógrafo oficial para a visita do Governador do Estado à região do Rio Branco, resultando desta viagem a igualmente rara obra* O Valle do Rio Branco; Estado do Amazonas *(1906), do General Jacques Ourique (v.), ilustrada com 85 fotografias de sua autoria. Em 1906 ad-*

quiriu o ateliê "Photographia Fidanza" (de Belém) do falecido (1924) fotógrafo italiano Felipe A. Fidanza (v.), participou em 1908 da Exposição Nacional do Rio de Janeiro (onde obteve medalha de ouro) e em 1910 fundou uma filial no Rio de Janeiro; ainda em 1910, vendeu a "Photographia Fidanza". Em 1919 encerrou seus empreendimentos fotográficos e retirou-se para seu sítio às margens do Rio Negro, onde continuou a cultivar plantas raras, orquídeas e palmeiras e passou a manter contatos com grandes colecionadores e botânicos nacionais, instituições botânicas e museus, chegando a merecer o batismo de cerca de trinta plantas com o seu nome; faleceu em Manaus em 1935. Sua obra encontra-se estudada e documentada em George Huebner: 1862-1935: un photographe à Manaus *(Genève, 2000), de Daniel Schoepf (v.).*

HUMBERTO Miranda Martins Pereira, LUIZ

Arquiteto, professor da Universidade de Brasília, fotógrafo profissional a partir de 1966, autor de Fotografia: universo de arrabaldes *(1983).*

Brasília: sonho do Império: capital da República.

[Brasília: s.e., 1980].

Expressivo fotojornalismo em álbum de edição do autor, focalizando principalmente os anos de 1975 a 1979.

I

IANELLI, THOMAS

Desenhista e pintor brasileiro (1932-2001).

Capitanias de mar e serra; alguns registros.

São Paulo: Rhodia, 1976.

Talvez seja excessivamente poética a visão do artista ao retratar em aquarelas algumas paisagens, mas "o artista retrata suas sensações, seu modo de ser e de sentir e encara a si próprio na contemplação da paisagem", segundo o prefaciador Luis Seraphico, que também redigiu os "registros" para cada uma das 22 aquarelas.

IHERING, RODOLPHO von

Neto do jurista alemão Rudolph von Ihering e filho do naturalista Hermann von Ihering, antigo Diretor do Museu Paulista, o autor nasceu no Rio de Janeiro em 1883 e cedo desenvolveu a vocação de naturalista. Dedicando-se preferencialmente à zoologia, foi autor de obras que se tornaram clássicas: Dicionário brasileiro dos animais do Brasil, Da vida dos nossos animais, Da vida dos peixes *e* O livro das aves *(ilustrado com aquarelas da esposa Isabel). Faleceu em 1940.*

Dicionário dos animais do Brasil.

São Paulo: Secretaria da Agricultura, Indústria e Comércio do Estado de São Paulo/Diretoria de Publicidade Agrícola, 1940.

Obra consagrada e clássica, permanece a única disponível até a data. A ilustração é formada por pequenas vinhetas, de procedência ignorada, que retratam muitos dos animais examinados. Importante. NOTA: Uma edição em cópia reprográfica foi publicada recentemente.

IHERING, Rodolpho von e **BONANÇA**, Dora von Ihering. *Ciência e belezas nos sertões do Nordeste.*
Fortaleza: Departamento Nacional de Obras Contra a Seca, [1983?].

Rodolpho von Ihering foi convidado em 1932 a dirigir a Comissão Técnica de Piscicultura do Nordeste, uma missão que ensejou os estudos e a redação do texto constante nesta modesta mas simpática edição, muito bem ilustrada com desenhos e aquarelas de Alfredo Norfini (v.), o pintor que acompanhou esta expedição. Muito interessante.

IMPÉRIO BRASILEIRO

Sob este termo genérico serão englobados membros das famílias real e imperial, bem como personalidades e fatos históricos que se estendem da chegada de D. João VI ao Brasil (1808) à Proclamação da República em 1889. Muitas das exposições abrangem um ou mais períodos, tornando difícil enquadrá-los adequadamente na classificação adotada pela historiografia, optando-se assim pela generalização.

D. João VI e o seu tempo: exposição.
Lisboa: Comissão Nacional para as Comemorações dos Descobrimentos Portugueses, 1999. (Catálogo de exposição, maio-jul. 1999)

Fenomenal catálogo de uma exposição portuguesa feita para portugueses para a compreensão do que foi a alma portuguesa na formação da brasileira no início do século XIX. Esta obra é um autêntico tratado, ricamente ilustrado, com uma parte (ainda que pequena) dedicada especificamente ao Brasil. Imprescindível para estudos.

D. Pedro D'Alcântara de Bragança: imperador do Brasil: rei de Portugal: 1798-1834: uma vida, dois mundos, uma história.
2ª ed. [Rio de Janeiro]: Paço Imperial/[Lisboa]: Palácio de Queluz, 1987. (Catálogo de exposição, 1987)

Após a publicação da obra *Dom Pedro I* por Stanislaw Herstal (v.), nada mais foi estudado ou publicado que fosse comparável. Merece, entretanto, uma citação muito especial este belo catálogo que serviu para a monumental exposição organizada no Palácio Queluz, em Lisboa, e posteriormente no Paço Imperial do Rio de Janeiro. Os historiadores portugueses que estudaram e comentaram os 503 itens e escolheram o excelente material iconográfico (em grande parte reproduzido) tornaram este catálogo uma obra imprescindível para o estudo de D. Pedro como Imperador do Brasil e Rei de Portugal.

Leilão de uma coleção iconográfica de D. João VI e sua época.
Suplemento de *Leilão da Primavera*, [Rio de Janeiro, 1977].

Este pequeno mas importante catálogo foi um suplemento do catálogo *Leilão de Primavera* do Palácio dos Leilões do Rio de Janeiro, em novembro de 1977, catálogo especial para uma coleção particular que deveria ser leiloada em bloco, intenção manifestada através de destaque na imprensa. Na véspera do leilão, entretanto, e não tendo obtido sinal de apoio à iniciativa, o leiloeiro se viu forçado a comunicar publicamente que a coleção seria oferecida em diversos lotes menores, o que inesperadamente induziu o Banco do Brasil a manifestar o compromisso de arrematar a coleção em bloco e incorporá-la ao seu próprio museu instalado em Brasília. Foi assim preservada esta coleção de 45 peças (não muito bem reproduzidas) de valor inestimável para a iconografia brasileira.

Pedro e Amélia: amor e fidelidade.

[São Paulo]: Pinacoteca do Estado, 1980. (Catálogo de exposição, abr.-maio 1980)

Organizada e apresentada no Museu Imperial de Petrópolis, esta belíssima exposição também chegou à Pinacoteca do Estado de São Paulo, que editou este excelente catálogo, infelizmente ilustrado tão-somente em preto e branco (assim mesmo, muito bonito). Estudos e comentários de Josette Balsa. NOTA: Como complemento à exposição, a Secretaria de Estado da Cultura editou uma série de onze cartões-postais coloridos reproduzindo peças que constaram da exposição.

1ª exposição de vestes e objetos imperiais e de louça histórica.

São Paulo: Instituto Histórico e Geográfico de São Paulo, 1954. (Catálogo de exposição, set.-out. 1954)

Entre as múltiplas comemorações do IV centenário de São Paulo, constou esta grande exposição de 320 itens, muitos dos quais reproduzidos neste catálogo, que teve como falha lamentável a falta de comentários e de um estudo adequado da época e dos objetos.

D. Pedro II e o desenvolvimento econômico-social no II Reinado: 1840-1889.

[Rio de Janeiro]: Divisão de Publicações e Divulgação da Biblioteca Nacional, 1975. (Catálogo de exposição, ago. 1975)

Focalizando aspectos econômico-sociais, esta exposição também contou com uma parte dedicada aos viajantes e seus álbuns, a mapas e à medalhística. As ilustrações são poucas e mal reproduzidas.

Pedro II pela imagem.

Petrópolis: Museu Imperial, [1977?]. (Catálogo de exposição, 1977?)

O Museu Imperial de Petrópolis hospedou a exposição ambulante "Tempo e lembrança de D. Pedro II", organizada por Clarival do Prado Valladares (v.) e formada por 120 itens em painéis de um metro quadrado cada um; para esta exposição foi elaborado o presente catálogo, que reproduz e descreve somente os 32 retratos do Imperador.

D. Pedro II e sua época.

[Petrópolis]: [Museu Imperial], 1975. (Catálogo de exposição, 1975)

Catálogo sem ilustrações mas com boas descrições de 117 itens, entre indumentária, armaria, cristais, documentos históricos, jóias, louças, mobiliário e iconografia.

Leilão imperial.

São Paulo: Maurício Pontual Galeria de Arte/Promose, 1981. (Catálogo de leilão, 1981)

O título do catálogo fez jus à repercussão deste leilão de quase quinhentas peças da era imperial, entre as quais vários leques (três reproduzidos), as aquarelas *Terreiro do Paço* e *O povoado de Fernando Noronha*, de Augusto Earle (1824) e a aquarela *O Rio de Janeiro visto de Niterói*, de George Lothian Hall (1858), todas reproduzidas; vários quadros de Edoardo De Martino, Nicola Facchinetti, Giambattista Castagneto (v. estes) e outros paisagistas, escultores e medalhistas do século XIX, muitos dos quais reproduzidos. A capa do catálogo apresenta os retratos de D. Pedro II e D. Teresa Cristina, por Benedito Calixto (v.). NOTA: Este leilão contou com um "convite" de duas folhas, no formato do catálogo, onde se encontram reproduzidos um leque, um quadro de Facchinetti e a aquarela de Hall; na capa, os retratos acima referidos.

Gravuras imperiais: homenagem ao sesquicentenário da independência do Brasil: 1822-1972.

[São Paulo]: G.R. Dorea Editor/[Governo do Estado de São Paulo/Secretaria de Cultura, Esporte e Turismo], [1972].

Álbum de 54,5 x 37,5 cm contendo apenas duas estampas em cartolina, reproduções das seguintes gravuras antigas:

1. *D. Pedro Primeiro, Imperador do Brasil*, em cores, cópia da gravura *Pedro 1° Imperador do Brazil e Rei de Portugal*, executada por Ingrey & Madeley's Lithography (Londres) segundo quadro desaparecido de Simplício de Sá (1785-1839); reproduzida em Herstal.
2. *D. Leopoldina. Primeira Imperatriz do Brasil. Princesa Real do Reino Unido*, em preto e branco, cópia da gravura *Leopoldina. Arquiduqueza d'Austria. Princeza Real do Reino Unido de Portugal, Brazil e Algarves*, gravada por Jean-François Badoureau (v.) sob desenho de Jules Antoine Vauthier (1774-1832), reproduzida em Herstal e em cores no álbum *D. Pedro D'Alcantara e D. Leopoldina* (v. a seguir).

D. Pedro D'Alcântara e D. Leopoldina: gravuras de Jean François Badoureau segundo desenhos de Jules Antoine Vauthier.

[Lisboa: Of. Graf. Manuel A. Pacheco Ltda., 1986].

Álbum comemorativo, em tiragem de 500 exemplares, que contém somente as duas gravuras do título, ambas em colorido da época, dimensão original e ótima reprodução, obras do gravador Jean-François Badoureau (v.) e do pintor Jules Antoine Vauthier (1774-1832). Muito recomendável.

Tempo e lembrança de D. Pedro II: um estudo iconográfico de Clarival do Prado Valladares.

[Rio de Janeiro]: s.e., [1977]. (Catálogo de exposição, 1977)

Coligindo material e dados obtidos em diversos centros culturais do país, o historiador e iconógrafo Clarival do Prado Valladares (v.) organizou uma exposição ambulante com 120 itens, com reproduções fotográficas, em painéis de um metro quadrado cada um; 39 destes itens encontram-se razoavelmente reproduzidos neste catálogo, que foi enriquecido com comentários do organizador e com um estudo de Lygia Martins Costa, do Instituto Histórico e Geográfico Brasileiro.

INGLESES NO BRASIL

A grande influência inglesa na economia e na política brasileira durante o século XIX nasceu com a transferência do governo de D. João VI para o Brasil e a conseqüente Lei de Abertura dos Portos em 1808; grande foi o número de visitantes, entre viajantes, artistas, militares e diplomatas, assim como grande a afluência de comerciantes que se estabeleceram e criaram raízes no País.

A presença britânica no Brasil = The British presence in Brazil.

2ª ed. [São Paulo]: Editora Pau Brasil, 1987.

O mais completo e bem ilustrado estudo sobre os ingleses no Brasil no século XIX, com ênfase especial aos viajantes e pintores. Obra bela e importante.

Os britânicos no Brasil = The British in Brazil.

São Paulo: Centro Brasileiro Britânico, 2001. (Catálogo de exposição, 2001)

Exposição temática que se fazia há longa data desejada (mas nem tão bem realizada), teve neste catálogo um ótimo testemunho. Enorme foi a influência britânica no Brasil a partir da abertura dos portos (1808) e ao longo daquele século, influência que se fez sentir em diversos setores, muito bem representados por módulos e apresentados de diversos curadores, destacando-se o *way of life* de Aracy Amaral e Carlos Eugenio Marcondes de Moura (v. estes). Foi a parte pictórica que causou decepção, apresentada quase exclusivamente por cópias, tanto da documentação quanto da parte artística, notando-se sensivelmente a falta da coleção da Sociedade de Cultura Inglesa (v.), que foi vendida ao colecionador pernambucano Francisco Brennand, e a falta das aquarelas de Margaret Mee (v.), tão bem representadas no acervo da USP. Importante.

Centro Brasileiro Britânico = Brazilian British Center.

São Paulo: Cultura Inglesa, 2001.

Plaqueta publicada para a inauguração do prédio do Centro Brasileiro Britânico em São Paulo, projetado pelos arquitetos Botti e Rubin; sucinto texto de Marta Goes e as fotografias do prédio e seus interiores por Cristiano Mascaro (v.).

INOUE, HISAOMI

A photograph collection by Hisaomi Inoue: / People in the torrential heat: The Taklimakan Desert: The marshland of the Amazon = Peuple dans la chaleur torride: La désert Taklimakan: Le marécage de l'Amazone = Pessoas no calor torrencial: O deserto Taklimakan: A região pantanal da Amazônia.

S.l.: s.e., 1992?

Belo ensaio fotográfico sobre três temas distintos: o deserto de Taklimakan e o povo lá residente, um vilarejo de índios à margem de um rio amazonense e o drama da destruição da natureza provocada por mineração na mesma região amazonense. O texto, do próprio fotógrafo, é transcrito em inglês, francês e português; as fotografias, quase sempre em três por página, são muito expressivas e a apresentação geral deste álbum é muito boa.

INSTITUTO CULTURAL ITAÚ

Para os fins de coordenar e ampliar suas atividades no campo da produção artística e cultural, até então exercida pela antiga "Galeria Itaú", palco de muitas e importantes exposições de arte, o Banco Itaú (v.) criou o Instituto Cultural Itaú, dotado de autonomia econômica e sede própria. Foi no campo da comunicação, do cinema e da televisão, aliado ao artístico, que o Instituto conquistou rapidamente renome nacional e internacional.

Cadernos cidade de São Paulo: módulo fotografia: setor memória fotográfica da cidade de São Paulo: banco de dados informatizado

1. *Praça do Patriarca. Viaduto do Chá. Praça Ramos. Viaduto do Chá*
2. *Pátio do Colégio*
3. *Largo São Bento. Viaduto Santa Ifigênia. Largo Santa Ifigênia. Viaduto Santa Ifigênia*
4. *Praça da Sé*
5. *Largo São Francisco*
6. *Largo da Memória*
7. *Parque da Independência*
8. *Avenida Paulista*
9. *Região da Luz*
10. *Estádios*
11. *Região Tiradentes*
12. *Bairro dos Campos Elíseos*
13. *Praça da República*
14. *Bairro de Higienópolis*
15. *Parque Ibirapuera.*

[São Paulo]: Instituto Cultural Itaú, 1993-.

O Instituto Cultural Itaú deu início em 1992 à publicação de uma série destes "Cadernos" que reúnem informações contidas no Banco de Dados Informatizado – Módulo Fotografia/ Setor Memória Fotográfica da Cidade de São Paulo. Estes "Cadernos" não passam tecnicamente de cadernos quase escolares, mas contêm documentação visual importante, descrição dos logradouros e gráficos demonstrativos das transformações ocorridas ao longo dos anos, uma tabela cronológica e uma bibliografia. Realizados em computador e impressos em cartolina, não são bonitos nem especialmente bem apresentados, tampouco contam com boa reprodução das fotografias, mas em seu conjunto são documentos iconográficos muito importantes.

INSTITUTO MOREIRA SALLES

Criado para formar o braço cultural do Unibanco e administrar o considerável acervo artístico deste grande Banco brasileiro, o Instituto Moreira Salles iniciou suas atividades em Poços de Caldas (MG), e estendeu suas atividades para São Paulo e Rio de Janeiro e, mais recentemente, também para Porto Alegre, Belo Horizonte e o Nordeste; por volta de 1994 o Instituto recebeu por doação a totalidade do acervo artístico do Unibanco e, segundo consta, adquiriu autonomia econômica em 2002.

Coleção Unibanco: exposição comemorativa dos 70 anos do Unibanco.

Poços de Caldas: Casa da Cultura de Poços de Caldas, [1994]. (Catálogo de exposição, set.-dez. 1994)

O Instituto Moreira Salles promoveu uma grande exposição na Casa da Cultura, sua sede em Poços de Caldas, para apresentação de 118 das mais de 550 peças artísticas recebidas por doação do Unibanco, exposição que contou com esta bela plaqueta para servir de catálogo, com perfeita reprodução de muitos dos quadros expostos.

Destaques da coleção Unibanco.

São Paulo: Instituto Moreira Salles, s.d. (Catálogo)

Após a publicação da plaqueta do verbete anterior, o Instituto Moreira Salles apresenta esta nova seleção em um pequeno álbum de primoroso acabamento, com vinte telas reproduzidas, inclusive o quadro de Frans Post (v.); completam o álbum pequenas biografias dos artistas e um prefácio histórico pelo curador Antonio Fernando de Franceschi. Muito recomendável.

Instituto Moreira Salles.

[São Paulo: s.e.], 1999.

Catálogo de alta categoria e qualidade para apresentação do Instituto, com suas sedes e dependências e os acervos artístico, fotográfico e iconográfico, cinevideoclubes, publicações literárias e atividades culturais. Fotografias de Cristiano Mascaro e Rômulo Fialdini (v. estes), entre outros. Muito importante.

ISY-SCHWART, Marcel

Brasil.

S.l.: Café do Brasil, 1981.

Documentário organizado e realizado por um bom fotógrafo, divulgando o país através de sua maior riqueza agrícola.

ITALIANOS NO BRASIL

A participação italiana na história cultural e artística brasileira fez-se sentir a partir de meados do século XIX, com a chegada de numerosos artistas decoradores e mestres-de-obra aos Estados do Sul e São Paulo, seguidos, no fim do mesmo século, por contingentes de imigrantes que tiveram grande influência nos campos da agricultura e da indústria.

Cinquant'anni di lavoro degli italiani in Brasile: volume I – Lo stato di S. Paolo.

São Paulo: Societá Editrice Italiana, 1936.

Clássica edição comercial sobre a indústria e o comércio da comunidade italiana, com boa documentação fotográfica.

A Itália e o Brasil indígena = L'Italia ed il Brasile indigena.

Berta G. Ribeiro, Carlos Araujo Moreira Neto, Eduardo Hoonaert, Valeria Petrucci. Rio de Janeiro: Index Editora, 1983.

Esta é uma obra notável e fora do comum. Com textos de Berta G. Ribeiro, Carlos Araujo Moreira Neto, Eduardo Hoonaert e Valeria Petrucci, é estudada a influência dos missionários e viajantes italianos na cultura brasileira em geral e na etnografia em particular; relaciona as coleções etnográficas brasileiras que se encontram na Itália, e reproduz e comenta a grande coleção que se encontra no Museu Pré-Histórico e Etnográfico "Luigi Pigorini", em Roma.

Cem anos de imigração italiana em Jundiaí.

[São Paulo: Estúdio Ro, 1988.]

Comemorando o centenário da formação do Núcleo Colonial Barão de Jundiaí no atual bairro Colônia em Jundiaí (SP), este interessante documentário foi publicado por ocasião de uma grande exposição de mesmo título no Museu Histórico de Jundiaí e é formado pelos estudos "Construções rurais de imigrantes italianos no Núcleo Colonial Barão de Jundiaí", do arquiteto Eduardo Carlos Pereira, e "O Núcleo Colonial Barão de Jundiaí e a cidade", de Elizabeth Filippini, ambos ilustrados com fotografias da pesquisa por Jeferson Jensen e muitas outras por Rômulo Fialdini (v.), além de plantas de muitas das primeiras construções.

Estações: imagens da cultura de imigração italiana no Rio Grande do Sul.

Fotografia: Ary Nicodemos Trentin, Aldo Toniazzo. Prefácio: Jayme Paviani. Textos: José Clemente Pozenato. [Caxias do Sul]: Universidade de Caxias do Sul/Educs, [1985].

Interessante ensaio fotográfico integrado no projeto universitário "Elementos culturais das antigas colônias italianas no Rio Grande do Sul", realizado por um professor da Universidade e Aldo Toniazzo. Recomendável.

Imigração italiana: a presença italiana no Brasil: Brasil Itália '95.

São Paulo: Consolato Generale d'Italia, 1995. (Catálogo)

A julgar por este excelente e bem ilustrado catálogo, esta grande exposição (no Centro Cultural São Paulo) foi essencialmente temática, deixando a parte propriamente documental em segundo plano.

Itália-Brasil: relações entre os séculos XVI e XX.

São Paulo: Museu de Arte de São Paulo Assis Chateaubriand/Fondazione Giovanni Agnelli, 1980. (Catálogo de exposição, out. 1980)

Dando início a suas promoções culturais no Brasil, a Fundação Giovanni Agnelli, a Fiat italiana, patrocinou e promoveu a importantíssima exposição temática "Itália-Brasil" no Museu de Arte de São Paulo, uma exposição que há muito se fazia desejada. Dada a enorme quantidade de material coligido, optou a patrocinadora por substituir um catálogo pela presente obra, esta pequena jóia editorial. Ainda que não declarado no título, foi de autoria exclusiva de P.M. Bardi (v.), também responsável pela seleção da documentação fotográfica (predominantemente em preto e branco) e pelos correspondentes verbetes. De impecável acabamento e encadernação, é uma obra imprescindível para estudos.

O olhar italiano sobre São Paulo.

[São Paulo]: Instituto Italiano de Cultura/Instituto Cultural Italo-Brasileiro, 1993. (Catálogo de exposição, dez. 1993)

O Instituto Cultural Ítalo-Brasileiro realizou esta interessante exposição na Pinacoteca do Estado de São Paulo. As obras expostas eram quase todas de artistas paisagistas acadêmicos, que retrataram a cidade e suas características no período compreendido entre o fim do século XIX e 1940; foram todas reproduzidas neste excelente catálogo, quase todas em cores.

Brasile – Italia: cosa abbiamo in comune?

Roma: Embaixada do Brasil, 2001. (Catálogo)

Uma boa obra de divulgação cultural por Monica Raisa Sehpun, muito bem ilustrada e também bem apresentada em forma de um álbum oblongo. Muito interessante.

Os italianos no Brasil = Gli italiani in Brasile.

Texto principal: Angelo Trento. São Paulo: Prêmio, 2000.

Luxuosa edição patrocinada pelo Governo italiano e por industriais paulistas, apresenta bom texto mas decepcionante documentação iconográfica, colhida em coleções públicas e particulares, dando grande importância a aspectos sociais em detrimento dos feitos da coletividade nos campos da agricultura, indústria, artesanato, arquitetura e das artes em geral.

Pintores italianos no Brasil.

São Paulo: Sociarte, 1982. (Catálogo de exposição, abr. 1982)

Organizado pela Secretaria de Cultura de São Paulo e pela Sociarte (v.), uma associação particular de colecionadores de arte, este "dicionário" reúne dados bibliográficos de artistas italianos falecidos. Por tradição paisagistas de tendência acadêmica, estes artistas retrataram as cidades e seus aspectos arquitetônicos de fins do século XIX; numerosas e boas reproduções. Os dados bibliográficos são de autoria de Augusto Carlos F. Velloso. Interessante e muito recomendável para estudos.

J

J. CARLOS

José Carlos de Brito e Cunha (1854-1950), desenhista, caricaturista e ilustrador autodidata, dedicou sua vida à ilustração de jornais e revistas nacionais. Sua vasta obra encontra-se estudada por vários autores, destacando-se Alvarus e Herman Lima (v.).

O Rio de J. Carlos.

Rio de Janeiro: Lacerda Editores, 1998.

Obra volumosa que conseguiu reunir todos os desenhos e charges políticas referentes ao Rio de Janeiro por José Carlos de Brito e Cunha, o J. Carlos, mestre da caricatura brasileira.

JAGUARIBE, CLAUDIA

Nascida em 1955, formada em História da Arte nos EEUU, trabalhou no Rio de Janeiro e em 1989 transferiu-se para São Paulo para dedicar-se à publicidade e como fotógrafa independente.

Cidades.

[São Paulo]: Companhia das Letras, s.d.

Segundo o texto de Milton Haroum, as imagens deste belo ensaio fotográfico podem ser "lidas" como "textos visuais", uma explicação que corresponde à realidade nesta obra que nos apresenta oito capitais estaduais.

JAPONESES NO BRASIL

A imigração japonesa iniciou-se em 1908 no Estado de São Paulo, mas durante décadas não se fez particularmente notada no campo das artes em geral, provavelmente pela dispersão e reclusão de seus membros em longínquas e isoladas comunidades agrícolas. Na prática foi a década de 1950 que deu início à concentração de artistas japoneses em São Paulo e no Rio de Janeiro e o gradativo conhecimento da produção artística através dos salões promovidos pelos grupos Guanabara e Seibi e participação nos Salões oficiais e nas Bienais de

São Paulo, criando-se assim um pólo que viria a ser o berço da atual elite nipo-brasileira de pintores, escultores e arquitetos.

Vida e arte dos japoneses no Brasil.

São Paulo: Banco América do Sul/Museu de Arte de São Paulo Assis Chateaubriand, 1988.

A propósito dos festejos do 80° aniversário da imigração japonesa, foi realizada uma grande exposição no MASP sob a curadoria de Pietro Maria Bardi (v.), seu curador, e editada esta expressiva e muito bem ilustrada obra. Ao pintor e escritor Tomoo Handa (1906-?) coube o estudo "Senso estético na vida dos imigrantes japoneses" e à historiadora de arte Maria Cecilia França Lourenço a apreciação da produção artística nipo-brasileira, dos pioneiros Handa, Takaoka, Tanaka, Kaminagai e outros, fundamentalmente paisagistas, aos mais novos e quase todos abstratos. Esta obra pode ser considerada fundamental sobre o tema e muito recomendável. NOTA: Com o mesmo título, formato e apresentação foi publicado um catálogo desta exposição comemorativa, diferenciando-se apenas pela exclusão do texto e ilustrações do estudo de Tomoo Handa e pela substituição da encadernação por um cartonado.

80 anos de imigração japonesa no Brasil.

São Paulo: MOA, 1988.

Um fascinante álbum de fotografias sobre a efeméride do título, subordinadas aos temas: adaptação, emancipação e plenitude.

JARDIM, LUIS

Luis Inácio de Miranda Jardim (1901-1987), pintor, desenhista e escritor, iniciou sua carreira artística como desenhista da Revista do Norte *em Recife e em 1936 transferiu-se para o Rio de Janeiro, destacando-se como escritor e colaborador da* RSPHAN *e como ilustrador das obras* Guia de Ouro Preto, *de Manuel Bandeira,* Guia de Manaus, *de Luiz de Miranda Corrêa, e* Aparência do Rio de Janeiro, *de Gastão Cruls (v. estes).*

JOÃO FORTES ENGENHARIA

A João Fortes Engenharia é uma grande e antiga construtora carioca que editou em 1980 a obra Rio deco, *obra que obteve grande sucesso e repercussão e incentivou a construtora a publicar numerosas outras, entre as quais se destacaram alguns estudos artísticos e culturais do Rio de Janeiro a seguir relacionados, todos confiados a especialistas e muito bem ilustrados, que serão resenhados nos correspondentes capítulos:*

A Praça Mauá
História dos Bairros, *com os volumes "Tijuca", "Botafogo", "Copacabana" e "Saúde, Gamboa e Santo Cristo"*
Rio antigo de Marc Ferrez
Avenida Paulista
O álbum da Avenida Central
O Rio de Janeiro ontem e hoje
Rio deco

Fortes e faróis, *de Ricardo Siqueira.*

NOTA: *Consta ter sido editado recentemente mais uma obra desta série:* Parques do Rio de Janeiro: um olhar poético.

JOBIM, ANA LONTRA

Visão do paraíso: A Mata Atlântica = Vision of paradise: The Atlantic Forest.

Rio de Janeiro: Editora Index, 1995.

As fotografias de Ana Lontra Jobim focalizam praias, dunas, rios, mangues, além de vistas do Rio de Janeiro, Parati, Itaimbezinho e Torres, mas concentraram-se sobretudo sobre a Mata Atlântica e aspectos específicos de botânica e zoologia; as "Memórias" de Antonio Carlos Jobim, "Brassa Brasil Brasileiro" de José Pedro Oliveira Costa e "A biosfera" de Miguel Angel Enriquez (representante da Unesco no Brasil) completam este belo álbum.

JOINVILLE, PRÍNCIPE DE

François D'Orleans, Príncipe de Joinville (1818-1900), filho do rei Louis Philippe I da França, oficial da Marinha, escritor e pintor amador, casou-se em 1834 com a Princesa Francisca de Bragança (1824-1898), irmã do Imperador Pedro II. Como dote, o casal recebeu uma grande gleba de terras na então província de Santa Catarina (tendo como centro a atual cidade de Joinville), gleba que seus administradores colonizaram e desenvolveram. Os príncipes nunca mais voltaram ao Brasil, mas ligaram seus nomes a uma obra de colonização e urbanização de grande importância. Entre as obras do Príncipe destaca-se Vieux souvenirs, 1818-1848 *(Paris, 1894), com numerosas ilustrações próprias.*

Le Prince de Joinville et la marine de son temps.

Paris: Association des Amis des Musées de la Marine/Musée de la Marine/Palais de Chaillot, 1953-54.
(Catálogo de exposição, 1953-54)

Na falta quase absoluta de estudos sobre o Príncipe de Joinville, o presente catálogo é importante para a história e a iconografia brasileira; ilustrado quase exclusivamente com obras do Príncipe, ao longo de todas as fases de sua vida.

JOURDAN, EMILIO CARLOS

Engenheiro belga (1835-?), naturalizou-se brasileiro e participou da Guerra do Paraguai como primeiro-tenente de Artilharia na Comissão de Engenheiros. Exonerado a pedido em 1870, obteve a Ordem da Rosa e o título honorário de tenente-coronel. Foi autor da obra Guerra do Paraguay, *publicada sem ilustrações em 1871 (posteriormente ampliada e reescrita em três volumes), e consta ter sido o editor do raro álbum* Quadros historicos da Guerra do Paraguay *(1875?), com nove litografias de grande dimensão (85 x 64 cm) acompanhadas de seus textos. Este álbum não consta das bibliografias especializadas, mas as gravuras encontram-se relacionadas avulsas no CEHB sob os nº 17574, 17581, 17582, 17586, 17592, 17596, 17601, 17607 e 17608.*

Atlas historico da Guerra do Paraguay organisado pelo 1º tenente E. C. Jourdan, membro da commissão de engenheiros sobre trabalhos seus e de outros officiaes da mesma commissão.

Rio de Janeiro: Publicado na Lithographia Imperial de Eduardo Rensburg, 1871.

Atlas em fólio grande (59 x 38 cm) com dezesseis mapas relacionados ao título e uma litografia de Joseph Mill (litógrafo francês, falecido no Rio de Janeiro em 1870) em folha dupla: *Aos martyres da Patria*, alegoria que retrata D. Pedro II e a cúpula militar. Constam ainda duas litografias de cenas da vida militar em folha desdobrável e várias outras ilustrando três dos mapas, todas provavelmente do mesmo Joseph Mill ou de um dos artistas da oficina do editor Rensburg. Importante.

Guerra do Paraguay.

Rio de Janeiro: Typographia de Laemmert & C., 1890.

Durante o trabalho de campo para o *Atlas historico* do verbete anterior, o autor redigiu a obra *Guerra do Paraguay*, publicada em 1871 no Rio de Janeiro, sem ilustrações. A presente é a segunda edição, com acréscimo de retificações do próprio autor e ilustração com cinco grandes mapas desdobráveis (85 x 44 cm), três dos quais de autoria do General Angelo Bessa; alguns destes mapas foram iluminados com imagens do *Atlas historico*.

JULIÃO, CARLOS

Militar italiano nascido em Torino em 1740, viajou pela Índia, China e Brasil a serviço de Portugal, e em 1795 aqui se fixou como sargento-mor do Arsenal Real do Exército, passando por promoção a coronel e reforma no posto de brigadeiro, falecendo em 1811. Durante suas viagens organizou três álbuns de desenhos que se encontram atualmente na Biblioteca Nacional do Rio de Janeiro.

Riscos illuminados de figurinhas de brancos e negros dos uzos do Rio de Janeiro e Serro do Frio.

Rio de Janeiro: Livraria São José, 1960.

Este é um dos três álbuns de aquarelas de sua autoria que se encontram na Biblioteca Nacional do Rio de Janeiro, e é formado por 43 aquarelas, sem texto, retratando militares e seus uniformes, a nobreza feminina em seus trajes, índios, escravos e aspectos da mineração de diamantes. Estas aquarelas, realizadas entre 1776 e 1795, encontram-se muito bem reproduzidas neste belo álbum, em fólio grande, com um notável estudo da iconógrafa Lygia F. F. da Cunha (v.). Muito interessante.

K

KANTOR, MANUEL

Pintor, desenhista e caricaturista argentino, viajou muito e trabalhou por um ano no Brasil em 1947 e expôs sua produção baiana em 1956 no MASP e na Petite Galerie do Rio de Janeiro em 1957.

Bahia.

[São Paulo]: Edições Melhoramentos, s.d.

Obra imponente que retrata em desenhos fortes a paisagem baiana e os usos e costumes da cidade de Salvador.

KARASCH, MARY C.

A vida dos escravos no Rio de Janeiro: 1805-1850.

Tradução: Pedro Maia Soares. São Paulo: Companhia das Letras, 2000.

Obra básica que teve por origem a tese de doutorado de uma pesquisadora americana que viveu por dezoito meses em Brasília e ensinou em sua Universidade. A ilustração não é abundante mas muito bem selecionada entre as gravuras de Debret e Rugendas (v. estes), todas em cores e bem reproduzidas. Importante.

KARFELD, KURT PETER

Fotógrafo alemão de renome internacional, autor de álbuns fotográficos do México, da Alemanha e de outros países europeus.

São Paulo: álbum com fotografias em cores = album of coloured photographs.

[São Paulo]: Edições Melhoramentos, [1954].

Rio de Janeiro: álbum com fotografias em cores = album of coloured photographs.

[São Paulo]: Edições Melhoramentos, [1954].

Dois belos álbuns deste importante fotógrafo alemão, ambos com texto em português, inglês, francês e alemão. NOTA: No prefácio à obra *São Paulo*, a editora declara a intenção de publicar álbuns do mesmo artista focalizando o Rio de Janeiro, Brasil, Paraná e Quedas do Iguaçu.

KATINSKY, JULIO

Brasília em três tempos; a arquitetura de Oscar Niemeyer na capital.

Rio de Janeiro: Editora Revan, 1991.

Pequeno álbum de imagens fotográficas de Paulo Romeu e Michel Moch, com texto (português e inglês) de Julio Katinsky (1932), arquiteto e livre-docente da Faculdade de Arquitetura e Urbanismo da USP. Recomendável.

KIDDER, DANIEL PARISH

São Paulo in 1839: edited, with notes, by J.M. Harvey, fellow of the Historical & Geographical Institute of São Paulo.

São Paulo: Sociedade Brasileira de Cultura Inglesa, 1969.

Um dos volumes da série "The Brazilian pamphlets" da Cultura Inglesa, dedicado ao estudo de um dos capítulos da obra *Sketches of residence and travel in Brazil* (1845), ilustrada com boas aquarelas (em branco e preto) de José Wasth Rodrigues (v.).

KLIASS, ROSA Grena

Parques urbanos de São Paulo.

[São Paulo]: Pini Editora, [1993].

Obra essencialmente técnica, dissertação de mestrado de uma renomada paisagista, que estuda os motivos que alteraram nesta época atual a potencialidade de evolução urbana da década de 1920, transformando e limitando as áreas verdes e correspondentes regiões propícias a meros apanágios do sistema rodoviário. Importante para a resenha é o material fotográfico antigo e moderno, muito bem reproduzido.

KLINTOWITZ, JACOB

Crítico e historiador de arte (1941).

A arte do comércio: I – São Paulo 1900-1930.

São Paulo: Senac, 1988. v. 1.

A arte do comércio: II – São Paulo 1930-1954.

São Paulo: Senac, 1989. v. 2.

A arte do comércio: III – São Paulo 1954-1991.

[São Paulo]: Senac, 1991. v. 3.

Três álbuns ricamente ilustrados, luxuosos volumes que obedecem ao esquema dos títulos: sucinto texto histórico, marcas e produtos da época, reprodução de muitas fotografias antigas, quase todas de um só lado da folha. Conjunto fascinante e recomendável.

Mitos brasileiros.

[São Paulo]: Projeto Cultural Rhodia, 1987.

Trançado brasileiro.

[São Paulo: Raízes do Brasil, 1985].

Máscaras brasileiras.

[São Paulo: Raízes Artes Gráficas/Projeto Cultural Rhodia, 1986].

Série de três belos e imponentes álbuns dedicados a aspectos variados da arte popular, muito bem ilustrados com fotografias de Rômulo Fialdini (1° e 3° volume), Rosa Gauditano (v. estes) e Emidio Luisi (só 3° volume). Muito recomendáveis.

A paisagem mineira.

São Paulo: Raízes, 1985.

Álbum oblongo e luxuoso, reproduzindo quadros de diversos artistas mineiros contemporâneos sobre o tema do título. Segundo advertência do patrocinador Bemge, estes quadros provêm de diversas coleções particulares, mas tudo indica tratar-se da coleção da própria patrocinadora.

KLUMB, REVERT HENRIQUE

O alemão Revert Henrique Klumb chegou ao Brasil em 1852 e começou a trabalhar no Rio de Janeiro em companhia do também fotógrafo Adolphe Rouel, com o qual ingressou em 1855 no ateliê do pintor e fotógrafo francês François René Moreaux (1816-1860). Consta em 1856 pela primeira vez do Almanaque Laemmert e desenvolve nesta época intensa atividade no campo da estereoscopia, da qual é considerado pioneiro no Brasil e cuja produção apresentou no Salão de 1860. Intitulando-se "Fotógrafo da Academia de Belas Artes", recebe em 1861 o título de "Fotógrafo da Casa Imperial" e em 1863 passa a trabalhar na oficina de Paul Robin, litógrafo e fotógrafo francês. Após realizar fotografias em Petrópolis, aproveitadas em Viagem pittoresca a Petropolis *por Carlos Augusto Taunay, radicou-se em Petrópolis a partir de 1862, onde publica, em 1872, sua famosa obra* Doze horas em diligência. Guia do viajante de Petrópolis a Juiz de Fora, *álbum fotográfico considerado pioneiro entre os produzidos no Brasil e que se encontra reproduzido em* Cidade de Petrópolis; reedição de obras raras *(v.). Em 1886 partiu para a França, ignorando-se notícias sobre seu posterior destino. Muitas de suas obras encontram-se reproduzidas nas principais obras sobre fotografia no Brasil e, sobretudo, em* Revert Henrique Klumb, *de Pedro Karp Vasquez (v.).*

KOENIGSWALD, GUSTAVO

São Paulo.

São Paulo: s.e., 1895.

Uma das mais cotadas e disputadas jóias da iconografia paulistana, esta obra rara é na realidade a tradução do alemão de um "ligeiro esboço sobre o Estado de S. Paulo", este ilustrado com cem estampas que incluem as "photographias originaes" dos "distinctos photographos Gaensly & Lindemann, Paulo Kowalsky, João Pompe, Carlos Hoehne Sucessores e os illustres amadores Axel Frick, Francisco Henszler, Oscar Ernheim, Alberto Loefgren e Paulo Sack". É uma obra notável, sem dúvida, como notável foi a encadernação original e a reprodução das fotografias. Muito recomendável.

KOHOUT, FRANZ

Vistas do Brasil.
Vol. 1 – 30 estampas: Centro-Sul.
Vol. 2 – 30 estampas: Norte e Nordeste.

S.l.: s.n., s.d. 2 v.

Álbum em dois volumes, sem indicação de local, editor ou data; apresenta aquarelas de paisagens brasileiras (algumas poucas sobre usos e costumes), com todas as estampas coladas sobre cartolina forte (no verso uma pequena etiqueta com título). Algumas das aquarelas portam a data 1945. NOTA: A "Agenda Vidrobrás. 1965" (v.) reproduz um quadro a óleo intitulado *Convento de Santo Antonio do Rio de Janeiro*, único dado que foi possível coligir sobre o artista.

KOLDE, RUDOLF

Arquitetura moderna: casas econômicas: I.

São Paulo: s.e., 1926.

Architectura moderna.

São Paulo: s.e., 1939. (Casas populares, 2)

Duas obras conexas de um arquiteto alemão ativo em São Paulo nas primeiras décadas do século XX; é curioso constatar que a visão artística deste arquiteto não se concentrava sobre o estilo de suas casas mas sobre a vivência nelas, determinando que "uma casa deve ser natural, honesta... e higiênica", elementos estes que compõem o "moderno" do título. Obra acadêmica, fartamente ilustrada com muitos esboços de plantas, desenhos de fachadas e fotografias de conjuntos de casas geminadas, além de apreciável parte dedicada a propaganda. Interessante. NOTA: No prefácio o autor faz referência a um planejado terceiro volume, *Palácios*, que provavelmente não chegou a ser publicado.

KOMISSAROV, BORIS

A expedição Langsdorff: acervo e fontes históricas.

Tradução de Marcos Pinto Braga. [São Paulo]: Editora Unesp/Edições Langsdorff, [1994].

Obra de um professor russo titular da cadeira de História da Universidade de São Petersburgo e professor visitante da Universidade de Brasília (desde 1992), um dos mais importantes estudiosos sobre a Expedição Langsdorff (v.). Foram examinadas todas as fontes históricas da Expedição e os diários dos participantes, bem como o levantamento da obra pictórica de Rugendas, A. Taunay e Hercules Florence (v. estes), dos quais foram razoavelmente reproduzidos aquarelas e desenhos. Imprescindível para estudos.

KOSSOY, BORIS

Fotógrafo, historiador de arte e professor universitário (1941).

Origens e expansão da fotografia no Brasil: século XIX.

[Rio de Janeiro]: Edição Funarte, 1980.

Em conjunto com as obras de Gilberto Ferrez e Pedro Vasquez (v. estes), esta é fundamental para o estudo da arte fotográfica no Brasil do século XIX. Além de excelente texto e correspondentes ilustrações, encontramos anexo uma lista de muitas *cartes de visite*, que revelam a especialidade de cada profissional. Imprescindível para estudos.

Hercules Florence: 1833: a descoberta isolada da fotografia no Brasil.

2ª ed. revista e aumentada. [São Paulo]: Livraria Duas Cidades, [1980].

Importante estudo que ultrapassa os limites indicados no título, pois abrange também a vida de Hercules Florence (1808-1879, v.), sua participação e produção artística na Expedição Langsdorff (v.) e transcrição parcial de seus diários. Boa bibliografia e razoável reprodução de desenhos e documentos.

Le noir dans l'iconographie brésilienne du XIXe. siècle: une vision europeénne.

Separata de *Revue de la Bibliotheque Nationale*, Paris, nº 39, Primtemps, 1991.

Importante estudo publicado na *Revue de la Bibliotheque Nationale* (Paris, nº 39, 1991), com muitas gravuras das obras de Rugendas, von Spix e von Martius, Debret, Harro-Harring, Ribeyrolles (v. estes), além de fotografias dos estúdios de Alberto Henschel, Cristiano de Freitas, Villela, Klumb, Marc Ferrez (v.) e outros. Muito recomendável.

Realidades e ficções na trama fotográfica.

São Paulo: Ateliê Editorial, 1999.

Um pequeno estudo sobre a manipulação da imagem fotográfica em benefício da imagem nacional e correspondente criação das "ficções documentais". Estudo essencialmente acadêmico, torna-se entretanto importante para esta resenha por dois motivos fundamentais: apresentação de fotografias e gravuras antigas que servem de exemplo à tese proposta (infelizmente tão-só vinte imagens em passável reprodução) e um longo capítulo dedicado ao importantíssimo *Album de vue du Brésil*, de E. Levausseur (v.), um volume cujas 94 imagens (várias duplas e outras tantas desdobráveis) se destinavam à formação de uma visão favorável ao Império para a grande Exposição Internacional de Paris em 1889. Importante para estudos.

Viagem pelo fantástico = Journey into the fantastic = Voyage par le fantastique.

São Paulo: Livraria Kosmos Editora, [1971].

Consta ter sido este o primeiro álbum deste fotógrafo e atual professor universitário, um ensaio fotográfico que flutua entre o poético e o bizarro. Muito interessante.

Album de photographias do Estado de São Paulo: 1892.

S.l.: Companhia Brasileira de Projetos e Obras – CBPO/Livraria Kosmos Editora, 1984.

Importante estudo de Boris Kossoy, consagrado historiador de fotografia. De um álbum particular de colecionador não identificado, comportando 92 fotografias em seqüência arbitrária e sem datas, o autor reproduz 71, algumas inéditas; identifica algumas como oriundas do ateliê de Gaensly & Lindemann, outras de Paulo Kovalski e ainda outras do ateliê de Kovalski & Hensler (v. estes), permanecendo várias no anonimato. Boa bibliografia completa este álbum encadernado, cuja capa reproduz o álbum original; as folhas de guarda reproduzem a "Planta da Capital do Estado de S. Paulo" (1890), de Jules Martin (v.), e a "Planta da Cidade de S. Paulo" (1810), de J. Felizardo e Costa.

KRAJCBERG, FRANS

Pintor e escultor nascido na Polônia em 1921, aluno de Willy Baumeister na Academia de Stuttgart, emigrou para o Brasil em 1948. Em 1957 conquistou o prêmio de melhor pintor nacional na IV Bienal Internacional de São Paulo, e o prêmio da Cidade de Veneza na Bienal de Veneza em 1967, projetando-se internacionalmente a seguir. De numerosas expedições fotográficas à Amazônia nasceu seu espírito defensor do meio ambiente que resultou no "Manifesto do Rio Negro", elaborado com o pintor Sepp Baendereck (v.) e o escritor francês Pierre Restany. Sua visão artística se expressa da melhor forma em suas próprias palavras: "Não pertenço a movimentos. Os únicos movimentos que me levam são os astros, mares e ventos. A natureza é e minha arte: como posso fugir desta realidade?"

Natura.

Rio de Janeiro: Editora Index, 1987.

Para todos aqueles que sabem apreciar as belezas da natureza e conhecem os problemas que se congregam ao redor do tema "meio ambiente", esta é uma obra imprescindível, quer por seu significado, quer pelas imagens.

Frans Krajcberg natura/Frans Krajcberg revolta.

Rio de Janeiro: GB Arte, 2000. 2 v.

Esta é uma obra de grande beleza e importância para os ecologistas, apresentada em dois volumes distintos, de alta qualidade gráfica e encadernados. O primeiro, *Natura*, transcreve o "Manifesto do Rio Negro" de Pierre Restany, textos deste autor e de Walter Salles, Roberto Pontual e Antonio Houaiss, e as fotografias do autor sobre aspectos da natureza, algumas acentuadamente abstratas. O segundo, *Revolta*, dedicado à arte como revolta segundo Frederico Morais (autor do texto) traz imagens do arquivo do autor e de sua obra artística executada com material vegetal, vivo ou morto. Belo e muito recomendável.

A cidade de São Luiz do Maranhão.

Fotos: Frans Krajcberg. Texto: Luis Seraphico. São Paulo: Rhodia, 1981.

Definida como um empreendimento cultural, a Rhodia produziu uma bela obra, que prima pelo texto de Luis Seraphico e pelas fotografias de Frans Krajcberg, um dos mais importantes artistas do pincel e da escultura no país, além de intransigente defensor da ecologia. Muito recomendável.

KRUSE, HERMANN

Arqueólogo amador alemão (?-1947), foi editor e prefaciador do álbum No Brasil ha 100 anos *(1938) com dez gravuras de Rugendas (v.).*

Goyaz: Das wahre Herz Brasiliens.

Mit 31 Photographien 3 Zeichnungen und 1 Karte. São Paulo: s.e., 1936.

Pequena história de Goiás, ilustrada com fotografias e desenhos próprios. NOTA: Consta existir uma edição em português.

KRÜSE, OLNEY

Pintor e crítico de arte brasileiro (1930).

Copacabana Palace.

?: ?, 19??.

Catálogo bem elaborado de uma exposição de sessenta fotografias do autor, que retratam o "Copacabana", monumental edifício e tradicional hotel, marco social, cultural e arquitetônico do Rio de Janeiro.

L

L.I.C.

Notas sobre a Capela dos Apipucos.

Separata da *Revista do Arquivo Público*, Recife, nº 9-10, 1953.

Este opúsculo de L.I.C. (Lucy Isaline Clarkson, funcionária do Arquivo Público de Pernambuco) não chega a ser um estudo; são notas esparsas, publicações e depoimentos colhidos em jornais e revistas, bem como verbetes sobre as excelentes ilustrações (mal reproduzidas) de uma capela no bairro histórico de Apipucos em Recife.

LACERDA, CARLOS Frederico Werneck

Escritor, jornalista, editor e político brasileiro (1914-1977). Entre suas múltiplas atividades e aptidões também constava a de botânico amador, comprovada em sua participação na obra Quaresmas do Brasil, *de Germano Zimber (v.), além de dramaturgo em* O rio *e ainda memorialista.*

A casa do meu avô: pensamentos, palavras e obras.

[Rio de Janeiro]: Editora Nova Fronteira, [1976].

O memorialismo é uma expressão literária pouco praticada no Brasil, mas entre seus representantes Carlos Lacerda certamente ocupará posição de destaque, com esta sua fascinante obra ilustrada com fotografias muito boas por seu filho Sebastião Lacerda. Muito recomendável.

LACERDA, JOAQUIM

La baie de Rio de Janeiro: guide.

Rio de Janeiro: Typ. do Jornal do Commercio de Rodrigues & Co., 1913.

Um ótimo guia em oitavo, texto em francês e muito ilustrado, apresenta o defeito de portar duas ou mais ilustrações numa só página.

LACOMBE, LOURENÇO Luis

Historiador brasileiro, diretor do Museu Imperial em Petrópolis, autor de Visitantes estrangeiros de Petrópolis *(1942).*

Visitantes estrangeiros de Petrópolis.

Petrópolis: Typ. Ypiranga, 1942.

Modesta edição para um estudo interessante ilustrado com fotografias próprias.

LACOMBE, Lourenço Luis e COTRIM, Alvaro. *Museu Imperial.*

Petrópolis: Colorama, 1987.

Uma bela obra, que tende um pouco para álbum de vistas turísticas nas boas fotografias de Dimitri Lambru (v.). Textos compactos, cabendo "Os Bragança no Brasil" ao diretor Lacombe, e o histórico do museu a Alvarus (v.). Muito recomendável.

LAGO, BIA CORRÊA DO

Augusto Stahl: obra completa em Pernambuco e Rio de Janeiro.

Rio de Janeiro: Editora Capivara, 2001. (Coleção Visões do Brasil, 2001)

Como terceiro volume da série "Visões do Brasil" coordenada por Pedro Corrêa do Lago (v.), este é o estudo que fazia falta sobre Augusto Stahl (v.), um grande e influente fotógrafo alemão. A autora não se limitou a estudar e reproduzir sua obra, mas também estudou, confrontou e comentou as fotografias produzidas e reveladas por diversos métodos próprios, incluindo alguns experimentais. Edição em fólio médio e alta qualidade gráfica, é muito interessante e recomendável.

LAGO, PEDRO CORRÊA DO

Militão Augusto de Azevedo: São Paulo nos anos 1860.

Rio de Janeiro: Editora Capivara, 2001. (Coleção Visões do Brasil, 2)

Segundo volume desta extraordinária série "Visões do Brasil", apresenta a obra conhecida deste notável fotógrafo e retratista Militão. À sua vasta obra sobre São Paulo foi acrescida a série sobre chácaras dos arredores da cidade e outras de Santos e a Estrada de Ferro Santos-Jundiaí, além da "proposta de catálogo geral dos anos 1860". Excelente texto e alta qualidade gráfica tornam esta obra muito recomendável.

LAMBRU, DIMITRI

Fotógrafo, autor das ilustrações para as obras Museu Imperial, *de Lourenço Lacombe,* Museu do Carmo *e* 150 anos de pintura no Brasil *(v. estes).*

Jóias da arte sacra brasileira.

Textos de Walmir Ayala. 126 fotografias de Dimitri Lambru. [Rio de Janeiro]: Colorama, [1982?].

O autor, "fotógrafo apaixonado", passou a dedicar-se, a partir de 1965, aos "templos e museus de arte religiosa", um filão do qual nos dá ótimo testemunho neste simpático álbum comentado pelo poeta Walmir Ayala (v.).

LAMEGO, ALBERTO Ribeiro

O homem e a Guanabara: setores da evolução fluminense: III.

Rio de Janeiro: Serviço Gráfico do Instituto Brasileiro de Geografia e Estatística, 1948. (Biblioteca Geográfica Brasileira/Série A, 5)

"A Terra", "O Homem" e "A Cultura" são os três capítulos fundamentais desta obra do geógrafo e historiador Lamego Filho, ricamente ilustrada com fotografias próprias e de arquivos públicos, focalizando aspectos pouco usuais e sítios históricos não mais existentes, além de muitas gravuras de Rugendas, Debret e Chamberlain (v. estes). Muito interessante.

LANDI, ANTONIO JOSÉ

Antonio Giuseppe (ou Giuseppe Antonio) Landi (1701-1791), pintor e arquiteto italiano, aluno de G. Bibiena, tornou-se membro da Academia de Bolonha em 1739 e em 1750 foi contratado por D. João V de Portugal para servir de desenhista da Comissão de Fronteiras entre Portugal e Espanha na América do Sul, missão que passará a exercer com a chegada a Belém do Pará em 1753. Após os trabalhos na Comissão de Demarcação, Landi regressou a Belém e continuou na função de "desenhador", exercendo ainda grande atividade como arquiteto e também como fazendeiro. Em 1784 empreende uma viagem ao Rio Negro como desenhador de mapas para a segunda Comissão de Demarcação de Fronteiras, retornando em 1788 e falecendo em 1791 em sua fazenda "Mucurutu". Sua obra pictórica e arquitetônica é de grande importância; a biblioteca da cidade do Porto mantém um manuscrito com desenhos de animais e plantas da Província do Grão-Pará, e a Biblioteca Nacional de Lisboa os esboços para o Palácio do Governador de Belém do Pará, cidade para a qual também projetou e construiu em 1756 a Catedral e a Câmara e em 1770 um monumento a D. José. Durante a sua segunda viagem de demarcação, Landi encontrou-se com Alexandre Rodrigues Ferreira (v.) em Barcelos, constando muitas de suas obras do Relatório da "Viagem Filosófica", incluindo grande parte do seu "Diário". Todas as obras sobre Alexandre Rodrigues Ferreira são básicas para melhor conhecimento da obra de Landi, como igualmente básicas as obras de Augusto Meira Filho (v.), as relacionadas sob os nº 16838 a 16841, 19220 e 19221 no CEHB e naturalmente as obras de Germain Bazin (v.) e outras sobre o Barroco no Brasil.

Amazônia Felsínea; Antonio José Landi: itinerário artístico e científico de um arquiteto bolonhês na Amazônia do século XVIII.

Lisboa: Comissão Nacional para as Comemorações dos Descobrimentos Portugueses, 1999.

É a mais completa obra atualmente disponível sobre o grande arquiteto Landi. Além de um estudo sobre sua vida profissional na nativa Bolonha (Itália), é também o mais exaustivo sobre sua missão na comissão demarcatória dos domínios luso-espanhóis e sua atuação como arquiteto em Barcelos e Belém do Pará durante os 38 anos de sua permanência na Amazônia. Além da beleza gráfica e pictórica da obra, sua importância também reside nos textos de diversos estudiosos portugueses que a torna imprescindível para estudos e muito recomendável.

LANDSEER, CHARLES

Pintor, desenhista e gravador inglês (1799-1879), filho e aluno do gravador e arqueólogo John Landseer; prosseguiu seus estudos com Benjamin R. Haydon e em 1816 ingressou na Academia Real de Londres, onde participou regularmente das exposições, tornou-se seu membro em 1837 e foi reitor de 1851 a 1873. De 1825 a 1827 esteve no Rio de Janeiro como membro da comitiva do embaixador inglês Charles Stuart, ao qual foi obrigado a entregar toda a produção artística deste período, encontrando-se estes desenhos e aquarelas e alguns originais de outros artistas reunidos em um álbum (49 x 61 cm) de 345 peças, adquirido por Alberto Rangel em 1924, conforme relato em sua obra Transanteontem *(São Paulo: Livraria Martins, 1943); este álbum* Sketchbook of Highcliffe *fez parte da coleção de Cândido Guinle de Paula Machado e atualmente se encontra no Instituto Moreira Salles (v.).*

Landseer.

[São Paulo: Candido Guinle de Paula Machado/Lanzara S/A, 1972].

Considerada por muitos bibliófilos nacionais como a mais perfeita edição da iconografia brasileira, este importantíssimo álbum foi programado por Aloisio Magalhães (v.), e reproduz a obra pictórica de Charles Landseer realizada em Portugal e no Brasil, obra que se encontrava em um álbum conhecido por *Sketchbook of Highcliffe*, adquirido por Alberto Rangel e atualmente no Instituto Moreira Salles. A edição, de 2 000 exemplares em encadernação revestida de tecido e acondicionados em caixas do mesmo tipo, tornou-se disputada raridade e é muito recomendável. NOTA: O prospecto de venda desta obra é por si só uma pequena obra de arte.

Exploration and Travel.

Londres: Christie's, 1999.

Um dos belos catálogos do leiloeiro Christie's apresenta em destaque especial o lote "Brazil 1825-26. Charles Landseer and the British Mission with works of Burchell, Chamberlain and Debret", um lote que contém em sua maior parte os desenhos e aquarelas de Charles Landseer produzidos durante a sua permanência no Brasil como membro da missão diplomática britânica de Sir Charles Stuart. Landseer fora obrigado a entregar sua produção artística a Sir Charles Stuart e este a utilizou para a formação de um álbum, que completou com algumas aquarelas do botânico William John Burchell (v.), um dos membros da missão diplomática, e muitas aquarelas avulsas de Henry Chamberlain e Jean Baptiste Debret (v. estes), álbum que se tornou conhecido como *Sketchbook of Highcliffe* e se encontra atualmente no acervo do Instituto Moreira Salles (v.). A qualidade das imagens reproduzidas foi excepcional.

Exploration and Travel: The Highcliffe Album.

[Londres: Christie's, 1999]. (Álbum com seis cartões-postais)

Pequeno álbum-estojo contendo seis cartões com reprodução de aquarelas de Charles Landseer (v.), brinde aos clientes da casa leiloeira Christie's por ocasião do leilão londrino do álbum conhecido por *Sketchbook of Highcliffe*. Este álbum, com reprodução de uma aquarela de Landseer também na capa, é uma pequena jóia.

LANGSDORFF, GEORG HEINRICH von

Nascido na Alemanha (1774-1852), estudou ciências naturais e medicina na Universidade de Göttingen e trabalhou como médico de 1797 a 1802 em Lisboa. De 1803 a 1805 participou da grande expedição russa de Krusenstern e a seguir empreendeu extensas viagens a serviço do império russo, obtendo em 1808 a cidadania e o título de Barão, e adotando os prenomes de "Gregory Ivanovitch", ou "G.I." Suas numerosas obras científicas e relatos de suas viagens ofereceu à Academia de Ciências de São Petersburgo, merecendo em 1812 sua nomeação como cônsul russo no Rio de Janeiro, onde chegou em 1813 e adquiriu a Fazenda "Mandioca" em 1816 (província do Rio de Janeiro), que desenvolveu em estabelecimento-modelo e em uma espécie de centro cultural e social. Em 1821 enviou à Rússia os resultados de todas as suas importantíssimas pesquisas e o conjunto de suas coleções botânicas, mineralógicas e zoológicas, obtendo em 1822 autorização e patrocínio para a grande expedição científica russa que consagrou seu nome e lhe custou a sanidade mental. Esta expedição contou com a participação do astrônomo russo Alexander Ranzoff, do botânico alemão Ludwig Riedel (1791-1861), do zoólogo e médico alemão Christian Hasse (que se desligou no início da expedição, em Porto Feliz), dos desenhistas Aimé Adrien Taunay e Hercules Florence, substituindo o anteriormente contratado pintor Rugendas (v. estes). Iniciada em 1824 e após enormes dificuldades materiais e desentendimentos entre os participantes, a expedição se dividiu, em novembro de 1827, em dois grupos de viagem: o primeiro, formado por Riedel e Taunay (que veio a falecer por afogamento em 1828 e foi substituído por Hercules Florence), seguiu diretamente para Belém do Pará; e o segundo, formado pelos demais, chegou com grandes dificuldades a Santarém em julho de 1828, e a seguir a Belém do Pará, onde se juntou a Riedel, ponto final da expedição. Von Langsdorff sofreu perda total da memória, forçando seu retorno à Alemanha, onde foi aposentado e veio a falecer. Esta importantíssima expedição mereceu mais de 400 obras sobre aspectos os mais diversos, e nos legou obras iconográficas da maior importância. Básico para estudos são as obras de Manizer, Komissarov, Maria de Fátima Costa, Pablo Diener, Carlos Marcondes Moura e Hans Becher (v. estes). NOTA: *A revista* Leitura. D.O. *(Imprensa Oficial do Estado de São Paulo, nº 126) contém um importante artigo de Ricard Ditchun sobre a expedição: "O legado de Langsdorff", com duas ilustrações de Rugendas.*

Expedição Langsdorff ao Brasil: 1821-1829.
v.1. Aquarelas e desenhos de Rugendas.
v.2. Aquarelas e desenhos de Taunay.
v.3. Aquarelas e desenhos de Florence.

Rio de Janeiro: Edições Alumbramento/Livroarte Editora, 1988. 3 v.

Rica e vistosa edição em três volumes, em grande formato (27 x 29 cm), acondicionados em caixa, com texto em português e inglês. O primeiro volume conta com a reprodução dos desenhos e aquarelas de Rugendas (v.), uma apresentação de B. V. Lechin (diretor do Arquivo da Academia de Ciências da União Soviética), o artigo "A expedição do acadêmico G. I. Langsdorff e seus artistas ao Brasil", de Boris N. Komissarov (v.), professor da Universidade de São Petersburgo e professor visitante da Universidade de Brasília, certamente um dos mais abalizados conhecedores do acervo da Expedição Langsdorff, e o estudo "A importância cultural e científica do acervo iconográfico da Expedição Langsdorff", de Luiz Emygdio de Mello Filho, além de bibliografia e notáveis e especializados comentários a cada um dos desenhos, magnificamente reproduzidos. Os dois volumes restantes apresentam a obra pictórica dos artistas citados, além dos comentários às ilustrações. É uma obra fundamental para estudiosos.

Langsdorff de volta: desenhos e aquarelas de Rugendas, Taunay e Florence: exposição do material da expedição de G.I. Langsdorff ao Brasil: 1821-1829.

S.l: s.e., [1988]. (Catálogo de exposição, jul.-out. 1988)

Com pesquisa e texto de Marcos Pinto Braga, este pequeno e bem ilustrado catálogo documenta uma exposição da Expedição Langsdorff (Brasília, Cuiabá, São Paulo e Rio de Janeiro), com parte do material conservado na Academia de Ciências de São Petersburgo. Vários estudos importantes também focalizam a produção artística de Rugendas, Adrien Taunay e Hercules Florence (v. estes).

O Brasil de hoje no espelho do século XIX: artistas alemães e brasileiros refazem a expedição Langsdorff.

Maria de Fátima G. Costa, Pablo Diener, Dieter Strauss. [São Paulo]: Estação Liberdade, [1995].

Uma das mais belas exposições nacionais de todos os tempos, realizada no Museu Metropolitano de Arte de Curitiba, apresentou as obras de Rugendas, Hercules Florence e Aimé Adrien Taunay (v. estes), membros da expedição científica russa dirigida pelo naturalista alemão von Langsdorff. Contando com as obras arquivadas na Academia de Ciências de São Petersburgo, além de outras em coleções particulares e organizações oficiais nacionais, este excelente catálogo reproduz grande parte do material exposto e dedica substancial parte à visão contemporânea de cinco artistas alemães convidados a interpretar o tema. Além das excelentes reproduções, constam os estudos dos curadores Maria de Fátima Costa, Pablo Diener e Dieter Strauss (v. estes), Diretor do Instituto Goethe em São Paulo. Interessante e importante.

A expedição científica de G.I. Langsdorff ao Brasil: 1821-1829: catálogo completo do material existente nos arquivos da União Soviética.

2ª ed. Brasília: Ministério da Cultura/Secretaria do Patrimônio Histórico e Artístico Nacional/Fundação Nacional Pró-Memória, 1988.

Organizado pelos estudiosos russos D.E. Bertels, B.N. Komissarov, I.I. Licenko e sob coordenação de L.A. Chuire, com tradução de Marcos Pinto Braga, este catálogo praticamente esgota o assunto ao relacionar e comentar os 775 itens existentes e transcrever o longo estudo "O acadêmico G.I. Langsdorff e sua expedição ao Brasil em 1821-1829", de Boris N. Komissarov (v.). Ainda que conte tão-só com uma ilustração na capa (a aquarela *A sede da Fazenda Mandioca*, de Thomas Ender, v.) e um retrato de von Langsdorff no texto, esta é uma obra importante e imprescindível para estudos. NOTA: Esta edição é o nº 32 das publicações do IPHAN.

LARSEN, ERIK

Frans Post: interprète du Brésil.

Amsterdam/Rio de Janeiro: Colibri Editora Ltda., [1962].

De acordo com informações prestadas pelo próprio autor em seu prefácio, esta obra foi concebida durante sua estadia no Brasil de 1946 a 1947 e deixou de ser concluída e publicada em deferência a Joaquim de Sousa-Leão (v.), cuja obra *Frans Post* estava para ser lançada (como de fato o foi em 1948). Concluída, serviu a seguir para defesa de tese na Universidade de Louvain (Bélgica), onde foi aprovado no grau máximo, uma distinção que apenas confirma a opinião geral de ser a melhor monografia sobre Frans Post (v.), o pintor do Conde Maurício de Nassau (v.) durante a ocupação holandesa do Nordeste. Esta é uma obra erudita, que não se limitou a estudar o artista e sua obra, mas também o meio artístico holandês e europeu da época, o Brasil anterior e durante a ocupação holandesa, estudo sobre a concepção visual de natureza na época e, sobretudo, longo estudo sobre a autoria das gravuras que ilustram a obra *Rerum per octennium in Brasilia...* de Barleus (v.), baseados em desenhos de Frans Post. Com reprodução de cem obras em branco e preto e várias em cores, esta é uma obra imprescindível para estudos.

LATIF, MIRAN DE BARROS

Uma cidade nos trópicos: São Sebastião do Rio de Janeiro.

São Paulo: Livraria Martins Editora S/A, [1948]. (Brasília. Coleção de Estudos Brasileiros, 2)

Pode-se classificar esta obra como um estudo histórico-poético-sentimental, agradável leitura realçada por ótimas fotografias de Max Nauemberg, e que tornam "este livro apenas ilustrado com notas fotográficas, do que desapareceu de todo, nas demolições, ou só em parte submerso, pelas construções que se avolumam". A edição é simples, mas de ótima apresentação; as fotografias são excelentes mas infelizmente poucas e desprovidas de identificação.

LAU, PERCY

Desenhista autodidata, nasceu no Peru de pais alemães em 1903 e chegou ao Brasil em 1921, fixando-se em Olinda e participando dos movimentos modernistas pernambucanos. Em 1938 transferiu-se para o Rio de Janeiro, *onde estudou com Carlos Oswald no Liceu de Artes e Ofícios e a seguir ingressou no Instituto de Geografia e Estatística, para o qual produziu extensa obra dedicada às paisagens e aos tipos, usos e costumes nacionais, ilustrando também a clássica obra* Tipos e aspectos do Brasil. *Como ilustrador também se fez notar em* Arruar *e* Maxabombos e Maracatus, *de Mario Sette, em* Santa Maria de Belém do Grão-Pará, *de Leandro Tocantins, e em* Arraial do Tijuco: cidade de Diamantina, *de Aires da Mata Machado Filho (v.), participando ainda de* Porto do Recife *(v.). Faleceu em 1972.*

Percy Lau: suas ilustrações.

Rio de Janeiro: Departamento de Documentação e Divulgação Geográfica e Cartográfica, 1969.

São os desenhos que executou para a *Revista Brasileira de Geografia* que se encontram reproduzidas neste volumoso álbum, confirmando a opinião de Barbosa Leite transcrita no prefácio: "uma documentação iconográfica de aspectos ou singularidades do Brasil, muitos desenhistas já se destacaram sem atingir, no entanto, uma linguagem tão explícita como a dos desenhos de Percy Lau".

LE CORBUSIER

Charles-Edouard Jeanneret, arquiteto, pintor e escritor franco-suíço (1887-1965), conhecido como Le Corbusier, visitou o Brasil em 1929 a convite dos "modernistas de 22" e do poeta Blaise Cendrars e retornou em 1936 a convite de Lúcio Costa (v.) para participar dos estudos finais para o projeto do edifício do Ministério da Educação no Rio de Janeiro. Esta sua segunda visita foi de grande importância para a arquitetura brasileira e sua influência encontra-se bem estudada por Elizabeth D. Harris (v.) em Le Corbusier: riscos brasileiros *e em* Lembranças de Le Corbusier, *de P.M. Bardi (v.).*

Le Corbusier: Rio de Janeiro 1929-1936.

[Rio de Janeiro]: Centro de Arquitetura e Urbanismo do Rio de Janeiro, [1998]. (Catálogo de exposição, dez. 1998-jan. 1999)

Estudos eruditos por diversos professores e arquitetos franceses sob a curadoria de Yannis Tsionis foram reunidos nesta importante obra, profusamente ilustrada para servir de catálogo à exposição no Rio de Janeiro.

Le Corbusier e o Brasil.

Cecilia Rodrigues dos Santos, Margareth Campos da Silva Pereira, Romão Veriano da Silva Pereira, Vasco Caldeira da Silva. São Paulo: Tessela/Projeto, 1987.

Com textos inéditos de diversos colaboradores, esta é uma das obras que podem ser consideradas "definitivas". Além dos conhecidos desenhos e esquemas técnicos deste grande arquiteto que foi Le Corbusier, também constam muitos dos seus desenhos artísticos e muitos documentos sobre sua atuação no Brasil, incluindo a correspondente correspondência ativa e passiva. Imprescindível para estudos.

LEAL, AMERICO

A Igreja da Sé.

Belém: s.e., 1979.

Bem mais histórica e artística do que eclesiástica esta obra de Monsenhor Leal, e bem mais notável do que a maioria deste gênero de estudos. A obra mereceria ilustração adequada e em cores, mas foi dotada de fotografias em preto e branco sofrivelmente reproduzidas.

LEAL, HUGO

Bahia.

S.l.: Pronor, [1983].

Belo portfolio de dez fotografias de Salvador (36 x 28 cm), reproduzidas por um processo desenvolvido pelo autor que confere textura de gravura. Os locais, edifícios e igrejas tomam importânica especial pela beleza do tipo de reprodução e de apresentação.

LEAL, Hugo, ANDRADE, Carlos Drummond de e PIANZOLA, Maurice. *Ouro Preto: patrimônio cultural da humanidade = world heritage city.*

[São Paulo: Companhia Brasileira de Projetos e Obras – CPBO, 1983].

Com um estudo de Maurice Pianzola e o poema *Ouro Preto, livre do tempo*, de Carlos Drummond de Andrade, esta obra apresenta as mesmas belas características do volume do verbete anterior em suas dez fotografias-gravuras.

Mosteiro de São Bento.

Rio de Janeiro: Editora Danubio, 1984.

Belo e importante álbum, com texto de Dom Marcos Barbosa. Quatro das fotografias de Hugo Leal foram executadas no processo de gravura que caracteriza suas obras precedentes; as catorze restantes são de reprodução normal. Edição em português e inglês, álbum de folhas soltas com fotografia na capa, caixa especial, assinado pelos autores.

LEAL, OSCAR

Viagem às terras Goyanas: Brazil Central.

Lisboa: Typographia Minerva Central, 1892.

Relato de viagem de um jovem brasileiro "aportuguesado" (1862-?) que mereceu um prólogo de Pinheiro Chagas; ilustrado com desenhos próprios reproduzidos por Francisco Pastor (v.), fotogravuras de Reinhol e uma importante "Carta do Sul de Goyaz e Triangulo Mineiro", pelo autor. NOTA: Esta obra foi republicada por cópia reprográfica pela Editora da Universidade Federal de Goiás em 1980; a reprodução das gravuras foi quase perfeita.

LEFÈVRE, RÉNÉE

Nascida em São Paulo (1910-?), esta pintora e desenhista estudou com Pedro Alexandrino e completou seus estudos em Paris. Participou de muitas exposições oficiais nacionais nas décadas de 1930 e 1940 e das Bienais Internacionais de São Paulo de 1951 e 1953; expôs individualmente por diversas vezes. Em seu Dicionário Crítico da Pintura no Brasil, *José Roberto Teixeira Leite afirma que seu desenho "é sensível e fluente", sabendo "captar a expressão de uma forma, o detalhe significativo, a atmosfera justa", características estas que tornaram populares os álbuns a seguir relacionados, todos editados pela Companhia Editora Nacional com impecável acabamento em quarto grande e encadernação uniforme.*

LEFÉVRE, Renée e COSTA FILHO, Odylo. *Maranhão: São Luís de Alcantara.*

[São Paulo]: Companhia Editora Nacional/Editora da Universidade de São Paulo, [1971].

Obra formada por uma seleção de desenhos produzidos durante a permanência de um mês no Maranhão, enriquecida com texto histórico do escritor Odylo Costa Filho (1914), membro da Academia Brasileira de Letras.

LEFÉVRE, Renée e LEMOS, Carlos A.C. *São Paulo: sua arquitetura: colônia e império.*

[São Paulo]: Companhia Editora Nacional/Editora da Universidade de São Paulo, [1974].

Sessenta desenhos de aspectos do litoral paulista, o Vale do Ribeira, a capital e o interior do Estado, com compacto texto do arquiteto e pintor Carlos Lemos (v.).

LEFÉVRE, Renée e FONSECA, Fernando Luiz da. *Recantos, encantos e prantos da Bahia.*

[Rio de Janeiro]: LTC Arte e Cultura/[São Paulo]: Editora da Universidade de São Paulo, [1976].

Bem mais do que promete o título, esta obra é uma importante interpretação artística da arquitetura rural e urbana da Bahia, fruto da colaboração de um arquiteto e professor da Universidade da Bahia com os desenhos e pinturas de Renée Lefèvre, executadas "com a sensibilidade e o lirismo que lhe são peculiares", na avaliação do prefaciador Mario Guimarães Ferri, reitor da Universidade de São Paulo. Além de se tratar de uma editora diferente, esta obra difere das anteriores por conter também muitas aquarelas adicionais da artista e o texto histórico substituído por uma espécie de guia histórico-sentimental de Fernando Luiz da Fonseca, arquiteto e professor da Universidade Federal da Bahia, criando um conjunto harmonioso e alegre nesta visão das cidades de Salvador, Cachoeira e Lençóis.

LEFÉVRE, Renée e VASCONCELLOS, Sylvio de. *Minas: cidades barrocas.*

3ª ed. [São Paulo]: Companhia Editora Nacional, [19796].

Com texto do arquiteto Sylvio Vasconcellos (1916-1979), esta foi a primeira obra da artista e conquistou prêmios importantes, como o "Livro de Arte" da x Bienal Internacional de São Paulo e o "Jabuti".

LEITÃO, CÂNDIDO DE MELLO

Visitantes do Primeiro Império.

São Paulo: Companhia Editora Nacional, 1934. (Brasiliana. Biblioteca Pedagógica Brasileira. Série V, 32)

Cândido de Mello Leitão, mais conhecido como biólogo e colaborador dos Museus Paulista e Nacional, apresenta nesta utilíssima obra as opiniões de alguns dos "grandes viajantes" sobre o país, focalizando Freycinet, Maria Graham, Duperrey, Bougainville, Laplace, Charles Darwin, De La Salle e Petit-Thouars. A obra é uma das modestas edições da "Brasiliana" e conta com a reprodução em offset de dezessete gravuras e dois mapas, todos da época e alguns deles muito raros. Importante.

LEITE, JOSÉ ROBERTO TEIXEIRA

Crítico e historiador de arte (1930), foi diretor do Museu Nacional de Belas Artes de 1961 a 1964.

Dicionário crítico da pintura no Brasil.

[Rio de Janeiro]: Artlivre, [1988].

Esta obra poderia ser considerada o melhor dicionário brasileiro de arte não fosse a limitação do tema imposta pelo autor. É o único dos dicionários disponíveis que aborda aspectos específicos da arte da pintura, tais como: academismo, retrato, marinhas, fotopintura, além de citar e estudar obras de viajantes e outras de interesse especial para a história das artes no Brasil; além disso, o autor também contribui com críticas e apreciações próprias, sem deixar de transcrever opiniões de outros e renomados críticos de arte. Muito boa a escolha das ilustrações, mas nem tão boas as reproduções. Quase enciclopédica, é indispensável em qualquer biblioteca de arte.

A China no Brasil; influências, marcas, ecos e sobrevivências chinesas na sociedade e na arte brasileira.

Campinas: Editora da Unicamp, 1999.

Obra fundamental sobre assunto mais histórico e cultural do que propriamente artístico. Escassa é a documentação iconográfica disponível no País sobre a matéria, escassez que se faz notar muito neste trabalho de grande erudição que nem por isso deixa de ser imprescindível para estudos.

LEITHOLD, T. von

LEITHOLD, T. von e RANGO, L. von. *O Rio de Janeiro visto por dois prussianos em 1819.*

Tradução de Joaquim de Sousa Leão Filho. São Paulo: Companhia Editora Nacional, [1966]. (Brasiliana, 328)

Versão brasileira de duas obras por militares alemães, ambos em visita ao Rio de Janeiro durante quatro meses em 1819. O diário de Leithold (já aposentado na época) foi publicado sem ilustrações, mas o de Rango (capitão, 1794-1861), um diário em forma de cartas, foi ilustrado com três gravuras sob desenho próprio; a versão brasileira aproveitou apenas as partes referentes ao Rio de Janeiro e incompreensivelmente omitiu as três gravuras. Em compensação, esta versão (incluída na "Coleção Brasiliana") foi dotada com reprodução de catorze desenhos de Thomas Ender, Franz Frühbeck, Maria Graham (v. estes) e outros, todos raros e importantes, deficientemente reproduzidos.

LEMOINE, CARMEN NICIAS de

Tradições da cidade do Rio de Janeiro do século 16 ao 19.

Rio de Janeiro: Editora Pongetti, [1965].

Uma obra interessante enquanto descritiva, mas os numerosos desenhos da autora, baseados em gravuras do século XIX, são muito fracos.

LEMOS, CARLOS Alberto Cerqueira

Desenhista, arquiteto e professor universitário (1925-2001), participou das VI, VII e IX Bienal Internacional de São Paulo. Autor da obra Roteiro de arquitetura contemporânea *e* Dicionário da arquitetura brasileira, *com Eduardo Corona (v.).*

Casa paulista: história das moradias anteriores ao ecletismo trazido pelo café.

São Paulo: Edusp, 1999.

A importância deste estudo acadêmico já se deduz do título, e é confirmada por esta bem cuidada edição, dotada de notável e abundante documentação fotográfica e desenhos arquitetônicos por Meira de Oliveira.

Notas sobre a arquitetura tradicional de São Paulo.

[São Paulo]: Departamento de História/Faculdade de Arquitetura e Urbanismo da Universidade de São Paulo, 1969.

Um estudo especializado em uma modesta publicação universitária, com poucas e mal reproduzidas fotografias próprias; assim mesmo, esta documentação fotográfica pouco divulgada e ainda menos estudada, é importante.

A imaginária paulista: a arte sacra dos santeiros e escultores de São Paulo.

[São Paulo]: Edições Pinacoteca do Estado, [1999]. (Catálogo de exposição, dez. 1999-fev. 2000)

Este estudo extraordinário fez a vez de catálogo de um dos quatro módulos da exposição "Tempos do sagrado: quatro séculos de arte sacra. Bahia – São Paulo" na Pinacoteca do Estado de São Paulo (v.), da qual o autor foi curador. Este texto é dos mais importantes sobre o tema santeiros e escultores de arte sacra e contou com o estudo e reprodução de peças do Museu de Arte Sacra de São Paulo e outras muitas de coleções particulares.

O álbum de Afonso: a reforma de São Paulo.

São Paulo: Edições Pinacoteca, 2001.

Álbum oblongo de grande dimensão: 26 x 35 cm, conta com a reprodução integral de um álbum fotográfico organizado e comentado pelo jornalista Afonso de Freitas (1868-1930), autor do clássico *Tradições e reminiscências paulistanas* (1921); nesta coleção juntou imagens de procedências diversas (inclusive próprias) que focalizaram diversas fases da construção e destruição de prédios e logradouros públicos, documentando a partir de 1911 as profundas transformações urbanísticas efetuadas na cidade por força dos planos sucessivos dos engenheiros Victor Freire e Guilhem, Samuel das Neves e Joseph Antoine Bouvard. Este álbum é uma grande fonte para os estudiosos da cidade e teve no texto do arquiteto Carlos Lemos uma adicional importância e competente expressão. NOTA: A obra foi publicada como parte integrante da exposição do álbum na Pinacoteca do Estado de São Paulo na mesma ocasião.

LEMOS, PERSEU CASTRO DE

José de Castro (1865-1921), um pintor de Pernambuco no virar dos séculos XIX e XX.

Recife: AEN – Assessoria Editorial do Nordeste, 1984.

Boa monografia sobre um pintor amador, paisagista por vocação. As reproduções em preto e branco são fraquinhas, mas as coloridas obtiveram um cuidado bem melhor.

LENCIONI, FREDERICO

Beija-flores na mata atlântica.

[São Paulo]: Midi/Edusp, [1991].

Álbum de 42 x 32 cm reproduzindo cinco lindas aquarelas deste biólogo e ecologista paulista, aquarelas que fizeram parte de um grupo de cinqüenta expostas no Jardim Zoológico de Amsterdam (1988), na Universidade de Tübingen (1989) e no Jardim Zoológico de Nürenberg (1990).

LEQUES

Quase todos os leques antigos e dignos de nota contam com decorações que retratam atos históricos, alegorias ou retratos de personagens ilustres; os temas relacionados à família imperial predominam naturalmente nos antigos leques brasileiros, encontrando-se a grande maioria em museus. Produto artesanal e efêmero por excelência, o leque nunca foi exaustivamente estudado no País, encontrando-se apenas notícias esparsas em catálogos de exposições ou leilões e alguns estudos avulsos.

Exposição de leques.

Rio de Janeiro: Ministério da Educação e Saúde/Museu Nacional de Bellas Artes, 1944.
(Catálogo de exposição, dez. 1944)

Dos 176 itens desta monumental exposição, 35 foram iconográficos, e destes, nove razoavelmente reproduzidos; um bom prefácio não assinado completa o catálogo.

Exposição de leques do Museu Imperial.

Petrópolis: Museu Imperial/Ministério da Educação e Saúde, 1949. (Catálogo de exposição, fev. 1949)

Catálogo de pequeno formato, que descreve minuciosamente 78 peças, incluindo 12 leques comemorativos e de acentuado valor histórico (dos quais quatro sofrivelmente reproduzidos).

Dutra leilões: leilão de inaguração do novo escritório e 3º comemorativo aos 500 anos do descobrimento do Brasil.

[São Paulo: Dutra Leilões, 1999]. (Catálogo de leilão, ago.-set. 1999)

Como todos os catálogos do Dutra Leilões até a data, também este é impecavelmente apresentado e ilustrado, destacando-se entretanto e especialmente a relação e reprodução de "18 leques imperiais dos períodos de D. Maria I, D. João VI, D.Pedro I e II", da coleção do iconógrafo e historiador de arte Newton Carneiro (v.).

O leque: seu tempo e sua linguagem.

[Salvador]: Museu de Arte da Bahia, [1995]. (Catálogo de exposição, jul.-set. 1995)

Catálogo muito expressivo de uma exposição dos leques existentes em acervo particulares e nos do Instituto Feminino da Bahia, da Fundação Maria Luisa e Oscar Americano (São Paulo) e do Museu Nacional (Rio de Janeiro), além de quadros atinentes provenientes do Museu Nacional e da Pinacoteca do Estado de São Paulo. A um longo estudo histórico-descritivo por José Roberto Teixeira Leite (v.) segue-se um glossário com desenhos esquemáticos de tipos de leques e uma fascinante "linguagem dos leques" ilustrada por Carybé (v.); excelentes reproduções coloridas. Muito interessante.

LERY, JEAN DE

Religioso francês (1534-1611), viajou em 1556 para o Brasil a convite de Villegagnon para estabelecer uma colônia protestante mas se viu forçado a fugir da Ilha de Villegagnon e com muitas dificuldades retornar à Europa, onde prosseguiu seus estudos teológicos em Genebra. Em 1563 escreveu a obra Histoire d'un voyage fait en la terre du Brésil, autrement dite Amérique, *publicada somente em 1578 e com numerosas reedições, das quais a mais completa e comentada é a de Paul Gaffarel (1880).*

Viagem à terra do Brasil.

Tradução integral e notas de Sergio Milliet. S.l.: Biblioteca do Exército-Editora, 1961.

Tradução integral por Sergio Milliet, ilustrada com as gravuras do original e outras provenientes de Thevet e Staden (v. estes).

Viagem à terra do Brasil.

Tradução integral e notas de Sergio Milliet segundo a edição de Paul Gaffarel com o Colóquio na língua brasílica e notas tupinológicas de Plínio Ayrosa. São Paulo: Livraria Martins, [1941].

Sétimo volume da excelente série "Biblioteca Histórica Brasileira" (dirigida por Rubem Borba de Moraes), com todas as ilustrações do original. Muito recomendável. NOTA: Desta edição foi feita uma tiragem de 150 exemplares em formato maior e papel especial.

LEUZINGER, GEORGES

Nascido na Suíça (1813-1892), chegou ao Rio de Janeiro em 1832 e se estabeleceu em 1840 com uma papelaria, à qual acrescentou um ateliê fotográfico e passou à "Typographia e Estamparia G. Leuzinger" e à edição de litografias. Por volta de 1870 publicou o catálogo 337 Photographias Diversas. Officina de G. Leuzinger. 36 rua do Ouvidor *e doou à Biblioteca Nacional do Rio de Janeiro grande quantidade de material e exemplares de sua produção, além de preciosos apontamentos.*

O Rio de Janeiro do fotógrafo Leuzinger: 1860-1870.

Rio de Janeiro: Sextante Artes, 1998.

No campo da iconografia brasileira, no da editoração de livros e no da fotografia, não há quem não conheça o nome de Georg (ou Georges) Leuzinger, suíço nascido em 1813 e chegado ao Rio de Janeiro em 1832, cuja "Casa Leuzinger" consta de muitas gravuras e livros a partir da década de 1860. Sobre a fascinante figura deste importante editor, sua oficina litográfica e seu ateliê fotográfico, a presente obra é provavelmente a primeira a suprir a falta de dados e estudos até então sentida. Com textos de Maria Lucia David de Sanson, Mario Aizen e do historiador de fotografia Pedro Vasquez (v.), este despretensioso álbum oblongo de reprodução das fotografias de Georges Leuzinger faz parte do grupo das obras imprescindíveis para estudo.

LEVASSEUR, E.

Le Brésil.

Par E. Levasseur: membre de l'Institut: professeur au Collège de France et au Conservatoire des Arts et Métiers: avec la collaboration de MM de Rio-Branco, Eduardo Prado, d'Ourem, Henri Gorceix, Paul Maury, E. Tronessart et Zaborowski / (extrait de la Grande Encyclopedie) / deuxième édition / illustrée de gravures, cartes et graphiques, accompagnée d'un appendice / par E. Levasseur et M. Glasson, membre de l'Institut et d'un album de vues du Brésil / executé sous la direction de M. de Rio-Branco / publié par le Syndicat Franco-Brésilien pour l'Exposition Universelle de Paris en 1889. 2ª ed. Paris: H. Lamirault et Cie. Éditeurs, 1889.

Esta segunda edição é igual à primeira do mesmo ano mas contou com o acréscimo de um segundo volume, *Album de vues du Brésil*, organizado e prefaciado pelo Barão do Rio Branco e expressamente destinado à divulgação do Brasil imperial na Grande Exposição Universal de 1889 em Paris, um álbum importante e notável não só pela grande quantidade de excelentes fotografias (muitas reproduzidas em folhas duplas), mas também pela sua seleção e qualidade; destacando-se entre outras as múltiplas de Marc Ferrez e de Lindemann (v. estes), gravadas por Sauvage (ativo no Rio de Janeiro em 1840) e muitas em folhas desdobráveis. NOTA: Em *Realidades e ficções na trama fotográfica*, Boris Kossoy (v.) estuda especificamente o motivo de publicação deste álbum e o impacto desejado sobre a opinião pública.

O Brasil.

1ª edição brasileira. Rio de Janeiro: Bom Texto, 2000.

A folha de título nos revela ser esta a primeira edição nacional da centenária obra *Le Brésil*, de E. Levasseur (Paris, 1889), obra cuja segunda edição do mesmo ano foi completada com um segundo volume organizado pelo Barão do Rio Branco. A presente edição nacional preencheu uma lacuna imperdoável e o fez reunindo o texto e as ilustrações em um só volume. Para tanto foram reduzidas em dimensão as ilustrações originais (muitas das quais eram desdobráveis) e inseridas no texto, um sistema que prejudicou um pouco a perfeição destas ilustrações mas, em compensação, facilitou a compreensão e leitura do texto. Esta obra é muito importante e a presente edição contou com um volume anexo, "Pequenos Históricos – Suplemento do livro 'O Brasil'", uma plaqueta em brochura e igualmente bem ilustrada, que apresenta algumas das ilustrações originais com comentários sobre a evolução dos logradouros retratados.

LÉVI-STRAUSS, CLAUDE

Nascido na Bélgica em 1908, estudou Filosofia em Paris; em 1935 assumiu a cátedra de Sociologia na recém-criada Universidade de São Paulo e empreendeu diversas viagens pelo País, incluindo visitas aos povos indígenas Caduveu e Nambikwara. As impressões obtidas nestas viagens despertaram seu pendor pela antropologia e ciências afins e resultaram na mais conhecida de suas obras, Tristes Tropiques *(com fotografias próprias), publicado no Brasil como* Tristes Trópicos. *Retornando à França em 1939, tornou-se professor de Antropologia Social no Collège de France em 1959, e eleito membro da Academia Francesa em 1973.*

Saudades do Brasil.

[São Paulo]: Companhia das Letras, [1994].

Cerca de cinqüenta anos após sua permanência no Brasil como professor universitário em São Paulo, o antropólogo social Lévi-Strauss teve oportunidade de retornar ao país e nos descrever suas impressões baseadas neste magnífico conjunto de fotografias da época que constam nesta bela edição. Ainda que declare: "Não me tenho como fotógrafo, mesmo amador (ou melhor, só o fui no Brasil, depois o gosto passou)", o material é de grande qualidade e importância, revelando-nos aspectos urbanos, arquitetônicos e outros há muito desaparecidos em São Paulo e em outros locais então percorridos, além das imagens colhidas junto às comunidades indígenas. Obra importante.

Saudades de São Paulo.

Tradução de Paulo Neves. [São Paulo]: IMS – Instituto Moreira Salles/Companhia das Letras, [1996].

Tão importante quanto o da obra anterior é o conjunto de fotografias de São Paulo na época de 1935 a 1937 que se nos deparam nesta bela edição; igualmente importante o prefácio do quase nonagenário autor. Completa a obra a descrição pormenorizada das fotografias por Ricardo Mendes.

LEVY, CARLOS ROBERTO MACIEL

Crítico e historiador de arte brasileiro (1951).

Giovanni Battista Castagneto: 1851-1900: o pintor do mar.

[Rio de Janeiro]: Edições Pinakotheke, 1982.

Sem dúvida a melhor e mais completa obra sobre Castagneto, admirável paisagista e marinhista italiano (v.), chegado ao Brasil em 1874. Além de muitas reproduções em cores, conta com muitas outras em preto e branco, que ilustram um levantamento resumido (mas certamente quase completo) de sua obra. Conta ainda com uma bibliografia que também deve praticamente esgotar o assunto.

Karl Ernst Papf: 1833-1910.

[Rio de Janeiro]: Edições Pinakotheke/Acervo Galeria de Arte, [1980]. (Catálogo de exposição, jun. 1980)

Estudo pioneiro sobre este fotógrafo, retratista e paisagista alemão (v.) que chegou a Recife em 1867, passou por Salvador e radicou-se no Rio de Janeiro a partir de 1877. O texto de Levy, jovem historiador de arte, sempre consistente, foi composto especialmente para esta exposição de 76 telas e desenhos, e 46 fotografias. Poucas ilustrações, infelizmente, constando apenas cinco de suas vistas do Rio de Janeiro e três retratos, além de algumas naturezas-mortas (todas em cores) e fotografias. Edição simples, de 2000 exemplares, sendo 50 encadernados e numerados.

LEWIS, H.

Há dúvidas sobre a identidade do artista H. Lewis. Segundo o DicMEC era desenhista e pintor ativo durante o Primeiro Reinado (1822-1831); para Gilberto Ferrez (in Iconografia do Recife*) é inglês e ativo em Pernambuco na década de 1840; Lygia Cunha ("Iconografia baiana do século XIX",* in Anais da Biblioteca Nacional, *v. 101, 1981) endossa local e época mas o classifica como amador; em litografia relacionada sob nº 16972 no CEHB aparece com a grafia H. L. Lewis; em Kossoy encontramo-lo como fotógrafo no Rio de Janeiro, sócio de Chaise em 1857 e de Kornis em 1858 e, finalmente, Lycurco de Castro Santos o cita como Henry Lewis, pseudônimo do médico americano J.C. Reinhardt ("A iconografia em Campinas", in* Paulistânia, *nº 79), dos quais se conhecem muitos desenhos de Campinas, alguns dos quais reproduzidos em "Retratos da velha Campinas" (*in Revista do Arquivo Municipal, *nº CXXXIX, v.).*

LIMA, ALBERTO

Desenhista e heraldista, estudou no Liceu de Artes e Ofícios do Rio de Janeiro; participou do Salão em 1954 e 1957 e especializou-se em brasões e em ex-libris.

A Imperial Colônia de Petrópolis: 1854.

Petrópolis: Editor Vitor P. Brumlik, 1965. (Coleção Petrópolis, 1)

Foi este o primeiro e aparentemente único volume da "Coleção Petrópolis", comemorativo do IV centenário da cidade do Rio de Janeiro. Alberto Lima reproduziu em gravura os importantes desenhos de Otto Reimarus, realizados por este engenheiro alemão em sua curta permanência em Petrópolis (1854-1859); o texto de Guilherme Auler, como sempre, é importante.

Paço de S. Cristovão: Rio de Janeiro: 1817-1880.

Petrópolis: Editor Vitor P. Brumlik, 1965. (Coleção 4º Centenário, 2)

Neste álbum, o competente historiador Guilherme Auler (v.) colabora com um estudo sobre a produção artística da época, dando assim um suporte histórico às doze gravuras de Alberto Lima, inspiradas em obras de Thomas Ender, Carl Robert von Planitz, Adolphe d'Hastrel, Alfred Martinet (v. estes) e outros.

LIMA, ALDEMIR MORATO

LIMA, Aldemir Morato de e KAWALL, Luiz Ernesto M. *Os 14 do Vale: pintores primitivos: Vale do Paraíba.*

S.l.: Arte Editora Ltda., 1987.

A arte dos artistas primitivos, os *naïf*, interessa quando direcionada especificamente ao povo em suas festas populares, como é o caso deste simpático álbum patrocinado pela Monsanto do Brasil (uma indústria do Vale do Paraíba, SP, que mantém um museu de cerâmica popular apresentando catorze artistas da região).

LIMA, CECILIA Modesto

LIMA, Cecilia Modesto e ALBERNAZ, Maria Paula. *Dicionário ilustrado da arquitetura: volume 1 – A a I.*

São Paulo: Pro Editores, 1997.

Elaborado por duas arquitetas da Faculdade de Arquitetura da UFRJ, este dicionário conta com texto de Maria Paula Albernaz e desenhos simples e despojados de Cecilia Modesto Lima. Em quarto grande, bem paginado e de fácil leitura, peca por insuportável poluição visual causada pela propaganda dos patrocinadores na margem inferior de todas as páginas. É uma boa obra, direcionada mais para estudantes do que para profissionais.

LIMA, ELADIO DA CRUZ

Pintor e escritor, nascido no Pará em 1900, autor de Arte pré-histórica na Amazônia *e* A cerâmica no estado do Pará. *Ativo no Pará e no Museu Paraense Emilio Goeldi.*

Mamíferos da Amazônia: volume I – Introdução geral e primatas.

Belém do Pará/Rio de Janeiro: Contribuição do Museu Paraense Emilio Goeldi de História Natural e Etnografia, 1944.

Monumental obra, em fólio grande, patrocinada pelo Museu Paraense Emilio Goeldi de História Natural e Etnografia, com aquarelas do autor em 42 pranchas coloridas em papel grosso especial. Interessante.

LIMA, HERMAN

História da caricatura no Brasil.

Rio de Janeiro: Livraria José Olympio Editora, 1963. 5 v.

Bem mais do que uma história da caricatura, esta obra monumental em cinco volumes (mais de 880 ilustrações em branco e preto e 27 em cores) é um autêntico dicionário da história da arte brasileira com ênfase naquela específica produção artística. Básico e imprescindível.

LIMA, HONÓRIO

Notícia histórica e geográfica de Angra dos Reis.

3ª edição. Rio de Janeiro: Edição da Livraria São José, 1974.

Reedição de uma obra publicada em 1889, com todas as notas originais do autor, fragmentos avulsos de seus estudos históricos e as anotações suplementares de Alípio Mendes. Este interessante estudo foi ilustrado com muitos desenhos assinados por D'Andrea e Henrique Cavalleiro (1892-1975), e por fotografias e gravuras antigas (sem indicação de origem), algumas da edição de 1889.

LIMA, JORGE DE

Médico e poeta brasileiro (1895-1953).

O poeta insólito.

[São Paulo]: Instituto de Estudos Brasileiros/Universidade de São Paulo, 1987.

Bela plaqueta que estuda e reproduz as onze fotomontagens produzidas pelo médico-poeta Jorge de Lima e enviadas a seu amigo Mário de Andrade. Cada uma das fotomontagens é acompanhada de um trecho de uma das poesias místicas; em anexo, apreciação de Mário de Andrade e um estudo de Ana Maria Paulino.

LIMA, LUIZ PAULO

Fotógrafo brasileiro (1955), formado em História, trabalhou no centro fotográfico do Museu Lasar Segall e no do Centro Cultural São Paulo e com fotojornalismo em jornais paulistas.

Arte e religiosidade no Brasil: heranças africanas: fragmentos.

Fotografias: Luiz Paulo Lima. São Paulo: Edições Pinacoteca, 1997.

Um dos seis notáveis catálogos em fólio publicados para a exposição temática do título, apresentando um fascinante ensaio de imagens quase abstratas.

LIMA, NESTOR DOS SANTOS

La imagen del Brasil en las cartas de Bolivar.

Rio de Janeiro?: s.e., 1978?.

Interessante estudo de um diplomata brasileiro, apresentado sob patrocínio do Banco do Brasil em edição pequena e bem cuidada, ilustrada em cores com gravuras antigas, destinadas a dar ao povo venezuelano uma idéia de "aspectos humanos, politicos, urbanos y económicos de la vida brasileña en las primeras décadas del siglo XIX". Muito interessante.

LIMA, VASCO

Desenhista português (1883-?), radicado no Brasil em 1898.

Morro do Castelo da cidade do Rio de Janeiro: 12 gravuras de Vasco Lima.

Petrópolis: Editor Vitor P. Brumlik, 1965.

Este álbum foi o primeiro da série "Coleção 4° Centenário", do editor Brumlik. Além da vinheta "Marco da cidade do Rio de Janeiro", foram reproduzidas doze simpáticas vistas do Rio de Janeiro realizadas por este desenhista português radicado no Brasil e que veio a notabilizar-se como caricaturista sob o pseudônimo de Hugo Leal.

LIMA JUNIOR, Felix

Maceió de outrora.

Maceió: Arquivo Público de Alagoas, 1976. v. 1.

Obra de um competente historiador (1901-?), que pode ser comparado a Mario Sette (seu paradigma pernambucano), ilustrada com dezesseis antigas e boas (mal reproduzidas) fotografias.

LINDE, CARLOS

Karl Linde nasceu na Alemanha por volta de 1830 e chegou ao Rio de Janeiro em 1858 (ou 1859), onde veio a falecer em 1873. Nada se sabe sobre a formação artística deste pintor e litógrafo que fundou, com os irmãos Carlos e Henrique Fleiuss (1823-1882), o Instituto Artístico de Fleiuss Irmãos & Linde em 1859 (que obteve o título "Imperial" em 1863). A partir de 1860 este Instituto publicou a Semana Illustrada, *que circulou por mais de quinze anos e teve em Linde seu principal colaborador, sobretudo em ilustrações relacionadas à Guerra do Paraguai, como foi a série de oito grandes litografias* Glorias da Marinha Brazileira *publicada como "Suplemento". Em 1864 o Instituto publicou* Brasil Estrada de Ferro de D. Pedro II. Vistas dos pontos mais importantes desde a estação da Côrte até a do Commercio e plantas das pontes sobre os rios Sant'Anna, Sacra Familia, Rio das Mortes, Pirahy e Parahyba..., *belo álbum de grande formato com 29 litografias (27 por Linde e 2 por Fleiuss), atualmente muito raro e inexplicavelmente não reproduzido até a data. Linde participou do Salão de 1859 (medalha de ouro) e ainda em 1864, 1866 e 1867, e constou do* Almanak Laemmert *como paisagista e retratista de 1859 a 1862. Grande parte de sua vasta obra encontra-se relacionada no* CEHB *e várias se encontram reproduzidas em* Pintores alemães no Brasil, *de Maria Elizabete Santos Peixoto (v.); em 1862 ilustrou com doze litografias a obra* Um passeio pela cidade do Rio de Janeiro, *de Joaquim Manoel de Macedo (v.).*

Álbum do Rio de Janeiro, contendo o panorama e doze vistas, tiradas do natural por C. Linde.

Rio de Janeiro: Livraria Kosmos Editora, 1979.

Fac-símile deste raríssimo e belo álbum editado por Fleiuss Irmãos e Linde em 1860 no Rio de Janeiro. A impressão das gravuras foi realizada em offset, prejudicando um pouco a clareza das imagens; o texto, em folheto separado, foi confiado à iconógrafa Lygia Fonseca Fernandes da Cunha (v.). Tiragem de 350 exemplares.

Uma visão do Rio oitocentista.

S.l.: s.e., s.d.

Um envelope contendo doze cartões de 12,0 x 15,5 cm com reprodução das doze litografias que compõem o raríssimo álbum do verbete anterior; o panorama daquele álbum encontra-se reproduzido no envelope.

O Rio antigo de Linde.

Belo Horizonte: Villa Rica, s.d. (Coleção Imagens do Brasil, 3)

A julgar pelo título, este terceiro volume da "Coleção Imagens do Brasil" nos apresentaria a visão de Carlos Linde sobre o Rio antigo. Na realidade, entretanto, encontramos a reprodução de uma antologia de quadros a óleo com vistas do Rio de Janeiro, sendo doze de Carlos Linde e os restantes quatro de Thomas Ender (v.), Augusto Müller, T. Fischer e Raymond Quinsac Monvoisin, além da reprodução de oito gravuras de Linde executadas na oficina litográfica Fleiuss, Irmãos e Linde, o Instituto Artístico do qual era sócio. Acompanha este álbum de folhas soltas uma plaqueta em fólio pequeno que contém uma resumida biografia dos artistas (de autor não revelado) e, no envelope que serve de capa, um panorama a óleo do Rio de Janeiro. É uma coletânea algo curiosa, principalmente quando consideradas a editora e as importantes e sempre perfeitas obras de suas coleções anteriores; a presente é vistosa e bonita, mas com pranchas mal reproduzidas e títulos mal impressos. Como documento iconográfico, entretanto, é sempre recomendável.

LINDEMANN, RODOLFO

Rudolf, ou Rodolfo Lindemann, foi um dos mais importantes fotógrafos alemães ativos no Brasil em fins do século XIX *e do qual pouquíssimos dados biográficos são conhecidos. Seu nome surge em Salvador* (BA) *em fins da década de 1870 e passa a destaque em 1882 quando se associa a Guilherme Gaensly (v.) como G. Gaensly & R. Lindemann, um empreendimento que perdurou até 1900 apesar da mudança de Guilherme Gaensly para São Paulo em 1884. Lindemann permaneceu radicado em Salvador, participou da Exposição Universal de 1889 em Paris e atuou esporadicamente em Recife e em Maceió (1892); dedicou-se também à pintura como paisagista e retratista (obteve premiação em 1907) e como tal encontra-se citado em Laudelino Freire e no* DicMEC. *Muitas de suas fotografias encontram-se esporadicamente reproduzidas em obras especializadas, mas principalmente 30 das mais importantes em* Le Brésil *de E. Levasseur, 22 em* Bahia. Velhas fotografias. 1859-1900 *de Gilberto Ferrez, 12 em* Fotógrafos alemães no Brasil do século XIX *de Pedro Vasquez e três em* O século XIX na fotografia brasileira *de Rubens Fernandes Júnior (v. estes). No início do século* XX *foram utilizadas muitas de suas fotografias de negros, vendedores ambulantes e escravos em cartões-postais, imagens reproduzidas em grande dimensão para uma exposição na Pinacoteca do Estado de São Paulo em maio de 2001.* NOTA: *Seu nome encontra-se freqüentemente grafado como "Lindermann" e "M. Lindermann", um erro que se originou na segunda edição de* Le Brésil, *de E. Levasseur (v.), onde a grafia truncada "Lindermann" fora precedida de um "M." (Monsieur), dando motivos à transcrição errada em Laudelino Freire,* DicMEC, *Gilberto Ferrez e outros, mas acertada nas obras recentes de Boris Kossoy e Pedro Vasquez (v. estes).*

LINDEN, JEAN

Pescatorea: iconografia das orquídeas: (1854)-1860.

Turriers: Naturalia Publications, 1996.

Johann Julius Linden, ou Jean Linden (Luxemburgo 1817-?), estudou botânica com A. Tinaut e de 1835 a 1837 viajou pelo Brasil a serviço da Bélgica, visitando o Rio de Janeiro, Minas Gerais, São Paulo e Espírito Santo. Em 1860 publicou a *Pescatorea* em conjunto com Heinrich Gustav Reichenbach Filho (Alemanha 1823-1889, um dos colaboradores da *Flora brasiliensis* de von Martius) e G. Lüddemann, obra muito bem reeditada na França em versão francesa, inglesa, alemã e a presente portuguesa; tradução de Affonso de B. Orleans e Bragança e tiragem de 500 exemplares. Belas as ilustrações do próprio Linden, que chegou a ser Diretor do Jardim Real de Zoologia de Bruxelas.

LIPKAU, ERNST GÜNTHER

Hospital Alemão Oswaldo Cruz: 100 anos.

[São Paulo: DBA, c.1997].

Jornalista e economista alemão, radicado no País há mais de cinqüenta anos, o autor produziu um estudo histórico sobre um centenário hospital paulista, recentemente qualificado, em pesquisa oficial, entre os melhores do País. A alta qualidade do texto, aliada à documentação fotográfica de arquivo próprio e a impecável apresentação, produziram uma obra muito digna de nota.

LISBOA, ANTONIO FRANCISCO

v. ALEIJADINHO

LISBOA, CRISTOVÃO DE

Cristovão Severino de Faria, o Frei Cristovão de Lisboa (1588-1654), estudou na Universidade de Évora e se ordenou sacerdote; exerceu a cargo de Custódio no Maranhão de 1624 a 1634 e faleceu em Lisboa.

História dos animais e árvores do Maranhão.

Lisboa: Publicações do Arquivo Histórico Ultramarino e Centro de Estudos Históricos Ultramarinos, 1967.

Edição fac-similar da obra de Frei Cristovão de Lisboa, um códice de 194 folhas, das quais 164 com os desenhos e as restantes com o correspondente texto do título. A obra compreende o fac-símile completo do códice, a leitura paleográfica e atualização do texto, os comentários ao mesmo, um prefácio de Alberto Iria, diretor do Arquivo Histórico Ultramarino, e um estudo do historiador Jaime Walter. Importante e bela, esta edição foi uma contribuição do Arquivo Ultramarino ao IV centenário do Rio de Janeiro. NOTA: A Comissão Nacional das Comemorações dos Descobrimentos Portugueses (Lisboa, 2000) reeditou este códice de Frei Cristovão em excelente edição, conservando os textos de Jaime Walter (falecido) e Alberto Iria.

LISBOA, KAREN MACKNOW

A nova Atlântida de Spix e Martius: natureza e civilização na viagem pelo Brasil: 1817-1820.

[São Paulo]: Editora Hucitec/Fapesp, 1997. (Estudos Históricos, 29)

Esta é uma obra que mereceu inclusão nesta importante série de estudos da Fapesp, além de constituir um dos textos básicos sobre a visão crítica dos viajantes "científicos" do século XIX e, especialmente, a dos naturalistas von Spix e von Martius (v. estes). Desenvolvida a partir de um trabalho de mestrado, a obra foi ilustrada com algumas das gravuras da *Viagem pelo Brasil*, de von Spix e von Martius, em preto e branco e oito diversas em cores. Importante.

LOCATELLI, ALDO

Pintor e muralista italiano (1915), estudou na Itália e em 1948 emigrou para o Brasil, atuando inicialmente em Pelotas e a partir de 1954 em Porto Alegre. Autor de muitos murais em igrejas, bancos e edifícios públicos, dedicou-se também ao ensino e foi professor do Instituto de Belas Artes do Rio Grande do Sul. Sua obra mais expressiva e lembrada são os grandes afrescos no Aeroporto Salgado Filho em Porto Alegre. Faleceu em 1962.

Catedral de S. Francisco de Paula: Pelotas.

Roma: Stab. L. Salomone, s.d.

Pequeno álbum cartonado com quarenta páginas sanfonadas, apresentando uma vista da Catedral, duas de seus interiores, duas da cidade e o resto dedicado à decoração por afrescos.

14 quadros artísticos da impressionante Via Sacra do artista Aldo Locatelli.

São Paulo: Ambrosiana, s.d.

Carteira fotográfica sanfonada reproduzindo os grandes murais da Igreja de São Pelegrino em Caxias do Sul (RS); os textos explicativos, do próprio artista, foram transcritos em italiano.

LOHSE, ERNST

Desenhista e litógrafo, provavelmente suíço, ativo no fim do século XIX *no Museu Paraense Emílio Goeldi em Belém do Pará, autor de todas as aquarelas do* Álbum das aves amazônicas *e das litografias que ilustram* Excavações archeologicas em 1895 *e outras obras científicas de Emilio Augusto Goeldi (v.). Diretor do Museu Paraense, para o qual desenhou também um clássico* ex-libris.

LOPES, CARLOS DE SÃO THIAGO

O encanto do abandono.

[São Paulo]: [Giordano Editora], [1993].

Pequeno e simpático álbum de desenhos a bico de pena retratando aspectos de lugarejos históricos e fazendas do Vale do Paraíba, com descrições das historiadoras Helena Queiroz Ferreira Lopes e Vera Lucia Vilhena de Toledo. O artista, nascido em 1925, foi múltiplas vezes premiado em salões oficiais acadêmicos do interior do Estado de São Paulo.

LOPES, FRANCISCO ANTONIO

História da construção da Igreja do Carmo de Ouro Preto.

Rio de Janeiro: Ministério da Educação e Cultura, 1942. (Publicações do Serviço do Patrimônio Histórico e Artístico Nacional, 89)

Como todas as obras desta série do SPHAN, também esta é de qualidade superior e muito bem ilustrada.

Os palácios de Vila Rica: Ouro Preto no ciclo do ouro.

Belo Horizonte: s.e., 1955.

Bom estudo em edição pobremente ilustrada e péssima reprodução.

LOPEZ, CÁNDIDO

Nascido em Buenos Aires em 1840, estudou com Carlos Descalso (um pintor e fotógrafo argentino pouco conhecido). Seus primeiros trabalhos datam de 1858, ano em que começou a percorrer o interior da Argentina como retratista e daguerreotipista. Retornando em 1863 a Buenos Aires, voltou ao interior em 1864 e alistou-se em 1865 como voluntário na Guerra do Paraguai, onde chegou à patente de tenente e desenhava aspectos da guerra, contidos em três álbuns aos quais acrescentou minuciosas descrições. Na Batalha de Curupaiti (1866) perdeu a mão direita, foi reformado e forçou-se a pintar com a mão esquerda, propondo-se a representar em 90 telas a óleo os seus desenhos, plano do qual conseguiu completar mais de 50. Em 1895 expôs 29 destes quadros, que foram catalogados em 1897 (com acréscimo de todas as descrições feitas pelo artista) e a seguir adquiridos pelo governo argentino para o Museu Nacional de Belas Artes em Buenos Aires. Faleceu em 1902. A maior parte de sua obra, incluindo os três álbuns de esboços, foram doados ao museu pelos descendentes.

A campanha do Paraguai: de Corrientes a Curupaiti: vista pelo tenente Cándido López.

[Rio de Janeiro]: Distribuidora Record S/A, [1973].

Em caixa de 45 x 65 cm, coberta com tecido, encontra-se um dos mais "monumentais" álbuns da iconografia argentina e brasileira, reproduzindo em pranchas um auto-retrato e 47 quadros a óleo sobre a Guerra do Paraguai que se encontram no Museu Nacional de Belas Artes de Buenos Aires. A grande dimensão das pranchas, aliada à boa reprodução, permite uma apreciação especial destes extraordinários quadros, baseados em testemunho pessoal, dezesseis dos quais comentados por Marcos Tamoyo, a quem também coube a introdução histórica. Importante e recomendável.

Cándido Lopez.

Parma: Franco Maria Ricci/Rio de Janeiro: Confraria dos Amigos do Livro, [1977].

O cuidado gráfico das obras editadas por Franco Maria Ricci é conhecido internacionalmente, pelo que nada seria necessário dizer sobre esta obra luxuosa, de apurado acabamento e visual. Os quadros reproduzidos pertencem ao Museu Nacional de Belas Artes (Buenos Aires). De cada quadro foi ampliado um pormenor para servir de ilustração ao texto literário de Augusto Roas, que recria um imaginário manuscrito. A obra conta ainda com um sólido estudo de Marta Dujovue, curadora do Museu Nacional de Belas Artes

(Buenos Aires) e finaliza com pequenos textos de Lélia Coelho Frota, Antonio Cândido e Rachel de Queiroz. Com tiragem de mil exemplares numerados, esta é uma obra muito recomendável.

Cándido Lopez: colecciones del Museo Nacional de Belas Artes.

Buenos Aires: [Museo Nacional de Belas Artes de Buenos Aires], 1971. (Catálogo)

Pequeno mas sólido trabalho de duas curadoras do Museu de Belas Artes de Buenos Aires, transcrevendo e relacionando as poucas notícias disponíveis sobre este notável pintor que classificava suas obras como "non seran por cierto una obra maestra de pintura, pero son la verdad de los lejos y de los detalles". Bem reproduzidos os 29 quadros, alguns desenhos e um auto-retrato de 1858; junto a cada um destes quadros foi transcrita a descrição elaborada pelo próprio Lopez.

LORCH, CARLOS

LORCH, Carlos e FLORES JR., Jackson. *Aviação brasileira: sua história através da arte.*

Rio de Janeiro: Action Editora, 1994.

Contrariando um pouco o enunciado do título, esta obra é, em sua essência, uma crônica dos tipos de aviões utilizados pela força aérea no decorrer dos tempos, ilustrada com cerca de cem desenhos e telas a óleo por diversos, quase todos recentes e provenientes de uma coleção particular (alguns poucos do Museu Aeroespacial) e todos de atroz realismo acadêmico.

LÖSCHNER, RENATE

Otto Grashof: Die Reisen des Malers in Argentinien, Uruguay, Chile und Brasilien: 1852-1857.

Berlim: Gebr. Mann Verlag, [1987].

O acervo artístico deste importante pintor paisagista e retratista alemão (v.), cego a partir de 1862, encontra-se em sua maior parte em mãos de membros da família e de alguns colecionadores particulares alemães, provável motivo de seu esquecimento em nosso país. A autora, grande pesquisadora alemã que muitos serviços prestou ao estudo da iconografia nacional, traça uma biografia completa, e dedica-se especialmente à sua viagem pela América do Sul, transcrevendo também sua correspondência e diários, além de reproduzir e descrever tecnicamente as 74 obras conhecidas.

LOUREIRO, MARIA AMÉLIA SALGADO

A evolução da casa paulistana e a arquitetura de Ramos de Azevedo.

São Paulo: Voz do Oeste/Secretaria de Estado da Cultura, 1981.

Não chega a ser um estudo acadêmico este relato jornalístico, mas não deixa de ser interessante e muito útil; o mesmo pode ser dito das ilustrações a bico de pena por E. Caldas Moroni e o conjunto de fotografias do arquivo da municipalidade de São Paulo e das obras de Ramos de Azevedo (v.).

LOVE, GEORGE Leary

Fotógrafo americano (1937), formado em matemática e filosofia e ativo no Brasil de 1966 a 1987, trabalhando inicialmente no MASP e a seguir como fotojornalista, realizando várias exposições no MASP e participando de muitas coletivas. Suas obras constam em numerosos jornais e revistas, na "Coleção Pirelli" do MASP, na obra própria São Paulo anotações *(1982) e nas coletivas* Amazônia *(1979) com Claudia Andujar (v.),* Brasil: terra mágica *e* Rio; portrait of a city *(v. estes).*

LOWELL, JOAN

Terra prometida.

Tradução de Lígia Junqueira. S.l.: Edições Melhoramentos, [1955?].

Relato da vida pioneira de um casal americano no interior paulista da década de 1930, ilustrado com vinhetas por uma observadora muito arguta (provavelmente também americana). Muito interessante.

LUCAS, CLODOMIRO

Pintor e gravador autodidata (1941), ativo em Campinas (SP), participou de numerosos salões oficiais e da IX Bienal Internacional de São Paulo.

Igrejas e casas do colonial brasileiro: xilogravuras.

São Paulo: [The Chelsea Art Gallery, 1969?].

Álbum com dez xilogravuras assinadas (47,5 x 32,5 cm) em tiragem de 200 exemplares, capa de madeira, retratando igrejas e prédios de Ouro Preto, Tiradentes, Parati, Olinda e Salvador.

Arquitetura colonial brasileira: 8 xilogravuras por Clodomiro Lucas.

Brasil: ed. part., s.d.

Álbum em capa de madeira com oito xilogravuras assinadas (47,0 x 32,5 cm) em tiragem de cem exemplares. No mesmo estilo do item anterior, retrata igrejas de Tiradentes, Parati, Olinda e Salvador; as gravuras foram tiradas em papel de arroz e montadas em *passe-partout*.

LUDOLF, DULCE

Rio histórico e cultural.

[Rio de Janeiro]: Editora Leitura S/A, [1965]

A autora, conservadora da Seção de Numismática do Museu Histórico Nacional do Rio de Janeiro, apresenta um guia essencialmente cultural e artístico. As ilustrações, relativamente poucas para a importância do texto, focalizam locais, monumentos e instituições estudadas.

M

MACAMBIRA, IVOTY de Macedo Pereira

Os mestres da fachada; artistas-artesãos.

São Paulo: Centro Cultural São Paulo, 1985.

Uma obra aparentemente modesta e despretensiosa, ilustrada com fotografias antigas e modernas sem destaque especial e tampouco bem reproduzidas, é na realidade "um trabalho de pesquisa, recuperando para a compreensão do presente a produção muitas vezes anônima, situada na fronteira ambígua entre a arte e a técnica, mas que, fora do conceito de obra, imprimiu a esta cidade a feição cultural que lhe é peculiar", explicação que caracteriza a obra como dedicada aos artesãos imigrantes que atuaram no ramo da construção, do pedreiro ao pintor-decorador, arquiteto e construtor. Obra bem documentada e útil para estudos.

MACEDO, JOAQUIM MANOEL de

Escritor brasileiro (1820-1882).

Um passeio pela cidade do Rio de Janeiro.
Primeira Série. Tomo Primeiro. 1862.
Primeira Série. Tomo Segundo. 1863.

Rio de Janeiro, Typ. Imparcial de J.M. Nunes Garcia, 1862-1863. 2 v.

Entre a vasta obra deste grande literato destaca-se este informal mas erudito guia. Edição modesta em oitavo, publicada às expensas do autor, teve como adicional e notável destaque a inclusão de doze litografias de Carlos Linde (v.); é uma obra muito interessante e muito rara nesta primeira edição.

Um passeio pela cidade do Rio de Janeiro.

Edição revista e anotada por Gastão Penalva e prefaciada por Astrogildo Pereira. Rio de Janeiro: Livraria Zelio Valverde, [1942].

Esta reedição do original de 1862-1863 em dois volumes (a terceira, na realidade) contou com a reprodução de dezoito gravuras, incluindo as doze de Carlos Linde (v.) da edição original, todas mal reproduzidas, incluindo as constantes da tiragem de 110 exemplares em papel especial.

Um passeio pela cidade do Rio de Janeiro.

Rio de Janeiro/Belo Horizonte: Livraria Garnier, [1991]. (Imagens do Brasil, 1)

Como quarta edição (primeiro volume de uma nova coleção da Livraria Garnier) deste clássico histórico e literário no qual o próprio autor convidava: "Vamos passear", conta com uma importante coletânea de imagens, "um segundo passeio iconográfico pela cidade do Rio de Janeiro", nas palavras da editora. Como edição comemorativa, em quarto grande, deveria ter recebido reprodução mais adequada destas ilustrações, assim como melhor descrição das gravuras, muitas das quais ficaram sem identificação. Assim mesmo, muito recomendável. NOTA: Após a publicação da obra em 1862-1863, a Livraria Garnier adquiriu os direitos e reeditou a obra em época anterior a 1875 como "Nova edição", utilizando as litografias de Carlos Linde (v.), que também reproduzem na presente.

MACEDO, NOEMI FRANCESCA

São Vicente: 1532-1992.

São Paulo: EF Editora, 1992.

Vistoso álbum oblongo, pobre em texto e pobre na ampla ilustração, sofrivelmente reproduzida.

MACEDO, SERGIO D.T.

Memórias do Rio: a história da Guanabara.

3ª edição revista pelo autor e comemorativa do IV centenário da cidade. Rio de Janeiro/São Paulo: Distribuidora Record, 1966.

Pequena obra de divulgação ilustrada com desenhos de Armando Pacheco (v.), todos baseados em gravuras antigas e, especialmente, em Debret (v.).

MACEDO, SILVIO SOARES

MACEDO, Silvio Soares e SAKATA, Francine Gramado. *Parques urbanos no Brasil = Brazilian urban parks.*

São Paulo: Edusp/Imprensa Oficial SP, 2002.

O projeto "Quapá" da Faculdade de Arquitetura e Urbanismo da USP apresenta um estudo acadêmico neste belo álbum, ricamente ilustrado com fotografias da equipe técnica e desenhos dos projetos por Silvio Soares Macedo. Muito interessante.

MACEDO NETO, ANTONIO Teixeira de

Luz e sombra.

São Paulo: Editora Rios, 1987.

Um estudo sobre a luz e os meios que suprem sua falta. Este estudo é bom e bem melhor que as ilustrações que o acompanham, mas o conjunto não deixa de ser interessante.

MACHADO, ANA MARIA

A peleja.

[Rio de Janeiro]: Berlendis & Vertecchia Editores, 1986. (Arte para criança. Arte popular)

Lindo livro de poesia em estilo de cordel por uma escritora especializada em literatura infantil, ilustrado em cores com belos exemplos de arte popular em cerâmica, provenientes da coleção de Jacques van de Beuque, todas atualmente incorporadas ao museu da Casa do Pontal (v.) no Rio de Janeiro.

MACHADO, JOSÉ DE PAULA

Parque Nacional Tijuca = National Park Tijuca.

[Rio de Janeiro: Livraria Agir, 1992].

Obra luxuosa, com reprodução de desenhos e gravuras de Charles Landseer, Maria Graham, Debret, Chamberlain (v. estes) e outros, citações extraídas dos viajantes e boas fotografias do próprio autor. Um desenho da entrada da Barra e da Fortaleza de Santa Cruz por Thomas Ender foi reproduzido nas folhas de guarda, e algumas interessantes ilustrações foram inseridas no texto.

MACHADO, JULIO CESAR

Historiador de arte (1956).

O barroco carioca.

[Rio de Janeiro]: Rio Arte e GRD, 1987.

Ensaio erudito sobre alguns aspectos do barroco no Rio de Janeiro, bem ilustrado com fotografias do autor (em branco e preto) e algumas fotografias antigas, coloridas.

MACHADO, LIELZA LEMOS

Roteiro turístico de Vassouras.

Rio de Janeiro: Expressão e Cultura, 1987.

Um guia de aparência modesta que merece um destaque especial, quer pelo texto histórico quer pelo documentário fotográfico, este sofrivelmente reproduzido mas muito expressivo. Além do histórico deste importante município do ciclo do café do Vale do Paraíba, o guia também abrange a Aldeia de Arcozelo (a antiga Fazenda Arcozelo, transformada por Pascoal Carlos Magno em Universidade da Arte, atualmente desativada), as cidades e fazendas da região e os correspondentes tombamentos, além dos títulos dos "barões do café" da nobreza local. Muito interessante.

MACHADO FILHO, AIRES DA MATA

Arraial do Tijuco: cidade de Diamantina: ilustrações de Percy Lau.

Rio de Janeiro: Ministério da Educação e Saúde, 1944. (Publicações do Serviço do Patrimônio Histórico e Artístico Nacional, 12)

Obra clássica que consagrou o autor e também qualifica o ilustrador. Muito recomendável.

MAGALHÃES, ALOISIO

Pintor e artista gráfico pernambucano (1927-1982), estudou museologia no Louvre (Paris) em 1951, participou das II, III, V e VII Bienal de São Paulo e da XXX Bienal de Veneza, e foi um dos fundadores do ateliê "O Gráfico Amador" de Recife; professor da Universidade Federal de Pernambuco, chegou a Diretor do Instituto do Patrimônio Artístico Nacional, tendo falecido nesta função. Além de muitos artigos sobre sua especialidade, foi publicado postumamente o álbum Olinda, *com onze litografias que expressam "a harmonia e elegância do conjunto arquitetônico e urbanístico, a imponência das igrejas, o ritmo do arruamento e das fachadas, o equilíbrio entre casas, igrejas, céu, mar e vegetação", na opinião do crítico Frederico Morais. Sua obra pictórica se insere mais no campo das artes plásticas, mas sua importância para esta pesquisa reside na sua liderança em programação visual para obras várias de interesse iconográfico, como* Iconografia de valores impressos no Brasil *(v.).*

MAGALHÃES, Aloisio e FELDMAN, Eugene. *Doorway to Brasilia.*

Philadelphia: Falcon Press, 1959.

Um livro experimental que reuniu a técnica do gráfico e impressor americano Eugene Feldman à criatividade do maior artista gráfico brasileiro da época; o resultado é surpreendente, das vistas da nova capital em construção à estonteante visão da maquete da Catedral, em folha desdobrável de 53,5 x 82,0 cm. Esta obra propiciou a seus autores medalha de ouro pelo Arts Director's Club de Filadélfia (EUA).

MAGALHÃES, SYMPHRONIO

Aspectos do Brasil: 500 paginas, 300 photogravuras, 200 assumptos.

Rio de Janeiro: s.e., 1940.

O curioso subtítulo corresponde à realidade: uma obra volumosa que aborda os aspectos mais variados do País com muitas ilustrações, razoavelmente reproduzidas.

MAIA, FRANCISCO PRESTES

Engenheiro civil e arquiteto (1896-1965), foi Diretor de Obras Públicas do Estado de São Paulo, professor da Escola Politécnica e Prefeito de São Paulo (1938-1945); como urbanista foi muito ativo em São Paulo, e também elaborou planos para Campos de Jordão, Santos, Campinas e Recife.

Estudo de um plano de avenidas para a cidade de São Paulo.

São Paulo/Cayeiras/Rio: Companhia Melhoramentos de São Paulo/Weiszflog Irmãos Incorporada, 1930.

Obra essencialmente técnica, mas importante por sua iconografia comparada de aspectos da velha e da nova São Paulo. De grande formato, conta com inúmeros planos e plantas desdobráveis, além de reprodução em cores de aquarelas do autor, definidas como "Estudos", propostas monumentais em estilo acadêmico para parques, jardins e monumentos. Muito interessante.

Os melhoramentos de São Paulo.

Segunda tiragem atualizada. São Paulo: Prefeitura Municipal de São Paulo, jan. 1945.

O autor define esta sua nova obra monumental como "folheto" e nos informa que o mesmo completa a obra constante do item anterior; declara ainda que a desproporção do volume de texto "corresponde à diferença que sempre vai do sonho à realidade". O texto a que se refere é essencialmente técnico, mas o material fotográfico tem mais de 400 itens, apresentando avenidas, praças, viadutos, edifícios, parques, teatros e monumentos. Obra em quarto grande, de acabamento excelente.

MAIA, THEREZA REGINA DE CAMARGO

Historiadora e folclorista, esposa do desenhista Tom Maia (v.), ex-diretora do Museu Frei Galvão em Guaratinguetá e autora de Paraty: religião de folclore.

MAIA, Thereza Regina de Camargo e MAIA, Tom. *Frei Galvão: sua terra e sua vida.*

Aparecida: Editora Santuário, 1998?

Plaqueta bem feita sobre a vida e obra de Antonio Galvão de França, o Frei Galvão (1739-1822) de Guaratinguetá, arquiteto do Mosteiro da Luz em São Paulo e também poeta. Com texto em português, inglês e espanhol, a obra é ilustrada com desenhos de Thomas Ender e William Burchell (v. estes), fotografias de peças várias e sacras do Mosteiro da Luz e vários desenhos de Tom Maia (v.).

MAIA, TOM

Advogado por profissão e artisticamente autodidata, Tom Maia (José Carlos de Ferreira Maia, nascido em 1929) começou na década de 1970 a percorrer o Vale do Paraíba para retratar os monumentos históricos e as velhas fazendas desta vasta região, nascendo desta atividade uma vultosa produção de desenhos a bico de pena que começou a apresentar em várias exposições e lhe valeu um importante prêmio no Salão da Paisagem Paulista em 1974. Esta produção inicial, e outras sucessivas, foram publicadas pela Companhia Editora Nacional em muitos volumes a partir de 1975, tendo quase todos a colaboração de Thereza Regina de Camargo Maia (v.), esposa do artista, que contribuía com o texto histórico ou com as legendas histórico-descritivas das ilustrações quando o texto histórico era confiado a um especialista do tema, e ainda com o resumo destes textos (do 4° ao 10° volume) para a tradução em inglês, francês e espanhol. Todos os volumes contaram com boa bibliografia e foram editados em quarto grande, acabamento muito bom e encadernação uniforme.

MAIA, Tom e MAIA, Thereza Regina de Camargo. *Paraty.*

[São Paulo]: Companhia Editora Nacional/Editora da Universidade de São Paulo, [1975].

Texto em português e inglês.

MAIA, Tom e HOLLANDA, Sérgio Buarque de. *Vale do Paraíba: velhas fazendas.*

[São Paulo]: Companhia Editora Nacional/Editora da Universidade de São Paulo, [1975].

MAIA, Tom e MAIA, Thereza Regina de Camargo. *Vale do Paraíba: velhas cidades.*

[São Paulo]: Companhia Editora Nacional/Editora da Universidade de São Paulo, [1977].

Texto em português, inglês, francês e espanhol.

MAIA, Tom, FREYRE, Gilberto e MAIA, Thereza Regina de Camargo. *Recife e Olinda.*

São Paulo: Companhia Editora Nacional/Editora da Universidade de São Paulo, 1977.

Texto em português, inglês, francês e espanhol. A segunda edição desta obra foi publicada em co-edição com o Instituto Joaquim Nabuco de Pesquisas Sociais (em 1978), que a incluiu como o nº 7 de sua "Série Documentos".

MAIA, Tom, FRANCO, Affonso Arinos de Melo e MAIA, Thereza Regina de Camargo. *São João Del Rei & Tiradentes.*

2ª edição. [São Paulo]: Companhia Editora Nacional/Embratur – Empresa Brasileira de Turismo, [1978].

MAIA, Tom, ÉLIS, Bernardo e MAIA, Thereza Regina de Camargo. *Vila Boas de Goiás.*

[São Paulo]: Companhia Editora Nacional/Embratur – Empresa Brasileira de Turismo, [1979].

MAIA, Tom, TOCANTINS, Leandro e MAIA, Thereza Regina de Camargo. *Grão-Pará.*

[São Paulo]: Companhia Editora Nacional/Governo do Estado do Pará/Secretaria de Estado da Cultura, Desportes e Turismo/Conselho Estadual de Cultura, [1979].

MAIA, Tom, LINS, Miguel e MAIA, Thereza Regina de Camargo. *Serro do Frio: Vila do Príncipe.*

[São Paulo]: Embratur - Empresa Brasileira de Turismo, [1979].

MAIA, Tom e MAIA, Thereza Regina de Camargo. *Do Rio a Santos: velho litoral.*

3° edição. [São Paulo]: Companhia Editora Nacional, [1979].

Texto em português, inglês e francês.

MAIA, Tom, NASCIMENTO, José Anderson e MAIA, Thereza Regina de Camargo. *Sergipe Del Rei.*

[São Paulo]: Companhia Editora Nacional/Embratur - Empresa Brasileira de Turismo, [1979].

MAIA, Tom, MACHADO FILHO, Aires da Mata e MAIA, Thereza Regina de Camargo. *Tijuco e Diamantina.*

S.l.: Companhia Editora Nacional/Embratur - Empresa Brasileira de Turismo, [1979].

Ouro Preto e Mariana.

[Rio de Janeiro]: Berlendis & Vertecchia Editores Ltda., [1980].

MAIA, Tom e MAIA, Thereza Regina de Camargo. *Velho Maranhão.*

2ª edição. Rio de Janeiro: Expressão e Cultura, [1985].

Com esta nova editora, a forma e a apresentação continuaram as mesmas, mas as versões em outras línguas foram suprimidas.

MAIA, Tom, CALMON, Pedro e MAIA, Thereza Regina de Camargo. *Velho Brasil de hoje.*

Rio de Janeiro: Expressão e Cultura, [1985].

MAIA, Tom e MAIA, Thereza Regina de Camargo. *O passado ao vivo.*

São Paulo: FDE, 1988.

MAIA, Tom e MAIA, Thereza Regina de Camargo. *Paraty: history = história; festivals = festas; folklore = folclore; monuments = monumentos.*

[Rio de Janeiro]: Expressão e Cultura, [1991].

Itu – quatro séculos de história.

Desenhos de Tom Maia. Legendas de Thereza Regina de Barros Camargo Maia. Texto de Jonas Soares de Souza. Museu Republicano, Condephaat. São Paulo: Expressão Editorial, 1995.

Com as mesmas características das edições anteriores, a presente é apresentada em formato diferente e texto em português, inglês e italiano.

MAIA, VASCONCELOS

Lembrança da Bahia.

Rio de Janeiro/Porto Alegre/São Paulo: Editora Globo, [1962].

Pequeno guia com ótimo documentário fotográfico, planta desdobrável e resenha histórica.

MALTA, AUGUSTO Cesar

(Augusto Cesar Malta de Campos) Fotógrafo brasileiro (1864-1957).

Malta: o fotógrafo do Rio antigo.

[Rio de Janeiro]: Rio Gráfica Editora, [1983].

Pequeno álbum com boas reproduções de fotografias deste grande fotógrafo, quase todas do arquivo do Museu da Imagem e do Som do Rio de Janeiro. As fotos foram agrupadas segundo os temas "O trabalho do Prefeito", "O lazer da cidade", "Os grandes acontecimentos", "As personalidades", "Os tipos humanos" e "As profissões do Rio antigo"; com uma das reproduções na capa. NOTA: Com forma e acabamento idêntico, existem exemplares de uma tiragem em que a seqüência das imagens e a correspondente numeração das páginas variam, bem como foram substituídas algumas fotografias.

Augusto Malta, Aristógiton Malta; catálogo da série negativa em vidro.

[Rio de Janeiro]: Arquivo Geral da Cidade do Rio de Janeiro/Prefeitura da Cidade do Rio de Janeiro, 1994. v. 1. (Catálogo)

Importante catálogo da obra deste notável fotógrafo, Augusto Cesar Malta de Campos, e seu filho Aristógiton Malta, seu sucessor em 1936 no cargo exercido na Diretoria Geral de Engenharia do Rio de Janeiro. Neste primeiro volume, 410 itens são relacionados e tecnicamente descritos, dos quais muitos reproduzidos (razoavelmente). NOTA: O segundo volume não foi examinado; inclui a biografia e a obra de Aristógiton Malta (nascido por volta de 1903).

O Rio de Janeiro do Bota-Abaixo.

Fotografias de Augusto Malta. Textos de Marques Rebelo e Antonio Bulhões. Rio de Janeiro: Salamandra, 1997.

Esta seria, teoricamente, uma segunda edição do catálogo do verbete anterior, mas na realidade é uma obra autônoma, com maior número de fotografias e a publicação inexpurgada dos textos. O tema gira em torno do Prefeito Pereira Passos, cujas reformas e obras alteraram o visual do Rio de Janeiro no início do século XX.

Flagrantes do passado: nº 1: Catete e arredores.

[Rio de Janeiro]: Museu da República, [1989?].

Com um dos sólidos estudos de Maria Inez Turazzi, este lindo álbum apresenta catorze cópias dos negativos originais do fotógrafo Augusto Malta (em folhas de 26,5 x 32,5 cm), além de um desenho de Ivan Wasth Rodrigues.

Flagrantes do passado: nº 2: Rio, cidade cosmopolita.

[Rio de Janeiro]: Museu da República, [1989?].

Segundo volume desta série, contou com novo estudo de Maria Inez Turazzi e cópias originais de vinte fotografias de Augusto Malta, além de um desenho a nanquim de cena urbana e quatro de tipos cariocas de Ivan Wasth Rodrigues.

Fotografias do Rio de ontem: A. Malta.

[Rio de Janeiro]: Prefeitura da Cidade do Rio de Janeiro, s.d. (Coleção Memória do Rio, 7)

Entre as preciosidades mantidas no Arquivo Municipal do Rio de Janeiro encontrava-se um conjunto de 2 500 chapas em vidro de autoria do fotógrafo Augusto Malta, o fotógrafo oficial da Prefeitura do Rio de Janeiro até sua aposentadoria em 1936. A recuperação de uma pequena parte destas chapas ensejou reprodução (razoável) no presente álbum de modesta apresentação.

MALTIEIRA, JORGE

Pintor português (1908-?), editou diversas obras, entre as quais o álbum Rio antigo, *com oito desenhos de Debret (v.).*

Yayá Bahia meu bem.

[S.l.: Gráfica Editora Lord, 1968].

João Jorge Maltieira, pintor e professor português (1908), no Brasil desde 1949, fixou-se no Rio de Janeiro e fundou uma fábrica de faiança em Araruama. Entre suas atividades conta-se a de historiador, sendo o presente volume o primeiro da série "Legendas dos Séculos" (com projetos de dois volumes adicionais sobre a Bahia e dois sobre Pernambuco), do qual é o próprio editor e ilustrador, e no qual revela cidades e marcos históricos com bons bicos-de-pena e muitas aquarelas, estas de uma textura quase unicolor, que lhes dá a aparência de sépia. Interessante.

Ouro Preto: doze reproduções a água tinta.

S.l.: s.e., 1978.

Envelope titulado contendo doze estampas de desenhos.

MANARINI, ADEMAR

Fotógrafo brasileiro (1920-1989), membro do Foto Cine Club Bandeirantes, obteve uma exposição retrospectiva no MIS de São Paulo em 1985.

Brazilian orchids in focus.

São Paulo: Rede das Artes Editores, 1994.

Edição em inglês do original Orquídeas brasileiras do mesmo ano, publicação em quarto pequeno de grande beleza e primorosa apresentação gráfica.

MANIZER, G.G.

A expedição do acadêmico G.I. Langsdorff ao Brasil (1821-1828): edição póstuma organizada por B.G. Xprintsin.

Tradução de Osvaldo Peralva. São Paulo: Companhia Editora Nacional, [1967]. (Brasiliana, 329)

Guenrikk Guenrikhovitch Manizer, historiador e cientista russo (1889-1917), estudou em São Petersburgo e iniciou a vida profissional como antropólogo, participando como tal em 1914-1915 de uma expedição russa para o estudo dos índios caduveus e xavantes em Mato Grosso. Seus trabalhos resultantes desta expedição foram publicados na Rússia, com exceção do estudo sobre a Expedição Langsdorff (1821-1829, v.), publicada em 1948 com acréscimo de notas por Xprintsin. Nesta versão brasileira, que contou com a colaboração do etnólogo brasileiro Herbert Baldus, foram reproduzidos no texto muitos desenhos e aquarelas de Johann Moritz Rugendas, A. Taunay e Hercules Florence (v. estes), assim como desenhos de apetrechos indígenas por Karl von den Steinen (v.). Imprescindível para estudos.

MANN, ERNST

A história das Sete Quedas do Paraná.

[Paraná: Guaíra], 1980.

Pequeno folheto, destinado ao público turista, com histórico e explicação de Ernst Mann, provavelmente também autor das surpreendentes e boas fotografias coloridas, muito bem reproduzidas.

MANN, HANS

The 12 prophets of Antonio Francisco Lisboa – o Aleijadinho.

Rio de Janeiro: Ministério da Educação e Cultura/Serviço de Documentação, 1958.

Como uma das obras da coleção "Imagens do Brasil", dirigida por João Simeão Leal, esta é uma magnífica documentação fotográfica sobre o santuário de Congonhas do Campo, apresentada por um dos grandes nomes da fotografia no Brasil, Hans Mann. NOTA: Desta edição foi feita uma tiragem em inglês, tradução de John Knox, *The 12 Prophets of Antonio Francisco Lisboa, o Aleijadinho*, com as mesmas características e fotografias.

Ex-votos: arte popular do Brasil

Fotos: Hans Mann. Texto: Blanchette Arnaud. Madrid: Ediciones Cultura Hispánica, 1964.

Álbum muito especial que apresenta ex-votos nordestinos das coleções Mário Cravo Jr., Carybé e Abelardo Rodrigues (v. estes); o fotógrafo Hans Mann soube dar a estas toscas "esculturas" uma dimensão poética.

MANZON, JEAN

Fotógrafo francês (1915-1990) ativo no Brasil a partir do início da década de 1940; notabilizou-se com um sólido fotojornalismo e como produtor de documentários cinematográficos; obteve o "Leão de Ouro" da Bienal de Veneza pelo documentário L'Amazone *(1966) e suas obras constam em numerosos jornais e revistas nacionais.*

Féerie brésilienne.

Neuchâtel: A La Baconnière, [1956].

Edição suíça, muito bem cuidada. As fotografias deste brasileiríssimo fotojornalista francês focalizam principalmente as cidades e sua arquitetura. As imagens foram agrupadas por temas, com comentários de Jean Manusardi, além de um estudo de Albert Béguin. Muito recomendável.

Flagrantes do Brasil.

Apresentação de Rachel de Queiroz e Manuel Bandeira. Legendas de Orígenes Lessa. Texto inglês de George Reed. Rio de Janeiro: Gráficas Bloch S.A., 1950.

A importância deste documentário fotográfico nos é revelada através da leitura de seus colaboradores, sendo apenas lastimável que a edição fosse comercial, boa mas longe do que mereceria; assim mesmo recomendável.

Le Bresil: des hommes sont venus...

Texte de Blaise Cendrars; 105 photographies inédites de Jean Manzon. Monaco: Les Documents d'Art, [1952]. (Escales du Monde, 6)

Álbum de aparência modesta mas grande qualidade gráfica, apresenta 105 excelentes fotografias, das quais algumas poucas em cores, em papel especial; o texto é uma espécie de roteiro lírico-sentimental por Blaise Cendrars, grande escritor suíço que participou do movimento literário provocado pela "Semana de 22". Muito recomendável.

MARANHÃO

Constantes incursões francesas e holandesas ao longo do litoral levaram à fundação da cidade de São Luís em 1612 (e a de Alcântara na mesma época), cidade que constitui até a data o único centro cultural e artístico do Estado e que foi declarada patrimônio universal em 1997.

A construção civil e religiosa no Maranhão.

São Luís: Fundação Cultural do Maranhão, 1978.

Pequena bibliografia das obras publicadas em livros, jornais e revistas referentes ao tema do título, coligida e comentada por Domingos Vieira Filho. A edição é modesta, assim como a ilustração, mas não deixa de ser importante.

Alcântara: cantos do silêncio = songs of the silence.

Rio de Janeiro: Spala Editora Ltda., 1987.

Álbum de alta qualidade gráfica e boas fotografias de Gil Prates (a maior parte) e Alain Brugier (v.). Muito recomendável.

Bens tombados no Maranhão: tombamentos estaduais.

[São Luís]: Governo do Estado do Maranhão/Secretaria da Cultura do Estado, [1987].

Boas fotografias coloridas de Luiz Braga, que servem de base para a descrição técnica e anexo detalhamento das plantas arquitetônicas. A supervisão deste trabalho foi confiada a Laura A. D. Dualibe, Secretária de Cultura do Estado.

Centro histórico de São Luís, Maranhão; patrimônio mundial.

São Paulo: Andichromo Editora, 1998.

Pode não ser a melhor de todas as obras que retratam e nos apresentam a histórica cidade de São Luís do Maranhão, mas é certamente uma das melhores, do texto (em português e francês) aos desenhos das fachadas e à diagramação das fotografias (incluindo algumas antigas).

Maranhão.

S.l.: Maratur, s.d.

Plaqueta de informações turísticas, em cores e bem apresentada.

Monumentos históricos do Maranhão: São Luís, Alcântara, Rosário.

[São Luís: Fundação Projeto Rondon, 1979].

No gênero dos anteriores *Guia dos bens tombados*, da Editora Expressão e Cultura (v. estes), distingue-se o presente daqueles por substituir os desenhos ilustrativos por fotografias de Murilo Santos e dedicar quase a metade da obra à escultura sacra do Estado. A pesquisa, realizada por 31 estudantes universitários e coordenada pelo Projeto Rondon, resultou no levantamento de 82 monumentos do Maranhão, tecnicamente descritos; quase todos os prédios e monumentos recenseados foram fotografados e reproduzidos junto ao texto correspondente, como também foram reproduzidos alguns detalhes significativos em destaque maior, mas as bem realizadas fotografias foram apenas razoavelmente reproduzidos. Em aditamento, o levantamento, identificação e reprodução de 208 imagens sacras provenientes de São Luís e Alcântara, pesquisa efetuada por um museólogo não identificado do Instituto Joaquim Nabuco, de Recife.

Projeto Praia Grande: programa de obras para o Largo do Commercio e adjacências.

São Luís: s.e., 1981.

Pequeno relatório do "Projeto Praia Grande", um programa estadual de recuperação e melhorias da Praça do Comércio e adjacências, o tombado centro histórico da capital do Estado. É um folheto modesto, dotado de desenhos esquemáticos e fotografias (estas mal reproduzidas) que retratam um trabalho bem-sucedido. NOTA: No decorrer das obras de recuperação, a comissão organizadora publicou, em julho de 1980, um folheto ilustrado que apresenta o histórico da área e o do correspondente programa, bem como o roteiro geral.

Rua Grande: um passeio no tempo: 1640-1992.

São Luís: Prefeitura Municipal, 1992.

Passeio histórico e sentimental pela rua mais central do Centro Histórico de São Luís do Maranhão, do tempo do traçado original (1640) aos nossos dias. Simpático e abalizado texto de Paulo Melo Souza, aliado a ilustrações antigas e boas fotografias atuais de Edgar Roche e muitas ilustrações a bico de pena, aquarela de diversos e vários mapas antigos e modernos, tornam esta obra de excelente visual e agradável leitura.

São Luís do Maranhão: guia turístico: 1912-1962.

S.l.: Gráfica Bloch, [1962].

Pequeno guia comemorativo do 350º aniversário da cidade, com texto compacto assinado por M.M.M. e muitas fotografias coloridas e em preto e branco, todas sofrivelmente reproduzidas.

Memorial fotográfico do transporte coletivo de passageiros do Maranhão.

São Luís: Cepimar, 2001.

Modesta plaqueta que serviu de catálogo a uma exposição de fotografias sobre o título, com reprodução de catorze das mais antigas.

Guia turístico: São Luís: patrimônio da humanidade: expressão do Maranhão.

[São Luís: Governo do Estado do Maranhão/Geplan – Subgerência de Turismo/Criação: VCR Comunicação e Marketing, mar. 2001].

Guia de bolso, de excepcional qualidade gráfica; bons verbetes explicativos e bem selecionadas fotografias de reduzida dimensão. Muito recomendável.

MARCGRAVE, JORGE

Georg Markgraf, ou Jorge Marcgrave na versão nacional, naturalista alemão (1610-1644), esteve no Brasil de 1638 a 1644 na comitiva do Conde Maurício de Nassau (v.), Governador de Pernambuco durante a ocupação holandesa. Desenhista, astrônomo e cartógrafo, viajou pela Paraíba, Rio Grande do Norte e interior de Pernambuco, viagens das quais deixou diversos diários (vários desaparecidos), um dos quais publicados na revista Navigatur *(nº 8, 1973). Faleceu em Angola. Poucos são os estudos sobre sua vida e obra, destacando-se: "Georg Marcgraf, desconhecido explorador alemão no Brasil e em Angola" (*in Humboldt, *nº 10), "George Marcgrave", de Rodolpho von Ihering (*in RMP, *nº 9) e* Geografia do Brasil holandês, *de Luís da Câmara Cascudo (v.).*

História natural do Brasil.

Tradução de Mons. Dr. José Procopio de Magalhães. São Paulo: Imprensa Oficial do Estado, 1942.

Esta é a tradução da segunda parte da obra *Historia naturalis brasiliae* (Amsterdam, 1648), de Guilherme Piso (v.), que porta o título de *Historia rerum naturalium brasiliae* em oito partes, e tinha por autor a "Georgi Marcgravi de Liebstad", conforme grafia latinizada de Georg Markgraf. Em longo prefácio, infelizmente muito mais um laudatório dos colaboradores do que elucidativo, Affonso d'E. Taunay explica os motivos da forma fac-similada dada a esta edição in-folio e informa sobre a colaboração de Carlos Amadeu de Camargo Andrade, naturalista do Museu Paulista da USP, que reproduziu em desenho a totalidade das inúmeras estampas, vinhetas e capitulares originais, praticamente todas de autoria do próprio Marcgrave. Produziu-se assim uma estranha (nem por isto menos bonita) cópia de uma das mais belas obras da iconografia brasileira na época do domínio holandês. A edição, em papel Regente filigranado, foi dotada de um escorço biográfico pelo próprio Taunay e comentários de Alberto J. de Sampaio (Botânica), João Paiva Carvalho e Paulo Sawaya (peixes e crustáceos), Olivério M. Oliveira Pinto (Ornitologia), novamente Paulo Sawaya (quadrúpedes e serpentes), Frederico Lane (insetos), Plinio Ayrosa (tupi) e Eloisa Torres (diversos). Muito interessante.

MARCINISZYN, ALBANO

Convento de Santo Antonio do Rio de Janeiro: resumo histórico desde a sua origem até hoje.

Separata de *Vida Franciscana*, ano LII, nº 48, 1982.

Pequeno estudo por um padre franciscano, ilustrado com duas imagens sacras, uma gravura de 1821, um desenho de Surian e um bico-de-pena de José Wasth Rodrigues (v.).

MARCONDES, LUIZ FERNANDO

Dicionário de termos artísticos: com equivalências em inglês, espanhol e francês.

Rio de Janeiro: Edições Pinakotheke, 1998.

Glossário de termos técnicos relacionados às artes em geral, com correspondente equivalência em outras línguas. O autor (1935), economista com larga experiência em entidades culturais internacionais e na editoração de obras de arte nacionais, apresenta obra muito útil em edição de primorosa diagramação e ilustração.

MARIANI, ANNA

Fotógrafa brasileira (1935), começou em 1969 a documentar o Recôncavo Baiano e o Nordeste, *dedicando-se ao tema "fachadas" a partir de 1976.*

Pinturas e platibandas.

São Paulo: Mundo Cultural, 1987.

Ainda que esta obra expresse uma visão poética da fotógrafa Anna Mariani, não deixa de ser um bom documento sobre as casas populares nordestinas, "presentes em todos os vilarejos e mesmo nas periferias dos centros urbanos, formando muitas vezes faixas multicoloridas que se estendem por ruas e praças inteiras". Obra linda e muito interessante.

MARIANNO, MILTON

Sudameris Brasil: 80 anos de trabalho.

[São Paulo: Banco Sudameris Brasil, 1991].

Alta qualidade editorial é o destaque desta obra comemorativa, ricamente ilustrada com fotografias de arquivo próprio.

MARIANNO FILHO, JOSÉ

Historiador de arte (1891-1946), professor universitário, antigo Diretor da Escola Nacional de Belas Artes do Rio de Janeiro e autor de Estudos de arte brasileira, *1942),* Acerca dos copiares do Nordeste brasileiro *(1942) e* Influências muçulmanas na arquitetura tradicional brasileira.

Os três chafarizes de Mestre Valentim.

Rio de Janeiro: s.e., 1943.

A importância desta monografia sobre os chafarizes do Mestre Valentim (v.) pode ser avaliada pelas palavras do próprio autor: "provavelmente parecerá estranho ao leitor, que uma plaquette de poucas páginas como esta, seja acompanhada de tão copioso material fotográfico", material muito interessante e em grande parte formado por gravuras antigas.

O Passeio Público do Rio de Janeiro: 1779-1783.

Rio de Janeiro: s.e., 1943.

Nesta segunda monografia dedicada ao Mestre Valentim (v.) o autor estuda histórica e criticamente um marco do Rio de Janeiro que o tempo e o progresso reduziram em dimensão e importância e transformaram em mera praça pitoresca; excelentes ilustrações antigas e modernas.

MARIGO, LUIZ CLAUDIO

Chapada Diamantina = Diamantina Highlands.

Rio de Janeiro: AC&M, 1988.

Além de importante, este álbum é um documentário essencialmente ecológico sobre uma das regiões mais lindas e impressionantes do país. Texto, introdução e verbetes confiados a Jorge Amado, a Roy Richard Funch sobre a ecologia da região e outro a Carlos Ribeiro sobre sua história. Excelentes as fotografias de Luis Claudio Marigo, tanto as gerais da região como as da histórica cidade de Lençóis, conjunto notável apresentado sob planejamento gráfico de Eugenio Hirsch. Muito interessante e recomendável.

MARINHAS

Segundo o dicionário artístico de Teixeira Leite (v.), a pintura marinha abrange os mais diversos temas, objetos e cenas relacionadas ao mar, aos rios e lagos, bem como os correspondentes embarcações, navios, praias e portos. Apesar desta abrangência quase ilimitada, este gênero de pintura nunca foi muito popular no cenário artístico brasileiro, não sendo exagero afirmar que o pintor brasileiro sempre vê o mar como mero pano de fundo da paisagem; pode-se ainda afirmar que o único autêntico marinhista brasileiro foi Giovanni Battista Castagneto (v.), e os demais assim considerados o foram excepcionalmente, ou indiretamente como especialistas de cenas praieiras ou portuárias, como foram Pancetti e Benedito Calixto (v. estes). Pouquíssimas assim as exposições e as obras que retratam a especialidade.

150 anos da pintura de marinha na história da arte brasileira.

[Rio de Janeiro]: Museu Nacional de Belas Artes, 1982. (Catálogo de exposição, out.-dez. 1982)

A totalidade das obras expostas no Museu Nacional de Belas Artes encontra-se razoavelmente reproduzida neste catálogo prefaciado por Carlos Roberto Maciel Levy (v.), que também organizou a exposição. Muito interessante.

Marinhas e ribeirinhas.

[São Paulo]: Museu Lasar Segall, 1982. (Catálogo de exposição, mar.-maio 1982)

Não fosse o excelente estudo "Natureza e emoção", de Vera d'Horta Beccari, este pequeno catálogo da sexta mostra do ciclo de exposições "Momentos da pintura paulista" não mereceria ser mencionado, por culpa da péssima reprodução de 23 dos 42 quadros expostos.

Marinhas em grandes coleções paulistas.

Rio de Janeiro: Espaço Cultural da Marinha, [1999?]. (Catálogo de exposição, ago.-set. 1999?)

Ainda que realizada em premissa da Marinha, esta foi mais uma das exposições da Sociarte (v.) e o presente catálogo, como sempre, muito expressivo.

Pintores do litoral paulista.

Curadoria: Ruth Sprung Tarasantchi. São Paulo: Sociarte, 2003.

Sob o patrocínio do Banco Safra foi realizada mais uma das grandes exposições temáticas promovidas pela Sociarte (v.); o presente catálogo, com boa reprodução das fotografias por Horst Merkel, correspondeu à importância da exposição.

MARINO, JOÃO

Engenheiro brasileiro, grande colecionador de arte brasileira e, especialmente, de imagens sacras e prataria. Foi Diretor do Museu de Arte Sacra de São Paulo até seu falecimento em 1997.

Iconografia de Nossa Senhora e dos santos.

Apresentação: José Mindlin. Introdução: João Hermes Pereira de Araújo. [São Paulo]: Sociedade dos Amigos do Museu de Arte Sacra, [1996].

Edição de alta qualidade e beleza sobre o tema do título, apresentando entre peças de museus e de variadas origens também muitas de uma coleção particular, provavelmente a do próprio autor.

MARSON, IZABEL ANDRADE

Selos comemorativos: fragmentos da memória do Brasil = Commemorative stamps: fragments of Brazil's past memory.

[São Paulo: Empresa das Artes, 1989].

O estudo de filatelia revela que a imagem iconográfica em selos brasileiros até o evento do selo comemorativo foi exceção, mas a partir de então foi muito utilizada nas homenagens a fatos históricos e suas personalidades e na apreciação dos monumentos, das paisagens e dos parques. Este álbum especial, em edição fora de comércio, é luxuoso e ostenta um texto competente, além de comentários a cada peça reproduzida; o sistema adotado para a reprodução em cores, entretanto, não foi muito feliz.

MARTIN, JULES Victor André

Litógrafo francês (1832), estudou Belas Artes em Marselha (França) e em 1868 emigrou para o Brasil, fixando-se em São Paulo, onde se dedicou à litografia, cartografia e fotografia, além do ensino de desenho no Liceu de Artes e Ofícios; editou por muitos anos o jornal Illustração Paulista *e fundou o estabelecimento industrial "Litografia a Vapor de J. Martin", que ostentava o título de "Imperial". Faleceu em São Paulo em 1906. Muitas de suas aquarelas encontram-se reproduzidas em* São Paulo antigo e São Paulo moderno. 1554-1904 *(v.).*

Revista industrial: Estado de São Paulo em Paris: Exposição de 1900: Brasil.

Edição da Fiesp, 1995, fac-símile de parte do álbum original do Museu do Ipiranga, Universidade de São Paulo. [São Paulo]: Fiesp, 1995.

Para a grande exposição internacional de 1900 em Paris, o Brasil não se fez representar, mas um grupo de comerciantes e industriais do Estado de São Paulo resolveu divulgar suas atividades e produtos neste importante evento. Para tanto contrataram os serviços de Jules Martin, pintor, litógrafo, arquiteto e industrial de grande prestígio, que elaborou artesanalmente uma espécie de catálogo em tamanho descomunal de 47 x 57 cm, formado por 85 folhas avulsas contendo fotografias da cidade de São Paulo e painéis de propaganda para os subscritores com desenhos aquarelados próprios. Este exemplar único foi transferido ao acervo do Museu Paulista da USP após a exposição e recentemente restaurado por Luis Angelo Mazzaro (?-1995). Comemorando o centenário do Museu Paulista e sob patrocínio da Fiesp – Federação das Indústrias do Estado de São Paulo, foram fac-similadas dezoito das pranchas deste catálogo para formar o presente álbum de grande dimensão em tiragem de 2000 exemplares. Entre estas pranchas destacam-se: uma fotografia do Largo São Bento por Guilherme Gaensly (v.), a fábrica de móveis de Carlos Scholz (que nos revela o estilo dos móveis usados nas residências paulistas), o hotel de Frederico Joachino com seu monumental auditório (posteriormente ocupado pelo Conservatório Dramático e Musical de São Paulo e atualmente em estado de ruína), e o ateliê de "Photographia Gaensly & Lindemann", com a parafernália técnica e artística da profissão. Fascinante.

MARTIN, NICOLAS

Guarani: as missões do século XVIII = Les missions au XVIIIe siècle = Las misiones del siglo XVIII.

[São Paulo?: Banco Credit Commercial de France S/A, 1991].

Bela obra sobre as missões jesuíticas na região outrora conhecida por "República dos Guaranis", com excelente documentário fotográfico (de autoria não declinada, mas provavelmente de Nicolas Martin) das igrejas de Gesù e Trinidad (atualmente no Paraguai), San Ignacio Mini (na Argentina) e São Miguel (no Brasil). Edição em português, inglês e espanhol; sobrecapa com detalhe da Igreja de São Miguel, em folha dupla.

MARTINELLI, PEDRO

Fotojornalista (1950), autor de Amazônia: o povo das águas, *resultado de um encontro que tivera com os irmãos Villas-Boas no início da década de 1970. Foi um dos colaboradores da obra* Arquitetura do Brasil *(v.).*

MARTINET, ALFRED

Pouquíssimos são os dados disponíveis sobre este importante litógrafo, paisagista e retratista francês (1821), que chegou ao Brasil em 1841 (ou 1845?); colaborou inicialmente com a oficina litográfica de Heaton & Rensburg e posteriormente com a dos Irmãos Laemmert e com Georg Leuzinger; atuou também como professor de desenho e pintura, constando seu nome no Almanaque Laemmert até 1872, cessando a seguir as notícias e a produção litográfica. No estudo "Alfred Martinet, um litógrafo no Rio de Janeiro", Lygia F.F. da Cunha faz uma relação de suas litografias conhecidas e cita uma série de seis que formam um panorama do Rio de Janeiro (sob desenho de Warre, um oficial da Marinha britânica); as primeiras duas litografias desta série foram anunciadas em 5 e 8 de março de 1845 no Jornal do Commercio *e a série completa (muito rara) referida no* CEHB *(nº 17053), em* Imagem e Letra *de Orlando da Costa Ferreira (v.) e descrita em* Iconografia do Rio de Janeiro *de Gilberto Ferrez (v.), com reprodução de uma das gravuras. Todas as gravuras de Martinet são muito raras.*

Album pittoresco musical: Rio de Janeiro.

Reimpressão fac-similada. [Rio de Janeiro/São Paulo/Porto Alegre: Livraria Kosmos Editora, 1958].

Edição fac-similar (impressa para a Livraria Kosmos Editora em Amsterdam (1957) deste raríssimo álbum de 1856, ilustrado com cinco litografias de vistas do Rio de Janeiro e uma de Petrópolis, desenhadas e executadas pelo litógrafo francês Alfred Martinet; acompanha esta edição um disco com as músicas apresentadas neste álbum, interpretadas pelo pianista vienense Friedrich Egger. NOTA: A edição do disco foi menor do que a do álbum, esgotando-se no início da década de 1980, ocasião em que a Livraria Kosmos passou a comercializar os álbuns excedentes sem o disco, mas com acréscimo do folheto "Alfred Martinet, um litógrafo no Rio de Janeiro", de Lygia F. F. da Cunha (v.), tornando assim esta tiragem mais importante que a primeira.

MARTINS, ANA LUIZA

MARTINS, Ana Luiza e BARBUY, Heloísa. *Arcadas; história da Faculdade de Direito do Largo de São Francisco: 1827-1997.*

São Paulo: Alternativa, 1998.

Entre as obras sobre a Faculdade de Direito de São Paulo, símbolo da instalação dos cursos jurídicos no Brasil em 1827, a presente merece especial destaque, quer pelo belo trabalho das autoras quer pela cuidada edição e excelente documentação iconográfica, incluindo o ensaio fotográfico da atualidade por Rômulo Fialdini (v.).

MARTINS, JUCA

Nascido em Portugal em 1949, chegou ao Brasil em 1957 e a partir de 1969 dedicou-se à fotorreportagem, colaborando em numerosas revistas e expondo no País e no exterior; suas obras constam nas obras coletivas A greve do ABC *(1980),* Crianças do Brasil, A questão do menor, Testemunha ocular, *e integralmente em* Festas populares brasileiras, Cores do Brasil *e na "Coleção Pirelli" do MASP (v. estes). A totalidade de sua volumosa produção foi recentemente (1999?) adquirida pelo Instituto Moreira Salles.*

São Paulo capital; uma visão panorâmica da cidade no final do século XX = a panoramic view of the city at the end of the 20th century.

São Paulo: Instituto Moreira Salles, 1998.

Entre as coleções fotográficas adquiridas pelo Instituto Moreira Salles (v.) encontra-se a do fotógrafo Juca Martins, com mais de 3 000 negativos colhidos entre 1993 e 1997, dos quais uma pequena parte é apresentada neste belo álbum prefaciado por Ignácio de Loyola Brandão.

MARTINS, LUCIANA DE LIMA

O Rio de Janeiro dos viajantes; o olhar britânico: 1800-1850.

Rio de Janeiro: Jorge Zahar Editor, 2000.

Obra surpreendente quer pelo texto quer pelas ilustrações (algumas em cores), muitas das quais inéditas em obras nacionais. Muito recomendável.

MARTINS, NEIDE MARCONDES

Archi-fragmentos.

[São Paulo]: Museu da Casa Brasileira, s.d.

Pequeno e expressivo catálogo de uma exposição de imagens fotográficas captadas por uma professora universitária (especializada em Estética) em antigas moradas paulistas. Interessante.

MARTIUS, KARL FRIEDRICH PHILIPP VON

Naturalista alemão (1794-1868), estudou Medicina em Erlangen. De 1817 a 1820 empreendeu uma expedição científica ao Brasil em companhia do zoólogo Johann Baptist von Spix (v.), relatada na obra Reise in Brasilien in den Jahren 1817-1820 *(München, 1823-1831), obra publicada como sendo de Spix e Martius e que foi traduzida como* Viagem pelo Brasil *(1940). Retornando à Alemanha em 1820, foi nobilizado e em 1826 nomeado Professor de Botânica na Universidade de München; em 1832 passou a Diretor do Jardim Botânico e em 1842 a Secretário-Geral da Academia de Ciências de München. Von Martius foi provavelmente a maior figura entre os "cientistas-viajantes", não só pelo relato da viagem popularmente conhecido por "Spix e Martius" (v.), mas também por suas pesquisas e contribuições nos campos da botânica, etnografia, medicina e literatura. Entre suas múltiplas obras, em grande parte relacionadas em Borba de Moraes, destacam-se:* Genera et species palmarum *(1823-1850),* Nova genera et species plantarum *(1823-1832) e* Icones plantarum cryptogamicarum *(1824-1834), todas com ilustrações próprias, além da monumental* Flora Brasiliensis, *iniciada em 1840 e concluída tão-só em 1906 com os trabalhos sucessivos de Eichler, Endlicher e Urban; várias outras também se encontram traduzida:* O estado de direito entre os indígenas do Brasil, Natureza, doença, medicina e remédios dos índios brasileiros *e* Frei Apolinário. *Muitos são os estudos nacionais publicados em jornais e revistas sobre sua vida e obra, além das biografias* Martius, *de Balduíno Rambo, e* A vida do botânico Martius, *de Frederico Sommer, muito recomendáveis. A casa ocupada por von Martius para seus estudos botânicos no atual Parque Nacional da Serra dos Órgãos abriga o Museu Martius, mantido pela Fundação Visconde de Porto Seguro.* NOTA: *Da* Reise in Brasilien *consta a autoria como sendo de von Spix e von Martius, quando na realidade a parceria de von Spix restringiu-se (por falecimento) ao primeiro dos três volumes. No presente estudo esta obra será relacionada em von Spix, mas qualquer outra sobre o assunto ou suas ilustrações constará do presente verbete.*

Martius: percurso de um olhar errante pelo Brasil do século XIX.

[São Paulo]: Pinacoteca [do Estado], 1994. (Catálogo de exposição, maio 1994)

Comemorando o bicentenário do nascimento do botânico e naturalista von Martius, a Pinacoteca do Estado de São Paulo organizou uma bela exposição da expedição científica realizada com seu companheiro, o zoólogo von Spix (v.). O catálogo constitui um autêntico tratado sobre esta memorável viagem e a obra dos dois cientistas, reproduzindo em grande parte material de coleções particulares. Importante e muito recomendável.

Exposição comemorativa do centenário de morte de Karl Friedrich Philipp von Martius: 1868-1968.

[Rio de Janeiro]: Divisão de Publicações e Divulgação/Seção de Exposições da Biblioteca Nacional, 1968. (Catálogo de exposição, 1968)

Foi uma exposição quase exclusivamente bibliográfica e muito abrangente sobre as obras de von Martius e os estudos sobre ele, todas do acervo da Biblioteca Nacional; o catálogo reproduziu um retrato do sábio ainda jovem, contou com uma gravura em preto e branco e outra em cores e uma da *Flora Brasiliensis* na capa. Muito útil.

A viagem de von Martius: Flora Brasiliensis: vol. I.

Rio de Janeiro: Editora Index, 1996.

A monumental obra *Flora Brasiliensis*, iniciada por von Martius e prosseguida sucessivamente pelos botânicos Eichler (1839-1887), Endlicher (1805-1847) e Urban (1848-1931), foi publicada em Leipzig de 1840 a 1906 em 103 fascículos, geralmente encadernados em 40 volumes. O primeiro volume, publicado por von Martius, contou com a apresentação da obra, o programa traçado e uma parte adicional dedicada às "Tabulae physiognomicae", as "Estampas Fisionômicas", 59 gravuras com texto explicativo em latim (55 quando da publicação inicial em 1840, com posterior acréscimo de mais quatro). A presente obra é este primeiro volume, traduzido por vários especialistas e contendo a reprodução das 59 gravuras. Apesar da beleza das gravuras e da bela apresentação da obra, o sistema de reprodução não corresponde bem ao visual almejado, assim como não satisfaz muito o estudo introdutório de Gustavo Martinelli e menos ainda a omissão da subscrição das gravuras, dificultando a identificação das ilustrações de Thomas Ender, Benjamin Mary, Steinmann, Rugendas (v. estes) e outros, bem como os correspondentes gravadores. Apesar das restrições, é muito recomendável.

MARX, ANTONIO AUGUSTO

Avenida Paulista: um século de história.

Rio de Janeiro: Salamandra, 1991.

Obra patrocinada por Richard Ellis (firma internacional de corretagem imobiliária), apresenta trinta telas deste arquiteto e pintor (1919) sobre o tema do título; boa reprodução e bons textos valorizam estes quadros poético-expressionistas a óleo. A sobrecapa apresenta mais dois quadros da tradicional avenida de São Paulo.

MARY, BENJAMIN

Desenhista belga (1792-1846), formou-se em Direito, ingressou no Serviço Diplomático e em 1834 foi Embaixador no Brasil. Sobrinho de um horticultor, teve oportunidade de se familiarizar com botânica e desenho de plantas, conhecimentos que lhe valeram participação na obra Flora Brasiliensis *de von Martius (v.), para a qual contribuiu com o desenho de várias das "Tabulae physiognomicae". Muitos de seus desenhos encontram-se nas coleções Mário Pimenta Camargo e Paulo Geyer (v. estas) e muitos outros reproduzidos no álbum* O Rio do tempo da Coroa *e na obra* Album de dessins anciens des environs de Rio de Janeiro de Benjamin Mary (1792-1846), *de Gilberto Ferrez (v.), onde consta como autor, quando na realidade contribuiu com apenas alguns comentários às aquarelas.*

MASCARO, CRISTIANO Alckmin

Fotógrafo profissional (1944), formado em arquitetura pela Universidade de São Paulo; iniciou-se no fotojornalismo na revista Veja *em 1968 e tornou-se figura obrigatória em todos os álbuns representativos da fotografia brasileira, constando com grande destaque em* Brasil Anos 70, O Livro de São Paulo, Vila Penteado, No Memorial, o sonho de integração, Arquitetura do Brasil: o olhar de oito fotógrafos sobre as paisagens e as cidades do país, Álbum memória de São Bernardo, Árvores significativas de São Paulo, Teatro José de Alencar: obra de restauração, Bravo apresenta Pinacoteca, Contemporâneos brasileiros: 1981, São Paulo; imagens de 1988 *e em* Teatro Municipal de São Paulo: grandes momentos, *de Ignácio de Loyola Brandão.*

São Paulo.

São Paulo: Editora Senac, 2000.

Durante um ano e meio o fotógrafo percorreu o Estado para cumprir seu desejo de "falar" sobre o mesmo, um desejo que conseguiu satisfazer com grande maestria, como se poderá verificar neste belo álbum, realçado poeticamente pelo prefácio de Ignácio de Loyola Brandão. Muito recomendável.

Relatório anual Unibanco 1981.

[São Paulo?]: Unibanco, [1981].

Contém um ensaio fotográfico de oito imagens de Cristiano Mascaro.

O pano sobe: exposição retrospectiva da obra de reforma e restauro.

São Paulo: Marprint, 1988. (Catálogo de exposição)

Pautado como sendo o catálogo de uma exposição sobre as obras de reforma e restauro do Teatro Municipal de São Paulo, este pequeno álbum é na realidade um conjunto de fascinantes vistas destas obras pelo especialista Cristiano Mascaro, com aditamento de desenhos e textos por diversos. Interessante.

Palácio das Indústrias: memória e cidadania.

[São Paulo]: Método, [1992].

Patrocinada pela Prefeitura de São Paulo, esta é uma das poucas obras do tipo que devem ser consideradas excelentes, seja pelo texto de Eloisa Ferreira, pelo projeto e seus detalhes da arquiteta Lina Bo Bardi (v.), seja pela amplitude do tema, que não se limitou ao restauro mas incluiu o histórico do Parque D. Pedro II e do prédio, pelas especiais fotografias de Cristiano Mascaro. Importante.

O Metrô de São Paulo: 1987-1991; tecnologia e humanização.

São Paulo: Metrô, 1991.

Confiada ao excepcional fotógrafo Cristiano Mascaro, o tema sugerido pelo título obteve uma interpretação vibrante e fascinante, conferindo à obra um brilho e interesse especial.

Luzes da cidade.

São Paulo: DBA – Dórea Books and Art, 1996.

Obra de um fotógrafo que pode ser definido como poeta visual do cotidiano de sua cidade, um poeta formado e doutorado em arquitetura e que realiza "aquilo que imagina saber fazer melhor". A tradicional qualidade das edições DBA realça a alta qualidade das fotografias.

As melhores fotos = The best photos: Cristiano Mascaro.

[São Paulo]: Sver & Boccato Editores, [1989].

Um dos simpáticos pequenos álbuns da série "As melhores fotos", com a qual se notabilizaram os editores; apanhado geral da produção deste poeta fotográfico.

MATARRAZZI, LUCIANO

Museo degli indios dell'Amazzonia.

Assisi: Padri Cappuccini, [1994]. (Catálogo de exposição, 1994)

Bem mais do que um guia, esta obra é um tratado etnográfico sobre os índios da Amazônia. O material colhido pelos padres missionários capuchinhos encontra-se neste museu de Assisi (Itália) e em boa parte apresentado no presente catálogo ilustrado com desenhos de um dos padres e excelente reprodução das peças.

MATHIAS, HERCULANO GOMES

(1915).

O Palácio do Catete.

Separata de *Anais do Museu Histórico Nacional*, Rio de Janeiro, v. 15, 1965.

Um pequeno e abalizado estudo sobre o palácio e a família do Barão de Nova Friburgo; as ilustrações são poucas e comuns.

Viagem pitoresca ao velho e novo Rio.

Rio de Janeiro: s.e., 1965.

Como nos revela o título, é um estudo comparativo que conta com o auxílio de gravuras e fotografias antigas e modernas (estas de Alexandre Wulfes), todas comentadas mas nem sempre identificadas. Frente e verso da capa da brochura ostentam um belíssimo panorama em gravura não identificada e uma fotografia comparativa de Wulfes, ambas ocupando a largura total. Interessante.

MATO GROSSO

A recente divisão do primitivo Estado de Mato Grosso em Mato Grosso e Mato Grosso do Sul em nada alterou o enfoque iconográfico sobre três aspectos distintos desta imensa região do Centro-Oeste: o povoamento inicial por bandeirantes paulistas e a fundação de Cuiabá (1727 e Capital em 1820) e Mato Grosso (1752); a construção de fortalezas para a defesa das divisas do oeste e Corumbá (1718); e finalmente o Pantanal, um dos mais importantes e discutidos ecossistemas do mundo.

Album graphico do Estado de Matto Grosso (E.E.U.U. do Brazil).

Corumbá: Hamburgo, 1914.

Este tipo de álbum era comum no início do século XX, mas o presente distingue-se dos muitos por sua dimensão (29 x 40 cm), pelo esmero gráfico e, principalmente, pela alta qualidade de reprodução das ilustrações (que inclui uma vista de Cuiabá em página dupla) e pela do texto, compilado de obras de Joaquim Manoel de Macedo e Olavo Bilac. A parte referente à costumeira propaganda comercial e industrial foi incluída no final e também não deixa de ser interessante.

Mato Grosso: coração natural da América.

Mato Grosso: Secretaria de Comunicação Social, s.d.

Publicação oficial de um pequeno álbum de divulgação, com boa apresentação e fotografias.

Pantanal: santuário ecológico = ecological santuary.

São Paulo: Mercedes Benz do Brasil, 1980.

Organizado e produzido pelo Departamento de Propaganda da Mercedes Benz, foi obtido este recomendável álbum que retrata a região e a vida de seus habitantes, bem como a fauna e a flora.

SESC Pantanal.

[Rio de Janeiro]: SESC, 1996.

Para a implantação de um programa de ecoturismo, o SESC adquiriu uma grande área no Pantanal do Mato Grosso, um programa para o qual publicou esta linda plaqueta que apresenta aspectos gerais do Pantanal pela ótica de Carlos Secchin (v.) e texto de Luis Fernando Brandão alusivo à importância da ecologia para o País.

MATTOS, JOÃO BAPTISTA DE

Os monumentos nacionais: Estado do Rio de Janeiro.

Separata de *Revista Militar Brasileira*, Rio de Janeiro, nº 3-4, 2º semestre 1949 (1ª parte) e nº 3-4, 2º semestre 1952 (2ª parte).

Os monumentos nacionais: Estado de Mato Grosso.

Separata de *Revista Militar Brasileira*, Rio de Janeiro, nº 1-2, jan.-jun. 1957 (1ª parte) e nº 3-4, jul.-dez. 1957 (2ª parte).

Os monumentos nacionais: Estado do Paraná.

Separata de *Revista Militar Brasileira*, Rio de Janeiro, nº 1-2, jan.-jun. 1958 (1ª parte), nº 3-4, jul.-dez. 1958 (2ª parte) e nº 1-2, jul.-dez. 1959 (3ª parte).

Os monumentos nacionais: a Força Expedicionária no bronze.

Separata de *Revista Militar Brasileira*, Rio de Janeiro, nº 1-2, jan.-jun. 1960.

Estas quatro obras fazem parte de um conjunto maior sobre o tema do título, todas publicadas na *Revista Militar Brasileira* e na presente forma de separata, e todas em edição modesta em péssimo papel; as ilustrações são comuns e mal reproduzidas. O autor é general do exército e sua visão é essencialmente militar, não cabendo espaço a apreciações artísticas ou culturais além das históricas.

MATTOS, WALDEMAR

Pinacoteca do Paço Municipal.

[Salvador]: s.e., 1959.

Catálogo histórico-descritivo e crítico das telas a óleo que se encontram na Câmara e no Paço Municipal de Salvador. O autor realizou extenso trabalho de atribuições e retificações de atribuições antigas, além de apontamentos biográficos dos pintores e grande bibliografia; cada quadro foi sofrivelmente reproduzido.

História do Palacete das Mercês: aspectos da vida social e política da Bahia dos fins do Império e começo da República.

Bahia: s.e., 1983.

Com algumas ilustrações fotográficas e os retratos de personalidades históricas por V. Hugo C. Lopes, esta obra de cunho histórico e político focaliza o casarão histórico do Barão de Cotegipe, a antiga sede do Governo da Bahia.

MAURICIO, AUGUSTO

Augusto Maurício de Queiroz Ferreira (1901), jornalista e historiador.

Meu velho Rio.

Rio de Janeiro: Edição Biblioteca Municipal, 1960.

Algo do meu velho Rio.

Rio de Janeiro: Livraria Editora Brasileira, 1966. (Coleção Vieira Fazenda, 8)

Reúne crônicas, notícias e fatos do passado, incluindo muitos dos capítulos constantes da anterior e modesta edição. A obra é ilustrada com bicos-de-pena de Magalhães Corrêa, Alberto Lima, Armando Pacheco (v. estes), Ary Duarte (1905) e muitos outros de Israel Sartini.

Igrejas históricas do Rio de Janeiro.

Nova edição, atualizada. Rio de Janeiro: Livraria Kosmos Editora/SEEC R.J., [1978].

Reedição atualizada da obra *Templos históricos do Rio de Janeiro* (1947); obra de fôlego ilustrada com fotografias de Gil Prates e um desenho de Maria Stela Jones na capa.

O solar d'El-Rei.

[Rio de Janeiro: Departamento de Imprensa Nacional], 1949.

Pequeno estudo sobre um velho sobradão na Rua dos Muros (Ilha de Paquetá), conhecido por Solar d'El Rei por ter servido como residência de verão a D. João VI. Aspectos gerais e particulares deste solar (atualmente tombado) encontram-se representados em dez desenhos a bico de pena do pintor acadêmico Ary Duarte (1905) e um desenho na capa por Rafael Logullo, também pintor acadêmico.

MAXIMILIANO, Príncipe de Wied-Neuwied

Maximilian, ou Maximiliano, Príncipe de Wied-Neuwied, (1782-1867), filho do Príncipe Regente Frederico Carlos de Wied-Neuwied, estudou ciências naturais e militares; abraçando a carreira militar no exército prussiano, aposentou-se como general e a seguir dedicou-se a viagens de estudos naturalistas que o tornaram famoso. Em companhia do botânico Friedrich Sellow e do zoólogo Georg Wilhelm Freyreis (v. estes), empreendeu uma grande expedição científica ao Brasil de 1815 a 1817, da qual resultou sua obra Reise durch Brasilien in den Jahren 1816 bis 1817 von Maximilian Prinz zu Wied-Neuwied. Mit zwei und Zwanzig Kupfern, neunzehn vignitten und den Karten *(Frankfurt, 1820-1821), e posteriormente as obras* Beiträge zur Naturgeschichte Brasiliens *em quatro volumes (Weimar, 1825-1832), e* Abbildungen zur Naturgeschichte Brasiliens *(Weimar, 1823). Seu relato da viagem ao Brasil é uma das obras mais importantes para a história natural e a iconografia do Brasil; seus dois volumes de texto contaram com 19 gravuras fora de texto (baseadas em seus desenhos e conhecidas por "vinhetas") e foram editados em duas tiragens: uma em papel royal de 25 x 30 cm e outra especial em papel imperial de 29 x 37 cm, esta acompanhada de um álbum "Kupfer u. Karten zum 1.-2. Band der Reise S. Durchlancht des Prinzen Maximilian von Neuwied nach Brasilien in den Jahren 1815 bis 1817", com três mapas e 22 gravuras (das quais cinco coloridas). Estas gravuras, quase todas segundo seus desenhos, também foram reaproveitadas para a edição francesa (1822), numeradas e providas com título em francês, além do acréscimo das "vinhetas" em nove folhas, duas a duas. Pouco depois efetuou-se uma nova edição alemã sem o álbum e com as vinhetas no texto. A obra foi publicada em versão brasileira como* Viagem ao Brasil *(Companhia Editora Nacional, 1940, e uma segunda edição em 1958, refundida e anotada), reproduzindo todas as vinhetas e gravuras; as gravuras também foram reproduzidas em tiragem especial da Revista do Arquivo (São Paulo, 1938, tiragem de 100 exemplares) como* Viagem do Príncipe de Neuwied ao Brasil. *Quase todas as gravuras encontram-se relacionadas no* CEHB *(nº 19 224) e todas tecnicamente descritas por Rosemarie E. Horch (v.) em* Álbuns de viajantes que estiveram no Brasil na primeira metade do século XIX. *Por ocasião do falecimento do Príncipe, grande parte de sua importante biblioteca foi doada à Universidade de Bonn (onde ainda se encontra) e uma parte a uma sociedade científica em Neuwied (destruída na Segunda Guerra Mundial). Seus escritos, correspondência e o acervo artístico próprio e o de seus auxiliares permaneceram na biblioteca do Castelo de Neuwied; este conjunto foi vendido a um antiquário de New York na década de 1960 e a seguir a parte norte-americana revendida ao Instituto de Arte Joslyn, em Omaha (Nebraska), e a brasileira à Fundação Bosch de Stuttgart (Alemanha), parte esta estudada e reproduzida em dois alentados volumes:* Brasilien-Bibliothek der Robert Bosch GMBH: Katalog: Band II – Teil I *e* Band II – Teil II *(v. estes). As gravuras da obra do Príncipe Maximiliano encontram-se freqüentemente reproduzidas em obras nacionais, mas raras são as reproduções dos desenhos, dos quais 42 se encontram em* Max zu Wied: Buntbilder, Brasilien, *de Josef Röder (v.).*

Viagem ao Brasil.

2ª edição refundida e anotada por Olivério Pinto. São Paulo: Companhia Editora Nacional, 1958.

Primeira tradução integral desta obra fundamental do Príncipe Maximilian, segunda edição do original de 1940, foi dotada de novas notas por Olivério M. de Oliveira Pinto. Todas as vinhetas dos dois volumes originais, bem como as gravuras do "Atlas" e o mapa, foram sofrivelmente reproduzidas. Muito importante.

Viagem do Príncipe de Neuwied ao Brasil: 1816-1818.

Tiragem especial da *Revista do Arquivo*, São Paulo, nº 20, 1938.

Este álbum de folhas soltas é uma separata das gravuras fora do texto que foram publicadas na R*evista do Arquivo*, nº 37 a 46. A tiragem foi de 75 exemplares numerados, dos quais os primeiros 25 impressos em papel superior; a reprodução foi muito boa. Muito recomendável.

O teatro da natureza: Maximiliano no Brasil.

Edição especial de *Oceanos*, Lisboa, nº 24, out-dez 1995.

Número especial desta magnífica revista, integralmente dedicada ao tema: "O teatro da natureza. Maximiliano do Brasil". Foram reproduzidas todas as vinhetas da obra *Reise in Brasilien...*, bem como todas as gravuras do correspondente "Atlas". Muito recomendável.

O Brasil e Maximiliano Príncipe de Wied: calendário 2000.

S.l.: Melhoramentos, [1999]. (Calendário)

Calendário da Companhia Melhoramentos para o ano 2000, reproduzindo doze das mais sugestivas gravuras provenientes de sua obra *Viagem ao Brasil.*

Viagem ao Brasil: 1815-1817: excertos e ilustrações.

[São Paulo]: Edições Melhoramentos, [1969].

O subtítulo revela o conteúdo desta obra recomendável: trechos do texto original e uma relação das mais importantes ilustrações; comentários confiados a dois especialistas da matéria: Josef Röder (v.) e Herbert Baldus.

MÁXIMO, JOÃO

Cinelândia: breve história de um sonho.

Rio de Janeiro: Salamandra, 1997.

Belo ensaio fotográfico e documental sobre a mais famosa "praça" do Rio de Janeiro, centro histórico, político, cultural e boêmio que se estendia do Largo da Carioca até o fim da Avenida Rio Branco, englobando o Teatro Municipal, as grandes livrarias, os cinemas e teatros, a Biblioteca Nacional, o Museu Nacional de Belas Artes, o Palácio Monroe, o "quarteirão Serrador" e seu hotel.

MAYA, RAYMUNDO Ottoni de CASTRO

Industrial carioca e mecenas (1894-1968), foi um grande incentivador das artes, fundador da Sociedade dos Cem Bibliófilos do Brasil e coordenador da remodelação da Floresta da Tijuca. Em 1965 instituiu a Fundação Raymundo Ottoni de Castro Maya e doou à mesma a "Chácara do Açude" e seu riquíssimo acervo; por legado à mesma Fundação deixou também sua residência, a "Chácara do Céu", incluindo o igualmente rico acervo artístico. Após seu falecimento, a Fundação adaptou as duas residências para servirem de museu às coleções e estes conjuntos incorporados ao Patrimônio Nacional como Museus Castro Maya (v. estes).

A floresta da Tijuca.

Rio de Janeiro: Edições Bloch, 1967.

Relato histórico da formação do Parque Nacional da Tijuca e da recuperação da floresta, efetuada sob a direção do autor. As fotografias de vistas do parque e de sua arquitetura foram de autoria de Humberto e José Moraes Franceschi, que também reproduziram fotograficamente algumas gravuras antigas, principalmente as que focalizaram a "Cascatinha", esta pintada inúmeras vezes pelos viajantes do século XIX. Entre as vistas atuais, figura a sede da Fundação Raymundo Ottoni de Castro Maya, localizada junto ao portão do "Açude", no próprio parque. Muito interessante.

MAYERHOFER, LUCAS

Reconstituição do povo de São Miguel das Missões.

Rio de Janeiro: s.e., 1947.

Tese de concurso para a Faculdade Nacional de Arquitetura, excepcionalmente bem ilustrada com desenhos arquitetônicos e fotografias próprias, muitos dos quais em folhas desdobráveis.

MEDEIROS, JOÃO

Dicionário dos pintores do Brasil.

Contendo as extraordinárias biografias dos grandes mestres da pintura nacional / fartamente ilustrado com suas obras mais representativas. [Rio de Janeiro]: Irradiação Cultural, [1988].

O título já revela um pouco do espírito da obra deste pintor ultra-acadêmico (1919), autor de *Como eu vejo a pintura*. Contrariando o enunciado do subtítulo, os verbetes contêm pouquíssimos dados biográficos e se resumem a apreciações laudatórias. Fiel à sua formação artística, as ilustrações são quase todas por paisagistas, razoavelmente reproduzidas em preto e branco.

MEDEIROS, JOSÉ

Fotógrafo brasileiro (1921-1990), fixou-se no Rio de Janeiro a partir de 1939, trabalhou para a revista O Cruzeiro *de 1946 a 1962 e de 1962 a 1965 foi sócio de Flavio Damm (v.) na agência "Imagem", dedicando-se a seguir ao cinema. Várias de suas fotografias constam em* Brasil: auto-retrato *e na "Coleção Pirelli" do MASP (v.).*

Candomblé.

[Rio de Janeiro]: Edições O Cruzeiro, 1957.

Impressionante documentário fotográfico dos rituais da cerimônia de iniciação das "filhas-de-santo"em terreiro de Salvador na Bahia, afirmando o autor-fotógrafo em seu prefácio que estes rituais são secretos e nunca dantes presenciados. Muito interessante.

José Medeiros: 50 anos de fotografia.

[Rio de Janeiro]: Funarte (Ministério da Cultura)/Instituto Nacional de Fotografia, 1986.

Bom catálogo desta grande e merecida retrospectiva, com boa reprodução das fotografias.

MEDINA, JOSÉ

São Paulo o que foi o que é.

São Paulo: s.e., 1954.

Álbum em brochura de formato oblongo e acabamento modesto, reproduz uma coletânea de fotografias do arquivo do autor que retratam locais importantes da cidade, vistas sob o prisma ditado pelo título. Cada logradouro, geralmente em três fotografias, é dotado de um verbete do autor em português e inglês, e todos contam com uma adicional vinheta em bom desenho.

MEE, MARGARET

Margaret Mee nasceu na Inglaterra em 1909 e estudou pintura e design em Londres. Em 1952 veio ao Brasil em companhia do esposo e fixou-se em São Paulo, onde passou a trabalhar no Instituto de Botânica e desenvolveu grande interesse e profundo conhecimento do gênero Bromélias. Em 1956 fez uma primeira viagem à Mata Atlântica e em 1964 realizou uma exposição no Museu de Arte de São Paulo sob o título "Flora Brasilia". Aceitando um convite do botânico e paisagista Burle-Marx (v.), transferiu-se em 1965 para o Rio de Janeiro e passou a dedicar-se à flora amazônica, realizando mais de catorze viagens para a região amazonense. Sua grande importância no campo da defesa da ecologia e das tradições e direitos dos indígenas valeram-lhe o apelido popular de "Dama das selvas", ou "Dama das bromélias", que serviu para o enredo carnavalesco "Margaret Mee, a dama das bromélias", apresentado pela escola carnavalesca carioca "Beija Flor" em 1994. Faleceu tragicamente na Inglaterra em 1988. Seus livros a seguir relacionados, quase todos botânicos e editados na Inglaterra em inglês, foram incluídos nesta resenha como exceção, principalmente por se tratar de uma autêntica viajante, que percorreu solitariamente vastas áreas do território nacional e muitas destas descreveu; desenhava no local os ambientes e as espécies que encontrava. Uma excelente apreciação de sua vida, obra e influência encontra-se em Margaret Mee: return to the Amazon, *de Ruth Stiff (v.).* NOTA: *As aquarelas de Margaret Mee tornaram-se famosas e muito disputadas entre colecionadores. O Instituto de Botânica de São Paulo dispõe de uma substancial coleção, encontrando-se partes desta freqüentemente reproduzidas em calendários, agendas e publicações diversas (entre estas os cardápios para os vôos internacionais da Varig).* NOTA: *Em edição de 1 500 exemplares, o Conselho de Arte/Fundação Botânica Margaret Mee publicou em 1994 a agenda "Florações brasileiras de Margaret Mee: agenda 1994", com reprodução de muitas das belas aquarelas.*

Flowers of the Brazilian forest.

[London]: The Tryon Gallerie in association with George Rainbird, [1968].

Em fólio gigante e belíssima reprodução das aquarelas originais, esta é uma obra inigualável. Basta ler o prefácio do paisagista e botânico Roberto Burle-Marx (v.) para avaliar as dificuldades e os perigos enfrentados por esta intrépida e incomparável artista e exploradora para a execução destas aquarelas. A edição constou de 500 exemplares, dos quais cem encadernados em pergaminho com uma aquarela original, assinada. Fascinante e muito recomendável. NOTA: Os originais das trinta aquarelas reproduzidas foram expostas em Londres e parcialmente reproduzidas no catálogo *Exhibition of paintings. Flowers of the Amazon. Margaret Mee. 1980. Natural History Museum. London.*

Flores do Amazonas = Flowers of the Amazon.

S.l.: Record, [1980].

Outra obra em fólio gigante, uma das melhores da produção editorial nacional e quase tão linda como a do verbete anterior. O prefácio também coube a Burle-Marx (v.). Muito recomendável.

Bromélias brasileiras.

[São Paulo]: Instituto de Botânica de São Paulo, [1992].

Durante o trabalho da artista no Instituto de Botânica de São Paulo de 1960 a 1965, sua produção artística colhida na Mata Atlântica foi utilizada para estudos que deram origem à obra *Brazilian Bromeliads*, de Lyenan Smith, do Instituto Smithsonian de Washington (1969); as 59 aquarelas então produzidas foram estudadas, comentadas e muito bem reproduzidas nesta linda obra, que é de menor dimensão e acabamento mais modesto do que as obras precedentes, mas nem por isso menos bela. Muito recomendável.

Uma mulher e a mata atlântica: aquarelas de Margaret Mee.

[São Paulo]: Museu de Arte de São Paulo, 1992. (Catálogo de exposição, mai.-jun. 1992)

Catálogo muito bem produzido e com excelentes ilustrações desta linda exposição que reuniu as 59 aquarelas originais do Instituto de Botânica de São Paulo e algumas outras de colecionadores particulares.

Margaret Mee's Amazon.

Kew: Royal Botanical Gardens, 1988.

Catálogo desta exposição, muito bem ilustrado.

In search of flowers of the Amazon forests: diaries of an English artist reveal the beauty of the vanishing rainforest.

[Inffolk]: Nonesuch Expeditions, [1988].

São diários que constituem uma síntese da vida e obra desta grande pintora inglesa, solitária exploradora das belezas da floresta amazônica em quinze viagens empreendidas de 1956 até a véspera de seu trágico falecimento em 1988. Além da transcrição completa destes diários e dos estudos e comentários de diversos cientistas e botânicos, incluindo Roberto Burle-Marx (v.), a obra conta com copiosa documentação fotográfica sobre a autora e suas expedições, reprodução de seus trabalhos artísticos não botânicos e, sobretudo, muitas das aquarelas que a tornaram célebre. É uma edição linda e importante para estudos.

Bromélias brasileiras: calendário 1993.

São Paulo: Philips, [1992]. (Calendário)

A qualidade das aquarelas de Margaret Mee exigiram e obtiveram reprodução perfeita neste lindo calendário.

MEIRA FILHO, AUGUSTO

(?-1996).

O bi-secular Palácio de Landi.

Belém: s.e., 1972.

Tendo conseguido acesso ao álbum dos *Debuxos* do arquiteto bolonhês Antonio José Landi (1708-1791, v.), que se encontra na Biblioteca Nacional em Lisboa, o autor examina os desenhos e plantas originais do Palácio do Governo do Grão-Pará, em Belém; estuda também a capela deste palácio e alguns desenhos encontrados no Arquivo Histórico Ultramarino, em Lisboa. Vinte e um desenhos foram mal reproduzidos neste estudo fundamental sobre o arquiteto e naturalista que viveu na Amazônia por 38 anos, e lá faleceu.

Nova contribuição ao estudo de Landi.

Belém: s.e., 1974.

Como um aditamento ao item anterior, o autor divulga novas pesquisas e discute os projetos da casa do alferes Antonio de Souza Azevedo, da nova alfândega e do Templo Mercedário; reproduz dois documentos e cinco desenhos (dois dos quais reputa inéditos).

Landi esse desconhecido: o naturalista.

1ª ed. S.l.: Conselho Federal de Cultura e Departamento de Assuntos Culturais, 1976.

Complementando os estudos anteriores, o autor revela a obra artística do arquiteto Antonio Landi (v.) no campo da história natural, com reprodução integral das gravuras do álbum *Descrizione di varie piante, frutti, animali, etc*, que se encontra na Biblioteca Pública do Porto, em Portugal (reproduz também, muito mal e quase ilegível, o correspondente e longo manuscrito do autor); também estuda os desenhos arquitetônicos que se encontram englobados no códice "Viagem Filosófica" de Alexandre Rodrigues Ferreira (v.), e reproduz novamente, na íntegra, os desenhos de seu álbum *Debuxos*. Muito recomendável.

MEIRELES, CECÍLIA

Poetisa brasileira (1901-1964).

Batuque, samba e macumba: estudos de gesto e de ritmo: 1926-1934.

[Rio de Janeiro]: Funarte/Instituto Nacional do Folclore, 1983.

Além de poetisa consagrada, Cecília Meireles também foi folclorista e pintora de grande competência, assertiva que se poderá verificar como confirmada nesta expressiva obra, em quarto grande, em que também comenta o tema de cada uma de suas aquarelas.

MEIRELLES, MÁRIO M.

São Luís, cidade dos azulejos.

[Maranhão: Departamento de Cultura do Estado, 1964].

Um guia histórico de uma cidade histórica, com texto e legendas por um professor universitário e as fotografias de Roberto Torres Alvim. A obra é muito interessante, mas a paginação não é boa e as ilustrações, em dimensões reduzidas e inseridas no texto como vinhetas, mal reproduzidas.

MEIRELLES, PATRICIA

MEIRELLES, Patricia and ZWECKER, Loel. *Rio de Janeiro and its history.*

S.l.: Editora Mandarim, 1998.

Com texto em inglês, alemão e italiano, este álbum de grande dimensão (38 x 28 cm) apresenta 63 belas e recentes fotografias do Rio de Janeiro, creditadas a Gustavo Paiva, Marcia Foletto e Stephan Gustavo. Impresso na Itália, o álbum conta ainda com texto muito abalizado e atualizado, ilustrado com bem escolhidas gravuras antigas (autoria não revelada e apenas razoavelmente reproduzidas). Muito recomendável.

MEIRELLES, VICTOR

(Victor Meirelles de Lima) Pintor brasileiro (1832-1903).

O panorama da Bahia e cidade do Rio de Janeiro tomado do Morro de Santo Antonio no anno de 1886 por Victor Meirelles: noticia explicativa.

[Rio de Janeiro]: Companhia Impressora, 1891.

Este raro opúsculo é o texto do artista para a exposição de seu *Panorama*, realizado no Rio de Janeiro após as apresentações triunfais em Bruxelas e na Exposição Universal de Paris de 1890, onde obteve medalha de ouro. Sem ilustração, conta entretanto com uma descrição pormenorizada e completa desta enorme tela de 115 metros de extensão apresentada em uma rotunda (com 36 metros de diâmetro) especialmente construída para tal fim na Praça 15 de Novembro. Este panorama foi executado em parceria com o pintor belga Henri Langerock (falecido em 1889) e não obteve êxito no Brasil, dele restando tão-só esta descrição (a tela original foi encontrada inutilizada em um depósito por volta de 1915). NOTA: Com datas e dados conflitantes estabelecidos pelos historiadores de arte, Victor Meirelles esteve associado ao pintor belga Henri Langerock para a pintura do grande panorama do Rio de Janeiro de 1885 a 1888 na Bélgica, quando, por discórdia, houve a dissolução da parceria.

MELLO, FREDERICO PERNAMBUCANO DE

Quem foi Lampião.

Recife/Zürich: Editora Stahli/Stähli Edition, 1993.

Após o seu clássico *Guerreiros do sol* sobre o banditismo no Brasil, o autor examina nesta obra a personalidade histórica de Virgulino Ferreira, o Lampião, dando grande vida ao relato com a reprodução de fotografias da época.

MELLO, JOSÉ ANTONIO GONSALVES DE

Luís Schlappriz no Recife: 1858-1865.

Recife: s.e., 1962.

Este pequeno estudo foi publicado como nota histórica à exposição dos trabalhos deste litógrafo suíço (v.) no Museu do Estado de Pernambuco. Sem ilustrações, é praticamente o único estudo que conseguiu apurar e reunir os poucos dados sobre este importante artista, ativo em Recife em meados do século XIX e autor do raríssimo álbum *Memória de Pernambuco. Álbum para os amigos da arte*, estudado por Gilberto Ferrez (v.).

A cartografia holandesa do Recife: estudo dos principais mapas da cidade, do período 1631-1648: edição ilustrada.

Recife: Parque Histórico Nacional dos Guararapes/IPHAN/MEC, 1976. (Publicação PHNG, 2)

Estudo muito importante por um dos mais competentes historiadores brasileiros; edição em quarto grande, com excelente reprodução dos mapas, todos desdobráveis.

Capela de N. S. da Conceição da Jaqueira.

[Recife]: Edição dos 'Amigos do DPHAN', ano 1, nº 1, abr 1959. (Cadernos de Arte do Nordeste, 1)

Com o tradicional capricho do "O Gráfico Amador", de Recife, este segundo volume dos "Amigos" é também o primeiro dos "Cadernos de Arte do Nordeste" e faz jus à alta qualidade dos textos e ilustrações desta coleção. Esta pequena obra é pouco mais do que um opúsculo, mas vale por um tratado, assim como uma excelente paginação valoriza a documentação fotográfica do Serviço do Patrimônio Histórico e Artístico Nacional e os desenhos e plantas do desenhista pernambucano Manoel Bandeira (v.). Importante.

MELLO JÚNIOR, DONATO

(?-1996)

Facchinetti.

São Paulo: Arte Editora Ltda./Rio de Janeiro: Editora Record, [1982].

Sem dúvida, o estudo mais completo sobre o pintor italiano Nicolau Antonio Facchinetti (1824-1900, v.), notável paisagista aqui chegado em 1849 e falecido no Rio de Janeiro em 1900. O autor focaliza não somente a vida do biografado, mas também a evolução da pintura paisagista na história artística do país e, especificamente, o ambiente e a produção de 1850 até a virada do século. Além da reprodução de quase cem telas (a grande maioria retratando o Rio de Janeiro e a baía da Guanabara), conta também com uma extensa bibliografia. Obra bela e muito recomendável.

Iconografia de Belém do Grão Pará: I – Plantas do século XVIII.

Belém do Pará: Sociedade dos Amigos de Belém, 1970.

Onze plantas de Belém do Pará do século XVIII, muito bem descritas e muito mal reproduzidas.

MELLO NETO, ULYSSES PERNAMBUCANO DE

O Forte das Cinco Pontas: um trabalho de arqueologia histórica aplicado à restauração do monumento.

Recife: Fundação de Cultura Cidade do Recife/Secretaria de Educação e Cultura/Prefeitura da Cidade do Recife, 1983. (Coleção Monumentos do Recife, 1)

De caráter científico e muito especializado, é um fascinante estudo sobre um marco histórico de Recife que nos possibilita acompanhar passo a passo a pesquisa, as obras de escavação e restauro, os achados arqueológicos; ilustrado com desenhos de Nathanael Maranhão Vale e fotografias de Daniel Luis Menucci.

MELO, JOSINA Augusta

Serra do Mar = Sea Mountain Range.

Curitiba: s.e., 1999.

O fotógrafo paisagista Helmut Erich Wagner (v.) dispensa apresentação e a presente obra justifica esta prerrogativa; a obra é linda, tal como a homenagem póstuma que a família lhe presta a título de prefácio. Muito interessante.

MENDES, ANTONIO LOPES

(1834-1894)

América austral: um viajante português no Brasil: 1882-1883.

[Rio de Janeiro]: Unipar,1988.

O bibliófilo Paulo F. Geyer, do Rio de Janeiro, adquiriu em 1972 a correspondência original e os desenhos a lápis de cor que relatam uma viagem do Rio de Janeiro a Manaus pelo médico-veterinário português Antonio Lopes Mendes (1834-1894). Nesta bela edição, reproduz a correspondência completa e todos os notáveis desenhos em tamanho natural, dos quais alguns a nanquim e quase todos das cidades percorridas, suas igrejas e arquitetura. Muito interessante.

MENDES, JOSÉ DE CASTRO

Retratos da velha Campinas.

In *Revista do Arquivo Municipal*, São Paulo, v. 139.

A um rápido estudo de reduzido valor sobre o tema proposto (que inclui uma nomenclatura antiga das ruas e praças e um mapa da cidade em 1900), segue-se uma notável coleção de fotografias e desenhos ao longo de 144 páginas retratando ruas, praças, prédios públicos e particulares, igrejas, monumentos e chafarizes, tudo a partir de 1842, ano de elevação da vila à categoria de cidade. Entre as ilustrações, muitos cartões-postais antigos e reproduções de desenhos de H. Lewis e Hercules Florence (v. estes).

MENDONÇA, RUBENS DE

Igrejas e sobrados de Cuiabá.

Cuiabá: Departamento de Cultura e Turismo, 1978. (Cadernos Cuiabanos, 7)

Obra interessante em edição muito modesta, com correspondente reprodução deficiente das fotografias antigas e modernas.

MENEZES, JOSÉ LUIZ MOTA

Dois monumentos do Recife: São Pedro dos Clérigos e Nossa Senhora da Conceição dos Militares.

Recife: Prefeitura Municipal de Recife/Secretaria da Educação e Cultura/Fundação de Cultura Cidade do Recife, 1984. (Coleção Monumentos do Recife, 4)

Bom estudo dotado de fotografias razoáveis.

Sé de Olinda.

Recife: Fundarpe, 1985. (Coleção Pernambucana, 2ª fase, 21)

Como todas as obras desta coleção, também esta é digna de nota, mas também esta em edição modesta e com as importantes ilustrações em reprodução sofrível.

MENEZES, José Luiz Mota e RODRIGUES, Maria do Rosário Rosa. *Fortificações portuguesas no nordeste do Brasil: séculos XVI, XVII e XVIII.*

Recife: Pool Editorial S/A, 1986.

Um trabalho especializado mas interessante. Os desenhos das fortificações e suas plantas (cópias das constantes em *Fortes coloniais da cidade de Salvador*, de Edgard Cerqueira Falcão, v.) encontram-se razoavelmente reproduzidas, mas pessimamente as poucas gravuras antigas.

MENEZES, RAIMUNDO DE

Nas ribas do rio-mar.

Rio de Janeiro: Edição do Annuario do Brasil, [1928].

Modesta edição de uma simpática crônica de viagem; ilustrada fora de texto com reprodução de desenhos originais de Levino Fanzeres (1884-1956, prêmio de viagem da Academia), paisagista elogiado no prefácio da obra como "glorioso pintor de paisagens..., o poeta da cor" mas qualificado por Teixeira Leite (v.), mais acertadamente, como medíocre; para a presente obra, entretanto, os desenhos reproduzidos fazem sentido e transmitem uma boa visão de Belém do Pará.

MENGE, Adolfo de Mello e ALVIM

Alvim Menge: 1880-1902.
[Rio de Janeiro]: Banco do Estado do Rio de Janeiro, 1982.

Como parte de seu programa cultural e "no sentido de preservar uma importante documentação plástica do Rio de Janeiro", este banco estatal publicou este rico álbum dedicado à obra de um pintor paisagista pouco conhecido. Foram reproduzidas 31 telas, das quais apenas a metade sobre a paisagem carioca, o tema para a justificação da edição.

MERCEDES BENZ

Esta grande indústria do ramo automobilístico mantém, há longos anos, a tradição de publicar um calendário anual de grande dimensão e qualidade artística, calendário geralmente acompanhado por um pequeno livreto explicativo ou, ocasionalmente, por uma obra erudita sobre o assunto, sempre em edição de alta qualidade gráfica. Encontram-se nesta resenha algumas das obras publicadas nesta série:

São Francisco: o rio da unidade. *(1978)*
Pantanal: santuário ecológico. *(1981)*
Aroméri. *(1982)*
Visões da natureza. *(1990)*
Fontes e chafarizes do Brasil. *(1991)*
Pontes e viadutos. *(1992)*
Pindorama. *(1993)*

NOTA: *Foi possível obter uma relação dos calendários publicados ao longo dos anos, relação a seguir transcrita e útil para orientar estudos:*

1968 – Paisagens, associadas a produtos Mercedes-Benz
1969 – Paisagens, ilustradas com produtos Mercedes-Benz
1970 – Pássaros do Brasil (ilustrações)
1971 – Brasil em tempo de progresso (paisagens associadas a produtos MB)
1972 — Brasil 1550-1972 (Sesquicentenário da Independência)
1973 – Amazônia
1974 – Contraste (motivos e paisagens brasileiras, cada um interpretado por gravura antiga, foto atual e efeito gráfico especial)
1975 – Milênios de civilização do Brasil (arqueologia)
1976 – Gestos, fisionomias, perfis (fotos P/B, de pessoas)
1977 – Saccharum officinarum (Cana-de-açúcar)
1978 – São Francisco: o rio da unidade
1979 – Café
1980 – BR-101
1981 – Pantanal
1982 – Aroméri (plumária indígena)
1983 – (Ouro Preto)
1984 – Cacau
1985 – Orquídeas

1986 – Beija-flores
1987 – Peixes ornamentais da Amazônia
1988 – Gemas do Brasil
1989 – Fragmentos (borboletas brasileiras)
1990 – Visões da natureza (parques nacionais e reservas biológicas)
1991 – Fontes e chafarizes
1992 – Pontes e viadutos
1993 – Palmeiras do Brasil
1994 – Theatros do Brasil
1995 – Centenário do ônibus
1996 – Centenário do caminhão
1997 – Sedes antigas de fazendas brasileiras
1998 – Cerrado brasileiro: fisionomias
1999 – Brasil = Passo e Compasso (ritmos musicais brasileiros).

MERRILL, DANA

Fotógrafo americano, contratado em 1909 pela Madeira Mamoré Railway para documentar a construção da ferrovia Madeira-Mamoré (v.) em Roraima (popularmente conhecida como "Ferrovia do Diabo"); como preposto do empreiteiro americano Farquar, Merrill acompanhou a construção da estrada até o final e voltou aos Estados Unidos em 1912. Mil registros deste seu trabalho encontram-se atualmente no Museu Paulista da USP (v.).

Estrada de Ferro Madeira-Mamoré: as imagens da Estrada de Ferro no acervo do MIS = images of the railroad at MIS.
São Paulo: [Museu da Imagem e do Som], 1993.

Belo álbum oblongo de 23,5 x 32,5 cm reproduzindo com perfeição 72 das 200 fotografias que foram recuperadas pelo fotógrafo Hans Günther Flieg (v.) e doadas ao MIS de São Paulo.

Trilhos e sonhos; Ferrovia Madeira-Mamoré = Dreams and tracks; Madeira-Mamoré Railroad.
São Paulo: Museu Paulista/USP, 2000. (Catálogo de exposição, 2000)

Esta grande exposição realizada no Museu Paulista da Universidade de São Paulo passou praticamente despercebida da imprensa e do público, fruto de deficiente divulgação do evento. Do acervo próprio de mais de mil fotografias do americano Dana Merrill apresentava o museu 189 cópias destas em perfeito estado, todas com comentários explicativos. O presente e excelente catálogo, divulgado após o encerramento da exposição, relaciona e descreve tecnicamente as 189 fotografias expostas mas reproduz menos de vinte. Muito interessante.

MESTRE NOSA

Inocencio da Costa Nick, ou Mestre Nosa (1897-1984), começou a trabalhar com José Domingos, santeiro em Juazeiro do Norte, em 1918. Em 1925 realizou uma escultura do Padre Cícero. Realizou sua primeira gravura de cordel para o editor José Bernardo da Silva. Faleceu em 1984.

Via sacra: xilogravuras populares.

Texto: Maria Eugenia Franco. São Paulo: Julio Pacello, [1969].

Álbum contendo catorze xilogravuras sobre papel colorido, montadas sobre cartões de cartolina forte de 21 x 23 cm e formando uma "Via Sacra" deste consagrado xilógrafo popular. NOTA: O presente álbum faz parte de uma tiragem especial de cem exemplares da edição que comporta mais duas séries completas desta "Via Sacra", tiradas em papéis coloridos diferentes e sobre os mesmos cartões de cartolina.

Vida e morte de Lampião.

Gravuras de Mestre Nosa. Versos de Delarme Monteiro. [Olinda]: Casa das Crianças de Olinda, [ago. 1974].

A ONG particular Casa das Crianças de Olinda, através de sua Casa da Poesia, esteve na época empenhada a preservar o interesse pela produção poética e artística do "cordel", iniciativa bem-sucedida com a publicação de dois produtos clássicos formando uma fictícia obra nova.

MEYER, CLAUS

Fotógrafo alemão (1944-1998), profissionalizou-sem em New York (1967) e em 1969 emigrou para o Brasil, participando de 1972 a 1991 da agência "Câmara Três" e fundando em 1990 a "Agência Typa". Suas obras constam nos álbuns coletivos Brasil, São Paulo, Brasil; flora, fauna, Jardim Botânico. Rio de Janeiro. 1808, *na "Coleção Pirelli" do MASP e na obra* Brasília *(v.).*

MICHAUD, WILLIAM

William ou Guillaume Henri ou ainda Guilherme Michaud (1829), pintor desenhista e professor, teve estudos iniciais de desenho com Gottlieb Steinle. Emigrou para o Brasil em 1849, trabalhou inicialmente no Rio de Janeiro e a seguir como subgerente de uma fazenda na província. Em 1852 passou a trabalhar como auxiliar de fotografia do engenheiro francês Ernesto Vatlée, com o qual empreendeu muitas viagens. No início de 1854 partiu para o Paraná para trabalhar no empreendimento de colonização do cônsul suíço Charles Peret-Gentil em Superagüi, onde constituiu família, exerceu funções de mestre-de-escola e juiz de paz, e faleceu em 1902. A maior parte de sua obra pictórica encontra-se no Museu de Vevey (Suíça) por doação da família, e outra parte foi doada pelo artista ao amigo Visconde de Taunay, que a ele se refere em seu Céus e terras do Brasil *e reproduz várias aquarelas. Relacionado no DicMEC e citado por Newton Carneiro (v.) em* Iconografia Paranaense*; sua vida e obra encontra-se relatada em* William Michaud von Vevey, *de Emilio Cr. Scherer (v.), e catorze de seus quadros reproduzidos em* Pintores da paisagem paranaense *(v.).*

MIKI, JUN

Samba samba Brasil.

Japão: Kenko Sha, 1967.

Título muito mal escolhido para este belo retrato do Brasil através da ótica de um fotógrafo japonês, competente profissional que visitou o país por três vezes e acompanhou a construção de Brasília em todas as suas fases, dedicando à mesma boa parte desta obra. A capa da encadernação comporta o título e um desenho alegórico do samba, por Wesley Duke Lee (1931), que também desenhou as vinhetas que ilustram o início dos capítulos. Recomendável.

MILAN, BETTY

Brasil; os bastidores do Carnaval.

[São Paulo: Eucatex, 1986]. (Biblioteca Eucatex de Cultura Brasileira)

Obra que cumpre o programa traçado no título: aspectos da cultura brasileira captados durante a montagem dos carros alegóricos nos bastidores das escolas de samba; as fotografias, muito especiais por força do assunto, são realçadas por um design gráfico digno de nota especial.

MILITÃO AUGUSTO DE AZEVEDO

Nascido em 1837, Militão (como passou a ser conhecido) abraçou a carreira teatral de 1858 até sua chegada em São Paulo em 1862, período em que também se dedicou à fotografia para a formação de álbuns de São Paulo com cerca de trinta fotografias cada um, que vendia aos estudantes da Faculdade de Direito. Produziu também álbuns de Santos e da Estrada de Ferro Santos-Jundiaí, que vendia na loja do ambrotipista e amigo J.C. Müller. No início de 1864, abandona a carreira teatral e ingressa no ateliê Photographia Academia de Carneiro & Gaspar, que passa a gerenciar em 1870, adquire em 1875 e rebatiza como Photographia Americana. Durante estes anos produz um número muito grande de retratos e em 1887 realiza a obra que o iria consagrar: Album comparativo, *formado por sessenta imagens obtidas nos mesmos locais de imagens idênticas obtidas trinta anos antes desta época. Dado o insucesso comercial deste empreendimento, abandona a fotografia e passa a viver no Rio de Janeiro, falecendo em São Paulo em 1905. Sua vida e obra se encontra em* Militão Augusto de Azevedo, *de Pedro Corrêa do Lago (v.).*

São Paulo em três tempos: álbum comparativo da cidade de São Paulo 1862-1887-1914.

São Paulo: Casa Civil/Imprensa Oficial do Estado S/A/Secretaria da Cultura/Arquivo do Estado, 1982.

Entre as publicações oficiais, esta talvez seja a mais bela de todas. Álbum em fólio grande, apresenta as fotografias de Augusto Azevedo Militão que formaram seu álbum fotográfico *Álbum comparativo de vistas da cidade de São Paulo. 1862-1882* (1887), além das fotografias adicionais publicadas em 1914 pela Casa Duprat. A vida de Militão e a feitura deste seu álbum são estudadas por Ilka Brunhilda Laurito em *Retrato de um fotógrafo* e São Paulo pelo arquiteto Carlos A.C. Lemos em *Metamorfose Paulista.* Cada um dos locais fotografados é precedido de uma descrição atual e de uma descrição da época, esta colhida em obras antigas; todas as cópias antigas das fotografias foram restauradas pelo técnico João Sócrates de Oliveira. Imprescindível para estudiosos. Muito recomendável.

MINAS GERAIS

O descobrimento de ouro em fins do século XVII *levou grandes contingentes à região das atuais cidades históricas "do ouro" do Estado, assim como o dos diamantes provocou o afluxo de novos contingentes a Diamantina e Serro, juntando-se a estes centros econômicos e artísticos do passado a nova e já centenária capital Belo Horizonte (v.).*

ALBUQUERQUE, Paulo A. de. *Minas Gerais.*

São Paulo: Gráficos Brunner, 1977. (Coleção Mercator, 9)

Nono (último?) volume da "Coleção Mercator" de fotografias coloridas, com texto em português e inglês. Este é o único volume da coleção em que as imagens chegam a quatro em cada página.

Campos das vertentes; o Brasil na fonte.

S.l.: Andrade Gutierrez, 1989.

Campos das Vertentes, uma região do Rio das Mortes que congrega três cidades históricas mineiras das mais importantes do país em matéria de arte e, sobretudo, de música. São João del Rei, Tiradentes e Prados encontram-se excepcionalmente bem reveladas pelo fotógrafo Ruy Cezar dos Santos e descritas por Angelo Oswaldo de Araujo Santos, um conjunto que nos é apresentado por um *lay-out* também excepcional de José Alberto Nemer, que ousou nos apresentar as belas fotografias em grupos de 1, 2, 4 e 9 por folha, além de dois grandes conjuntos desdobráveis, uma ousadia que se torna muito agradável no presente caso. Muito recomendável.

Capela do Padre Faria; reabertura = Chapelle du Padre Faria; reouverture.

[São Paulo]: EBLC/Banco CCF do Brasil, 1995.

Tendo patrocinado a reforma da Capela de Nossa Senhora do Rosário de Padre Faria, esta capela tão simples em sua arquitetura e tão suntuosa em seus três altares, o Banco CCF do Brasil também patrocinou esta bela obra sobre a capela e os festejos de reabertura, focalizando ainda boa parte das demais relíquias arquitetônicas de Ouro Preto. As excepcionais fotografias coloridas de Vic Parisi encontram-se, em parte, um pouco prejudicadas por uma paginação não muito adequada para este tipo de obra. Competente texto de Angelo O. Araujo Santos, prefeito da cidade na ocasião e ex-secretário do Instituto do Patrimônio Histórico e Artístico Nacional. Muito recomendável.

Histórico das igrejas e monumentos de Diamantina.

Diamantina: Secretaria de Cultura e Turismo, s.d.

Apostila mimeografada de dezenove folhas em papel de ofício, ilustrada a bico de pena por Percy Lau (v.).

Ibitipoca: a beleza mora na serra.

S.l.: SMP&B Propaganda, 1994.

O Parque Estadual da Serra de Ibitipoca, no município de Lima Duarte (sudeste de Minas Gerais), nos é revelado através da lente de José Israel Abrantes, cabendo a Kao Martins a descrição do histórico e das belezas naturais da região e do antigo Arraial da Conceição de Ibitipoca.

Igrejas de Minas = The churches of Minas.

Belo Horizonte: Cemig, 1998.

Editada por uma companhia estatal, esta obra de dimensão pouco habitual (21 x 21 cm) merece a definição de "importante livro de luxo, ricamente ilustrado", contribuindo para esta última as excelentes fotografias de Eugenio Paccelli. Com texto de Angelo Oswaldo de Araujo Santos, também é importante para estudos.

Lembranças de Passa Quatro: 1888-1988.

São Paulo: Raízes, 1987.

Contrariando a regra, este é um excelente documentário fotográfico de uma cidade, colhido em arquivos familiares e complementado com imagens atuais por João Fernandes e A. Soucasaux. Impressa por Raízes Artes Gráficas com a costumeira alta qualidade e publicada em comemoração do centenário de emancipação política deste município mineiro, esta obra se destaca de forma vantajosa sobre outras do mesmo gênero.

Mariana: arte para o céu.

[Mariana]: Comissão Pró-Restauração da Catedral e Órgão da Sé de Mariana, 1985.

Sob a coordenação de Paulo Mendes Campos, a Comissão Pró-Restauração da Catedral e Órgão da Sé de Mariana produziu uma obra de aparência modesta com eruditos textos sobre a música mineira do século XVIII e o proposto tema da reforma do órgão da Catedral, um órgão alemão do mesmo século apresentado como "a personagem principal [...] ressuscitado por um milagre da fé". Obra interessante com boas ilustrações e fotografias de Rui Cesar Santos.

Minas Gerais em 1925.

?: ?, ?.

De modesta execução, contém o importante estudo "As artes em Minas", de Eduardo Frieiro, outro de Djalma Andrade sobre "Congonhas do Campo. O Aleijadinho" e um trabalho anônimo sobre "Ouro Preto, a cidade histórica", todos fartamente ilustrados e mal reproduzidos. NOTA: O exemplar examinado não dispunha de folha de título, mas há referência ao título na própria obra.

Momentos de Minas.

São Paulo: Editora Ática, 1984.

Produção antológica de quinze fotógrafos e muitos escritores que deu certo neste pequeno e bem apresentado álbum, coordenado por Branca de Paula e pelo Núcleo de Fotografia de Minas Gerais.

Guia dos bens tombados: Minas Gerais

Coordenação e pesquisa: Prof. Wladimir Alves de Souza. Prefácio de Tancredo Neves. Rio de Janeiro: Expressão Cultural, [1984].

Sempre no mesmo estilo e método dos anteriores *Guia dos bens tombados* (v.), também no presente as ilustrações foram confiadas a desenhistas: Jimmy Scott, Sussy, Felipe A. de Souza, Elisa Vidal e Elizabeth Prieto. Neste levantamento que congrega as obras da região brasileira mais rica em arte barroca, torna-se ainda mais inadequado o método de ilustração a bico de pena, sobretudo pela grande quantidade de altares, peças sacras e santos que necessitam reprodução e não podem depender de interpretações poéticas ou floreadas de artistas plásticos. Importante.

Terras brasileiras: 2: Minas Gerais.

Rio de Janeiro: Publicação da Shell do Brasil, s.d.

Guia de divulgação popular, modesto e pequeno, bem ilustrado.

Ouro.

Belo Horizonte: Governo do Estado de Minas Gerais/Metais de Minas Gerais, 1981.

Obra essencialmente técnica, dotada de boa ilustração em cores.

Guia turístico de Juiz de Fora: Juiz de Fora – guia prático – como se orientar na cidade.

Juiz de Fora: Prefeitura de Juiz de Fora, 1998-1999.

Um guia para uma cidade importante sempre deve ser útil; o presente, apresentado em duas plaquetas acondicionadas em caixa, não foge à regra, mas também não proporciona mais do que isto, ainda que o primeiro fascículo seja bem dotado de razoáveis fotografias (de pequena dimensão).

São João Del-Rei: a região, a cidade, o patrimônio de história e arte.

Belo Horizonte: Fundação João Pinheiro, 1983.

Como primeiro número da série "História. Documento" do Programa de Estudos e Pesquisas desenvolvido pela Fundação João Pinheiro, este pequeno e modesto álbum oblongo foi resultado de uma bem-sucedida tarefa, com textos de Affonso Avila e Jussara Frizzera e as boas fotografias de João Marcos Machado Gontijo e Paulo França Haddad Pereira dos Santos.

Minas Gerais, berço da riqueza do Brasil; 300 anos de história econômica.

São Paulo: Editora Três, 1995?

Curioso almanaque histórico-popular, com excelentes textos e muitas ilustrações, em grande parte mal reproduzidas. Obra interessante, peca pela falta de informações sobre muitas das gravuras históricas e fotografias antigas.

Francisco Vieira Servas e o ofício da escultura na Capitania das Minas de Ouro = Francisco Vieira Servas and the craft of sculpture in the Capitania of the Gold Mines.

Coordenação editorial = co-ordination: Angela Gutierrez. Pesquisa, organização e texto = research, organization and text: Adriano Ramos. Belo Horizonte: Instituto Cultural Flavio Gutierrez, 2002.

Tudo indica ser esta a única e provavelmente a obra definitiva sobre o entalhador e escultor português Francisco Vieira Servas (1720-1811), documentado em Catas Altas e região a partir de 1753. Esta obra não é somente pioneira, mas também uma das mais bem apresentadas edições de história da arte, dotada de excelente estudo e notáveis fotografias de Eugenio Savio. Muito recomendável.

MINDLIN, JOSÉ Ephraim

Nascido em 1914, José Mindlin tornou-se advogado, industrial de grande porte e um dos mais conhecidos e representantes da cultura nacional, tendo exercido a Presidência da Fundação Eduardo Portella e do Museu de Arte de São Paulo Assis Chateaubriand. Aliando es-

tas qualidades públicas às de conceituado colecionador e bibliófilo, teve oportunidade de formar uma biblioteca própria e atualmente considerada a mais expressiva do País, uma biblioteca cuja "Brasiliana" se encontra em fase de doação à Universidade de São Paulo. Muitas foram as obras literárias e culturais editadas ou patrocinadas por José Mindlin ou pela indústria Metal Leve que presidiu por décadas, assim como várias as exposições em que apresentou exemplares de sua biblioteca e do acervo artístico, como em "Juan Maurício Rugendas: pintor y dibujante" e em "Os colecionadores: Guita e José Mindlin, matrizes e gravuras" (v. estes).

The gentle madness of a guardian of relics: a chat with José Mindlin.

Conducted by João dos Reis Borges. Translation by Marguerita I. Harrison. Providence: Published by the John Carter Brown Library and the Department of Portuguese & Brazilian Studies at Brown University, 1993.

Nesta linda e bem ilustrada plaqueta encontramos uma "conversa" do bibliófilo José Mindlin sobre o tema de sua posterior "Memória", abaixo referida. Muito recomendável.

Uma vida entre livros: reencontro com o tempo.

São Paulo: Edusp/Companhia das Letras, 1997.

Fascinante memória de um cultor da leitura e bibliófilo, apresentada em estilo coloquial; ao fascínio do texto acrescenta-se a rica ilustração, magistralmente diagramada pela filha Diana. Muito interessante e recomendável.

MIRANDA, NEGO

MIRANDA, Nego e URBAN, Teresa. *Engenhos e barbaquás.*

Curitiba: Posigraf, 1998.

Obra interessante que aborda um assunto pouco conhecido por brasileiros que não provêm dos Estados do Sul: o mate, sua colheita, fabricação e consumo. Com texto de uma conhecida ecologista paranaense, estamos perante um belo ensaio fotográfico que nos revela a erva como árvore em seu hábitat natural paranaense, as primitivas armações (os "barbaquás") para a desidratação das folhas, o transporte e o final tratamento industrial (os engenhos), um conjunto harmonioso de bom acabamento gráfico.

MISSÃO ARTÍSTICA FRANCESA

Sob a chefia de Joaquim Lebreton (1760-1819) chegava ao Rio de Janeiro um grupo de artistas franceses contratados por D. João VI para a organização do ensino artístico no País e a formação de uma Academia de Belas Artes, um grupo atualmente conhecido por Missão Artística Francesa e que contava, entre seus membros, com os pintores paisagistas Jean-Baptiste Debret, Nicolas Antoine Taunay, Felix Emile Taunay e Adrien Aimé Taunay, e o arquiteto Grandjean de Montigny (v. estes). Apesar da importância histórica desta "Missão", são poucos os estudos sobre ela, destacando-se apenas o clássico A missão artística de 1816, *de Affonso d'Escragnolle Taunay, e a obra* A Missão artística francesa de 1816, *de Gean Maria Bittencourt (v. estes), além dos estudos dedicados à obra de Debret (v.).*

Le Breton e a Missão Artística Francesa de 1816.

Rio de Janeiro: Museu Nacional de Belas Artes/Ministério da Educação e Cultura, [1960]. (Catálogo de exposição, dez. 1960)

Nesta exposição foram apresentadas as obras dos membros da Missão Francesa, e relacionadas todas as obras oferecidas ao país pelo chefe da missão, Le Breton (1760-1819), para a formação de uma pinacoteca. A biografia de Joachim Le Breton, bem como a de todos os demais membros da missão, esteve a cargo de Elsa Ramos Peixoto, curadora do Museu Nacional de Belas Artes; poucas e mal reproduzidas ilustrações.

Exposição da Missão Artística Francesa de 1816.

[Rio de Janeiro]: Museu Nacional de Belas Artes/Ministério da Educação e Saúde, 1940. (Catálogo de exposição, nov.-dez. 1940)

Realizada no Museu Nacional de Belas Artes em 1940, notabilizou-se não somente por sua riqueza (449 itens), mas também pela participação de numerosas coleções particulares. Poucas ilustrações, razoavelmente reproduzidas.

Nicolas Antoine Taunay: 1755-1830.

[Rio de Janeiro]: Museu Nacional de Belas Artes, 1980. (Catálogo de exposição, ago. 1980)

Catálogo mimeografado e sem ilustrações das obras de um participante da Missão Artística Francesa de 1816 que se encontram no Brasil, incluindo seu busto em gesso realizado por Roubaud (1825-1876) e seu retrato a óleo de Jules Boilly (1796-1764). Constaram também da exposição diversos quadros de seu irmão Auguste Marie Taunay (1768-1824) e de seus filhos Felix Emille (1795-1881) e Adrien Aimé Taunay (v.). Apresentação e estudo histórico e biográfico dos artistas por Pedro Martins Caldas Xexéo, curador do Museu Nacional de Belas Artes do Rio de Janeiro.

Missão Artística Francesa e pintores viajantes = La Mission Artistique Française et les peintres voyageurs.

[Rio de Janeiro]: Instituto Cultural Brasil-França/Fundação Casa França-Brasil/Secretaria da Cultura do Estado, 1990. (Catálogo de exposição, nov.-dez. 1990)

Um dos poucos catálogos de exposição que podem ser considerados como tratado autônomo sobre o assunto. Muito bem ilustrado com vasto material iconográfico, esta edição bilíngüe foi enriquecida com os artigos "Missão Artística Francesa", de Wilson Coutinho, e "Pintores viajantes", de Mario Carelli (v.), ambos acompanhados de biografias completas dos artistas examinados. Muito importante.

MITTELDORF, KLAUS

Arquiteto e fotógrafo brasileiro (1953), profissionalizou-se em 1979 e em 1982 passou do fotojornalismo ao jornalismo de moda e publicidade, atuando nos Estados Unidos e na Europa. Tem obras próprias publicadas em New York e em Frankfurt e consta na "Coleção Pirelli" do MASP (v.).

O último grito = The last cry.

São Paulo: Terra Virgem, 1997.

Obra editada para acompanhar a exposição do fotógrafo realizada em 1998 na Pinacoteca do Estado de São Paulo e no Museu de Arte Moderna da Bahia. Servindo-se como tema de uma máxima de Octavio Paz, o artista produziu um belíssimo ensaio fotográfico, quase totalmente abstrato.

Photographs.

[Fulda]: Art Forum, [1992].

Neste magnífico ensaio fotográfico, Klaus Mitteldorf retrata corpos femininos artificialmente agrupados para um distanciamento do fotojornalismo, da propaganda e da abstração, criando uma notável série de imagens. Textos de Reinhold Misselbeck e Luis Paulo Baravelli em alemão e português. Muito recomendável.

MONT'ALEGRE, OMER

O Vale do Itajaí; um estudo de aculturação.

Separata de *O Observatório Econômico Financeiro*, ano XV, nº 177, out. 1950.

A propósito do centenário de Blumenau e com visita a várias cidades do Vale do Itajaí (Santa Catarina), o autor aproveitou sua reportagem de viagem para o estudo especializado do título, um estudo fartamente ilustrado com fotografias interessantes e pouco comuns.

MONTANUS, ARNOLDUS

Arnoldus Montanus, nome latinizado de Arnold van Bey, ou van den Bergen, nasceu na Holanda por volta de 1625 e faleceu em 1683; concluídos seus estudos na Universidade de Leiden, tornou-se religioso e escritor, contando-se entre suas obras a De Nieuwe en Onbekende Weereld *(Amsterdam: Jacob van Meurs, 1671).*

Brasil holandês: dez gravuras selecionadas = ten selected engravings.

S.l.: Companhia Baiana de Fibras – Cobafi, 1987.

A obra *De Nieuwe en Onbekende Weereld* (Amsterdam, 1671), de Arnold Montanus, contou com mais de 120 gravuras a buril, entre os quais os retratos de Maurício de Nassau (v.) e Américo Vespúcio, um mapa e dezesseis gravuras duplas do Brasil; são todas regravações por artista desconhecido das ilustrações do *Rerum per octennium in Brasilia* (Amsterdam, 1647), de Barleus (v.), e foram reaproveitadas na edição inglesa de John Ogilby (Londres, 1671) e na alemã de Olfert Dapper (Amsterdam: Jacob van Meurs, 1673). Nove destas dezesseis gravuras duplas e o mapa do Brasil foram reproduzidas em fac-símile e na dimensão original neste expressivo álbum, que contou com um estudo do crítico de arte José Roberto Teixeira Leite (v.) e um índice descritivo. Muito interessante.

Brasilia.

Texto de Libano Calil Atallah. São Paulo: Companhia São Paulo, 1985.

Envelope de 43 x 35 cm contendo cinco estampas e o mapa "Brasilia" provenientes da obra "De Nieuwe en Onbekende Weereld" (Amsterdam, 1671), de Arnold Montanus. Muito interessante.

MONTEIRO, FERNANDO

A velha Rua Direita.

Rio de Janeiro: Banco do Brasil S/A / Museu e Arquivo Histórico, 1965.

Estudo sobre esta importante via pública do Rio de Janeiro, com farta ilustração de seus edifícios, praças, usos e costumes e a sede do Banco do Brasil; boa edição em quarto grande. NOTA: Em 1985 foi feita uma segunda edição, em quarto pequeno (Museu e Arquivo Histórico/Banco do Brasil), com as mesmas características.

MONTEIRO, M.

Album de Pernambuco.

Recife?, [1912?].

Clássico "álbum comemorativo", editado por volta de 1912 com longo texto informativo (em português e francês) sobre o Estado de Pernambuco e rica e valiosa documentação fotográfica; a capa, com bela ornamentação, foi do encadernador português Paulino Ferreira.

MONTEIRO, MÁRIO YPIRANGA

Negritude e modernidade; a trajetória de Eduardo Gonçalves Ribeiro.

S.l.: Governo do Estado do Amazonas, 1990.

Uma obra histórica e comemorativa de noventa anos do misterioso falecimento do governador amazonense Eduardo Gonçalves Ribeiro (1862-1900). Distingue-se esta obra de tantas outras laudatórias pela edição luxuosa e pela extraordinária riqueza do material fotográfico da época, parte integrante do texto. As adicionais gravuras antigas foram extraídas de *Le pays des Amazones* (Paris, 1885), de Santa Anna Nery, e as guardas reproduzem o quadro *Redenção do Amazonas*, de Aurélio Figueiredo (1854-1916).

MONTENEGRO, FRANCISCO

Itinerário sentimental de Olinda.

Recife: s.e., 1967.

Nesta pequena e modesta brochura encontra-se um interessante guia sentimental por um intelectual filho da terra, um prefácio do historiador Luiz Delgado e as ilustrações do pintor pernambucano Eliezer Xavier (v.).

MONTIGNY, AUGUSTE HENRI VICTOR GRANDJEAN DE

Arquiteto francês (1776-1850), estudou com Delaunoy na Escola de Belas Artes de Paris e em 1779 conquistou o Prêmio Roma, permanecendo na Itália até 1808 e executando, entre outros, a reforma da Vila Medici (da Academia Francesa) e o restauro do túmulo de Cecilia Metela, ambos em Roma. Em 1819 foi contratado por Jeronimo Bonaparte para reurbanizar a cidade de Kassel na Alemanha e em 1815 rejeitou convite do czar Alexandre I para idêntico propósito em São Petersburgo, preferindo participar em 1816 da Missão Artística Francesa (v.) ao Brasil. De 1827 até o seu falecimento ocupou o cargo de Professor de Arquitetura na então criada Academia Imperial de Belas Artes, para a qual projetou a sede, a mais conhecida de suas obras. Sua vida e obra encontram-se narradas por Adolfo Morales de los Rios Filho e Affonso d'Escragnolle Taunay (v. estes) e em Taunay, Debret e Grandjean de Montigny *de João Guimarães Vieira, além de muitas citações e reproduções de obras em estudos sobre arte brasileira e a Missão Artística Francesa.*

Uma cidade em questão: Grandjean de Montigny e o Rio de Janeiro.

Rio de Janeiro: Departamento de Artes da Pontifícia Universidade Católica do Rio de Janeiro, [1979].
(Catálogo de exposição, 1979)

Muito mais que um catálogo de uma grande exposição, o presente é o melhor estudo sobre este arquiteto e membro da Missão Artística Francesa de 1816 no Rio de Janeiro. Além do estudo de sua influência na arquitetura da cidade e na evolução urbana, a mostra apresentou farta documentação iconográfica e incluiu seus projetos europeus. Importante.

MOORE, JOSEPH WILLIAM

The revolution of 1831: with notes by J.M. Harvey.

São Paulo: Sociedade Brasileira de Cultura Inglesa, [1962].

Um dos volumes da série "The Brazilian pamphlets" da Cultura Inglesa, transcreve e comenta o diário de um cidadão britânico pouco conhecido; muito bem ilustrado com desenhos e aquarelas (em branco e preto) de Maria Graham (v.).

MORAES, CARLOS

Mercados populares do Brasil = Popular markets of Brazil.

[São Paulo]: DBA – Dórea Books and Art, [1993].

Bastaria o título para estabelecer a importância desta obra. A conjunção desta bela edição da DBA com as fotografias de Bubby Costa e a tutela da coleção Biblioteca Eucatex de Cultura bastariam para tornar a obra muito recomendável.

MORAES, GERALDO DUTRA DE

A Igreja e o Colégio dos Jesuítas de São Paulo.

[São Paulo]: Prefeitura do Município de São Paulo, 1979.

O historiador Geraldo Dutra de Moraes, 1915) apresenta um estudo sobre esta igreja que desabou em 1896 (atualmente reconstruída), incluindo não somente as fontes primárias do primitivo conjunto arquitetônico do "Pátio do Colégio", mas também o estudo da arquitetura do colégio e sua igreja, além do interior do templo e seus altares. A documentação iconográfica é rica e inclui reproduções de quadros de Thomas Ender, Johann Jacob von Tschudi, William James Burchell, Miguel Dutra e Jules Martin (v. estes), além de Beatriz Dutra, que também contribuiu com aquarelas para as capas.

MORAES, RAYMUNDO

Paiz das pedras verdes.

2ª edição. Rio de Janeiro: Civilização Brasileira, [1931].

Como antigo comandante de "gaiolas" e grande conhecedor da região amazonense, o jornalista Raymundo Moraes (1875-1941) foi autor deste bem ilustrado guia ambiental e arqueológico.

MORAES, RUBENS BORBA DE

Nascido em 1899, e após estudos universitários em Paris e em Genebra, participou da "Semana de Arte Moderna de 1922" e de 1936 a 1942 dirigiu a Biblioteca Municipal (atual Mário de Andrade) de São Paulo. Dedicou-se a seguir ao estudo de bibliotecas nos Estados Unidos e dirigiu de 1945 a 1947 a Biblioteca Nacional, publicando em 1949 o Manual Bibliográfico de Estudos Brasileiros *em companhia de William Berrien (professor da Universidade de Harvard). Após dirigir bibliotecas em New York e em Paris, publicou em 1959 sua* Bibliographia brasiliense, *seguida em 1969 da* Bibliografia brasileira do período colonial, *obras que revisou e refundiu em uma nova edição da* Bibliographia brasiliana *abaixo referida.*

Bibliografia brasiliana: rare books about Brazil published from 1504 to 1900 and works by Brazilian authors of the colonial period.

Revised and enlarged edition. Los Angeles, Rio de Janeiro: UCLA Latin America Center Publications/University of California; Livraria Kosmos Editora, [1983]. 2 v.

Esta é a segunda edição da *Bibliographia brasiliana* de 1958, revista e ampliada com os verbetes da *Bibliografia brasileira do período colonial* de 1969, obra refundida e praticamente nova, que se tornou imprescindível para estudos e indispensável em uma boa biblioteca; as ilustrações se limitam à reprodução das folhas de título.

MORAES, Rubens Borba de e BERRIEN, William (dir.). *Manual bibliográfico de estudos brasileiros.*

Rio de Janeiro: Gráfica Editora Souza, 1949.

Obra bibliográfica e básica para o estudo da cultura brasileira, incluindo amplos capítulos dedicados à arte, etnografia, geografia, folclore e obras gerais de referência. Sem ilustrações.

MORAES FILHO, ALEXANDRE JOSÉ DE MELLO

Revista da Exposição Anthropologica Brazileira.

Rio de Janeiro: Typographia de Pinheiro & Co., 1882.

Difícil classificar esta obra, mas fácil descrevê-la: foi o produto da reunião dos fascículos de uma revista publicada durante a exposição do título e a dotação de um prefácio de Ladislau Netto, diretor do Museu Nacional (Rio de Janeiro), para esta obra. Com textos de Mello Moraes, Ladislau Netto, Barbosa Rodrigues, Lacerda, Hartt, Orville Derby e outros especialistas do assunto, foi integralmente ilustrada de forma algo romântica por Huascar Nicolau de Vergara (v.), caricaturista e decorador de nacionalidade desconhecida que Gonzaga Duque considerava "artista de pouco mérito", e xilografada por Alfredo Pinheiro (Rio de Janeiro 1858-após 1901), filho e discípulo do tipógrafo português Manuel Joaquim da Costa Pinheiro (v.), chegado ao Brasil em 1843 e instalado em 1850 como tipógrafo no Rio de Janeiro; em 1874 estudou xilogravura em Lisboa e em 1879 se associou ao xilógrafo português José Martins Gomes Villas-Boas (1857-1934), seu discípulo, que participou desta empreitada. Fascinante.

MORAIS, FREDERICO

Jornalista e escritor.

Arte brasileira: do modernismo à contemporaneidade vista através do acervo da Sul América.

Rio de Janeiro: Sul América, 1985.

Obra bem feita e redigida sobre uma importante coleção, com histórico geral e comentário de cada obra. Tiragem de 3 250 exemplares (dos quais 500 com texto em inglês e espanhol) em apresentação e ilustração impecáveis.

A Olinda de Guignard na Casa de Barros Carvalho.

[Rio de Janeiro]: Co-edição RioArte/Fundação Nacional Pró-Memória, 1985.

Projetado por Lucio Costa (v.) em estilo neocolonial em 1929, um casarão sobradado em Cosme Velho, no Rio de Janeiro, foi adquirido em 1940 pelo bibliófilo e colecionador de arte Barros Carvalho e decorado com móveis e utensílios antigos, que o transformaram em autêntico museu; serve atualmente de sede ao Instituto Municipal de Arte e Cultura do Rio de Janeiro. Entre os decoradores e artistas que participaram desta reforma encontrou-se Alberto da Veiga Guignard (v.), que pintou, entre outros, o teto da sala de jantar, retratando em oito painéis (conjunto com 5,80 x 4,10 m) uma visão poética da cidade de Olinda (a qual jamais visitara). Este é o painel reproduzido nesta linda obra, realçado com o competente texto do crítico de arte Frederico Morais. NOTA: O livro contou com uma sobrecapa que deveria fazer parte integrante da obra, pois reproduz o desenho que representa o colofão deste afresco.

Azulejaria contemporânea no Brasil.

São Paulo: Editoração Publicações e Comunicações Ltda., 1988-1990. 2 v.

Rica edição em dois volumes que nos apresenta painéis de azulejos, seus detalhes e os locais de instalação. O texto (em português e inglês) foi confiado ao escritor Frederico Morais, que incluiu em seu estudo o histórico da patrocinadora Incepa e dedicou um capítulo curioso à "estética kitsch"; as fotografias, muito boas, são de José Eduardo Gouvêa. Muito interessante e recomendável.

Felicia Leirner: a arte como missão.

Campos do Jordão: Museu Felicia Leirner, [1991].

Nascida na Polônia em 1904, chegou ao Brasil em 1927 em companhia do marido; sua vocação pela escultura manifestou-se tão-só durante a década de 40, quando inicia estudos no ateliê de Victor Brecheret em 1948. Sua imensa obra escultórica encontra-se espalhada em coleções particulares e em museus nacionais e estrangeiros; uma significativa parte desta produção, de 108 peças de grande porte, foi doada pela artista ao Governo do Estado de São Paulo em 1978, tendo sido organizado e instalado o Museu Felicia Leirner (v.) em Campos do Jordão, o único museu de esculturas ao ar livre do País. A presente obra do historiador de arte Frederico Morais focaliza e analisa a obra da artista e a criação do museu, reproduzindo em preto e branco e em cores as esculturas e sua localização no parque que forma o museu.

O Brasil na visão do artista: a natureza e as artes plásticas = Brazil in the eye of the artist: art and nature.

[São Paulo]: Sudameris, s.d.

Mais uma das belas obras editadas anualmente pelo Banco Sudameris. Um texto muito competente, complementado com excelente reprodução das obras artísticas que se agrupam em torno de temas ligados à natureza e à ecologia. Muito recomendável.

MOREAUX, LOUIS AUGUSTE

Moreau ou Moreaux, pintor e retratista francês (1817-1877), aluno de seu irmão François René Moreaux (1807-1860, no Brasil a partir de 1837), participou do Salão em 1836 e 1837 e em 1838 emigrou para o Brasil, tornando-se conhecido paisagista e retratista sob o nome Moreau Junior (para distinguir-se do irmão mais velho). Em companhia do paisagista suíço Louis Buvelot (v.), que se encarregou das paisagens, participou com as figuras nas dezoito litografias publicadas em fascículos para formar o álbum Rio de Janeiro pittoresco *(v.), álbum relacionado no* CEHB *sob o nº 17 052 mas com apenas seis das dezoito estampas. Em* Brazil of Eduard Hildebrandt, *Gilberto Ferrez (v.) reproduz seu retrato daquele pintor em aquarela, datado de 1844.*

MOREIRA, ROBERTO Bottacin

Ribeirão Pires era assim.

[São Paulo: Revista Expressão, 1980].

Com a finalidade de preservar as imagens de uma coleção própria de mais de 2 000 fotografias de Ribeirão Pires que se encontrava em "estado de morte", o autor realizou um inestimável serviço à memória nacional e à daquela região, ainda que o fizesse por esta edição particular quase excessivamente modesta, com reproduções muito precárias.

MORRISON, ALLEN

The tramways of Brazil; a 130-year survey.

New York: Bonde Press, 1989.

Aproveitando o arquivo de Charles Julius Dunlop (v.), presidente da Companhia Ferro-Carril Carioca e autor de várias obras sobre o transporte no Rio de Janeiro, bem como a correspondência mantida com o mesmo por cerca de oito anos, o autor produziu uma obra deveras curiosa, e provavelmente única. O texto e os excelentes comentários são ilustrados com cartões-postais e fotografias antigas que retratam todos os veículos elétricos e de tração animal utilizados ou ainda em uso como transporte coletivo no Brasil, uma enorme quantidade de imagens que poderiam ser monótonas caso não tivessem sido colhidas como parte integrante do cenário e da vida das cidades, tornando o conjunto muito interessante.

MOTA, CARLOS GUILHERME

MOTA, Carlos Guilherme e LOPEZ, Adriana. *Brasil revisitado: palavras e imagens.*

[São Paulo]: Editora Rios, [1989].

Carlos Guilherme Mota, autor de *Ideologia da cultura brasileira*, assumiu nesta obra o encargo de interpretar a história cultural do país através de significativos textos literários e históricos e a correspondente visão desta evolução através de documentos iconográficos. O resultado foi amplamente favorável e a obra recomendável, além de visualmente bonita e com ilustrações bem reproduzidas.

MOURA, CARLOS EUGÊNIO MARCONDES DE

Doutor em Sociologia (1933), ex-professor do Serviço de Teatro da Universidade Federal do Pará e do Departamento de Teatro da Universidade de São Paulo, é autor das obras As artes do espetáculo na Província de São Paulo, O teatro que o povo cria *e* Os Galvão de França no povoamento de Santo Antônio de Guaratinguetá. *Atua freqüentemente como curador de exposições temáticas, como: "Candomblé: um culto afro-brasileiro", "Negro de corpo e alma", "O café" e "Britânicos no Brasil" (v. estes), e organizou a obra* A travessia da Calunga Grande *(v.).*

Retratos quase inocentes.

[São Paulo]: Nobel, [1983].

Excelente estudo sobre a fotografia a serviço dos "barões do café" do Vale do Paraíba em meados do século XIX, com farta reprodução de *cartes de visite*, *cabinet-portrait* e daguerreótipos coloridos, além das marcas de nove fotógrafos ativos na região naquela época; estudos adicionais de Aracy A. Amaral, Carlos A. Lemos (v. estes) e Jean-Claude Bernardet. Muito interessante.

Retratos quase inocentes: fotografar-se no Brasil entre 1855 e 1920.

[São Paulo]: Associação dos Amigos da Pinacoteca/Pinacoteca do Estado, [1993]. (Catálogo de exposição, 1993)

Importante catálogo de uma exposição de fotografias da coleção Marcondes de Moura, com boa reprodução das imagens, incluindo muitas raras e inéditas.

O Visconde de Guaratinguetá: um fazendeiro de café no Vale do Paraíba.

2ª edição. São Paulo: Studio Nobel, 2002.

Obra muito interessante sobre a cultura do café praticada intensivamente por pouco tempo em uma região paulista do Vale do Paraíba, focalizando historicamente a cidade de Guaratinguetá e uma das fascinantes figuras dos "barões do café". Esta edição é uma reedição da anterior publicada sob patrocínio da Rhodia e encontra-se ricamente ilustrada com gravuras antigas e uma coleção de retratos do Visconde e sua família, provavelmente do próprio autor.

MOURA, CARLOS FRANCISCO

Nascido em Portugal em 1932, é arquiteto formado em Brasília e professor em sua Universidade.

As artes plásticas em Mato Grosso nos séculos XVIII e XIX.

Mato Grosso: Edição da Fundação Cultural de Mato Grosso e do Museu de Arte e de Cultura Popular da Universidade Federal do Mato Grosso, 1976.

Estudo sobre o tema do título em modesta edição em boa parte referente à Expedição Langsdorff (v.); boa a ilustração e razoavelmente reproduzida. Recomendável.

A expedição Langsdorff em Mato Grosso (desenhos e pinturas inéditos há mais de 150 anos).

[Rio de Janeiro]: Imprinta Gráfica e Editora Ltda./Universidade Federal de Mato Grosso, [1984].

A obra do verbete anterior deu ensejo a este estudo sobre a documentação iconográfica da Expedição Langsdorff (v.) e reproduz 21 de seus quadros, todos comentados. Importante.

MOURA, IGNACIO BAPTISTA DE

De Belém a S. João do Araguaya, Valle do Rio Tocantins.

Rio de Janeiro/Paris: H. Garnier Livreiro Editor, 1910.

Incumbido pelo Governo do Pará de uma viagem de inspeção pelo Vale do Rio Tocantins, o Deputado Moura relata suas observações e as ilustra com fotografias amadorísticas provavelmente próprias, mas interessantes e muito bem reproduzidas.

MOUTINHO, JOAQUIM FERREIRA

Noticia sobre a Provincia de Matto Grosso seguida d'um roteiro de viagem da sua capital á S. Paulo.

São Paulo: Typographia de Henrique Schroeder, 1869.

Obra de um comerciante português que retorna à pátria, misto de reminiscências pessoais, relato histórico e narrativa de viagem; citada em Sacramento Blake, em Berrien como "clássica" e sob nº 687 no CEHB, é enriquecida com diversos retratos e várias litografias por oficina não revelada, quase todas cópias de Debret (v.), destacando-se ainda uma excepcional vista de Cuiabá (MT), uma planta da cidade, os fortes de Coimbra e Príncipe da Beira, e uma vista de Corumbá (MS). Muito interessante.

MUELLER, BONIFACIO

Convento de Santo Antônio de Recife: 1606-1956: esboço histórico.

Recife: s.e., 1956.

Estudo erudito por um padre franciscano e reputado historiador; bem ilustrado e com fotografias completas dos onze painéis de azulejos portugueses que ornam a igreja, conta ainda com um desenho da fachada do convento (na capa) por Tarcisio, um dos frades.

MUNIZ, MARIA IZABEL Perini

Arquitetura rural do século XIX no Espírito Santo.

Vitória: s.e., 1989.

Fruto de uma tese de mestrado defendida em São Paulo por uma arquiteta capixaba, atual professora da Universidade Federal do Espírito Santo, esta é uma obra interessante sobre as sedes das fazendas do vale do rio Santa Maria subordinada aos temas: o homem, a época, o lugar e a arquitetura, mas sem preocupação com aspectos socioeconômicos, decorativos ou artísticos. A autora forneceu ampla documentação fotográfica (em branco e preto e pequena dimensão) e contribuiu com um desenho aquarelado de cada uma das sedes estudadas.

MUSA, JOÃO LUIZ

João Luiz Musa: viagem a uma terra desconhecida: exposição de fotografias.

[São Paulo]: Museu de Arte de São Paulo Assis Chateaubriand, [1992]. (Catálogo de exposição, jul. 1992)

A julgar por este excelente catálogo, a exposição deste jovem fotógrafo, que atua simultaneamente como viajante imaginário e tradutor visual das imagens captadas, deve ter sido de grande impacto e beleza; foram transcritas 23 destas "viagens", mas apenas sete das belas imagens reproduzidas.

MUSEUS

Segundo nosso Aurélio, museu é "qualquer estabelecimento permanente criado para conservar, estudar, valorizar pelos mais diversos modos, e sobretudo expor para deleite e educação do público, coleções de interesse artístico, histórico e técnico", conceito ampliado e completado para "instituição permanente, sem finalidade lucrativa, a serviço da sociedade e de seu desenvolvimento, aberta ao público, voltada à pesquisa dos testemunhos materiais do homem e de seu entorno, que os adquire, conserva, comunica e, notadamente, expõe, visando a estudos, educação e lazer", pelo Conselho Internacional de Museus - ICOM (International Council of Museums) em 1987. Pequena é a literatura museológica brasileira e assim também poucas as obras que nos fornecem relação dos museus brasileiros, constando como pioneiras entre estas Museus do Brasil, *de Heloísa Alberto Torres, e* Recursos educativos dos museus brasileiros *(1958), de Guy de Hollanda (v.). Em* Guia dos Museus do Brasil *(1972), de Fernanda de Camargo e Almeida (v.), a autora nos revela a intenção inicial de arrolar apenas os principais museus do País, intenção que afirma compartilhada por muitos outros técnicos e especialistas, mas também indaga quais seriam "os principais, os mais importantes, os mais belos", para chegar à conclusão da necessidade de "dar o máximo de informações sobre os museus", ou seja, relacionar todos os existentes. Examinando esta obra e a precedente de Guy de Hollanda, constatamos a existência de um número apreciável de museus naquela época, um número que nos poderia propiciar a impressão de riqueza cultural não fosse outra a realidade e pouco expressivos e confiáveis os dados então fornecidos para publicação; sabia-se na época que a situação dos museus não era lisonjeira e tampouco animadora, encontrando-se muitos na fase inercial de "organização", outros mal conservados e incapazes de exercer suas funções e outros tantos simplesmente desativados. Sabia-se também, como sabemos até hoje, que a grande maioria dos museus relacionados não dispunham sequer de uma relação do acervo e que a maioria dos municipais era tão-só depositária de conjuntos de objetos desconexos: moedas avulsas, animais empalhados, móveis e utensílios avulsos; poucos os museus que dispunham de um guia mimeografado para consulta no local e muito poucos os que contavam com um catálogo de seus acervos. Em 1996 foi publicada a obra* Guia dos Museus Brasileiros. Edição Preliminar, *uma tentativa realizada por uma equipe da Universidade de São Paulo de relacionar todos os museus nacionais; para esta pesquisa foi adotado o conceito "preliminar" como uma fórmula justificativa da obra incompleta e imprecisa, fruto de dados incorretos e, em alguns casos, de omissão total de informações, como ocorreu com dez das entidades do Maranhão e com várias outras ligadas a universidades federais e estaduais. Ainda que esta fase fosse "preliminar" e se fizesse sentir no conjunto, a obra não deixou de ser fruto de esforços muito grandes e dignos de nota, estabelecendo também uma política a seguir sempre e também no futuro: "convivem aqui grandes museus e pequenos acervos museológicos, mostrando a diversidade característica de nosso país". A este "Guia" seguiu-se o* Guia de Museus Brasileiros *(Edusp, 2000), da Comissão do Patrimônio Cultural da USP, coordenada por Maria Cecília França Loureiro, professora de História da Arte da FAU, excelente e importante obra incluída na série de doze publicações da "Uspiana – Brasil 500 Anos", que complementa e conclui o guia anterior e relaciona e descreve tecnicamente mais de quinhentos museus espalhados pelo território nacional.*

Além destes guias, o Banco Safra (v.) publicou, a partir de 1982, uma série de 21 obras dedicadas a grandes museus brasileiros, todas encadernadas e de superior qualidade gráfica, abaixo relacionadas; estas obras variaram em importância e entre si, obviamente, mas todas podem ser consideradas indispensáveis para estudos.

A pinacoteca do MASP: de Rafael a Picasso *(1982)*
O Museu de Arte Sacra de São Paulo *(1983)*

Museu Paulista da Universidade de São Paulo *(1984)*
O Museu Nacional de Belas Artes *(1985)*
O Museu Paraense Emílio Goeldi *(1986)*
O Museu de Arte Sacra da Universidade Federal da Bahia *(1987)*
O Museu de Valores do Banco Central do Brasil *(1988)*
O Museu Histórico Nacional *(1989)*
O Museu de Arte Contemporânea da Universidade de São Paulo *(1990)*
O Museu Lasar Segall *(1991)*
O Museu Imperial *(1992)*
Palácio Itamaraty: Brasília: Rio de Janeiro *(1993)*
A Pinacoteca do Estado *(1994)*
O Museu da Inconfidência *(1995)*
Os Museus Castro Maya *(1996)*
O Museu de Arte da Bahia *(1997)*
O Museu de Arte Moderna de São Paulo *(1998)*
O Museu de Arte Moderna do Rio de Janeiro *(1999)*
O Museu do Homem do Nordeste *(2000)*
O Museu de Arte do Rio Grande do Sul *(2001)*
Palácio Itamaraty: Brasília: Rio de Janeiro *(2ª edição, 2002)*

A Funarte, por sua vez, criou em 1979 a "Coleção Museus Brasileiros", uma notável série que primou por excelência e se tornou indispensável para a história das artes no Brasil; de acabamento impecável, foram publicadas as seguintes obras:

Museu Nacional de Belas Artes
Museu de Imagens do Inconsciente
Museu de Arte de São Paulo *(1981)*
Museu Paraense Emílio Goeldi *(1981)*
Museu do Folclore Edison Carneiro *(1981)*
Pinacoteca do Estado – São Paulo *(1982)*
Museu da Inconfidência *(1984)*

A Funarte também publicou pequenos guias para divulgar e incentivar visitas aos museus brasileiros; bem elaborados em papel couché (21 x 21 cm), muito bem ilustrados e com sucintos textos explicativos, foram publicados:

Museu Nacional de Belas Artes
Palácio Itamaraty: Museu Histórico e Diplomático
Museu Imperial de Petrópolis
Museu de Arte de São Paulo
Museu de Arte Sacra da Bahia
Museu de Arte Moderna de Resende

NOTA: *As obras sem autor declarado serão relacionadas nos correspondentes Estados.*

Museus brasileiros = Brazilian museums = Museos brasileños: edição comemorativa dos 25 anos da Revista Abigraf.

Suplemento da edição nº 192 da *Revista Abigraf*, São Paulo, fev. 2001.

Editado em português, espanhol e inglês, este número especial engloba estudos sobre os acervo do MASP, da Pinacoteca do Estado de São Paulo, do MAMRJ, do MAC-USP, do Museu Lasar Segall e do MNBA, todos muito bem ilustrados. Importante.

Guia de museus brasileiros: edição preliminar.

São Paulo: Universidade de São Paulo/Pró Reitoria de Cultura e Extensão Universitária/Comissão de Patrimônio Cultural, 1996.

Pesquisa empreendida por uma equipe da USP para um levantamento "preliminar" dos museus existentes no território nacional.

Guia de museus brasileiros.

Comissão de Patrimônio Cultural. São Paulo: Edusp/Imprensa Oficial, 2000.

Até a data é este o mais atualizado e completo dos guias de museus brasileiros; em excelente edição e muito bem ilustrado, foi elaborado pela Comissão de Patrimônio Cultural da USP, sob a coordenação de Maria Cecília França Loureiro e constitui o aperfeiçoamento e a conclusão da anterior *Edição preliminar* do verbete *supra*. Indispensável.

ALAGOAS

Catálogo ilustrado da coleção arqueológica: Instituto Histórico e Geográfico de Alagoas: Museu.

Napoleão Figueiredo e Maria Helena de Amorim Folha. [Maceió: Instituto Histórico e Geográfico de Alagoas, 1976].

"As culturas arqueológicas pré e pós cabralinas na Amazônia brasileira", um longo estudo científico de Napoleão Figueiredo e Maria Helena de Amorim Folha, precede este catálogo ilustrado da "Coleção Montenegro" (Joaquim Jonas Bezerra Montenegro, 1843-1932), que ainda conta com amplo histórico da coleção e as pesquisas arqueológicas na Ilha do Marajó, além de uma extensa bibliografia.

Instituto Histórico e Geográfico de Alagoas: Museu: catálogo ilustrado da Coleção Perseverança.

Abelardo Duarte, Secretário Perpétuo [do] Instituto Histórico e Geográfico de Alagoas – Museu. Maceió: Departamento de Assuntos Culturais/Senec, 1974.

Abelardo Duarte, Secretário Perpétuo do Instituto, é o organizador e autor do texto histórico deste catálogo de uma grande coleção de objetos e peças de xangôs ("terreiros" de culto africano) que remontavam ao século XIX e foram destruídos em 1912; bons textos, relação dos terreiros, bibliografia e boas ilustrações.

BAHIA

Bahia: museus.

Salvador: Bahiatursa, s.d. (Catálogo).

Com fotografias de Aristides Alves e texto de Waldeloir Rego, este é um dos melhores guias de turismo cultural publicados no País.

O Museu de Arte Sacra da Universidade Federal da Bahia.

São Paulo: Banco Safra, 1987.

A reputação internacional de "mais belo museu sacro do mundo" não é tão-só uma fama, pois este museu alia sua posição e excepcional vista sobre a cidade de Salvador à beleza do antigo Convento e Igreja de Santa Teresa e à indescritível qualidade de seu acervo artístico. Criado em 1959 por Edgard Santos, reitor da Universidade Federal da Bahia, teve como organizador e diretor até 1972 o monge beneditino D. Clemente da Silva-Nigra (v.), um dos mais notáveis historiadores de arte, que outorgou ao museu o *status* que tão justificadamente desfruta atual e internacionalmente. Em uma das impecáveis edições do Banco Safra (v.) é revelada a riqueza do acervo e a beleza do convento que o abriga. Texto de Pedro Moacir Maia e as excepcionais fotos de Rômulo Fialdini (v.).

50 peças do Museu de Arte Sacra da Bahia.

Texto do Prof. Valentim Calderon de La Vara, incorporando estudo histórico inédito sobre o Convento de Santa Teresa, ficha técnica, comentários e bibliografia de 50 peças representativas do acervo do museu. São Paulo: Edição por convênio entre a Universidade Federal da Bahia e a Dow Química S.A., 1981.

Comemorando um quarto de século de atividade industrial no país, a Dow Química patrocinou esta bem apresentada obra. Muito mais do que promete o subtítulo e o correspondente texto de um antigo diretor do museu, encontramos belas vistas gerais e as fotografias das peças escolhidas (e muitos de seus detalhes) por Bruno Furrer (v.), além dos competentes comentários da Seção Técnica do museu.

Museu de Arte Sacra da Bahia.

[Rio de Janeiro]: Ministério da Indústria e Comércio/Embratur – Empresa Brasileira de Turismo/Ministério da Educação e Cultura/Fundação Nacional de Arte/Instituto Nacional de Artes Plásticas, [1979?].

Um dos catálogos-guias da Funarte, bem ilustrado.

Museu de Arte Sacra da Universidade da Bahia.

S.l.: s.e., s.d.

Folheto de apresentação em quatro páginas, ilustrado, e com um pequeno texto histórico.

Museu de Arte da Bahia.

S.l.: Fundação Roberto Marinho/Desenbanco, s.d.

Bom catálogo seletivo do acervo deste museu instalado no Palácio da Vitória em Salvador. Com apresentação de Geraldo Machado e prefácio de Emanoel Araujo (v.), seu diretor e reorganizador, que também se incumbiu da descrição técnica das peças. NOTA: A sobrecapa reproduz uma vista do porto de Salvador por Joseph Leon Righini (v.).

Museu de Arte da Bahia: guia dos visitantes.

[Salvador]: Secretaria da Educação e Cultura/Divisão de Museus e Patrimônio Cultural/Edição da Imprensa Oficial da Bahia, [1970].

Primeiro volume desta série "Coleção Artes da Bahia" e texto de seu Diretor, Carlos Eduardo da Rocha, esta bem cuidada edição reproduz algumas peças do acervo em preto e branco e outras em cores, estas aplicadas sobre as folhas, conferindo à publicação uma graça especial. 378 peças foram descritas e relacionadas por salas.

O Museu de Arte da Bahia.

São Paulo: Banco Safra, 1997.

Em mais uma desta notável série, o Banco Safra (v.) apresenta um museu orientado para as artes plásticas, as sacras e as decorativas, representadas por um importante conjunto de telas, mobiliário baiano, ourivesaria, porcelanas, cristais e alfaias. Todas as peças reproduzidas por Rômulo Fialdini (v.) foram técnica e artisticamente descritas.

Museu do Recôncavo.

Aratu: s.e., s.d.

Pequena plaqueta de apresentação deste museu instalado no antigo Engenho Freguezia no Recôncavo Baiano; ilustrada e com texto condensado de obras dos historiadores Wanderley Pinho e Carlos Eduardo da Rocha.

Museu do Recôncavo Wanderley Pinho: Engenho Freguezia: criado pelo decreto nº 20.529, de 3/01/68, e inaugurado em fevereiro de 1971 pelo Governador Luiz Viana Filho.

[Salvador]: Imprensa Oficial da Bahia, 1971.

Ótimo guia redigido pelo Diretor dos Museus e Patrimônio Cultural da Bahia para este museu criado em 1971 e instalado no Engenho da Freguezia (também conhecido pela padroeira da antiga igreja, Nossa Senhora da Piedade), no Recôncavo Baiano. Notável a coleção de móveis, utensílios e objetos de arte, infelizmente não ilustrada, neste catálogo que conta tão-só com três boas fotografias do engenho e quatro desenhos a bico de pena de Floriano Teixeira (1921).

Museu do Recôncavo Wanderley Pinho: o Engenho Freguesia.

Carlos Eduardo da Rocha. 2ª edição. Salvador: Editora Itapuã, 1973.

Esta é uma segunda edição do guia do verbete anterior, com acentuada melhoria na qualidade do papel e na apresentação, além de bom número de bem reproduzidas ilustrações; o texto é o mesmo, assim como as referências bibliográficas e os desenhos de Floriano Teixeira.

Museu do Carmo.

Salvador: [Museu do Carmo], 1974.

Linda plaqueta do Museu de Arte Sacra instalado no Salão Histórico do Convento do Carmo em Salvador. Texto de Frei Eliseu Vieira Guedes, com boas fotografias de Dimitri Lambru (v.).

Museu do Carmo: Salvador, Bahia.

São Paulo: Ambrosiana, s.d. (Suite de dez cartões)

Pequeno álbum de dez cartões em cores (10 x 7 cm), com uma vista do convento portando o título e servindo de capa, e os demais com vistas do museu e peças do acervo.

Museu do Carmo: Salvador, Bahia.

São Paulo: Ambrosiana, s.d. (Suite de treze cartões)

Álbum para uma suite de treze cartões em cores (13 x 9 cm), com uma vista da igreja e do convento servindo de capa, e os demais com vistas internas do museu e peças do acervo.

Museu Afro-Brasileiro.

Salvador: [Universidade Federal da Bahia], 1983.

Um museu afro-brasileiro na Bahia de há muito se fazia necessário; mas a iniciativa da Universidade Federal da Bahia, criando em 1982 o atual museu no prédio da antiga Faculdade de Medicina no Terreiro de Jesus, em Salvador, parece ter sido tímida e pouco expressiva. O presente catálogo demonstra uma pobreza acentuada do material coligido, obtido na comunidade local e por doação proveniente de diversas regiões africanas, assim como foram muito mais políticos do que museológicos os textos de Luis Fernando Macedo Costa, Reitor da Universidade, e de Yêda Pessoa de Castro, diretora do Centro de Estudos Afro-Orientais, para este catálogo. NOTA: Ao que tudo indica, este Museu continua inativo neste início do século XXI.

Museu de Arte Moderna da Bahia – MAMB.

[Salvador]: Fundação Cultural do Estado da Bahia/Coordenação de Museus e Artes Plásticas, s.d. (Catálogo)

Bom catálogo deste museu criado em 1960 por Lina Bo Bardi (v.) e instalado no lendário Solar do Unhão, em Salvador. Além de reprodução das telas mais expressivas (parcialmente em cores), o catálogo contou com uma relação da totalidade do acervo.

Museu Carlos Costa Pinto: catálogo = catalogue.

Salvador: Fundação Museu Carlos Costa Pinto, 1984.

Riquíssima coleção de prataria, jóias, cerâmicas, móveis e quadros, doadas pela viúva do industrial Costa Pinto (1885-1946) em 1969 para a formação do museu em sede própria, parcialmente descrita e apreciada por Mercedes Rosa, a diretora, e muito bem reproduzida neste simpático e bem elaborado catálogo.

Museu Carlos Costa Pinto.

Salvador: Fundação Museu Carlos Costa Pinto, 1997.

Independente da qualidade e importância das peças constantes do acervo do Museu Carlos Costa Pinto (Salvador), a reprodução destas peças nesta lindíssima obra de superior qualidade, e a apresentação geral de singular beleza e expressividade, fazem a obra digna de contar entre as melhores da museologia nacional, fruto dos esforços do coordenador Salvador Monteiro, do texto de Mercedes Rosa (diretora da Fundação Carlos Costa Pinto) e das fotografias de Sergio Pagano e Bruno Furrer (v. estes).

Museu Carlos Costa Pinto: catálogo inventário de artes plásticas.

Salvador: Fundação Carlos Costa Pinto, 1988. (Catálogo)

Contrastando com o acervo principal do museu, formado por louças, prataria, móveis e alfaias do século XIX, a coleção de artes pláticas é quase exclusivamente do século XX e preponderantemente baiana. Catálogo com reproduções em preto e branco e em cores, estudo geral e biografias artísticas por Zelia Bastos.

Museu Hansen-Bahia.

Cachoeira: Fundação Hansen-Bahia, s.d. (Catálogo)

O gravador Karl Heinz Hansen-Bahia (v.) legou por testamento à cidade de Cachoeira (BA) seu acervo artístico, seu ateliê e a residência, conjunto que foi incorporado à Fundação Hansen-Bahia após seu falecimento em 1979 e instalado como museu no centro histórico de Cachoeira (BA). O presente catálogo, simples mas bem feito, reproduz oito trabalhos expressivos e relaciona a totalidade da produção do artista.

CEARÁ

Mini Museu Firmeza.

[Fortaleza]: Imprensa Universitária da Universidade Federal do Ceará, s.d.

Nilo Brito Firmeza (1919), também conhecido por Estrigas, mantém em sua cidade natal (Mondubim, CE) um pequeno museu em que reúne obras de artistas cearenses. A presente plaqueta de apresentação é de autoria do próprio Estrigas, contendo algumas ilustrações sofrivelmente reproduzidas.

Museu Sacro S. José de Ribamar: catálogo.

Aquiraz: s.e., 1981. (Catálogo)

Instalado em 1967 no antigo prédio da Câmara Municipal de Aquiraz (datado de 1880), abriga uma importante coleção de arte sacra organizada pelo Padre José Helio Paiva. É o segundo catálogo de uma série editada pela Universidade Federal do Ceará que também serve de guia, reproduz sofrivelmente todas as peças em exposição e, em aditamento, as que se encontram em depósito, revelando uma notável coleção.

Museu Diocesano Sobral: Ceará: arte sacra: catálogo.

[Fortaleza: Universidade do Ceará, 1982].

Terceiro volume de uma série de catálogos de museus do Ceará, empreendida pela Universidade Federal do Ceará. O museu foi instalado no antigo Palácio Episcopal em Sobral (meados do século XIX) e inaugurado em 1952, e segue o mesmo critério do catálogo do verbete anterior. NOTA: Como primeiro volume da referida série foi publicado em 1980 o catálogo do Museu Jaguaribano, de Aracati.

MARANHÃO

Exposição das telas da coleção artística Artur Azevedo da Pinacoteca do Palácio dos Leões: catálogo.

Maranhão: s.e., 1966. (Catálogo de exposição, 1966)

Em 1910 o governo maranhense adquiriu a enorme coleção de artes plásticas do escritor e dramaturgo Artur Azevedo (1855-1908), formada por 11 490 estampas, 3 256 litografias, 350 quadros e 93 óleos, além de fotografias e esculturas; este patrimônio foi seriamente dilapidado no decorrer dos anos e atualmente está reduzido a 33 óleos que se encontram na Pinacoteca, além de uma pequena parte das gravuras e desenhos na Biblioteca Pública. Um catálogo desta Pinacoteca se fazia indispensável, mas o presente não cumpre bem este imperativo; em quarto grande, conta com boa resenha histórica e a cópia de oito biografias artísticas de Gonzaga Duque (outras três de outros autores), além da relação do acervo dos 33 quadros e das fontes bibliográficas; como ilustração, entretanto, contém apenas dois quadros muito mal reproduzidos.

Palácio dos Leões: síntese histórica e guia descritivo do Palácio e da Pinacoteca.

Maranhão: Departamento de Cultura do Estado, 1964.

Informa uma nota prévia tratar-se de um catálogo de "artística e cuidada edição"; na realidade é uma edição pretensiosa, de grande formato, espantoso dispêndio de papel e péssima reprodução das ilustrações. Mesmo assim vale pela "Resenha Histórica" (autor não revelado) e pelo "Guia", além da boa seleção de fotografias dos ambientes e de alguns quadros importantes da "Coleção Arthur Azevedo", a base da Pinacoteca.

Palácio dos Leões: São Luís: Maranhão.

[São Luís do Maranhão: Secretaria de Cultura do Estado, 1988].

Catálogo de divulgação e apresentação do Palácio e seu acervo, com bom histórico e fotografias muito bem reproduzidas. Tiragem de 3 000 exemplares patrocinada pela Souza Cruz.

MATO GROSSO

Museu de Arte Sacra: Cuiabá: Mato Grosso.

Cuiabá: Fundação Cultural de Mato Grosso, s.d.

Pequeno álbum reproduzindo em cores o museu e parte de seu acervo proveniente da Catedral do Senhor Bom Jesus e da Igreja de Nossa Senhora do Rosário; instalado no antigo Seminário da Conceição (iniciado em 1858).

MINAS GERAIS

Museus e casas históricas: IPHAN – 13ª CR/MG: São João del Rei, Sabará, Diamantina, Serro, Caeté, Santa Bárbara, Mariana.

Belo Horizonte: Ministério da Cultura/Instituto do Patrimônio Histórico e Artístico Nacional/13ª Coordenação Regional, 1995.

Pequeno álbum bem ilustrado para servir de índice aos museus nas cidades constantes do título e sob coordenação da 13ª região do IPHAN. Importante.

O Museu da Inconfidência.

[São Paulo]: Banco Safra, [1995].

Instalado em um dos prédios históricos mais importantes da cidade de Ouro Preto, este é um museu que se impõe por sua importância histórica, riquíssimo acervo, grande coleção de imaginária, muitas esculturas do Aleijadinho (v.) e os desenhos originais de seus profetas; conta ainda com uma das melhores coleções de móveis e utensílios do país. Um breve histórico e a maior parte dos textos foram confiados a Rui Mourão, e as fotografias, a Rômulo Fialdini (v.), formando um dos melhores volumes da excelente série publicada pelo Banco Safra (v.).

Museu da Inconfidência.

Rio de Janeiro: Edição Funarte, 1984. (Coleção Museus Brasileiros, 7)

Sétimo volume desta excelente coleção, conserva a alta qualidade das publicações anteriores mas difere um pouco no enfoque, pois pretende "retirar a apresentação de acervos do plano da mera contemplação" ao apresentar um ensaio do historiador Francisco Iglesias sobre a formação social mineira no século XVIII "além da documentação, texto e iconografia". A parte museológica é apresentada pelo diretor Rui Mourão, que descreve o museu e o prédio e comenta as obras relacionadas; muito boas as ilustrações. Pelo conjunto e excelentes reproduções, é obra especialmente importante.

Museu Aleijadinho: por Francisco Barroso Filho.

Ouro Preto: s.e., [1977].

Catálogo quase luxuoso deste museu inaugurado em 1968 e instalado na Matriz de Antonio Dias, em Ouro Preto. Coordenação do Padre Francisco Barroso, diretor do museu, com rica e abundante ilustração. A edição é em português, inglês e francês, com o mesmo destaque, atrapalhando um pouco a leitura dos textos.

Museu de Arte Sacra do Carmo: Casa do Noviciado da Venerável Ordem Terceira do Carmo.

Ouro Preto: Museu de Arte Sacra do Carmo, s.d. (Catálogo)

Instalado na restaurada Casa do Noviciado, este museu foi criado para apresentar acervo próprio e rotativo de mais de 3 000 peças catalogadas e provenientes da Paróquia de Nossa Senhora do Pilar, em Ouro Preto. Com pesquisa e textos de Heloisa Magalhães Duncan e Margarida Rodrigues Ramos, este é um bem elaborado e ilustrado catálogo.

Museu Casa Guimarães Rosa.

Cordisburgo: s.e., 1984. (Catálogo)

Instalado e inaugurado em 1974 na modesta casa que serviu de residência e estabelecimento comercial (uma "venda") aos pais do escritor João Guimarães Rosa (1908-1967), o museu foi reestruturado e reinaugurado em 1984, ocasião em que foi distribuído este catálogo, muito bem organizado pelo Instituto Estadual do Patrimônio Histórico e Artístico de Minas Gerais em colaboração com Pró-Memória – Programa Nacional de Museus. É provável que este seja o mais completo relato cronológico da vida e obra do grande romancista e foi dotado de ilustrações inéditas.

Museu de Ferragens John Somers.

[São João del Rei]: s.e., s.d. (Catálogo)

John Somers, cidadão inglês, outrora estabelecido como antiquário no Rio de Janeiro, tornou-se importante fabricante de utensílios de estanho em sua fábrica em São João del Rei, onde mantém importante museu de sua produção. Independente deste museu do estanho, John Somers mantém um outro e muito especializado museu, uma coleção de ferragens da construção doméstica e de móveis, coleção da qual a presente plaqueta é o catálogo, com todas as peças descritas; na capa, interessante fotografia de algumas peças. NOTA: Esta coleção encontra-se atualmente instalada no Museu de Arte Sacra do Carmo, em Ouro Preto.

Museu Ferroviário de S. João Del Rey: 1º centenário da Estrada de Ferro Oeste de Minas: 1881-1981.

[Brasília]: Ministério dos Transportes/Rede Ferroviária Federal, [1981?].

Poucos são os museus nacionais que fazem jus à finalidade a que foram destinados, e entre estes poucos se destaca o presente, com o aditamento de alta qualidade, expressa também neste belo catálogo; publicado pelo Programa de Preservação do Patrimônio Histórico do Ministério dos Transportes, teve em Maria Elisa Carrazzoni uma competente organizadora e redatora de textos.

Museu Mineiro.

Minas Gerais: IEPHA – Instituto Estadual do Patrimônio Histórico e Artístico/EEPHA/MG – Fundação, [1980?].

Criado em 1910 com sede em Belo Horizonte, este museu era formado pelo antigo "Arquivo Público Mineiro" e por um pequeno conjunto de objetos heterogêneos. Em 1971 foi organizada a "Pinacoteca do Estado de Minas Gerais" e em 1978 adquirida a coleção "Geraldo Parreiras", núcleos que foram incorporados ao museu e este instalado no antigo prédio do Senado Mineiro. O conjunto é apresentado neste rico álbum que conta com texto muito competente sobre o prédio, o acervo e o ambiente cultural mineiro (autoria provável de Galileu Reis, o Diretor Executivo). Boa reprodução de imagens religiosas do barroco mineiro e de alguns quadros.

PARÁ

Museu Paraense Emílio Goeldi.

Rio de Janeiro: Edição Funarte, 1981. (Coleção Museus Brasileiros, 4)

Como quarto volume desta importante coleção, esta obra revela um museu que foi criado em 1866 por Domingos Soares Ferreira Penna (1818-1888) como Sociedade Philomatica, passou a denominar-se "Museu Paraense de Historia Natural e Ethnographia" em 1894 e, finalmente, Museu Paraense Emílio Goeldi em 1931, homenageando assim este grande naturalista suíço (v.) e seu diretor de 1894 a 1907. A obra focaliza somente a arqueologia indígena e as posteriores (1900-1959) áreas culturais, tendo sido confiada a resenha histórica a Luiz Miguel Scaff e as científicas a diversos especialistas. A seleção das peças e correspondente reprodução são muito boas.

O Museu Paraense Emílio Goeldi.

[São Paulo]: Banco Safra/Conselho Nacional de Desenvolvimento Científico e Tecnológico/Ministério da Ciência e Tecnologia/MPEQ/CNPQ/MCT, [1986].

Um museu essencialmente científico, desenvolveu-se lentamente e sob condições muito difíceis para obter na atualidade um destaque nacional e internacional. A grande maior parte das reproduções neste volume da excelente série publicada pelo Banco Safra (v.) é dedicada ao acervo de etnologia e arqueologia, contando ainda com as do Parque Zoobotânico, de Botânica, de Zoologia, de Geologia e da biblioteca; o catálogo geral abrange tão-só as peças reproduzidas de etnologia e arqueologia.

Museu Paraense Emilio Goeldi: 120 anos na busca da excelência científica.

Napoleão Figueiredo, Sergio de Almeida Bruni. Belém: s.e., 1987.

Dois pesquisadores do CNPQ apresentaram este trabalho em um encontro de museólogos em Portugal; edição modesta com poucas ilustrações, todas técnicas.

Museu da Cidade de Belém.

[Belém]: Falangola Editora/Museu da Cidade, 1988.

Criado em 1986, este museu é sucessor da quase centenária Pinacoteca Municipal, cujo acervo se encontrava em precário estado de conservação e espalhado por repartições municipais diversas. Reduzido atualmente a cerca de 300 telas e iniciados imprescindíveis restauros, o presente pequeno e despretensioso catálogo relaciona todas as obras e reproduz as mais representativas, destacando-se entre estas apenas as de Antonio Parreiras, Aurélio de Figueiredo e Benedito Calixto (v.).

Belém: cenas e imagens: Museu de Arte de Belém.

Belém: Prefeitura Municipal de Belém/Fundação Cultural do Município de Belém, 1994. (Catálogo de exposição, 1994)

Bela plaqueta que serviu de catálogo à exposição do acervo do Museu de Arte de Belém por ocasião de sua instalação no Palácio Antonio Lemos, sua sede definitiva. Além da relação completa, que inclui significativas obras de Goeldi, Wambach, Benedito Calixto (v. estes), Parreiras e outros, constaram em cores vários quadros antes e depois do restauro.

Museu do Estado do Pará: MEP: guia de visitação.

Belém: Secult/Unama, 2000.

Pequeno e modesto álbum que contém importante texto de Alan Coelho e Ana Cristina Braga sobre o Palácio Lauro Sodré e outras obras do arquiteto Giuseppe Antonio Landi (v.) em Belém do Pará, enriquecido com boas mas poucas fotografias. Muito útil.

PARAÍBA

Museu Escola e Sacro do Estado da Paraíba.

João Pessoa: Secretaria de Educação e Cultura, 1974.

Instalado no belíssimo conjunto Igreja São Francisco – Convento Santo Antônio, do século XVIII na capital paraibana João Pessoa, este museu foi inaugurado em 1970 e comporta abrangência museológica muito maior do que o título faz supor. A maior parte do catálogo, de acabamento modesto mas bem apresentado e elaborado, é dedicada ao convento e sua igreja.

PARANÁ

Catálogo Museu Coronel David Carneiro: Curitiba: Paraná.

Rio de Janeiro: Ministério da Educação e Saúde/Serviço do Patrimônio Histórico e Artístico Nacional/Serviço Gráfico do Ministério da Educação e Saúde, 1940. (Catálogo)

Como terceiro volume das Publicações do Serviço do Patrimônio Histórico e Artístico Nacional, este foi o único da série que se limitou a transcrever tão-só o acervo de um museu. Portando o nome do Coronel David Carneiro, foi fundado e organizado por seu filho, David Antonio da Silva Carneiro, e em 1931 instalado em Curitiba, em uma casa de sua propriedade. Dedicado inicialmente à numismática e medalhística, evoluiu para assuntos militares, formando-se uma imensa coleção de armas brancas e de fogo, uniformes, botões e quepes, bandeiras e canhões. Com poucas ilustrações, é um catálogo para especialistas. NOTA: Esta publicação é muito rara, constando entre os livreiros-antiquários ter sido destruída a grande maioria da edição em um incêndio.

Museu de Arqueologia e Artes Populares: antigo Colégio Jesuíta.

Paranaguá: Ministério da Educação e Cultura/Universidade Federal do Paraná/Museu de Arqueologia e Artes Populares, s.d.

Instalado em uma dependência da ruína do antigo Colégio Jesuíta no Porto de Paranaguá, este pequeno e simpático museu é dedicado à Antropologia, peças da cultura indígena e uma pequena parte à atual pesca artesanal. O catálogo é meramente descritivo, com reprodução de alguns desenhos de peças do acervo.

Museu de Arte Sacra da Arquidiocese de Curitiba: Igreja da Ordem Terceira de São Francisco das Chagas.

S.l.: [Museu de Arte Sacra da Arquidiocese de Curitiba/Igreja da Ordem Terceira de São Francisco das Chagas], s.d. (Catálogo)

Modesto folheto que serve de guia e catálogo do acervo, sem ilustrações.

Museu Tingüi-Cuera.

Araucária: s.e., [1980?].

Catálogo de um pequeno museu no município de Araucária (vizinho de Curitiba). O nome silvícola do museu se prende à região e não ao conteúdo, este dedicado aos usos e costumes e ao trabalho rural do colono de origem polonesa. Cada um dos 330 itens conta com uma diminuta fotografia e um verbete explicativo.

PERNAMBUCO

O homem do Nordeste.

2ª edição. Recife: Fundação Joaquim Nabuco/Editora Massangana, 1982. (Série Documentos, 12)

Volume 12 da série, esta modestíssima edição é na realidade uma apresentação do "Museu do Homem do Nordeste", entidade que resultou da fusão dos museus de antropologia, da arte popular e do açúcar da própria fundação em 1979. A um artigo introdutório de Gilberto Freyre seguem-se diversos estudos por especialistas, ilustrados com vistas das correspondentes salas, um conjunto importante em uma brochura com capa em cores e o restante execravelmente impresso, paginado e ilustrado.

Museu do Açúcar.

Recife: s.e., 1969.

Guia-catálogo de um museu especializado, criado em 1960. Além do rico acervo relacionado ao cultivo e à industrialização da cana-de-açúcar, o museu também conta com importante seção de numismática, uma extraordinária biblioteca de obras raras relacionadas aos viajantes e uma coleção de 15 000 fotografias de famílias nordestinas do século XIX. As ilustrações são poucas, mas boas.

Museu de Arte Contemporânea de Pernambuco.

Recife: Ministério da Educação e Cultura/Fundação Nacional de Arte/Instituto Nacional de Artes Plásticas/Governo do Estado de Pernambuco/Secretaria de Turismo, Cultura e Esportes, 1982.

Nasceu este museu em 1966 e foi instalado em um "aljube" (prisão para religiosos ofensores), prédio antigo de Olinda (1722) que servira anteriormente de Câmara Municipal e Cadeia a esta vizinha cidade de Recife. Por se tratar de um mero catálogo descritivo do acervo (de autoria do pintor José Claudio), não foi incluído pela Funarte na "Coleção de Museus Brasileiros", ainda que editado com as mesmas características (mas diferindo na qualidade inferior do papel, na impressão e reprodução apenas sofrível das ilustrações em cores).

Museu Franciscano de Arte Sacra: Venerável Ordem Terceira de São Francisco do Recife: catálogo.

5ª edição. [Recife]: s.e., 1981.

Modesto folheto de autoria de seu diretor, o historiador Fernando Pio, descrevendo o acervo de 74 peças e a Capela Dourada desta antiga ordem religiosa; poucas ilustrações.

Museu Joaquim Nabuco: catálogo organizado por Mario de Souza Chagas.

Recife: Fundação Joaquim Nabuco/Editora Massangana, 1981. (Série Obras de Consulta, 1)

Catálogo bem feito (ainda que muito mal reproduzidas as ilustrações) com adicional cronologia do titular e vasta bibliografia.

Coleção Teles Júnior.

Pernambuco: Museu do Estado, 1942. (Catálogo)

Álbum oblongo em edição modesta com correspondentes reproduções, apresenta a obra paisagista de Jerônimo José Teles Júnior (1851-1914) do acervo do Museu do Estado de Pernambuco. Como único texto consta uma apreciação crítica da obra do artista por Oliveira Lima (v.).

RIO DE JANEIRO

Museus do Rio.

Neusa Fernandes e Sonia Gomes Pereira. Rio de Janeiro: Livraria Francisco Alves Editora, 1973.

Diretora e Conservadora do Museu Histórico da Cidade do Rio de Janeiro, respectivamente, as autoras elaboraram este pequeno guia que revela o histórico e as principais peças de doze museus do Rio de Janeiro, um trabalho de "síntese elucidativa" na opinião do prefaciador Celso Kelly. Além da fotografia de cada prédio, o guia conta com uma relação de todos os museus cariocas.

O Museu Nacional de Belas Artes.

[São Paulo]: Banco Safra, [1985].

Um monumental edifício em estilo neoclássico, projetado por Adolfo Morales de los Rios para abrigar a Escola Nacional de Belas Artes, tornou-se um marco arquitetônico da cidade do Rio de Janeiro, e abriga um de seus mais importantes museus, dedicado exclusivamente às artes plásticas. A grande importância deste museu exigiria um estudo histórico completo no lugar das breves notas sobre obras restauradas, mas esta falha encontra-se compensada com a primorosa seleção das peças do imenso acervo e reproduzidas com perfeição neste volume da excelente série publicada pelo Banco Safra (v.).

Museu Nacional de Belas Artes.

Rio de Janeiro: Colorama, [1983?].

Financiada por uma empresa particular, esta é uma bela edição em grande formato e tiragem de 3 000 exemplares (dos quais 2 000 encadernados). Um resumo histórico por Wladimir Alves de Souza é seguido de boas reproduções de quadros expressivos das coleções da galeria nacional e da estrangeira.

Museu Nacional de Belas Artes.

Rio de Janeiro: Ministério da Educação e Cultura/Fundação Nacional de Arte/Instituto Nacional de Artes Plásticas, 1979. (Coleção Museus Brasileiros, 1)

Coordenada e redigida pelo diretor Edson Motta, esta é uma obra impecável que contou com as fotografias de Marcel Gautherot (v.) e a cooperação da equipe da Funarte para a compilação de uma excelente bibliografia.

Museu Nacional de Belas Artes.

S.l.: Ministério da Indústria e do Comércio/Embratur – Empresa Brasileira de Turismo/Ministério da Educação e Cultura/Fundação Nacional de Arte/Instituto Nacional de Artes Plásticas, [1979?].

Outro dos simpáticos folhetos-guia da Funarte, como sempre muito bem ilustrado.

Museu Nacional de Belas Artes: aquisições: 1970-1976.

[Rio de Janeiro]: Museu Nacional de Belas Artes, [1977?].

A diretora Maria Elisa Carrazzoni faz um relato das aquisições no período e faz alguns comentários sobre os artistas; muitas e razoáveis reproduções em preto e branco.

Catálogo geral das galerias de pintura e de escultura: Escola Nacional de Bellas Artes.

Rio de Janeiro: Empr. Ind. Editora O Norte, 1923. (Catálogo)

Este levantamento do acervo da antiga Escola Nacional de Belas Artes (atual Museu Nacional de Belas Artes) foi realizado por profissional muito competente (não revelado) que relacionou as obras de cada sala e dotou cada artista de um esboço biográfico. As ilustrações foram muito bem escolhidas mas apenas sofrivelmente reproduzidas.

Guia do Museu Nacional de Belas Artes.

Rio de Janeiro: Ministério da Educação e Saúde, 1945.

O acervo da antiga Academia Imperial de Belas Artes (posteriormente a Escola Nacional de Belas Artes) foi em 1937 incorporado ao Museu Nacional de Belas Artes e nomeado diretor o pintor Oswaldo Teixeira, coordenador do presente catálogo, que foi elaborado no mesmo estilo e sistema do catálogo de 1923 (v. verbete anterior). Difere o presente catálogo daquele precedente por supressão do capítulo dedicado à Galeria Irmãos Bernardelli e exclusão das obras que não se encontravam em exposição permanente, perdendo assim em qualidade artística. Boas ilustrações, reproduzidas sofrivelmente.

Arte estrangeira no Museu Nacional de Belas Artes.

Rio de Janeiro: Ministério da Educação e Cultura, 1955.

As obras foram catalogadas em função das salas em que se encontram, coincidindo este sistema com a classificação por países de origem, contribuindo os correspondentes curadores com os textos explicativos. Ilustrações sofrivelmente reproduzidas.

Catálogo geral da pintura brasileira.

Rio de Janeiro: Museu Nacional de Belas Artes, 1968.

Segundo Elza Ramos Peixoto, conservadora-chefe da seção técnica do museu e organizadora do presente trabalho, foram cadastradas 1 504 obras de artistas brasileiros e naturalizados, todas com suas características técnicas, formando assim o primeiro catálogo completo das obras do título. Edição modesta, brochura em formato grande, ilustrada com treze quadros razoavelmente reproduzidos e uma fotografia do depósito das obras.

O Museu Histórico Nacional.

[São Paulo]: Banco Safra, [1989].

Sob a direção do museólogo e historiador Gustavo Barroso (desde a fundação em 1922 até seu falecimento em 1959), formou-se um dos mais importantes museus do país, atualmente instalado em sítio histórico, o antigo Forte Santiago, posteriormente adaptado para Arsenal de Guerra e conhecido como "Casa do Trem". Seu riquíssimo acervo nos é apresentado em uma seleção que teve por intuito "priorizar o seu significado histórico, ao invés de sua qualidade estética", assim como a "ordenação das peças por função", regras seguidas pela direção responsável. Obra da série do Banco Safra (v.), é muito rica em ilustrações e contou com extenso e competente estudo histórico e técnico, omitindo-se entretanto um catálogo geral.

Exposição do Museu Histórico Nacional: catálogo descritivo e comentado: organisado por Gustavo Barroso.

Rio de Janeiro: [Comissão Brasileira dos Centenários de Portugal?], 1940. (Catálogo de exposição, 1940)

Catálogo comentado do Museu Histórico Nacional do Rio de Janeiro, organizado por seu diretor, o museólogo, historiador e escritor Gustavo Barroso (v.); até a data não superado, contou com poucas fotografias de algumas salas do museu.

Museu Historico Nacional: catalogo geral: 1ª secção: archeologia e historia: organizado pelo director Gustavo Barroso.

Rio de Janeiro: s.e., 1924.

Um catálogo simples, relacionando as 2 496 peças de todas as seções; desprovido de histórico, descrição e comentários, conta apenas com algumas poucas fotografias das salas.

Catálogo da exposição comemorativa do cinquentenário da criação do Museu Histórico Nacional: 1922-1972.

Rio de Janeiro: Ministério da Educação e Cultura/Departamento de Assuntos Culturais/Museu Histórico Nacional, [1972]. (Catálogo de exposição, 1972)

Importante exposição sobre múltiplos temas, incluindo fotografia, viajantes e significativa mostra iconográfica; poucas ilustrações.

Museu Histórico Nacional: guia do visitante.

Rio de Janeiro: Ministério da Educação e Cultura, 1957. (Catálogo)

Pequeno guia histórico-descritivo, com as plantas do museu; bem ilustrado.

Arquivo Nacional: 150 anos: visão histórica.

[Rio de Janeiro]: Editora Index, 1988.

Excepcional obra comemorativa do sesquicentenário da criação do Arquivo Nacional, digna da data e do riquíssimo acervo de documentos e obras históricas e artísticas confiadas à sua guarda. A paginação e as reproduções são apenas boas, mas a grande quantidade e diversidade das imagens é muito bem coordenada com o texto confiado a Graça Salgado. Constituindo uma espécie de síntese do processo de formação do país, esta obra é muito recomendável para estudos.

Tesouros do Arquivo: Arquivo Nacional.

Rio de Janeiro: Ministério da Justiça e Negócios Interiores, 1958. (Catálogo de exposição, 1958)

Além dos tradicionais documentos históricos e autógrafos próprios de um Arquivo Nacional, este catálogo reproduz muitos retratos de figuras históricas por Carlos Oswald (1882-1972) e alguns poucos de Henrique Oswald e Victor Meirelles, além de uma gravura do Rio de Janeiro baseada em um desenho de Thomas Ender (v.).

Arquivo Nacional da República dos Estados Unidos do Brasil.

S.l.: s.e., 1954.

Ao exemplar examinado falta a folha de título, não constando outros dados além dos transcritos. Álbum oblongo de páginas não numeradas, sem texto, com fotografias do prédio e suas dependências e oficinas, algumas vistas de reuniões, comemorações e exposições, além da reprodução de alguns documentos históricos e quadros do acervo; conjunto inexpressivo e mal impresso.

Catálogo da exposição permanente dos cimélios da Bibliotheca Nacional: publicado sob a direcção do bibliothecario João Saldanha da Gama.

Rio de Janeiro: Bibliotheca Nacional/Typ. G. Leuzinger & Filhos, 1885.

Este pequeno guia nada mais é do que um resumo do monumental *Catálogo da Exposição Permanente dos Cimélios da Biblioteca Nacional* (Rio de Janeiro, 1885); relaciona alguns livros especialmente significativos, além de manuscritos, autógrafos, estampas, quadros, miniaturas e um mapa. Sem ilustrações.

Catálogo da exposição comemorativa dos 170 anos de existência da Biblioteca Nacional e 70 anos da sua atual sede.

Rio de Janeiro: Biblioteca Nacional, 1980. (Catálogo de exposição, 1980)

Bibliográfica em princípio, também contou com muita documentação iconográfica; entre as ilustrações, destaca-se a fotografia do primeiro prédio da Biblioteca, o projeto de F.M. Sousa Aguiar para a fachada do novo prédio, uma visão deste em final da construção, a atual porta monumental, afrescos de Rodolpho Amoedo (1857-1941) e Henrique Bernardelli (1857-1936) e vistas arquitetônicas internas.

Guia da Biblioteca Nacional: sesquicentenário: 1810-1960.

Rio de Janeiro: Biblioteca Nacional/Ministério da Educação e Cultura, [1960].

Pequeno guia histórico e descritivo, incluindo a organização administrativa e uma "Relação de diretores"; sem ilustrações.

Biblioteca Nacional.

Rio de Janeiro: Biblioteca Nacional, 1984.

A um sucinto histórico seguem vários textos descritivos do acervo e das atividades; ilustrado e bem feito.

Fundação Raymundo Ottoni de Castro Maya: catálogo.

Rio de Janeiro: [Fundação Raymundo Ottoni de Castro Maya], 1965. (Catálogo)

Em 1965 o industrial Raymundo Ottoni de Castro Maya (1894-1968) instituiu uma Fundação que porta seu nome e doou à mesma sua chácara conhecida por Chácara do Açude, incluindo o imenso acervo artístico que lá se encontrava. A forma coloquial utilizada neste catálogo para descrição de cada um dos itens desta importante coleção revela o próprio Castro Maya como autor. Muito bem ilustrado.

Museu Chácara do Céu: catálogo.

[Rio de Janeiro]: Fundação Raymundo Ottoni de Castro Maya, [1972].

Após instituir em 1965 a Fundação que portaria seu nome (v. verbete anterior), Castro Maya legou por testamento à mesma Fundação a sua residência, a Chácara do Céu, também incluindo um igualmente riquíssimo e importante acervo artístico. Falecido Castro

Maya em 1968, a Fundação adaptou a residência a um museu, que foi inaugurado em 1972; o presente catálogo foi diagramado por Aloysio Magalhães (v.) e contou com um prefácio do arquiteto Lúcio Costa (v.), mas relaciona o acervo sem comentários e com relativamente poucas ilustrações, algumas em preto e branco. Conforme um aviso especial, deixaram de constar do catálogo as coleções de gravuras estrangeiras e gravuras modernas brasileiras. NOTA: Existe uma segunda edição, revista e ampliada, mas no mesmo e idêntico esquema.

Museus Castro Maya = Castro Maya Museums: Museu do Açude: Chácara do Céu.

Rio de Janeiro: Editora Agir, 1994.

Uma obra excepcional, como excepcionais são as Chácara do Açude e Chácara do Céu que Raymundo Ottoni de Castro Maya (v.) doou e legou à Fundação Castro Maya incluindo os riquíssimos acervos (v. verbetes anteriores); estas propriedades, que constituem os museus do título, foram em 1983 incorporadas ao Patrimônio Nacional. José de Paula Machado e Nelson Monteiro realizaram belas fotografias dos dois museus, de suas dependências e de boa parte do riquíssimo acervo.

Castro Maya anfitrião.

Rio de Janeiro: Museu Castro Maya, 1997.

Independente do tema do título e da documentação que retrata a vida social do biografado, esta obra contém ótimas fotografias sobre os Museus Castro Maya e seus acervos, além de valiosas informações sobre as origens das coleções.

Museu de Arte Moderna do Rio de Janeiro

Rio de Janeiro: Museu de Arte Moderna, set. 1967.

Um álbum-folheto de divulgação, diagramado por Aloysio Magalhães (v.); além de breve histórico e relato das atividades culturais, contou com fotografias de Marcel Gautherot (v.) focalizando o prédio, detalhes da arquitetura e a decoração; bem feito e bem ilustrado, com texto de Jayme Mauricio em português, francês e inglês.

Museu de Arte Moderna do Rio de Janeiro.

Rio de Janeiro: Museu de Arte Moderna, 1952.

Um catálogo pequeno e modesto para o qual o historiador de arte Mario Barata (v.) contribui com um histórico e relaciona 68 pinturas e gravuras, além de 11 esculturas.

Museu de Arte Moderna do Rio de Janeiro.

[Museu de Arte Moderna], Rio de Janeiro, nº 16, jan 1958.

Pequena plaqueta bem ilustrada servindo de guia histórico.

Le Musée d'Art Moderne de Rio de Janeiro.

Rio de Janeiro: [Museu de Arte Moderna do Rio de Janeiro], 1967.

Excelente plaqueta impressa na Suíça, muito bem ilustrada em branco e preto. Prefácio de Raul Bopp e resumido texto sobre a arquitetura de Affonso Reidy (v.), os jardins de Burle-Marx (v.) e os planos administrativos de Flexa Ribeiro; texto em francês.

Acervo do Museu de Arte Moderna do Rio de Janeiro.

[Rio de Janeiro: Museu de Arte Moderna do Rio de Janeiro, 1973]. 3 v.

Em 1973 o museu deu início a um programa de seis exposições parciais do acervo; foram assim apresentadas inicialmente as exposições "Cubismo", "Surrealismo" e "Expressionismo", cada uma provida de um curioso catálogo, em cartelas de cartolina contendo texto descritivo do movimento artístico e das obras expostas. Sem ilustrações.

Sede definitiva do Museu de Arte Moderna do Rio de Janeiro.

Rio de Janeiro: Museu de Arte Moderna, janeiro 1954. (Catálogo, 1954)

Pequeno álbum oblongo com apresentação da maquete e algumas plantas do projeto de Affonso Eduardo Reidy (v.).

Guia do Museu Antonio Parreiras.

Niterói: Secretaria de Educação e Cultura do Estado do Rio de Janeiro, 1950. (Catálogo, 1950)

Este guia é declarado como sendo um mero resumo, antecipação de um catálogo futuro para este museu sediado em Niterói (RJ); muitos dos 284 verbetes iniciais foram bem comentados, mas os de nº 285 a 330, reservados a artistas contemporâneos adquiridos como prêmio de aquisição, tiveram tão-só pequenos esboços biográficos. Jefferson Ávila Júnior apresenta bem elaborado resumo biográfico: "Antonio Parreiras"; as poucas reproduções são de má qualidade.

Museu Antonio Parreiras: catálogo ilustrado.

Niterói: [Secretaria de Educação e Saúde/Serviço de Difusão Cultural], 1942. (Catálogo)

Com um breve esboço biográfico do crítico de arte Pedro Campofiorito sobre este importante artista brasileiro (1864-1937), segue um levantamento descritivo do acervo; os quadros foram mal reproduzidos.

Memória histórica do Museu Antonio Parreiras: apresentada ao I Congresso Nacional de Museus realizado em Ouro Preto de 23 a 27 de julho de 1956 [por] Jefferson Ávila Júnior.

[Niterói: Museu Antonio Parreiras, 1956]. (Cadernos de Divulgação Cultural Museu Antonio Parreiras, 2)

Este segundo volume da série "Cadernos de Divulgação Cultural Museu Antonio Parreiras" conta com o estudo do título pelo Diretor do museu e nos revela a existência de 231 trabalhos do artista, dos quais 26 a óleo, comentados mas mal reproduzidos. Revela ainda a coleção de quadros do próprio artista (61 peças), a Coleção Alberto Lamego (40 peças) e a coleção de artistas contemporâneos (78 peças), coleções das quais se encontram reproduzidos vários quadros nas mesmas condições.

O Museu Imperial.

[São Paulo]: Banco Safra, [1992].

Talvez não seja este o museu mais importante do país, mas é certamente o que melhor expressa e revela o Império brasileiro e seus tesouros artísticos. Além do acervo, Rômulo Fialdini (v.) recolheu ótimas vistas dos ambientes do palácio; foram também incluídas várias importantes fotografias antigas de Petrópolis, tornando esta obra da série do Banco Safra (v.) especialmente atrativa.

Guia do Museu Imperial.

2ª edição. Petrópolis, 1961.

Após a obra O *Museu Imperial* de Alcindo Sodré (v.), este foi o primeiro autêntico guia do Museu Imperial. Coordenado por seu diretor, Francisco Marques dos Santos (v.), propunha-se "permitir fácil manuseio" e proporcionar "máximo de informações num mínimo de texto", um objetivo perfeitamente cumprido. As fotografias são pequenas e servem como guia, mas não para estudos. Importante.

Museu Imperial de Petrópolis.

[Rio de Janeiro]: Ministério da Indústria e do Comércio/Embratur – Empresa Brasileira de Turismo/Ministério da Educação e Cultura/Fundação Nacional de Arte/Instituto Nacional de Artes Plásticas, [1979?].

Folheto-guia da Funarte, muito bem ilustrado.

Musée Imperial: Petrópolis.

Apoio cultural: Souza Cruz/Pirahy. S.l.: s.e., s.d.

Patrocinado por duas companhias industriais, este belo folheto contém fotografias do palácio, suas dependências e algumas peças do acervo por Raul Lopes. NOTA: É provável existir a mesma edição em português.

Museu Imperial Petrópolis = Imperial Museum Petropolis = Musée Imperial Petropolis.

[Rio de Janeiro?]: Fundação Nacional Pró-Memória, [1984].

Um folheto-guia em seis folhas, bem ilustrado, com histórico compacto; redigido em português, inglês e francês.

Museu Imperial: guia.

Petrópolis: Ministério da Cultura/Secretaria do Patrimônio Histórico e Artístico Nacional/Fundação Nacional Pró-Memória, 1989.

Pequeno guia do palácio e seu acervo. As ilustrações são convencionais, mas bem reproduzidas. Em anexo uma tabela genealógica de D. Pedro II.

Pinacoteca do Museu Imperial.

Petrópolis: Ministério da Educação e Cultura, 1956. (Catálogo)

O levantamento do acervo artístico foi efetuado por Francisco Marques dos Santos (v.), diretor do museu e renomado historiador de arte. Ótimos esboços biográficos e comentários sobre os artistas, mas a descrição dos quadros é essencialmente técnica e omite apreciações críticas. Apesar das reproduções sofríveis, é uma obra recomendável em seu conjunto.

Instituto Histórico e Geográfico Brasileiro: 150 anos.

Projeto e realização: Isa Adonias. [Rio de Janeiro]: Studio HMF, [1990].

Há longa data se fazia imperiosa a divulgação do acervo deste antigo, importante e cada vez mais ativo instituto cultural, símbolo da intelectualidade brasileira. A comemoração do sesquicentenário de fundação deu finalmente ensejo a esta oportunidade e o fez com grande dignidade por esta suntuosa obra a cargo de Isa Adonias (v.); os textos foram confiados sobretudo a Vicente Tapajós e à própria Isa Adonias, que também se encarregou dos verbetes explicativos, e as fotografias (excelentes) a Humberto Moraes Franceschi. Muito importante e indispensável em uma boa biblioteca. NOTA: Na *Revista do Instituto Histórico e Geográfico Brasileiro* (volume 201, outubro-dezembro de 1948) encontra-se o artigo "Catálogo dos quadros do Instituto Histórico e Geográfico Brasileiro", de Maria Carolina Max Fleiuss, que apresenta uma relação do acervo, formado em sua grande maior parte por retratos de grandes vultos do país.

Acervo artístico do Museu da Fazenda Federal: exposição montada em comemoração aos dez anos de criação do Museu da Fazenda Federal: 1.4.1970–1.4.1980

S.l.: [Museu da Fazenda Federal], 1980. (Catálogo de exposição, abr. 1980)

Um catálogo que reproduz em cores 38 quadros de pintores acadêmicos diletantes (todos funcionários do Ministério da Fazenda) e apresenta um esboço biográfico de cada artista; reproduz ainda um quadro de Henrique Bernardelli e outro de Edmond Viancin (pintor francês, 1835-1877, que nunca esteve no Brasil) e diversos objetos do acervo. NOTA: Do prefácio consta que o Museu da Fazenda Federal realizara várias exposições anteriores, entre as quais: "Palácio da Fazenda. 1943-1973" e "Edifícios Fazendários nos Estados", que talvez sejam de interesse iconográfico.

Casa da Moeda do Brasil: 290 anos de história: 1694-1984.

[Rio de Janeiro: Imprinta Gráfica e Editora, 1984].

Como obra gráfica é excelente. O texto, entretanto, de caráter econômico e autoria de alto funcionário da Casa da Moeda e diretor do Clube da Medalha da Casa da Moeda, "escrito em linguagem acessível e didática", é a expressão máxima de obra burocrática: transcrição de longas e intermináveis leis, decretos e resoluções, nomeação de funcionários, prestação de contas, estatísticas, relatórios, relação de empregados e diretores, etc.; em resumo: um alentado volume com reduzido conteúdo histórico e correspondentes reflexos na seleção das ilustrações (estas bem reproduzidas).

Casa de Rui Barbosa: guia do visitante.

Rio de Janeiro: Ministério da Educação e Cultura/Estado da Guanabara, [1964].

Catálogo deste museu-biblioteca, formado pelo prédio de residência, pela biblioteca e pelo acervo histórico e artístico de Rui Barbosa (1849-1923), incorporado ao Patrimônio Nacional em 1923. Poucas fotografias do palácio e de seus interiores.

Casa de Rui Barbosa: outubro 1956: Campanha Internacional de Museus.

Rio de Janeiro: s.e., 1956.

Um envelope com vinte boas fotografias do museu em que foi transformada a antiga residência de Rui Barbosa (1849-1923). A curadora Regina M. Leal redigiu o prefácio e uma biografia de Rui Barbosa, além dos comentários constantes no verso de cada fotografia. Na capa do envelope, um desenho do Palácio em bico de pena.

Guia do Museu do Índio.

[Rio de Janeiro]: Funai, [1972?].

Em 1967 o antigo Museu do Índio passou a ser administrado pela Funai – Fundação Nacional do Índio; em 1972 foi fixado um programa temático para suas exposições, apresentado neste modesto catálogo, sem ilustrações.

Guia museus do Rio = Rio's museums guidebook.

Rio de Janeiro: Agir, 1994.

Pequeno guia de aspecto nobre e agradável, útil como tal, porta entretanto poucas informações e o texto em português e inglês apresentado com o mesmo destaque lhe confere um volume maior do que efetivamente requer. Entre museus, centros de cultura e bibliotecas foram arroladas 40 entidades, cada uma ocupando duas páginas para o texto em português e inglês; como anexo a citação de outras 39 entidades com respectivos endereços. A cada entidade é atribuída uma classificação por interesse e importância, não constando uma explicação do código. Em resumo: agradável mas superficial e pouco útil à museografia.

Imperial Irmandade de Nossa Senhora da Glória do Outeiro: guia-catálogo do museu.

Organizado pela Irmã Yolanda Marcondes Portugal: zeladora do museu. Rio de Janeiro: [Imperial Irmandade de Nossa Senhora da Glória do Outeiro], 1949.

Importante guia histórico, com poucas mas boas ilustrações; além dos objetos devocionais, o museu conta com quadros, gravuras, manuscritos, medalhas e móveis, todos muito bem descritos.

Museu da Caixa Econômica Federal = The Caixa Econômica Federal Museum.

Rio de Janeiro: Spala Editora, 1981.

Em 1980 foi instalado em Brasília o Museu da Caixa Econômica Federal, "uma das mais completas coleções de obras de arte e de documentos relativos às atividades econômico-financeiras do Brasil", na opinião de Antonio Bento, grande crítico e historiador de arte. É provável que assim seja, mas pouco disto nos revela a presente obra, rica e notável em sua apresentação mas com pouca imaginação e sensível falta de uma curadoria competente. Os documentos e objetos da parte "histórica" são inexpressivos e repetitivos; igualmente inexpressivas as obras de arte que serviram de ilustrações aos bilhetes da loteria federal, quase todos do tipo figurativo *naïf*, "que se comunicam mais diretamente com um público numerosíssimo". Conclui-se a obra com a apresentação de uma parte do "Acervo", formada por dezesseis telas praticamente da mesma linha de expressão artística dos bilhetes lotéricos, uma estranha seleção face às milhares de obras disponíveis.

Museu da República.

Rio de Janeiro: Museu Histórico Nacional/Ministério da Educação e Cultura, 1966.

Pequeno guia histórico e descritivo de autor não revelado; bem ilustrado.

Museu de Imagens do Inconsciente.

Rio de Janeiro: Ministério da Educação e Cultura/Fundação Nacional de Arte/Instituto Nacional de Artes Plásticas, 1980. (Coleção Museus Brasileiros, 2)

Mario Pedrosa, historiador de arte e organizador da obra, adverte "que não estamos escrevendo aqui um livro de arte, ou mesmo mero catálogo de museu de arte", e acrescenta que o museu não é "uma coleção de quadros pendurados à parede". Este museu é, na realidade, fruto de um trabalho bem-sucedido iniciado em 1946 por Nise da Silveira, 1904-2000, a maior terapeuta ocupacional brasileira) em Engenho de Dentro (Centro Psiquiátrico Nacional), produzindo e preservando obras artísticas em um meio que permitisse abrigo aos artistas e participação em trabalhos comunitários. Obra artística e social notável, em todos os sentidos.

Museu do Folclore Edison Carneiro.

Rio de Janeiro: Edição Funarte, 1981. (Coleção Museus Brasileiros, 5)

O estudo e a preservação do folclore nacional é especialmente importante nos países em desenvolvimento pois, segundo o prefaciador Braulio do Nascimento, "a cultura popular pode intervir com o elemento moderador no processo cultural", contribuindo assim para "neutralizar efeitos indesejáveis de produtos culturais de países mais adiantados". É esta a função deste museu, um centro de atividades criativas, estudos e divulgação. Sob a coordenação de Celia Maria Corsino, as ilustrações foram agrupadas pelos temas: lúdica infantil, medicina popular, danças e folguedos, teatro de bonecos, instrumentos musicais, literatura de cordel, religiosidade popular e artesanato; os textos foram confiados a especialistas.

Museu Manchete.

[Rio de Janeiro]: Edições Bloch, [1982].

Apesar do título, este museu não passa de uma boa coleção de quadros de pintura brasileira que guarnece as várias dependências da sede da editora. A obra, encadernada, comemorativa de trinta anos da revista *Manchete*, apresenta o defeito de reproduzir muitas obras em cada página e o texto do crítico de arte Flavio de Aquino limitou-se a rápidas notícias sobre os artistas. NOTA: Na mesma época (1982) a editora publicou o suplemento "Thirty Years" para a revista *Manchete*, no qual reproduz sob o título "Manchette Art Gallery" cerca de setenta obras entre telas e esculturas.

Museu Sacro da Venerável Ordem Terceira de S. Francisco da Penitência: annexo à igreja da mesma ordem.

Rio de Janeiro: s.e., 1933.

Despretensioso livreto de oito páginas que relaciona as imagens, paramentos e objetos sacros da procissão de Cinzas (que se processava no Rio de Janeiro até o ano de 1862) e se encontram atualmente em um museu organizado pela Ordem em sua igreja no Rio de Janeiro; duas fotografias da igreja e duas do museu, pouco expressivas, ilustram a obra.

O Museu de Valores do Banco Central do Brasil.

[São Paulo]: Banco Safra, [1988].

Este é um museu que foge um pouco ao tradicional artístico, pois é dedicado quase exclusivamente aos valores mobiliários do País expressos por cédulas, moedas e certificados de valores, além de coleções numismáticas, medalhísticas, condecorações e ordens honoríficas. Interessante e belo, sobretudo a quem se dedica a contemplar a beleza e riqueza das ilustrações de nossas cédulas, iconográficas em sua grande maioria. A obra termina com um curioso "Catálogo Geral" que não deve ser geral, pois se estende por poucas páginas. Por força do conteúdo, é uma das obras menos interessantes da excelente série Banco Safra (v.).

O Palácio da Cidade: 1975/1979.

Rio de Janeiro: Prefeitura da Cidade do Rio de Janeiro, [1979?].

Uma pretensiosa obra de divulgação sobre um vistoso palácio em que tudo é pomposo, do projeto de 1949 em estilo Adams à posterior rica e pesada decoração.

Museu Histórico da Cidade do Rio de Janeiro: guia-catálogo.

Rio de Janeiro: s.e., setembro 1956.

Este museu, instituído em 1934 e atualmente instalado em um palacete histórico em um dos mais belos parques da cidade, o Parque da Cidade na Gávea (antiga residência da família Guinle), não conta até a data (ao que tudo indica) de um catálogo completo do acervo. Este acervo é formado por documentação iconográfica e peças das mais variadas espécies que retratam a história da cidade, a paisagem e aspectos gerais de seus usos e costumes. Modesto catálogo que relaciona os objetos de cada sala; sem ilustrações.

Palácio Itamaraty: Museu Histórico e Diplomático.

[Rio de Janeiro]: Fundação Nacional de Arte – Funarte/Funag, s.d.

Um dos simpáticos folhetos-guia da Funarte, com excelentes fotografias de Marcel Gautherot, Pedro Oswaldo Cruz (v. estes) e outros.

Palácio Itamaraty: resenha histórica e guia descritivo.

Rio de Janeiro: Ministério das Relações Exteriores, [1942].

Segunda tiragem, revista e aumentada, foi prefaciada por Joaquim de Sousa-Leão (v.) e conta em anexo com uma descrição da biblioteca por Ronald de Carvalho; ampliada também a ilustração, toda em branco e preto. Importante.

Palácio Itamaraty: resenha histórica e guia descritivo.

3ª edição. Rio de Janeiro: Ministério das Relações Exteriores, [1948].

Terceira edição do guia do verbete anterior, revista e aumentada; foram acrescidos adendos ao *Guia descritivo* de Djalma Pinto Ribeiro de Lessa e aumentada a ilustração em branco e preto.

Patrimônio histórico e artístico de Niterói.

Niterói: Museu Antonio Parreiras, [1964?]. (Cadernos de Divulgação Cultural/Museu Antonio Parreiras, 3)

Dos três volumes desta obra só foi possível consultar o terceiro, dedicado à Igreja de São Lourenço dos Índios, à de São Francisco Xavier e à Ilha de Boa Viagem, com sua igreja e sua fortaleza; muito bem ilustrado e com um estudo de Jefferson Ávila Júnior (v.), diretor do museu.

Museu de Arte Moderna de Resende.

[Rio de Janeiro]: Funarte, [1980?].

Pequena plaqueta bem feita de um museu fundado em 1950 mas ativo tão-só a partir de 1974. Além do histórico, apresenta uma relação das 26 peças que restaram das primitivas 49, e o acervo a seguir adquirido quase todo por doação, além de alguns poucos como prêmio de aquisição de exposições realizadas e também relacionadas.

Museu Silva Arcos: guia do visitante.

Campos: s.e., s.d.

Fundado em 1931, este pequeno museu mantém coleções de obras sobre a imprensa em geral e a da cidade de Campos em especial; sem ilustrações. NOTA: Segundo o prefácio, este catálogo é um estudo preliminar, um resumo em aguardo do catálogo geral que se encontra em elaboração.

RIO GRANDE DO SUL

Museu de Ciências Naturais Carlos Ritter: Pelotas – RS.

?: ?, ?.

Filho de imigrantes alemães, Carlos Ritter fundou em 1870, em Pelotas (RS), uma indústria cervejeira em companhia dos irmãos e se dedicava nas horas vagas à taxidermia de animais e insetos, criando uma grande coleção. Falecendo em 1926, a viúva doou esta coleção à Escola de Agronomia, integrada à Universidade Federal do Rio Grande do Sul em 1970, quando também foi criado o museu. NOTA: Sobre este museu existe um folheto de Gerhard Geppert, "Museu de Ciências Naturais Carlos Ritter".

90 anos Instituto de Artes – acervo.

Porto Alegre: Pinacoteca Instituto de Artes UFRGS, 1998.

Bom catálogo do acervo da Pinacoteca Barão de Santo Ângelo do Instituto de Artes da UFRGS com resumido texto histórico.

SANTA CATARINA

Arquivo Histórico Prof. José Ferreira da Silva: guia.

[Blumenau]: Fundação Casa Dr. Blumenau, s.d.

O Arquivo Histórico da cidade de Blumenau, sob os cuidados da Fundação Casa Dr. Blumenau a partir de 1952, foi quase totalmente destruído por um incêndio em 1972, perdendo-se assim a memória da vida administrativa da cidade de 1850 a 1957; por lei de 1973 o Arquivo foi reorganizado com o nome do historiador José Ferreira da Silva (1897-1973). O presente guia nada mais é do que a transcrição integral da referida lei (nº 1915), além do organograma da nova estrutura administrativa; em aditamento, uma biobibliografia de José F. da Silva, que o salva da classificação de descartável.

Ligeiro histórico e catálogo das peças existentes no Museu da Família Colonial e do Horto Botânico Edite Gaertner.

Blumenau: Fundação Casa Dr. Blumenau, 1976. (Publicação nº 17)

A cidade de Blumenau criou em 1952 a Fundação Casa de Blumenau, destinada a manter o Arquivo Histórico do Município e zelar por seu patrimônio histórico e cultural, formado principalmente pelo Museu da Família Colonial e pelo anexo Horto Botânico. Este patrimônio era constituído por um conjunto de duas casas em enxaimel do século XIX e uma terceira de 1920, residências que tinham servido a familiares e colaboradores do Dr. Blumenau, fundador do município, e recebidas por doação de Edite Gaertner (uma das herdeiras do Dr. Blumenau) com todos os móveis, utensílios e objetos de uso pessoal. O catálogo, em papel de qualidade inferior e com poucas ilustrações, foi confiado ao escritor José Ferreira da Silva, diretor da Biblioteca Dr. Müller.

Museu Colonial: Blumenau.

[Blumenau]: Fundação Casa Dr. Blumenau/[Apoio cultural Cremer S/A], s.d.

Envelope contendo sete pranchas (em papel plastificado, 28,5 x 36,0 cm) de boas fotografias bem reproduzidas de uma casa construída em enxaimel (1864) em Blumenau, atual sede do Museu Colonial da Fundação Colonial Casa Dr. Blumenau.

Museu da Família Colonial: edição comemorativa dos 20 anos de instalação: 1967-1987.

[Blumenau]: Fundação Casa Dr. Blumenau, 1987.

Este museu (v. verbete anterior) é um marco histórico do município de Blumenau: retrata a vida e os costumes dos primeiros colonizadores. O catálogo, muito bem ilustrado em cores, constitui um autêntico tratado sobre a imigração alemã e é muito recomendável para estudos.

SÃO PAULO

Museus e monumentos históricos de São Paulo.

São Paulo: [Secretaria da Educação], 1960.

Como sétimo volume de uma série de obras editadas por força de uma lei de 1956, que regulamenta os programas dos Museus Históricos e Pedagógicos do Estado, o presente é uma confusa mistura de fotografias (muito boas) das sedes de alguns museus, cerimônias inaugurais, interminável transcrição de várias leis complementares, um estudo histórico-administrativo e, finalmente, uma laudatória apresentação do Instituto Histórico e Geográfico Guarujá-Bertioga. De grande formato e apresentação impecável, esta publicação, entretanto, em nada contribui para o conhecimento dos museus paulistas.

Museus históricos e pedagógicos.

São Paulo: Secretaria da Cultura, Esportes e Turismo, [1968?].

Bem elaborado folheto de divulgação, com breve descrição dos museus paulistas e correspondentes ilustrações.

São Paulo: museus = museums.

São Paulo: Secretaria de Turismo e Fomento da Prefeitura de São Paulo, s.d.

Pequeno guia cultural de bolso, bem ilustrado.

Museu de Arte de São Paulo: catálogo das pinturas, esculturas e tapeçarias.

São Paulo: [Museu de Arte de São Paulo?], 1963.

Este foi o primeiro catálogo do Museu de Arte de São Paulo, atualmente o Museu de Arte de São Paulo Assis Chateaubriand. Após um prefácio de seu fundador, Assis Chateaubriand, segue longo e minucioso histórico que merece ser resumido: em meados da década de 1940, o jornalista e empresário Francisco de Assis Chateaubriand Bandeira de Mello (ou simplesmente Assis Chateaubriand, 1892-1960) estava concluindo uma bem-sucedida campanha a favor da aviação civil brasileira quando teve ocasião de travar conhecimento com Pietro Maria Bardi (v.), jornalista e historiador de arte chegado ao Brasil em 1946 em companhia da esposa, a arquiteta italiana Lina Bo Bardi (v.). Deste encontro nasceu a idéia da criação de um Museu de Arte, chegando Assis Chateaubriand a concretizá-la com sua inauguração em 2 de outubro de 1947; instalado inicialmente em um prédio da empresa jornalística do fundador em São Paulo e sem acervo próprio, iniciou suas atividades como um centro cultural, apresentando exposições nacionais e estrangeiras e ministrando cursos diversos. A aquisição de obras de arte viria a se iniciar pouco depois, utilizando-se Assis Chateaubriand da experiência que adquirira no bem-sucedido programa de compra de aviões e usando os mesmos métodos. O riquíssimo acervo adquirido no decorrer dos anos começou a percorrer museus do circuito internacional, tornando famosa a coleção. Os primeiros catálogos foram apresentados nas exposições em vários países europeus e no Japão, todos prefaciados e com textos explicativos por Pietro Maria Bardi (o virtual dirigente administrativo e seu diretor técnico até a aposentadoria em 1994). Para o presente catálogo, prefaciado por P. M. Bardi, foi adotada a relação do acervo por países e escolas de pintura, deixando de constar as obras que não se enquadravam neste critério e não eram representativas do artista. Um bom comentário acompanha a reprodução de uma das obras de cada artista, tornando o catálogo importante, ainda que incompleto. NOTA: A história e as atividades do MASP ao longo dos anos estão indissoluvelmente ligadas à figura de Pietro Maria Bardi, assim como foram de sua lavra praticamente todas as obras sobre o museu; o mesmo se poderá dizer em menor escala de sua esposa, a arquiteta Lina Bo Bardi.

Museu de Arte de São Paulo.

Rio de Janeiro: Edição Funarte, 1981. (Coleção Museus Brasileiros, 3)

Do prefácio aos índices, esta é uma obra da seara de Pietro Maria Bardi (v.), seu diretor da fundação à aposentadoria em 1994. Além da perfeição e beleza das obras reproduzidas, conta com excelente apresentação.

MASP Assis Chateaubriand: ano 30.

[São Paulo]: Patrocínio da Secretaria da Cultura, Ciência e Tecnologia do Governo do Estado, 1978.

Esta talvez seja a única obra abalizada sobre o Museu de Arte de São Paulo que não ostenta P. M. Bardi (v.) como autor, ainda que seja de sua autoria o longo prefácio e a sugestiva documentação fotográfica porte sua incontestável "marca". Os comentários e verbetes devem ter sido elaborados por Anna Carboncini, assistente de P. M. Bardi.

A pinacoteca do MASP de Rafael a Picasso.

[São Paulo]: Banco Safra, [1982].

Para mais esta obra da série de museus brasileiros, o Banco Safra (v.) aproveitou a data comemorativa de 35 anos de fundação do MASP e apresenta um resumido histórico da lavra de Pietro Maria Bardi (v.), que também se encarregou da seleção das obras e da relação geral do acervo.

Museu de Arte de São Paulo Assis Chateaubriand.

São Paulo: [Museu de Arte de São Paulo Assis Chateaubriand], 2000.

Catálogo especial de uma exposição comemorativa do centenário de nascimento de Pietro Maria Bardi (v.), com apresentação de uma parte significativa do acervo e uma parte dedicada aos objetos e obras doadas por Bardi e sua esposa Lina Bo (v.) ao museu. Dotado de fotografias dos primórdios do museu, conta ainda com uma relação de todas as peças doadas pelo casal, uma relação pela primeira vez publicada.

30 obras primas do Museu de Arte de São Paulo: álbum de cartões-postais.

São Paulo: Animae, 1993. (Cartões-postais)

Pequeno álbum com os trinta cartões-postais do título; boa reprodução.

Museu de Arte de São Paulo.

Rio de Janeiro: Funarte.

Um dos bem feitos catálogos-guias de divulgação editados pela Funarte (v.).

Reforma do MASP: cicatrizes de uma cirurgia.

Projeto Inserções: Amílcar de Castro. Uma carta de Lina Bo Bardi. Caderno T, in *Bravo*, São Paulo, ago. 2001.

Uma plaqueta de seis folhas inserida na revista *Bravo*. Publicada pelo Instituto Takano, discute a reforma em andamento do MASP e as opiniões contrárias a ela, incluindo uma carta da arquiteta Lina Bo Bardi (v.). Muito expressivas as fotografias que ilustram este estudo e excelente a reprodução em página dupla de uma aquarela original de Lina Bo Bardi que retrata a projeção do belvedere do MASP em 1968, assim como outro desenho dos jardins suspensos.

Museu de Arte Contemporânea da Universidade de São Paulo: perfil de um acervo.

Organização editorial e ensaio de Aracy Amaral. [São Paulo]: Techint, [1988].

Entre os estudos museológicos brasileiros destaca-se esta obra organizada por Aracy Amaral (v.), historiadora de arte, professora universitária e ex-diretora do Museu e da Pinacoteca de Estado de São Paulo. Perfeita e dificilmente superável a resenha histórica sobre este importante museu universitário, que nasceu como herdeiro do anterior e extinto (1948-1963) Museu de Arte Moderna de São Paulo, museu este que não chegou a publicar catálogos e se encontra estudado por Vera d'Horta (v.) em *Museu de Arte Moderna de São Paulo*; perfeita também a análise do perfil da atual coleção face às tendências estéticas anteriores e posteriores à sua fundação.

Museu de Arte Contemporânea da Universidade de São Paulo: catálogo geral das obras.
São Paulo: Museu de Arte Contemporânea da Universidade de São Paulo, 1973.

Primeiro catálogo deste museu com seu acervo de 2401 das mais expressivas obras da arte moderna nacional e internacional. Foi organizado por seu diretor, Walter Zanini, respeitado crítico e historiador de arte, contando com dados técnicos sobre os artistas e suas obras, das quais 33 em cores e 160 em preto e branco, reproduzidas com excepcional qualidade.

O Museu de Arte Contemporânea da Universidade de São Paulo.
[São Paulo]: Banco Safra, [1990].

Criado em 1963, este museu nasceu como depositário do riquíssimo acervo do Museu de Arte Moderna de São Paulo, dissolvido naquela ocasião. Conta esta obra editada pelo Banco Safra (v.) com extenso histórico das origens à atualidade, com longa e crítica avaliação do acervo e com um plano qüinqüenal para suas atividades didáticas por Ana Mae Tavares Bastos Barbosa, então sua diretora.

MAC 25 anos: 1963-1988.
Núcleo I: Destaques da coleção inicial.
Núcleo II: Aquisições e doações recentes.
[São Paulo]: Museu de Arte Contemporânea da Universidade de São Paulo, [1988]. (Catálogo de exposição, 1988)

O título revela o conteúdo deste agradável catálogo que contou com textos de Ana Mae Barbosa, então diretora, e Gloria Cristina Mota, da Divisão Científica; ilustrado.

O que é o MAC: texto Martin Grossmann.
[São Paulo]: Museu de Arte Contemporânea da Universidade de São Paulo – Setor de Arte-Educação/Apoio cultural Secretaria de Estado da Cultura, 1986.

Uma plaqueta de apresentação para fins didáticos com texto de Martin Grossmann.

Calendário 1986.
São Paulo: Metal Leve.

A indústria paulista Metal Leve publicava anualmente um calendário de mesa dedicado às artes no Brasil; o presente foi dedicado ao Museu de Arte Contemporânea da Universidade de São Paulo, cabendo à diretora Aracy Amaral (v.) a seleção das obras reproduzidas.

A Pinacoteca do Estado.
[São Paulo]: Banco Safra, [1994].

A Pinacoteca foi criada em São Paulo em 1911, ano que também viu surgir o primeiro Salão Oficial do Estado, registrado pelo catálogo "I Exposição Brasileira de Bellas Artes"; instalada em prédio projetado e construído por Ramos de Azevedo (v.) para a Escola de Belas Artes de São Paulo, passou ao longo dos anos por muitos problemas de inércia e abandono e conquistou finalmente renome e prestígio nas administrações de Aracy Amaral (v.), Maria Alice Milliet, Maria Cecilia França Loureiro e, sobretudo, Emanoel Araujo (v.), que efetuou fundamental reforma (projeto do arquiteto Paulo Mendes da Rocha) e modernização, enriqueceu o acervo artístico e promoveu exposições temáticas de grande repercussão nacional e internacional. Com a perfeição costumeira dedicada à série de museus, o Banco Safra (v.)

apresenta uma seleção de destaques do acervo através das fotografias de Rômulo Fialdini (v.) e os textos de Maria Cecília França Lourenço, Carlos Alberto Cerqueira Leme e Paulo Mendes da Rocha.

Bravo apresenta Pinacoteca.

São Paulo, Editora D'Ávila, nº 5, 1998. Edição especial.

Esta separata do quinto número da prestigiosa revista *Bravo* é dedicada exclusivamente à então recém-concluída obra de reforma total do prédio que abriga a Pinacoteca do Estado de São Paulo, projetado e construído pelo arquiteto Francisco de Paula Ramos de Azevedo (v.) em 1902. O competente e elucidativo texto da jornalista Vera de Sá que ressalta o trabalho do Diretor Emanoel Araújo (v.), a apresentação das alterações introduzidas pelo arquiteto Paulo Mendes da Rocha e as fotografias de Cristiano Mascaro (v.) fazem desta separata uma obra autônoma. NOTA: Ainda sobre a conclusão desta reforma foram publicadas bem elaboradas e ilustradas reportagens em *O Estado de S. Paulo* (27 de fevereiro de 1998), *Folha de S. Paulo. Ilustrada* (27 de fevereiro de 1998) e na revista *Veja* (2 de março de 1998).

Pinacoteca do Estado: São Paulo.

Rio de Janeiro: Edição Funarte, 1982. (Coleção Museus Brasileiros, 6)

Com prefácio de Fabio Magalhães (diretor de 1979 a 1982) e o histórico do museu pela historiadora de arte Aracy Amaral (sua ex-diretora de 1975 a 1979, v.), temos um dos belos catálogos da Funarte, muito bem ilustrado.

Pinacoteca do Estado: 1970 / dezembro 70: fevereiro 71.

São Paulo: Museu de Arte Brasileira da Fundação Armando Álvares Penteado, [1970]. (Catálogo)

Decretada a definitiva instalação da Pinacoteca do Estado em sua sede original e a reforma do prédio, o Governo do Estado nomeou, em 1970, uma comissão de diretores de museus nacionais para selecionar as obras mais importantes e expressivas para esta grande e importante mostra realizada no Museu de Arte Brasileira. O presente catálogo não corresponde à importância da exposição, mas é razoável e razoavelmente bem ilustrado.

Pinacoteca do Estado de São Paulo: catálogo geral das obras.

São Paulo: Imprensa Oficial do Estado S/A – Imesp, 1988.

Entre os poucos museus brasileiros que publicaram um ou mais catálogos de seus acervos, a Pinacoteca do Estado de São Paulo ocupa uma posição de dominância, datando de 1912 o primeiro publicado um ano após o primeiro Salão Oficial do Estado. Ao longo dos anos de sua existência, as diversas edições publicadas divergiram muito em abrangência, apresentação, ilustração e qualidade, mas todas até 1965 adotaram o sistema de relacionar as obras sala por sala, omitindo assim as obras em depósito ou em restauro, ou ainda temporariamente em comodato. Nesta última e até a definitiva edição de 1988, os artistas representados são relacionados em ordem alfabética, suas obras tecnicamente descritas e todas reproduzidas em pequena dimensão; conta ainda com uma boa bibliografia, um índice onomástico e um esboço histórico pela diretora Maria Cecilia França Lourenço, além de uma expressiva seleção de quadros reproduzidos em cores. NOTA: Desta presente edição também consta uma relação completa dos catálogos editados até a data, uma relação muito útil para confrontos e estudos e, por este motivo, a seguir transcrita, encontrando-se comentados os da biblioteca:

Pinacoteca do Estado, catálogo dos quadros.
S.l: s.e., 1912.

Galeria de Bellas Artes: Pinacotheca do Estado de São Paulo.
São Paulo: Typ. Siqueira, Nagel, 1914.

Galeria de Bellas Artes: Pinacotheca do Estado de São Paulo.
São Paulo: Typ. Augusto Siqueira, 1917.

Galeria de Bellas Artes: Pinacotheca do Estado de São Paulo.
São Paulo: Cia. Paulista de Papeis e Artes Graphicas, 1926.

Pinacoteca do Estado de São Paulo.
São Paulo: Imprensa Oficial do Estado, 1938.

Pinacoteca do Estado de São Paulo: catálogo.
São Paulo: Gráfica Paulista, 1942.

Este catálogo foi organizado por Paulo Vergueiro Lopes de Leão.

Pinacoteca do Estado de São Paulo: catálogo.
São Paulo: Pap. Tip. Republica, s.d.

A edição de 1942 foi organizada por Paulo Vergueiro Lopes de Leão e a seguinte, sem data mas do mesmo ano, foi praticamente idêntica à anterior, inclusive nas poucas e mal reproduzidas ilustrações; idêntica também a relação de obras, mas esta submetida a capítulos, cabendo 128 à pintura, 76 à Sala Bernardelli, 10 às esculturas, 12 às medalhas, 35 aos gessos e uma coleção de 705 fotografias de quadros.

Pinacoteca do Estado de São Paulo: catálogo.
São Paulo: João Bentivegna, 1950.

Pinacoteca do Estado de São Paulo: catálogo.
São Paulo: João Bentivegna, 1951.

Pinacoteca do Estado de São Paulo: catálogo.
São Paulo: s.e., 1954.

Pinacoteca do Estado de São Paulo: catálogo.
São Paulo: Escolas Profissionais Salesianas, 1960.

Pinacoteca do Estado de São Paulo: catálogo.

São Paulo: Gráfica Canton, 1963.

NOTA: Estes cinco últimos catálogos foram organizados por Tulio Mugnaini, diretor da Pinacoteca; todos bem ilustrados, contam com notícias biográficas dos artistas.

Pinacoteca do Estado de São Paulo: catálogo.

São Paulo: s.e., 1965.

Organizado pelo diretor João de Scantimburgo, apresenta grande melhoria sobre os anteriores; destacando-se entre outros a qualidade do papel e algumas ilustrações em cores; conta ainda com uma referência à Biblioteca de Arte, com 465 obras e a capa de brochura reproduz um quadro de Cândido Portinari (1903-1962). NOTA: Todos os catálogos aqui relacionados transcreveram o acervo de sala em sala, um sistema que tornou a todos falhos e incompletos pela omissão das peças temporariamente removidas, em comodato com outras instituições, ou ainda em depósito.

Dezenovevinte: uma virada no século.

São Paulo: Pinacoteca do Estado, nov. 1986. (Catálogo de exposição, nov. 1986)

Fruto de uma grande exposição de uma significativa parte do acervo da Pinacoteca do Estado, este catálogo, em fólio médio, é na realidade uma história visual da arte brasileira, acompanhada de excelentes textos por Ciça França Loureiro, Carlos Lemos, Maria Inez Turazzi, Ana Carboncini, Ruth Sprung Tarasantchi e Maria Cristina Castilho Costa, além de boas notas biográficas e uma bibliografia.

O Museu de Arte Sacra de São Paulo.

[São Paulo]: Banco Safra, [1983].

Formado em 1970 com peças provenientes da Cúria Metropolitana de São Paulo, este museu foi instalado no Mosteiro da Luz, o antigo Recolhimento da Avenida Tiradentes, em São Paulo. Excelentes fotografias ornam esta bela edição do Banco Safra (v.); prefácio do Padre Antonio Oliveira Godinho, antigo diretor e grande conhecedor da matéria, e notas explicativas pelos especialistas Carlos A. C. Lemos, João Marino (v. estes) e José Geraldo Nogueira Moutinho. As reproduções foram agrupadas nos capítulos: imaginária, prataria, ourivesaria e pintura, com pequena parte dedicada à vária; completo catálogo geral conclui a obra.

Galeria das Moedas: coleção numismática do Museu de Arte Sacra de São Paulo.

[São Paulo]: Departamento de Museus e Arquivos/Secretaria de Estado da Cultura/Banco Safra, s.d. (Catálogo)

O Banco Safra (v.) organizou e apresentou em suas premissas uma exposição de uma importante e até a data desconhecida coleção numismática que se encontra no Museu de Arte Sacra de São Paulo, uma exposição que contou com cerca de quinhentas peças das mais raras moedas brasileiras. O presente catálogo é uma pequena obra de arte através das fotografias de Rômulo Fialdini (v.).

Museu de Arte Sacra: Mosteiro de Nossa Senhora da Luz.

São Paulo: Secretaria de Estado da Cultura/[Edição Fundação Padre Anchieta, 1980?].

Com texto do Padre Antonio Godinho, Diretor do museu, fotografias de José Colucci Jr. e comemorando o décimo aniversário de fundação do museu, este pequeno e bem elaborado álbum serve de catálogo do acervo instalado no Mosteiro de N.S. da Luz.

Museu de Arte Sacra de São Paulo.

[São Paulo]: Secretaria de Estado da Cultura/Departamento de Museus e Arquivos, [1991].

Pequeno e belo este guia histórico e de apresentação, redigido por seu diretor João Marino (v.), falecido em 1997.

Museu de Arte Sacra de São Paulo.

[São Paulo: Museu de Arte Sacra, ?]. (Folheto)

Folheto bem feito de apresentação com boa reprodução de peças raras.

Museu de Arte Sacra de São Paulo.

Textos de Dr. Pedro Antonio Oliveira Ribeiro Neto. São Paulo: Gráficos Brunner, [1973]. (Coleção Cultural Mercator)

Uma das obras da Coleção Mercator, com 36 excelentes fotografias coloridas e texto de Pedro de Oliveira Ribeiro Neto, seu diretor.

Pequeno guia do Museu de Arte Sacra de São Paulo.

[São Paulo: Imprensa Oficial do Estado, 1970].

Foi o primeiro catálogo do museu e contou com prefácio de Dom Clemente da Silva-Nigra (v.) e um breve histórico de Pedro de Oliveira Ribeiro Neto, seu diretor. A relação das obras é acompanhada de razoável reprodução de algumas das mais importantes.

Museu de Arte Sacra de São Paulo: imaginária séculos XVI e XVII.

São Paulo: Empório de Produções e Comunicação, 2002.

Museu de Arte Sacra de São Paulo: imaginária século XVIII.

São Paulo: Empório de Produções e Comunicação, 2002.

Dois excelentes catálogos de pequena dimensão sobre o tema dos títulos; com superior reprodução das fotografias de Ricardo Hantzschel (v.) sob patrocínio do Bank of Boston. Muito recomendável.

Museu de Arte Sacra; roteiro da secção de presépios.

[São Paulo]: Conselho Estadual da Cultura, s.d.

Folheto descritivo das 23 vitrines e seus diversos presépios e peças, com bons comentários históricos e técnicos; sem ilustrações. Foram também publicados vários cartões-postais com reprodução de alguns presépios. NOTA: Excelente artigo do arquiteto Carlos A.C. Lemos na revista *Valbrarte* (São Paulo, ano I, nº 1, outubro de 1982) sobre o museu, "a sede da memória paulista", onde Manduco Leal forneceu boas fotografias das mais importantes peças, do prédio e seus interiores.

Roteiro do Museu de Presépios.

São Paulo: Conselho Estadual de Cultura/Secretara de Cultura, Esportes e Turismo, nov. 1970.

Modesto folheto para servir de guia a um museu cuja história e localização não são sequer indicadas.

Museu de Presépios.

[São Paulo: Governo do Estado, s.d.] (Cartões-postais)

O Governo do Estado editou por ocasião do Natal alguns cartões com reprodução de presépios do acervo.

O Museu Paulista da Universidade de São Paulo.

[São Paulo]: Banco Safra, [1984].

Planejado como monumento, o palácio projetado por Tommaso Gaudencio Bezzi (1844-1915) na colina do Ipiranga é o atual Museu Paulista da Universidade de São Paulo, que nos é apresentado nesta série do Banco Safra (v.); o museu teve sua origem na vasta e heterogênea coleção do Coronel Joaquim Sertório, dedicada principalmente à história natural, arqueologia e etnologia, uma tendência predominante até os nossos dias e que se faz sentir no espaço ocupado na seleção do acervo.

Museu Paulista: um monumento no Ipiranga: história de um edifício centenário e de sua recuperação.

São Paulo: Fiesp/Ciesp/Sesi/Senai/IRS, 1997.

Sob projeto do arquiteto italiano Tommaso Gaudencio Bezzi (1844-1915) iniciava-se em 1855 a construção do prédio-monumento que se consolidou no atual Museu Paulista da Universidade de São Paulo, popularmente conhecido como Museu do Ipiranga. Por ocasião dos festejos do centenário do prédio decidiu-se efetuar uma necessária e ampla reforma, um projeto vultuoso cujo custeio foi assumido pela Fiesp e suas afiliadas Ciesp, Sesi, Senai e IRS. Cumprido o compromisso, a Fiesp também patrocinou esta magnífica obra que nos apresenta textual e pictoricamente muitas das fases da recuperação das estruturas e do restauro dos ornamentos artísticos. Longe de se ater tão-só a estes aspectos, entretanto, uma grande parte da obra é dedicada ao museu, suas obras de arte, suas coleções e documentos históricos. Os textos foram confiados a especializados professores da universidade e a organização geral, ao diretor José Sebastião Witter. As fotografias foram quase todas de José Rosael e o conjunto da obra pode ser considerado muito recomendável para estudos.

Às margens do Ipiranga: 1890-1990: exposição do centenário do edifício do Museu Paulista da USP.

São Paulo: Museu Paulista da Universidade de São Paulo, 1990.

Esta deve ter sido uma exposição muito importante, a julgar por este catálogo de primeira categoria, dotado de fotografias gerais muito bem reproduzidas e a relação descritiva dos 172 itens apresentados, entre os quais muitos desenhos originais do arquiteto Tommaso Gaudenzio Bessi (1844-1915), doados pela família ao Museu Paulista, muitos dos cartões-postais da conhecida coleção de Padre Gamil Abib, e muitas as clássicas fotografias de João Sócrates de Oliveira e Guilherme Gaensly (v.). NOTA: No início da década de 1990 o Museu editou uma série de treze cartões-postais coloridos que retratam uma vista interior e quadros importantes do acervo. Um destes cartões, "Tiradentes", foi utilizado para um carimbo filatélico do primeiro dia de circulação para a "Exposição Comemorativa da Inconfidência Mineira. 1792-1992", organizada pelo museu.

Guia pelas collecções do Museu Paulista: São Paulo: Brazil.

S. Paulo: Typ. Cardozo, Filho & Cia., 1907.

Organizado e prefaciado por Hermann von Ihering, grande naturalista alemão e diretor do museu, é quase exclusivamente dedicado às coleções zoológicas, cabendo uma ínfima parte à numismática, paleontologia, arqueologia e etnografia; as poucas ilustrações são quase todas de insetos.

Museu Paulista.

São Paulo: Universidade de São Paulo, s.d.

Pequeno álbum-guia de apresentação com boas fotografias; bem feito.

Museu de Arte e Arqueologia: Universidade de São Paulo: catálogo nº 1.

São Paulo: [Museu de Arte e Arqueologia], 1964.

Catálogo que descreve tecnicamente as 434 peças arqueológicas havidas por doação de dezesseis museus italianos; dezesseis peças fotografadas e sofrivelmente reproduzidas.

Acervos do Museu Paulista/USP (Museu do Ipiranga).

[São Paulo]: Governo do Estado de São Paulo/USP, 1999.

Álbum bem impresso e ilustrado com objetos e imagens de diversas seções do antigo Museu do Ipiranga; coordenação do Diretor José Sebastião Witter e as fotografias de José Rosael.

Acervo artístico-cultural dos Palácios do Governo do Estado de São Paulo.

São Paulo: Imprensa Oficial do Estado de São Paulo, 1989.

Obra bem feita e de bom acabamento, prefaciada pela curadora Radha Abramo, conta com vários capítulos confiados a especialistas, cada um com reprodução colorida de duas a três peças: "Contemporâneos" (Sonia Salztein), "Modernismo" (Marta Rossetti Batista"), "Século 17 a 20" (Ruth Sprung Tarasantchi), "Imaginária" (Wolfgang Pfeiffer), "Mobiliário" (Cleide S.C. Biancardi), "Tapeçaria" e "Prataria" (Serafina T.B. Amaral), "Louçaria" (Eldino F. Brancante), e a Galeria dos Governadores (reprodução em branco e preto dos retratos por Carlos De Servi, Mario Gruber e outros). Conclui a obra uma relação e reprodução em branco e preto de todas as obras do acervo (com descrição técnica) do Palácio dos Bandeirantes (São Paulo), Palácio Boa Vista (Campos de Jordão) e Palácio do Horto Florestal (São Paulo).

Acervo artístico-cultural dos Palácios do Governo do Estado de São Paulo.

[São Paulo: Governo de São Paulo, 1994].

Nova versão do item anterior, em edição encadernada e novamente sob a curadoria de Radha Abramo. É uma obra estranha, cuja programação visual foi confiada a Fernando Lemos (1926), artista gráfico português de grande competência e especialista do assunto;

não obstante, optou-se por uma letra minúscula, de difícil leitura em muitas instâncias. As peças reproduzidas e descritas (a totalidade do acervo, ao que tudo indica) foram agrupadas sob títulos específicos, como “Cuzquenhos” ou “Século 19/20”, por exemplo, não havendo indicação do local de origem, estes identificados apenas no índice e pelas fotografias dos prédios no início da obra: Palácio dos Bandeirantes (São Paulo), Palácio Boa Vista e Capela São Pedro Apóstolo (Campos de Jordão) e Palácio do Horto Florestal (São Paulo), palácios que contam afinal com um resumido histórico. Os textos para cada um dos capítulos foram resumidos ou transcritos integralmente dos publicados no item anterior, e as descrições confiadas a diversos colaboradores citados em “Créditos”. Em resumo, uma obra importante e bonita, mas de consulta e leitura difíceis.

[Palácio Bandeirantes].

[São Paulo: Imesp, 1977].

Este catálogo, que ostenta como título tão-só o brasão de São Paulo, é uma pequena jóia editorial e visual. A historiadora de arte Aracy Amaral (v.) encarregou-se do prefácio e do histórico deste prédio monumental cuja pedra fundamental fora lançada em 1954 pelo Conde Francisco Matarazzo Jr. para servir de Faculdade de Economia; desapropriado e concluído, foi transformado em sede do Governo de São Paulo e dotado de rico acervo artístico. Foram reproduzidas as peças mais importantes, entre as quais, em folhas desdobráveis, o painel *Tiradentes*, de Cândido Portinari (1903-1962), que se encontrava anteriormente no Colégio de Cataguazes, em Minas Gerais.

Coleção de arte do Palácio Boa Vista.

Campos do Jordão, 1988.

Iniciada a construção deste palácio em 1938 para servir de subsede ao Governo Estadual, veio a ser concluído tão-só em 1964 e a seguir mobiliado e equipado. Aberto à visitação pública em 1970, foram algumas salas adaptadas a um museu permanente e publicados vários folhetos-guias e alguns catálogos. O presente guia do Palácio, organizado por Arakaki Masakazu, seu diretor de longa data, traz a relação dos quadros do acervo e é completado com sucintas notícias biográficas dos artistas. Boas reproduções (algumas coloridas) de vistas dos ambientes sociais do Palácio.

O Palácio Boa Vista em Campos do Jordão: monumento público do Estado de São Paulo.

[São Paulo: Imprensa Oficial do Estado, 1976]. (Catálogo)

Um guia bem feito e bem ilustrado; prefácio e comentários de Paulo Mendes de Almeida.

Palácio Boa Vista: Campos do Jordão: 1938-1988.

[São Paulo]: Secretaria de Estado do Governo, [1988?]. (Série de 16 cartões-postais)

Edição comemorativa em forma de um envelope contendo dezesseis cartões-postais em cores, com reprodução de peças do acervo.

Louçaria artística e histórica: acervo artístico-cultural dos Palácios do Governo.

São Paulo: s.e., 1988.

Folheto com texto do estudioso Eldino Brancanti (membro da Academia Internacional de Cerâmica de Genebra), com poucas ilustrações fotográficas.

Fundação Maria Luisa e Oscar Americano.

São Paulo: [Fundação Maria Luisa e Oscar Americano], 1980. (Catálogo)

Um sólido trabalho histórico pelo *marchand* de arte Renato Magalhães Gouvêa sobre esta Fundação particular sediada em prédio próprio em São Paulo; muito bem ilustrado. A sobrecapa traz fotografias da mansão e de seu parque, que não constam do texto.

Fundação Maria Luisa e Oscar Americano.

São Paulo: Fundação Maria Luisa e Oscar Americano, 1996.

Edição de luxo que amplia de muito o material histórico contido no item anterior, dando destaque especial a São Paulo antigo e moderno, aos instituidores, ao bairro e aos primórdios da primitiva chácara e à atual casa e seu parque. Apesar da enorme ampliação do leque de imagens e temas, e uma reprodução de um número maior de peças do acervo, esta edição em nada diminui a categoria da anterior. NOTA: A Fundação tem publicado vários folhetos e cartazes de divulgação de seus programas e acervo, destacando-se um cartaz de 1998 reproduzindo uma das tapeçarias da série "Le chasseur indien" (datada de 1768) e várias peças do acervo; e outro da mesma época com uma fotografia colorida da fachada da sede. Foi também publicada uma série de doze cartões-postais em cores com vistas do museu e do acervo.

Integração das artes: Memorial da América Latina.

[São Paulo]: Memorial/Fundação Memorial da América Latina, [1990].

Uma edição de boa qualidade, patrocinada por uma empresa particular. Segundo o prefácio, "uma das sínteses mais representativas das artes e arquitetura brasileiras, através da reprodução de croquis e depoimentos inéditos, e das obras de arte que constituem nosso acervo", uma afirmação que não poderá ser contestada. Como autor do projeto do "Memorial", coube ao arquiteto Oscar Niemeyer (v.) o prefácio em que relata como se insere na própria arquitetura cada uma das obras reproduzidas que, por sua vez, foram relatadas e justificadas por seus autores. Termina esta recomendável obra com um esboço biográfico de cada artista.

Memorial da América Latina: memorial.

[São Paulo: Governo do Estado de São Paulo, 1988?].

Bem cuidada publicação oficial sobre este centro cultural projetado pelo arquiteto Oscar Niemeyer (v.); boas fotografias coloridas, e uma descrição resumida das "áreas de atividades".

Memorial da América Latina.

[São Paulo: Governo do Estado de São Paulo, 1988?].

Plaqueta de apresentação em quarto grande, texto português e espanhol, e ilustrações em cores; em anexo, sobre folha de papel tipo pergaminho, reprodução de um depoimento manuscrito do arquiteto Oscar Niemeyer (v.).

Memorial da América Latina.

[São Paulo: Governo do Estado de São Paulo, 1988?].

Uma variante da plaqueta do verbete anterior, com algumas fotografias diferentes.

Memorial da América Latina.

Governo de São Paulo, 1988.

Outra variante do verbete anterior, em papel inferior, maior número de ilustrações e sem o manuscrito de Oscar Niemeyer (v.).

Memorial da América Latina.

[São Paulo: Raízes Artes Gráficas, 1990].

Monumental obra de apresentação e divulgação, focalizando a arquitetura, as obras de arte, as exposições e demais atividades. Ilustrada e com textos, entre outros, de Oscar Niemeyer, Darcy Ribeiro e Frederico Morais (v. estes).

Pavilhão da criatividade: Memorial da América Latina, Brasil.

São Paulo: Empresa das Artes, 1999.

Em companhia do esposo Jacques Bisilliat e do arquiteto Antonio Marcos Silva, a fotógrafa Maureen Bisilliat fundou em São Paulo (1970) uma galeria de produtos do artesanato brasileiro, "O Bode", uma galeria cujo suprimento exigia dos associados longas viagens pelo interior do país e resultou no acúmulo de grande experiência e conhecimentos nos campos da etnografia e da arte popular. O encerramento das atividades desta galeria por volta de 1990 ensejou o Memorial da América Latina a encarregar estes associados a adquirirem peças de arte popular destinadas à formação de um acervo próprio, incumbência aceita e realizada e cujo resultado se verifica nesta obra encantadora que reproduz em cores a produção do Brasil, México, Guatemala, Peru, Equador e Paraguai. Muito recomendável.

Museu da Casa Brasileira.

São Paulo: [Governo do Estado de São Paulo/Secretaria de Cultura, Esportes e Turismo/Conselho Estadual de Cultura], 1971.

Pequeno guia-histórico de um museu sediado no senhorial Solar Fábio Prado com rico acervo de móveis e alfaias, prédio que serviu de residência ao casal doador Fábio da Silva Prado e Renata Crespi; bem ilustrado em cores.

Museu da Casa Brasileira: atividades 1992/1994.

[São Paulo: Museu da Casa Brasileira, 1995?]. (Catálogo)

Uma bela plaqueta de dimensão pouco usual (30,0 x 15,5 cm), muito bem diagramada e ilustrada servindo de guia-histórico e comportando em anexo um relatório das atividades de 1992 a 1994.

Museu da Casa Brasileira: Solar Fábio Prado.

São Paulo: Governo do Estado de São Paulo/Secretaria da Cultura, Ciência e Tecnologia, 1978.

Um catálogo simples, bem apresentado e bem ilustrado; as peças do acervo foram agrupadas e descritas em torno de épocas e períodos de história artística nacional pelo diretor, o historiador Ernani da Silva Bruno (v.).

O móvel da casa brasileira.

São Paulo: Museu da Casa Brasileira, 1997.

Esta obra é muito mais do que uma bela apresentação do acervo de móveis do Museu da Casa Brasileira; na realidade, é um competente estudo da arquiteta Gloria Bayeux visando estabelecer a influência de estilos sobre o móvel que genericamente optou-se por denominar "brasileiro". Além deste texto de alta qualidade, conta também com as fotografias de Antonio Saggese e a diagramação do arquiteto Marcelo Aflalo.

Modernistas, modernismo: acervo do MAB – Museu de Arte Brasileira.

São Paulo: Fundação Armando Álvares Penteado, 1995. (Catálogo, 1995)

Coroando trinta anos de exposições, o MAB fez uma seleção de 38 das 2 500 obras do acervo para apresentá-las no Palácio do Itamaraty como uma síntese da arte brasileira. Belo catálogo coligido por Maria Izabel Ribeiro, a diretora técnica.

O modernismo no Museu de Arte Brasileira: pintura: homenagem ao centenário de Mário de Andrade: 1893-1945.

São Paulo: Fundação Armando Álvares Penteado, 1993. (Catálogo de exposição, 1993)

Organizada e realizada por seu diretor, Alberto Beutenmüller, esta é mais do que uma "edição obsessivamente bem cuidada"; é na realidade "uma seleção de arte brasileira" em um catálogo de luxo deste museu mantido em sede própria da Fundação Armando Álvares Penteado.

Fundação Armando Alvares Penteado: 1947/1997.

Texto: Ignácio de Loyola Brandão. Fotos: Rômulo Fialdini. Design: Victor Burton. São Paulo: DBA, 1997.

Obra importante e digna para a comemoração do cinqüentenário deste instituto cultural paulista que se notabiliza com o Museu de Arte Brasileira e suas Faculdades. Importante e muito recomendável.

O Museu Lasar Segall.

[São Paulo]: Banco Safra, [1991].

Nasceu este museu da coleção familiar das obras do pintor, gravador e escultor russo Lasar Segall (1891-1957), acervo reunido e organizado por sua viúva, a escultora Jenny Klabin Segall e instalado na antiga residência da família, projetada pelo arquiteto Warchavchik (v.). Transformado em entidade privada por seus filhos em 1967, o museu foi incorporado à Fundação Nacional Pró-Memória em 1985 e comporta atualmente grande parte da obra do artista e um ativo centro cultural com anexa cinemateca, além de biblioteca especializada em cinema e teatro. Esta obra da série Banco Safra (v.) conta com substancial histórico de Maurício Segall, um dos instituidores e seu diretor, e os usuais comentários às peças muito bem reproduzidas.

Museu Lasar Segall: 1970-1980.

[São Paulo: Museu Lasar Segall].

Folheto de apresentação e comemoração de dez anos de atividade de um museu particular (atualmente incorporado ao Patrimônio Nacional) instituído em 1970 pelos filhos do grande pintor Lasar Segall (1891-1957).

Acervo da Pinacoteca Municipal.

São Paulo: Centro Cultural São Paulo, 1996.

Uma obra que se fazia imperiosa, realizada com capricho e notável apresentação. Além de um histórico por Maria Camila D.F. Martins, diretora da Divisão de Artes Plásticas, encontramos a reprodução das obras mais expressivas do acervo e um catálogo geral com especificações técnicas.

Acervo pictórico da Prefeitura do Município de São Paulo.

[São Paulo]: Secretaria Municipal de Cultura, 1985. (Série Arte e História, 1)

Um belo catálogo de uma seleção de obras que inclui um quadro de Frans Post (v.) e vários desenhos de Rugendas (v.), além de artistas paisagistas acadêmicos e modernos, e uma coleção de aquarelas de São Paulo antigo por José Wasth Rodrigues (v.).

Pinacoteca municipal: gravadores e gravuras.

[São Paulo]: Centro Cultural São Paulo, 1982.

Modesto catálogo de uma exposição do acervo de obras de ilustradores de livros; quatro ilustrações.

Pinacoteca Municipal.

Centro Cultural São Paulo.

Folheto bem redigido para uma "relação de obras do acervo municipal em exposição"; ilustrado com três desenhos no texto e um desenho de Rugendas (v.) na capa.

Coleção Biblioteca de Arte: desenhos, aquarelas e guaches.

[São Paulo]: Secretaria Municipal de Cultura de São Paulo, 1981. (Caderno, 5)

A alta qualidade gráfica e editorial desta série não justifica o modesto título de "Caderno", como também não poderá ser qualificado como caderno este excelente catálogo do acervo de obras sobre papel da Biblioteca Pública Municipal Mário de Andrade. Esta coleção, iniciada em 1926 com a aquisição de 35 desenhos de Rugendas (v.), não relacionados neste catálogo, atingiu em 1981 a 647 peças muito representativas da época e dos artistas, e uma criteriosa descrição de cada obra, além da reprodução de 60 das mesmas.

Museu Histórico da Imagem Fotográfica da Cidade de São Paulo: Projeto Museu de Rua: Percurso Centro Histórico, História do Anhangabaú e do Viaduto do Chá, Memória da Sé.

[São Paulo]: Departamento do Patrimônio Histórico/Secretaria Municipal de Cultura, 1979. (Registros, 3)

Um dos excelentes "Registros" (v.) da Prefeitura de São Paulo, apresentando um museu imaginário criado para apresentar em logradouros públicos exposições de fotografias da cidade da coleção da própria Prefeitura. As ilustrações são muito boas, ainda que sofrivelmente reproduzidas.

Casa Guilherme de Almeida, Museu de Presépios, Museu da Casa Brasileira, Museu de Arte Sacra, Paço das Artes, Museu da Imagem e do Som, Pinacoteca do Estado.

[São Paulo: Governo do Estado de São Paulo/Secretaria da Cultura, Ciência e Tecnologia, ?].

Catálogo de apresentação-divulgação de centros culturais e museus paulistas; as boas e abundantes ilustrações obedecem a um critério algo curioso de escolha estética e representatividade, mas assim mesmo não deixa de ser interessante.

Guia da Casa do Grito: ensaio de recomposição de um pouso de beira de estrada (Casa do Tropeiro) de primórdios do século XIX.

[São Paulo]: Prefeitura do Município de São Paulo/Secretaria da Educação e Cultura/Departamento de Cultura/ Divisão do Arquivo Histórico, s.d.

Bem mais do que um guia, este modesto folheto é um compacto estudo, com texto em português, francês e inglês; poucas ilustrações.

Guia da Casa do Bandeirante: ensaio de recomposição do ambiente rural doméstico paulista de primórdios no século XVIII.

[São Paulo]: Departamento de Cultura/Divisão do Arquivo Histórico, s.d.

De idêntica apresentação e igual importância do guia do verbete anterior.

Museu das Artes Gráficas.

[São Paulo: Senai – Departamento Regional de São Paulo, 1988].

O MAG surgiu em 1981 com coleções formadas e mantidas por uma empresa de São Paulo. Esta plaqueta, em cartolina fina artesanal, serve como apresentação da entidade e seu programa.

Museu de Artes e Técnicas Populares.

[São Paulo]: Secretaria de Cultura, Esporte e Turismo/Associação Brasileira de Folclore, 1969.

O Museu do Folclore, como é popularmente conhecido, nasceu em 1947 no Conservatório Musical de São Paulo, foi oficializado em 1954 para as comemorações do IV Centenário de São Paulo e atualmente é denominado Museu do Folclore Rossini Tavares. O catálogo, de autoria do folclorista Rossini Tavares de Lima (1915-?), é mais explicativo do que propriamente guia, contando com boas ilustrações sofrivelmente reproduzidas.

Museu do Telefone.

[São Paulo]: Museu do Telefone, [1977?].

Tudo é bom neste catálogo histórico e de apresentação, do texto de autor não revelado à especial diagramação do arquiteto Cauduro Martino; excelentes ilustrações.

Museu São Paulo Alpargatas.

[São Paulo: Alpargatas], 1982.

Museu industrial inaugurado em 1982 em comemoração aos 75 anos de atividades de um importante complexo industrial têxtil paulista. Bem ilustrado e descrito, além de uma relação completa do acervo.

O Centro Cultural do Liceu.

[São Paulo?: Liceu de Artes e Ofícios?, 1983?].

Em 1980 o Liceu de Artes e Ofícios de São Paulo criou um centro cultural para a divulgação de suas atividades e para ministrar cursos de artes plásticas, além da organização de uma oficina de reproduções em gesso. O catálogo focaliza este centro cultural e reproduz o programa "Arte é humanismo", com texto de Olívio Tavares de Araújo.

O Pavilhão Japonês.

[São Paulo: Sociedade Brasileira de Cultura Japonesa, 1980]. (Catálogo)

Belo guia histórico deste prédio do Parque Ibirapuera, doado pelo governo japonês à cidade de São Paulo para as comemorações do IV Centenário de São Paulo. Edição bilíngüe, com excelentes fotografias em branco e preto e quatro em cores.

Quantos anos faz o Brasil?

Adílson Avanti de Abreu, organizador. São Paulo: Imprensa Oficial/Edusp, 2001. (Uspiana. Brasil 500 anos, 1)

Como contribuição às comemorações dos 500 anos, a USP projetou uma série de doze obras sob o título de "Uspiana - Brasil 500 anos", série ainda não concluída até a data mas que já se tornou marco indelével no campo cultural, quer pela alta qualidade das contribuições como pela impecável apresentação editorial. O presente foi o primeiro volume desta série e o curioso título lançado como um desafio para provocar reflexões diferenciadas sobre o País em que vivemos; este desafio foi lançado aos quatro museus da Universidade de São Paulo e pelos mesmos aceito como abertura de "janelas" sobre a formação de seus acervos. O resultado deste intento foi tão curioso quanto foi seu título, apresentando o Museu Paulista uma parte de seu acervo dedicado ao "universo do trabalho", o de Zoologia estudando a apresentação histórica da fauna e o Arqueológico as inscrições rupestres e os sambaquis; ao MAC restou apenas o resumo da história da arte que se dedica a preservar. Ilustrações excelentes e textos diversos em português e inglês.

Museu Histórico – Centro de Memória do CPFL.

São Paulo: CPFL – Companhia Paulista de Força e Luz, s.d.

O museu do título não passa de um pretexto para um histórico da energia elétrica no Estado; modesto folheto com poucas, mas expressivas ilustrações.

Museu Zerrenner: catálogo.

São Paulo: Fundação Antonio e Helena Zerrenner Instituição Nacional de Beneficiência, 1968?. (Catálogo)

Modesto e mal ilustrado catálogo de uma surpreendente coleção particular formada pelo casal Zerrener e por eles doada por legado para a formação de um museu. Entre os 244 itens provisoriamente relacionados neste catálogo, que formam uma quantidade enorme de objetos de arte, alfaias e móveis, encontram-se quadros de Benedito Calixto (v.) e outros, e nada menos do que vinte telas do pintor Karl Ernst Papf (v.), artista importante cuja produção ainda não foi devidamente estudada.

Guia do Museu João Ramalho no Forte São João da Bertioga.

São Paulo: [Instituto Histórico e Geográfico Guarujá-Bertioga], 1962.

Fundado em 1958, o Instituto Histórico e Geográfico Guarujá-Bertioga organizou em 1962 o Museu João Ramalho, que foi instalado em uma das dependências restauradas (IPHAN, 1962) do Forte São João, na Praia da Bertioga (Bertioga, SP). Com prefácio de Rodrigo M.F. Andrade e relatório de Maria Botelho Souza Aranha, este guia do acervo conta com boas ilustrações e o "Croquis do Forte" de 1817; a capa reproduz o mapa italiano "Piante de S. Vincenzo", originário da obra *Istoria delle guerre del regno del Brasile...*, de J.J. Santa Teresa (Roma, 1698). NOTA: Este museu conta com um acervo relativamente modesto alojado em sítio histórico de grande atração, motivo do presente catálogo ter passado por várias edições, todas com algumas pequenas alterações e as mesmas ilustrações, passando a sexta (1972) a uma dimensão maior e papel melhor.

O Forte São João da Bertioga.

São Paulo: Instituto Histórico e Geográfico Guarujá-Bertioga, 1962.

Festejando a restauração do Forte de São Tiago, ou São João de Bertioga, este folheto traz uma nota preliminar de Rodrigo M.F. Andrade, diretor do Serviço de Patrimônio Histórico e Artístico Nacional, e transcreve um estudo do historiador Affonso d'E. Taunay (anteriormente publicado no nº 1 da *Revista do Patrimônio Histórico e Artístico Nacional*); ilustrado com três fotografias e um "Croquis do Forte", de 1871, que se encontra no Arquivo do Estado.

Felicia.

[São Paulo: Imprensa Oficial do Estado, 1983].

A escultora Felicia Leirner (1904-?) doou em 1978 ao Governo do Estado de São Paulo 108 esculturas de sua autoria, todas de grande porte e destinadas a formar um museu ao ar livre em Campos do Jordão. Com texto de Maria de Lourdes Teixeira e Lawrence Klinger, este é um estudo sobre a obra artística de Felicia Leirner, bem ilustrado com fotografias das esculturas dispostas no Museu Felicia Leirner em Campos de Jordão; conta ainda com um catálogo geral de sua obra.

Felicia.

S.l.: Museu Felicia Leirner, s.d.

Na prática, esta é uma nova edição da obra precedente, com aproveitamento das mesmas imagens fotográficas e também do catálogo geral.

Guia do Museu Municipal.

[São Paulo]: Prefeitura da Estância de Atibaia, 1952.

Este pequeno guia, com poucas e razoáveis fotografias, enumera 2 337 itens, dos quais 135 jornais, 676 leis diversas e 293 moedas, além de uma miscelânea formada por quadros, estatuetas, autógrafos, móveis e 187 fotografias avulsas; sem ilustrações.

Guia do Museu Municipal: volume II.

[Atibaia]: Prefeitura da Estância de Atibaia, 1955.

Continuação do guia do verbete anterior, elevando o acervo a um total de 3 445, incluindo 395 livros e revistas; sem ilustrações. NOTA: Este museu passou a chamar-se "Museu Municipal João Batista Conti", conforme consta do folheto: "Venha comigo... Vamos visitar o Museu Municipal João Batista Conti" (S.l.: s.e., [1961?]).

Museu da Estrada de Ferro Sorocabana.

?: ?, ?.

Apostila que serve de apresentação e guia para os visitantes deste museu inaugurado em 1997 e instalado em uma casa da antiga companhia em Sorocaba. Além de uma reduzida biografia de Luiz Matheus Maylaski, construtor da estrada, consta um levantamento do acervo de cada sala.

Museu de Arte Sacra – Santos: Mosteiro de São Bento.

[São Paulo: Edição Fundação Padre Anchieta/Governo do Estado de São Paulo, s.d.] (Catálogo)

Em 1650 os monges beneditinos assumiram em Santos uma capela datada de 1644 e iniciaram a construção do Mosteiro N.S. do Desterro (posteriormente Mosteiro de São Bento); desocupado em 1968, foi transformado em Museu de Arte Sacra. O presente guia histórico é bem feito e revela em cores várias peças do acervo, descritas e comentadas pela historiadora Wilma F. de Andrade.

Museu de Arte Sacra de São Sebastião: Capela de São Gonçalo.

São Paulo: Condephaat, 1981. (Catálogo)

Pequeno e bom catálogo que historia o restauro da Capela de São Gonçalo e a instalação do museu; boas fotografias antigas e recentes e reprodução em cores das peças do acervo.

Museu de Jundiaí.

São Paulo, [1967?].

Uma obra curiosa e praticamente descartável sobre o "Museu Histórico e Cultural de Jundiaí", criado por lei municipal em 1951 e ainda em organização em 1966; com acervo formado por uma pequena coleção entomológica, aves e animais empalhados, alguns quadros e alguns "Documentos e apostilas para a história de Jundiaí", o coordenador Padre Antonio Maria Stafuzza conseguiu criar um texto confuso e desconexo.

Museu de Jundiaí II: efemérides.

São Paulo: s.e., 1974.

Ainda sob orientação do mesmo organizador da obra do verbete anterior, esta continuação teve apresentação melhorada, mas nem por isto menos descartável.

Museu Ferroviário Barão de Mauá.

Jundiaí: Fepasa, s.d.

Modesto catálogo de um museu que abriga o acervo material e histórico da antiga Estrada de Ferro Sorocabana em Jundiaí.

Museu Histórico e Pedagógico Índia Vanuire: Tupã – SP.
S.l.: Governo do Estado de São Paulo, [1981?]. (Catálogo, 1981)

Pequeno catálogo de um museu com sede própria; reprodução em cores do prédio e de quatro peças etnográficas do acervo.

Museu da Imigração Santa Bárbara d'Oeste; exposição inaugural: americanos no Brasil.
[Santa Bárbara d'Oeste]: Secretaria de Ciência e Tecnologia do Estado de São Paulo/Prefeitura Municipal de Santa Bárbara d'Oeste, s.d. (Catálogo)

Um pequeno catálogo bem apresentado e ilustrado que é mais do que o da exposição inaugural do título: apresenta um artigo sobre a imigração em geral e outra sobre a americana em particular, uma resumida história da cidade, relato sobre a criação do museu e os planos para sua ação cultural, e finalmente a apresentação de parte do acervo.

SERGIPE

Museu de Arte Sacra São Cristovão: Sergipe.
Aracaju: Universidade Federal de Sergipe, 1976.

Em 1974 foi inaugurado o Museu de Arte Sacra em uma das alas do restaurado Convento São Francisco (iniciado em 1693) da cidade de São Cristóvão (capital da Província de Sergipe até 1855), destinada a acolher as obras de arte sacra espalhadas pelo Estado. Duas professoras universitárias incumbiram-se deste modesto mas bem elaborado folheto, digno de nota.

Museu de Arte Sacra São Cristovão – SE.
[Aracaju]: Senado Federal/Centro Gráfico, 1984.

A julgar por este pequeno e lindo álbum, tanto o Convento de São Francisco como o Museu de Arte Sacra da histórica cidade sergipana de São Cristóvão (capital até 1855) são muito importantes e dignos desta impecável edição realizada no centro Gráfico do Senado Federal. Prefácio de Eurico Amado e fotografias de Luis Carlos Lopes Moreira.

Museu Histórico de Sergipe: IV centenário da conquista de Sergipe e da fundação da cidade de São Cristovão = Historical Museum of Sergipe, Brazil; IV centenary of the conquest of Sergipe and of the foundation of São Cristovâo: 1590-1990.
S.l.: Fundação Banco do Brasil, 1990. (Catálogo)

Esta pequena plaqueta, bem ilustrada com fotografias de Marcel Nauer, revela o Museu Histórico de Sergipe, instalado no antigo Palácio Provincial (século XVII) da cidade de São Cristóvão (antiga capital do Estado).

Museu Afro-Brasileiro de Sergipe: IS centenário da conquista de Sergipe e da fundação da cidade de São Cristovão = Afro-Brazilian Museum of Sergipe, Brazil; IV centenary of the conquer of Sergipe and of the foundation of São Cristovâo.
S.l.: Fundação Banco do Brasil, 1990. (Catálogo)

Outra boa plaqueta para este museu instalado em prédio antigo na histórica cidade de Laranjeiras, dotado de fotografias de Marcel Nauer.

MUSSO, LUIS

Fotógrafo italiano, era funcionário do ateliê fotográfico Ferreira Guimarães do Rio de Janeiro em fins do século XIX*; tornou-se sócio de 1901 a 1904 e passou a proprietário em 1905 como "Musso & Cia." em sociedade com o irmão e também fotógrafo Alfredo Musso. Participou da Exposição do Centenário da Abertura dos Portos em 1908 e faleceu na Itália em 1910, tendo sido sucedido por Alfredo Musso. Muitas das obras deste ateliê encontram-se reproduzidas em publicações e revistas da época, ora como "Musso", ou "Photo Musso", e ainda como "L. Musso & Cia."; muitas na* Illustração Brasileira *(nº 2, de outubro de 1920), em* The Brazilian National Exposition of 1908, *de Marie Robinson Wright, quatro retratos em* O retrato brasileiro *e na obra* O Theatro Municipal do Rio de Janeiro *(v. estes), em edição própria.*

MUZZI, JOÃO FRANCISCO

De origem italiana, este pintor e cenógrafo esteve ativo no Rio de Janeiro na segunda metade do século XVIII. *Foi cenógrafo da Casa da Ópera (1767) do Rio de Janeiro e autor de dois quadros a óleo que retratam cenas do Recolhimento de Nossa Senhora do Parto (1789), reproduzidos em* Museus Castro Maya *(v.). Sua obra mais importante, representada por desenhos de botânica em um manuscrito do acervo da Biblioteca Nacional encontra-se reproduzida em* Plantas fluminenses, *de Frei Marianno Conceição Vellozo (v.).*

N

NASCIMENTO, EDUARDO BITTENCOURT DO

Antonina dos meus dias.

Curitiba: Secretaria de Estado da Cultura e do Esporte do Paraná/Convênio com a Funarte – Rio de Janeiro, 1980.

O autor (1951), artista plástico e fotógrafo, revela forte tendência fotojornalística neste seu álbum fotográfico sobre uma cidade paranaense.

NASCIMENTO, JOSÉ Anderson

Sergipe e seus monumentos.

S.l.: Gráfica Editora J. Andrade, 1981.

Simpático guia por um autor que elaborara anteriormente o texto histórico da obra *Sergipe d'El Rey*, de Tom Maia (v.); bem ilustrado com pequenas fotografias em branco e preto e 45 de folha inteira em cores. Recomendável.

NASSAU, MAURÍCIO DE

O conde alemão Johann Moritz von Nassau-Siegen (1604-1679), conhecido no Brasil como Maurício de Nassau, foi contratado pela Companhia das Índias Ocidentais como comandante supremo da ocupação holandesa no Brasil (v.), ocupando o cargo de Governador de 1637 a 1644 em Recife. A importância de seu Governo não se restringe às questões políticas e militares, mas se destaca também por seu mecenato e pela atuação de seus protegidos e membros de sua comitiva, os irmãos Pieter e Frans Post, os pintores Albert Eckhout e Zacharias Wagener, o historiador Gaspar Barléu e os cientistas Marcgrave e Piso (v. estes). Seu nome está indissoluvelmente associado à ocupação e à produção artística produzida durante o período e se encontra referida e estudada em todas as obras sobre o Nordeste e Recife no século XVII*, além das referidas no verbete "Holandeses no Brasil" (v.) e as obras* Prinz Johann Moritz von Nassau-Siegen und die niederländischen Kolonien in Brasilien, *de Otto Glaser, e* A Mauritshuis no tempo de Nassau, *de Joaquim de Sousa-Leão (v.). O retrato de Maurício de Nassau encontra-se em muitas versões gravadas nas obras especializadas, sendo a mais conhecida a do gravador holandês Theodor (ou Dirk) Matham (1605-1676), segundo desenho de Frans Post (v.) que ilustra a obra* Rerum per octennium in Brasilia, *de Gaspar Barléu (v.).*

NAVARRO, NEWTON

Navarro.

S.l.: s.e., [1967].

Álbum de grande formato de um ensaio pictórico da cidade de Natal (Rio Grande do Norte) por Newton Navarro (poeta e pintor, 1928), que "projeta a alma natalense em desenho carregado de paixão: suas ruas, seus becos, suas esquinas, o mar e o rio", nas palavras do prefaciador Sanderson Negreiros.

Futebol.

[São Paulo: Convênio Imesp/Daesp, 1982].

Álbum com as mesmas características do anterior, retrata o mundo do futebol em grossos traços a nanquim.

NAYLOR, GENEVIEVE

Genevieve Naylor: faces and places in Brazil / Misha Reznikoff: monstros de guerra.

[São Paulo]: Pinacoteca do Estado, nov. 1994. (Catálogo de exposição, nov. 1994)

Catálogo em forma de álbum de uma exposição de fotografias de Genevieve Naylor (1915) realizadas durante sua estadia no Brasil de 1940 a 1942 como representante de uma missão cultural americana (em companhia do marido Misha Reznikoff, 1905). As fotografias então realizadas foram apresentadas em 1943 no MOMA de New York e a seguir em vários outros institutos americanos, e o presente catálogo (que inclui alguns quadros de Misha Reznikoff) é o produto da interessante exposição realizada na Pinacoteca do Estado de São Paulo em 1994.

NEVES, EUSTÁQUIO

Pintor brasileiro autodidata e técnico químico por profissão (1955), montou em 1987 um estúdio fotográfico em Belo Horizonte e criou um grupo de estudos dedicado principalmente a manifestações da consciência negra.

Arte e religiosidade do Brasil: heranças africanas: Arturos.

Fotografias: Eustáquio Neves. São Paulo: Edições Pinacoteca, 1997.

Um dos seis notáveis catálogos em fólio publicados para a exposição temática do título (v.), contendo imagens dos "Arturos", descendentes de uma família da antiga comunidade negra mineira, imagens que não se apresentam abstratas mas em interessantes planos sob ângulos pouco comuns.

NIEMEYER, OSCAR

Oscar Niemeyer Soares Filho (1907), arquiteto brasileiro, foi um dos membros da equipe do arquiteto Lúcio Costa (v.) para o projeto do Ministério da Educação no Rio de Janeiro em 1936 e em 1956 autor dos projetos gerais e dos edifícios públicos para Brasília, a nova capital planejada pelo mesmo Lúcio Costa; foi também autor de numerosos projetos arquitetônicos e urbanísticos nacionais e internacionais.

Rio: de província a metrópole.

[Rio de Janeiro]: Avenir Editora, [1980].

Belo livro que reproduz um manuscrito do criador de Brasília, escrito em Paris e dedicado a Rodrigo M. F. de Andrade, fundador do Serviço do Patrimônio Histórico e Artístico Nacional. O texto é muito interessante (assim como os característicos desenhos que o ilustram) mas algo desconcertante; saudosista em sua primeira parte, o criador do Memorial da América Latina em São Paulo (desprovido de qualquer tipo de vegetação em seu imenso complexo) culpa os atuais paisagistas pela falta de parques à moda antiga, com ampla e densa vegetação. Em uma segunda parte, apresenta sugestões para humanizar a cidade por limitação de densidade populacional, gabarito máximo de quatro andares, cancelamento de qualquer tipo de zoneamento, localização indistinta da indústria à microempresa e da igreja à residência e à escola, e livre escolha de moradia para todas as classes sociais. Na terceira, finalmente, relendo o texto, "sinto que nele me preocupo demasiado com os problemas e reminiscências da pequena burguesia" e parte para uma crítica violenta baseada em postulados de seu crédito político.

Museu de Arte Contemporânea de Niterói.

Rio de Janeiro: Revan, 1997.

Mais do que a apresentação de um novo museu, este pequeno e luxuoso álbum é um poema visual de uma obra arquitetônica que contém um museu. Sobre Oscar Niemeyer (1907), autor do projeto e coordenador do álbum, nada seria necessário dizer, mas no presente caso potencializou a ousadia arquitetônica habitual com a escolha do local, criando um conjunto dificilmente superável. O álbum também nos transmite algumas vistas da coleção João Sattamini que lá se encontra em comodato, mas a fotografia de Kadu Niemeyer e os esboços-textos do arquiteto bastariam para tornar este belo álbum muito recomendável.

Parque do Tietê: plano de reurbanização da margem do rio Tietê.

[São Paulo]: Almed, [1986].

Projeto apresentado por Oscar Niemeyer e sua equipe para a integração do rio Tietê no cenário urbano de São Paulo, propondo a criação de um parque ao longo de suas margens e a construção de um centro cultural para incentivar a formação de núcleos de prédios e construções habitacionais. Além do texto do arquiteto e seus característicos desenhos e esboços, esta interessante e simpática obra apresenta fotografias das maquetes, uma fotografia da cidade por Rosa Gauditano (v.) e uma planta do plano em folha desdobrável de 30 x 82 cm.

NÓBREGA, HUMBERTO CARNEIRO DA CUNHA

Arte colonial da Paraíba: Igreja de Santo Antônio – Convento de São Francisco de João Pessoa.

João Pessoa: Universidade Federal da Paraíba, 1974.

Estudo que abrange o conjunto arquitetônico da igreja de Santo Antônio e diversos outros monumentos barrocos do Estado, ilustrado com fotos da coleção particular do autor, o Reitor da Universidade Federal da Paraíba; as ilustrações tendem um pouco ao exame de detalhes da ornamentação barroca em detrimento do conjunto e mereceriam uma reprodução melhor, mas não deixam de ser muito interessantes.

NOEMIA MOURÃO

Pintora brasileira (1912-1992), aluna e posterior esposa de Di Cavalcanti, estudou em Paris e viajou pela Europa de 1934 a 1940; participou de muitas exposições coletivas e oficiais e da IV Bienal de São Paulo e dedicou-se principalmente à aquarela.

Arte plumária e máscaras de dança dos índios brasileiros.

São Paulo: Impresso nas Oficinas de Artes Gráficas Bradesco, [1971].

Álbum encadernado em fólio gigante, 52 x 37 cm, com reprodução de setenta lindas aquarelas; texto em português e inglês.

Bahia em quinze estampas por Noemia.

Buenos Aires: Vian S. R. L., [1952].

Álbum com pranchas de 52,5 x 36,5 cm reproduzindo doze desenhos a nanquim e três aquarelas sobre o tema do título; tiragem de 500 exemplares, dos quais 100 numerados e f.c., assinados pela artista e pelo prefaciador Murilo Mendes. Muito recomendável.

NOGUEIRA NETO, PAULO

Estações ecológicas: uma saga da ecologia e de política ambiental.

[São Paulo]: Empresa das Artes, [1992].

Mais uma das obras culturais patrocinadas pelo Banco Itaú, confiada a um ecologista que se destacou nacionalmente na teoria e na prática e contou com a colaboração de três fotógrafos especializados, igualmente dedicados à causa: Araquém Alcântara, Dudu Tresca e Fabio Colombini (v. estes). Muito interessante e recomendável.

NOLLA, FRANKLIN

Jornalista (1950), passou a dedicar-se à fotografia. Suas obras encontram-se espalhadas em numerosas revistas, entre as quais Grandes viagens *(Quatro Rodas),* Viagem e Turismo *(nº 8, agosto de 1996),* Motor Show *(nº 12, dezembro de 1994),* Brazil 2000. The foreign trade magazine, *bem como nos calendários "Kibon. 1994", "Parques Nacionais. 1999. General Motors", "Dupont 1999" e integralmente em "Heidelberg Brasil. 2003". Participou também da ilustração das obras:* Paisagem cultural brasileira: região sudeste *e* Paisagem cultural brasileira: região centro-oeste *(v. estas).*

NONATO, JOSÉ ANTONIO

NONATO, José Antonio e SANTOS, Núbia Melhem. *Era uma vez o Morro do Castelo.*

2ª edição. Rio de Janeiro: IPHAN, 2000.

Obra histórica e pictórica de um marco simbólico de uma das primeiras cidades do País e sua capital de 1763 a 1960: o Morro do Castelo, no Rio de Janeiro. A trajetória deste morro-cidade à transformação em "esplanada" nos é apresentada neste notável álbum que reúne mais de quatrocentas imagens entre mapas, gravuras e aquarelas antigas, além de muitas fotografias de Augusto Malta e as pouco divulgadas de Juan Gutierrez (v. estes), sem falar nas visões dos caricaturistas e no noticiário da imprensa durante a operação de desmonte. A importância desta obra não reside somente na documentação iconográfica (que deveria ter merecido melhor reprodução nas imagens fotográficas), mas também no texto e verbetes dos autores, dois especialistas do próprio IPHAN.

NORFINI, ALFREDO

Aquarelista e pintor italiano (1863-1944), filho do pintor de batalhas Luigi Norfini, estudou na Academia de San Lucca e emigrou para o Brasil em fins do século XIX. Expôs no Salão de 1899, 1908 e 1941 e regularmente no de São Paulo. O Museu Histórico Nacional guarda uma grande coleção de suas aquarelas, reproduzidas no sétimo volume do "AMHN" (v.) e o catálogo "Pintores italianos no Brasil" reproduz suas telas Paisagem do Rio Tietê *e* Viaduto Sta. Ifigênia. *Muitas outras aquarelas se encontram reproduzidas em* Ciência e beleza nos sertões do Nordeste, *de Rodolpho von Ihering (v.) e em* Pintores paisagistas, *de Ruth S. Tarasantchi (v.).*

Divani e Norfini: dois mestres pintores do Liceu de Artes e Ofícios e a modernidade paulistana.

[São Paulo]: Museu Lasar Segall, 1981. (Catálogo de exposição, ago.-set. 1981)

Catálogo mal impresso de uma exposição de dois pintores paisagistas italianos ligados ao Liceu de Artes e Ofícios de São Paulo, onde eram professores. Aladino Divani (1878-1928) pintou de preferência a vida urbana de São Paulo; Alfredo Norfini (1867-1944) fixou-se inicialmente em Campinas, e após longo período de viagens ao exterior, definitivamente em São Paulo, tornando-se respeitado aquarelista e intérprete de registros iconográficos.

Documentário iconográfico de cidades e monumentos do Brasil.

Aquarelas e desenhos de A. Norfini. Texto de Gustavo Barroso. *Anais do Museu Histórico Nacional*, Rio de Janeiro, vol. 7, 1953.

O Museu Histórico Nacional possui uma grande coleção das aquarelas e desenhos de Alfredo Norfini, divulgados pela primeira vez em exposição de 1940 em Lisboa. Cada uma das 131 peças desta coleção foi descrita e comentada por Gustavo Barroso (v.), Diretor do Museu, e com perfeição reproduzida neste número 7 dos *Anais*. Muito interessante e recomendável.

NORONHA, JURANDYR

No tempo da manivela.

Rio de Janeiro: Ebal/Embrafilme/Kinart, 1987.

A modéstia desta edição e a correspondente apresentação gráfica não prejudicam a qualidade do texto e a abundante documentação fotográfica, transmitindo ampla imagem do cinema nacional ao longo dos tempos.

NUGENT, BOB

Bob Nugent.

São Paulo: Dan Galeria, 1999. (Catálogo de exposição, 1999)

Este pintor americano (1947) é um típico pintor viajante e, especificamente, um apaixonado pela Amazônia, tendo realizado várias viagens a esta região, e em 1984 como bolsista da Universidade da Califórnia. Sua pintura abstrata, própria do "viajante que percorre rios e florestas em busca da memória íntima que, no caminho, se torna universal", na opinião de Katia Canton, curadora da exposição, foi de grande repercussão e amplamente discutida na imprensa (in *O Estado de S. Paulo*, 12 de agosto de 1999), e contou com este excelente catálogo.

NUMISMÁTICA E FILATELIA

As moedas, o papel-moeda, as medalhas e os selos postais costumam ostentar imagens interessantes.

Exposição itinerante.

S.l.: Banco Central do Brasil, s.d. (Catálogo de exposição)

Este catálogo de uma exposição itinerante organizada pelo Banco Central reproduz moedas da Antiguidade e as antigas e correntes brasileiras, além de várias espécies de cédulas e de medalhas e condecorações.

Iconografia de valores impressos do Brasil.

[Brasília]: Banco Central do Brasil, [1980?].

Com programação visual de Aloysio Magalhães (v.) e perfeita reprodução das ilustrações, esta obra de grande luxo é formada por um conjunto de excelente material iconográfico (e outra maior de impressos burocráticos).

Iconografia do meio circulante do Brasil.

Brasília: Banco Central do Brasil, 1972. (Biblioteca do Sesquicentenário, 8)

Acabamento impecável e alto luxo caracterizam esta obra interessante, realizada para o Ano Internacional do Livro e o sesquicentenário da Independência do Brasil.

O Brasil através dos selos: 3: heroísmo e glória.

S.l.: Uma publicação da Bloch Editores, [1971].

Terceiro volume de uma típica obra de divulgação cultural, publicada em fascículos pela editora da revista *Manchete*.

500 anos do dinheiro no Brasil.

S.l.: Banco Central do Brasil, 2000?

Excelente plaqueta, uma espécie de "cartilha" que apresenta a evolução do meio circulante ao longo de 500 anos; muito bem ilustrada com os tipos das moedas e com reprodução de fotografias e quadros antigos.

Relatório anual Sudameris 1976.

São Paulo: Banco Sudameris, [1976].

Um simples relatório anual bancário, ilustrado com selos comemorativos significativos e essencialmente iconográficos; acabamento impecável, contido em envelope que reproduz uma antiga caixa do correio.

Só para colecionadores.

Rio de Janeiro: Ouro Preto Collection, nº 1, out. 1975 – nº 7, jul. 1980.

Em 1975 foi fundada no Rio de Janeiro a "Ouro Preto Collection", um empreendimento comercial que se propunha lançar moedas históricas comemorativas em ouro e prata. Entre os vários empreendimentos desta sociedade encontra-se esta pequena revista especializada, lançada em outubro de 1975 e que chegou ao sétimo e último número em julho de 1980. Impressa pelo sistema Multilith (ou semelhante), contava com comentários históricos e boa reprodução das medalhas lançadas, todas de interesse iconográfico.

Cédulas brasileiras da República: emissões do Tesouro Nacional.

Rio de Janeiro: Banco do Brasil S/A – Museu e Arquivo Histórico, 1965.

Outra interessante obra sobre o meio circulante do Brasil, focalizando o segmento específico do título. Edição em offset, bem impressa e boa reprodução, de acabamento bem mais simples do que as obras precedentes.

NUNES, JOSÉ MARIA DE SOUZA

Real Forte Príncipe da Beira.

[Rio de Janeiro]: Fundação Emilio Odebrecht, [1985].

Como tratado sobre o Forte Príncipe da Beira é sem dúvida obra importante, mas como tratado cartográfico sob a direção de Isa Adonias (v.) o vem a sê-lo muito mais. Bela obra, com lindíssimas ilustrações antigas e as fotografias de Pedro Oswaldo Cruz (v.), é muito recomendável. NOTA: Como importante fator adicional, esta obra conta com um histórico da Casa da Ínsua, a sede familiar dos Albuquerques na Beira Alta em Portugal, palácio onde se encontram arquivados os documentos de Luiz Albuquerque de Melo Pereira e Cárceres, Governador da Província de Mato Grosso; estes documentos serviram para a presente obra e foram fotografadas por José Manoel Costa Alves, em Portugal.

NUÑEZ, ESTUARDO

El Brasil visto por viajeros peruanos.

Lima: Centro de Estudios Brasileños, 1981.

Bem elaborado estudo sobre as impressões de treze peruanos que visitaram o Brasil em diversas funções no período compreendido entre o início do século XIX e os nossos dias. Com algumas fotografias de Marc Ferrez, Klumb, Frisch, Felipe Augusto Fidanza, Hahl e, modernamente, Cristiano Mascaro (v. estes), é uma obra de acabamento modesto mas muito interessante.

O

OCTAVIO, HUGO RODRIGO

Fotógrafo brasileiro (1923-1976).

Rio de Janeiro: cinco pontos de vista.

[Rio de Janeiro]: s.e., [1967].

Álbum com cinco fotografias de 19,5 x 28,5 cm coladas sobre folhas de 28,5 x 38,0 cm, reproduzidas com uma técnica especial. NOTA: No exemplar encadernado examinado, foram acrescidas três fotografias do Rio de Janeiro, nas mesmas dimensões mas em técnica comum. Muito recomendável.

O prazer das imagens: fotografias de Hugo Rodrigo Octavio.

São Paulo: s.e., 1987.

Dez anos após seu falecimento, foi finalmente divulgada uma boa seleção das obras deste fotógrafo-poeta, muitas inspiradas em transcritas poesias de Carlos Drummond de Andrade. Muito recomendável.

ODEBRECHT

Este é o nome coletivo pelo qual é conhecida uma multinacional e suas subsidiárias e uma dinastia familiar iniciada por Emilio Odebrecht no Rio Grande do Sul na década de 1920; prosseguida em 1940 pelo filho Norberto Odebrecht e ampliada com uma construtora na Bahia, coube ao filho deste, Emilio Odebrecht, a consolidação da imensa empreiteira e do conglomerado industrial que hoje se nos apresenta. Durante estes anos de formação, o nome Odebrecht sempre esteve ligado a uma ou outra atividade cultural, passando a partir de 1959 também à editoração e ao patrocínio de obras de arte e de cultura brasileira, obras sempre importantes e sempre apresentadas em edições de alta qualidade que foram distribuídas à clientela e a entidades culturais e bibliotecas públicas e passaram a itens disputados quando disponíveis em alfarrábios. Estas obras encontram-se relacionadas e comentadas em "Edições Culturais" (Odebrecht, 1994), um catálogo ilustrado com fotografias de Rômulo Fialdini (v.), não constando existir nova publicação para as numerosas novas edi-

ções a partir de 1995. A Biblioteca se honra em contar com mais de quarenta destas obras, quase todas incluídas na presente resenha.

OITICICA FILHO, JOSÉ

Engenheiro, cientista, artista plástico e fotógrafo (1906-1964); professor de matemática no Colégio Pedro II e na Faculdade Nacional de Medicina, foi também cientista no Museu Nacional a partir de 1943.

A ruptura da fotografia nos anos 50.

Rio de Janeiro: Edições Funarte, 1983.

Servindo de catálogo de uma exposição retrospectiva e histórica, esta importante obra apresenta as quatro fases pela qual passou a produção fotográfica e artística de José Oiticica Filho: a utilitária (trabalhos científicos no Museu Nacional), a fotoclubista (Foto Clube do Rio de Janeiro e Foto-Cine Clube Bandeirante de São Paulo), a abstrata e a concreta, fases cujos resultados foram apresentados em inúmeras exposições individuais e coletivas mundo a fora, bem como em muitos artigos e estudos. Importante.

OLAVO, ANTONIO

Memórias fotográficas de Canudos.

S.l.: Conselho Nacional de Desenvolvimento Científico e Tecnológico, 1989.

Um álbum oblongo que encerra importante documentação fotográfica destinada a formar "mais um esforço no sentido da preservação da memória de Canudos". É um documentário pungente e dramático, que nos revela alguns dos restos do antigo arraial de Canudos (que afloram no açude de Corocobó por ocasião de grandes secas), o atual arraial e seus habitantes, as atividades sócio-religiosas dos habitantes da região, peças do Museu Histórico de Canudos e, finalmente, algumas cenas da guerra colhidas pelo fotógrafo Flavio de Barros em 1897. Muito interessante.

OLIVEIRA, J.

Nova Friburgo que eu vi.

S.l.: s.e., 1957.

Um título promissor para uma obra descartável do fotógrafo J. Oliveira.

OLIVEIRA, JOSÉ SÓCRATES DE

Fotografia arte e uso.

[São Paulo]: MASP/Kodak, 1981. (Catálogo de exposição, 1981)

Catálogo de uma exposição *sui generis*: apresentação de várias fotografias do *Álbum comparativo da cidade de São Paulo. 1862-1887*, do fotógrafo Militão Augusto de Oliveira (v.), e o confronto destas fotografias originais com o resultado do restauro procedido pelo técnico João Sócrates de Oliveira. Neste álbum nos são apresentadas apenas sete destas vistas comparativas com o álbum original, mas em compensação são impressionantes, fruto da técnica e qualidade da Kodak, que patrocinou o evento.

Paranapiacaba.

[São Paulo]: Comissão de Fotografia e Artes Aplicadas/Governo do Estado de São Paulo, s.d.

Como sexto volume da notável série "Cadernos de Fotografia" (v.) este modesto álbum apresenta um notável documentário fotográfico sobre a desativada estação ferroviária de Paranapiacaba da antiga Estrada de Ferro Santos-Jundiaí, um documentário que se torna importante por ter sido obtido pouco antes da destruição da estação por um incêndio.

OLIVEIRA, LOLA DE

Jahú-Mirim.

2ª edição. São Paulo: Typ. Paulista, 1928?.

A bordo de um fictício aeroplano, o *Jahú-Mirim*, a autora revela suas impressões sobre diversas cidades do Estado de São Paulo, uma espécie de diário de viagem desta poetisa gaúcha nascida em 1889. Afirma a autora ter portado uma "Kodak" nesta viagem, mas a numerosa ilustração fotográfica (mal reproduzida) parece provir de arquivos públicos. Interessante.

OPPIDO, GAL

Arquiteto e professor universitário (1952), dedica-se à fotografia desde 1976, especialmente no campo das artes cênicas e no da arquitetura. Participou de numerosas exposições coletivas e encontra-se representado na "Coleção Pirelli" do MASP.

Dos degraus à história da cidade = From the steps to the city's history = De los escalones a la historia de la ciudad.

São Paulo: Imagem Data, 1998.

O arquiteto e fotógrafo Gal Oppido nos apresenta uma obra diferente e muito interessante nesta sua visão das escadarias da cidade de São Paulo, pano de fundo para revelar aspectos significativos e geralmente pouco notados da vida urbana: praças, jardins, estações, monumentos, crianças e velhos, produções artísticas dos grafiteiros, tráfego caótico e mil outros detalhes do dia-a-dia. As fotografias e a correspondente reprodução são muito boas. Muito interessante.

ORICO, OSWALDO

Escultor e poeta brasileiro (1900-?).

Ruta sentimental de Rio de Janeiro.

Buenos Aires: Editorial Mundo Atlantico, 1944.

Contém esta obra uma série de poesias em língua espanhola sobre o tema do título por Oswaldo Orico, este nosso poeta bilíngüe; as ilustrações foram formadas por fotografias do Rio de Janeiro do arquivo do autor, um desenho do argentino Dameson e outro de Armando Pacheco (v.), e seis gravuras de Georges Wambach (v.), sempre com o Rio de Janeiro como tema.

ORNELLAS, PEDRO DA VEIGA

Relíquias da pátria brasileira.

Rio de Janeiro: Papelaria Alexandre Ribeiro Ltda., 1944.

Texto formado por vários artigos publicados em 1935 pelo autor na imprensa carioca, focaliza algumas salas do Museu Histórico Nacional (que batiza de "A Casa Brasileira") e descreve o acervo em estilo pesado e rebuscado. Consta a seguir uma relação de mais de 250 peças e algumas centenas de outras contidas em vitrines, revelando assim um riquíssimo documentário; sem ilustrações.

OURIQUE, JACQUES

O Valle do Rio Branco; Estado do Amazonas.

Manáos: Edição Oficial, 1906.

Importante álbum fotográfico (atualmente muito raro) encomendado pelo Governo do Estado do Amazonas ao ateliê fotográfico Huebner & Amaral para documentar a visita do Governador do Estado ao rio Branco (afluente do rio Negro) em 1906. São 85 fotografias de grande formato de autoria de George Huebner (v.), titular do ateliê, abrangendo vistas dos meios de transporte, lugarejos, portos fluviais e população ribeirinha, bem como vistas das ruínas do Forte de São Joaquim e cenas da construção da cidade de Boa Vista, atual capital do Estado de Roraima. Muito interessante.

OURO PRETO

Principal cidade do "ciclo do ouro" em Minas Gerais, nasceu como Vila Rica em 1711 e de 1823 a 1897 foi a capital da então Província de Minas Gerais.

A Associação de Guias de Turismo de Ouro Preto apresenta o Guia de Ouro Preto com mapa e roteiro.

2ª edição. [Ouro Preto]: Associação de Guias de Turismo de Ouro Preto/Casa das Pedras, [1984].

A edição é modesta mas o guia é bom, assim como boas as fotografias coloridas.

Ouro Preto: sesquicentenário de elevação de Vila Rica à categoria de Imperial Cidade de Ouro Preto: 1823-1973.

Rio de Janeiro: Divisão de Publicações e Divulgação da Biblioteca Nacional, 1973. (Catálogo de exposição, 1973)

Bibliográfico por essência, este catálogo também conta com gravuras e fotografias, além de vistas e detalhes da cidade e suas igrejas (mal reproduzidas).

Ouro Preto: tempo sobre tempo = time upon time.

Rio de Janeiro: Spala Editora, 1985.

Sob o patrocínio da Construtora Andrade Gutierrez, este belo álbum apresenta Ouro Preto sob a visão do fotógrafo Ruy Cezar dos Santos, acompanhada de um sucinto texto de Angelo Oswaldo de Araujo Santos. Muito recomendável.

Ouro Preto: uma viagem no tempo = A journey in time.

[Ouro Preto]: Prefeitura Municipal de Ouro Preto, s.d.

Este álbum de fotografias coloridas é muito bonito e muito melhor do que o veículo de propaganda turística a que se destinava.

OUSELEY, WILLIAM GORE

Diplomata inglês e aquarelista (1797-1866), filho do diplomata e orientalista Sir William Ouseley, serviu no Brasil de 1823 a 1842. Após o seu regresso à Inglaterra, publicou em 1852 a sua clássica obra Views in South America.... *Aposentado em 1860, tornou-se presidente de uma companhia sediada nas Ilhas Falkland, passando pelo Brasil por diversas vezes.*

Views in South America: by William Gore Ouseley Esq.

Ed. fac-símile. Brasil: Livraria Kosmos Editora, 1974.

Diplomata inglês, com importantes e bem-sucedidas missões na América do Sul, Gore Ouseley foi também um ótimo desenhista e aquarelista, como nos é revelado em seu belo e muito raro álbum *Views in South America...*, de 1852, gravado por J. Needham, álbum este reproduzido em fac-símile pela Livraria Kosmos Editora em seu formato original de folhas soltas de 53,5 x 36,2 cm em caixa especial. Acompanham esta edição de 360 exemplares as "Notícias biográficas" de Joaquim Sousa Leão (em fólio grande), e um fac-símile do muito raro "Description of views in South America, from original drawings made in Brazil, the River Plate, the Paraná, etc, etc, with notes. By Wm. Gore Ouseley, Esq, late Her Majesty's Minister Plenipotenciary to the States of La Plata, and formerly Charge d'Affaires at the Court of Brazil. Lithographed by J. Needham" (Londres: Thomas McLean, 1852), no formato original encadernado. É uma das jóias da iconografia brasileira. NOTA: Terminada a impressão da obra, a editora vendeu os direitos de edição e os fotolitos a uma outra editora, que procedeu a uma nova edição, em tiragem de mil exemplares, fora de comércio.

P

PACHECO, ARMANDO

Armando Pacheco Chaves (1913-1965), pintor e gravador, cursou o Liceu de Artes e Ofícios do Rio de Janeiro e em 1932 ingressou na Escola Nacional de Belas Artes, estudando com Chambelland e Bracet. Paisagista por excelência, seus desenhos ilustram muitas obras, entre as quais As artes no Brasil *e* Memórias do Rio, *de Sergio D.T. Macedo,* O Arsenal da Marinha do Rio de Janeiro na história: 1763-1822, *de Juvenal Greenhalgh,* O Rio de Janeiro do meu tempo, *de Luis Edmundo,* Hiléia amazônica, *de Gastão Cruls e* Ruta sentimental de Rio de Janeiro, *de Oswaldo Orico (v. estes). Em 1939 o Departamento Nacional da Indústria e Comércio editou um pequeno álbum com dezesseis cartões-postais, dos quais seis com desenho de Pacheco e dez de Georges Wambach (v.), todos retratando vistas de Ouro Preto (v.).*

PÁDUA, MARIA TEREZA Jorge

PÁDUA, Maria Tereza Jorge e COIMBRA FILHO, Adelmar F. *Os parques nacionais do Brasil.*

[Madrid]: Instituto de Cooperação Iberoamericano/Instituto de la Caza Fotografica y Ciencias de la Naturaleza, [1979].

Autores brasileiros em obra editada por um organismo cultural espanhol e publicada em Madri. Apresentação primorosa, com fotografias de diversas agências estrangeiras. Interessante e instrutivo.

PAGANO, SERGIO

Fotógrafo brasileiro, ilustrou as obras Museu Carlos Costa Pinto, Paço Imperial, Copacabana Palace, *de Ricardo Boechat (v. estes) e* Uma cozinha sem chef, *de Emmanoel Bassoleil.*

Paço Imperial.

Rio de Janeiro: Sextante Artes, 1999.

Organizada por Lauro Cavalcanti (Diretor do Paço) e com textos de vários especialistas, esta obra vistosa, bela e boa, poderia (deveria) ter sido muito melhor. Motivo desta restrição reside na prioridade dada aos estudos sobre a reforma do prédio e sua atual importância como centro cultural, uma prioridade efetuada em detrimento da importância do Paço e sua praça como símbolo do poder constituído ao longo da era colonial até o fim da imperial, ou seja, a própria história da formação do País. O excelente estudo de Affonso Carlos Marques dos Santos sobre "O Paço da cidade: biografia de um monumento" foi dotado de relativamente poucas e tradicionais ilustrações quando comparadas à quantidade e opulência das fotografias atuais (muito boas) de Sergio Pagano. Note-se, finalmente, a curiosa diagramação geral aplicada sobretudo ao texto, ao qual foi concedido 2/3 da página e o restante à versão em inglês, dificultando um pouco a leitura de ambas e levando a uma curiosidade ainda maior: a supressão do texto em português por uma página inteira para dar lugar à complementação em inglês.

PALHARES, GENTIL

PALHARES, Gentil e CHRISTÓFARO, Paulo. *São João del Rei no passado. e no presente: roteiro turístico.*

[São João del Rei: s.e., 1957].

Elaborado por dois militares, este *Roteiro* pretende ser um "pioneiro guia turístico da cidade", mas não passa de um típico e mal feito almanaque comercial com imensa coletânea de anúncios intercalados de alguns textos e poemas avulsos e ilustrado com fotografias convencionais, muito mal reproduzidas; um desenho a bico de pena de Paulo Christófaro ilustra a capa.

PALHARES, Gentil e CHRISTÓFARO, Paulo. *De Thomé Portes a Tancredo Neves; roteiro turístico de São João del Rei.*

S.l.: s.e., 1963.

Pelo título podia-se pensar em uma segunda edição do guia do verbete precedente, e em parte assim foi no que concerne à descrição da cidade. Em seu conjunto, entretanto, a obra é formada por um longo panegírico ao político Tancredo Neves, e um igualmente longo documentário histórico-fotográfico de suas realizações na cidade. Sem anúncios, conta com boa quantidade de fotografias convencionais (muitas delas de cartões-postais, mal reproduzidos), além de cinco desenhos a bico de pena de Paulo Christófaro e uma planta turística elaborada pela prefeitura.

PALO JÚNIOR, HAROLDO

Fotógrafo brasileiro que se dedica de preferência a temas de ecologia, ilustrou as obras Maracá: Roraima/Brasil *e* Juréia: a luta pela vida *(v. estas).*

Natureza: formas, texturas e cores.

São Paulo: Banco Sudameris/Prêmio, 1993.

Com texto de Eduardo Cunha Farias (em português e inglês) e as fotografias de Haroldo Palo Junior, esta é mais uma das publicações anuais do Banco Sudameris Brasil (v.); o tema nos é revelado pelo título, e a edição, como todas as demais da patrocinadora, de excelente qualidade.

PANCETTI, JOSÉ

Pintor brasileiro (1902- 1958), trabalha na Itália de 1913 a 1920 e em 1922 ingressa na Marinha brasileira como marinheiro, começando a pintar em seguida. Em 1932 ingressa no Núcleo Bernardelli e em 1933 expõe no Salão onde conquista o prêmio de viagem ao exterior em 1941 e o de viagem pelo País em 1947. Sua obra lhe valeu a fama de ser um dos únicos autênticos marinhistas do País.

Costa baiana.

[São Paulo: Banco da Bahia Investimentos S/A, 1981]. (Coleção Banco da Bahia Investimentos S/A)

Belo álbum com pranchas de 40 x 50 cm acondicionadas em caixa, reproduzindo 34 telas a óleo do grande marinhista Pancetti, quase todas retratando as praias baianas e executadas entre 1950 e 1957; notável prefácio de Carybé (v.). NOTA: As telas deste álbum foram apresentadas em uma exposição especial do MASP em 1983.

Pancetti; um pintor pintor.

São Paulo: Arte do Brasil, 1997. (Catálogo de exposição, nov.-dez. 1997)

Um catálogo de exposição que se apresenta como autêntico livro de arte, quer pela alta qualidade das reproduções, quer pelo texto de Olívio Tavares de Araújo.

Pancetti: o marinheiro só.

S.l.: s.e., 2000. (Catálogo de exposição, 2000)

Grandiosa retrospectiva, com cem quadros, todos impecavelmente reproduzidos, acompanhados por estudo de Denise Mattar e uma boa cronologia.

PAPF, KARL ERNST

Nascido na Alemanha em 1831, cursou a Academia de Artes de Dresden. Em 1867 emigrou para o Brasil em companhia do fotógrafo alemão Alberto Henschel, do qual se tornaria amigo, associado e íntimo colaborador por décadas; desembarcaram juntos em Recife e formaram o ateliê Alberto Henschel & Co., onde trabalhou até 1872, quando assume a sucursal de Salvador e em 1887 a filial do Rio de Janeiro (como sucessor do ateliê de Mangeon & Nyvel). Durante este período trabalha intensamente como fotógrafo e com o retrato-pintura, gênero muito em moda na época. Em 1875 passa a residir em Niterói e a partir de 1880 em Petrópolis, onde funda a "Photographia Papf" e passa a se dedicar também à pintura de naturezas-mortas, plantas e orquídeas. Em 1889, finalmente, transfere o ateliê ao filho Jorge Henrique (1863-1920), passa a residir em uma fazenda em São Paulo, trabalha como sucessor do fotógrafo alemão Joseph Vollsack, participa de numerosas exposições. Sua pintura é importante e encontra-se em vários museus e principalmente em coleções particulares; sua vida e obra foi estudada por Carlos Roberto Maciel Levy (v.) em Karl Ernst Papf, *com reprodução de alguns retratos, paisagens, flores, naturezas-mortas e retratos-pinturas, além de uma relação de pinturas e fotografias do acervo da Galeria Acervo do próprio autor.*

PAPPALARDO, ARNALDO

Fotógrafo brasileiro (1954), formado em arquitetura e curso em pintura (1976-1979), ilustrou o "Relatório" da Companhia Souza Cruz em 1987; participou de São Paulo: imagens de 1988 *(v.) e consta da "Coleção Pirelli" do* MASP.

Arnaldo Pappalardo: fotografias.

São Paulo: Galeria de Arte São Paulo, 1988. (Catálogo de exposição, out. 1988)

Pequeno mas expressivo catálogo de uma exposição ao longo de um decênio de atividade.

PARÁ

Após a expulsão dos franceses do Maranhão foi fundada a cidade de Belém do Pará (1610) para a defesa do baixo Amazonas e a de seus rios tributários, ocupação que resultou na fundação de várias cidades naquela região e a de Santarém, na foz do Tapajós, em 1758. Nesta mesma época foi criada a Companhia do Comércio do Grão-Pará e Maranhão com monopólio sobre o comércio, a navegação e o mercado de escravos, período que durou cerca de vinte anos e propiciou o desenvolvimento material de Belém e a construção de grandes obras civis e públicas projetadas pelo arquiteto Antonio José Landi (v.).

Album do Estado do Pará: oito anos de governo: 1901 a 1908.

Paris: Imprimerie Chaponet, 1908.

Muito diferente das costumeiras obras panegíricas de propaganda governamental, a presente se distingue por sua seriedade, rica documentação fotográfica e impecável apresentação. Em fólio grande e encadernação especial, texto em português, francês e inglês pelo pesquisador Ernesto Mattoso; sem propaganda comercial, boa reprodução das fotografias, com um mapa duplo e dois grandes desdobráveis, esta obra é muito recomendável.

Basílica de N. S. de Nazaré: Belém: Pará.

[Belém?]: s.e., s.d.

Rica plaqueta em cores desta monumental igreja projetada pelos arquitetos Coppedi e Pedrassa. A igreja, iniciada em 1909, nos é apresentada com todo o riquíssimo interior em boas fotografias de Bianca, agrupadas de modo algo estranho.

Teatro da Paz.

Belém: Secult-PA, 2002.

Obra sem título, classificada pelo prefaciador como "publicação que antecede livro que estamos organizando...", é uma bela plaqueta que apresenta o Teatro da Paz de Belém e seu histórico, ilustrado em cores com aspectos exteriores e interiores e outros sobre os restauros efetuados, incluindo as decorações dos artistas italianos Domenico de Angelis (1852-1914), Giovanni Capranesi (1852-1921) e Armando Balloni (1901-1969).

Arte da terra; resgate da cultura material e iconográfica do Pará: arte rupestre e cerâmica.

Belém: MCT/CNPq Museu Paraense Emílio Goeldi/Edição Sebrae, 1999.

Estudos sobre o tema do título por diversos especialistas, fartamente ilustrados com material do Museu Emilio Goeldi.

PARAÍBA

Como todas as demais capitanias da região Nordeste, também a da Paraíba teve história acidentada no século XVI e sofreu com o domínio holandês e as conseqüentes e constantes guerras no século XVII, acontecimentos que justificam sua freqüente inclusão nos documentos cartográficos e iconográficos da época. A capital João Pessoa foi outrora chamada de Filipéia, de Frederica e Paraíba.

Iconografia da Paraíba: cartas, fortificações, aspectos urbanos.

[Rio de Janeiro]: Pool Editorial Ltda., 1983.

Em suntuoso fólio gigante, com a mesma apresentação da *Iconografia de Pernambuco: cartas, fortificações, aspectos urbanos* (v.), esta obra do mesmo editor em 1982 apresenta os defeitos apontados para aquela: desperdício de papel, falta de critério, de estudo e de texto, má reprodução das ilustrações e péssima paginação; como toque especial: o capítulo "Aspectos urbanos" conta com o título, mas sem texto, ilustração ou documentação. Um longo prefácio laudatório de Aurelio da Lyra Tavares (da Academia Brasileira de Letras) e alguns abalizados esclarecimentos de Edson Nery da Fonseca (v.) compõem o texto. A obra se resume basicamente na reprodução de 18 documentos cartográficos paraibanos e 32 do Brasil e da América do Sul, além de algumas gravuras e outras tantas fotografias de autores não identificados. Ainda que esta obra não contenha a ressalva constante da referida *Iconografia de Pernambuco* para "evitar comentários minuciosos e eruditos [...] já que esta obra se destina menos a especialistas no assunto do que ao macro-meio cultural", é idêntica àquela e justifica a mesma indagação: a quem poderia ser destinada ou a quem interessar.

Paraíba: monumentos I.

[Paraíba]: Governo Clóvis Bezerra/Secretaria Extraordinária para Assuntos de Comunicação, [ago. 1982].

Folheto de divulgação, bem feito e com fotografias coloridas, texto compacto.

João Pessoa: a cidade, o rio e o mar = João Pessoa: the city, the river and the sea = João Pessoa: la ville, le fleuve et la mer.

Rio de Janeiro: Bloch Editores, 1991.

Com texto de Gonzaga Rodrigues em português, inglês e francês e fotografias de Masaoumi Mochizuki, estamos perante um documentário fotográfico híbrido: excelente profissional encarregado de obter imagens tradicionais e ótima reprodução gráfica com paginação de revista popular.

João Pessoa: a cidade verde do Brasil.

João Pessoa: Prefeitura de João Pessoa, 1992.

Folheto em cores de propaganda turística oficial sobre o tema proposto, bem feito e bom texto.

De escola a palácio; registro iconográfico da sede restaurada do Poder Judiciário: Estado da Paraíba: Tribunal da Justiça: Biênio 1996-98.

João Pessoa: A União, 1998.

O tema anunciado no título encontra-se favoravelmente apresentado neste simpático álbum iluminado com as fotografias coloridas de Antonio David e texto de Frutuoso Chaves e Gonzaga Rodrigues. O prédio de uma antiga escola inaugurada em 1919 passou por adaptações e reformas para abrigar atualmente o Tribunal de Justiça do Estado, além da cripta e do Museu do Presidente Epitácio Pessoa.

PARANÁ

A descoberta de ouro em rios da Serra do Mar levaram garimpeiros paulistas ao litoral paranaense e à fundação de Paranaguá em meados do século XVII e a um vilarejo serra acima em 1693, a futura cidade (1822) e capital Curitiba em 1854.

Memórias de Sete Quedas.

Santa Catarina: ?, 1983.

Um álbum que se faz notar tão-só por sua monumentalidade (folha de 30 x 54 cm, encadernado em veludo e em caixa especial). Editado por Elio J. Brunetto e Jonas D. Muraski em 2 000 exemplares, conta com texto meramente descritivo-estatístico e dezesseis fotografias de Roberto Hachmann, Jorge Sonnensi e Akira Nakajima, retratando sem muita imaginação as famosas cataratas que deixaram de existir com a criação da barragem de Itaipu.

Curitiba: capital ecológica = the ecological capital.

Curitiba: Edibran, 1991.

Carlos Ravazzani (1940), Hilário Wiederkehr Filho (1954) e José Paulo Fagnani (1950), profissionais liberais e membros do Foto Clube do Paraná, convidaram jornalistas e escritores para traçarem livremente um mosaico do cotidiano curitibano seguindo um esquema pré-traçado. Criaram assim este interessante álbum de lindas fotografias próprias, enriquecido com um desenho de Poty (v.) e uma boa bibliografia.

Tradição: contradição.

[Curitiba]: Museu de Arte Contemporânea do Paraná, 1986. (Catálogo de exposição, jun.-ago. 1986)

Livro que serviu de catálogo a uma exposição que pretende dar uma visão de conjunto da produção artística do Estado do Paraná. Estruturada que foi esta exposição por épocas, entregou-se a Fernando A. J. Bini o tema "O Paraná tradicional", basicamente referente ao século XIX e com reproduções de obras de John Henry Elliot, Virmond, Andersen, Debret, Leon Pallière, William Lloyd, Franz Keller, Michaud, Hugo Calgan e outros; de interesse iconográfico ainda é o capítulo "Os plantadores de urbes", de José La Pastina Filho, e os paisagistas incluídos em "Modernidade no Paraná, do Andersen impressionista aos anos 60", de Maria Justo Justino, a curadora da exposição. Recomendável para estudos.

Discípulos de Andersen e artistas independentes.

Curitiba: Badep, 1976. (Catálogo de exposição, ago.-set. 1976)

Como a segunda da série "Panorama da Arte no Paraná", o Banco do Desenvolvimento do Paraná organizou uma grande exposição de paisagistas paranaenses, todos discípulos artísticos de Alfred Andersen (v.), apresentando 39 artistas com um total de 155 obras. O presente catálogo relaciona mas não reproduz as telas expostas, tendo preferido apresentar fotografias de cada um dos artistas, acompanhada de breve biografia; assim mesmo é recomendável. NOTA: A primeira exposição da série "Panorama da Arte no Paraná" foi promovida pelo mesmo Banco e apresentou os primeiros artistas do Paraná e um conjunto de obras de Alfred Andersen, Virmond, Michaud, Elliot, Lange de Morretes, Freysleben e Traple.

Iguaçu.

São Paulo: Gráficos Brunner, 1978.

Álbum oblongo, em doze folhas de cartolina forte, comportando onze lindas fotografias das cataratas do rio Iguaçu, da Ponte da Amizade e do Marco das Três Fronteiras; verbetes em português e inglês.

Paraná: Brasil.

Curitiba: Sebrae, s.d.

Organizado pela Setur, organismo de turismo do Estado do Paraná, é uma boa apresentação visual em cores dos atrativos turísticos do Estado, pecando apenas pelo excesso de imagens de pequena dimensão por página.

Pintores da paisagem paranaense.

Curitiba: Secretaria de Estado da Cultura e do Esporte [do Estado do Paraná], 1982.

Edição muito digna de nota que nos apresenta muitas obras pouco conhecidas, como são as dos paisagistas William Michaud, Hugo Calgan, Rumpelsberger (v. estes), todas muito bem reproduzidas. Texto descritivo dos artistas pelo historiador de arte Newton Carneiro (v.). Muito recomendável.

Witmarsum em quatro décadas: 1951-1991: documentário de uma colônia menonita do Paraná – Brasil = Witmarsum in Vier Jahreszeiten: 1951-1991: Darstellung einer mennonitischen Siedlung in Paraná, Brasilien, durch Bild und Wort.

[Castro: Cooperativa Mista Agropecuária Witmarsum Ltda., 1991].

Excelente edição encadernada e ricamente ilustrada para o histórico desta colônia de russos-alemães da seita menonita no estado do Paraná. As fotografias são todas de arquivo próprio e muito elucidativas. Muito interessante.

Memória Bamerindus.

[Curitiba?: s.e., 1993?].

Interessante e bem realizada plaqueta que serve de catálogo a uma exposição histórica realizada no restaurado "Palácio Avenida", sede nacional do Banco Bamerindus em Curitiba; ótima diagramação da documentação fotográfica.

Fazenda Capão Alto.

[Curitiba: Sece, 1985]. (Cadernos do Patrimônio, Série Estudos, 1)

Como primeiro volume dos "Cadernos do Patrimônio" da Secretaria de Cultura do Paraná, esta interessante obra conta com muitas fotografias em branco e preto (mal paginadas), esquemas arquitetônicos e um ensaio fotográfico em cores (autor não revelado) de interiores do casarão.

PARENTE, JOSÉ INÁCIO

A estereoscopia no Brasil = Stereoscopy in Brazil.

Rio de Janeiro: Sextante Artes, 1999.

Segundo o prefácio do representante da patrocinadora Dresdner Bank, a presente obra é "tanto um livro como um brinquedo", uma opinião que não faz jus à importância desta obra, que focaliza uma especialidade fotográfica que teve seu apogeu no virar do século XX, um momento de grandes alterações urbanísticas e usos e costumes nas principais cidades brasileiras. Milhões de fotografias captaram estas alterações, mas também milhões foram inaproveitáveis ou se perderam; as estereoscopias, entretanto, procuravam cenas e ângulos especiais, testemunho que teve melhor conservação (por força da forma e dimensão do papelão fosco especial) e muitas vezes melhor expressão, como se pode verificar nesta linda e interessante obra.

PASSAGLIA, LUIS ALBERTO DO PRADO

Mercado Velho de Santo Amaro.

[São Paulo]: Departamento do Patrimônio Histórico/Secretaria Municipal de Cultura, 1978. (Registros, 2)

Estudo histórico e técnico sobre um antigo prédio e marco no bairro paulista de Santo Amaro, especialmente o recém-concluído restauro e adequação para um centro cultural. Como todos os demais pequenos álbuns da série "Registros", também este é muito bem ilustrado com fotografias e esboços arquitetônicos.

PASTOR, FRANCISCO

Gravador, ilustrador e retratista uruguaio (1850), ativo em Lisboa a partir de 1873; esteve em São Paulo em 1911 e novamente em 1921, onde veio a falecer em 1922. Vários de seus retratos gravados encontram-se reproduzidos em Herstal (v.) e um retrato de D. Pedro II em Elogio historico de Sua Majestade o Imperador do Brazil D. Pedro II, *de Alfredo Cunha (v.); também ilustrou várias obras nacionais, entre as quais* Viagem às terras Goyanas, *de Oscar Leal (v.).*

PASTRO, C.

Itapeva; um tesouro em vaso de barro: as origens, a restauração e a reforma da Catedral.

São Paulo: Casa S. Lucas, 1992.

A leitura da obra revela que o autor, Carlos Pastro, tem múltiplas aptidões: é artista plástico, especialista em arte sacra, autor do plano geral da reforma da igreja e responsável pela mesma, autor da decoração e de todos os afrescos e também o proprietário da editora. Este trabalho completo é apresentado nesta simpática edição que ilustra a cidade e o templo, reproduzindo em branco e preto as obras da reforma e em cores os aspectos atuais.

PAUL, CLOTILDE

Roteiro poético de Santos.

São Paulo: Livraria Martins Fontes, 1978.

A Professora Clotilde Paul nos revela o conteúdo da obra pelo título, e pelos desenhos a lápis e a carvão, todos "certinhos" e bem acadêmicos mas agradáveis à vista.

PAULA, ADEMAR ANTONIO DE

PAULA, Ademar Antonio de e CARRAMILLO NETO, Mario. *Artes gráficas no Brasil: registros 1746-1941.*

[São Paulo]: [Laserprint], [1989].

Longe de ser uma obra técnica conforme nos sugere o título, este é um estudo dos mais interessantes e completos sobre os diversos métodos gráficos usados no país, locais e zonas de produção e distribuição, livrarias e papelarias, e os produtos artísticos; fartamente e bem ilustrada, esta é uma obra imprescindível para estudos.

PEARCE, ROBERT

Tenente da Marinha inglesa, participou de uma longa viagem do barco Favorite *ao Cabo da Boa Esperança, que passou em abril de 1818 pelo Rio Grande do Norte, Paraíba e Pernambuco, em abril de 1819 pelo Rio de Janeiro rumo ao Rio de la Plata e no retorno por Salvador e Recife. De sua autoria o álbum* Sketches of headlands, coast and harbours... at the Cape of Good Hope, Brazils... taken in H. M. S. Favorite in 1819 and 1820, *com 217 páginas numeradas, das quais 52 referentes ao Brasil.*

Aquarelas feitas durante a viagem ao Brasil da H. M. S. Favorite em 1819 e 1820.

S.l.: Banco da Bahia Investimentos/Livraria Kosmos Editora, [1991].

Belo álbum encadernado no formato pouco usual de 15,5 x 39,0 cm, reproduzindo catorze lindas aquarelas do litoral brasileiro e seus portos, além de um panorama desdobrável da Bahia, em cinco partes, todas provenientes do álbum de Robert Pearce. O texto explicativo foi confiado ao Almirante Max Justo Guedes (v.), diretor do Serviço de Documentação da Marinha; na folha de guarda foi reproduzido um desenho a nanquim do artista, retratando navios em um porto. NOTA: Aproveitando estampas excedentes desta obra, a Livraria Kosmos Editora do Rio de Janeiro formou com seis delas o calendário "Feliz Ano Novo: 1993", em cores, sem editor declarado, com folha de título ilustrada com um dos desenhos do artista e um pequeno texto explicativo em português, inglês e francês.

PEDRO HENRIQUE

Fotógrafo brasileiro, ilustrou a obra Cidade de São Paulo *(v.).*

PEDROSA, BRUNO

Raimundo Pinheiro Pedrosa (1950), o Padre Bruno Pedrosa do Mosteiro de São Bento do Rio de Janeiro pintor e desenhista, autor do álbum de desenhos Ouro Preto: cenário de Tiradentes *(com segunda edição em 1975), expôs com freqüência entre 1968 e 1986.*

O Mosteiro de São Bento do Rio de Janeiro.

[Rio de Janeiro: s.e., 1979].

O Padre Bruno Pedrosa é um excelente desenhista documental que sabe dar vida e poesia às suas obras, como se pode verificar neste álbum em fólio grande em mil exemplares assinados e editado para a exposição dos desenhos originais no MASP. Enriquece a obra prefácio de Pietro Maria Bardi, Clarival do Prado Valladares (v. estes) e Raquel de Queiroz.

PEIXOTO, AFRÂNIO Julio

Escritor brasileiro (1876-1947).

Breviário da Bahia.

[Rio de Janeiro]: Livraria Agir Editora, 1945.

O autor, um dos membros da Academia Brasileira de Letras, afirma que este guia sentimental é na realidade formado por "breves orações à Bahia", que "pretendem ser lidas diariamente, como as dos breviários" e que, "pelo assunto, merecerão", como espera e como de fato conseguiu. As ilustrações foram muito boas, mas poucas.

A Igreja de Nossa Senhora da Glória do Outeiro.

Rio de Janeiro: Ministério da Educação e Saúde, 1943. (Publicações do Serviço do Patrimônio Histórico e Artístico Nacional, 10)

Uma das obras clássicas da historiografia artística nacional. A perfeição e o equilíbrio entre o texto e as excelentes ilustrações tornam esta quase modesta edição praticamente insuperável. 24 ilustrações, entre gravuras e quadros do século XIX, dão vida à parte histórica e 17 excelentes fotografias foram confiadas ao fotógrafo Marcel Gautherot (v.).

PEIXOTO, MARIA ELIZABETE SANTOS

Historiadora de arte (1955).

Pintores alemães no Brasil durante o século XIX = Deutsche Maler in Brasilien im XIX. Jahrhundert = German painters in Brazil during the XIX century.

Rio de Janeiro: Edições Pinakotheke, 1989.

Uma das obras mais perfeitas editadas no País: um importante estudo sobre os viajantes e pintores alemães que atuaram no Brasil durante o século XIX. Publicado para uma notável exposição do mesmo tema realizada no Museu da Casa Brasileira em 1989 (São Paulo). Imprescindível para estudos.

PEIXOTO, SYLVIO

As atalaias da Guanabara: Fortaleza de Santa Cruz.

Rio de Janeiro: Gráfica Laemmert Limitada, s.d. (Biblioteca Militar, 114)

Obra de cunho militar por um civil, em edição modesta mas bem ilustrada com imagens do arquivo do Serviço do Patrimônio Histórico e Artístico Nacional.

PENTEADO, ANTONIO ROCHA

Belém: estudo de geografia urbana.

Tese apresentada, em março de 1966, ao concurso de livre-docência na cadeira de Geografia do Brasil, da Faculdade de Filosofia, Ciências e Letras da Universidade de São Paulo. [Belém]: Universidade Federal do Pará, 1968. 2 v.

Incorporada à "Coleção Amazônica" dirigida por Arthur C. Ferreira Reis, esta obra serviu de tese de concurso de Livre-Docência na Universidade de São Paulo e é um misto de erudição especializada com a visão de um historiador e apreciador da natureza e da condição humana. Ainda que a grande quantidade de fotografias sejam amadorísticas (provavelmente do próprio autor) e não bem reproduzidas, são também muito interessantes e evocativas; muitos mapas e plantas urbanísticas completam esta interessante obra. NOTA: Como estudo preparatório, o autor publicou em 1951 no *Boletim Paulista de Geografia* (nº 9) o artigo "Belém, metrópole da Amazônia; fotografias e comentários", com uma planta e catorze fotografias, obra da qual existe separata.

PEREIRA, CARLOS JOSÉ DA COSTA

A cerâmica popular da Bahia.

[Bahia]: Aguiar & Souza Ltda./Livraria Progresso Editora, [1957].

O título revela o tema de uma obra boa que estuda a produção de cerâmica utilitária e artística. As fotografias que focalizam as cerâmicas e seus centros de distribuição são amadorísticas e muito mal reproduzidas, mas a obra também conta com muitas ilustrações fora do texto, aquarelas aplicadas sobre cartolina assinadas por Timoschenko.

PEREIRA, EDGARD BAPTISTA

A casa de São Clemente.

[Rio de Janeiro]: Casa de Rui Barbosa, 1949.

A Casa de São Clemente do título não é um estudo sobre a residência histórica e tombada de Rui Barbosa no Rio de Janeiro, mas apenas uma "Memória" por um de seus admiradores, apresentada como conferência no Instituto Histórico e Geográfico Brasileiro. Distingue-se de outros relatos desta espécie pela excelente documentação fotográfica da casa do título, provavelmente do arquivo da editora.

PEREIRA, MARGARETH DA SILVA

Os Correios e Telégrafos no Brasil; um patrimônio histórico e arquitetônico.

São Paulo: Correios, 1992.

Elegância e sobriedade caracterizam esta bela obra sobre um tema importante mas que nos apresenta visualmente apenas os prédios que abrigaram o Correio no decorrer dos tempos, além de detalhes arquitetônicos das sedes mais importantes. Grande parte das fotografias são devidas a Zeca Linhares e ao arquivo do Museu Postal.

PEREIRA FILHO, CARLOS DA COSTA

Navios na costa; iconografia náutica da costa catarinense.

São Francisco do Sul: Associação dos Amigos do Museu Nacional do Mar, 1994.

Um competente texto que serve de legenda aos desenhos do próprio autor, anteriormente exibidos em um restaurante de Joinville (SC) e em 1991 no Arquivo Histórico da mesma cidade.

PERNAMBUCO

O atual Estado de Pernambuco nasceu em 1634 como a Capitania Nova Luzitânia de Duarte Coelho e rapidamente desenvolveu-se e prosperou com a cultura da cana-de-açúcar até a ocupação holandesa (v.) em 1630.

Iconografia de Pernambuco: cartas, fortificações, aspectos urbanos.

Recife: Pool Editorial Ltda., 1982.

Em prefácio assinado por Marco Aurelio de Alcantara e Edson Nery da Fonseca (v.), lemos que esta obra pretende ser o primeiro produto bibliográfico do Museu da Cidade (instalado no Forte das Cinco Pontas), cujo acervo seria um subproduto das pesquisas coordenadas por Antonio Alberto Banha de Andrade (do IHGB) em Portugal e na Espanha. O resultado é uma publicação suntuosa, em fólio gigante (imita declaradamente o formato do *Ensaio de Iconografia das Cidades Portuguesas de Ultramar*, de Luis Silveira) e enorme desperdício de papel; muito mal paginada e com reproduções de má qualidade (as fotográficas são indecifráveis), pretendia "evitar comentários minuciosos e eruditos [...] já que esta obra se destina menos a especialistas no assunto do que ao macro-meio cultural"; em outras palavras, um conjunto de documentos cartográficos (dos quais somente 41 referentes a Pernambuco, além de 61 do Brasil ou da América do Sul e dez oriundos da obra de Barléu) e iconográficos (também aqui a grande maior parte proveniente de Barleus, v.), reunidos sem estudo, critério, e principalmente, esforço, sendo justo indagar a quem poderia ser destinada esta publicação e a quem poderia interessar.

Guia da cidade do Recife = Guide de la ville de Recife = A guide of the city of Recife.

Recife: Mandado editar pela Prefeitura Municipal, 1935.

Segundo a "Advertência", o guia é "trabalho feito para turistas e não para estudiosos". Na realidade é bem mais do que isto, seja pelo texto como pela excelente escolha das ilustrações, incluindo muitas aquarelas de Vicente Murilo La Greca (1897-?), com estudos em

Roma, um dos fundadores da Escola de Belas Artes de Pernambuco. Edição em português, francês e inglês, tem como único defeito a falta de identificação das reproduzidas gravuras antigas. Muito recomendável.

Planta da cidade do Recife: Brasil.

Pernambuco: Estabelecimento Graphico Simonek, 1914.

Sob este título esconde-se um guia comercial de alta qualidade gráfica, formado exclusivamente por anúncios comerciais e industriais, todos muito bem ilustrados e impressos. Esta interessante brochura de 19 x 11 cm contém em aditamento um "Índice das ruas, praças, becos, travessas, edifícios públicos etc. da cidade do Recife", e um monumental mapa desdobrável em 57 x 65 cm, desenhado e impresso pela própria editora.

Beneditinos em Olinda: 400 anos.

Textos: Pietro Maria Bardi, Dom Basilio Penido, OSB, Edson Nery da Fonseca, José Antonio Gonsalves de Mello, José Luiz Mota Menezes. [São Paulo]: Edição Sanbra – Sociedade Algodoeira do Nordeste Brasileiro S/A, [1986].

Uma grande e digna homenagem prestada pela Sanbra ao Mosteiro de São Bento e à cidade declarada "Patrimônio da Humanidade" em 1982. Sobre a importância do texto basta ler a lista de colaboradores; a diagramação coube a Emanoel Araújo (v.) e as excelentes fotografias encontram-se creditadas a Rômulo Fialdini (v.), Maria Espinosa e Manuel Novaes. Importante.

Convento e Basílica do Carmo do Recife, a trisecular imagem de N. S. do Carmo, que se venera na mesma igreja, por um devotado filho do Carmelo.

Recife: Typ. do Diário da Manhã, [1939?].

Pequeno estudo em edição modesta, com muitas fotografias convencionais.

Do ancoradouro ao porto: notas sobre a evolução do pôrto do Recife.

Recife: Edição do Serviço de Estatistica e Pesquizas, da Diretoria de Docas e Obras do Pôrto de Recife, 1939-1940.

Pequeno estudo pela Diretoria de Docas e Obras do Porto de Recife, bem ilustrado com mapas e gravuras do século XVII, além de fotografias modernas.

Olinda: patrimônio da humanidade: exposição de reproduções fotográficas.

[Olinda]: Prefeitura de Olinda, s.d. (Catálogo de exposição)

Exposição promovida pela Fundação Centro de Preservação dos Sítios Históricos de Olinda teve por catálogo esta plaqueta de três folhas, ilustrada com várias fotografias antigas, muito mal reproduzidas.

Olinda 450 anos: 1535-1985.

Rio de Janeiro: Spala Editora, 1985.

Belo documentário fotográfico patrocinado pela Caixa Econômica Federal, o "banco social" que "deve gerir não só riquezas materiais, mas se preocupar, também, com o tesouro histórico e cultural de todo nosso povo". O resultado foi muito positivo, fruto das fotografias de Alain Brugier (v.) e Edgard Rocha, reprodução da *Mameluca* e outros quadros de

Albert Eckhout e Frans Post (v. estes), além de um mapa de 1586 da costa de Pernambuco (com a vila de Olinda) e a inserção de três guaches de Miti Enokibara (encarregado do *lay-out* e design). A uma longa e poética introdução de Gilberto Freyre (v.) segue-se um pequeno esboço histórico. Muito recomendável.

Sinopse estatística do município de Recife, Estado de Pernambuco: aspectos históricos e geográficos, principais resultados censitários, alguns resultados estatísticos, aspectos fotográficos.

Rio de Janeiro: Serviço Gráfico do Instituto Brasileiro de Geografia e Estatística, 1951.

Obra de conteúdo essencialmente estatístico mas dotada de capítulo dedicado a "Aspectos fotográficos", estes em numerosas fotografias de época, razoavelmente bem reproduzidas.

Templos católicos do Recife: livro dedicado ao XXXVI Congresso Eucarístico Internacional: julho 1955.

Recife: s.e., 1955.

Álbum de formato oblongo e acabamento modesto, serviu de guia aos participantes do Congresso Eucarístico Internacional em julho de 1955. Conta com fotografias de todas as igrejas e capelas de Recife e subúrbios, razoavelmente reproduzidas e dotadas de verbetes descritivos.

Urbo Recife.

S.l.: s.e., s.d.

Sem autor, data, editor e local de impressão, com título, texto e verbetes lavrados em esperanto, este pequeno álbum apresenta muitas fotografias convencionais de Recife.

40 anos da Fundação Joaquim Nabuco.

S.l.: Correios, s.d.

Pequeno álbum com texto e cinco cartões-postais referentes ao título.

Porto do Recife: publicação de propaganda das docas do porto de Recife.: anno I, numero 1.

[Recife: Docas do Porto do Recife], 1933.

A simples leitura desta publicação distribuída gratuitamente na época não nos permite imaginar a riqueza de seu conteúdo, quer seja pelo competente texto histórico e pela copiosa e muito interessante propaganda de seus estabelecimentos industriais e comerciais, quer sobretudo pela surpreendente ilustração formada por desenhos de Manoel Bandeira, Percy Lau (v. estes) e outros e por muitas fotografias de Fidanza (v.) e outras contemporâneas, além de gravuras antigas e uma planta desdobrável e coloridas das docas de Recife.

Engenhos do vale do Jaboatão: VII exposição temporária.

Recife: [Museu do Açúcar], 1968.

Pequeno mas expressivo catálogo de uma exposição de fotografias de engenhos de uma região vizinha a Recife, com relação de objetos típicos destes engenhos; três fotografias e um desenho.

Igarassu: origem, cenário e cores.

Texto: Ariano Suassuna, José de Monterroso Teixeira, Maria João Espírito Santo Bustorff Silva. Fotografia: José de Paula Machado. Uma co-edição/Recife: Fundação Ricardo do Espírito Santo Silva/Rio de Janeiro: Editora Agir, 1998.

Muito mais do que uma boa obra sobre um lugarejo histórico com quase quinhentos anos de existência, esta é uma obra de um fotógrafo que soube captar a magia da região e seus habitantes. Muito recomendável.

PERRONE, CARLOS

São Paulo por dentro: um guia panorâmico de arquitetura.

São Paulo: Editora Senac, 2000.

Segundo o autor, esta obra pretende ser um "guia de visitação e referência", uma visão panorâmica de espaços da cidade, interessantes por sua arquitetura e merecedores de preservação. Como guia deixa de ser característico, mas como idéia de focalizar "espaços" pouco lembrados é interessante. Bom o ensaio do fotógrafo Claudio Wakahara.

PERSICHETTI, SIMONETTA

Imagens da fotografia brasileira.

São Paulo: Estação Liberdade, 1997.

Um álbum de fotografia com tema definido mas bem diferente do que se costuma ver ou imaginar, fruto do trabalho de uma jornalista italiana, formada em fotografia e mestrado em Comunicação e Artes. Partindo da convicção de que "fotografar é testemunhar, é tentar compreender um fato histórico-social", a autora efetuou entrevistas com dezoito dos mais importantes fotógrafos nacionais e selecionou entre suas obras as que melhor traduzissem suas opiniões e convicções. Muito interessante. NOTA: As entrevistas foram previamente publicadas no Caderno 2 do jornal *O Estado de S. Paulo*, do qual a organizadora é colaboradora desde 1996.

Imagens da fotografia brasileira: 2.

São Paulo: Estação Liberdade, 2000.

O sucesso alcançado com a publicação do álbum do verbete anterior deu ensejo a esta nova obra, apresentada com a mesma qualidade de texto e perfeição técnica.

PESSÔA, PAULA

Guia da cidade do Rio de Janeiro: 3º Congresso Scientifico Latino-Americano.

Rio de Janeiro: Offc. Graphicas E. Bevilacqua & Co. 33 Rua Chile, 1905.

O próprio autor, engenheiro civil, adverte sobre a apresentação diferenciada deste seu guia, como de fato o é, muito mais histórico e cultural do que turístico. Notáveis as numerosas fotografias, inseridas no texto à moda antiga, muitas em molduras especialmente desenhadas, todas provavelmente do arquivo da editora (uma grande produtora de cartões-postais). Acompanha a obra o grande mapa "Planta do Rio de Janeiro para servir de Guia da cidade", de 1905 (46 x 70 cm), executado em cores na oficina gráfica da editora.

PETIT, LUISA

Livro de retratos.

[São Paulo?: s.e., 1993?].

Nascida em 1967, filha de Francesc Petit (publicitário e sócio da renomada empresa publicitária DPZ de São Paulo), Luisa Petit estudou artes plásticas e fotografia de 1985 a 1987 na Espanha e prosseguiu seus estudos na DPZ, dedicando-se principalmente à fotografia a serviço da propaganda; após várias exposições e inscrição em 1992 no anuário do Art Directors Club de New York, publicou particularmente este pequeno álbum de fotografias apresentado por Olney Krüse (v.) e que focaliza figuras da sociedade local e do mundo artístico.

PFEIFFER, WOLFGANG

Nascido na Alemanha em 1912, Doutor em História da Arte e naturalizado brasileiro, foi diretor e curador do Museu de Arte Moderna de São Paulo, da Fundação Bienal de São Paulo e do Museu de Arte Contemporânea da Universidade de São Paulo.

Artistas alemães e o Brasil = Deutsche Künstler und Brasilien.

São Paulo: Empresa das Artes, 1995.

Edição patrocinada pela Bayer, com longa introdução histórica dedicada às suas atividades no Brasil. A matéria do título é relatada pelo historiador de arte Wolfgang Pfeiffer, com excelente reprodução de obras de cada artista estudado. Muito recomendável e útil para estudos.

Brasilien.

Köln: Dumont Buchverlag, [1987].

Este é um guia turístico (em língua alemã) com enfoque quase exclusivo sobre matérias culturais e artísticas e que supre a falta de congêneres nacionais. O material fotográfico (53 coloridos e 64 em preto e branco) foi confiado ao fotógrafo alemão Günter Heil (1938), formado em Artes Gráficas e atualmente colaborador de importantes guias internacionais de turismo; completam a obra inúmeras ilustrações no texto, de mapas antigos a plantas das cidades, de gravuras a desenhos e plantas de igrejas, além de monumentos, livros, fazendas, documentos, retratos. A obra é concluída com o estudo "Tupi or not tupi" por Ray-Güde Mertin (doutorada em São Paulo e atualmente residindo na Alemanha), um esboço dos aspectos mais característicos da literatura brasileira. Muito importante.

PIERREFORT, MARIE NIVOULIÈS

Nascida na França em 1879, estudou de 1904 a 1908 com Ferdinand Humbert na Escola de Belas Artes de Paris e realizou exposição individual na Galeria Georges Petit de Paris em 1927; em 1938 emigrou para o Brasil em companhia do marido, Paul Termisien, radicando-se no Rio de Janeiro. Participou por diversas vezes do Salão e em 1976 expôs individualmente no Museu de Belas Artes do Rio de Janeiro. Após permanecer na França de 1950 a 1959, retornou ao Rio de Janeiro e faleceu em 1968. Sua vida e obra encontam-se em Marie Nivouliès, *de Sergio Telles.*

Marie Nivouliès: exposição retrospectiva.

S.l.: s.e., [1977]. (Catálogo de exposição,1977)

Obra publicada para a grande exposição retrospectiva da pintora paisagista Marie Nivouliès de Pierrefort, no Museu Nacional de Belas Artes, com longo estudo biográfico de Sergio Telles, textos em francês de Rafael Squirm e Raymond Cogniat, e um estudo de pintura francesa no Brasil por Mário Barata, também em francês; consta ainda a correspondência ativa da artista, bem como excelente reprodução de seus quadros.

PIFFER, MARCOS

Arquiteto e fotógrafo brasileiro (1962), ilustrou A casa das artes *(v.).*

Litoral norte.

São Paulo: MP, 1999.

Documentário fotográfico por um dos bons profissionais jovens da atualidade. Sua preocupação com aspectos ecológicos se nota imediatamente ao folhear este lindo álbum, onde a solidão cria beleza e os detalhes predominam sobre vistas gerais.

Santos: roteiro lírico e poético = lyrical and poetic itinerary.

Fotografias: Marcos Piffer. Poemas: Madô Martins. Textos: Gilberto Mendes, Cristiano Mascaro. São Paulo: Secretaria de Estado da Cultura, 1997.

Belo álbum: imagens de alta qualidade em excelente reprodução confirmam a promessa contida no título deste belo álbum.

PIMENTA, DIMAS DE MELLO

Industrial paulista (falecido em fins da década de 1990) que fundou e dirigiu a fábrica de relógios industriais Dimep e reuniu uma importante coleção de relógios antigos, conhecida como "Museu do Relógio" (v.).

Dimep: de micro a grande empresa.

São Paulo: Dimep, 1991.

Histórico de uma empresa industrial do ramo relojoeiro, com inexpressiva mas farta ilustração fotográfica de arquivo próprio. Publicação comemorativa de cinqüenta anos de atividade e baseada em texto de Dimas de Mello Pimenta, fundador e dirigente, conta ainda com um capítulo final dedicado à coleção particular de relógios antigos do autor, apresentada como "Museu do Relógio" (v.), o único deste gênero no País.

O relógio... sua história.

São Paulo: Editora Dimep Ltda., 1976.

Abalizado estudo sobre o relógio e sua evolução da Antigüidade até o presente por um colecionador de relógios antigos e industrial no ramo da relojoaria. O último capítulo é dedicado à sua coleção de mais de quinhentas peças, conhecida por "Museu do Relógio" (v.), e a reprodução das mais importantes.

PINHEIRO, SILVANÉSIO

Azulejos do Convento de S. Francisco da Bahia.

Salvador: Livraria Turista, 1951.

Obra em quarto grande para um pequeno estudo sobre os painéis do Convento em geral e reprodução em branco e preto de cada um por folha, com texto explicativo.

PINK, EDMUND

Comerciante inglês, ativo por alguns anos na Austrália e de 1821 a 1825 no Brasil. O leiloeiro Phillips de Londres ofereceu em 1984 um conjunto de aquarelas, manuscritos e diários relacionados à estadia deste comerciante na Austrália e no Brasil, conjunto arrematado por um colecionador que selecionou o material que lhe interessava e entregou o restante à Phillips para novo leilão, fazendo esta destacar em seu novo catálogo uma parte reservada a Sketches of Brazil taken during a residence there in the years 1821, 22, 23, 24, 1825, *descrevendo o diário e as demais peças e reproduzindo em cores nove das aquarelas. Este lote foi adquirido por um grupo brasileiro, constando que a parte referente a São Paulo coube ao colecionador Mário Pimenta Camargo (v.) que, por sua vez, separou algumas peças para a própria coleção e entregou as demais ao leiloeiro Renato Magalhães Gouvêa, que as apresentou em um catálogo mimeografado,* Edmundo Pink: um viajante inglês na província de São Paulo. 1823.

Edmund Pink: um viajante inglês na província de São Paulo: 1823.

[São Paulo]: Renato Magalhães Gouvêa Escritório de Arte, [1985]. (catálogo de leilão, mai. 1985)

Pequeno catálogo mimeografado para um leilão de aquarelas, manuscritos e diário do comerciante inglês Edmund Pink relacionados ao Estado de São Paulo; sem ilustrações, contou com uma relação das partes apresentadas e a transcrição parcial do diário do comerciante que relata sua viagem a São Paulo em 1823. Este leilão foi precedido de um cartão-convite, uma plaqueta de quatro folhas que reproduz um "Panorama de São Paulo".

São Paulo de Edmund Pink = Edmund Pink's São Paulo.

São Paulo: DBA/Bovespa, 2000.

Fascinante álbum que reproduz na íntegra o diário manuscrito de Edmund Pink e a transcrição de sua leitura paleográfica; reproduz também com perfeição as dezesseis aquarelas que retratam a cidade de São Paulo na década de 1820, adquiridas pela Bovespa no leilão acima referido e como contraste e confronto algumas fotografias da atualidade e o mapa de São Paulo por Rufino Costa em 1810. Texto e comentários do historiador Nicolau Sevcenko. Muito recomendável.

Christie's topographical pictures.

Londres: Christie's, 1994. (catálogo de leilão, jul. 1994)

Catálogo de um dos tradicionais leilões da Christie's, apresentando entre outros o conjunto de 24 aquarelas, documentos vários e o diário do comerciante inglês Edmund Pink, com reprodução de nove aquarelas e a da capa do álbum *Sketches of Brazil.*

PINTO, CORRÊA

Belém: imagens e evocações.

Rio de Janeiro: s.e., 1968.

Memórias poéticas de um bom escritor, ilustradas com evocativos e simpáticos desenhos de artista não identificado.

PINTO, LOURDES NORONHA

Antigas fazendas do Rio Grande do Sul.

Porto Alegre: Fundação Moinho Santista, 1989.

Trinta fazendas estudadas neste lindo livro. Criada em fazenda da região, a autora apresenta um texto agradável e coloquial, com ênfase de aspectos históricos e genealógicos em detrimento dos artísticos. Afirma a autora, em seu prefácio, serem de sua autoria as fotografias (todas muito boas), mas nos créditos também são citados os fotógrafos Fernando Brentano, Leonardo Streliaev, Leopoldo Plents e, principalmente, Christian Kessler.

PINTO, ODORICO PIRES

O Solar do Conde dos Arcos.

(2ª edição). Rio de Janeiro: s.e., 1972.

Aos 35 anos de idade, D. Marcos de Noronha e Brito, o oitavo Conde dos Arcos, tornou-se Vice-Rei do Brasil, o último a exercer o cargo. O presente estudo focaliza este vice-reinado e a trajetória posterior deste nobre e militar; o solar do título, um casarão em uma chácara junto ao Campo de Sant'Anna no Rio de Janeiro, que passaria a ser famoso posteriormente, quando transformado na sede do Senado durante o Império e a Primeira República. Este sólido estudo foi ilustrado com algumas gravuras do solar e as de outro solar que o Conde construiu em Salvador, atual sede da Associação Comercial da Bahia.

PIRES, FERNANDO TASSO FRAGOSO

Antigas fazendas de café da província fluminense.

[Rio de Janeiro]: Editora Nova Fronteira, 1980. (Memória Brasileira, 1)

Como primeiro volume da coleção "Memória Brasileira", a editora Nova Fronteira apresenta um belo documentário histórico e fotográfico sobre fazendas cafeeiras no século XIX, no atual Estado do Rio de Janeiro. As fotografias de Paulo Romeo Bissoli foram aplicadas ao texto e uma delas na capa, em baixo-relevo; entre as demais imagens, uma pintura a óleo da Fazenda Cataguá e outra da Fazenda Retiro (1881), ambas de Georg Grimm (v.) e uma vista da praça principal da cidade de Vassouras, com o seu chafariz monumental. O texto histórico foi precedido de uma "Introdução" de Paulo Mercadante, um estudo sobre a sociedade da economia cafeeira durante o Império. Muito recomendável.

Fazendas: solares da região cafeeira do Brasil imperial.

[Rio de Janeiro]: Editora Nova Fronteira, 1986. (Memória Brasileira)

A própria editora nos adverte que esta obra não é uma nova tiragem ou outra edição revista do item anterior, mas um livro novo, pois apresenta, "pela primeira vez, além de enorme riqueza e variedade de documentação iconográfica, interiores e pormenores das fachadas e dos conjuntos arquitetônicos existentes na região. De algumas fazendas, cuja presença novamente se impunha, foram feitas novas fotos que revelam outros planos e particularidades de maior riqueza". Assim foi realizada outra bela obra, menos luxuosa do que a versão anterior, mas de igual cuidado gráfico. Além das excelentes fotografias de Pedro Oswaldo Cruz (v.), encontramos reproduções de gravuras de Victor Frond, um dos quadros de Georg Grimm, muitas obras de José Maria Villaronga (v.), uma tela de Richter retratando Ana Clara Morais Costa Haritoff (Museu Nacional de Belas Artes) e um retrato do Visconde de Rio Preto por Le Chevrel, além de um notável estudo de Alcides Rocha Miranda e Jorge Czajkowski sobre "Aspectos de uma arquitetura rural do século XIX", com desenhos esquemáticos. A parte textual sofreu grande modificação: a "Introdução" de Paulo Mercadante foi reescrita e substancialmente ampliada; o texto original de Fernando Pires foi substituído por um novo, de roteiro e legendas de sua autoria. Uma obra que ganhou em interesse e importância sobre a do item anterior.

Fazendas: as grandes casas rurais do Brasil.

New York/London/ Paris: Abbeville Press Publishers, [1995].

Obra totalmente nova e distinta dos itens anteriores, com extenso texto histórico e um adicional para cada uma das poucas fazendas examinadas. Contou com a visão artística do fotógrafo polonês Nicolas Sapieha (que realizou estudos na França e nos Estados Unidos, onde está radicado). A documentação fotográfica pende um pouco para a arquitetura de interiores e paisagismo, mas não nos impede de reconhecer a importância desta bela obra.

Antigos engenhos de açúcar no Brasil.

2ª ed. [Rio de Janeiro]: Editora Nova Fronteira, [1994].

Independente da alta qualidade que distingue as obras desta espécie editadas pela Nova Fronteira, esta é sem dúvida a mais perfeita e bela; contribui para tanto a riqueza material, arquitetônica e artística dos engenhos estudados. Além da reprodução de interessantes mapas, fotografias e plantas antigas, a obra conta com muitos quadros a óleo retratando a aristocracia do ciclo do açúcar, e, principalmente, com o competente levantamento fotográfico por Pedro Oswaldo Cruz (v.), Ailton Sampaio (Bahia) e João Tavares (Pernambuco). A Fernando Pires coube o texto "O ciclo do açúcar" e os comentários históricos de cada engenho, cabendo a Geraldo Gomes estudo muito expressivo sobre "A arquitetura dos engenhos". Uma obra muito recomendável.

PISO, GUILHERME

Willelm Pies, ou Pisonius na forma latinizada e ainda Guilherme Piso na versão nacional (1611-1678), cientista holandês e médico particular do Conde Maurício de Nassau (v.) durante a ocupação holandesa do Nordeste, foi autor da obra Historia Naturalis Brasiliae... *(Amsterdam, 1648), formada por duas partes principais distintas: a "Medicina brasiliensi...", do próprio Piso, e a "Historia rerum naturaliae...", de Jorge Marcgrave (v.).*

História natural do Brasil ilustrada.

Tradução do Professor Alexandre Correia. [São Paulo]: Companhia Editora Nacional, 1948.

A edição nacional da obra *Historia naturalis Brasiliae* (Amsterdam, 1648), de Guilielmi Pisonis, foi efetuada em duas partes distintas: uma primeira tendo Jorge Marcgrave (v.) como autor, e a presente segunda, a "Medicina brasiliensi" em quatro livros. Edição comemorativa do cinqüentenário do Museu Paulista, foi publicada em fólio e em forma de fac-símile, com todas as ilustrações, estampas, vinhetas e capitulares do original redesenhadas por Carlos Amadeu de Camargo Andrade, um dos naturalistas do museu. O prefácio coube a Affonso d'E. Taunay, Diretor do museu, que consagrou um pequena parte à justificativa da edição e o resto a um laudatório aos colaboradores; consta ainda o texto original em latim, com notas e comentários do tradutor Alexandre Correia, e estudos por diversos especialistas. Muito interessante.

PIZA, DOMINGOS DE TOLEDO

Pintor brasileiro (1887-1946).

50 pinturas de Domingos Toledo Piza.

[São Paulo]: Museu de Arte de São Paulo Assis Chateaubriand, [1972]. (Catálogo de exposição, abr.-maio 1972)

Um catálogo com boa reprodução de 27 quadros a óleo e um desenho (na capa) deste pouco conhecido e importante pintor brasileiro que estudou na Academia de Grande Chaumière, viveu grande parte de sua vida na França e conta com um de seus quadros no Museu Jeu de Paume de Paris. Este catálogo é praticamente a única obra que apresenta e estuda este grande e esquecido paisagista.

PLANITZ, CARLOS ROBERTO DE

Karl Robert von Planitz, nobre alemão (1806-1847), chegou ao Brasil por volta de 1832 e naturalizou-se em 1840, adotando o nome de Carlos Roberto de Planitz, ou Barão de Planitz. Após curta permanência em um cargo na Biblioteca Pública do Rio de Janeiro, passou a ministrar diversas matérias no Colégio Pedro II. Foi agraciado com a comenda de Cavaleiro da Ordem de Cristo em 1845, nomeado Escrivão dos Brasões de Armas da Nobreza e Fidalguia do Império em 1846 e faleceu no Rio de Janeiro em 1847, vítima de febre amarela. Poucas são suas obras conhecidas, mas entre estas sobressaem as aquarelas do álbum Padrões dos uniformes para os corpos das diferentes Armas de que se compõe o Exército Imperial *e os doze lindos desenhos de vistas do Rio de Janeiro (atualmente em mãos do príncipe D. Pedro Gastão de Orleans e Bragança) utilizados por volta de 1857 para a impressão do álbum* 12 vistas do Rio de Janeiro desenhadas por C. B. (sic) de Planitz e lithographadas por Speckter & Co. Roberto Kittler livreiro em Hamburgo. Ed. & Henr. Laemmert Livreiros. Rua da Quitanda 77 no Rio de Janeiro, *raríssimo quando completo.* NOTA: *Planitz encontra-se relacionado no Thieme-Becker como C. B. Planitz, autor do álbum* 12 Vistas do Rio de Janeiro. *Esta grafia truncada deve-se ao erro tipográfico que ocorreu no título do álbum original, que transcreveu as iniciais "C. R." de Carlos Roberto como "C. B.".*

O Rio de Janeiro na maioridade.

[Rio de Janeiro]: Biblioteca Municipal, 1958. (Coleção Cidade do Rio de Janeiro)

Comemorando o quarto centenário do Rio de Janeiro, a Biblioteca Municipal publicou uma reprodução do álbum original *12 vistas do Rio de Janeiro* sob o título supra, acompanhado de um abalizado estudo de Guilherme Auler (v.) sobre "O escrivão dos brasões Barão de Planitz". Segundo Borba de Moraes, esta foi uma *poor reproduction*, mas na realidade estas imagens em offset são muito nítidas, de boa qualidade e sobre um cartonado bom; a tiragem foi de 2 000 exemplares rubricados, com as doze estampas e uma folha de título acondicionadas em um envelope titulado. Importante como documento iconográfico e pelo texto. NOTA: As quatro primeiras gravuras deste álbum são vistas tiradas da Ilha das Cobras e formam um panorama do Rio de Janeiro; foram redesenhadas por Gatti e Dura, de Nápoles, e gravadas como panorama geral do Rio de Janeiro, destinado à obra *Descrizione del viaggio a Rio de Janeiro della flotta di Napoli*, de Eugenio Rodriguez, obra que se encontra traduzida como *A Viagem da Imperatriz* (1936) e contém a reprodução deste panorama, dobrado oito vezes, como no original. O panorama original encontra-se subscrito: "Planitz dipinxt. Disegnato in litografia da Gatti & Dura – Napoli. 1844. Lit. Gatti & Dura. Strada Gigante Nº 19", subscrição que foi omitida na versão brasileira. No *Jornal do Brasil* de 9 de março de 1955 encontra-se um artigo de Guilherme Auler, "Os desenhos do Barão de Planitz", que reproduz o panorama; no mesmo jornal, em 29 de julho de 1959, Gilberto Ferrez publica o artigo "Ainda sobre o álbum do Barão de Planitz", com reprodução de três das gravuras de Planitz e duas do álbum de Steinmann; outras três gravuras de Planitz encontram-se reproduzidas no artigo "O Rio de Janeiro visto pelo Barão de Planitz" (*in Jornal do Brasil*, 27 de abril de 1958).

O Rio de Janeiro imperial.

S.l.: Panair do Brasil, [1962]. (Álbuns do Brasil, 1)

Aproveitando as estampas do álbum resenhando no item anterior e com idêntico acabamento, foi publicado este álbum em tiragem de mil exemplares rubricados, acondicionados em uma espécie de envelope portando o título.

O Rio de Janeiro na maioridade: coleção de 12 vistas do Rio de Janeiro desenhadas pelo Dr. Carlos Roberto, Barão de Planitz.

S.l.: Banco do Estado da Guanabara S/A, 1964. (Coleção Mauá, 3)

Nas mesmas condições do item anterior, em tiragem de 2 000 exemplares numerados, rubricados pelo presidente do banco.

Cidade de São Sebastião do Rio de Janeiro: oito sépias inéditas – eight unpublished sepias.

[São Paulo]: Companhia Brasileira de Projetos e Obras – CBPO/Livraria Kosmos, 1985.

Belo álbum de 37 x 44 cm, reproduzindo oito desenhos provenientes de uma coleção particular, todas dotadas de *passe-partout*. Mário Barata (v.) contribuiu com um bom estudo sobre Planitz e Paulo Berger (v.) identifica e descreve as vistas. Muito recomendável.

PONDÉ, FRANCISCO DE PAULA E AZEVEDO

A defesa militar do porto e da cidade do Rio de Janeiro em quatro séculos.
Rio de Janeiro: Imprensa do Exército, 1967.

Escrito por um general e com tema e exposição essencialmente militar, este estudo em edição modesta foi dotado de excelente e pouco conhecido material iconográfico.

O Porto da Estrela.
Separata da *Revista do Instituto Histórico e Geográfico Brasileiro*, Rio de Janeiro, v. 293, out.-dez. 1971.

Ampliando uma conferência proferida no Instituto Histórico em 1970, o General Pondé elaborou este estudo sobre o Porto de Estrela, na Baía da Guanabara, ponto inicial da estrada que ligava o Rio de Janeiro à Província de Minas Gerais, via Petrópolis. Como na obra anterior, também esta foi dotada de excelente documentação gráfica e fotográfica.

PONTUAL, ROBERTO

Pesquisador de arte e antiquário.

Dicionário das artes plásticas no Brasil.
[Rio de Janeiro]: Civilização Brasileira, [1969].

A importância desta obra não reside somente em seu pioneirismo no País, mas também na seriedade e confiabilidade dos dados coligidos. Fundamental a introdução histórico-crítica por vários dos melhores historiadores de arte do país, contribuindo para uma visão muito abrangente da matéria do título, podendo ser apontado como único senão o sistema adotado de apreciar os artistas através de críticas de terceiros (geralmente formulados por ocasião de alguma exposição) e não através de críticas do autor, cuja qualificação teria justificado amplamente tal iniciativa. De imediata e geral aceitação, esta obra motivou várias outras do mesmo molde. Muito boas as ilustrações mas apenas razoáveis as reproduções. Imprescindível para estudos.

POPELKA, LISELOTTE

Ein österreichischer Maler segelt um die Welt. Joseph Selleny und seine Aquarelle von der Weltreise der Novara: 1857-1859.
Graz/Köln: Verlag Hermann Böhlaus Nachf, 1964.

Clássico estudo sobre o desenhista austríaco Joseph Selleny (v.) e sua participação como pintor oficial da expedição científico-militar austríaca ao redor do mundo a bordo do *Novara* (1857-1859), com permanência de um mês no Rio de Janeiro. De sua vasta produção artística são relacionadas quase mil, cabendo ao Brasil as de nº 124 a 180, e a reprodução em branco e preto de duas aquarelas.

PORCHAT, MILCÍADES de Luné

Do que precisa S. Paulo: um punhado de idéias sobre a cidade.

Ilustrações de Antonio Gomide. São Paulo: Casa Duprat, 1920.

O arquiteto brasileiro Milcíades de Luné Porchat reuniu nesta bem diagramada brochura uma série de artigos anteriormente publicados no *Jornal do Commercio* e destinados a servir de "suggestões ao novo Prefeito", sugestões que soam muito atuais e se encontram visualizadas através de três fotografias e cinco notáveis desenhos do pintor Antonio Gomide (1895-1967), este recém-chegado de seus estudos na Europa e que se revelaria como um dos luminares da arte moderna no Brasil. Muito interessante.

PORTA, FREDERICO

Dicionário de artes gráficas.

Rio de Janeiro/Porto Alegre/São Paulo: Editora Globo, [1958].

Dicionário essencialmente técnico, de grande utilidade para bibliófilos, colecionadores e estudiosos dos métodos de reprodução de gravuras, litografias, pinturas e fotografias.

PORTINARI, CÂNDIDO Torquato

Cândido Torquato Portinari (1903-1962), iniciou seus estudos em 1918 com Lucílio de Albuquerque na Academia Imperial de Belas Artes no Rio de Janeiro. Em 1928 conquistou o prêmio de viagem e estudou por dois anos na Europa, consagrando-se a seguir como retratista. Em 1936 produziu seu primeiro e importante mural no Monumento Rodoviário (RJ) e participou da decoração do Ministério da Educação, executou murais em New York e para a Biblioteca do Congresso em Washington, decorou a Igreja da Pampulha e pintou os grandes painéis Primeira missa *(1948),* Tiradentes *(1949) e* Guerra e Paz *para a ONU em New York. Imensa a obra deste artista, considerado o melhor pintor brasileiro, e inúmeros estudos sobre a mesma, entre os quais se destaca o* Portinari *de Antonio Bento (v.), mas para a presente resenha interessam somente as referentes aos murais e à arte sacra.*

Portinari: imagens do Brasil.

[São Paulo]: Museu de Arte Moderna de São Paulo, [1996]. (Catálogo de exposição, jun.-jul. 1996)

Catálogo bem feito de uma exposição de nove dos doze painéis pintados por Portinari para a revista *Cruzeiro* do Rio de Janeiro, painéis atualmente incorporados ao acervo do Banco Central; o estudo destes painéis foi confiado a Clarival do Prado Valladares (v.).

Portinari: estudos para os painéis do Ministério da Educação no Rio de Janeiro.

[São Paulo]: Museu de Arte Contemporânea da Universidade de São Paulo, 1979. (Catálogo de exposição, mar. 1979)

Excelente catálogo com numerosas reproduções, em grande parte em cores; apresentação de Wolfgang Pfeiffer e estudo de Annateresa Fabris (v. estes). Muito recomendável.

Guerra e Paz de Portinari: painéis para a ONU: exposição promovida pelo Ministério das Relações Exteriores em colaboração com o Ministério da Educação e Cultura e a Prefeitura do Distrito Federal.
[Rio de Janeiro: Departamento de Imprensa Nacional, 1956]. (Catálogo de exposição, 1956)

Plaqueta que serviu de catálogo para esta exposição, com reprodução de dois painéis em branco e preto.

Exposição do mural Tiradentes de Cândido Portinari destinado ao Colégio de Cataguazes.
São Paulo: s.e., set. 1949. (Catálogo de exposição, set. 1949)

Um dos mais importantes murais de Portinari apresentado neste catálogo e reproduzido em branco e preto em folha desdobrável; reproduzidos ainda alguns dos detalhes mais expressivos do painel.

Arte sacra: Portinari.
Rio de Janeiro: Edições Alumbramento, 1982.

Luxuosa edição da obra completa de arte sacra de Cândido Portinari (1903-1962), com um prefácio de Alceu Amoroso Lima e comentários de Frei Bruno Palma. Muito interessante.

PORTUGAL

Muitas obras de interesse direto ou indireto do Brasil tiveram sua origem em Portugal, distinguindo-se quase todas por alta qualidade de produção e apresentação.

Pedro Alvares Cabral: V centenário de seu nascimento: 1468-1968: roteiro: exposição documental e bibliográfica em homenagem ao insigne navegador.
[Porto]: Câmara Municipal do Porto, 1968. (Catálogo de exposição, 1968)

Esta exposição portuguesa foi essencialmente documental e bibliográfica, mas contou com uma pequena seção de cartografia brasileira. As boas ilustrações se restringiram a assuntos portugueses.

Catálogo da exposição cartográfica e iconográfica comemorativa do V centenário do nascimento de Pedro Álvares Cabral descobridor do Brasil.
Lisboa: Arquivo Histórico Ultramarino, 1968. (Catálogo de exposição, 1968)

A aparente modéstia deste catálogo esconde mais uma das excelentes produções portuguesas referentes a efemérides históricas brasileiras. Organizada por Alberto Iria, Diretor do Arquivo, esta exposição contou com com mais de 250 itens importantes, comentados e tecnicamente descritos; uma pequena seleção foi bem reproduzida. Muito importante.

Portugal-Brazil: the age of Atlantic discoveries.
Arese: Bertrand Editora/Franco Maria Ricci/Brazilian Cultural Foundation, [1990].

Com a conhecida alta qualidade das edições de Franco Maria Ricci, esta obra apresenta o importante material exposto na Biblioteca Pública de New York e a seguir apresentado em Lisboa. Indispensável para o conhecimento da documentação artística e científica dos séculos XV ao XVII; excelentes reproduções e comentários. NOTA: A exposição realizada na

Biblioteca Pública de New York contou com um pequeno e belo catálogo com o mesmo título, bem ilustrado.

v centenário do nascimento de Pedro Alvares Cabral.

[Rio de Janeiro]: Biblioteca Nacional do Rio de Janeiro, 1968. (Catálogo de exposição, 1968)

Exposição da Biblioteca Nacional, em grande parte bibliográfica; incluiu, entretanto, uma boa seção cartográfica do século XVI (itens nº 109 a 185), com duas ilustrações no catálogo.

História da colonização portuguesa no Brasil: edição monumental comemorativa do primeiro centenário da independência do Brasil.

Porto: Litografia Nacional, 1921. 3 v.

Para os festejos da efeméride do título, a colônia portuguesa no Brasil reuniu-se para a formação de um empreendimento comercial ("Sociedade Editora da História da Colonização Portuguesa do Brasil") com o fim específico de editar a presente obra, impressa em Portugal em três volumes. Obra monumental em fólio, publicada em fascículos, teve como organizador Carlos Malheiros Dias (1875-1941), escritor português, membro da Academia Brasileira de Letras; Ernesto de Vasconcelos encarregado da cartografia e o pintor Roque Gameiro na direção artística e como ilustrador, uma equipe que produziu uma obra de altíssimo nível histórico, gráfico e artístico, além de imprescindível para estudo.

Carta de Pero Vaz de Caminha a El-Rei D. Manuel: escripta da ilha de Vera-Cruz em 1º de maio de 1500.

Fac-simile do original: versão em italico no portuguez da epocha: versão em italico no portuguez actual: edição para o Instituto Geographico e Historico da Bahia pelo 4º centenario da descoberta do Brasil. [Bahia]: Instituto Geographico e Historico da Bahia/Editores Reis & Comp., 1900.

Entre as inúmeras edições da "Carta" de Pero Vaz de Caminha ao longo dos tempos, esta é surpreendente, e não só pela raridade e capricho desta edição encadernada na origem. É uma edição que conta com o fac-símile do original, a leitura paleográfica e a transcrição em vernáculo, além de contar com dois mapas do Major Salvador Pires de Carvalho e Aragão (v.): "Roteiro de Cabral" e "Roteiro dos navegadores do século XVI", e cinco notáveis pranchas por artista anônimo retratando: *A partida*, *Terra*, *O batel de Nicolau Coelho. Primeiras relações com os aborígenes*, *A segunda missa* (colorida) e *Partida de Porto Seguro. Os degradados*, ilustrações que mereceriam estudos para apurar autoria. Muito interessante.

Carta de Pero Vaz de Caminha = Letter from Pero Vaz de Caminha: Mostra do Redescobrimento.

São Paulo: Fundação Bienal de São Paulo/Associação Brasil 500 Anos Artes Visuais, 2000. (Catálogo de exposição, abr.-set. 2000)

Um dos treze excelentes catálogos em quarto grande da "Mostra do Redescobrimento", com igualmente boas ilustrações e correspondentes textos. Muito interessante.

POST, FRANS

Pintor holandês (1612-1680), irmão do arquiteto Pieter Post, chegou ao Brasil em 1634 como membro da comitiva artística do Conde Maurício de Nassau (v.), dirigente da Com-

panhia das Índias Ocidentais e comandante supremo da ocupação holandesa no Nordeste do Brasil. Retornou à Holanda em 1644 e pintou os quadros para os quais colhera material no Brasil. Vários dos seus desenhos foram gravados pessoalmente e outros muitos por Jan van Brosterhuisen e Salomon Saverz para ilustração da obra Rerum per octennium in Brasilia... *(Amsterdam, 1647), de Barleus (v.). Sua vida e obra encontram-se relatadas por Erik Larsen, Joaquim Sousa-Leão e Enrico Schaeffer (v. estes) e em muitos estudos avulsos, como "Na Holanda com Frans Post", de Argeu Guimarães (*in RIHGB, *nº 235).*

Exposição Frans Post.

Rio de Janeiro: Museu Nacional de Belas Artes, 1942. (Catálogo de exposição, 1942)

Com texto e dados biobibliográficos por Ribeiro Couto, este foi o catálogo da primeira exposição de quadros de Frans Post no País; K. Vosylius (v.) fotografou as 27 telas expostas, das quais 24 foram reproduzidas.

Frans Post: 1612-1680: obras de coleções paulistas.

São Paulo: Museu de Arte de São Paulo Assis Chateaubriand, 1973. (Catálogo de exposição, 1973)

Após a exposição citada no verbete anterior, foi realizada esta segunda, muito ampliada; 25 telas foram reproduzidas em cores, uma das quais também na capa. Foi também apresentada (e reproduzida em cores) a raríssima gravura de grande dimensão *Brasilia qua parte paret Belgis*, de Marcgrave (v.), que utilizou quatro dos desenhos de Frans Post. NOTA: Joaquim Sousa-Leão afirma no prefácio do catálogo tratar-se da terceira exposição, citando como segunda a exposição coletiva "Os pintores de Maurício de Nassau" (v.), que também apresentou quadros de Frans Post.

Frans Post.

Salvador: IOB, 1965. (Imagens e Documentos, 1)

Álbum em fólio médio, com reproduções de algumas imagens das gravuras de Frans Post que ilustram a obra *Rerum per octennium in Brasilia...* (Amsterdam, 1647), de Barleus (v.). Esta edição destinava-se a "popularizar a iconografia do Brasil antigo", chegando assim "ao grande público na forma de belos álbuns padronizados"; grande parte das vinte reproduções são detalhes de navios das cenas marítimas, formando um conjunto visual agradável mas um pouco alheio à declarada e almejada finalidade.

Frans Post: retratos do paraíso: 1612-1680.

[Rio de Janeiro]: Centro Cultural Banco do Brasil, 1990. (Catálogo de exposição, out.-nov. 1990)

Catálogo bem feito de uma exposição de seis quadros (quatro dos quais muito bem reproduzidos em cores) no Centro Cultural Banco do Brasil. Os comentários provêm de textos bibliográficos.

Frans Post: os desenhos.

[Salvador]: Cobafi – Companhia Bahiana de Fibras/[Brasília?]: Fundação Nacional Pró-Memória, 1981.

Pequeno álbum reproduzindo pela primeira vez no país 32 desenhos a sépia que se encontram na Coleção Sloan do British Museum (Londres); estes desenhos serviram para as gravuras da obra *Rerum per octennium in Brasilia...* (com exceção da 32º), de Barléu (v.), atribuídas a Jan van Brosterhuisen e Salomon Savery, e, segundo Erik Larsen, catorze das mesmas ao próprio Frans Post. Além de lindo, recomendável para estudo comparativo.

Relatório anual das Instituições Financeiras Itaú 1976.

São Paulo: Banco Itaú, 1977.

Um relatório bancário que portou o sugestivo subtítulo "A paisagem financeira de 1976 ilustrada pela paisagem brasileira do século XVII"; foram magnificamente reproduzidos dezesseis quadros de Frans Post, provenientes de coleções paulistas, e, com especial destaque e em página dupla, o quadro *Povoado numa planície arborizada*, do acervo do próprio banco.

Frans Post: seus quadros brasileiros.

Estado de Pernambuco: s.e., 1937.

Comemorando o terceiro centenário da chegada de Maurício de Nassau (v.) a Pernambuco (1637), o Governo do Estado de Pernambuco aproveitou notas do historiador de arte Joaquim de Sousa-Leão Filho (v.) para compor este ensaio sobre a obra do pintor Frans Post (1612-1680), reproduzindo fotograficamente o retrato do pintor por Frans Hals (que também ornou a capa), quinze quadros no texto (um dos quais em cores) e 29 estampas (duas em cada folha). Considerando a época da edição e o provável pioneirismo desta obra nacional sobre o assunto, deve-se considerá-la notável e memorável, deixando de ser imprescindível tão-só pelas posteriores obras do próprio Sousa-Leão (v.).

Frans Post; pintor no Brasil holandês.

S.l.: s.e., s.d.

Álbum oblongo, sem indicação de origem, reproduzindo razoavelmente sete telas em cores; conta com um histórico em português e inglês por Lygia F.F. da Cunha (v.).

PRADO, JOÃO FERNANDO DE ALMEIDA

Escritor e historiador brasileiro (1898-1987).

O artista Debret e o Brasil.

[São Paulo]: Companhia Editora Nacional, [1989].

Este estudo sobre a vida e a obra de Jean-Baptiste Debret (v.) no Brasil (1816-1831) inclui uma visão geral do ambiente social e artístico do Rio de Janeiro na época. Importante, ainda que sem ilustrações.

PRANCE, GHILLEAN TOLMIE

Botânico americano, curador do New York Botanical Garden (EUA).

Algumas flores da Amazônia.

Manaus: Conselho Nacional de Desenvolvimento Científico e Tecnológico/Instituto Nacional de Pesquisas da Amazônia, 1976.

Pequeno álbum apresentando fotografias coloridas próprias sobre o tema do título.

PRESTES, LUCINDA FERREIRA

A vila tropeira de Nossa Senhora da Ponte de Sorocaba: aspectos socioeconômicos e arquitetura das classes dominantes: 1750-1888.

São Paulo: ProEditores, 1999.

Competência e seriedade são as marcas deste trabalho de Lucinda F. Prestes. Rica e importante a ilustração, formada por mapas, gravuras e cartões-postais antigos, além de fotografias antigas e modernas, incluindo uma boa série de gravuras de Debret (v.) e dez fotografias de Julio W. Dursky (estabelecido na década de 1870 com o ateliê "Leuthold & Dursky" em São Paulo, do qual o CEHB relaciona sob o nº 17721 uma série de 25 vistas da Fábrica de Ferro Ipanema de Sorocaba em 1879), reproduzidas em páginas duplas, mas infelizmente esta documentação pictórica foi em grande parte reproduzida deficientemente, não condizente com a qualidade superior da edição.

PROTAZIO, PAULO MANOEL

Brasil: Brasil.

Buenos Aires: Manrique Zago ediciones, 1997.

Com texto inexpressivo de um antigo diretor de órgão federal de turismo, especialmente destinado ao incremento do turismo Argentina-Brasil, é uma obra de vistosas mas convencionais imagens fotográficas colhidas em agências de turismo públicas e particulares.

PUPPIN, CARLOS

Fotógrafo brasileiro, participou da obra Pindorama *(v.) e ilustrou integralmente a obra* Visões da natureza *(v.).*

PUSTKOW, FREDERICO

Vistas do Rio de Janeiro: coleção Pustkow: começo do século XIX.

2ª ed. Rio de Janeiro, DF: Prefeitura do Distrito Federal/Secretaria Geral de Educação e Cultura, 1955.

Nada se sabe sobre Frederico Pustkow, autor de um álbum de doze litografias retratando o Rio de Janeiro, das quais quatro são duplas e três são triplas, todas marcadas "F. Pustkow fc." na chapa e subscritas: "G. Leuzinger, Editor, r. d'Ouvidor 36. Lith. de Heaton & Rensburg". O CEHB relacionou sob o nº 17067 uma série de doze estampas (com sinal de interrogação a propósito do número exato), descrevendo e numerando apenas onze:

1. *Ilha das Cobras* (duas estampas em uma folha)
2. *Largo do Paço* e *Praia do Peixe*
3. *Largo do Paço*

4. *Arsenal de Guerra* e *Hotel Pharoux*
5. *Largo de S. Francisco de Paula*
6. *Theatro de S. Pedro de Alcantara*
7. *A Barra tomada de Sta. Luzia, Gloria* e *Sta. Luzia*
8. *Praia do Botafogo*
9. *Vista tomada de Sta. Thereza, Largo da Carioca* e *Os dois Irmãos*
10. *A Quinta Imperial em S. Christovão*
11. *Caes da Imperatriz* e *Saude.*

Uma simples nota contida no presente álbum informa sobre a reprodução de doze gravuras, quando na realidade foi efetuado um desdobro de algumas das estampas duplas e triplas e assim, reproduzidas apenas sete em onze folhas. A edição é muito cuidada, mas a reprodução deixa a desejar, possivelmente por não se adaptar o offset. à qualidade da litografia; da tiragem foi separada uma série de cem exemplares rubricados. NOTA: Em uma coleção paulista foi possível verificar a 12ª gravura que faltava na relação do CEHB, uma gravura tripla, com as vistas *Ponta da Saude – Rua da Prainha, Pedra do Sal* e *Saco do Alferes*. NOTA: Onze das doze gravuras encontram-se marcadas "F. Pustkow fc", cabendo à restante a marca "Pustkuchen fc", um fato que não encontra explicação até a data.

R

RANZINI, FELISBERTO

Pintor italiano (1881-1976), estudou arquitetura com Rossi no Brasil. Foi professor de desenho arquitetônico no Liceu de Artes e Ofícios de São Paulo e de composição decorativa na Escola Politécnica.

RANZINI, Felisberto e PEIXOTO, Afrânio. *Rio de Janeiro: terras e águas da Guanabara.*

São Paulo: S/A Industrias Graphicas F. Lanzara, 1945. (Brasil Pitoresco, Tradicional e Artístico, 4)

Quarto volume da coleção dirigida pelo historiador Edgard Cerqueira Falcão (v.), em fólio médio. Ainda que o pintor italiano Felisberto Ranzini seja acentuadamente acadêmico e tradicional, esta é uma bela obra com setenta aquarelas muito expressivas.

Estylo colonial brasileiro: composições architectonicas de motivos originaes.

São Paulo: Editor Amadeu de Barros Saraiva, 1927.

Álbum de folhas soltas com boa reprodução dos desenhos do arquiteto Ranzini, *Composições architectonicas de motivos originais*. Interessante.

REAL, REGINA M.

Dicionário de belas artes: termos técnicos e materiais afins.

[Rio de Janeiro]: Editora Fundo de Cultura, [1962]. 2 v.

A autora, conservadora da Casa de Ruy Barbosa (Rio de Janeiro), empreendeu a tarefa de reunir em forma de dicionário os termos técnicos e conceitos relacionados às artes em geral, tarefa muito bem cumprida nesta obra em dois volumes bem ilustrados com desenhos e fotografias (autores não declinados). Importante.

REBOUÇAS, DIÓGENES de Almeida

Arquiteto e pintor (1914).

REBOUÇAS, Diógenes e GODOFREDO FILHO. *Salvador da Bahia de Todos os Santos no século XIX.*

Salvador: [Odebrecht], 1979.

Esta foi a segunda das muitas e importantes obras sobre arte brasileira publicadas pela Odebrecht (v.). Esta bela edição, diagramada pelo artista plástico Emanoel Araujo (v.), conta com a reprodução de um importante "Prospecto da cidade de Salvador" (de 1901) e com as notáveis aquarelas do pintor e arquiteto Diógenes de Almeida Rebouças, além de um "Mappa topographica da Cidade de S. Salvador e seus suburbios", de Carlos Augusto Weyll anexado como folha avulsa. O texto de Godofredo Filho, com a colaboração do artista, é quase poético, mas fundamental e preciso na descrição das ilustrações. Muito recomendável.

REBOUÇAS, Diógenes e GODOFREDO FILHO. *Salvador da Bahia de Todos os Santos no século XIX.*

[Salvador]: Odebrecht, [1985].

Segunda edição da obra resenhada no item precedente, revista, ampliada e em formato maior, com acréscimo de novas ilustrações e substituição de outras. Foi dotada com o mesmo "Prospecto" e uma adicional fotografia da mesma vista panorâmica (marcada por "Phot. Gonsalves"), além de dois mapas avulsos: o mesmo "Mappa topographica da Cidade de S. Salvador e seus suburbios", de Carlos Augusto Weyll, e uma planta do centro histórico de Salvador. Esta nova edição também é muito recomendável.

REIDY, AFFONSO EDUARDO

Affonso Eduardo Reidy (1919-1964) não foi somente um dos mais importantes representantes da arquitetura moderna brasileira mas também pioneiro e, certamente, o maior urbanista social do País. Iniciando a carreira como assistente do urbanista Alfred Donat Agache (v.) e a seguir como colaborador de Le Corbusier (v.), Reidy projetou e viu realizados os conjuntos residenciais Pedregulho e Gávea, o Museu de Arte Moderna e o Aterro do Flamengo, marcos históricos e indeléveis da paisagem urbanística do Rio de Janeiro.

Affonso Eduardo Reidy.

Lisboa: Editorial Blau/São Paulo: Instituto Lina Bo e P.M. Bardi, 1999. (Arquitetos Brasileiros. Brazilian Architects)

Obra técnica, com muitas ilustrações deste tipo e inúmeras fotografias excelentes de Marcel Gautherot (v.) e outros. Muito interessante.

REINÉS, TUCA

Arquiteto e fotógrafo brasileiro, especializou-se em publicidade e contribui em revistas de decoração e moda, dedicando-se ultimamente à ecologia. Ilustrou as obras Brasília 2000, Campos do Jordão; a natureza que emociona, Hospital Santa Catarina; 90 anos de história e Grande Hotel São Pedro *(v. estas) e consta na "Coleção Pirelli" do MASP.*

REIS, CLAUDIA BARBOSA

Álbum de objetos decorativos: estudo do acervo do Museu Casa de Rui Barbosa – I.

S.l.: Fundação Casa de Rui Barbosa, 1997.

Bom o texto e boas as informações sobre cada uma das peças (quase todas européias ou orientais), todas reproduzidas.

REIS, LÉA MARIA Aarão

Porto Seguro – Arraial da Ajuda – Trancoso: sul da Bahia.

[Rio de Janeiro]: Editora Index, 1986.

A beleza de Porto Seguro e sua região é lendária e a presente obra nos ajuda a compreender o motivo. A um texto muito competente somam-se as belas fotografias de José de Paula Machado (a grande maioria), Miguel Pacheco Chaves e Consuelo Montero, além de simpáticas vinhetas e um mapa por Marcia Sussekind, sem falar no tradicional capricho desta editora carioca.

REIS FILHO, NESTOR GOULART DOS

Arquiteto e professor universitário (1931), renomado iconógrafo.

Catálogo de iconografia das vilas e cidades do Brasil colonial: 1500-1720.

São Paulo: Departamento de História da Faculdade de Arquitetura e Urbanismo da Universidade de São Paulo, 1964. vol. 14 (mimeografado).

Intensa pesquisa acadêmica sobre mapas antigos até o ano de 1720. Edição mimeografada, com péssima reprodução de 25 destes mapas; assim mesmo, importante.

Imagens de Vilas e Cidades do Brasil Colonial.

São Paulo: Edusp/Imprensa Oficial, 2000. (Uspiana – Brasil 500 anos)

Fruto de um estudo que procurava comprovar que as antigas vilas e cidades brasileiras não se formaram por acaso mas planejadas e projetadas segundo princípios portugueses, nasceu esta bela obra que nos demonstra visualmente o acerto da suposição. Notável o material coligido e com perfeição reproduzido, quase todo proveniente de arquivos portugueses e em grande parte inédito. É uma das obras indispensáveis em uma boa biblioteca de arte.

Memória do transporte rodoviário = Memories of highway transportation = Memoria del transporte en carreteras.

São Paulo: Editora CPA – Consultoria de Projetos e Artes, [1997?].

Em publicação semi-oficial e luxuosa, o autor não apresenta um histórico do tema mas apenas alguns aspectos especialmente significativos para o desenvolvimento de uma cidade ou região, ilustrando sua narração com muitas e atrativas fotografias modernas e antigas (estas reproduzidas por um sistema que lhes confere a qualidade de gravuras). Muito interessante.

Algumas experiências urbanísticas do início da República: 1890-1920.

"Cadernos de Pesquisa do LAP", São Paulo, nº 1, jul.-ago. 1994.

Notas sobre o urbanismo no Brasil: primeira parte: período colonial.

"Cadernos de Pesquisas do LAP", São Paulo, nº 8, jul.-ago. 1995.

Notas sobre o urbanismo no Brasil: segunda parte: séculos XIX e XX.

"Cadernos de Pesquisas do LAP", São Paulo, nº 9, set.-out. 1995.

Cultura e estratégias de desenvolvimento.

Número especial de "Cadernos de Pesquisa do LAP", São Paulo, nº 23, jan.-fev. 1998, como catálogo da exposição "Memória do transporte rodoviário de São Paulo".

Importantes estudos universitários, todos muito bem ilustrados em edição relativamente modesta; o de nº 23 serviu de catálogo à exposição "Memória do transporte rodoviário. Desenvolvimento rodoviário de São Paulo".

RETSCHEK, MARIA

Brasiliana.

[Áustria]: s.e., [1954].

Como esposa do embaixador austríaco no Brasil, a artista percorreu o país e fixou com o lápis as suas impressões, muitas das quais foram apresentadas no Museu Nacional de Belas Artes do Rio de Janeiro em 1938. O presente álbum, de 35 x 25 cm, reproduz 24 aquarelas destas impressões, bem mais poéticas que reais.

RHODIA

A Rhodia do Brasil, indústria química farmacêutica francesa, editou várias obras importantes sobre aspectos culturais e artísticos brasileiros, entre as quais: Instrumentos musicais brasileiros, Fortalezas históricas do Brasil, Caminhos do Brasil, O livro de São Paulo, Arte colonial: mobiliário *e* A cidade de São Luiz do Maranhão *(v. estes), bem como* Mitos brasileiros, Trançado brasileiro *e* Máscaras brasileiras, *por Jacob Klintowitz (v.).*

RIBEIRO, ADALBERTO MÁRIO

O Museu Nacional de Belas Artes.

Separata da *Revista do Serviço Público*, Rio de Janeiro, ano 8, v. 4, nº 3, dez. 1945.

Longa reportagem de um jornalista ligado à *Revista do Serviço Público*, apresentada sob a forma de um histórico seguido de guia pelas coleções. Recheada de dados estatísticos e administrativos, além de laudatórios aos diretores e funcionários, a reportagem inclui dados biográficos sobre alguns dos artistas relacionados.

RIBEIRO, BERTA G.

Dicionário do artesanato indígena.

[São Paulo]: Editora Itatiaia Limitada/Editora da Universidade de São Paulo, [1988]. (Coleção Reconquista do Brasil. 3ª Série Especial, 4)

Primorosa edição, em quarto grande, de uma obra de grande importância para os estudiosos da cultura material do índio brasileiro: seu artefato. Após pesquisas preliminares de campo iniciadas em 1980 e na qualidade de pesquisadora do Museu do Índio, a antropóloga Berta Ribeiro compôs este glossário para unificar termos de várias interpretações, contando para tanto com a participação do antropólogo e desenhista Hamilton Botelho Malhano, que reproduziu a bico de pena todos os objetos, com indicação da escala empregada. A sobrecapa ostenta um grande desenho a bico de pena e lápis de cor de Claudio Martins (1948). Muito interessante.

RIBEIRO, PEDRO

Maracatu de baque solto.

São Paulo: Quatro Imagens/Sistema de Incentivo à Cultura do Estado de Pernambuco, 1998.

Pedro Ribeiro Moreira Neto (1951), arquiteto e pós-graduado pela Sorbonne de Paris, profissionalizou-se como fotojornalista; neste ensaio fotográfico focaliza inicialmente a região da Zona da Mata pernambucana, e a seguir o tema do título: os tradicionais festejos nordestinos.

RIBEIRO, RENÉ

Vitalino: ceramista popular do Nordeste.

S.l.: Publicado pelo Ministério da Educação e Cultura/Instituto Joaquim Nabuco de Pesquisas Sociais, s.d.

Estudo erudito sobre o "bonequeiro" Vitalino (v.) em modesta edição ilustrada com fotografias de Marcel Gautherot (v.) e Cecil Ayres, mal reproduzidas.

RIBEYROLLES, CHARLES

Em 1859 foi publicada no Rio de Janeiro a obra de Charles Ribeyrolles (publicista francês, 1812, falecido no Rio de Janeiro em 1861), Brazil pittoresco. Historia. Descripções. Viagens. Instituições. Colonização. Por Charles Ribeyrolles. Acompanhado de um album de vistas, panoramas, paisagens, costumes, etc, etc, por Victor Frond. *O álbum a que se refere o título desta obra foi publicado em 1861 por Lemercier, em Paris, portando o título* Brazil pittoresco. Album de vistas, panoramas, paisagens, monumentos, costumes, etc, com os retratos de Sua majestade imperial don Pedro II et da familia imperial, photographados por Victor Frond, lithographados pelos artistas de Paris, M. M. León Noel, Fanoli, Desmaisons, Ciceri, Sabatier, Tirpeune, Philippe Bénvit, Jaime, Jacottet, Clerget, Laurens, Sorrieu, Champagne, Bachelier, Aubrun, Deroy, Fichot, V. Adam, Duroy, Charpentier, Lebreton, etc.... *Esta obra, com 79 magníficas litografias de grande formato, é citada por Berrien, por Garraux (que se refere a 69 pranchas), pelo CEHB (somente o texto) e por George Raeders (com descrição completa). As gravuras deste álbum (muito raro quando completo) são mui-*

to disputadas entre os colecionadores e são os únicos e indiretos testemunhos da arte do fotógrafo Victor Frond (v.).

Brasil pitoresco: história: descrições: viagens: colonização: instituições: acompanhado de um álbum de vistas, panoramas, paisagens, costumes, etc., por Victor Frond.

Tradução de Gastão Penalva. São Paulo: Livraria Martins, [1941]. (Biblioteca Histórica Brasileira, 6) 2 v.

Como sexto volume da série "Biblioteca Histórica Brasileira" dirigida por Rubens Borba de Moraes, esta foi a primeira reedição completa (em dois volumes) da rara obra de Charles Ribeyrolles (v.), com a reprodução em fotolito (uma novidade na época e razoável sucesso nesta edição) das 79 gravuras do álbum, todas baseadas em fotografias de Victor Frond. Muito importante. NOTA: Desta edição foi feita uma tiragem especial de 300 exemplares em formato maior e papel especial.

Brazil pittoresco: album de vistas, panoramas, paisagens, monumentos, costumes, etc.

Com os retratos de Sua Majestade Imperial Don Pedro II et da familia imperial, photographados por Victor Frond, lithographados pelos primeiros artistas de Paris, M. M. León Noel, Fanoli, Desmaisons, Ciceri, Sabatier, Tirpenne, Philippe Bénoit, Jaime, Jacottet, Clerget, Laurens, Sorrieu, Champagne, Bachelier, Aubrun, Deroy, Fichot, V. Adam, Duroy, Charpentier, Lebreton, etc. e acompanhados de tres volumes in 4°, sobre a historia, as instituições, as cidades, as fazendas, a cultura, a colonisação, etc, do Brazil, por Charles Ribeyrolles. [Rio de Janeiro]: Companhia de Turismo do Estado do Rio de Janeiro/Flumitur, s.d.

Esta reprodução do álbum de Ribeyrolles em sua dimensão original (56 x 38 cm) infelizmente não contou com a obra completa mas apenas com a capa-título e 28 das 79 gravuras originais para formarem uma "seleção de paisagens do Estado do Rio de Janeiro e imagens de trabalhos agrícolas". Sem texto e com as gravuras em offset mal reproduzidas, não deixa de ser importante.

RICCIARDI, MIRELLA

Vanishing Amazon.

New York: Harry N. Abrams Publishers, 1991.

Notável realização desta importante fotógrafa e escritora italiana, autora da consagrada e anterior *Vanishing Africa*; em longa viagem ao Amazonas, teve ocasião de estudar e fotografar a vida dos índios Kampa, Marubo e Yanomani, focalizando o meio ambiente, os tipos, a caça e a vida nas malocas. A obra é enriquecida com importante contribuição do antropólogo americano Marcus Colchester. Muito recomendável.

RICHERT, GERTRUD

Johann Moritz Rugendas: Ein deutscher Maler in Ibero-America.

München-Pasing: Filser Verlag, 1952.

Considerada a obra mais importante sobre a vida de Johann Moritz Rugendas (v.) e sua produção artística nas viagens pela América Latina. Esta obra conta, infelizmente, com poucas ilustrações, entre as quais tão-só uma do Brasil. Muito útil para estudos.

RIGHINI, JOSEPH LEON

Poucos e desencontrados são os dados disponíveis sobre Joseph Leon Righini, ou simplesmente J.L. Righini, fotógrafo e pintor italiano nascido na segunda década do século XIX, *filho do pintor Pietro Righini (falecido em Turim em 1855) e irmão do gravador Camillo Righini (nascido em Turim em 1822). Consta ter sido ator e chegado ao Brasil na década de 1850, atuando em São Luís do Maranhão e em Belém do Pará como pintor, cenógrafo, fotógrafo e professor; consta ainda ter partido para os Estados Unidos na década de 1880 e ter falecido no Brasil em 1884. Apesar da importância artística que se lhe atribui atualmente, não consta dos dicionários nacionais e tampouco em Laudelino Freire, Acquarone e Reis Júnior; referência sucinta e com a grafia de "Riguini" no* Diccionario historico, geographico e ethnographico do Brasil *(1922) e em Theodoro Braga (v.). Suas obras encontram-se em grandes coleções públicas e particulares, e reproduzidas sete da coleção Paulo Geyer (entre as quais uma grande vista de São Luís); duas do* MASP*; uma da coleção Mário Pimenta Camargo e uma de 1875 no catálogo* 150 anos de pintura de marinha na história da arte brasileira *(v. estes); encontra-se também reproduzida uma vista de São Luís (1862) e uma paisagem campestre do Maranhão (1862) em* Nordeste histórico e monumental *de Clarival do Prado Valladares (v.) e uma vista de Salvador na sobrecapa de* Museu de Arte da Bahia *(v.). Do* CEHB *(nº 16833) consta um panorama de Belém do Pará formado por doze vistas em desenho e litografia próprios. A mais perfeita apresentação pictórica de sua obra, com catorze telas a óleo, encontra-se no catálogo* O olhar distante, *da "Mostra do Redescobrimento" (v.).*

RIO BRANCO, MIGUEL

Miguel da Silva Paranhos do Rio Branco, nascido em 1946, pintor, fotógrafo e cineasta, com estudos especializados no New York Institute of Photography (1966) e na Escola Superior de Desenho Industrial do Rio de Janeiro em 1968, obteve o Grande Prêmio da 1ª Trienal de Fotografia do MAMSP *(1980) e participou de numerosas exposições nacionais e internacionais, conquistando grande renome. Entre suas obras constam:* Salvador da Bahia, *de Jorge Amado (Paris, 1985),* Dulce sudor amargo *(México, 1985) e* Nakta *(Curitiba, 1996), e a "Coleção Pirelli" do* MASP *(v.) mantém onze de suas fotografias.*

Miguel Rio Branco.

Ensaio de David Levi Strauss. Posfácio de Lélia Wanick Salgado e Sebastião Salgado.
São Paulo: Companhia das Letras, 1998.

Belíssimo ensaio fotográfico deste notável artista que Lélia e Sebastião Salgado (v.) definem como "um fotógrafo profundamente brasileiro", cujas visões de dor, solidão, resignação, violência e morte são transformadas em "poesia e beleza, valendo-se de seu extraordinário domínio da cor e da luz". Muito recomendável.

Salvador da Bahia: Rio Branco.

In *Photos: double page*, Paris, nº 31, 1984.

Revista especializada francesa, sempre dedica um número completo ao fotógrafo escolhido e, neste número, à obra de Miguel Rio Branco como representante da agência internacional Magnum; são lindas as fotografias desta bela edição. Muito recomendável.

Silent book.

São Paulo: Cosac & Naify Edições, 1997.

Ensaio fotográfico em pequeno álbum de alta qualidade, impresso na Itália. Muito recomendável.

RIO GRANDE DO SUL

Disputas territoriais e fronteiriças entre espanhóis e portugueses, os conflitos entre bandeirantes e as primeiras missões jesuíticas, como também a fundação da colônia de Sacramento e os Sete Povos das Missões, foram fatores relevantes que contribuíram para fixar o perfil da região do atual Estado, região que iria passar por grandes turbações internas e externas durante o século XVIII *e as revoluções Farroupilha e Federalista no seguinte; foi com relativa tranqüilidade que se processaram as imigrações açoriana (1742), alemã (1824), italiana (1870) e outras.*

Calendário popular de Porto Alegre – festas.

Porto Alegre: Prefeitura Municipal, 1997.

Editado pela Prefeitura de Porto Alegre em 1997, reproduz de forma excelente quatro fotografias de Virgílio Calegari (pintor, desenhista e fotógrafo italiano), uma anônima e três dos irmãos Jacinto e Carlos Ferrari (italianos), todos ativos em Porto Alegre em fins do século XIX.

Centro de preservação da história da ferrovia no Rio Grande do Sul.

Porto Alegre: Rede Ferroviária Federal, [1985?].

Rico material fotográfico e algumas gravuras antigas reproduzidas sofrivelmente em uma brochura modesta.

Coletânea de legislação sobre patrimônio histórico: município de Porto Alegre: nº 1.

Porto Alegre: Movimento de Defesa do Acervo Cultural Gaúcho, 1978.

Como primeira publicação do "Movimento de Defesa do Acervo Cultural Gaúcho", esta simples coleção de leis foi enriquecida "com 22 fotos de prédios e aspectos antigos da cidade", fotografias apenas razoavelmente reproduzidas mas, em compensação, boas e cada uma dotada de bom comentário.

Crônica de um rio = chronicle of a river.

Porto Alegre: Riocell, 1987.

Em formato oblongo, ricamente ilustrada e bem apresentada, esta 15ª publicação da Riocell (v.) é uma feliz simbiose entre um bom texto e a visão artística e fotográfica do Rio Guaíba e das cidades de Porto Alegre e Guaíba; alguns exemplares contam com a inclusão de cinco serigrafias avulsas, em cores, assinadas por Liane Timm. NOTA: Esta obra é o segundo volume da série "Ciclo das águas" da Riocell e foi precedida por *Banhados* e concluída com *Faróis da solidão* (v.).

Culturas em movimento: a presença alemã no Rio Grande do Sul = Cultures on the move: the German presence in Rio Grande do Sul = Kulturen in Bewegung: die Deutsche Einwanderung in Rio Grande do Sul.

Porto Alegre: Riocell, 1992.

Este quarto volume da série "O Continente de São Pedro" editada pela Riocell (v.) teve por autores diversos escritores, quase todos professores universitários no Rio Grande do Sul. Ainda que o tema básico da série seja o da imigração, esta última obra distingue-se radicalmente de suas antecessoras por De Bouis e Moacyr Scliar (v.) pelo enfoque dado à cultura alemã influenciando as comunidades teuto-brasileiras rio-grandenses, um "processo de inculturação e não de simples assimilação", dando assim enfoque aos valores culturais trazidos pelos imigrantes. Distingue-se ainda esta obra das demais da série por uma paginação estranha (mas interessante) e pelas abundantes ilustrações, baseadas fundamentalmente em fotografias antigas, muitas em sépia com menor nitidez, e algumas poucas obras de arte reproduzidas em cores. Apesar da visão editorial diferente da tradicional e da restrição às ilustrações, esta obra é importante.

Os sete povos das Missões: a terra, a gente, os ofícios, a arte, a vida e o esplendor de uma civilização indígena-jesuítica no Brasil = The seven nations of the Missions: the land, people, craft, art, life and the splendour of a jesuitic indigenous civilization in Brazil.

Rio Grande do Sul: Riocell, 1984.

Portfólio formado por um álbum de folhas soltas de grande formato (49 x 26 cm) comportando nove pranchas e um mapa em cores; anexo uma plaqueta com o texto histórico-literário de Armando Trevisan (v.) e versão para o inglês. As fotografias foram de Luiz Antonio de Souza. NOTA: A plaqueta juntada a esta edição de 10000 exemplares teve tiragem muito maior para distribuição às escolas públicas do Estado do Rio Grande do Sul.

Porto Alegre; de aldeia a metrópole.

Porto Alegre: Marsiaj Oliveira/Oficina da História, 1988.

Um tema fascinante para uma obra que pretende não ter "propósito de ser nenhuma incursão no pantanoso universo dos códigos acadêmicos [...] pois teme a chatice", propósito alcançado pelo texto dos historiadores Luiz Carlos da Cunha Carneiro e Rejane Penna. Uma pena que este propósito não tenha sido válido também para a ilustração com fotografias antigas, estas bem escolhidas mas muito mal reproduzidas em sua maior parte, um defeito que no entanto não reduz o valor da obra.

Rio Grande do Sul.

Érico Veríssimo. Desenhos de Nelson Jungblut. São Paulo: Gráficos Brunner, 1977.

Uma das dez obras da série "Coleção Mercator" (v.), difere um pouco das demais por apresentar além das tradicionais vistas fotográficas, confiadas a N. Schuch, R. Mylius e Bruno Furrer (v.), também vinhetas de Nelson Jungblut, um desenhista acadêmico.

Rio Grande do Sul: imagem da terra gaúcha.

Porto Alegre: Editora Cosmos Limitada, [1942]. (Brasilia Aeterna, 2)

Publicação em quarto de grande dimensão que focaliza todos os aspectos materiais e culturais da terra gaúcha. Segundo volume da série "Brasilia Aeterna" do editor Schidrowitz, é essencialmente comercial e laudatório do regime ditatorial então vigente, mas se distingue de outras do gênero pela qualidade dos artigos, papel, impressão e reprodução das imagens e das fotografias. A obra também conta com vários desenhos de artistas gaúchos e muitas vinhetas e desenhos de página inteira de Martha Wagner-Schidrowitz, esposa do editor. Como último item de distinção, um "Esboço bibliográfico de obras para o estudo do Rio Grande do Sul", do historiador Walter Spalding.

Rio Grande do Sul histórico.

S.l.: Painel Editora/Rede Brasil Sul, [1980?]. (Série Raízes Gaúchas, 1)

Esta história visual do Rio Grande do Sul, com texto e legendas de Carlos Rafael Guimarães, é rica em documentação iconográfica, não identificada em sua grande maioria. A edição é muito bem cuidada, mas o sistema empregado na reprodução das ilustrações não foi muito feliz.

Porto Alegre antigo.

S.l.: Painel Editora/Rede Brasil Sul, [1980?]. (Série Raízes Gaúchas, 2)

Segundo volume da série iniciada no item anterior, contou com texto e legendas de Leandro Telles; dotado de um número menor de gravuras, leva a vantagem de terem sido todas identificadas. A reprodução das gravuras é do mesmo tipo.

Os sete povos das missões.

S.l.: Painel Editora/Rede Brasil Sul, [1980?]. (Série Raízes Gaúchas, 3)

Este último volume da série foi editado em fólio grande, 31,0 x 44,5 cm, e formado quase exclusivamente por fotografias de Salomão Scliar, o editor da obra; o texto foi do poeta Armindo Trevisan e as ilustrações reproduzidas no mesmo sistema inadequado. Obra importante, em seu conjunto.

Theatro São Pedro: álbum ilustrado comemorativo da sua inauguração: 1858-1984.

Porto Alegre: Livraria e Editora Espaço, 1984.

Eva Sopher, presidente da Fundação Teatro São Pedro, e sob o manto protetor do Estado do Rio Grande do Sul, iniciou, executou e concluiu em nove anos de trabalho a recuperação do centenário Teatro São Pedro, um teatro coberto de glórias no passado mas que, nas palavras do poeta Mário Quintana, foi "carcomido pelos cupins, que é a maneira que têm os edifícios de envelhecer". O resultado deste esforço se encontra neste belo álbum, onde nos é apresentado o teatro em vistas do passado, muitos dos grandes espetáculos e seus protagonistas, outros tantos detalhes das obras de restauro e, finalmente, em cores, o resultado da gloriosa recuperação, incluindo a reprodução de uma bela tela anônima do século XIX e uma de 1984 do pintor Carlos Antonio Mancuso (1930).

RIO DE JANEIRO

Assumindo em 1763 a condição de Capital do Império, a cidade do Rio de Janeiro aliou sua privilegiada localização e já então decantada beleza à imponência do Governo e decorrentes melhoramentos para se ver transformada, gradativamente, na "cidade maravilhosa" e uma das mais lindas do mundo, um fato que não sofreu alteração após a transferência do Governo para Brasília em 1960.

A Avenida Atlântida de Copacabana: memória da exposição.

[Rio de Janeiro]: Arquivo Geral da cidade do Rio de Janeiro, 1992.

Pequeno álbum contendo dez cartões com reprodução de fotografias de Augusto Malta (v.) e as da revista *Paratodos* (1924 e 1932).

A cor.

Pesquisa e texto: Hilton Berredo. Organização e revisão: Maria Anita C. Nascimento Tavares, Maria Helena Meharan M. Maia. Fotografias: Zeca Linhares. Rio de Janeiro: Rio Arte, 1990.

Um tema aparentemente técnico e árido, relacionado à pintura das fachadas de prédios tombados no centro histórico do Rio de Janeiro, impede-nos de imaginar que esta aparente edição modesta possa conter o tesouro visual que efetivamente contém; são dezenas e dezenas de fotografias de lindos prédios que nos revelam a riqueza arquitetônica deste corredor cultural. Muito interessante.

A floresta da Tijuca e a cidade do Rio de Janeiro.

[Rio de Janeiro]: Editora Nova Fronteira, 1992.

Longe de constituir tão-só mais uma das obras sobre a Floresta da Tijuca, esta é sem dúvida a melhor de todas, um autêntico tratado histórico e iconográfico da região. A paginação, as ilustrações antigas, os competentes textos de Paulo Bastos Cezar e Rogerio Ribeiro de Oliveira e as fotografias de Pedro Oswaldo Cruz (v.) fazem desta edição uma obra de arte, e muito recomendável.

A paisagem desenhada: o Rio de Pereira Passos.

[Rio de Janeiro: Centro Cultural Banco do Brasil, 1994]. (Catálogo de exposição, out.-dez. 1994)

Durante a presidência de Rodrigues Alves, o Rio de Janeiro contou com a operosidade e a capacidade do prefeito Francisco Pereira Passos (1903-1906), que deu à cidade um novo visual através de uma urbanística dirigida à higiene e ao social. Grande parte dos planos das obras tiveram origem na Inspetoria de Matas e Jardins, onde atuavam o arquiteto paisagista francês Paul Villon e os arquitetos e desenhistas Luis Rey, Rene Barba e Archimedes José da Silva, que apresentavam seus projetos em delicadas aquarelas. Doadas estas aquarelas ao Museu da Cidade, foram algumas delas restauradas e promovida uma exposição que resultou nesta bela obra que serviu de catálogo, estudo e guia. Muito interessante.

A Praça Mauá na memória do Rio de Janeiro.

[São Paulo]: João Fortes Engenharia/Editora Ex Libris, [1989].

Ótimo documentário fotográfico (em grande parte de autores anônimos), acompanhado de excelente texto, coordenado por um grupo de colaboradores do Núcleo de Memória Urbana do Iplanrio; organização geral de Paulo Bastos Cezar e Ana Rosa Viveiros de Castro.

Aeroporto Santos Dumont: 1936-1996: Rio de Janeiro: Brasil.

São Paulo: Empresa das Artes, 1996.

Bom documentário fotográfico sobre o Aeroporto Santos Dumont, do planejamento à atualidade ao longo dos seus sessenta anos de existência.

Agenda Vidrobrás: 1965: em homenagem à cidade do Rio de Janeiro pelo seu 4º centenário.

S.l.: Vidrobrás, 1965. (Agenda comercial)

Uma das agendas anuais da Indústria de Vidros Vidrobrás, foi fartamente ilustrada com gravuras do século XIX retratando o Rio de Janeiro (as coloridas mal reproduzidas), além de fotografias de diversas cidades brasileiras.

Álbum de Debret e da mui leal e histórica cidade de São Sebastião do Rio de Janeiro.

Número especial de *O Cruzeiro*, Rio de Janeiro, novembro 1965.

Álbum muito interessante da revista *O Cruzeiro*, comemorativo do quarto centenário da cidade do Rio de Janeiro. Este número especial aborda muitos e os mais variados aspectos da cidade, dos capítulos iniciais dedicados à fundação, aos tempos de D. João VI e da Missão Artística Francesa, com reprodução de gravuras da época e uma vista de Bertichem (v.) nas folhas de guarda. O capítulo dedicado a Jean-Baptiste Debret (v.) é extenso, com reprodução de muitas de suas gravuras e bom texto de Celso Kelly. Boa parte do álbum é dedicada à fotorreportagem nos últimos cinqüenta anos da cidade, com correspondentes bons textos. O acabamento geral e as reproduções são típicas de uma revista popular, mas o conjunto é recomendável.

Álbum do Rio de Janeiro: Brasil: 10 fotografias.

S.l.: s.e., s.d.

Curiosos álbuns de cartolina, contendo dez fotografias cada um. As fotografias, da década de 1940, são de 11 x 16 cm em alguns destes, montados em sanfona de duas séries de cinco; outros do mesmo tipo portam fotografias de 16 x 21 cm, das quais oito individuais e as duas últimas formando panorama. Sem indicação de autoria e editor, são publicações interessantes que surgem esporadicamente em sebos, geralmente em mau estado de preservação.

Álbum fotográfico de Nova Iguaçu.

S.l.: IHGNI/Fenig, 1978. (Coleção Patrimônio Cultural, 1)

Pequeno álbum de folhas soltas, com fotografias antigas e modernas provenientes de coleções particulares; duas em cada página, mal reproduzidas, imitam cartões-postais.

Casas casadas: coisas nossas.

[Rio de Janeiro]: Co-edição Estado do Rio de Janeiro/Secretaria de Estado de Educação e Cultura/Departamento de Cultura/Instituto Estadual do Livro/Instituto Estadual do Patrimônio Cultural/Fundação Nacional de Arte – MEC – Funarte, 1978. (Folheto)

Pequeno folheto com boas e interessantes ilustrações sobre o tema do título.

Anais do Museu Histórico Nacional: volume comemorativo do IV centenário do Rio de Janeiro.

[Rio de Janeiro], v. 15, 1965. Edição especial.

Este 15º volume dos *Anais* é muito mais importante do que nos revela o subtítulo. Entre os dez colaboradores encontra-se Antonio Pimentel Winz com o estudo "Notas históricas sobre Nossa Senhora de Copacabana", provavelmente o estudo mais completo e abalizado sobre esta ermida carioca demolida no início do século para a construção do Forte de Copacabana. Uma boa parte das importantes ilustrações é dedicada aos raríssimos "Registros" da santa e sua capela.

Arte no Palácio da Fazenda: edição comemorativa dos 40 anos de inauguração do prédio do edifício-sede do Ministério da Fazenda no Rio de Janeiro, realizada pelo Museu da Fazenda Federal: 1943/1983.

Rio de Janeiro: Ministério da Fazenda, 1983.

O Ministério da Fazenda foi erigido entre 1939 e 1944, na Esplanada do Castelo, em estilo neoclássico sob projeto do arquiteto Luís Eduardo Frias Pereira de Moura; é esta construção que se encontra narrada burocraticamente neste pequeno álbum comemorativo, cujo único mérito reside na reprodução de seis das 32 métopas em baixo-relevo de Humberto Cozzo (1900) e na de um busto em bronze, um vaso e três esculturas de Hildegardo Leão Velloso (1899-1966), algumas outras obras de arte e aspectos gerais do Palácio.

Olhos de ver: Catete.

Rio de Janeiro: Secretaria Municipal de Cultura, Turismo e Esportes, s.d.

Álbum contendo uma coleção de dezesseis cartões-postais que formam a série "Catete" e retratam este bairro na década de 1970 pela ótica dos fotógrafos Alberto Taveira, Andréa Redondo, Claudio Carlos e Claudio Garcia; texto em folha dupla ilustrada.

Bi-centenário da Imperial Irmandade de Nossa Senhora da Glória do Outeiro: in memoriam: 1739 – 10 de outubro 1939.

[Rio de Janeiro: Jornal do Commercio, 1944].

Texto histórico da atividade religiosa da Irmandade, com fotografias direcionadas ao mesmo fim. Edição vistosa mas dispensável.

Brasil: homenagem da Shell Brasil S/A (Petróleo) ao IV centenário da fundação do Rio de Janeiro.

S.l.: [Shell do Brasil, 1965]. (Calendário, 1965)

Original calendário que reproduz em cores originais alguns raríssimos mapas do Rio de Janeiro, incluindo em folha desdobrável (35 x 95 cm) a "Vista panorâmica da cidade do

Rio de Janeiro", gravada em 1889 por Auguste Deroy (falecido em 1906) segundo um desenho de 1876 de Emil Bauch (v.).

Brazil: la provincia di Rio de Janeiro: emigrazione.

[Rio de Janeiro]: [Lith. e Typ. Lombaerts & Ca.], [1887].

Panfleto em plaqueta de 28 x 19 cm, formando mapa desdobrável de 56 x 76 cm, intitulado "Mappa della Provinzia di Rio Janeiro. Fatto organizzare dal Presidente dalla Provinzia EEcc.mo S.r Antonio da Rocha Fernandes Leão pel servizio dell'Imigrazione 1887". Este mapa colorido conta com a assinatura de José C. de Carvalho na chapa, com uma planta em cores da "Baia di Rio Janeiro" no canto superior esquerdo e com uma litografia junto à margem superior, em branco e preto, de 9,5 x 18,5 cm, *Il Gigante che dorme. Vista al di fuori della barra.* O título do panfleto, em cores, é encimado pelas bandeiras imperial e italiana, e conta com uma litografia em cores na margem inferior, retratando uma vista interna da barra da Baía de Guanabara; no verso, uma litografia em cores, *Rio de Janeiro. Ilha das Flores. Asilo per gl'Immigranti*, em moldura decorada. Panfleto notável e muito raro. NOTA: Nada foi possível apurar sobre o cartógrafo José C. de Carvalho, constando apenas existir também um mapa de São Paulo de sua autoria.

Brasil: século XIX.

S.l.: [Livraria Kosmos Editora, 1995]. (Calendário, 1995)

Pequeno calendário com ótima reprodução de oito gravuras raras do Rio de Janeiro, incluindo a raríssima *Vista da Ilha das Cobras*, de Newton Fielding (v.), de 1833.

Carte turistique de la ville de Rio de Janeiro, la capital des Etats Unis du Brésil.

São Paulo: Comp. Lythographica Ypiranga, [19??].

Curioso mapa-guia desdobrável (55 x 70 cm), colorido, editado provavelmente na década de 1930 pela Secretaria de Turismo do Rio de Janeiro.

Casa do Bispo.

Rio de Janeiro: Fundação Roberto Marinho, 1981.

Lindo portfólio-estojo que acompanhou exposição do mesmo título na Biblioteca Nacional e no Museu Histórico Nacional (Rio de Janeiro). Com texto de Maria Helena Silveira, reproduz mapas antigos e ilustrações por Leandro Joaquim, Johann Jakob Steinmann, Franz Frühbeck, Carlos Julião, Pedro Godofredo Bertichem, Thomas Ender (v. estes) e outros, além de vistas do histórico prédio construído por volta de 1750 na antiga Fazenda do Rio Comprido (na região de Mata Porcos no Rio de Janeiro), projeto atribuído a José Fernandes Pinto Alpoim; este álbum, de pranchas soltas, é um dos mais bem feitos dos últimos tempos.

Catálogo de plantas e mapas da cidade do Rio de Janeiro: 1750-1962.

Rio de Janeiro: Ministério da Justiça e Negócios Interiores/Arquivo Nacional, 1962.

Sem ilustrações, mas necessário.

Centenário da Câmara Municipal de Petrópolis.

Petrópolis: Museu Imperial/Ministério da Educação e Cultura, 1959. (Catálogo de exposição, jun.-jul. 1959)

Exposição histórico-comemorativa de desenhos, litografias e fotografias, focalizando a década de 1850. Prefácio de Francisco Marques dos Santos (v.) e comentários adaptados da obra *Iconografia Petropolitana*, de Gilberto Ferrez (v.). Sem ilustrações.

Centro de preservação da história ferroviária do Rio de Janeiro: Engenho de Dentro: 1983.

Rio de Janeiro: Rede Ferroviária Federal, 1983.

Publicação de bom nível, ilustrada com muitas gravuras do álbum de Carlos Linde (v.) e fotografias antigas e modernas.

Cidade de Petrópolis: reedição de quatro obras raras.

Petrópolis: Ministério da Educação e Cultura/Museu Imperial, 1957.

Uma obra que prestou grande auxílio ao estudioso da iconografia ao apresentar cópia reprográfica de quatro obras raras: *Viagem pittoresca a Petrópolis* (1862) de Carlos Augusto Taunay, com seis belas litografias, *12 horas em diligência* (1872) de Rt. H. Klumb, com 31 estampas fotográficas, *Petrópolis, guia de viagem* (1885) de J. Tinoco e *Os estabelecimentos úteis de Petrópolis* (1879) de Th. C., estas sem ilustrações. Importante.

Cidade e arredores do Rio de Janeiro: a jóia do Brasil.

[Rio de Janeiro]: Livraria Kosmos Editora/Erich Eichner & Cia. Ltda., s.d. (Coleção de Temas Brasileiros, 3)

O editor Erich Eichner, da Livraria Kosmos, organizou esta monumental e recomendável obra fotográfica com o concurso dos fotógrafos profissionais Augusto Malta (v.), Erich Hess (v.), do Serviço do Patrimônio Histórico e Artístico Nacional, Freudenfeld, Carlos, Kikoler, Rembrandt e D. Frucha. Realça a importância deste álbum um estudo do geógrafo e professor Delgado de Carvalho. NOTA: A edição em fólio médio teve uma tiragem de luxo de 321 exemplares, encadernados em pergaminho, impressos de um só lado das folhas e acompanhados de uma água-forte original de Carlos Geyer, *Igreja S. Antonio dos Ricos*, assinada.

A cidade maravilhosa Rio de Janeiro e seus arredores = La ville merveilleuse = Die wunderschöne Stadt = The marvellous city.

Rio de Janeiro/São Paulo/Porto Alegre: Livraria Kosmos Editora/Erich Eichner & Cia. Ltda., s.d.

Após o sucesso da publicação do item anterior, a editora resolveu lançar nova edição, mas terminou por editá-la totalmente renovada, com material fotográfico também completamente novo. Recorreu para tanto à participação dos fotógrafos Sascha Harnisch, Erich Hess, Victor Ronai, R. Landau, Ralf Kircher, Francisco Aszenann, Foto Carlos, Kurt Paul Klagsbrunn e Jack Whitmore. A edição em brochura e fólio médio teve uma tiragem de luxo de 310 exemplares, encadernados em couro, impressos de um só lado da folha e com uma litografia em cores do gravador austríaco Ludwig Bürgel, assinada. Com texto competente confiado a John Knox, esta é uma obra bela e muito recomendável. NOTA: A capa e a contracapa ostentavam fotografias de Theo Gygas, capas que foram omitidas na edição de luxo.

Copacabana: subsídios para a sua história: 1892-1992.

[Rio de Janeiro]: Riotur, [1992].

Importante obra de cunho oficial em comemoração ao primeiro centenário de um bairro que evoluiu de uma praia deserta a um centro citadino dos mais expressivos na formação da atual megalópole Rio de Janeiro. Farta e muito bem ilustrada com fotografias de Marc Ferrez, Augusto Malta (v. estes) e outros profissionais importantes da virada do século, conta também com muitas outras provenientes dos jornais, revistas e coleções particulares. Em quarto grande, bem acabado e fotografias bem reproduzidas em preto e branco, conta ainda com aquarelas de Betty Mattos, pouco apropriadas ao tema e perfeitamente dispensáveis.

Do mito à realidade: inauguração do Edifício Ministro Oswaldo da Rocha Pacheco.

S.l.: s.e., 1975.

Pequena plaqueta comemorativa da inauguração do Edifício Ministro Oswaldo da Rocha Pacheco no Rio de Janeiro, o novo Hospital da Venerável Ordem Terceira de São Francisco da Penitência. Além de um histórico da Ordem, o modesto folheto ilustra aspectos do antigo e do novo hospital.

Egreja da Candelaria = L'Eglise de la Candelaria = The Church of Candelaria = La Chiesa della Candelaria.

Rio de Janeiro: s.e., 1930.

O título nos induz a prever uma descrição da igreja, quando na realidade estamos perante um histórico da Irmandade da Candelária, formada por sua Igreja e pelas Repartições do Coro, da Caridade, dos Lázaros, da Fábrica, dos Asilos e do Hospital. Com texto muito bom por autor não revelado, esta obra em quarto grande foi editada em péssimo papel, mas com as excelentes fotografias em papel couché, que retratam as diversas dependências e prédios, além dos altares, obras de arte e os grandes quadros de João Zeferino da Costa (1840-1915); a capa da brochura e a folha de título contam com bons desenhos a bico de pena por artista não identificado.

Eis o Rio: o primeiro livro moderno de photographias do Rio de Janeiro.

Edição especial para a Commissão Brasileira dos Centenarios de Portugal. S.l.: Editado por Turismo Brasil-America Ltda., s.d.

Riquíssima a documentação fotográfica deste pequeno álbum que retrata a década de 1930, mas as fotografias foram agrupadas a modo de almanaque: várias por página e muitas vezes uma sobreposta à outra.

Estado do Rio de Janeiro no governo Ernani do Amaral Peixoto: 1951 a 1954.

Niterói: s.e., 1954.

Obra panegírica em grande formato, rica em boas ilustrações mas pobre em apresentação e reprodução.

Exposição comemorativa do 4º centenário de fundação da cidade de Rio de Janeiro: catálogo.

[Lisboa]: Biblioteca Nacional de Lisboa/Ministério da Educação Nacional, 1965. (Catálogo de exposição, jun. 1965)

Grande exposição organizada pela Biblioteca Nacional de Lisboa em comemoração ao quarto centenário do Rio de Janeiro, dedicada em sua maior parte a impressos e manuscritos, mas contando também com uma pequena seção de cartografia (itens nº 341 a 359), e outra de estampas (nº 360 a 426). Muito boa descrição dos itens relacionados, mas sem ilustrações.

4 séculos do Rio de Janeiro: exposição comemorativa do IV centenário da fundação da cidade do Rio de Janeiro: 1565-1965.

Rio de Janeiro: Biblioteca Nacional/Ministério da Educação e Cultura, 1965. (Catálogo de exposição, 1965)

Para os festejos do quarto centenário do Rio de Janeiro, a Biblioteca Nacional organizou esta importante exposição, nos moldes da ocorrida na Biblioteca Nacional de Lisboa (v. verbete anterior), contando com uma seção de álbuns iconográficos (itens nº 188 a 211), desenhos (nº 212 a 240), estampas (nº 241 a 270) e mapas (nº 271 a 279). Cópia de dois documentos históricos e três gravuras ilustram razoavelmente este catálogo.

Exposição das peças do leilão Raul de Moraes adquiridas pela Prefeitura do Distrito Federal: catálogo.

Rio de Janeiro: s.e., 1953. (Catálogo de exposição, jan. 1953)

Catálogo sem ilustrações que relaciona grande número de importantes peças iconográficas adquiridas em leilão para o acervo do Museu da Cidade do Rio de Janeiro (v.).

Exposição de estampas da cidade do Rio de Janeiro.

Rio de Janeiro: Ministério da Educação e Saúde/Serviço do Patrimônio Histórico e Artístico Nacional, 1939. (Catálogo de exposição, jun. 1939)

Esta mostra foi organizada com material da Biblioteca Nacional e da Livraria Kosmos do Rio de Janeiro; apresentou quase exclusivamente gravuras das mais comuns provenientes dos álbuns de Johann Moritz Rugendas, Jean-Baptiste Debret (v. estes) e poucos outros. Quatro ilustrações e o texto restrito a descrições técnicas formam este catálogo pouco interessante.

Guia de Petrópolis: história; pontos turísticos; hotéis; restaurantes; passeios; serviços incluindo: Itaipava; Araras; Corrêas; Nogueira; Posse.

Rio de Janeiro: Guia Castor, 1997.

Ainda que essencialmente comercial, este é um bom guia da "Cidade Imperial", bem ilustrado e com um simpático mapa artístico.

Guia de uma excursão pelo Estado da Guanabara.

2ª edição, revista e atualizada. Rio de Janeiro: Fundação IBGE – Instituto Brasileiro de Geografia/Departamento de Geografia, 1969. (Biblioteca Geográfica Brasileira/Série B, 19)

Um guia organizado por um órgão público técnico, com ótima documentação fotográfica, que visa "fotografias de aspectos inéditos e captando a cidade de ângulos inusitados", propósito realizado pelos fotógrafos Tibor Jablowsky (a maior parte), José J. de Souza, Gilson Costa e Wilson Aranha, com cada fotografia acompanhada de extenso comentário.

Guia turístico de Angra.

S.l.: Guia Angra, 1992.

Não fosse o título, uma propaganda estampada na contracapa e a inserção de um "Caderno de Serviços", este pequeno álbum poderia ser incluído entre as mais simpáticas antologias fotográficas de uma região famosa pelas belezas naturais; os textos também são mais históricos e líricos do que os normalmente dispensados a guias turísticos. Bonito e muito bem impresso e paginado.

História ilustrada do Rio de Janeiro.

[Rio de Janeiro]: Edições de Ouro, [1965].

Especializou-se esta editora em livros de bolso de pequena dimensão, em papel de segunda e correspondente qualidade de reprodução de imagens. A presente edição, com comentários do historiador Herculano Gomes Mathias (v.), sofre o problema da qualidade; por outro lado, conta com amplíssimo material, incluindo gravuras muito pouco divulgadas. Muito importante.

História dos bairros: Saúde, Gamboa, Santo Cristo.

[Rio de Janeiro]: João Fortes Engenharia/Editora Index, [1987].

Como todas as obras patrocinadas pela João Fortes Engenharia, também esta é de alto gabarito e muito recomendável. O texto foi confiado a Elizabeth Dezouzart Cardozo e vários colaboradores, e as inúmeras ilustrações são fora do comum, das gravuras raras e aquarelas antigas às igualmente raras fotografias, quase tudo proveniente de coleções particulares. A perfeição das reproduções e a importância do texto tornam esta obra de luxo muito importante para os estudiosos.

Igreja da Candelária: aspectos arquitetônicos e decorativos.

Rio de Janeiro: Museu da Chácara do Céu, 1988. (Catálogo de exposição, 1988)

Comemorando o 25° aniversário da Associação Brasileira de Museologia, foi realizada no Museu Chácara do Céu (Rio de Janeiro) uma exposição das fotografias do museólogo Arnaldo Machado, retratando aspectos constantes do título, ocasião em que foi editado este pequeno e bem feito catálogo que reproduz sete dos 29 trabalhos expostos; o texto foi confiado ao mesmo Arnaldo Machado.

Igreja de Na. Sa. da Gloria do Outeiro: a significação dos seus azulejos.

Rio de Janeiro: Impresso no Jornal do Commercio, Rodrigues & C., 1942.

Uma edição despretensiosa mas com bela reprodução dos seis grandes painéis de azulejos e o do púlpito da Igreja da Glória. A interpretação destes painéis foi confiada à autoridade do frei franciscano Pedro Sinzig (v.).

Igrejas antigas do Rio de Janeiro.

Petrópolis: Editor Vitor P. Brumlik, 1965. (Coleção 4° Centenário, 3)

Neste terceiro e último volume da "Coleção 4° Centenário", Guilherme Auler apresenta um ótimo estudo condensado de doze igrejas apresentadas em desenho e gravura de Quirino Campofiorito (1902-1993).

Igrejas do Rio.

Rio de Janeiro: Prefeitura do Distrito Federal, s.d.

Pequeno guia das igrejas mais expressivas do Rio de Janeiro; as fotografias são convencionais, mas os sucintos textos de Sergio Macedo (v.) são bons.

Ilha Fiscal: sede da Diretoria de Hidrografia e Navegação.

S.l.: s.e., s.d.

Uma referência feita no prefácio da Diretoria identifica o autor desta obra como sendo o Comandante Serpa. O estilo do interessante histórico é militar, mas o que interessa efetivamente é a rica ilustração fotográfica, parcialmente em cores; acabamento, reprodução e encadernação de primeira qualidade.

Imagem do Rio antigo.

S.l.: Seleções do Readers Digest, s.d.

Folheto de trinta páginas, muito mal impresso, reproduz, entretanto, importantes fotografias provenientes do acervo do Museu da Imagem e do Som do Rio de Janeiro.

Jardim Botânico: Rio de Janeiro: 1808.

Rio de Janeiro: Cor-Ação, 1993.

Mais uma obra boa e bem feita sobre um dos monumentos naturais do Rio de Janeiro, o quase bicentenário Jardim Botânico, antigo Jardim da Aclimação, ou, ainda, Horto Real. Além das belas fotografias dos especialistas Claus Meyer e Carlos Secchin (v. estes), a obra conta com muitas aquarelas botânicas e algumas vinhetas de Malena Barreto, fotografias antigas e uma grande planta desdobrável anexa. Texto de Romildo Guerrante, que inclui capítulo sobre as edificações, os monumentos, o museu, a biblioteca e um roteiro de visitação. Muito interessante.

Jardim Botânico do Rio de Janeiro: guia dos visitantes.

Rio de Janeiro, Serviço Florestal/Ministério da Agricultura, 1942.

Um guia especializado mas interessante. Bom histórico e excelentes fotografias, destacando-se as de S. Lahera e C. Lacerda.

Jardim Botânico do Rio de Janeiro: guia dos visitantes = guide des visiteurs.

Rio de Janeiro: Serviço Florestal/Ministério da Agricultura, 1947.

Nova edição do então já esgotado item anterior, esta quase cópia é muito inferior; com o mesmo formato oblongo e idêntica apresentação, teve o texto reduzido (mas apresentado em português e francês) e as boas fotografias de C. Lacerda e S. Lahera substituídas por outras de Roberto H. Delforge, mal reproduzidas; foi também omitida a planta do Jardim Botânico.

Jardim Botânico do Rio de Janeiro: guia dos visitantes.

Rio de Janeiro: [Jardim Botânico], 1965.

Com a mesma forma dos álbuns retrodescritos, o presente também conta com um mapa, o histórico, um índice das estufas e a relação de todas as plantas; conta a mais com as fotografias e a descrição dos monumentos, mas em seu conjunto perdeu muito em qualidade, quer pelo menor número de ilustrações quer na reprodução destas.

Jardim Botânico do Rio de Janeiro = Rio de Janeiro Botanical Garden.

S.l.: IBDF, [1975?].

Um guia original e muito diferente de qualquer outro, formado por cinco cartazes de 60 x 41 cm dobrados oito vezes e acondicionados em estojo; os cartazes contam com uma ilustração alusiva ao título e no verso com fotografias e dados históricos e científicos (em português e inglês) sobre: "Informações gerais", "Guia histórico", "Os pássaros que vivem no Jardim Botânico", "Calendário da floração", "Índice das principais espécies e gêneros" (este acompanhado de mais uma folha de texto). Muito interessante.

Jardim Botânico do Rio de Janeiro.

Rio de Janeiro: Salamandra, 1992.

Como uma das grandes colaboradoras da Sociedade de Amigos do Jardim Botânico do Rio de Janeiro, a Texaco Brasil patrocinou esta linda e simpática plaqueta com fotografias coloridas de Claus Meyer (v.), texto de Edgar Catoira e um mapa-guia. Esta edição teve como atração adicional algumas fotografias em preto e branco com efeitos computadorizados de Dennis Hanson. Muito interessante.

Lagoa Rodrigo de Freitas: imagens do passado e do presente.

Exposição: pinturas realizadas entre 1841 e 1980: Abraham Louis Buvelot (1814-1888), Nicolao Antonio Facchinetti (1824-1900), Henri Langerock (circa 1830-1885), Karl Ernst Papf (1833-1910), Augusto Rodrigues Duarte (1848-1888), Bernhard Wiegandt (1851-1918), João Baptista da Costa (1865-1926), Luiz Graner y Arrufi (1876-1929), Luis Fernandes de Almeida Junior (1894-1970), Hilda Eisenlohr Campofiorito (1901); fotografias realizadas em 1985 e 1986: Pedro Vasquez (1954). Rio de Janeiro: Acervo Galeria de Arte, 1986. (Catálogo de exposição, jun.-jul. 1986)

Uma exposição comercial mas importante, subordinada ao tema "pintura de 1841 a 1980" e, para confronto, fotografias de 1985 e 1986 por Pedro Vasquez (v.). A capa deste catálogo, desdobrável, reproduz em cores um grande quadro da Lagoa Rodrigo de Freitas, por Nicolau Facchinetti (v.); no verso, uma fotografia de Vasquez focalizando a mesma paisagem.

Lembrança da exposição 1908.

Rio de Janeiro.

Lindo álbum de fotografias atribuídas a Marc Ferrez (v.).

Manchete: Rio 1965.

[Rio de Janeiro]: Manchete, 1965. Edição especial do Quarto Centenário [do Rio de Janeiro].

Um número especial da revista *Manchete*, focalizando, entre outros, vários aspectos da cidade quatrocentenária do Rio de Janeiro. Entre os assuntos focalizados constou "O Rio de Debret", com 22 de suas aquarelas, mal reproduzidas, mas com bons comentários.

Mapa e guia da cidade do Rio de Janeiro: XXXVI Congresso Eucarístico Internacional.

S.l.: Colaboração da S/A Phillips do Brasil, 1953.

Este guia não é mais do que o aproveitamento da grande "Planta Geral da Cidade do Rio de Janeiro" (63 x 92 cm, desdobrável), que fez parte do *Guia Levi* da década de 1940; no verso do mapa foram impressas algumas indicações sobre as atrações da cidade e muita propaganda da empresa patrocinadora, que promoveu a distribuição gratuita por ocasião deste congresso de 1953.

Microfilmando.

Rio de Janeiro, ano 4, nº 15, jan.-mar 1965.

Neste número especial da revista de uma construtora e empreiteira de obras públicas, a Meira S/A do Rio de Janeiro contribuiu de forma notável para as comemorações do IV centenário do Rio de Janeiro, focalizando aspectos históricos e artísticos da cidade e contribuindo com interessantes ilustrações. A capa reproduz em frente e verso uma rara gravura de Lebreton (v.) que, na opinião do editor, forma um interessante enigma iconográfico. O artigo "O local do desembarque de Villegagnon" é ilustrado com mapas raros da época, assim como "A propósito do IV e de outros centenários" o é com gravuras raras comparadas com vistas modernas dos locais focalizados; consta ainda em página dupla o igualmente raro mapa "Nova planta da cidade do Rio de Janeiro", dos editores Laemmert, de 1864. As reproduções não são boas mas o conjunto é recomendável para estudos.

Monumentos urbanos: obras de arte na cidade do Rio de Janeiro = City monuments: artwork in Rio de Janeiro.

São Paulo: Banco Sudameris Brasil, 1999.

Em uma de suas edições anuais o Banco Sudameris apresenta este belo álbum com estudo de Frederico Morais (v.) e fotografias de Felipe Goifman, da Agência Reflexo e outros.

Na sala de espera do Cinema Odeon.

[Rio de Janeiro]: Prefeitura da Cidade do Rio de Janeiro, 1991. (Coleção Memória Urbana/Arquivo Geral da Cidade do Rio de Janeiro)

Com texto de Fernando Ferreira Campos e documentação iconográfica do acervo do Arquivo Geral da Cidade do Rio de Janeiro, este estudo é bem ilustrado com programas do Cine Odeon do Rio de Janeiro e folhas de rosto (capas), páginas interiores, resumo de filmes e publicidade. Interessante.

Niterói: Rio de Janeiro: 4º centenário.

S.l.: Ministério do Planejamento e Coordenação Geral/IBGE – Diretoria Técnica/Departamento de Divulgação Estatística, s.d.

Um guia com ênfase em estatística, bem ilustrado.

O bonde na paisagem carioca.

[São Paulo]: Prefeitura da Cidade de São Paulo, 1984. (Catálogo de exposição, jun.-jul. 1984)

Catálogo de uma exposição temática com 54 itens, dos quais oito reproduzidos.

O Cristo do Corcovado.

Rio de Janeiro: Léo Christiano Editorial Ltda., 1981.

Livro-álbum que documenta fotograficamente a história do Corcovado, no Rio de Janeiro. Além das plantas arquitetônicas e inúmeras e variadas fotografias, conta com a reprodução de treze quadros de artistas do século XIX, todas apenas razoavelmente reproduzidas.

O Rio de Janeiro de Lima Barreto.

Rio de Janeiro: Prefeitura da Cidade/Secretaria Municipal de Educação e Cultura/Departamento Geral de Cultura, [1981?]. (Catálogo de exposição, 1981?)

Exposição dedicada ao centenário de nascimento do romancista Lima Barreto (1881-1922), na qual se vinculou sua vida e produção literária às profundas transformações estruturais e fisionômicas da cidade até a atualidade. O estudo de Jaime Larry Benchimol conseguiu sintetizar este confronto com o auxílio de imagens fotográficas, muitas de autoria de Augusto Malta (v.).

O Rio de Janeiro de Lima Barreto: vol I e II.

Rio de Janeiro: Edições Rio Arte, 1983. (Coleção Roteiro Artístico e Literário do Rio de Janeiro)

Como repartição da Secretaria de Cultura da Prefeitura do Rio de Janeiro, a Rio Arte distinguiu-se na década de 1980 como responsável por várias edições muito interessantes. A presente é uma antologia abrangente do grande e sofrido literato Afonso Henrique Lima Barreto (1881-1922), ilustrada com importantes imagens do Rio de Janeiro relacionadas à sua curta vida; também os ensaios interdisciplinares desta obra e os textos do historiador Afonso Carlos Marques dos Santos (organizador), Joel Rufino dos Santos, Francisco de Assis Barbosa e a professora Paula Beiguelman são excelentes. A obra é volumosa, pesada, mal paginada e com imagens apenas sofrivelmente reproduzidas; não obstante, é importante para os estudos da cidade do Rio de Janeiro e a época correspondente.

O Rio de Janeiro na literatura portuguesa: coletânea organizada por Jacinto do Prado Coelho.

Lisboa: Edição da Comissão Nacional das Comemorações do IV Centenário do Rio de Janeiro, 1965.

Bastariam os textos escolhidos e a qualidade das edições comemorativas portuguesas para justificar a importância desta obra organizada por Jacinto do Prado Coelho; foram acrescidas ilustrações das mais significativas, todas praticamente inéditas e provenientes de publicações portuguesas antigas, como *Universo Pittoresco*, *O Panorama*, *Illustração Luso-Brasileira* e *Arquivo Pittoresco* (todos das décadas de 1840 e 1850), além de dois mapas do Arquivo Ultramarino, um panorama colorido em duas partes e várias gravuras não identificadas. Muito recomendável.

O Rio de Janeiro nas cédulas: paisagens, edifícios, monumentos.

Rio de Janeiro: Centro Cultural/Banco do Brasil, [1994]. (Catálogo de exposição, mar.-maio 1994)

Lindo álbum em fólio, editado como catálogo para esta exposição especializada que contou com 63 cédulas, todas reproduzidas em tamanho original. Além de um rápido estudo sobre papel-moeda, esta obra conta com bons comentários sobre as vistas retratadas.

O Rio do tempo da Coroa.

S.l.: Banco do Estado da Guanabara S/A, 1961.

Álbum em folhas soltas de 31 x 38 cm, sem texto, reproduzindo em offset sete das gravuras do álbum *Views in South America...*, de William Gore Ouseley, duas de Benjamin Mary (v.) e duas de Joachim (sic) Lebreton. NOTA: A citação de Joachim Lebreton deve ser erro de atribuição ou de grafia, pois este chefe da Missão Artística Francesa (v.) não consta como desenhista ou gravador.

O Theatro Municipal do Rio de Janeiro.

S.l.: [Photo Musso], 1913.

Além de luxuosa, esta foi uma belíssima edição, um conjunto harmonioso de fotografias do fotógrafo italiano Luis Musso (v.) e texto de João do Rio (João Paulo Alberto Coelho, 1881-1921). Obra fundamental para o estudo deste teatro inaugurado em 1909 sob projeto de Francisco de Oliveira Passos. NOTA: A qualidade das reproduções, a paginação, a encadernação com título em baixo e alto-relevo, e o acabamento geral fazem crer que esta edição tenha sido produzida no exterior, provavelmente na Itália.

Os Correios de Petrópolis: um passeio pela história.

Pesquisa histórica: Vera Maria Müller Taulois. Texto: Eliane Maciel. Fotografia: Sebastião Barbosa. S.l.: Correios, 1997.

A feliz combinação de trabalho de uma funcionária, uma jornalista e um fotógrafo contribuiu para criar uma obra simpática, bem escrita e visualmente muito bonita. O "passeio" do título tem início com a fundação da cidade, assim como as ilustrações se estendem dos primórdios da cidade a detalhes arquitetônicos do "Palácio do Correio", a atual e monumental sede erigida em 1922.

Palácio Tiradentes: 70 anos de história.

Rio de Janeiro: Memória Brasil, 1996.

Com texto de Carlos Eduardo Sarmento e fotografias e documentos provenientes de diversos arquivos públicos, esta é uma fascinante obra que soube conciliar harmoniosamente o histórico da política republicana brasileira com a documentação visual do Palácio Tiradentes, palco dos principais acontecimentos políticos do país neste século e sede da Câmara dos Deputados de 1926 a 1960. A documentação fotográfica é preciosa, incluindo imagens do século XIX e várias da Cadeia Velha, antiga sede da Câmara que cedeu seu lugar ao Palácio; os abundantes "ensaios fotográficos" do Palácio, seus interiores e tesouros artísticos por Gilson Ribeiro, impressionam mas são tradicionais e acadêmicos.

Petrópolis e seus monumentos.

?: ?, ?.

Obra em edição muito modesta, com uma fotografia convencional de cada monumento relacionado; a pobreza da apresentação visual é compensada com o estudo e a descrição de cada peça. NOTA: Ao exemplar examinado falta a folha de título, sendo provável que esta seja obra de um ou mais autores.

Pinturas e pintores do Rio antigo.

Rio de Janeiro: s.e., 1990.

Monumental em todos os sentidos, esta obra reúne quadros provenientes de três importantes coleções cariocas que retratam vistas do Rio de Janeiro (quase todas do século XIX): Fadel, Boghici e Paulo Geyer (v. estas). O estudo de Herculano Gomes Mathias (v.) e as legendas do bibliófilo e coordenador Paulo Berger (v.) realçam a beleza visual do material pictórico reproduzido. Uma jóia, enriquecida com uma bibliografia dos pintores e a reprodução do "Plan aux Coste du Brésil" (1711) nas folhas de guarda; fotografias de Dimitri Lambru (v.) e outros. Importante e muito recomendável.

Plano de realizações na cidade do Rio de Janeiro.

Rio de Janeiro: Fundo Especial de Obras Públicas, 1957.

Obra técnica que conta com todos os levantamentos topográficos dos planos e um grande mapa de 65 x 83 cm, desdobrável.

Planta da cidade do Rio de Janeiro e suburbios: escala de 1:25.000.

[Rio de Janeiro]: Editores Proprietarios Laemmert & Ca., s.d. (mapa)

Um mapa muito raro (43 x 54 cm) formado por oito partes montadas sobre tela em encadernação original. Subscrito "Planta da cidade do Rio de Janeiro e Suburbios" e "Organisado e desenhado por Ulrik Greiner". Foi gravado por Giesecke & Devrient, em Leipzig (Alemanha).

Praça XV: 1580/1988.

2. ed. [Rio de Janeiro: Iplanrio], 1990.

Realização do Núcleo de Memória Urbana do Iplanrio, uma "história visual" que apresenta oito vistas da Praça em diferentes épocas na visão do desenhista Guta (em folhas desdobráveis de 30 x 90 cm).

Arcos da Carioca em cinco momentos de sua história.

3ª ed. [Rio de Janeiro: Iplanrio], 1989.

Segunda realização do Núcleo de Memória Urbana do Iplanrio, com grande progresso sobre o item precedente. A visão dos "Arcos" em cinco épocas diferentes foi novamente confiada a Guta (em folhas desdobráveis de 30 x 77 cm), mas a este estudo foi acrescido um livreto muito bem feito que contém um texto explicativo e relatos de personalidades da época, além de bons desenhos e vinhetas de Carlos Artêncio Neto, Jorge Baptista de Azevedo e Jorge Garios.

Reflexos da cidade: a iluminação pública na cidade do Rio de Janeiro: 1565-1930.

Rio de Janeiro: Centro da Memória da Eletricidade no Brasil, 1999. (Memória da Eletricidade)

Belo ensaio histórico coordenado por Leila Lobo de Mendonça e dotado de excelente documentação fotográfica antiga.

Rio.

Brasil: Secretaria de Turismo do Estado da Guanabara, 1967.

Estranho mas belo álbum de propaganda turística confiado ao fotógrafo Franceschi, formado por dez painéis fotográficos em cores (39,5 x 30,0 cm). Um pequeno prefácio de Carlos de Laet informa que esta publicação pretende apresentar aspectos pitorescos, artísticos ou panorâmicos do Rio de Janeiro que escapem ao lugar-comum e ao tema batido. Consegue este intento, sem dúvida (ainda que inclua a fotografia de um antúrio), mas apresentou imagens que poderiam ser localizadas em qualquer outra cidade histórica brasileira, criando um anonimato que nem mesmo os muito sucintos títulos em português, inglês e francês conseguem dissipar.

Rio: 10 super cartões-postais = giant postcards.

Rio de Janeiro: Gráfica Franco-Brasileira, s.d. (Álbum de cartões-postais)

Álbum com dez boas fotografias em cartões-postais destacáveis (15,5 x 25,0 cm).

Rio; portrait of a city.

Düsseldorf: Helmut Krüger Verlag, 1976.

Editado por Walter Geyerhahn, proprietário da Livraria Kosmos do Rio de Janeiro (que serviu de distribuidora), esta bela obra foi publicada na Alemanha e reproduz imagens captadas pelos melhores fotógrafos da época e em grande parte ainda ativos: George Love, Claus C. Meyer, Walter Firmo, David Drew Zingg (v. estes), Sebastião Barbosa, Peter Schneider e outros. Dos álbuns do gênero foi sem dúvida um dos melhores, e não só pelo excepcional acabamento, mas também pelos quatro panoramas desdobráveis.

Rio antigo: 14 gravuras selecionadas: Chamberlain/Bertichem.

S.l.: Livraria Kosmos Editora S/A, s.d.

Impresso em 2 000 exemplares, é um dos vários álbuns desta editora para comercializar estampas excedentes de edições anteriores; neste presente caso das edições fac-similadas de Henry Chamberlain (1974) e Pieter Gottfried Bertichem (1976, v. estes). Excelente a qualidade destas estampas, que comportam descrição no verso.

Rio de Janeiro.

S.l.: s.e., s.d.

Lindo álbum com trinta cromolitografias do Rio de Janeiro e texto explicativo em francês e inglês. No verso da capa a marca de M. Viggiani, editor do início da década de 1920 que se especializou em álbuns comemorativos. A capa, em cores, contém o título sobre um desenho estilizado da Baía da Guanabara, que se estende ao anverso.

Rio de Janeiro.

Rio de Janeiro: N. Viggiani Editor, s.d.

O editor Viggiani fez muitos álbuns de vistas do Rio de Janeiro na década de 1920, todas com fotografias retocadas em cores. Destas edições constava tão-só o título “Rio de Janeiro” e no verso da capa a marca comercial da editora, encontrando-se exemplares em brochura e outros em encadernação original que ostentava habitualmente uma vista panorâmica em tamanho reduzido; as dimensões destes álbuns eram de 22 x 31 cm e as fotografias aproximadamente 16 x 23 cm. Entre as folhas deste álbum encontravam-se folhas em papel transparente com texto explicativo das ilustrações e um estudo histórico-econômico. Foi possível examinar três exemplares distintos: um exemplar encadernado com dezoito pranchas e texto em francês, espanhol, inglês e alemão; uma brochura com trinta pranchas de vistas da cidade e arredores, com texto em francês e inglês; e uma brochura com seis pranchas, sem texto. Foram álbuns excepcionais para a época e primaram pela simplicidade aliada à alta qualidade das reproduções. O presente, com seis fotografias coloridas do Rio de Janeiro, especialmente editado para uma exposição de produtos latino-americanos no Rio de Janeiro em inícios da década de 1920, contou com texto de Paulo Rangel Pestana em espanhol e não foi exceção à regra.

Rio de Janeiro.

Rio de Janeiro: Foto Labor, s.d.

Um mini-álbum (9 x 6 cm) sanfonado, contendo onze fotografias coloridas do Rio de Janeiro da década de 1950, com todas as imagens identificadas no verso.

Rio de Janeiro.

[Japan]: Les Éditions du Pacifique/Distribuidora Record, [1976].

Bernard Hermann (francês, 1941), um típico repórter fotográfico viajante, é o autor deste álbum fotográfico de fundo essencialmente jornalístico, com grande ênfase sobre os tipos populares e o carnaval.

Rio de Janeiro.

Rio de Janeiro: The Women's Auxiliary to the Strangers' Hospital, 1965.

Agenda com texto em português e inglês e reprodução de 46 estampas, entre fotografias de cidades brasileiras e gravuras antigas.

Rio de Janeiro: Brasil.

Caxias do Sul: Editora Litdarte, s.d.

Típico álbum de *souvenir* turístico; distingue-se dos demais do gênero por suas excelentes fotografias e correspondente reprodução, bem como sua forma descomunal, 22 x 31 cm; cada uma das pranchas conta com uma sucinta descrição no verso, em cinco línguas.

Rio de Janeiro; capital d'além-mar na coleção dos Museus Castro Maya.

Rio de Janeiro: Centro Cultural Banco do Brasil, [1994]. (Catálogo de exposição, jan., jun.-ago., out.-nov. 1994)

Catálogo especial de uma exposição de 96 pinturas e gravuras relacionadas ao tema do título sob a curadoria de Carlos Martins; excelente a reprodução e a descrição técnica.

Rio de Janeiro, cidade maravilhosa = Rio de Janeiro, wonderful city.

São Paulo: Edições Siciliano, 1987.

Edição luxuosa do comércio turístico, bem feita, com colaboração de bons fotógrafos.

Rio de Janeiro corredor cultural: preservação e realização do centro histórico.

[Rio de Janeiro]: Prefeitura da Cidade do Rio de Janeiro, s.d.

Plaqueta bem feita que serviu de catálogo demonstrativo das obras realizadas durante a década de 1980 pela Prefeitura do Rio de Janeiro no cumprimento à lei que criou o "corredor cultural" para o centro histórico em 1979.

Rio de Janeiro: enciclopédia pela imagem.

Porto: Livraria Lello & Irmão Editora, [1939?].

O título nos faz crer tratar-se de mais uma das muitas obras de divulgação para turistas; na realidade não o deixa de ser, mas o texto foi confiado a Afrânio Peixoto (v.), da Academia Brasileira de Letras, e as fotografias muito bem escolhidas e reproduzidas.

Rio de Janeiro: guia de turismo.

Rio de Janeiro: Editora Gráfica Barbero, 1979.

Este pequeno álbum é bem mais do tipo *souvenir* do que "guia", comportando texto muito sucinto de A. Rey e sete boas fotografias coloridas de Aldo Colombo.

Rio de Janeiro... nos séculos passados.

Rio de Janeiro: Ambulatório da Praia do Pinto, 1971.

Agenda para o ano 1971, destinada a fins beneficentes. Além de um antigo mapa do Rio de Janeiro que serve como capa, conta com reprodução de 52 gravuras das quais as 12 coloridas mal reproduzidas. Uma simplória identificação das gravuras, muito deficiente, consta de uma relação final.

Rio de Janeiro: uma cidade no tempo = A city through time = Une ville au cours du temps.

[Rio de Janeiro]: Prefeitura da Cidade do Rio de Janeiro, 1992.

Álbum publicado como complemento à exposição "Conferência Rio 92", bem apresentado e muito bem ilustrado. A parte histórica foi documentada com gravuras da época e o século XX com fotografias; textos e verbetes bons por autor não revelado.

Rio de Janeiro em prosa e verso.

Manuel Carneiro de Souza Bandeira e Carlos Drummond de Andrade. Rio de Janeiro: Livraria José Olympio Editora, 1965. (Coleção Rio 4 Séculos, v. 5)

Obra literária organizada pelos poetas Manuel Bandeira e Carlos Drummond de Andrade, como revela o título. Entre as 33 importantes ilustrações (pouquíssimas para um volume tão alentado), figuram três litografias da raríssima revista *Ostensor Brasileiro*, retratando o Rio de Janeiro da década de 1840; conta ainda com duas plantas em cores da cidade e muitos desenhos, vinhetas e ornatos de Luis Jardim (v.).

Rio de Janeiro em seus quatrocentos anos: fundação e desenvolvimento da cidade.

Rio de Janeiro/São Paulo: Distribuidora Record, 1965.

Esta é uma obra básica para a iconografia carioca. Os textos, confiados a especialistas, incluem estudos de Claudio Bardy, Mario Barata, Augusto Carlos Silva Telles e Lucio

Costa (v. estes). Conta ainda com muitos mapas sob a curadoria de Eduardo Canabrava Barreiros (v.) e uma importantíssima parte de gravuras e fotografias coordenada por Gilberto Ferrez (v.) e por Aécio Sampaio; conta, finalmente, com uma respeitável bibliografia. Importante.

Rio de Janeiro 360°.

[Itália]: Priuli & Verlucca, Editori, 1997. (Colorama 360°)

Talvez não seja esta a mais linda das obras sobre o Rio de Janeiro, mas certamente deve ser a mais suntuosa, luxuosa e bem acabada. Como uma das obras da série "Colorama 360°" da editora italiana Priuli & Verlucca, a presente foi impressa na Itália sob patrocínio do Banco Icatu do Rio de Janeiro e confiada a um competente grupo de profissionais brasileiros, cabendo as fotografias a Luis Claudio de Vinha Lacerda e Rogerio Randolph Sverner, a pesquisa histórica e artística ao casal de arquitetos Augusto e Eliana Freitas Pinheiro, e o prefácio à escultora e escritora Marina Colasanti. Muitas das folhas da obra são desdobráveis e várias duplamente desdobráveis, proporcionando assim quase inacreditáveis panoramas. Além da volumosa parte fotográfica e do anexo histórico-artístico, a obra também é dotada de muitos desenhos da arquitetura local devidos a Luisa Romussi (sobre a qual não foram fornecidos dados), com grandes desenhos limpos e corretos a bico de pena, completando um conjunto muito importante. O texto é em português e inglês, com aditamento de espanhol, francês, alemão, italiano e três línguas orientais para as fotografias. Muito interessante e recomendável.

Rio deco.

[Rio de Janeiro]: s.e., [1980].

Em uma espécie de colofon aprendemos que esta luxuosa e bela obra vem a ser uma "homenagem visual/gráfica/poética ao Art Deco no Rio de Janeiro", uma "seleção dos mais belos e curiosos exemplos deste fenômeno", através da fotografia de Ivan Cardoso e textos do arquiteto Sergio Bernardes e do poeta Décio Pignatari. Muita rica a documentação fotográfica dos prédios e seus pormenores, com as imagens sempre enquadradas em estilo. Muito interessante esta primeira das obras patrocinadas pela João Fortes Engenharia (v.).

Rio imperial.

[São Paulo]: Edição Sanbra, [1988].

Bela obra, com textos dos historiadores Carlos Roberto Maciel Levy e Donato Mello Junior (v. estes), e fotografias de João de Orleans e Bragança (v.) e Paulo Marcondes de Mendonça Lima, focaliza os principais marcos arquitetônicos e históricos da cidade; obra luxuosa, que tende mais ao ensaio fotográfico. NOTA: Deixaram de constar o Palácio Itamaraty e o antigo prédio da Alfândega, em processo de restauro na ocasião.

Rio saluda usted.

[Rio de Janeiro]: Governo do Estado da Guanabara, s.d.

Propaganda turística em um pequeno álbum oblongo; vistoso, com muitas fotografias tradicionais, coloridas.

Solemne inauguração do Monumento ao Generalissimo Deodoro em 15 de novembro de 1937.

Rio de Janeiro: Lito-Tipo Guanabara, 1937.

Conjunto de discursos e notícias sobre o monumento a Deodoro da Fonseca erigido no Rio de Janeiro sob projeto de Modestino Kanto (1889-1966) e Honorio Peçanha (1907), vencedores do concurso nacional. Com poucas, mal escolhidas e mal reproduzidas ilustrações, é uma obra de pouco interesse.

Teatro Municipal: 90 anos.

Rio de Janeiro: Museu Nacional de Belas Artes, 1999. (Catálogo de exposição, 1999)

Uma bela plaqueta comemorativa que também serviu de catálogo da grande exposição promovida na ocasião. Além da reprodução das aquarelas apresentadas pelos arquitetos que concorreram no concurso internacional, a obra ostenta fotografias antigas e atuais, bem como as das obras de arte. Interessante.

Urbi Niterói.

Rio de Janeiro: IBGE, 1957.

Uma síntese histórica de Renato de Lacerda e as fotografias da cidade provenientes do arquivo da Sociedade Fluminense de Fotografias formaram este pequeno e interessante álbum publicado pelo Instituto Brasileiro de Geografia e Estatística para o XV Congresso Brasileiro de Esperanto (textos em português e esperanto).

Urca; construção e permanência de um bairro.

2ª tiragem. Rio de Janeiro: Secretaria Municipal de Cultura, 1990. (Bairros cariocas, 1)

Primeiro volume de uma série dedicada a "Bairros Cariocas", este pequeno álbum é muito mais importante do que sua modesta apresentação nos faz suspeitar, fruto do texto de Mario Aizen e da excelente escolha do material iconográfico, também a seu cuidado. Além das antigas fotografias de Augusto Malta e Juan Gutierrez (v.estes), encontramos mapas pouco divulgados, a reprodução de um quadro de Henri Nicolas Vinet (?-1876) de 1866 e uma pequena coleção de vistas da Exposição Nacional de 1908.

MAC Niterói 360 graus.

Rio de Janeiro: Studio Alfa, [1999?].

Espetacular *folder* de cinco folhas de 24,0 x 27,5 cm apresentando vistas e detalhes por fotografia "orbicular" do Museu de Arte Contemporânea de Niterói projetado por Oscar Niemeyer. Muito interessante.

Palácio da Conceição.

Rio de Janeiro: Serviço Geográfico do Exército, 1948.

Pouco mais que um modesto folheto, este simpático histórico da antiga fortaleza Fábrica de Armas da Conceição com o anexo também antigo Palácio Episcopal, atual sede do Serviço Geográfico do Exército, é um guia interessante.

Rio de Janeiro 360 graus.

Rio de Janeiro: Studio Alfa, s.d.

Fascinante e espetacular *folder* de cinco folhas de 24,0 x 27,5 cm de um panorama do Rio de Janeiro, obtido através de fotografia "orbicular" por Luiz Claudio da Vinha Lacerda, incluindo outras vistas da cidade pelo mesmo sistema. Muito interessante.

Praça XV e arredores; uma história em cinco séculos.

Rio de Janeiro: Bolsa do Rio, 2000.

Com sede definitiva na Praça XV de Novembro no Rio de Janeiro desde 1935 (a Praça XV que já foi historicamente a Praça da Piaçaba, Terreiro do Ó, Largo da Poli, Terreiro do Carmo, Largo do Paço e Praça D. Pedro II), a Bolsa do Rio de Janeiro homenageia este lindo e importante logradouro que foi o centro político e econômico do País por quase dois séculos. Em formato de álbum oblongo e com excelente texto histórico em português e inglês, a obra traz muitas fotografias convencionais de Christina Bocayuva, todas muito bem reproduzidas; na parte da excelente documentação iconográfica antiga, entretanto, há o que criticar no campo da reprodução, sem no entanto diminuir a importância da obra.

Quissamã.

Maria Emilia Prado Marchiori, Alayde Wanderley Mariani, Enrico Antonio Calvente, Dinah Guimaraens, Maria Laura Vibeiros de Castro Cavalcanti, Marina de Mello e Souza, Elizabeth Travassos, Lauro Cavalcanti. Rio de Janeiro: MinC/Pró-Memória/SPHAN – 6ª Diretoria Regional, 1987.

Vasta zona rural entre Macaé e Campos no Estado do Rio de janeiro é conhecida por "Quissamã"; foi importante a histórica região açucareira, com muitos de seus engenhos em ruína ou abandonados. As ilustrações que ornam esta importante obra serviram apenas de suporte aos excelentes textos deste levantamento histórico-cultural que promove a memória da região, de sua arquitetura e cultura popular.

O Cruzeiro: edição comemorativa do IV centenário.

Rio de Janeiro: O Cruzeiro, 1965. Edição especial.

Uma edição especial da revista carioca O *Cruzeiro*. Entre os capítulos destacam-se o do Rio de Janeiro no tempo de D. João VI e o de Jean-Baptiste Debret (v.), este com reprodução de muitas de suas obras. Mesmo considerando a deficiente reprodução das ilustrações, a edição é muito interessante por conter numerosos aspectos antigos e modernos. A capa conta com uma gravura de Debret, a contracapa com uma aquarela de William Alexander e a folha dupla central com um quadro de Pieter Gottfried Bertichem (v. estes).

Boletim-Pesquisa: a evolução dos transportes no Rio de Janeiro.

Rio de Janeiro: Museu Histórico da Cidade, s.d. (Boletim-Pesquisa, 1)

Boletim-Pesquisa: a luta pela água: o Aqueduto da Carioca e seus chafarizes.

Rio de Janeiro: Museu Histórico da Cidade, s.d. (Boletim-Pesquisa, 2)

Boletim-Pesquisa: fortificações do Rio de Janeiro.

Rio de Janeiro: Museu Histórico da Cidade, s.d. (Boletim-Pesquisa, 3)

Boletim-Pesquisa: o leque.

Rio de Janeiro: Museu Histórico da Cidade, s.d. (Boletim-Pesquisa, 4)

Boletim-Pesquisa: a fundação da cidade de São Sebastião do Rio de Janeiro.

Rio de Janeiro: Museu Histórico da Cidade, s.d. (Boletim-Pesquisa, 5)

Boletim-Pesquisa: o Rio de Janeiro dos vice-reis.

Rio de Janeiro: Museu Histórico da Cidade, s.d. (Boletim-Pesquisa, 6)

Boletim-Pesquisa: o Rio de Janeiro na época de D. João VI: 1808-1821.

Rio de Janeiro: Museu Histórico da Cidade, s.d. (Boletim-Pesquisa, 7)

Boletim-Pesquisa: já não se fazem mais casamentos como antigamente.

[Rio de Janeiro: Museu Histórico da Cidade/Associação dos Amigos do Museu da Cidade, 1982]. (Boletim-Pesquisa, 8)

Durante a década de 1970 o Museu da Cidade do Rio de Janeiro editou vários pequenos estudos sobre aspectos de usos e costumes e da cultura geral da cidade, estudos reunidos sob o título de "Boletim-Pesquisa" e publicados em forma de folhetos mimeografados, todos dotados de excelentes ilustrações muito mal reproduzidas (indecifráveis, às vezes). Apesar desta deficiência material, estes boletins são muito úteis para estudos.

RIO SÃO FRANCISCO

Com nascente na Serra da Canastra (MG), curso pela Bahia e como linha divisória entre Alagoas e Sergipe, é o maior dos rios no território nacional e de grande importância econômica e também cultural; navegável em boa parte de seu percurso, serve a Hidrelétrica de Paulo Affonso e várias cidades históricas.

Rio São Francisco = São Francisco river.

São Paulo: Banco Sudameris Brasil, 1997.

Uma das obras anuais patrocinadas pelo Banco Sudameris do Brasil, a presente nos revela visualmente o Rio São Francisco ao longo de seu curso. As fotografias por diversos profissionais não são muito expressivas, distinguindo-se apenas as de José Caldas.

São Francisco: o rio da unidade = a river for unity.

Brasil: Mercedes Benz do Brasil, 1977.

Com ótimo texto de autor não revelado, esta bela obra fotográfica revela aspectos da vida ao longo do Rio São Francisco, o "rio da unidade", focalizando cidades, arquitetura, transportes, usos e costumes; apresenta também gravuras e fotografias antigas.

São Francisco: o rio da unidade = a river for unity.

2ª ed. Brasília: Mercedes Benz do Brasil/Companhia de Desenvolvimento do Vale do São Francisco, 1979.

Esta segunda edição da obra do item precedente foi fruto de uma cessão gratuita dos direitos e dos clichês feita pela Mercedes Benz à Codeval; executada com os mesmos índices de qualidade mas com acréscimo de três capítulos sobre aspectos literários da região, de autoria de Fernando Salles.

RIOCELL – RIO GRANDE COMPANHIA DE CELULOSE DO SUL

A Riocell, grande empresa gaúcha do ramo de papel, tem publicado uma série grande de obras relacionadas à história e à cultura geral e artística do Rio Grande do Sul. Não foi possível obter uma relação deste importante empreendimento editorial-cultural, encontrando-se aqui apenas assinaladas algumas das obras, resenhadas nos correspondentes verbetes:

Os sete povos das Missões.
Obras de Hermann Rudolf Wendroth*: 1852.*
Crônica de um rio = chronicle of a river.
Culturas em movimento: a presença alemã no Rio Grande do Sul.
Far la Mérica; a presença italiana no Rio Grande do Sul, *por Luis A.Boni.*
Faróis da solidão = Lighthouses of solitude.
Caminhos da esperança; a presença judaica no Rio Grande do Sul, *por Moacyr Scliar.*

RIOS FILHO, ADOLFO MORALES DE LOS

Arquiteto e historiador de arte (?-1973).

Grandjean de Montigny e a evolução da arte brasileira.

Rio de Janeiro: Empresa A Noite, [1941?].

Focalizando o arquiteto francês Grandjean de Montigny (v.), um dos membros da Missão Artística Francesa de 1816, o autor cumpre o que nos revela no título, apresentando uma história da arte brasileira durante a atuação dos membros da referida Missão, até o ano de 1850. Muito bem ilustrado, mas mal reproduzido; importante, assim mesmo.

O Rio de Janeiro imperial.

[Rio de Janeiro]: Empresa A Noite, [1946?].

Conforme nos revela o autor em seu prefácio, esta obra nasceu do material coligido para a elaboração da obra do item anterior, abrangendo o ambiente social, econômico, político, administrativo e urbanístico da cidade entre 1808 e 1850. Na realidade é isto e muito mais, como nos revelam o texto, os capítulos dedicados à iconografia e as abundantes ilustrações (mal reproduzidas). Importante.

ROBATTO, SILVIO

Barroco rebolado: fotografias Silvio Robatto.

São Paulo: Pinacoteca, 2002. (Catálogo de exposição, 2002)

Curiosa exposição apresentada pelo arquiteto e fotógrafo Robatto e reproduzida neste álbum em fólio; são imagens da arquitetura barroca e festejos populares que o autor colheu na Bahia e submeteu à computação gráfica para obter os efeitos do título.

ROBBA, FABIO

ROBBA, Fabio e MACEDO, Silvio Soares. *Praças brasileiras = Public squares in Brazil.*

São Paulo: Edusp/Imprensa Oficial SP, 2002.

O projeto "Quapá" da Faculdade de Arquitetura e Urbanismo da USP produziu este excelente estudo acadêmico apresentado em bela edição, ricamente ilustrada com fotografias. Muito interessante.

ROBERT-DEHAULT, ELISABETH

ROBERT-DEHAULT, Elisabeth, JUNQUEIRA, Eulália e BULHÕES, Antonio. *Fontes d'art: chafarizes e estátuas francesas do Rio de Janeiro.*

Fotografias: Pedro Oswaldo Cruz; assistente: Cristina Oswaldo Cruz; tradução de Francis Wuillaume. Paris: Les Éditions de l'Amateur/ASPM/FBM, 2000.

O tema é promissor e visualmente sempre belo, o fotógrafo é muito bom (v.), a edição é francesa e os textos excelentes, elementos positivos que serão amplamente fortalecidos quando encarados em conjunto nesta bela obra; muito mais do que um estudo sobre chafarizes e estátuas e suas imagens, esta é uma obra de arte. Muito recomendável.

ROCHA, CARLOS EDUARDO DA

Rampa do mercado.

?: ?, 1955.

RÖDER, JOSEF

RÖDER, Josef e TRIMBORN, Hermann. *Max zu Wied: Buntbilder: Brasilien.*

S.l.: s.e., [1954?].

Em 1954 foi publicada a obra *Maximilian Prinz zu Wied: Unveröffentliche Bilder und Handschriften zur Völkerkunde Brasiliens* (Bonn, 1954) por Josef Röder e Hermann Trimborn, obra resenhada no segundo volume da *Bibliografia critica da etnologia brasileira*, de Herbert Baldus, que informa sobre a ilustração com 16 pranchas fora do texto e um portfolio com 42 reproduções coloridas de aquarelas. É provável que o presente belo álbum seja o referido portfolio, pois é formado por 42 reproduções coloridas de aquarelas (cada uma aplicada sobre uma folha numerada de papel forte), contidas em uma caixa com o título supra, sem texto ou outra qualquer indicação. Muito recomendável. NOTA: Consta entre os livreiros-antiquários, por outro lado, que o referido portfolio não chegou a ser publicado como suplemento, mas posteriormente como autônomo e em tiragem de 100 ou 200 exemplares.

RODRIGUES, ANTONIO ARTHUR DE CASTRO

Reminiscências de São Paulo.

Osasco: FIEO – Fundação Instituto de Ensino para Osasco, 1995.

Um álbum de desenhos deste pintor paulista (nascido em 1921), autor da *Cartilha Ecológica para Crianças* e fundador do Museu de Arte Carlos Ayres, em Itapetininga. O estilo dos desenhos é acentuadamente acadêmico, mas o conjunto é aprazível; os comentários são do próprio autor.

RODRIGUES, CARLOS

Souvenir de Brasília.

Brasília: s.e., [1958?].

Pequeno álbum vendido em bancas de jornais, com correspondente qualidade; pretendia ser o primeiro de uma série dedicada ao progresso de Brasília, apresentando muitas fotografias sobre as obras em andamento.

RODRIGUES, JOÃO BARBOSA

Naturalista e professor (1842-1909), fundou o Museu Botânico do Amazonas em 1894 e foi diretor do Museu Botânico do Rio de Janeiro; autor de extensa e importante obra científica.

Sertum palmarum brasiliensium, ou Relations des palmiers nouveaux du Brésil: decouverts, décrits et dessinés d'après nature par J. Barbosa Rodrigues.

Fac-símile. Rio de Janeiro: Expressão e Cultura, 1989.

Esta é a obra máxima deste grande botânico, etnólogo, arqueólogo e museólogo brasileiro. A editora fac-similou a obra original (Bruxelles, 1903), inclusive o extenso texto em francês, mas reduziu as dimensões do original (fólio grande e dois volumes) para um único volume de 23 x 30 cm, reproduzindo dois desenhos em cada página. De grande beleza, faltou a esta reedição o benefício de um estudo especial sobre a edição original e seu autor. Muito recomendável.

Hortus Fluminensis, ou, Breve noticia sobre as plantas cultivadas no Jardim Botanico do Rio de Janeiro: para servir de guia aos visitantes: fac-símile.

Rio de Janeiro: Expressão e Cultura, 1989.

Fac-símile da obra *Hortus Fluminensis, ou, Breve noticia sobre as plantas cultivadas no Jardim Botanico do Rio de Janeiro: para servir de guia aos visitantes*, publicada em 1894. Para esta edição comemorativa foram bem reproduzidas as treze estampas fotográficas originais mas transcrito tão-só um resumo do texto histórico original; constou ainda um capítulo dedicado aos Diretores, com os correspondentes retratos.

O Jardim Botânico do Rio de Janeiro: uma lembrança do 1º centenário: 1808-1908.

Edição fac-similada. [São Paulo]: Banco Safra, 1998.

Foi muito feliz a reedição fac-similar desta importante obra do botânico e naturalista João Barbosa Rodrigues (1842-1909) quando diretor do Jardim Botânico do Rio de Janeiro. Além da importância do texto histórico, temperado com a análise das plantações e correspondente adaptação ao meio ambiente, esta obra conta com estudos preliminares da pesquisadora Graziela Maciel Barroso e de Sergio Bruni, atual diretor do Jardim Botânico, e é ilustrada com importantes gravuras e fotografias.

RODRIGUES, JOSÉ CARLOS

Catalogo annotado dos livros sobre o Brasil e de alguns autographos e manuscriptos pertencentes a J. C. Rodrigues: Parte I – Desenvolvimento da America: Brasil colonial: 1492-1822.

Rio de Janeiro: Typographia do "Jornal do Commercio" de Rodrigues & Cia., 1907. (Bibliotheca Brasiliense)

Uma biblioteca particular das mais notáveis do País, assim como notável este primeiro (e único) volume do catálogo, que relaciona 2 646 itens, todos comentados. A totalidade desta biblioteca foi incorporada à Biblioteca Nacional. Por força da tiragem limitada a 200 exemplares esta obra tornou-se muito rara; indispensável.

RODRIGUES, JOSÉ WASTH

Pintor brasileiro (1891-1957), estudou com Oscar Pereira da Silva e a partir de 1910 com Jean Paul Laurens na Académie Julien em Paris, em cujo Salão chegou a expor. Retornou em 1914 e em 1916 criou um curso de desenho con Fischer Elpons e William Zadig em São Paulo, onde também esporadicamente expôs. Sua importância para a iconografia brasileira reside em suas pesquisas sobre a arte colonial, heráldica, arquitetura e mobiliário, pesquisas que documentou com desenhos que foram em grande parte publicados e se tornaram clássicos.

São Paulo antigo: documentário nº 1.

São Paulo: Comissão do IV Centenário de São Paulo, [1954?].

Editado pela Comissão do IV Centenário de São Paulo (1954), este é um belo álbum de folhas soltas de 24 x 30 cm, reproduzindo 25 aquarelas inseridas sobre folhas em forma de cartões-postais; em cada folha se encontra impressa a numeração e a identificação do local retratado. Muito interessante.

São Paulo antigo: documentário nº 1.

São Paulo: Comissão do IV Centenário de São Paulo, [1954?]. (cartões-postais)

Pequeno estojo contendo 25 cartões-postais que reproduzem as 25 aquarelas do item precedente, todas numeradas e tituladas no verso; no verso do estojo consta o correspondente índice.

Documentário arquitetônico relativo à antiga construção civil no Brasil.

São Paulo: Livraria Martins Editora.

Em 1945 o autor publicou a obra do título supra em edição de oito fascículos em fólio, obra de alta qualidade gráfica que se tornou item bibliófilo. A presente segunda edição passou a ser em quarto e um só volume, com reprodução de todos os desenhos em suas dimensões originais e transcrição de todos os verbetes explicativos. Muito interessante.

Uniformes do exército brasileiro: obra commemorativa do centenario da independencia do Brasil.

Edição especial do Ministerio da Guerra. Desenhos, aquarellas e documentos de J. Washf [sic] Rodrigues. Direcção geral e organisação do texto por Gustavo Barroso (João do Norte). Rio de Janeiro/Paris: [Ministério da Guerra], 1922.

Considerada a obra-prima do autor, apresenta longo texto histórico de Gustavo Barroso (v.) seguido dos desenhos do título que retratam os membros do Exército brasileiro em todos os seus escalões. Esta obra foi impressa por A. e F. Ferrond em Paris, com todas as figuras coloridas por um processo gráfico equivalente ao *pochoir*. É linda e vistosa, mas de restrito interesse.

1º Regimento de Cavalaria de Guardas: Dragões da Independência: coleção de aquarelas de José Wasth Rodrigues – 1929.

São Paulo: Imprensa Oficial do Estado, 1983.

Com textos de Emmanuel von Laüenstein Mazzarani e José Barros Martins, este belo álbum em fólio grande (45 x 31 cm) reproduz quinze aquarelas doadas pelo artista aos "Dragões da Independência".

RODRÍGUEZ, WALFREDO

Roteiro sentimental de uma cidade.

[São Paulo]: Editora Brasiliense, [1962].

Como diretor por longos anos do Teatro Santa Rosa em João Pessoa e autor da *História do Teatro da Paraíba*, o jornalista Walfredo Rodríguez também mantinha uma coluna de crônicas na imprensa paraibana, provável berço deste guia sentimental. A ilustração fotográfica é rica e boa, mas intercalada no texto em formato de vinheta, dificultando a apreciação de pormenores; assim mesmo, uma obra interessante. NOTA: O nome do autor consta atualmente do Museu de Fotografia, instalado na antiga "Casa do Trem", em João Pessoa.

ROLETTO, GIORGIO

America Atlantica.

Milano: Casa Editrice Dottor Francesco Vallardi, 1933. (Terra e Nazioni. America, IV)

Como quarto volume da série "Terra e Nazioni", esta obra dedicada à América Latina tem como capítulo principal e mais longo o Brasil. O autor, professor da Universidade de Trieste (Itália), nos apresenta um texto sensivelmente melhor do que as clássicas obras de divulgação e conhecimento popular; a ilustração escolhida não é farta mas é boa e pouco usual.

ROOSEVELT, THEODORE

Advogado, escritor e político americano (1858-1919), foi Presidente dos Estados Unidos de 1901 a 1908. Em companhia de colegas do Museu de História Natural de New York, empreendeu em 1913 uma viagem ao interior do Brasil da qual participou o Coronel Rondon (o General Cândido Mariano da Silva Rondon), expedição que passou a ser conhecida como "Científica Roosevelt-Rondon".

Nas selvas do Brasil: ilustrado com fotografias tiradas por Kermit Roosevelt e outros membros da expedição.

Rio de Janeiro: Serviço de Informação Agrícola/Ministério da Agricultura, s.d.

Versão integral do original americano (1914) com reprodução razoável da totalidade das fotografias de Kermit Roosevelt e outros, incluindo as oito estampas fora do texto e três mapas.

ROQUETTE-PINTO, EDGARD

Médico brasileiro (1884-1954?), participou da Expedição Rondon e foi autor de vários estudos de antropologia.

Anthropologia: guia das collecções.

Rio de Janeiro: Typographia da Directoria Geral de Estatistica, 1915.

Este guia é na realidade um pequeno mas substancial tratado de antropologia elaborado pelo diretor do museu (1884-1954), um médico literato e estudioso das ciências naturais, membro da Academia Brasileira de Letras. Sem ilustrações.

Rondônia: anthropologia – ethnographia.

[Rio de Janeiro: Imprensa Nacional], 1917. (Arquivos do Museu Nacional do Rio de Janeiro, 20)

Obra erudita e das mais importantes da etnologia brasileira, foi o produto da viagem do autor à região dos índios Pareci e Nambikuara em 1912; além das ilustrações fotográficas também foram incluídas as dos materiais e objetos recolhidos nesta expedição.

ROSA, Francisco FERREIRA DA

O Rio de Janeiro em 1900: visitas e excursões.

?: ?, ?.

Ainda que seja uma espécie de almanaque, esta obra tornou-se um clássico por força do estilo do autor e pela importância do conteúdo histórico, que inclui a carta de Pero Vaz de Caminha e a *História da Província de Santa Cruz*, de Pero Magalhães Gandavo. Quase todos os itens descritos contam com uma ilustração executada em fotogravura por E. Bevilacqua (editor de cartões-postais daquela época); as demais ilustrações são xilogravuras.

Rio de Janeiro: notícia histórica e descritiva da capital do Brasil.

2ª edição, augmentada. Rio de Janeiro: Edição do Annuario do Brasil, [1924].

Esta segunda edição do original de 1905 é na realidade uma obra nova, refundida e ampliada, bem mais completa e importante do que a anterior. O título nos revela seu conteúdo e sua importância é ressaltada pelo precioso material fotográfico com que foi dotada. Em quarto grande, é uma edição modesta mas vistosa, com uma bela capa de autoria de J. Carlos (v.).

Memorial do Rio de Janeiro: personagens: fatos: narrativas de acontecimentos: vida e progresso da cidade em meio século: 1878-1928.

?: ?, ?. (Arquivo do Distrito Federal. Revista de Documentos para a História da Cidade do Rio de Janeiro, 2)

Após 54 anos da publicação do primeiro volume do *Arquivo do Distrito Federal. Revista de Documentos para a História da Cidade do Rio de Janeiro*, foi publicado este segundo volume, com transcrição integral desta provavelmente última obra do autor. É uma espécie de efeméride carioca, focalizando os temas do subtítulo; muito interessante e muito bem ilustrada.

ROSA, JOÃO GUIMARÃES

Jardins e riachinhos: edição comemorativa dos 75 anos do autor.

Fotos de Luiz Claudio Marigo. [Rio de Janeiro]: Salamandra, [1986].

Segundo o prefaciador, sempre fora desejo de Guimarães Rosa ver algumas de suas antigas crônicas reunidas em um "livrinho" com o título supra, um "livrinho" que veio a consolidar-se neste excelente álbum, pequeno em dimensão e grande em impacto, uma obra que contou com adicional interpretação poética através das fotografias de Luiz Claudio Marigo (v.), um competente observador da natureza.

ROSENTHAL, HILDEGARD

Fotógrafa alemã (1913-1990). Após estudos de pedagogia, fez um estágio em Paris e a seguir estudou fotografia com Paul Wolff em Frankfurt. Em 1937 emigrou para o Brasil, casou-se com Walter Rosenthal, assumiu a diretoria de uma agência de notícias e passou a dedicar-se ao retrato e à fotorreportagem, atividades que deixou de exercer a partir de 1947; várias de suas obras constaram em Memória paulistana *(v.) e na "Coleção Pirelli"* do MASP *(v.). Em 1996 o Instituto Moreira Salles adquiriu o acervo fotográfico (excluídas as fotografias de família).*

Hildegard Rosenthal: fotografias.

São Paulo: Museu de Arte Contemporânea da Universidade de São Paulo, 1974. (Catálogo de exposição, 1974)

Catálogo em fólio desta exposição que apresentou 82 imagens.

Hildegard Rosenthal: cenas urbanas.

São Paulo: IMS, 1998?. (Catálogo de exposição, 1998?)

Entre os acervos fotográficos adquiridos pelo Instituto Moreira Salles nestes últimos anos, constou o de Hildegard Rosenthal, cuja exposição contou com este excelente catálogo, para o qual contribuíram Benedito Lima de Toledo, Boris Kossoy (v. estes) e Vladimir Sacchetta com os textos. Muito interessante.

ROSSINI, JOSÉ CARLOS

Rota de ouro e prata.

São Paulo: GPO Produções Gráficas Ltda., 1995.

Em um álbum de forma oblonga e sob um título que nos faz crer tratar-se de um estudo histórico, revela-se a história dos armadores e seus navios que passaram pelo porto de Santos, história que principia em fins do século XIX e se estende aos nossos dias. A imagem de cada um dos navios focalizados foi colhida em coleção de fotografias e cartões-postais do próprio autor. Interessante.

ROULLET, GASTON

*Paisagista, marinhista e gravador francês (1847-1925); aluno de Jules Noel, expôs no Salão a partir de 1847. Como pintor adido ao Departamento da Marinha e das Colônias, teve ocasião de fazer extensas viagens à África e deve ter passado pelo Brasil, pois existe referência a um desenho que retrata a chegada do Visconde de Rio Branco ao Rio de Janeiro em 1867 (*in História do Palácio Itamaraty, *de Gustavo Barroso, v.) e em* Palácio do Itamaraty. Brasília. Rio de Janeiro *encontra-se reproduzida uma de suas marinhas. Sua obra brasileira é conhecida por uma série de seis gravuras executadas sob desenho do Barão de Rio Branco, que retrata cenas de batalhas navais históricas da Guerra do Paraguai (v.), todas marcadas na chapa: "Gaston Roullet. Peintre du Departement de la Marine et des Colonies", todas atualmente muito raras e reproduzidas na obra a seguir examinada:*

Companhia Cisplatina.

S.l.: Serviço de Documentação Geral da Marinha, 1971.

Modesto álbum oblongo, sem texto, reproduzindo as seis gravuras que retratam as grandes batalhas navais lavradas pelas forças da Tríplice Aliança contra as do Paraguai, executadas por Gaston Roullet sob desenho do Barão do Rio Branco. Considerando a qualidade discutível destas raras gravuras, pode-se considerar a reprodução bastante boa. A importância destas gravuras reside mais na subscrição que contém o título e na relação das naves combatentes e da de seus comandantes do que propriamente no visual das mesmas; este visual, aliás, não é muito nítido nas gravuras originais e a reprodução neste álbum foi bastante feliz.

RUBINSTEIN, MAURO

O Cristo do Rio = The Redeemer of Rio.

Rio de Janeiro: s.e., 1999.

Redigida em estilo panfletário de propaganda e com múltiplos tipos de ilustração, é no entanto uma obra melhor do que as congêneres de divulgação.

RUGENDAS, JOÃO MAURICIO

Johann Moritz ou João Maurício Rugendas (1802-1858), desenhista, pintor e litógrafo alemão, iniciou seus estudos com o pai, Johann Lorenz Rugendas, e a seguir na Academia de Munique. Em 1821 chegou ao Brasil, contratado como desenhista pelo Barão von Langsdorff (v.), naturalista alemão encarregado de dirigir uma expedição científica ao Amazo-

nas a serviço do imperador russo; após várias excursões pelas províncias do Rio de Janeiro, São Paulo e Minas Gerais, recusou-se em 1824 a prosseguir viagem, entregou parte da produção artística ao chefe da expedição (material este atualmente na Academia de Ciências de São Petersburgo) e em 1825 retornou à Europa, fixando-se em Paris para acompanhar a publicação de sua obra sobre a viagem (editada somente em 1835, simultaneamente como Malerische Reise in Brasilien *e* Voyage pittoresque dans le Brésil, *por Engelmann de Mullhouse e Paris), obra formada por cem gravuras e um texto composto por V. A. Huber, baseado em cartas e notas do artista. Após várias viagens e longa permanência no Chile, retornou ao Brasil em 1846, partindo definitivamente para a Alemanha em 1847. Sua vida e obra encontra-se estudada em Gertrud Richter, Pablo Diener e Newton Carneiro (v. estes).*
NOTA: *Quarenta gravuras de sua obra monumental foram regravadas na Suíça e publicadas em 1836 sob o título* Das Merkwürdigste aus der malerischen Reise in Brasilien von Moritz Rugendas *(Schaffhausen: J. Brodtmann, 1836).*

Viagem pittoresca pelo Brasil.

Tradução de Octavio Tavares. [Rio de Janeiro]: Revista da Semana, [1937].

Esta primeira tradução integral, de Octavio Tavares (que também se encarregou das notas), da *Malerische Reise* de Rugendas, foi publicada pela revista carioca *Revista da Semana*. As cem gravuras originais foram reproduzidas em rotogravura de muito boa qualidade (algumas em cores), tornando esta publicação, atualmente rara, de agradável manejo e leitura.

Viagem pitoresca através do Brasil.

São Paulo: Livraria Martins, [1940].

Como primeiro volume da "Biblioteca Histórica Brasileira", dirigida pelo bibliotecário e bibliófilo Rubens Borba de Moraes, esta foi uma notável iniciativa e uma bem feita edição desta importante obra, que reproduz a totalidade das gravuras do álbum original e adiciona dez desenhos que se encontram no acervo da Biblioteca Pública Mário de Andrade, de São Paulo; tradução de Sergio Milliet do original francês, e boa reprodução das ilustrações.
NOTA: Da edição foi feita uma tiragem de 275 exemplares em formato maior.

Viagem pitoresca através do Brasil.

São Paulo: Editora Itatiaia Limitada/Editora da Universidade de São Paulo, [1989].
(Coleção Reconquista do Brasil. 3ª Série, 8)

Edição completa, tiragem especial em fólio, com todas as ilustrações reproduzidas de um só lado da folha de 31,5 x 23,0 cm; acondicionada em uma caixa com reprodução do título do original alemão. Entre as nacionais, é a melhor edição, e conta com prefácio de Antonio Carlos Villaça.

O Brasil de Rugendas.

Belo Horizonte: Editora Itatiaia, 1998. (Coleção Imagens do Brasil, 1)

A mesma editora do item anterior criou a nova série "Imagens do Brasil" e neste primeiro volume reeditou a *Viagem pittoresca* em edição de luxo, acondicionada em caixa. Constaram desta nova edição apenas as cem estampas originais coloridas, com titulagem em francês, acompanhada por uma plaqueta em fólio com um estudo de Antonio Carlos Villaça; a reprodução foi apenas razoável e o texto original omitido.

Viagem pitoresca através do Brasil = Voyage pittoresque dans le Brésil.

Tradução de Sergio Milliet. Rio de Janeiro/São Paulo/Brasília: A Casa do Livro, [1972?].

Mil exemplares numerados (e adicionais dez exemplares f.c.) foi a tiragem desta não muito bem-sucedida iniciativa de apresentar a obra completa em formato da edição original. Foi aproveitada a tradução antiga de Sergio Milliet; as gravuras foram bem reproduzidas, com os títulos em português e omissão das subscrições; a apresentação de Josué Montello foi inadequada.

Brasil antigo.

S.l.: Edições Cultura Ltda., s.d. (Álbum, 1)

Álbum muito modesto e de pequena dimensão (23,0 x 16,5 cm), reproduz somente doze das gravuras originais; prefácio de Murillo Mendes.

Malerische Reise in Brasilien: von Moritz Rugendas.

Sttutgart: Daco-Verlag Bläse, 1986.

Magnífica edição fac-similada de um exemplar da tiragem alemã (Paris, 1835) com colorido da época, em edição de 950 exemplares numerados de 1 a 950, e cem exemplares especiais, dos quais três encadernados em pergaminho, e 97 em couro de cabra. Importante. NOTA: Por ocasião da visita do Presidente da República Federal da Alemanha ao Brasil em março de 1987, um exemplar da tiragem especial foi oferecido ao Presidente brasileiro.

A viagem pitoresca através do Brasil: com todas as ilustrações originais da edição francesa.

[Rio de Janeiro]: Edições de Ouro, s.d.

Entre as múltiplas edições nacionais da obra de Rugendas, inclui-se esta "popular", que adotou a paginação de uma revista para a reprodução das cem gravuras do original. O texto e os comentários às gravuras foram confiados ao historiador Herculano Gomes Mathias (v.) e a reprodução das gravuras é bem aceitável, tornando esta edição, de baixo custo e distribuição em bancas de jornal, de agradável visual.

Rugendas.

Salvador: IOB-ID, 1965. (Imagens e Documentos, 2)

Segundo volume da coleção "Imagens e Documentos", apresenta bom estudo do historiador baiano Frederico Edelweiss e reproduz a seguir, muito mal, detalhes de algumas das litografias originais. A intenção desta coleção é "popularizar a iconografia do Brasil antigo, particularmente a documentação relativa à Bahia"; qualquer que tenha sido a intenção, o resultado foi negativo.

No Brasil ha cem anos.

São Paulo: Hermann Kruse, 1938.

Arqueólogo brasileiro, falecido em 1947, Hermann Kruse (v.) viajou por longos anos por Minas Gerais e Goiás e em 1939 pela Bahia. Em 1938 publicou este álbum com reprodução fac-similar de dez gravuras originais da edição francesa, *Voyage pittoresque dans le Brésil...* (Paris, 1835), álbum ao qual juntou um folheto que serve de prefácio e justificação de tiragem (350 exemplares assinados). Cada estampa foi montada com *passe-partout*. NOTA: Este álbum é muito raro e não se conhecem referências a esta edição; conhecem-se, por outro lado, raros exemplares avulsos destas dez pranchas do álbum, estas marcadas com carimbo "Fac-símile" no verso.

Johann Moritz Rugendas: inéditos: álbum comemorativo do lançamento da Enciclopédia Mirador Internacional.

[São Paulo]: s.e., 1975. (álbum)

Um belo e original álbum de folhas soltas, de 40 x 30 cm, com reproduções de oito desenhos originais e inéditos da coleção de Hasso Weiszflog, presidente da Editora Companhia Melhoramentos, de São Paulo; acompanha um texto com trechos do original da *Viagem pitoresca*. Tiragem de 300 exemplares; acondicionado em envelope especial, ornado com um dos desenhos. NOTA: Em 1985 o Ministério das Relações Exteriores enviou a Bonn (Alemanha) uma seleção de obras de Rugendas provenientes de acervos públicos e particulares que se destinavam a participar de uma grande exposição comemorativa de 25 anos da Sociedade Teuto-Brasileira de Bonn, ocasião em que foi confeccionado o cartaz *Rugendas: Deutsch-Brasilianische Gesellschaft. 1960-1985*, que reproduz um dos referidos desenhos de Rugendas da coleção Hasso Weiszflog e no verso transcreve artigos de Radha Abramo, Riveke Aronis e Ilsa Leal Ferreira.

(Johann Moritz Rugendas).

S.l.: [Companhia Bayer], [1941?]. (álbum)

Álbum com doze reproduções coladas sobre cartolina, com propaganda da Companhia Bayer no verso e no *passe-partout*. NOTA: Este gênero de propaganda era muito comum na década de 1950, principalmente por parte das indústrias farmacêuticas, tendo quase sempre o Brasil antigo como tema. A Livraria Kosmos Editora publicou um calendário para o ano de 1989 sem declinar autoria, reproduzindo na dimensão original seis destas gravuras da edição francesa da *Malerische Reise in Brasilien*.

33 desenhos originais de Rugendas: coleção Pirajá da Silva – São Paulo.

São Paulo: Pinacoteca do Estado/Governo do Estado de São Paulo/Secretaria da Cultura, Ciência e Tecnologia, 1977. (Catálogo de exposição, set.-out. 1977)

Catálogo de uma coleção particular de desenhos de Rugendas (atualmente do acervo da Biblioteca Mário de Andrade, de São Paulo), com notas de Aracy Amaral e Rubens Borba de Moraes (v. estes); reprodução deficiente de dezoito dos desenhos (um adicional na capa).

Dos aspectos de las artes plásticas en Brasil: Rugendas: Portinari.

Exposición organizada por el Ministerio de Relaciones Exteriores del Brasil con motivo de la visita de Su Excelencia el Señor João Baptista Figueiredo, Presidente de la Republica Federativa del Brasil, a la Republica Argentina. [Brasil: s.e., 1980]. (Catálogo de exposição, 1980)

Curioso confronto artístico para esta exposição organizada pelo Ministério das Relações Exteriores para a visita de um presidente brasileiro à Argentina. Catálogo suntuoso, muito bem ilustrado e impresso, conta com estudo de Newton Carneiro (v.) sobre Rugendas e de Clarival do Prado Valladares (v.) sobre Cândido Portinari (1903-1962).

Rugendas.

[São Paulo]: Instituto de Estudos Brasileiros IEB/Universidade de São Paulo, [1991]. (Catálogo de exposição, fev. 1981)

Uma pequena exposição, bem apresentada; o catálogo conta com estudo de Mayra Laudanna, uma boa bibliografia e duas reproduções.

Rugendas.

São Paulo: Imprensa Oficial do Estado, 1981.

Primeira reprodução nacional do raro álbum *Das Merkwürdigste aus der malerischen Reise in Brasilien von Moritz Rugendas* (Schaffhausen, 1836), um álbum com quarenta gravuras da *Malerische Reise* (Paris, 1835) que foram regravadas por J. Brodtmann, editor e litógrafo suíço (1787-1862). Emanuel von Lauenstein Massarani apresentou pequeno estudo sobre o artista e seus álbuns. O papel utilizado, vergé creme, dá às ilustrações um colorido sépia e uma pequena falta de nitidez a esta bem cuidada edição; à tiragem de 1 500 exemplares seguiu-se uma segunda, de mil exemplares, em papel Sinawhite creme, que acentuou ainda mais este defeito.

Rugendas: America de punta a cabo: Rugendas y la araucaria.

[Santiago]: Editorial Aleda, [1992].

Em fins de 1992 realizou-se na Biblioteca Nacional em Santiago do Chile uma grande exposição de Rugendas, que contou com importante participação da Biblioteca Mário de Andrade de São Paulo e diversas coleções particulares brasileiras. De acordo com um sistema adotado pelos museus chilenos, a organização da exposição e a elaboração do catálogo é confiada a um historiador de arte, no caso Pablo Diener Ojeda (v.), chileno, com doutorado em história da arte na Suíça, que tem a liberdade de escolher seus colaboradores mas também assume a responsabilidade total do projeto. O presente catálogo foi um sucesso total e esgotou-se durante a exposição; é notável sob todos os pontos de vista e constitui um autêntico tratado. Quatro estudiosos, Carlos Fredes Aliaja, Helmut Schnidler, Rolf Foester e o próprio Pablo Diener Ojeda, examinaram diversos aspectos da atuação artística de Rugendas na América Latina. Altamente recomendável.

Rugendas: Brasil romântico.

São Paulo: Difusão Nacional do Livro, s.d. (Documentos Históricos, 7)

Rugendas e J.B. Debret: paisagem colonial.

São Paulo: Difusão Nacional do Livro, s.d. (Documentos Históricos, 8)

A presente e a a precedente obra fazem parte de uma série de dez volumes titulados "Documentos Históricos" (v.), todos em fólio de 57 x 39 cm e cartonados. As ilustrações em preto e branco são detalhes muito ampliados de gravuras originais, acompanhados de trechos do texto original. Para a divulgação cultural a que se destinam, estas obras são aceitáveis e mesmo recomendáveis. NOTA: O presente oitavo volume da série também traz obras de Debret (v.).

Juan Mauricio Rugendas: pintor y dibujante.

São Paulo: Estação Liberdade/Goethe Institut, 1998. (Catálogo de exposição, 1998)

Belo e importante catálogo de uma exposição realizada no Museo Nacional de Bellas Artes de Santiago do Chile. Segundo o curador Pablo Diener (v.) e para obter maior equilíbrio artístico, esta mostra teve por guia a relação de obras apresentadas pelo próprio artista em suas exposições de 1845 e 1846 na Academia Imperial de Belas Artes do Rio de Janeiro. Foram assim apresentadas 71 telas, das quais cerca de 40 reproduzidas. Completando a exposição, foram apresentados 32 desenhos da coleção José Mindlin (v.), de São Paulo, todos reproduzidos e acompanhados de um estudo da curadora Maria de Fátima Costa (v.).

RUSCHI, AUGUSTO

Naturalista brasileiro (1915-?).

Aves do Brasil.

Ilustrações: Etienne Demonte, Yvonne Demonte. Vol. I. Vol. II – Chaves artificiais e analíticas. São Paulo: Editora Rios, 1979-1981.

Aves do Brasil.

Vol. IV – Beija-flores. Vol. V – Beija-flores. Rio de Janeiro: Expressão e Cultura, [1986].

Obra monumental por um dos maiores naturalistas brasileiros, tragicamente falecido em decorrência de seus trabalhos científicos. Ainda que publicada por editores diferentes, os vários volumes desta obra em fólio tiveram idêntica apresentação gráfica e de encadernação; todos os volumes contaram com as fotografias do autor e de Cristina de Bourbon Orleans e Bragança e a colaboração dos irmãos Etienne (aquarelas) e Yvonne Demonte (desenhos) nos volumes I e II, e os desenhos de Etienne Demonte (v. estes) nos volumes IV e V. NOTA: Segundo aviso do autor no volume II, a obra deveria constar de três volumes para formar uma série completa, mas no volume IV adverte que este faltante terceiro seria publicado em 1987, sendo provável que não tenha chegado a concluir este projetado trabalho.

Beija-flores do Estado do Espírito Santo = Hummingbirds of State of Espírito Santo.

Santa Teresa: Estação Biológica do Museu Nacional UFRJ/[São Paulo: Editora Rios, 1982].

Obra projetada como sendo a primeira de uma nova série: "Aves do Estado do Espírito Santo", apresenta as mesmas e excelentes características editoriais das anteriores e também conta com as pranchas de Etienne Demonte (v.), todas atualmente no acervo do Museu de Biologia Prof. Mello Leitão (ES). Muito recomendável.

Aves do Brasil = Birds of Brazil.

São Paulo: Editora Rios, 1984-1985.

Cinco portfolios contendo cada um seis pranchas de 42 x 32 cm de aquarelas de Etienne Demonte (v.) que ilustram os volumes 1 e 2 de *Aves do Brasil* de Augusto Ruschi, retro-referidos; o texto do autor restringe-se à descrição da ave representada na prancha.

Beija flores = Hummingbirds.

[Santa Teresa]: Museu de Biologia Prof. Mello Leitão, 1973.

Pequeno álbum de folhas soltas, 27 x 18 cm, comportando o texto e 43 pranchas de lindíssimas fotografias coloridas de C. H. Greenewalt, um dos maiores biólogos americanos da atualidade e especialista do tema, ativo no Museu de História Natural de New York. Edição de mil exemplares em estojo, assinados pelo autor, contém anexo um opúsculo com texto da obra em inglês e o folheto "Criação e reprodução de beija-flores em cativeiro", por Augusto Ruschi.

S

SABER, AZIZ NACIB AB'

Litoral do Brasil = Brazilian coast.

[São Paulo]: Metalivros, [2001].

Obra de cunho geográfico por um dos profissionais mais conhecidos do País, dotada de boas ilustrações por uma plêiade de fotógrafos competentes e os desenhos da fauna local por Rolf Grantsau (v.). Muito recomendável.

SABÓIA, PATRICIA

A saga da Wilson Sons; um passeio de 160 anos pela história da Wilson Sons em terras brasileiras.

Rio de Janeiro: Editora Index-Basi, 1997.

Obra digna da efeméride do título, ricamente ilustrada e apresentada.

SACRAMENTO, ENOCK

30 artistas brasileiros na coleção do Banco Cidade = 30 Brazilian artists in the collection of Banco Cidade.

São Paulo: [Banco Cidade], 1995.

Bela obra em tiragem de 10 000 exemplares fora de comércio. Como catálogo do acervo artístico de um banco paulista, entretanto, causa um certo desapontamento, não tanto por ser em parte desconcertante a qualidade dos quadros reproduzidos, mas principalmente pela falta de equilíbrio entre os artistas representados nesta coleção. Assim, contrastando com boas esculturas de Bruno Giorgi, Francisco Stockinger, Victor Brecheret e Lasar Segall (do qual é notada a ausência de alguma obra pictórica), encontramos Domenico Calabrone, Liuba e Sonia Ebling, como também encontramos Cândido Portinari, Di Cavalcanti, Ismael Nery e Manabu Mabe face a quadros de Nestor Peres, Harry Elsas e Italo Cencini; ou ainda uma solitária litografia de Tarsila do Amaral proveniente de um álbum e três gravuras de Marcelo Grassmann face a dez grandes telas de Orlando Teruz, estas praticamente do mesmo tipo e tema; o mesmo estranho critério é notado entre os quadros de pintores acadêmicos, onde se destacam apenas João Baptista da Costa e Antonio Parreiras.

SAGGESE, ANTONIO

Arquiteto e fotógrafo brasileiro, com cursos de aperfeiçoamento em Milão (Itália), dedica-se à propaganda e à moda. Tem obras representadas na "Coleção Pirelli" do MASP *(v.); participou da obra* Contemporâneos brasileiros. 1981 *(v.) e ilustrou a obra* O móvel da casa brasileira *(v.),* Cadeiras brasileiras *e* Prêmio Design Casa Brasileira.

SAIA, LUIS

Arquiteto brasileiro, antigo Diretor do Condephaat.

SAIA, Luis e TRINDADE, Jaelson Bitran. *São Luiz do Paraitinga, levantamento métrico-arquitetônico e fotográfico, e estudos da formação de uma cidade tradicional paulista.*

[São Paulo]: Conselho de Defesa do Patrimônio Histórico, Arqueológico, Artístico e Turístico do Estado – Condephaat, [1977]. (Publicação nº 2)

Publicação modesta de um importante estudo arquitetônico-histórico da cidade de São Luiz do Paraitinga, antigo núcleo formado ao longo de um dos três caminhos que ligavam o litoral atlântico ao planalto paulista no Vale do Paraíba. Com o concurso do arquiteto Massayoshi Kamimura, sua equipe e o fotógrafo Antonio das Neves Gameiro, foi efetuado um levantamento métrico-arquitetônico completo das principais praças, ruas, igrejas e prédios da cidade. O texto de Luis Saia (póstumo), antigo diretor do Condephaat, e do atual diretor Jaelson Bitran Trindade, além de oito plantas colhidas em antigos documentos locais, são básicos para o estudo da cidade e sua importância no século XIX.

SAINT-HILAIRE, AUGUSTE

Augustin François Cesar Prouvensal, ou Saint-Hilaire, botânico francês (1779-1853), acompanhou em 1816 a comitiva do Duque de Luxemburgo ao Brasil, realizando cinco importantes viagens de exploração e estudo. Além de suas obras sobre estas viagens, tornaram-se conhecidíssimas as Flora brasiliae meridionalis *(Paris, 1825-1833) e* Plantes usuelles des Brasiliens *(Paris, 1824).*

A. Saint-Hilaire: 1779-1853: catálogo de exposição comemorativa do bicentenário de nascimento.

[Rio de Janeiro]: Biblioteca Nacional, 1979.

Dedicada em grande parte à figura e obra deste botânico e viajante francês, este catálogo também contou com uma relação da parte iconográfica (itens nº 64 a 92), o retrato do sábio e um prefácio de Afonso Arinos de Melo Franco.

SALATHÉ, FRIEDRICH

Gravador suíço, pintor de paisagens e de arquitetura (1793-1858). Estudou e trabalhou com Peter Birmann até 1823 e estabeleceu-se a seguir em Paris, onde trabalhou para Ritt-

ner & Goupil, oficina de gravura ativa entre 1831 e 1842, e especializada em estampas de panoramas e vistas. Para esta oficina executou as treze água-tintas do álbum Souvenirs de Rio de Janeiro, dessinés d'après nature et publiés par J. Steinmann, *de J. Steinmann (v.), editado em data que varia entre 1835 e 1839, e os quatro grandes panoramas.*

SALDANHA, PAULA

Expedições: terras e povos do Brasil.

Rio de Janeiro: Edições Del Prado, 1998.

Primeiro volume de uma série programada para vinte obras, relata uma viagem às nascentes do Amazonas pela jornalista Paula Saldanha e pelo cientista e biólogo Roberto Wermek. Obra de divulgação ricamente ilustrada com fotografias coloridas.

SALGADO, PLÍNIO

O poema da Fortaleza de Santa Cruz.

São Paulo: Guanumby, 1951.

Durante sua prisão na Fortaleza de Santa Cruz no Rio de Janeiro em 1939, o autor compôs o poema transcrito nesta obra em fólio e tiragem de mil exemplares assinados. Além de um histórico descritivo da Fortaleza, a obra conta com excelente ilustração de Rugo, formada por numerosos desenhos coloridos, vinhetas e letras capitulares sobre aspectos da Fortaleza, além de retratos de homens públicos brasileiros.

SALGADO, SEBASTIÃO

Fotógrafo brasileiro (1944), economista com curso de aperfeiçoamento em Paris, deixa subitamente importante atividade em Londres para se dedicar integralmente à fotografia a partir de 1973. Ingressa na Agência Magnum e passa a desfrutar do maior prestígio nacional e internacional. Engajado social e politicamente na problemática da degradação humana por guerras, natureza hostil e miséria, sua obra é a de um concerned photographer *mas sempre lírica, profundamente triste e de grande impacto.*

Terra.

Introdução de José Saramago. Versos de Chico Buarque. São Paulo: Companhia das Letras, 1997.

Fotografias.

Rio de Janeiro: Edição Funarte, 1982.

Êxodos.

Concepção e design de Lelia Wanik Salgado. São Paulo: Companhia das Letras, 2000.

Três obras sobre diferentes temas, épocas e locais, retratando a alta qualidade da produção fotográfica de Sebastião Salgado. Muito recomendáveis.

An uncertain grace.

S.l.: Aperture, s.d.

Uma antologia da obra deste grande fotógrafo realizada em diversas regiões do mundo; produzida pela fundação americana Aperture para servir de catálogo a uma exposição itinerante, limitou-se a parte do Brasil às imagens colhidas em Serra Pelada. Muito recomendável.

SALGUEIRO, VALERIA

Paisagens de sonho e verdade: Rio de Janeiro, Buenos Aires e Cidade do México nos álbuns ilustrados de oito artistas viajantes = Paisajes de sueño y verdad: Rio de Janeiro, Buenos Aires y Ciudad de Mexico en los albunes ilustrados de ocho artistas viajeros.

Rio de Janeiro: Frahia, 1998.

Importante obra histórica e pictórica oriunda de uma tese de doutorado em História Social, apresentada neste pequeno e belo álbum oblongo. Como já nos revela o título, a obra não se limita ao Brasil, que foi contemplado com estudos específicos sobre os artistas William Gore Ouseley, Johann Moritz Rugendas e Henry Chamberlain (v. estes).

SALVADOR, Frei VICENTE DO

História do Brasil: 1500-1627.

5ª edição, comemorativa do 4º centenário do autor. São Paulo: Edições Melhoramentos, 1965.

Reedição desta importante obra histórica de Frei Vicente do Salvador (Vicente Rodrigues Palha, 1564-1636/39), muito bem ilustrada com reprodução de mapas, gravuras e documentos antigos. Desta edição comemorativa foi feita uma tiragem especial encadernada e de alto luxo em 1 800 exemplares f.c.

SANT'ANNA, AFFONSO ROMANO DE

Barroco: alma del Brasil.

[Rio de Janeiro: Comunicação Máxima], 1997.

Excelente edição da versão espanhola do original do mesmo ano, com texto erudito de alta qualidade e as expressivas fotografias de Pedro Oswaldo Cruz (v.).

SANTA CATARINA

A antiga Província de Santa Catarina começa a se fazer notar na segunda metade do século XVII e se consolida a partir da colonização açoriana em fins do século XVIII e da alemã a partir de 1824.

Centenário de Blumenau: 2 de setembro 1850-1950.

[Blumenau]: Edição da Comissão de Festejos, [1950].

Volumosa e substancial obra comemorativa sobre a cidade centenária e a imigração alemã na então Província de Santa Catarina. A edição não prima por qualidade, mas a ilustração é muito significativa e provém de arquivos públicos e particulares. Muito interessante.

Santa Catarina: a ilha.

Florianópolis: Fundação Cultural Prometheus Libertus, 1995.

Editado por uma entidade que se propõe "estimular o desenvolvimento da consciência individual e coletiva" e nos adverte que sua característica é por "ações arrojadas, totalmente comprometidas com a vanguarda...", encontramos uma obra pictórica bonita e vistosa ainda que bastante convencional, fruto do esforço de treze fotógrafos egressos de diversas profissões liberais e atualmente engajados em fotografia de propaganda e fotojornalismo, coordenados por texto de Mario Xavier.

Memória de Joinville: 1851-1981: 130 anos de amor e trabalho.

Joinville: s.e., março 1981. (Catálogo de exposição, mar. 1981)

Plaqueta em quarto grande para uma exposição de trezentas fotografias comemorativas descritas, das quais quarenta razoavelmente reproduzidas; as fotografias provieram de coleções familiares e são amadorísticas.

Santa Catarina.

São Paulo: Metalivros, 1992.

Com texto de Jair Francisco Hamms, esta é uma antologia visual de alto nível profissional e técnico, contando entre os colaboradores com Araquém Alcântara, Palo Jr., Juca Martins, Klaus Mitteldorf, Marigo (v. estes) e Nair Martins.

SANTILLI, MARCOS

Fotógrafo brasileiro (1951), fez curso de especialização em Londres (1973) e passou a documentar e dedicar-se a aspectos ambientais, obtendo apoio das Fundações Guggenheim e Vitae e bolsa da Fullbright (1997-1998); dirige atualmente o Museu da Imagem e do Som de São Paulo; representado na "Coleção Pirelli" do MASP *(v.), ilustrou* Fazendas de café: Vale do Paraíba *(v.) e participou das obras* Madeira-Mamoré; imagem e memória, Cadernos de fotografia: arquivo fotográfico *e* São Paulo; imagens de 1988.

Àre: Marcos Santilli.

2ª edição. [São Paulo]: Sver & Boccato Editores Ltda., [1987].

Belo álbum que integra um documentário audiofotográfico do "Projeto Nharamaã", patrocinado em grande parte pela The John Simon Guggenheim Memorial Foundation para o estudo dos problemas sócio-ambientais da colonização de Rondônia a partir de 1977. O documentário fotográfico de Marcos Santilli retrata o choque da cultura indígena com a crescente civilização, um choque que também nos narra verbalmente na mesma obra no estudo da antropóloga Betty Mindlin. Muito interessante e recomendável.

Madeira-Mamoré: imagem & memória = image & memory.

São Paulo: Villares, 1987.

Documentário fotográfico extraordinário e de grande impacto sobre o atual estado de abandono total do pouco que restou do patrimônio histórico e material da heróica e gloriosa "Ferrovia do Diabo". Importante e muito recomendável.

SANTOS, EURICO

Árvores do Brasil.

Rio de Janeiro: [Roche], s.d. (Coleção Artística Roche)

Fólio pequeno com 24 cartões avulsos, propaganda do laboratório farmacêutico Roche; reproduz aquarelas de M. Colonna que retratam árvores brasileiras de diversos tipos, todas com texto descritivo de Eurico Santos. As aquarelas originais reproduzidas nesta coleção se encontram na Escola Nacional de Belas Artes, no Rio de Janeiro.

SANTOS, FAUSTO HENRIQUE DOS

SANTOS, Fausto Henrique dos, MOURA, Fernando Menezes de e FERNANDES, Neusa. *Catálogo dos museus do Brasil.*

Rio de Janeiro: Associação Brasileira de Museologia, 1984.

Modesta publicação coligida por três museólogos e prefaciada pela última, nada mais é do que uma relação dos museus conhecidos em seus Estados, com os respectivos endereços. Esta relação foi enriquecida com 24 boas fotografias de prédios históricos que abrigam alguns destes museus.

SANTOS, Francisco Agenor de NORONHA

As freguesias do Rio antigo vistas por Noronha Santos.

Rio de Janeiro: Edições O Cruzeiro, 1965.

Em 1900 o autor publicara no Rio de Janeiro a obra *Apontamentos para o Indicador do Distrito Federal*, uma espécie de guia toponímico da cidade, ao qual acrescentara importantes notas históricas. A presente edição reproduz o histórico original das 21 freguesias (bairros) e notas correspondentes, e acrescenta um estudo de Paulo Berger (v.), um especialista do assunto, que também se encarregou de atualizar as descrições. A importância deste trabalho é realçada pelas fotografias de prédios desaparecidos, quase todas inéditas.

SANTOS, FRANCISCO MARTINS DOS

Bertioga histórica e legendária: 1531/1947: pequena história do arrabalde santista.

Edição comemorativa do IV centenário da Fortaleza de S. Tiago ou S. João e do X aniversário da fundação do Instituto Histórico e Geográfico de Santos. Santos: Edição Armando Lichti/Tipografia Brasil, [1948?].

Edição modesta para um estudo por um bom historiador, com significativas fotografias, mapas e quadros históricos.

SANTOS, HELIO FREIRE DOS

SANTOS, Delio Freire dos e RODRIGUES, José Eduardo Ramos. *Câmara Municipal de São Paulo: 1560-1998: quatro séculos de história.*

São Paulo: Imprensa Oficial, 1998.

Resumo histórico ao longo de quatro séculos em bem cuidada edição. A ilustração foi deliberadamente do tipo folhetinesco, com numerosos desenhos e aquarelas incorporadas ao texto, em grande parte de autoria de Belmonte (v.). Na parte final, imagens da atual sede, o Palácio Anchieta, com fotografias convencionais de Joveci de Freitas.

SANTOS, JOSÉ DE ALMEIDA

Mobiliário artístico brasileiro.

São Paulo: s.e., [1963?]. (Coleção Museu Paulista, vol. I – vol. II tomo 2)

Nesta segunda edição (em três volumes) de uma obra que se tornou um clássico, o autor apresenta o texto deste consagrado estudo com amplo documentário fotográfico e um adicional glossário de termos técnicos, a "Terminologia urbanística", acompanhado de desenhos ilustrativos e pela qual obteve um prêmio da Academia de Letras em 1952. Importante.

SANTOS, LUIS GONÇALVES DOS

Luis Gonçalves dos Santos (1767-1844), o Padre Perereca, foi cônego da Capela Imperial, sócio honorário do Instituto Histórico e Geográfico Brasileiro e da Academia de Lisboa.

Memórias para servir à história do reino do Brasil / em apêndice: Documentos e notas biobibliográficas, índices completos da obra, tanto do anotador como do autor.

Rio de Janeiro: Livraria Editora Zelio Valverde, 1943. 2 v.

Primeira edição brasileira desta obra clássica (Lisboa, 1825), inesgotável repositório de informações sobre a cidade do Rio de Janeiro. Esta edição reproduz as duas gravuras originais de Caetano Nunes de Almeida (Portugal 1795-1851): "Planta e, Prospecto geometrico da Regia Varanda que se eregio para a Feliz Aclamação do Nosso Augusto Soberano o S. D. João VI, em a Côrte do Rio de Janeiro" e "Monumento q a Camera quiz se levantasse em memoria da feliz chegada da R. Familia ao Rio em 1807. começousse a obra mas não foi pª. diante.", e várias provenientes de Henderson, Petit-Thouars, Nicolas Antoine Taunay (v. estes) e outros.

SANTOS-DUMONT, ALBERTO

O que eu vi: o que nós veremos.

São Paulo: s.e., 1918.

Clássica obra do pioneiro da aviação, ilustrada com fotografias de suas experiências e realizações com balões, dirigíveis e os primeiros aviões, incluindo uma fotografia do monumento que lhe foi dedicado em vida na cidade de St. Cloud (França). Muito interessante.

SÃO PAULO

Com cerca de 30 000 habitantes em fins da década de 1870, sem expressão política e econômica no cenário nacional e sem atrativos especiais que pudessem chamar atenção dos "viajantes" da época, a cidade de São Paulo passou por vertiginoso progresso industrial e comercial nas décadas seguintes que a levariam a ostentar mais de 200 000 almas no virar do século e revelou o enorme potencial e os fatores responsáveis por sua ascensão ao posto de maior parque industrial da América Latina e, finalmente, a uma das maiores cidades do mundo.

A capital paulista comemorando o centenário da independência.

?: ?, 1922.

Obra importante, editada em brochura de alta qualidade gráfica, é reputada como rara; distingue-se por um prefácio de Amadeu Amaral e sobretudo pela excelente documentação fotográfica, que inclui grande número de monumentos e edifícios históricos.

A casa de Dona Yayá.

São Paulo: Edusp/Imprensa Oficial, 1999.

Mais do que um simples relato visual e documental sobre a recuperação de um importante solar paulistano, esta obra é uma crônica familiar e social de um personagem trágico cujo falecimento em 1961 transformou um imóvel em pano de fundo. Longas batalhas judiciais determinaram a adjudicação da propriedade à Universidade de São Paulo e outros longos anos resultaram em tombamento pelo Estado e no início das imprescindíveis obras de conservação. O conjunto destes fatos produziu esta excelente obra dotada de estudos por professores universitários e uma bela documentação visual geral, além de um ensaio fotográfico pela arquiteta Angela Garcia.

A Cathedral de São Paulo.

S.l.: s.e., 1929.

Pequeno álbum oblongo publicado pela Comissão Executiva da "Semana Pró Cathedral", com vistas do projeto, da cripta já concluída e um panorama geral das obras em andamento.

A Cathedral de São Paulo.

S.l.: s.e., s.d.

Álbum sem indicação de autor, data e local de impressão, contém dez estampas (19 x 24 cm) coladas sobre cartolina, das quais três vistas fotográficas da velha Sé e sete reproduções de desenhos do projeto de Maximiliano Hehl para a nova catedral.

Botica Ao Veado d'Ouro: 1º centenário: 1858-1958: a farmácia que há 100 anos serve São Paulo, sempre correspondendo a confiança dos clientes e da classe médica.

[São Paulo: s.e., maio 1958].

Apesar da modéstia da edição e do texto, é uma obra muito interessante e bem ilustrada, contando com diversos desenhos do pintor alemão Robert Mertig (ativo em São Paulo na década de 1920) e muitos desenhos e retratos de A. Esteves, executados especialmente para esta publicação.

A cidade da Light = The city of the Light Company: 1899-1930.

[São Paulo]: Eletropaulo Eletricidade de São Paulo S/A, [1990]. 2 v.

Ainda que este álbum fotográfico pretenda apenas comemorar a instalação e décadas de conservação do sistema de transporte urbano elétrico na cidade de São Paulo, constitui na realidade importantíssimo documento iconográfico. Será difícil encontrar outra publicação que venha revelar tantos e preciosos aspectos de uma cidade que se desenvolveu nas décadas retratadas e que, durante estas mesmas décadas, perdeu progressivamente todos os vestígios de tradição e arquitetura que a distinguiram no início do relato. As inúmeras e reveladoras fotografias foram todas de autoria dos funcionários da concessionária, muito bem reproduzidas. Muito recomendável.

Exploração do rio Juqueryquerê.

Publicado no periodo presidencial do Dr. M.J. Albuquerque Lins, sendo Secretario da Agricultura o Exmo. Sr. Dr. Padua Salles. São Paulo: Typographia Brazil de Rothschild & Co., 1911.

Exploração do littoral: 1ª secção: Cidade de Santos à fronteira do Estado do Rio de Janeiro.

Publicado no periodo presidencial do Exmo. Sr. Conselheiro Francisco de Paula Rodrigues Alves sendo Secretario da Agricultura interino o Exmo. Sr. Dr. J. Cardoso de Almeida. São Paulo: Typographia Brazil de Rothschild & Co., 1915.

Exploração do littoral: 2ª secção: Cidade de Santos à fronteira do Estado do Paraná.

Publicado no periodo presidencial do Exmo. Sr. Dr. Altino Arantes, sendo Secretario da Agricultura o Exmo. Sr. Dr. Candido Motta. São Paulo: Typographia Brazil de Rothschild & Co., 1920.

Estas três obras, em fólio grande, foram publicadas pela Commissão Geographica e Geologica do Estado de São Paulo; constituem até hoje o maior e mais completo e importante levantamento geográfico, histórico, topográfico, cartográfico e pictórico do litoral paulista, um conjunto de obras empreendidas por esta memorável Commissão iniciada por Charles Frederik Hartt (v.), dedicada ao levantamento geográfico do Estado e de sua rede fluvial. Muito importante.

A cidade iluminada; tecnologia e política a serviço da Light no início do século: exposição de iconografia, documentação escrita, peças e equipamentos.

São Paulo: Eletropaulo, 1989. (Catálogo de exposição, maio-jun. 1989)

Catálogo muito bem feito de uma exposição "de iconografia, documentação escrita, peças e equipamentos", realizada na Fábrica do Sesc Pompéia (São Paulo). Serviu como catálogo, mas é na realidade um pequeno e importante tratado sobre o tema do título.

A paisagem paulistana à época do telefone: edição comemorativa do 100º aniversário da instalação dos serviços telefônicos em São Paulo, promovida pela Telecomunicações de São Paulo S/A.

Emanuel von Lauenstein Massarani. [São Paulo]: Telesp, 1984.

Uma obra curiosa, que pretende comemorar uma efeméride específica e para tanto aborda temas não pertinentes, como é o longo ensaio de Dominique E. Baechler sobre o academismo na pintura paisagística européia; também é obra bela pela excelente apresentação e paginação, pela documentação fotográfica e pela perfeita reprodução de oito telas de Benedito Calixto e quinze de José Wasth Rodrigues (v. estes). Tiragem de 3 000 exemplares em boa encadernação, contando ainda com a reprodução do quadro *Avenida Paulista*, de jul. es Martin (v.), nas folhas de guarda.

A São-Paulo Railway do Brazil: vistas das obras da Serra de Santos.

Paris: Levallois, [1890?].

Pequeno álbum sobre os novos "planos inclinados" da ferrovia na Serra do Mar (Estado de São Paulo), do pé da serra em Piaçaguera ao cume em Paranapiacaba. Além da fotografia da Estação da Luz (São Paulo) na capa, o álbum conta com trinta fotografias de vistas gerais (de autor não revelado), dos trens e das obras de arte civis, todas com legenda em português e em inglês. Um prefácio histórico completa a obra, editada provavelmente na década de 1890.

A São Paulo Railway: vistas das officinas da Lapa.

Paris: Levallois, s.d.

Com as mesmas características do item anterior, um álbum com 26 fotografias gerais e detalhadas da oficina centralizada no bairro da Lapa, em São Paulo.

Arte/Cidade; cidade sem janelas.

São Paulo: Editora Marca d'Água, 1994.

Publicação interessante que não é catálogo nem guia, mas um relatório visual de um programa de apresentações artísticas variadas ao redor e no interior do antigo Matadouro Municipal de São Paulo, muito bem focalizado em seu conjunto e em detalhes arquitetônicos. Boas e bem reproduzidas fotografias revelam um prédio que abriga atualmente a Cinemateca Brasileira.

Árvores significativas de São Paulo.

São Paulo: Prefeitura do Município de São Paulo/Secretaria Municipal de Planejamento, 1985.

A pretexto de contribuir para a preservação do meio ambiente urbano, a Secretaria de Planejamento publicou este álbum quase suntuoso sobre árvores de diversas espécies inseridas no visual da cidade de São Paulo, produzindo assim um agradável documento iconográfico devido a Cristiano Mascaro (v.), Ana Teophilo e outros.

Aspectos da cathedral.

?: ?, 1954?.

Álbum de boas fotografias da Catedral de São Paulo e do estado da construção na época dos festejos do quarto centenário da cidade.

Assembléia Legislativa de São Paulo: um exercício de democracia.

São Paulo: Editora Marca d'Água, 1991.

Obra panegírica, bem ilustrada.

Basilica e Mosteiro de S. Bento: São[sic] Paulo: 32 vistas.

[São Paulo]: s.e., s.d. (Álbum com 32 cartões-postais)

Pequeno álbum de 32 cartões-postais impresso na Alemanha na década de 1920. NOTA: Como campanha natalina em prol da "Casa Dom Macário", a mantenedora Fundação São Bento de São Paulo editou uma série de nove cartões avulsos que reproduzem aspectos internos do Mosteiro de São Bento.

Bens culturais arquitetônicos no município e na região metropolitana de São Paulo.

[São Paulo]: SNM – Secretaria de Estado dos Negócios Metropolitanos/Emplasa – Empresa Metropolitana de Planejamento da Grande São Paulo S/A / Sempla – Secretaria Municipal de Planejamento, 1984.

Uma obra que há longa data se fazia necessária. Organizada e redigida por equipes técnicas de dois órgãos estaduais e um municipal, obedeceu a um sistema de classificação por tipo: arquitetura de aldeamento, edifícios religiosos, rurais e residenciais, escritórios e estabelecimentos comerciais e industriais, hotéis, escolas, hospitais, teatros e parques, encontrando-se cada item documentado fotograficamente e devidamente historiado e analisado. Importante para o estudo da arquitetura em São Paulo. NOTA: Com o mesmo título, dimensão e *layout*, foi juntado a esta obra um "Complemento", contendo uma errata, a legislação vigente sobre o zoneamento e o exame de mais alguns itens.

Bens imóveis tombados ou em processo de tombamento da USP.

[São Paulo]: Co-edição Edusp/Imprensa Oficial, [1999].

Bem elaborado estudo pelos curadores Maria Cecília França Loureiro e Nestor Goulart dos Reis (v.), com participação da fotógrafa Angela Garcia.

Bixiga: aviso de uma pesquisa urbana: São Paulo.

[Itália: Gráfica Gutenberg, 1983].

Em 1982 foi realizado em São Paulo um seminário a nível de pós-graduação sobre etnofotografia, baseado na exposição italiana "Antropologia Visual: a Fotografia", apresentada no MIS na mesma ocasião. Orientados pelo professor italiano Sandro Spini, os fotógrafos participantes deste seminário promoveram uma pesquisa no bairro paulistano da Bela Vista, o "Bixiga", antigo e tradicional reduto de imigrantes italianos; é esta pesquisa que se encontra visualmente retratada neste interessante documentário impresso na Itália.

Caixa Econômica Federal.

São Paulo: [Caixa Econômica Federal?], 1940.

Álbum monumental encadernado em couro, publicado para comemorar a construção da sede da Caixa Econômica Federal em São Paulo; em um só lado da folha foram apresentadas fotografias convencionais em cores de aspectos gerais do prédio e suas dependências.

Calendário ano 2000.

São Paulo: Drogaria São Paulo, [1999]. (Calendário)

Sete excelentes fotografias de São Paulo na década de 1900, coloridas; no verso, em pequena dimensão, as correspondentes fotografias atuais.

Campos Elíseos: a casa e o bairro: a tecnologia da construção civil em 1900.

São Paulo: Imprensa Oficial do Estado, s.d.

Plaqueta muito interessante, que aborda fotograficamente os três temas constantes do título: aspectos dos exteriores e interiores do Palácio dos Campos Elísios (antigo Palacete Pacheco Chaves), as ruas, praças e casas do bairro de Campos Elísios e a diversidade em tecnologia de construção provocada por diferentes ondas imigratórias.

Cantareira: patrimônio arquitetônico e natural.

São Paulo: Arquivo do Estado/Imprensa Oficial, 2000.

Obra idealizada e redigida por Malcolm Forest e Mauro Victor, ligados a movimentos cívicos de conservação da Serra da Cantareira, o cinturão verde da cidade de São Paulo e como tal reconhecido pela Unesco em 1997. Nasceu a obra como resultado altamente positivo de um concurso público de fotografia em 1998, "Raízes da vida, fotografe a natureza e a história da Zona Norte", do qual foram selecionadas imagens para a composição de capítulos dedicados ao bairro do Tremembé, a arquitetura na região, o Horto Florestal com seu parque, sede e museu, e finalmente o objetivo principal: a reserva de biosfera. Muito recomendável.

Casa das Retortas: Brás: espaço e uso.

[São Paulo]: Secretaria Municipal de Cultura de São Paulo, 1980. (Cadernos, 2)

Bela edição em quarto grande, com ilustrações em sépia, sobre o restauro da Casa das Retortas da antiga usina de gás da cidade de São Paulo, adaptada em 1980 para servir como centro cultural e sede do Departamento de Informação e Documentação Artística, Idart, e do Centro de Documentação e Informação sobre Arte Brasileira Contemporânea.

Casas paulistanas; pequenos tesouros da Mooca na transformação de São Paulo.

São Paulo: Casa Paulistana de Comunicação, 1998.

Um bom fotojornalista da atualidade empreendeu um passeio pelo bairro da Mooca, em São Paulo, um dos bairros antigos que mais sofreram o impacto do progresso e crescimento da cidade. Sua visão fotográfico-poética nos revela aspectos de uma época em que este bairro era habitado por operariado de origem italiana, imprimindo às suas habitações o estilo de vida herdado de seus antepassados. Interessante.

100 anos da Casa das Retortas: 1889-1989.

São Paulo: Centro Cultural São Paulo, 1989.

Modesta plaqueta comemorativa do centenário da Casa das Retortas, a antiga fábrica de gás de carvão em São Paulo; desenhos esquemáticos por José Luiz Telles dos Santos e bom documentário fotográfico antigo.

100 anos de Butantan = 100 years of Butantan.

São Paulo: Instituto Butantã, 2000.

Álbum que comemora o centenário deste importante centro de pesquisa do Estado de São Paulo; não é edição vistosa e tampouco atraente, mas é rica em material fotográfico antigo e moderno (em branco e preto) e algumas imagens dos laboratórios (em cores).

Cem anos Luz = Luz Station.

São Paulo: Dialeto Latin American Documentary, 2000.

Com texto de Antonio Soukaf Junior, fotografia de Eduardo Albarello e patrocínio da Construtora Camargo Corrêa, este é um excelente documentário sobre a Estação da Luz em São Paulo, a estação central da antiga São Paulo Railway, a Santos-Jundiaí, ou "inglesa". Edição caprichada que contém farta documentação iconográfica sobre São Paulo antigo e o Porto de Santos, além de aspectos antigos e modernos de detalhes arquitetônicos e decorativos da estação, e aspectos gerais da construção da ferrovia e de sua estação. NOTA: Por ocasião do lançamento da obra, foi distribuída uma carteira de dez postais com o mesmo título.

Cidade de/City of São Paulo.

São Paulo: Melhoramentos, 1996.

Com textos de Washington Olivetto, Olgária Matos e Nicolau Sevcenko, Zélio Alves Pinto projetou um belo álbum que reúne vistas do passado a presentes colhidas pela câmara de Pedro Henrique (v.), que soube captar imagens pouco habituais dos sítios históricos e pitorescos, além de alguns prédios construídos pela Método, patrocinadora desta linda edição.

Cinqüenta anos de progresso com São Paulo: 1900-1950.

São Paulo: São Paulo Tramway Light and Power, Limited/Gráfica F. Lanzara, ?

Interessante documentário comemorativo das atividades da concessionária de energia elétrica em São Paulo, muito bem ilustrado.

Da capela à metrópole = From the chapel to the metropolis.

São Paulo: Imagem Data, 1997.

São as igrejas de São Paulo que assim se nos apresentam, sempre sob o prisma pouco habitual e surpreendente de um bom fotógrafo; igualmente bons os textos de Helena Saia e Walter Pires.

Edifício Trianon.

São Paulo: s.e., 1968.

Álbum editado pela Sociedade Construtora Heleno & Fonseca retratando fases da construção do Edifício Trianon, o atual MASP – Museu de Arte de São Paulo Assis Chateaubriand, e publicado por ocasião de sua inauguração.

Eis São Paulo.

S.l.: Editora Monumento S/A, 1954.

Obra publicada pela editora de uma importante indústria litográfica de São Paulo, a Companhia Litográfica Ypiranga, em comemoração ao quarto centenário de São Paulo, foi integral e ricamente dotada com fotografias de seus funcionários, sobretudo as de Georg Paulus Waschinski. Como todos estes tipos de obra, também a presente pretende "revelar o milagre da cidade que mais cresce no mundo" e constituir "uma obra que rompesse os limites de um livro" e, para tanto, criar uma imagem dinâmica que não fosse uma simples sucessão de vistas do tipo cartão-postal; não foi bem o que aconteceu, mas não deixa de ser uma obra interessante, que revela aspectos os mais variados da cidade, em suas duzentas fotografias, unidas em seqüência por títulos ideados pelo coordenador Theo Gygas.

Energia em evolução: COMGÁS – A Companhia de Gás de São Paulo.

São Paulo: DBA, 1998.

Tema aparentemente banal e desinteressante deu margem a uma bela obra, que apresenta importantes fotografias antigas de São Paulo e modernas referentes ao tema do título, além de uma página especial de modelos de luminárias a gás e com notável ensaio fotográfico especial de Rômulo Fialdini (v.). Texto em português e inglês.

30 Jahre Sport-Club Germania: São Paulo.

São Paulo: Esporte Clube Germania, 1929.

Notável álbum comemorativo de um clube esportivo, o atual Esporte Clube Pinheiros, notável não só por sua apresentação em quarto grande e expressiva documentação fotográfica, mas também pelo texto histórico.

Germania: Pinheiros; IX décadas: edição comemorativa.

[São Paulo?]: Alameda, 1992.

Com textos de Alceu de Melo Viana e comemorando cinqüenta anos de instalação do Conselho Deliberativo desta associação esportiva centenária, criou-se um significativo e importante documentário com históricas fotografias do arquivo.

Esporte Clube Pinheiros: 1899-1999: álbum do centenário.

São Paulo: [Esporte Clube Pinheiros], 1999.

Contrariando a regra geral, este álbum comemorativo é notavelmente bem impresso, paginado e encadernado. Riquíssima a documentação fotográfica antiga e moderna, mantida como acervo próprio no Centro Pró-Memória Hans Nobiling. Muito interessante.

Estação jul. io Prestes.

São Paulo: BM&F, 1997.

Vistosa obra que retrata um dos mais portentosos e faustosos monumentos da arquitetura eclética no Brasil: a antiga Estação Júlio Prestes da Estrada de Ferro Sorocabana, atualmente restaurada. As corretas fotografias em branco e preto (algumas poucas em cores) de dois profissionais competentes visaram mais os riquíssimos detalhes arquitetônicos exteriores e interiores mas não se descuidaram das vistas gerais. NOTA: A obra foi concluída antes da adaptação do grande hall central para formar o atual salão "Sala São Paulo", provavelmente o melhor salão de concertos do País.

Sala São Paulo: café, ferrovia e metrópole.

São Paulo: Arquivo do Estado, 2001.

Edição monumental e digna das comemorações pela recuperação da Estação Júlio Prestes da antiga Estrada de Ferro Sorocabana e sua transformação na grandiosa "Sala São Paulo", sede da Orquestra Sinfônica do Estado de São Paulo. Além de excepcional documentação fotográfica de Iatã Canabrava (v.), conta também com muitas imagens antigas e os panoramas de Pallière e Valério (v. estes) em folhas desdobráveis; textos sobre o histórico heróico da formação da rede ferroviária do Estado de São Paulo (destinada ao escoamento da riqueza nacional do café), sua posterior decadência e a atual recuperação da Estação Júlio Prestes, prédio símbolo. Obra imprescindível para estudos e muito interessante.

Exposição comemorativa do IV centenário da fundação de São Paulo: 1554-1954.

Lisboa: Palácio Galocias, 1954. (Catálogo de exposição, 1954)

Efeméride dignamente organizada e estudada por especialistas portugueses sob a direção de Alberto Iria, diretor do Arquivo Histórico Ultramarino (Lisboa). Além de farta documentação histórica, conta com seções de cartografia, pintura, gravura, desenho, fotografia, escultura e numismática. Catálogo de excelente qualidade, reproduz apenas algumas poucas personalidades históricas; importante para estudos.

Exposição de história de São Paulo no quadro da história do Brasil: guia para o visitante.

São Paulo: Comissão do IV Centenário de São Paulo, 1954. (Folheto)

Um "Guia para o visitante", em pequeno formato e péssimo papel, sem ilustrações; foi o único impresso que descreveu as nove seções de um importante pavilhão dedicado à história da cidade em seus 400 anos. Importante.

Faculdade de Direito do Largo de São Francisco: a velha e sempre nova Academia.

São Paulo/Rio de Janeiro: Editora Saraiva/AC&M Editora, [1997].

O aspecto exterior da obra é bem superior ao efetivo conteúdo pictórico que nos é apresentado em duas partes distintas: uma primeira (mal apresentada e paginada), com fotografias antigas do prédio, as instalações e os corpos docente e discente, e a segunda com poucas fotografias recentes de Rômulo Fialdini (v.), e bom texto de Ebe Reale. Em seu conjunto, é uma obra decepcionante.

Filme-folheto de um passeio a Interlagos, a cidade balneária satélite da capital.

São Paulo: Auto-Estrada, 1942.

Folheto-propaganda para distribuição gratuita, editado por uma companhia particular que projetou e executou o atual bairro de Interlagos, o Aeroporto de Congonhas e o Autódromo de Interlagos. É um folheto modesto, mas esta modéstia não impede que a vasta documentação fotográfica possa ser considerada importante, principalmente por apresentar a cidade em seu todo e não se limitar ao novo bairro (este apresentado em folhas desdobráveis); completa a obra um artigo de Alvaro do Amaral sobre a evolução de São Paulo a partir de 1822.

Firestone: 1986.

[São Paulo?]: Firestone, 1986. (Calendário, 1986).

Calendário de grande formato (56 x 67 cm), com seis ilustrações de Tomas A. Prieto, redesenhando a nanquim gravuras antigas e fotografias modernas da cidade de São Paulo.

Folclore de São Paulo: Brasil.

São Paulo: Secretaria de Cultura, Esporte e Turismo, 1975.

Pequeno álbum, com bom texto sobre festas, folguedos, danças e outras atrações populares, muito bem ilustrado em cores.

Folclore de São Paulo: Brasil.

São Paulo: Secretaria de Cultura, Esporte e Turismo, s.d.

Álbum de idêntica apresentação do item precedente, com o mesmo texto; ilustrações diferentes, também boas, mas menos expressivas.

Gás, sua história começa aqui.

São Paulo: Comgás, s.d.

Plaqueta de apresentação histórica, bem ilustrada.

Grande São Paulo: região metropolitana.

São Paulo: Geomapas, s.d. (Mapa)

Grande mapa desdobrável (85 x 135 cm) da região do título.

Guia da Catedral Metropolitana de São Paulo.

[São Paulo]: s.e., [1956].

Reiniciadas as obras da Catedral de São Paulo no ano do quarto centenário da cidade, o Padre José Thurler organizou este guia histórico-artístico; edição modesta, bem ilustrada.

Guia dos bens tombados: São Paulo.

2ª edição. Rio de Janeiro: Expressão Cultura/Co-edição Unilivros Distribuidora Ltda., [1986].

Após a edição do *Guia dos bens tombados* (v.) que relaciona os tombamentos do Serviço de Patrimônio Histórico e Artístico Nacional, a editora apresenta esta seqüência, em quarto grande, com os tombamentos no Estado de São Paulo pelo órgão estadual Condephaat. O método empregado é idêntico à publicação anterior, com histórico, descrição, bibliografia e algumas informações adicionais. A segunda parte da obra é dedicada às ilustrações, todas em bico de pena, em grande parte assinadas por V. Mariotti (datadas de 1981) e uma menor de L. Rosa (também de 1981); conta ainda com um prefácio de Francisco de Assis Barbosa e uma "Introdução" do coordenador Nestor Goulart Reis Filho, não havendo referência sobre os dois desenhistas (dos quais nada foi possível apurar). Importante. NOTA: Em 1986 foi editada uma segunda edição.

Guia turístico da cidade de São Paulo: planta da cidade de São Paulo: Mapa Gagliardi.

São Paulo: Mapa Gagliardi, Casa Especializada em Mapas, [1958?].

Guia muito resumido e indicador das ruas do centro de São Paulo para uma planta de São Paulo em tamanho gigante (75 x 110 cm) e na escala 1:22 000.

História, energia e cotidiano: exposição inaugural do Museu de Energia – Núcleo Itu.

2ª edição. S.l.: Museu de Energia – Núcleo Itu/Itaú, 1999. (Catálogo de exposição, 1999)

Catálogo de uma exposição histórica e museológica de um dos núcleos do Museu de Energia da Fundação Patrimônio Histórico da Energia de São Paulo. Assunto árido para muitos, passa entretanto a interessante e atrativo quando visto através das imagens fotográficas deste museu (instalado em prédio histórico de meados do século XIX), muito bem captadas e reproduzidas.

Hospital Israelita Albert Einstein: a realização de um sonho.

São Paulo: [Hospital Israelita Albert Einstein], 1996.

Ainda que se trate de obra importante para o estudo das atividades assistenciais e beneficentes da comunidade israelita na cidade de São Paulo, a presente não foi muito feliz em sua apresentação gráfica e visual, em parte pelo excesso de fotografias de eventos sociais e, por outro lado, igual excesso em aspectos exclusivamente técnicos confiados ao fotógrafo Rômulo Fialdini (v.). O texto em português (com resumo em inglês) é do jornalista Bernardo Lerer.

Hospital Santa Catarina; 90 anos de história.

São Paulo: DBA, 1995.

Longe de ser tão-só a história de um hospital e o da Congregação de religiosas alemãs que o fundaram e o dirigem até o presente, esta é uma obra sobre as condições da saúde e da higiene na cidade de São Paulo da virada do século aos nossos dias. Expressivas fotografias antigas e outras igualmente boas da atualidade por Tuca Reinés (v.), além dos competentes textos de Ignácio de Loyola Brandão (v.) e Andrea di Pace, produziram uma bela e importante obra.

Imagens de São Paulo.

São Paulo: MASP, 1990.

Doze fotógrafos brasileiros participaram com 107 obras da 17ª Triennale de Milão (1988) dedicada às "grandes cidades do mundo e o futuro da metrópole", fotografias que foram doadas por seus autores ao MASP e a seguir apresentadas em exposição patrocinada pela Pirelli, que também editou este catálogo-folheto desdobrável, em cartolina, reproduzindo apenas oito das obras apresentadas.

Instituto Tomie Ohtake.

São Paulo: Grupo Aché/Ohtake Cultural/Instituto Tomie Ohtake, [2001?].

Folheto de apresentação em forma de plaqueta de grande dimensão, profusamente ilustrada.

Isto é São Paulo: 96 flagrantes da capital bandeirante.

[São Paulo]: Edições Melhoramentos, [1951].

A importância deste despretensioso álbum de fotografias pode ser medida pelo fato de ter sido incluído entre os álbuns dados como pioneiros por especialistas do assunto. Com prefácio em português, inglês, francês, alemão e italiano, esta obra é imprescindível para estudo.

Lembranças de São Paulo: série de nove cartões-postais retratando a cidade na década de vinte.

[São Paulo]: Studio Flash Produções Gráficas, s.d. (Envelope com nove cartões-postais)

Envelope titulado contendo os nove postais do título, escolhidos pelo fotógrafo e editor Cesar Mateos e descritos no verso, provenientes do ateliê de Guilherme Gaensly (v.) e de Colombo & Francesconi e quase todos editados pela Livraria Edanee, uma editora muito importante naquela época. O colorido aplicado a estes cartões não foi muito feliz.

Leste-Oeste: em busca de uma solução integrada.

São Paulo: Companhia do Metropolitano de São Paulo/Prefeitura do Município de São Paulo, fev. 1979.

Obra técnica elaborada pela Companhia do Metropolitano de São Paulo, profusamente ilustrada com mapas, plantas e inúmeras fotografias de Derli Barroso sobre a região e as obras já realizadas.

Liberdade: inventário geral do patrimônio ambiental, cultural e urbano de São Paulo.

[São Paulo]: Prefeitura do Município de São Paulo, 1987. (Cadernos do Igepac, 2)

Trabalho técnico, notavelmente bem ilustrado (mas não tão bem reproduzido); muitos mapas urbanos e inúmeros desenhos de edifícios e prédios, além de quatro grandes mapas avulsos desdobráveis.

Liceu de Artes e Ofícios de São Paulo: missão excelência.

São Paulo: Editora Marca d'Água, 2000.

Muito mais do que um histórico desta tradicional instituição técnico-pedagógica dos fins do século XIX, esta obra é o único documentário de partes de sua importante produção técnica e artística até hoje revelado. As imagens, em reprodução de grande qualidade, provieram quase todas do acervo do próprio instituto, cujo fotógrafo titular de 1900 a 1914 foi J. Manoel, provavelmente um de seus muitos artesãos. As modernas são devidas a Isabella Carnevale e Ivson.

Megacities: São Paulo 2003.

[São Paulo]: Edition Siemens, 2002. (Calendário)

Calendário de formato esdrúxulo (1,00 x 0,33 m), com doze imagens da cidade e do Estado de São Paulo pelo fotógrafo alemão Kurt Paulus (1956).

Memória paulistana.

[São Paulo: Museu da Imagem e do Som], 1975. (Catálogo de exposição, fev. 1975)

Catálogo muito volumoso e muito peculiar, fruto de uma grande exposição do Museu da Imagem e do Som de São Paulo para a inauguração de sua sede própria. Compõe-se de uma parte dedicada à fotografia e uma segunda à pintura, esta em seqüência invertida mas unida ao volume, tudo em papel couché e com excelentes reproduções. Conta a primeira parte com notícias avulsas coligidas de obras literárias e jornalísticas da época das imagens e uma seqüência de fotografias históricas sobre Militão e sua "Photographia Americana", Valerio Vieira, Viaduto do Chá e Estação da Luz, bondes da Light, parques do Centro, Luiz Gonzaga de Azevedo (fotógrafo amador, filho de Militão), circos, teatros, artistas, imigrantes, esportes, festas, jornais, propaganda, as revoluções de 1924 e 1932, Hildegard Rosenthal (v.), formando uma autêntica e bela história visual de São Paulo. A segunda parte foi uma exposição realizada no Paço das Artes, com reprodução de vinte telas a óleo de Alfredo Volpi, Cuoco, Rebolo, Benedito Calixto, João Rossi, Figueira Júnior e Mogbi (todos retratando São Paulo).

Memória urbana: a Grande São Paulo até 1940.

[São Paulo]: Emplasa/Arquivo do Estado/Imprensa Oficial, 2001. 3 v.

Importante obra em três volumes, dos quais o primeiro é dotado de excelentes fotografias antigas e ilustrações a bico de pena e guache de Fernando de Souza Lima; o segundo é dedicado exclusivamente à estatística, sem ilustrações, e o terceiro é formado por sete mapas históricos, incluindo o de 1810 de Rufino T. Costa e o da Revolução de 1932 por José Wasth Rodrigues (v.), este em cores; consta ainda uma pasta contendo uma plaqueta com todos os índices. Importante.

Mercado Central.

[São Paulo: s.e., 1982].

Coordenado pela Comissão de Fotografia e Artes Aplicadas sob a presidência de Boris Kossoy (a mesma comissão responsável pelos "Cadernos de Fotografia", v.), apresenta-se neste simpático e interessante álbum um conjunto expressivo de vistas arquitetônicas e de tipos humanos que compõem o Mercado Central, projetado e construído pelo Escritório Ramos de Azevedo (v.).

Monumento Mausoléu aos Heróis de 1932: uma obra de Galileo Emendabili.

São Paulo: Imprensa Oficial de São Paulo, 1982.

Em concurso promovido em 1933 para a construção em São Paulo do monumento do título, o escultor italiano Galileo Emendabili (v.) concorreu com dezessete outros candidatos e apresentou dois projetos, premiados como primeiro e segundo lugares. Inaugurada a cripta em 1954, o monumento em si somente foi inaugurado em 1982, ocasião em que foi publicada esta plaqueta com a reprodução das principais peças e outros detalhes, além de um estudo sobre o escultor por sua filha, Fiametta Emendabili.

Monumentos e esculturas de São Paulo.

São Paulo: Secretaria de Cultura, Esporte e Turismo, [1968].

Pequeno guia que não faz jus ao autoproclamado êxito pela rápida distribuição de 20 000 exemplares. Dos inúmeros monumentos da capital paulista, poucos foram descritos e apenas trinta reproduzidos em pequenas fotografias coloridas sem maior inspiração. A descrição se restringiu ao fato ou ao personagem retratado e ao nome do autor.

Monumentos urbanos: obras de arte na cidade de São Paulo = City monuments: artworks in São Paulo.

São Paulo: Banco Sudameris Brasil/Prêmio, 1998.

Prosseguindo suas publicações anuais, o Banco Sudameris do Brasil publicou mais esta bela e importante obra com fotografias de diversos autores e, sobretudo, as de Rômulo Fialdini (v.), um dos mais expressivos da nova geração. O texto, muito bem ilustrado e confiado a Tadeu Chiarelli, é muito bom e elucidativo sobre a seleção das obras, entre as quais foram incluídas algumas consideradas "manifestações monumentais, sobretudo arquitetônicas", como seriam alguns vitrais e murais especiais, excluindo-se por outro lado as obras "de caráter meramente celebrativo", como o são a escultura retratando o Conde Matarazzo e o monumento a Pedro Álvares Cabral.

Morada paulista: o estilo nosso de cada época: de 1860 a 1960.

[São Paulo]: Museu da Casa Brasileira, 1986. (Catálogo de exposição, nov.-dez. 1986)

Foi uma exposição que se fazia necessária e correspondeu ao imperativo. O catálogo, muito bem impresso e com excelentes fotografias, contou com um estudo preliminar da curadora Maria Alice Milliet e com a colaboração de especialistas para as seções de: fazenda, palacete, residência funcional, Casa Modernista. Em anexo, uma relação descritiva de cada uma das 275 peças.

Mosteiro de São Bento, São Paulo.

São Paulo: Companhia Antarctica Paulista, 1988.

Excelente obra que retrata este tradicional mosteiro (construído em 1912) e seu importante acervo artístico, enriquecido com a fotografia de Rômulo Fialdini (v.) e textos, entre outros, de Ruy Nunes, João Marino (v.) e, sobretudo, do monge beneditino Dom Clemente da Silva-Nigra (v.), cujo básico estudo "A Ordem Beneditina na cidade de São Paulo" fora previamente publicado no jornal *O Estado de S. Paulo,* de 25 de janeiro de 1954. Importante.

Nasce uma metrópole: a evolução de São Paulo no período republicano.

São Paulo: Livraria Martins Editora, 1954.

Como contribuição às comemorações ao IV centenário de São Paulo, a Companhia Antarctica Paulista publicou esta luxuosa plaqueta cartonada com texto de Paulo C. Florençano para comentar as telas a óleo de Diogo Duarte Paes e Pedro de Alzaga. Estas telas, de estilo acentuadamente acadêmico e cores excessivamente vivas, recriam vistas da cidade ao longo do período definido no título, com ênfase na propaganda de produtos da patrocinadora. Obra vistosa e de rasgada propaganda, mas interessante em seu conjunto. NOTA: Na mesma ocasião foi publicada um miniatura desta obra, em forma de um pequeno álbum, com o mesmo título e as mesmas ilustrações.

No ar, 60 anos do Aeroporto de Congonhas.

São Paulo: Infraero, 1996.

Texto de Giselle Beiguelman e documentação iconográfica baseada em fotografias antigas e documentação jornalística e de propaganda, conta ainda com extenso ensaio fotográfico adicional (cuja autoria não foi possível estabelecer por falta da folha de título do exemplar examinado).

O Brado do Ipiranga.

Cecília Helena de Salles Oliveira e Claudia Valladão de Mattos: organizadoras. São Paulo: Edusp/Museu Paulista, 1999.

Segundo volume da série "Acervo", esta é uma bela obra, bem paginada, bem impressa e muito bem ilustrada, incluindo a reprodução desdobrável da *Independência ou Morte*, de Pedro Américo (1843-1905). Muito interessante.

O centro de São Paulo; um olhar sobre a cidade.

São Paulo: Bolsa de Mercadorias e Futuros, 1996.

Ensaio fotográfico que nos revela, em mais de cem imagens, por diversos fotógrafos, o que a cidade tem a apresentar ao observador interessado em riquezas arquitetônicas do passado. Cada uma das fotografias é realçada por texto explicativo de Sergio Miceli e Silvana Rubino. Além da impecável apresentação, é interessante.

O livro de São Paulo.

[São Paulo]: J.C.L., [1979].

Comemorando sessenta anos de atividades da Rhodia, foi editada esta bela obra que se recusa a aceitar alguma classificação, mesmo transcrevendo a "explicação" do prefaciador Luiz Seraphico: "pretende levantar valores enquanto coisas coletivas". A obra se nos apresenta em dois volumes, dos quais o primeiro com título supra em encadernação espiral, com ensaio fotográfico de Dulce Soares, Cristiano Mascaro (v. estes), Abelardo Aloes Neto e Hilton Souza Ribeiro sob a coordenação de Maureen Bisilliat (v.), além de uma fotografia de D. Olívia Guedes Penteado e inclusão de algumas produções poéticas e o roteiro "Um roteiro paulistano" de jul. ita Scarano. O segundo volume, cartonado e com o título "O caderno de São Paulo", conta com estudos de Carlos Lemos, Pietro Maria Bardi (v. estes) e Laura Vergueiro, e a excelente apresentação em fotografias antigas da "Villa Kyrial", o salão literário do senador Freitas Valle, e do igualmente literário salão de D. Olívia Penteado. Pelo conjunto das ilustrações e pela importância dos estudos, esta é uma obra muito recomendável.

O sítio urbano original de São Paulo, o Páteo do Colégio.

São Paulo: Conselho de Defesa do Patrimônio Histórico, Arqueológico, Artístico e Turístico do Estado – Condephaat/Governo do Estado de São Paulo/Secretaria da Cultura, Ciência e Tecnologia, 1977. (Publicação nº 1)

A propósito da controvertida reconstrução de uma igreja em local histórico, o Condephaat apresenta um estudo técnico-histórico com boa documentação fotográfica antiga e moderna.

Obras escultóricas em espaços externos da USP.

São Paulo: Edusp/Comissão de Patrimônio Cultural, 1997.

Apresentado como sendo o primeiro dos "Cadernos CPC" (Comissão de Patrimônio Cultural), esta obra é na realidade um portentoso volume de estudos sobre as obras tridimensionais existentes no campus da Universidade de São Paulo. Dotada de boas fotografias da arquiteta Angela Celia Garcia e de excelentes estudos dos professores Maria Cecilia França Lourenço e Murillo Marx, esta obra em tiragem de 2 000 exemplares cartonados é muito recomendável.

Paisagem paulista: áreas protegidas.

São Paulo: Empresa das Artes, 1999.

Uma obra visualmente bonita mas de conteúdo quase técnico, tem por finalidade servir de "instrumento de conscientização e de valorização dos recursos que devemos sempre preservar"; promovida pela Secretaria do Meio Ambiente do Estado para servir de guia técnico-descritivo dos parques estaduais e ecológicos, conta com sucinto texto de Luiz Roberto

Clauset e muito bem escolhidas fotografias pela coordenadora, a fotógrafa Dulce Carneiro. Interessante.

Palácio da Justiça: São Paulo.

São Paulo: Eletropaulo, 1989.

Com material fotográfico de seus arquivos sobre as diversas fases de construção do Palácio da Justiça de São Paulo (1920-1932), a Eletropaulo patrocinou esta bela obra sobre um dos mais imponentes prédios públicos projetados por Ricardo Severo e construído por Ramos de Azevedo (v. estes) em estilo neoclássico típico da época. Ao importante conjunto de fotografias anônimas foram acrescidas fotos coloridas atuais de Rômulo Fialdini (v.), um fotógrafo cuja produção sempre realça a beleza de uma obra e, no caso presente, sua imponência.

Patrimônio cultural de São Paulo.

In *C. J. Arquitetura: Revista de arquitetura, planejamento e construção*, ano v, nº 19, 1978.

Este número de revista merece um destaque especial por cumprir integralmente e com grande autoridade o tema do título por seus colaboradores especializados. O material fotográfico não é bem reproduzido mas é rico e elucidativo.

Patrimônio cultural paulista: CONDEPHAAT: bens tombados 1968-1998.

[São Paulo]: Conselho de Defesa do Patrimônio Histórico, Arqueológico, Artístico e Turístico do Estado de São Paulo, [1998].

São sempre úteis e necessárias obras desta natureza, principalmente quando tão bem apresentadas como a presente, com boa descrição e ilustração de cada bem tombado. Muito importante.

Prédio Alexandre Mackenzie.

São Paulo: Eletropaulo, 1984.

Projetado pelos arquitetos americanos Preston e Curtis, este prédio-sede da Light & Power de São Paulo (posterior Eletropaulo) foi construído em 1925 em ponto nobre da cidade, construção fotograficamente documentada neste bem apresentado álbum que inclui vistas dos acabamentos internos e de alguns dos aspectos arquitetônicos originais.

Projeto Tietê: documento IAB – SP.

São Paulo: Pini Editora, 1991.

Bem apresentada plaqueta de um projeto do Instituto de Arquitetos do Brasil (Seção de São Paulo) sobre o tema do título, com boas fotografias e desenhos esquemáticos.

IV centenário da fundação da cidade de São Paulo e sua evolução: 1554-1954.

São Paulo: Gráfica Edicor, 1954.

Publicação comercial, com grande número de anúncios. Texto formado por trechos de *História do Brasil*, de Vicente Tapajós, e de *São Paulo d'Outrora*, de Cursino de Moura (com tradução resumida em espanhol, italiano, inglês, francês e alemão), acompanhada de boa documentação fotográfica antiga e moderna, sofrivelmente reproduzida.

Reconstituição da memória estatística da Grande São Paulo: volume 2.

São Paulo: Emplasa, 1983. v. 2.

A jul. gar por este segundo volume, também o primeiro deve ser igualmente rico em fotografias antigas de São Paulo (cedidas pela Eletropaulo e por vários colecionadores particulares) e contando provavelmente também com bons desenhos de Edson Matsuo.

Relatório anual 1977.

São Paulo: Banco Mercantil de São Paulo, [1977].

Relatório bancário, ilustrado com dez excelentes fotografias de página inteira (fotógrafo não revelado) dos parques da cidade de São Paulo.

Retrato de São Paulo: Manchete Especial.

Edição especial da revista *Manchete*, São Paulo, 25 jan. 1970.

Volumoso número especial da revista *Manchete*, apresentando uma infinidade de aspectos da cidade, do Estado e outros tantos anúncios, com alguns poucos textos jornalísticos intercalados.

Revista do Arquivo Municipal – Edição Comemorativa de 50 anos – 1934-1984.

Edição especial da *Revista do Arquivo Municipal*, São Paulo, nº 196, 1984.

Esta edição especial da *Revista do Arquivo Municipal* contém um importante ensaio fotográfico de Benedito J. Duarte de 1939 com doze imagens do centro de São Paulo tiradas do mesmo ângulo de anteriores fotografias de Militão e Valerio Vieira (v. estes), série à qual foi oposta uma nova de Jorge Hirata de vistas atualizadas de 1984. Muito interessante.

Rumo ao Paraíso; evolução de um bairro.

São Paulo: Racional, [1991?].

Concluída a transformação de uma grande loja comercial de São Paulo (a Sears, de 1949) em um moderno *shopping center*, a Construtora Racional publicou esta obra comemorativa para traçar a evolução do bairro do início de seu progresso em fins do século XIX ao impacto da nova obra em fins do presente. Ao texto do arquiteto e historiador Benedito Lima de Toledo (v.) acrescentou-se a excelente documentação fotográfica antiga e confiou-se a atual a Marjorie Rose Sonnenscheim, criando uma obra interessante.

São Paulo.

Gauting: PUG, 1979.

Belo álbum fotográfico de uma editora alemã que confiou a coordenação a Stefan Geyerhahn, um dos sócios da Livraria Kosmos (Rio de Janeiro), encarregada da distribuição da obra. Texto do historiador paulista Leonardo Arroyo (v.) e fotos de Claus Meyer, George Love, Walter Firmo (v. estes) e outros.

São Paulo.

[São Paulo: Secretaria da Cultura, Esporte e Turismo, 1969?].

Publicação de órgão estatal para distribuição gratuita nos aeroportos, no formato de 31 x 32 cm, com 10 fotografias antigas e 26 modernas (a metade coloridas) de Tania Sigulda e Klaus Werner.

São Paulo.

São Paulo: Spala Editora, [1982?].

Patrocinada pela Vasp e pelo Governo do Estado na virada da década de 1980, estamos diante de uma típica antologia fotográfica de aspectos vários e múltiplos da cidade e do Estado de São Paulo, numa visão de pouco destaque do fotógrafo Sergio Martins e dos profissionais da Abril Press, em álbum volumoso de acabamento superior.

São Paulo: a cidade e os trilhos.

[São Paulo]: Associação Pró Parque Modernista, [1993].

Catálogo bem apresentado mas pouco ilustrado de uma grande exposição comemorativa de 25 anos da Companhia do Metropolitano de São Paulo; em anexo, uma planta da rede atual e futura.

São Paulo: a cidade, o habitante, a administração: 1975-1979.

[São Paulo]: Prefeitura do Município de São Paulo, [1979].

Contrariando o espírito e a apresentação dos tradicionais relatórios administrativos, o presente foi editado para ser "mais do que um relatório [...] procura ser um documento", um "documento que demonstra o desenvolvimento da cidade [...] espelha as aspirações de seus habitantes". Este relatório cumpriu a promessa através de seu texto e, sobretudo, as ilustrações, colhidas em grande parte nos arquivos públicos.

São Paulo: Brasil.

[São Paulo]: s.e., 1974.

Álbum de fotografias coloridas em uma publicação da Prefeitura de São Paulo sob o tema "A cidade a caminho de onde"; texto de Miguel Colasuonno, prefeito da cidade.

São Paulo: Brasil.

[São Paulo]: Secretaria de Cultura, Esporte e Turismo/Governo Abreu Sodré, s.d.

Cartela oblonga contendo um conjunto sanfonado de 25 grandes etiquetas retratando cada uma e em cores alguns eventos culturais ou turísticos da capital e de cidades do interior paulista, destinadas a aposição em correspondência para incentivar o turismo no Estado.

São Paulo: Brasil: 1974.

[São Paulo: Prefeitura do Município de São Paulo, 1974].

Álbum de boa qualidade gráfica, editado sob patrocínio da Prefeitura de São Paulo, contendo algumas fotografias antigas e muitas modernas por autores não revelados. As fotografias da cidade e seus atrativos são convencionais e variam de razoáveis a boas, mas as costumbristas são muito fracas.

São Paulo: [por] Celso Antunes.

São Paulo: Gráficos Brunner, 1977. (Coleção Mercator, 1-2)

Dois volumes da sugestiva e linda série "Coleção Cultural Mercator" de Gráficos Brunner (v.), com texto em português e inglês, e fotografias coloridas de profissional não revelado.

São Paulo; cidade-city: portfolio com 12 pranchas = portfolio with 12 plates.

São Paulo: Editora Rios, s.d.

Portfolio contendo doze pranchas de desenhos aquarelados de Paulo Penna, do qual não foi possível (nem compensaria) obter dados.

São Paulo: gigante e intimista.

São Paulo: Imprensa Oficial do Estado, 1986.

Coordenado pelo artista plástico português Fernando Lemos (1926), realizou-se em 1984 no Centro Cultural São Paulo uma exposição de doze fotografias sobre o tema supra, que terminou por circular por diversas cidades do país. Esta exposição foi a seguir transposta para leitura seqüencial em linguagem de livro por André Boccato (1955), um dos profissionais participantes, com acréscimo de textos de Ignácio de Loyola Brandão e da fotógrafa Stefania Brill, criando assim uma obra de boa qualidade e interesse.

São Paulo; imagens de 1988.

São Paulo: Bovespa, 1998.

Fugindo ao esquema dos álbuns de vistas turísticas e a resultante visão ufanista, esta bela obra brochurada, coordenada pela historiadora de arte Aracy Amaral (v.) e por Roberto Fernandes Júnior, reúne visões poéticas da cidade e de seu dia-a-dia pelos melhores artistas-fotógrafos da atualidade, todos residentes na cidade e todos com renome internacional: Arnaldo Papalardo, Nair Benedicto, Cristiano Mascaro, Rômulo Fialdini, Marcos Santilli (v. estes) e outros dez da mesma categoria. É sempre perigoso generalizar, mas a presente seleção e a concepção que a norteou fazem parte do que de melhor se produziu neste campo nos últimos anos.

São Paulo: onde está sua história.

[São Paulo]: Museu de Arte de São Paulo Assis Chateaubriand, 1981.

Obra publicada pelo MASP por ocasião de uma exposição de mesmo título, reproduzindo um fascinante conjunto de documentos, leis, editais, plantas, programas, projetos, fotografias, mapas. A uma introdução de Pietro Maria Bardi (v.) e um artigo de J.S. Witter, diretor do Arquivo do Estado, segue a relação comentada de todos os documentos da exposição. Importante.

São Paulo; população: 25 000 habitantes

Fotografias: Militão e Ferrez. Curadoria: Fernando J.A. Azevedo. São Paulo: Pinacoteca, 2002. (Catálogo de exposição, 2002)

Álbum em fólio que reproduz as imagens de uma fascinante e curiosa exposição de fotografias de Militão e Marc Ferrez (v. estes) da cidade de São Paulo na década de 1860, apresentadas no original e parte das mesmas ampliadas e distorcidas por computador.

São Paulo: twenty-eight colour photos of the fastest growing city of the world.

Rio de Janeiro/São Paulo/Porto Alegre: Livraria Kosmos Editora, [1961].

Com um estudo introdutório (em português e inglês) de Pedro Moacyr Campos, professor de História da USP, a Livraria Kosmos editou este álbum impresso na Holanda, apresentando 28 boas fotografias de profissionais não revelados.

São Paulo antigo: plantas da cidade.

[São Paulo]: Comissão do IV Centenário da Cidade de São Paulo/Serviço de Comemorações Culturais, [1954?].

Importante álbum de grande porte, contendo a reprodução de onze plantas da cidade de São Paulo entre 1810 e 1897, obra básica para a evolução urbana durante o século e realçada por um estudo de Sergio Milliet.

São Paulo antigo: São Paulo moderno: álbum comparativo: fotografias representativas de várias épocas da cidade de São Paulo que assinalam os contrastes de seu impressionante progresso.

São Paulo: Edições Melhoramentos, 1953.

É tradição da Companhia Melhoramentos apresentar edições sólidas e bem acabadas, e a presente não é exceção, mas a importância do álbum é realçada pelo fato de servir de base para o erudito estudo "Fotografia e cidade", de Solange Ferraz de Lima.

São Paulo antigo e São Paulo moderno: 1554-1904.

Publicação em fasciculos / numero 1-6 / cada fasciculo terá 16 paginas com muitas gravuras e um curto resumo historico dos principais edificios ou dados biographicos dos vultos notaveis cujos retratos forem publicados. São Paulo: Editores Vanorden & Cia., s.d.

O título da obra revela muito, mas o conteúdo revela muito mais, principalmente quando soubermos pelo prefácio que a obra fora elaborada por jul. es Martin (v.), Nereu Rangel Pestana (comerciante e estudioso das belas artes) e Henrique Vanorden (editor de livros), um conjunto de personalidades com ideais superiores aos comerciais. Esta obra, com mapas e fotografias antigas em confronto com vistas da época, além de algumas aquarelas de jul. es Martin, é imprescindível para o estudo de São Paulo. NOTA: Projetada para publicação em fascículos, chegou tão-só ao sétimo, tendo sido encadernados os primeiros seis para formar o álbum do título (com uma gravura de jul. es Martin na capa). O conjunto dos sete fascículos é muito raro, e raro o álbum.

São Paulo dia e noite: O Estado de S. Paulo.

São Paulo: Valoart, [1989].

De uma produção de mais de 5 000 fotografias colhidas pelos profissionais do jornal *O Estado de S. Paulo* para um suplemento comemorativo dos 435 anos de São Paulo, foram escolhidos 87; uma nova seleção entre estas resultou nesta obra, que agrupou as imagens sob os títulos "manhã", "tarde" e "noite", uma solução interessante mas que não chegou a promover as imagens a uma qualidade superior de fotojornalismo.

São Paulo hoje.

[São Paulo]: Centro Cultural São Paulo, 1982. (Catálogo de exposição, 1982)

Catálogo parcial de uma exposição que se propôs uma "leitura informal dos fatos arquitetônicos da paisagem urbana". As fotografias deste passeio pela cidade são sugestivas e pouco usuais, mas a reprodução foi apenas passável.

São Paulo 1934-1938; os anos da administração Fábio Prado.

São Paulo: USP/FAU, 1999.

Estudo acadêmico coordenado e redigido por Maria Ruth Amaral de Sampaio, acompanhado de importante documentação fotográfica (razoavelmente reproduzida), produziu obra interessante para estudo da época.

São Paulo 1984.

[São Paulo]: Banca Commerciale Italiana, [1984].

Comemorando a inauguração da sede paulista do Banco Sudameris do Brasil, foi lançado este pequeno documentário sobre São Paulo na visão dos fotógrafos Nellie Solitremick (São Paulo, 1955), Renata Falzoni e Rosa Gauditano (v. estas), além da visão poética aquarelada do pintor acreano Antonio Novaes (1949). Prefácio de Pietro Maria Bardi (v.), diretor do Museu de Arte de São Paulo.

Sé.

[São Paulo]: Companhia do Metropolitano de São Paulo/Prefeitura Municipal de São Paulo, 1978.

Luxuosa plaqueta editada para a inauguração da Estação Sé do Metrô de São Paulo. Em fólio, cartonada, com algumas folhas transparentes e outras desdobráveis, ostenta fotografias de diversos estágios da obra e um notável conjunto de onze fotografias antigas, além de uma fotografia de 1888 que retrata uma pintura de José Ferraz de Almeida Júnior (1850-1898) no teto da demolida antiga Catedral de São Paulo. Em anexo três estampas de vistas do Largo da Sé por Francisco Rebolo Gonzales, Manoel Martins e José Wasth Rodrigues (v.).

Souvenir de São Paulo.

[São Paulo]: Secretaria de Cultura, Esporte e Turismo. Governo Abreu Sodré, s.d.

Álbum (21 x 29 cm) com doze boas fotografias e duas adicionais para as capas, em boa edição de Gráficos Brunner (v.).

Teatro Municipal de São Paulo: 80 anos.

Edição especial de *Atlante*, São Paulo, ano 8, nº 3.

Uma revista paulista integralmente dedicada ao Teatro Municipal de São Paulo; bem documentado e muito bem ilustrado.

Teatro Municipal de São Paulo: 85 anos: 1911-1997.

[São Paulo]: Secretaria Municipal de Cultura, [1997]. (Calendário)

Calendário de grande dimensão, 60 x 45 cm, com texto histórico em português e espanhol e doze vistas antigas do Teatro e de alguns de seus espetáculos.

Teatro São Pedro: resistência e preservação.

São Paulo: Arquivo do Estado, 2000.

Com textos por diversos, fotografias recentes de Iatã Canabrava (v.) e muitas outras provenientes de arquivos públicos e particulares, estamos perante uma boa e bem apresentada obra editada por um órgão público, uma obra que não se limitou a aspectos arquitetônicos antigos e atuais, mas também incluiu a história visual como teatro quase centenário e sua atuação na cidade que o abrigou e na qual atuou e se desenvolveu, em companhia de outros.

Turismo em São Paulo.

São Paulo: Secretaria da Cultura, Esporte e Turismo, s.d.

Publicação oficial de um pequeno álbum de boas e bem reproduzidas fotografias coloridas focalizando diversos pontos turísticos da capital e do Estado.

Um ano de administração: 1961: entrevista pelo Prefeito Francisco Prestes Maia.

São Paulo: Prefeitura de São Paulo, 1962.

Um relatório de administração municipal que destoa dos congêneres pela simplicidade da apresentação e edição e pela interessante documentação fotográfica em branco e preto; constam ainda algumas plantas de planejamentos futuros. Muito interessante.

Um panorama da grande São Paulo em todos os aspectos existenciais: GSP/76.

[São Paulo]: Museu de Arte de São Paulo Assis Chateaubriand, 1976. (Catálogo de exposição, mar.-maio 1976)

Catálogo de grande formato e qualidade publicado por ocasião de uma exposição do MASP sob a curadoria de seu diretor, Pietro Maria Bardi (v.). Além das fotografias da exposição, o catálgo reproduz outras muitas de Luiz Sadaki Hossaka, funcionário na ocasião e atual Diretor Técnico do MASP.

Um retrato no jornal; a história de São Paulo na Imprensa Oficial: 1881-1994.

São Paulo: Imprensa Oficial do Estado, 1994.

A profusão de imagens de todos os tipos, de gravuras e fotografias antigas e modernas, de aspectos de fábricas, farmácias, cinemas, prédios, meios de transporte e outras imagens que compõem o cotidiano de uma grande cidade, justificam a inclusão desta obra especializada na resenha.

Vida cotidiana em São Paulo no século XIX; memórias, depoimentos, evocações.

São Paulo: Ateliê Editorial, 1998.

Importante coletânea de textos e estudos históricos e literários coordenados por Carlos Eugênio Marcondes de Moura (v.), que também contribuiu com o básico artigo "Até onde o olhar alcança", no qual nos apresenta "um levantamento iconográfico que se quer abrangente, de tipos humanos, paisagens, vistas de vilas, cidades e da capital da Província, documentada nos desenhos e aquarelas de viajantes...", tarefa admiravelmente bem realizada. Edição bonita e muito recomendável.

Vila Penteado.

(1ª edição.) [São Paulo]: Universidade de São Paulo/Faculdade de Arquitetura e Urbanismo/Secretaria da Cultura, Ciência e Tecnologia do Estado de São Paulo, [1976].

Definido como um catálogo da exposição "Vila Penteado", é na realidade um autêntico tratado sobre esta obra do arquiteto Carlos Ekman (1866-?), a família do Conde Antonio Álvares Penteado (1852-1912) e as condições socioeconômicas reinantes em São Paulo na virada do século XX. Tendo como coordenadores principais a pesquisadora Maria Cecilia Naclério Homem Prado e o fotógrafo Cristiano Mascaro (v.), produziu-se uma obra notável que focaliza a arquitetura dominante na época, a obra de Carlos Ekman, o bairro de Higienópolis e sua evolução, a família Álvares Penteado, a doação da residência à Universidade de São Paulo em 1947, um conjunto dotado de riquíssima documentação fotográfica da cidade, da Vila Penteado e de detalhes de sua construção. Importante.

Virando vinte: cotidiano, imaginário, política: São Paulo: 1870-1910.

São Paulo: Casa das Rosas, 1994. (Catálogo de exposição, nov. 1994-jan. 1995)

Sugestivo catálogo de uma exposição de documentos e fotografias que caracterizaram o tema do título e, especificamente, "a virada do calendário, do acúmulo de forças para o salto". De formato invulgar (31,5 x 15,0 cm), ótimos textos e ilustrações, é um documentário muito interessante.

Visão de São Paulo: edição comemorativa do 10º aniversário da Telecomunicações de São Paulo S/A – TELESP.

[São Paulo: Imprensa Oficial do Estado, 1983].

Comemorando o décimo aniversário da Telecomunicações de São Paulo – Telesp, foi editado este luxuoso álbum que transcreve a opinião de numerosos "cidadãos" (entre atletas, médicos, jornalistas, industriais, uma fotógrafa, uma atriz) e a visão de dezesseis artistas plásticos, com reprodução de um quadro de cada um (vários abstratos). Obra vistosa, com "visão" um pouco nebulosa.

Você vai descobrir São Paulo: calendário turístico do Estado.

São Paulo: Secretaria da Cultura, Esporte e Turismo, 1973.

Álbum oblongo, de capa dura e grande dimensão (24 x 42 cm), formando dois "cadernos", um dos quais com 39 belas fotografias e 12 adicionais em papel diferente, reproduzidas como se fossem gravuras, e o outro um calendário e os eventos do título; rica e imponente edição que nos faz meditar sobre o custo, a finalidade e os destinatários desta obra.

Praça da Sé.
S.l.: Caixa Econômica Federal, 1998. (Projeto Caixa e Memória)

Índios, os primeiros habitantes: fotografias de Rosa Gauditano.
S.l.: Caixa Econômica Federal, 1998. (Projeto Caixa e Memória)

Pessoas e comércio no centro de São Paulo.
S.l.: Caixa Econômica Federal, 1998. (Projeto Caixa e Memória)

O novo velho centro: fotografias: Renata Falzoni, Jorge Araujo, Jorge Rosenberg, Eduardo Albarello, Antonio Milena.
S.l.: Caixa Econômica Federal, 1998. (Projeto Caixa e Memória)

Arquitetura, bens históricos; praças e parques no centro de São Paulo: fotografias.
S.l.: Caixa Econômica Federal, 1998. (Projeto Caixa e Memória)

Estes cinco volumes, álbuns fotográficos de excepcional qualidade gráfica, foram editados pela Caixa Econômica Federal sob o título coletivo "Projeto Caixa e Memória" e como produto de um programa próprio para um *workshop* de fotografia de profissionais competentes dirigidos pela arquiteta Renata Falzoni (v.). O espírito deste empreendimento extraordinário pode ser melhor definido nas palavras do curador Emidio Luisi quando nos transmite a idéia central: "ninguém preserva aquilo que não conhece ou aquilo que não entende", a compara com um rio, "uma cidade que não tiver sua nascente preservada, terá o seu curso comprometido", e utiliza para tanto a fotografia como contribuição histórica "para que o amanhã, quando for visto como ontem, seja eterno como hoje". Com exceção das fotografias coloridas da jornalista Rosa Gauditano (v.), as demais foram em preto e branco, e muitas reproduzidas em tiras maiores e menores, criando um visual muito atraente. NOTA: O conjunto foi acondicionado em estojo especial com o título "Projeto Caixa e Memória" e, como requinte especial, este estojo foi dotado de uma fita verde-amarela como fecho, ao qual se encontra pinçado um pequeno folheto sanfonado com título e reprodução de seis fotografias das obras.

REGISTROS

Foi em 1977 que a Prefeitura de São Paulo, através da Divisão de Iconografia e Museus de seu Departamento de Patrimônio Histórico, deu início a esta notável série que "pretende documentar aspectos da paisagem, dos edifícios e do acervo de artefatos e objetos de arte da cidade de São Paulo", nas palavras do arquiteto Murillo Marx, então diretor do Departamento de Patrimônio Histórico. Todos os exemplares publicados tiveram formato quase uniforme (21 e 23 cm) e bom acabamento, incluindo a reprodução das fotografias atuais (apenas razoável para as antigas); a tiragem foi variável mas normalmente pequena e dependia da avaliação do potencial de interesse. Com exceção do primeiro número, os demais foram muito bem ilustrados com imagens antigas ou contemporâneas dos temas propostos, todas de grande valor documental e pouquíssimo divulgadas. Foram os seguintes os números publicados até a data (veja o verbete do autor, quando indicado), revelando os títulos a importância de cada um destes estudos:

BRUNO, *Ernani da Silva.* O equipamento da casa bandeirista segundo os antigos inventários e testamentos. *(nº 1, 1977)*
PASSAGLIA, *Luis Alberto do Prado.* Mercado Velho de Santo Amaro. *(nº 2, 1979)*
Museu Histórico da Imagem Fotográfica da Cidade de São Paulo: Percurso Centro Histórico, História do Anhangabaú e do Viaduto do Chá, Memória da Sé. *(nº 3, 1979)*
BRUNO, *Ernani da Silva.* Memória da cidade de São Paulo: depoimentos de moradores e visitantes: 1553-1958. *(nº 4, 1981)*
GAGLIARDI, *Vilma Lucia.* A Casa Grande do Tatuapé. *(nº 5, 1983)*
A Secretaria de Higiene e Saúde da cidade de São Paulo: história e memórias. *(nº 6, 1985)*
1º de maio: imagens e história do trabalho. *(nº 7, 1985)*
História das eleições: memória da democracia. *(nº 8, 1985)*
Programa de valorização 1 – Área central – Setor 1: Largo São Bento: Rua Florêncio de Abreu. *(nº 9, 1986)*
A participação da mulher na sociedade brasileira. *(nº 10, 1987)*
Obras de arte em logradouros públicos de São Paulo; regional Sé. *(nº 11, 1987)*
Lapa: evolução histórica. *(nº 12, 1988)*
1890-1990: cem vezes Primeiro de Maio. *(nº 13)*
Paulicéias perdidas. *(nº 14)*
Pátria amada esquartejada. *(nº 15, 1992)*
Obras de arte em logradouros públicos de São Paulo; regional Vila Mariana. *(nº 16, 1993)*.

SÃO PAULO – ESTADO DE

A água no olhar da história.

2ª ed. [São Paulo]: Governo do Estado de São Paulo/[Secretaria do Meio Ambiente], 2000.

Fascinante estudo sobre a utilização da água no Estado de São Paulo, com reprodução de gravuras e mapas antigos e fotografias atuais. Importante.

A Casa das Artes.

Santos: Prefeitura Municipal, 1992.

Outra boa obra sobre recuperação de um prédio histórico, o "Casarão Branco da Praia", atual sede da Pinacoteca Benedito Calixto na cidade de Santos. Com textos e pesquisa de Madô Martins, a obra traz abrangente informação histórica e fotográfica desta construção de 1900, um amplo histórico sobre a pinacoteca e um estudo sobre Benedito Calixto (v.), reproduzindo vários de suas telas. Além de fotografias antigas e planta do edifício (desdobrável), conta ainda com muitas fotografias atuais em cores de Marcos Piffer (v.).

A Casa do Pinhal: editado por Margarida Cintra Gordinho.

São Paulo: [Editora Marca d'Água], 1985.

Obra interessante sobre a história de uma fazenda e do solar da família de Antonio Carlos Arruda Botelho, o Barão do Pinhal (Conde do Pinhal a partir de 1888). Notável conjunto de fotografias e documentos antigos, e imagens atuais do solar, um conjunto harmonioso e importante para o qual contribuíram vários colaboradores.

Fazenda Pinhal: 100 anos de fotografia.

São Paulo: Sesc, s.d. (Catálogo de exposição)

Esta exposição comemorativa do centésimo aniversário do falecimento de Antonio Carlos de Arruda Botelho, o Conde de Pinhal (fundador da cidade de São Carlos, no Estado de São Paulo), foi realizada pelo Sesc de São Carlos (SP) sob a curadoria de Helena Vieitas Carvalhosa no Museu da Casa Brasileira; grande foi a riqueza da documentação coligida entre livros, calendários, cartas, cartões-postais e fotografias, importante material histórico sobre a Fazenda do Pinhal, cuja sede foi construída por volta de 1830 e permanece em poder dos descendentes até a data (declarada Patrimônio Histórico e Artístico Nacional em 1981). O presente catálogo, entretanto, ainda que muito ilustrado e bem feito, deixou de reproduzir peças importantes da exposição em benefício de peças de valor sentimental.

Álbum memória de São Bernardo.

São Bernardo do Campo: Secretaria da Educação, Cultura e Esportes, 1981.

São Bernardo é uma das cidades mais antigas do país, mas não passava até recentemente de um lugarejo formado por um aglomerado de casas e comércio modesto ao longo da Estrada do Mar que ligava o litoral à cidade de São Paulo. Deste lugarejo pouco haveria o que contar e menos ainda o que mostrar não tivesse sido catapultado de sonolento município (de 1944) em centro da indústria automobilística do País. A metamorfose que então se processou nos é apresentada nesta interessante mas modesta obra, editada pela própria Prefeitura para focalizar três aspectos básicos: a cidade como pólo imigratório (sobretudo italiano) no virar do século, como atual pólo automobilístico e os trabalhadores que para tanto contribuem, e como pólo dos movimentos sociais da época. As duas primeiras partes foram confiadas a Cristiano Mascaro (v.), com os previsíveis excelentes resultados, e a última a Helio Campos Mello.

Alma caiçara: nossa gente, nossa cultura: calendário 2002/2003.

[São Sebastião]: Prefeitura Municipal de São Sebastião, [2002].

Calendário comemorativo de quinhentos anos do município paulista de São Sebastião, baseado no tema do fotógrafo: "Ao fotografar cada rosto, fica registrada também a expressão da alma caiçara".

Arte e inconsciente: três visões sobre o Juquery.

Fotos de Alice Brill. Desenhos de Lasar Segall e obras de pacientes internados. São Paulo: Instituto Moreira Salles, 2002. (Catálogo de exposição, 2002)

Catálogo de uma exposição muito expressiva realizada em São Paulo em 2002 sobre o tema do título, um catálogo importante pelo conjunto das fotografias de Alice Brill, pelos atinentes desenhos de Lasar Segall e pelo artigo "O pioneirismo de Osorio Cezar" por Maria Helena Corrêa de Toledo Ferraz.

Atlas der Umwelterhaltungseinheiten des Staates São Paulo: Teil I: Küstenland.

São Paulo: Metalivros, 1998.

É quase imprescindível ter visto e folheado esta obra para compreender o entusiasmo que provocou em quem procedeu à resenha. Muito recomendável.

Baixada Santista: presença da engenharia e arquitetura.

São Paulo: Empresa das Artes, 2001.

Organizada pela Associação de Engenheiros e Arquitetos de Santos, esta é uma obra que revela de uma forma muito interessante os empreendimentos realizados na cidade de Santos e na Baixada Santista; muito boa a ilustração com gravuras e fotografias antigas e atuais e uma coletânea de cartões-postais antigos.

Bertioga histórica e lendária.

[São Paulo: Instituto Histórico e Geográfico Guarujá-Bertioga], s.d.

Álbum modesto, simpático, com deficiente reprodução de um quadro de Benedito Calixto (v.) e algumas fotografias.

Caipiras, capiaus: pau-a-pique: uma exposição do Centro de Lazer do SESC Fábrica da Pompéia.

[São Paulo]: Sesc Fábrica Pompéia, 1984. (Catálogo de exposição, jun.-nov. 1984)

Entre as grandes exposições realizadas pelo SESC na antiga Fábrica da Pompéia em São Paulo, esta foi seguramente uma das mais expressivas e importantes, e não menos importante foi este correspondente catálogo; foi uma exposição "piegas", nas palavras da coordenadora Lina Bo Bardi (v.), segundo a qual também "é apenas uma anotação sobre a aristocracia rural-popular brasileira, enxotada pelas monoculturas". A "leitura" do catálogo comprovará a importância do evento.

Campinas de ontem e de hoje.

Campinas: Empresas Lix da Cunha, 1988.

História visual da cidade de Campinas (São Paulo), da época anterior à década de 1930, ainda sob a influência e o desenvolvimento provocado pela cultura cafeeira, aos nossos dias, focalizando a modernização e as grandes estruturas habitacionais, para as quais a patrocinadora da edição muito contribuiu. Bons textos e fotografias antigas, bem como as atuais de Eduardo Castanho e Ariovaldo dos Santos produziram uma obra interessante.

Campinas em pedra e bronze: edição comemorativa do bicentenário de Campinas: 1774-1974.

Campinas: Prefeitura Municipal de Campinas, [1974].

Pequena plaqueta, despretensiosa mas bem feita, com texto atualizado de um levantamento efetuado em 1964 e aproveitamento das fotografias então realizadas. Além de indicação de autoria e da descrição dos monumentos, também conta com um histórico do homenageado. Muito interessante.

Campinas: subsídios para a discussão do Plano Diretor.

[Campinas]: Prefeitura Municipal de Campinas, 1991?

Álbum oblongo de grande dimensão e volume (0,30 x 0,40 m), ricamente ilustrada com mapas e fotografias coloridas.

Fazenda 3 Pedras: distrito de Joaquim Egídio: Campinas: construída em 1871.

São Paulo: Secretaria de Estado da Cultura, 1982.

Por ocasião do tombamento da Fazenda 3 Pedras (Distrito de Joaquim Egídio, em Campinas) pelo Condephaat, foi publicada esta bela plaqueta de vistas da sede, suas salas e mobiliário.

Campos do Jordão; a natureza que emociona.

São Paulo: DBA, 1999.

Aliando a alta qualidade editorial da DBA ao patrocínio da Telesp Celular, permitiu a recém-criada AME – Associação de Amigos de Campos do Jordão – apresentar uma obra linda, confiada à competência do fotógrafo Tuca Reinés (v.); completa a obra um excelente histórico-descritivo por Ignácio de Loyola Brandão (v.).

Capela São Pedro Apóstolo: Palácio Boa Vista: Campos do Jordão.

Governo de São Paulo, 1985.

Edição especial para comemorar a sagração desta capela projetada por Paulo Mendes da Rocha como anexo do Palácio Boa Vista em Campos do Jordão. Esta simpática publicação conta com uma homilia do Cardeal Agnelo Rossi sobre o Apóstolo São Pedro e reproduz importante acervo sacro proveniente de diversas repartições estaduais e reunidas em exposição permanente.

Casa, café e cortesia: viagem pelo interior paulista.

[São Paulo]: Departamento de Museus e Arquivos/Secretaria de Estado da Cultura de São Paulo, 1988.
(Catálogo de exposição, mar.-maio 1988)

Uma exposição diferente, trajetória de uma viagem de trem ao longo das cidades paulistas que ostentam um museu do Dema – Departamento de Museus e Arquivos do Estado de São Paulo. Muito boas as ilustrações que caracterizam cada cidade, assim como alguns objetos atinentes ao tema da exposição.

Catálogo da Sala Euclides da Cunha: comemorativo do centenário de nascimento de Euclides da Cunha: 1866-1966.

Lorena: Faculdade Salesiana de Filosofia, Ciências e Letras/Centro de Estudos Históricos Gustavo Barroso, [1966].

Catálogo de uma exposição de documentos e objetos relacionados às atividades de Euclides da Cunha em Lorena (SP) nos anos 1902 e 1903.

100 anos Porto de Santos = Port of Santos, Brazil, 100 years: 1892-1992.

Santos: Codesp, 1992.

Plaqueta oficial comemorativa, bem apresentada e ilustrada com boas fotografias de vistas antigas e atuais.

Cidades históricas paulistas.

São Paulo: Instituto Histórico e Geográfico Guarujá-Bertioga, 1983?.

Vistosa edição, em quarto médio, apresenta aspectos culturais e históricos diversos das cidades Cananéia, Iguape e Iporanga, com fotografias razoavelmente reproduzidas. NOTA: A obra em mãos encontra-se desprovida de folha de título, constando do prefácio tratar-se de um estudo sobre as cidades históricas paulistas do Vale do Ribeira, um estudo ampliado de artigos publicados nos nº 13 e 14 da *Revista do IHGGB* em 1981 e 1982.

Embu: estância histórica; terra das artes.

[Embu]: Prefeitura Municipal, s.d.

Pequeno guia, despretensioso e simpático, com boas fotografias coloridas.

Embu, terra das artes.

São Paulo: s.e., [1979?].

Pequeno álbum de formato oblongo, destinado a servir de guia turístico oficial; muito colorido para disfarçar falta de imaginação.

Exposição de antiguidades commemorativa do 4º centenário de fundação de São Vicente: 1532-1932.

São Paulo: s.e., 1932.

Ampla exposição de 579 itens, entre objetos, alfaias, documentos, moedas e medalhas e grande quantidade e diversidade de quadros e gravuras; os organizadores infelizmente preferiram relacionar os nomes dos expositores ao invés dos nomes dos artistas neste catálogo sem ilustrações, mas reprodução de um desenho de José Wasth Rodrigues (v.) na capa.

Grande Hotel São Pedro: 20 anos de administração Senac.

São Paulo: Editora Senac, 1995.

Inaugurado em 1940, o Grande Hotel São Pedro em Águas de São Pedro (SP) dependia de suas águas sulfurosas e da exploração de um cassino. A proibição do jogo no Governo Dutra, aliada a uma posterior desapropriação e administração estatal, levou o hotel e suas instalações a uma paulatina decadência, revertida com a criação de um hotel-escola por parte do Senac de São Paulo, no ano de 1970. O resultado altamente positivo pode ser avaliado neste simpático e elucidativo álbum que comemora 25 anos de administração, álbum muito bem ilustrado com fotografias do arquivo, de Tuca Reinés (v.) e outros.

Ilhas do litoral paulista.

São Paulo: Secretaria do Meio Ambiente, 1989.

Fruto de um projeto iniciado no Instituto de Biociências da USP em 1982, este simpático álbum reproduz os resultados do levantamento preliminar dos ecossistemas das 149 ilhas; as fotografias são muito boas.

Instituto Histórico e Geográfico Guarujá-Bertioga: 1958-1978.

São Paulo: Instituto Histórico e Geográfico Guarujá-Bertioga, 1978.

Comemorando vinte anos de atividades do Instituto, a fundadora e presidente Lucia P. H. M. Falkenberg apresenta relatório de sua gestão e confia os relatórios sobre atividades desenvolvidas em marcos históricos da região a Leite Cordeiro ("Capitania de São Vicente"), Padre Viotti ("Anchieta"), Benedito Lima de Toledo ("Os velhos Caminhos do Mar e seus monumentos") e Lauro Siciliano ("Guarujá"). Estes textos, realçados por boas ilustrações, tornam este relatório muito interessante.

Itanhaém.

São Paulo: Departamento Estadual de Informações/Divisão de Turismo e Expansão Cultural, 1947. (Caderno de Turismo, 1)

Pequeno guia com ilustrações em branco e preto, bem feito e bem descrito.

Juréia: a luta pela vida = Der Kampf ums Überleben.

Rio de Janeiro: Editora Index, 1989.

Após longas batalhas judiciais entre o Estado de São Paulo e diversos posseiros, foi finalmente consolidada, na década de 1980, a integridade da última reserva de mata atlântica do Estado, um dos mais importantes redutos ecológicos do País, situado na divisa com o Estado do Paraná. A beleza e a importância da região se encontram refletidas neste belo álbum, em grande parte devido ao fotógrafo Araquém Alcântara (v.), especialista em ecologia.

Litoral Norte = Northern coast: Ubatuba, Ilhabela, Caraguatatuba, São Sebastião.

São Paulo: [Secretaria da Cultura, Esporte e Turismo, 1970?].

Pequeno álbum-envelope de dez folhas, sem texto, com dez fotografias referentes ao título.

Litoral Norte: ontem/hoje/registros.

São Paulo: Sobloco Construtora, s.d.

Pequena plaqueta patrocinada pela Sobloco para divulgar o projeto e a execução da "Riviera de São Lourenço", atualmente o mais perfeito empreendimento praieiro do litoral norte do Estado de São Paulo. Gravuras e fotografias antigas da região ilustram este interessante folheto.

Memória da arquitetura de Santos no papel I: 1888-1900.

Santos: Fundação Arquitetura e Memória de Santos, 1997.

Fascinante obra que apresenta antigas plantas de prédios, praças, perfis de ruas, quiosques e outros que se encontram arquivadas em Santos (SP). Neste álbum oblongo são muito bem reproduzidas estas plantas, todas dotadas de minuciosa descrição, e muitas acompanhadas de uma fotografia atual do projeto. Muito interessante.

Monumento commemorativo da Independencia do Brasil em glorificação aos Irmãos Andradas: memorial descriptivo do projeto da Companhia Constructora de Santos.

[São Paulo: Pocaí, set. 1920].

Para os festejos do centenário da independência em 1922, o Governo do Estado de São Paulo e a cidade de Santos promoveram um concurso internacional para a construção do monumento do título, apresentando-se entre os concorrentes a Companhia Constructora de Santos com a presente obra que serviu de texto ao projeto que veio a consagrar-se vencedor. Este pequeno álbum oblongo e em brochura é uma pequena jóia em acabamento e esmero; o texto foi confiado ao historiador Affonso d'E. Taunay (v.) e as ilustrações formadas por fotografias da maquete do projeto e seus detalhes arquitetônicos e artísticos, fotografias que foram inseridas junto ao texto, formando conjunto muito harmonioso e interessante.

Nossa Senhora da Conceição de Jacarehy.

S.l.: [Indústrias de Papel Simão, 1990].

O título nos faz crer tratar-se de estudo sobre uma igreja, mas na realidade refere-se ao antigo nome da cidade e ao seu histórico. Patrocinada por uma fábrica de papel da região, a obra não é muito inspirada na parte dedicada ao texto, mas compensa esta falha com bons desenhos e vinhetas de Benê Vianna sobre o assunto e excelentes fotografias históricas provenientes de uma coleção particular.

O livro do Rio Tietê.

[São Paulo]: Estúdio Ro, [1991].

Álbum patrocinado por empresa pública fornecedora de energia elétrica nos apresenta o Rio Tietê da sua nascente à afluência no Rio Paraná, intercalando dados técnicos com texto histórico e descritivo, boas fotografias atuais de Eduardo Castanho e belos desenhos e aquarelas de Hercules Florence, Carlos Schmidt (grafado como Schimitt, v. estes) e Miguel Dutra. Uma bela edição, muito interessante.

São Sebastião 500 anos; nossa história, natureza e gente.

[São Sebastião]: Prefeitura Municipal de São Sebastião, 2002.

Luxuosa publicação comemorativa da fundação desta cidade do litoral Norte do Estado de São Paulo, obra que se propõe revelar "nossa história, natureza e gente" e o faz através de um grande número de interessantes fotografias antigas de Agnaldo Ribeiro dos Santos (1899-1979), um pescador local, e G. Stanzione, outras em cores da década de 1960 focalizando os prédios da cidade e, finalmente, uma série de fotografias recentes em cores das atrações e praias da região, estas inexpressivas.

São Vicente, céllula-mater da nacionalidade.

São Paulo: Departamento Estadual de Imprensa e Propaganda, 1942. (As cidades históricas de São Paulo)

Santos.

São Paulo: Departamento Estadual de Imprensa e Propaganda, 1943. (As cidades históricas de São Paulo)

Estas duas obras da série "As cidades históricas de São Paulo", de idêntico tipo de apresentação e ilustração por desenhos e fotografias, são de agradável visão e boa apresentação mas pertencem ao gênero histórico-nacionalista, com pouca serventia ao tipo de guia a que se destinavam.

Santuário das Sete Capelas: Ribeirão Preto.

?: ?, ?.

Como local de devoção religiosa terá certamente sua importância, mas o conjunto arquitetônico apresentado e descrito não merece esta rica plaqueta com vinte pequenas fotografias.

São Paulo: interior.

[São Paulo]: Metalivros, 1991.

Uma obra que retrata a vida no interior paulista, com suas paisagens, plantações e colheitas, festas populares e religiosas, a pujança comercial e industrial. As imagens foram confiadas a 21 fotógrafos de qualidade variável, e o texto a Ronaldo Graça Couto.

Interior: São Paulo.

São Paulo: Metalivros, 1991.

Seguindo o mesmo estilo do item anterior, a Editora Metalivros publicou esta segunda obra sobre o interior do Estado de São Paulo, produzindo um documentário lindo, fruto do trabalho de vinte profissionais competentes, cabendo a maior parte aos excelentes fotógrafos Araquém Alcântara e Juca Martins (v. estes), com comentários do editor Ronaldo Graça Couto.

Sorocabana Railway: uma saga ferroviária.

Texto: Antonio Soukef Junior; Fotos: Eduardo Albarello e Vito D'Alessio. São Paulo: Dialeto Latin American Documentary, 2001.

Mais do que o relato histórico de uma ferrovia, esta importante obra também abrange a história de Sorocaba, de Mayrink e a desta singular personalidade Luiz Matheus Maylasky, posterior Visconde de Sapucaí. Muito bem ilustrada com fotografias antigas, conta com um adicional ensaio fotográfico por dois profissionais muito competentes sobre a antiga Estação Sorocabana, o atual Complexo Cultural Júlio Prestes (v.).

Theatro Pedro II; a reconstrução.

Ribeirão Preto: Arq. Art., 1996.

Interessante álbum sobre a reconstrução deste teatro inaugurado em 1930 na cidade de Ribeirão Preto e destruído por incêndio em 1980; tombado pelo Condephaat, foi recuperado pela municipalidade com o auxílio de um consórcio formado pelas empreiteiras contratadas. As fotografias foram confiadas a Wagner Abraão Junior, que nos apresenta as diversas fases de recuperação sob o prisma das empreiteiras encarregadas de executá-las; termina a obra com a propaganda destas mesmas empresas, em que utilizam aspectos dos resultados de suas intervenções.

Urbanística de Ilhabela.

S.l.: Cine Foto Press, s.d.

Álbum de capa dura contendo doze fotografias (28 x 23 cm) de vistas da cidade de Ilhabela (anterior Vila Bela de Princesa) na Ilha de São Sebastião (SP), provavelmente de inícios da década de 1950.

Vale do Paraíba = Paraíba Valley.

[Rio de Janeiro]: AC&M, [1986].

Lindo álbum de folhas soltas de 39 x 29 cm sob patrocínio das Indústrias Monsanto, comportando doze excelentes pranchas que reproduzem peças de cerâmica executadas no Vale do Paraíba (São Paulo), provavelmente todas da coleção da patrocinadora.

O Vale do Paraíba; ontem e hoje = The Paraíba Valley; yesterday and today.

Rio de Janeiro: AC&M, 1988.

Comemorando 25 anos de atuação no Brasil e especificamente em São José dos Campos, a Monsanto do Brasil patrocinou esta obra simpática e elucidativa que apresenta imagens de Thomas Ender (v.), fotografias das fazendas e mapas antigos, assim como bom capítulo dedicado ao artesanato do Vale do Paraíba; as fotografias que retratam a atualidade, entretanto, são amadorísticas e mal reproduzidas.

Vila Rica.

[São Paulo: ed. part., 2002?].

Rica plaqueta de apresentação de um casarão da década de 1930 em uma antiga fazenda de café em Itatiba (SP), ilustrada com muitos detalhes da decoração em estilo colonial; imóvel preparado para servir como centro de convenções.

SCHAEFFER, ENRICO

Crítico de teatro e historiador de arte alemão (1907-1977), notabilizou-se por numerosos estudos sobre os pintores holandeses ativos no Brasil no tempo de Maurício de Nassau (v.). Estes estudos encontram-se todos em jornais e revistas nacionais e alguns deles nas correspondentes separatas.

Albert Eckhout: um pintor holandês no Brasil: 1637-1644.

In *Anais do Museu Histórico Nacional*, Rio de Janeiro, v. 20, s.d.

Excelente estudo histórico e crítico com dezenove boas reproduções e a fotografia do Castelo de Hofloessnitz, onde se encontram algumas das obras do artista. NOTA: Consta existir uma separata deste importante estudo.

Deutsche und deutschsprachige Maler und Bildhauer in Brasilien.

Separata de *Brasil Almanach: 1969*, São Paulo, ano III, 1969.

Separata de um pequeno estudo e anexo dicionário dos pintores e escultores de origem ou língua alemã ativos no Brasil; sem ilustrações, mas útil.

SCHEIER, PETER

Fotógrafo profissional alemão (1908-1979), emigrou para o Brasil em 1938, falecendo na Alemanha.

Brasilia vive!

S.l.: Livraria Kosmos Editora, s.d.

Uma obra a quatro mãos (o fotógrafo profissional e o editor) de muito bom resultado, que não desmente o título; excelentes fotografias e muito boa a seqüência das imagens em um passeio imaginário ao longo dos pontos históricos e turísticos principais.

Paraná: Brasil.

[Curitiba?: Impressora Paranaense S/A, 1953?].

Publicação oficial comemorativa do primeiro centenário do Estado do Paraná, este álbum é desprovido de texto histórico mas dotado de excelentes fotografias de Peter Scheier, todas providas de pequenos verbetes; as imagens foram parcialmente prejudicadas por deficiente paginação.

SCHERER, EMILIO CR.

William Michaud von Vewey: 1829-1902: Schicksal eines Schweizer Answanderers in Brasilien.

Separata de *Acta Tropica*, Basel, v. 17, caderno 4, 1960.

Este é o único estudo entre nós conhecido sobre o pintor William Michaud (v.), originário de Vewey, na Suíça francesa. Chegado ao Brasil em 1849, fixou-se em Superaguí, Paraná, onde também veio a falecer. A maior parte de suas paisagens e aquarelas encontra-se no Museu de Vewey, e algumas poucas foram reproduzidas nesta obra, entre as quais quatro em cores. O texto, em alemão, revela um autor com profundos conhecimentos de arte brasileira e história da colonização. Muito interessante.

SCHITTINI, DIMAS

Fotografias.

[S.l.: ed. part., 1978?].

Em edição própria, o fotógrafo Dimas Tadeu Schittini (1954) apresenta retratos, em forma ovalada, de trinta mulheres da sociedade e do mundo da moda e entretenimento em poses e maquiagens exóticas, "ligadas por um sentimento nostálgico, quasi triste", segundo o prefaciador jul. io Barloto. Obra de cunho comercial, é curiosa e provavelmente agradará a alguns poucos.

SCHLAPPRIZ, LUIZ

Em companhia do irmão Antonio (cônsul suíço em Recife), chegava a Recife em 13 de março de 1858, pelo vapor inglês Avon, *o pintor e litógrafo suíço Ludwig Schlappriz, de cuja vida pregressa e formação artística nada se conhece. Por notícia no* Diário de Pernambuco, *de 29 de abril de 1859, comunicava seu retorno à Europa, desmentida por nova notícia em 2 de maio de 1859. Na exposição "Produtos Agrícolas e Industriais de Pernambuco"(1861) apresentou vários trabalhos que a seguir remeteu à Exposição Nacional do mesmo ano e também apresentou na Exposição Universal de Londres, em 1862. Por esta mesma época também chegava a Recife o litógrafo alemão Francisco Henrique Carls, que se estabelece com importante oficina litográfica para a qual Schlappriz passa a trabalhar. É nesta oficina que se inicia em 1863 (e se estende até 1867) a publicação de 32 litografias de autoria de Schlappriz (informações imprecisas se referem a 33 gravuras, das quais a última estaria no acervo da Cornell University, nos Estados Unidos, mas esta atribuição não confere e a existência desta 33ª gravura nunca foi confirmada), que deram origem ao raro ál-*

bum Memoria de Pernambuco. Album para os Amigos das Artes, *um álbum geralmente formado por 25 ou 26 destas gravuras. O* CEHB *relaciona outras litografias de Schlappriz sob nº 17571, 18553, 18554 e 18774, e o* Album *sob nº 16941; das 32 litografias que retratam Recife em meados do século* XIX *encontram-se algumas esporadicamente reproduzidas em obras sobre Recife e em cartões de propaganda da indústria farmacêutica da década de 1950 e algumas outras avulsas em* Tempo dos flamengos *de J. A. Gonsalves de Mello e, sobretudo, em* Iconografia do Recife: século XIX *e* Livro do Nordeste, *de Gilberto Ferrez (v.), e* Nordeste histórico e monumental, *de Clarival do Prado Valladares (v.). Obra fundamental continua sendo* O álbum de Luiz Schlappriz..., *de Gilberto Ferrez, e um pequeno estudo de José Antonio Gonsalves de Mello, "Luis Schlappriz no Recife. 1858-1865" (v.) é um complemento importante.*

SCHMALKALDEN, CASPAR

Die wunderbaren Reisen des Caspar Schmalkalden nach West-und Ost Indien: 1642-1652.

[Leipzig]: Acta Humaniora, [1983].

Edição de alto nível gráfico que reproduz o manuscrito do diário de Caspar Schmalkalden, um soldado alemão a serviço da Companhia das Índias Ocidentais, que esteve no Brasil e a seguir no Chile de 1642 a 1645 e de 1646 a 1652 viajou por outras possessões holandesas. O manuscrito em alemão encontra-se na Biblioteca de Gotha (Alemanha) e nesta bela edição ilustrada com as aquarelas próprias do original. Um conjunto muito interessante e recomendável.

Brasil holandês: a viagem de Caspar Schmalkalden de Amsterdã para Pernambuco no Brasil.

Rio de Janeiro: Editora Index, 1998. 2 v.

Texto original traduzido por Alvaro Alfredo Bragança Junior e um estudo preliminar por Dante Martins Teixeira. A questão das ilustrações e correspondente atribuição de autoria encontra-se apresentada por Wolfgang Joost, o coordenador da edição alemã.

SCHMIDEL, ULRICH

Nascido entre 1500 e 1510 em família abastada na Alemanha, dedicava-se provavelmente ao comércio quando empreendeu viagem a Antuérpia e em 1534 a Cádiz, na Espanha, ocasião em que embarcou para a América do Sul na comitiva de Pedro de Mendoza, nobre espanhol encarregado de assentar uma colônia na região do Rio de la Plata e construir três fortalezas. Desta missão resultou a fundação de Buenos Aires e a seguir a de Assunção, permanecendo Schmidel por quase vinte anos nesta região; retornou à Pátria em 1553, após penosa marcha de seis meses de Assunção a São Vicente. É sua vida na América do Sul que relata em Wahrhaftige Historien... *(Hulcius em 1599 e 1602), ilustrada com sugestivas gravuras baseadas em desenhos próprios. Muitas vezes republicada, esta obra também teve uma tradução portuguesa, publicada em Santa Fé (1938), bem como um amplo estudo em* Ulrico Shmidel no Brasil quinhentista, *de W. Kloster e F. Sommer (sem ilustrações).*

Wahrhaftige Historien einer Wunderbaren Schiffart welche Ulrich Schmidel von Straubing Anno 1534 bis Anno 1554, in Americam oder Neuwewelt / bey Brasilia und Rio della Plata gethan: Fürhe Reisen und Seejahrten in originalberichten: Band I.

Graz: Akademische Druck u. Verlagsanstalt, 1962.

Perfeito fac-símile da edição alemã de 1602 (a segunda edição), com reprodução de todas as gravuras e um importante histórico da época e da região por Hans Plischka. Esta obra é de grande interesse para o estudo da colonização desta vasta região compreendida entre Buenos Aires e Assunção e desta a São Vicente, assim como importante a ilustração devida a uma testemunha ocular.

SCHMIDT, CARLOS

Topógrafo alemão, consta com algumas aquarelas em O livro do Rio Tietê *(v.).*

A visão e a construção da paisagem.

In *Cadernos de Fotografia*, São Paulo, nº 2, s.d.

Exposição ambulante que focalizava a obra de Karl Eberhardt Jacob Schmidt, do qual nos são transmitidas pouquíssimas informações biográficas. Formado em Stuttgart (Alemanha) em 1875, provavelmente como topógrafo, exerceu esta profissão nos levantamentos para construção de estradas de ferro no Estado de São Paulo, trabalhos que costumava ilustrar com desenhos em cadernos datados de 1882 a 1886 e de 1891 a 1892, dos quais vários razoavelmente reproduzidos. Muito interessante.

SCHOEPF, DANIEL

George Huebner: 1862-1935: un photographe à Manaus.

Avec la collaboration de Dorothée Ninck, Erica Deuber Ziegler. Préface de Charles-Henri Favrod. Genève: Musée d'Ethnographie/Ville de Genève – Département des Affaires Culturelles, c.2000.

Magistral estudo sobre George Huebner (v.), um importante e esquecido naturalista e fotógrafo alemão, ativo em Manaus por quarenta anos. O Museu Etnográfico de Genebra (Suíça) recebeu em 1960 a doação de uma importante coleção de objetos etnográficos reunidos por Oscar Dusendschön (cônsul alemão em Manaus no fim do século XIX), coleção que incluía dois álbuns fotográficos: uma viagem pelo Peru dos fotógrafos George Huebner e Ch. Kroehler na década de 1880/1890, e fotografias da Venezuela e do Brasil por George Huebner, de Manaus. Interessado em estudar estes fotógrafos, verificou inicialmente o autor que as principais fontes de pesquisa sobre George Huebner tinham sido destruídas na Segunda Guerra Mundial: Museu de Berlim, os arquivos da cidade de Dresden na Alemanha e o acervo da "Photographia Allemã" de Manaus; a presente obra não apresenta assim as características de uma biografia e tampouco segue uma ordem cronológica, limitando-se a relatar e documentar quatro fases da atuação de Huebner na Amazônia: as viagens pelo Peru em companhia do fotógrafo Ch. Kroehler, sua importância como documentarista de Belém do Pará e Manaus, sua atuação nos ateliês "Photographia Allemã", "Photographia Fidanza" e em "Huebner & Amaral" e, finalmente, sua atividade como pesquisador botânico e sua amizade e correspondência com o etnógrafo alemão Theodor Koch-Grünberg, um conjunto de fatores cujo desenrolar se processou no auge do ciclo da borracha em Manaus. Obra muito importante, quer pelo tema quer pela impecável reprodução da documentação fotográfica.

SCHULTHESS, EMIL

Amazonas.

[Zürich]: Artemis Verlag, [1962].

Um álbum fotográfico de grande qualidade técnica e artística, em dimensão pouco usual (20 x 35 cm). Após realizar uma viagem pela América do Sul, preparativa para um documentário fotográfico sobre este continente, o autor optou por uma segunda viagem para concentrar-se exclusivamente no cenário do rio Amazonas e sua região, da cordilheira peruana à Ilha de Marajó, produzindo uma das obras mais expressivas e belas, muito realçada pelo texto do escritor suíço Emil Egli (em alemão). Muito recomendável.

SCHULTZ, HARALD

Etnólogo brasileiro (1909-1966), trabalhou por muitos anos no Museu Paulista como assistente do Prof. Herbert Baldus e realizou diversas excursões etnográficas, sempre documentadas com fotografias próprias; também foi de sua autoria a ilustração fotográfica de Rio de Janeiro als Kunststadt, *de Ludwig Waagen (v.), e* Hombu *(1962), com fotografias próprias, além de contribuir para a obra* Construtores e artistas do Mosteiro de São Bento do Rio de Janeiro, *de Dom Clemente da Silva-Nigra (v.).*

Isto é a Amazônia.

São Paulo: Edições Melhoramentos, s.d.

Como quarto volume (e aparentemente o último) da série "Isto é" da Melhoramentos, este documentário fotográfico foi confiado ao etnólogo Harald Schultz, do Museu Paulista da USP, profundo conhecedor da Amazônia e seus habitantes, que focalizou com maior destaque os índios da região e as populações ribeirinhas.

Vinte e três índios resistem à civilização.

São Paulo: Edições Melhoramentos, [1954?].

O autor relata nesta modesta edição sua permanência entre os índios Umutina em expedição de 1943 a 1945 na qual foi gravemente ferido; importantes fotografias próprias.

SCHWARTZ, MADALENA

Nascida em 1921, emigrou com a família para Buenos Aires em 1934 e em 1960 fixou-se em São Paulo. Em 1966 iniciou estudos de fotografia no Cine Clube Bandeirantes e a seguir dedicou-se profissionalmente à fotografia, participando de numerosas exposições e obtendo em 1992 uma grande "Retrospectiva" na Pinacoteca do Estado de São Paulo; conhecida com o atributo de "grande dama" do retrato brasileiro, veio a falecer em São Paulo em 1993. Uma mostra de sua obra encontra-se na "Coleção Pirelli" do MASP *(v.) e seu imenso acervo fotográfico foi adquirido pelo Instituto Moreira Salles em 1998.*

Madalena Schwartz: retratos.

São Paulo: IMS, 1999? (Catálogo de exposição, 1999?)

Em 1998 o Instituto Moreira Salles adquiriu o acervo de mais de 16 000 fotografias desta importante fotógrafa; este catálogo de apresentação do acervo é de alta qualidade.

Personae: fotos e faces do Brasil = Photos and faces of Brazil.

São Paulo: Funarte/Companhia das Letras, 1997.

SCHWINDEN, ANTONIA

Palácio Avenida.

Curitiba: Casa de Idéias Editora de Vídeo e Gráfica, 1991.

Documentário fotográfico em edição de alta qualidade que traça a história da antiga "Avenida" (atual Avenida Luiz Xavier) de Curitiba a partir dos fins do século XIX, focalizando como pano de fundo (e objetivo da obra) o "Palácio Avenida", um prédio de grande porte projetado por Valentim Freitas e construído para Feres Merhy em 1929. Este prédio, que também abrigava o Cine-Teatro Avenida, foi o símbolo da vida social da cidade e assim permaneceu até sua adaptação para servir de sede ao Banco Bamerindus na década de 1970. Esta história visual ao longo das décadas é excelente e qualifica a obra como muito interessante.

SCIPIONE, LAMBERTO

Fotógrafo italiano (1945), apresentou em 1975 sua primeira exposição individual em Roma e em 1983 no MASP, passando a dividir suas atividades entre o Brasil e a Europa; especializou-se em festas populares italianas e, por extensão, também nas praticadas em comunidades negras oriundas de antigos quilombos em longínquos recantos do Brasil. Suas imagens encontram-se reproduzidas em muitas obras, entre as quais: A mão afro-brasileira *(v.),* O construtivismo afetivo de Emanoel Araújo, Artistas do muralismo brasileiro, Pintores negros do Oitocentos *de José Roberto Teixeira Leite,* Cinqüenta anos de comércio *e* A natureza na arte brasileira, *além da ilustração integral de* Tambor de crioula, festa de Santa Rosa dos Pretos *(Maranhão, 1984). Foi nomeado fotógrafo oficial para a grande exposição temática "Arte e religiosidade no Brasil: heranças africanas" (v.), realizada em 1997 na Pinacoteca do Estado de São Paulo sob a curadoria de Emanoel Araújo (v.), ocasião em que foram publicados seis notáveis catálogos em fólio, dos quais os três a seguir relacionados de sua autoria:*

Arte e religiosidade no Brasil: heranças africanas: Cosmologias e altares.

II Encontro Nacional de Cultura. São Paulo: [Edições Pinacoteca], 1997.

Arte e religiosidade no Brasil: heranças africanas: Santa Rosa dos Pretos.

Fotografias de Lamberto Scipioni. II Encontro Nacional de Cultura. São Paulo: Edições Pinacoteca, 1997. (Catálogo de exposição, 1997)

Dois dos seis notáveis catálogos em fólio publicados para a grande exposição temática do título, revelando imagens de grande beleza e sensibilidade artística.

Cores e formas: seus criadores.

São Paulo: MASP, 1985?

Após uma primeira exposição no MASP em 1983, Scipione realizou esta segunda com imagens de artistas plásticos brasileiros colhidas em seus ateliês, muito bem reproduzidas nesta discreta edição.

SCLIAR, MOACYR

Caminhos da esperança; a presença judaica no Rio Grande do Sul = Pathway of hope; the Jewish people in Rio Grande do Sul.

Porto Alegre: Riocell, 1990. (Coleção O continente de São Pedro, 2)

Como segundo volume da coleção "O continente de São Pedro", a Riocell (v.) editou esta obra histórica sobre um programa de imigração e colonização criado pelo Barão Hirsch em 1891 nos Estados Unidos e concretizado no início do século XX em Santa Maria, no Rio Grande do Sul, com um pioneiro grupo de imigrantes judeus provenientes da Bessarábia. Excelente o ensaio do escritor Moacyr Jaime Scliar (1937), um estudo baseado em documentação do Instituto Cultural Judaico Marc Chagall; este Instituto não deu, entretanto, o indispensável respaldo na seleção e apresentação da documentação visual, pois das mais de 400 fotografias de seu arquivo foram sofrivelmente reproduzidas apenas 33, quase todas de grupos em festividades diversas; constam ainda algumas obras do pintor Lasar Segall (1891-1957), alheias ao contexto.

SECCHIN, CARLOS

Fotógrafo brasileiro (1952), alia suas qualidades de mergulhador às imagens submarinas que o tornaram conhecido. De sua autoria o álbum Búzios, Cabo Frio, Arraial do Cabo.

Abrolhos: parque nacional marinho.

[Rio de Janeiro]: Cor/Ação, [1986].

Alta qualidade gráfica e beleza reunidas neste álbum que retrata o arquipélago de Abrolhos e sua vida submarina. Muito recomendável.

Pantanal Matogrossense.

[Rio de Janeiro]: Cor-Ação, [1985].

Belo ensaio fotográfico por um dos profissionais mais competentes no ramo da ecologia, aliado à visão do amador e também ecologista Akos Litsek. Texto e legendas do próprio Carlos Secchin, produzindo uma obra das mais recomendáveis.

SELLENY, JOSEPH

Nascido em 1826, o paisagista e litógrafo austríaco Joseph Selleny foi aluno de Thomas Ender (v.); graças aos profundos conhecimentos de ciências naturais e especialização em desenhos botânicos, obteve vários prêmios acadêmicos que culminaram com o de Roma em 1854 e lhe asseguraram em 1857 a nomeação como pintor oficial da grande expedição militar científica da fragata Novara *ao redor do mundo. Esta expedição permaneceu por quase um mês no Rio de Janeiro, permitindo ao pintor produzir um grande número de aquarelas e desenhos da cidade, de seus arredores e sua flora, um conjunto que se encontra parcialmente relacionado e tecnicamente descrito sob nº 124 a 180 em* Ein Österreichischer Maler segelt un die Welt, *de Liselotte Popelka (v.), encontrando-se duas aquarelas reproduzidas em preto e branco. Os resultados artísticos e científicos desta expedição encontram-se documentados na importante e enorme obra* Reise der Österreichischen Fregatte Novara un die Erde in dem fahren 1857, 1858, 1859... *(1861-67, em dezenove volumes – v. Borba de Moraes), além da obra de mesmo título de Karl von Scherzer (Viena, 1861), onde grande parte dos desenhos se encontra reproduzida em xilografia; ainda outros desenhos se encontram reproduzidos na tradução inglesa da obra de Scherzer (Londres, 1861) e também na tradução italiana (Viena, 1863-65). Nos anos de 1859-1860 o artista retornou ao Brasil como membro da comitiva do Arquiduque Ferdinando Maximiliano da Áustria, o futuro Imperador do México, mas nada se conhece da correspondente produção artística. Grande parte de sua produção encontra-se no Museu Albertina, em Viena, e uma pequena parte no Museu Naval de Veneza, além de museus e coleções particulares, mas nunca foi totalmente reproduzida, permanecendo assim praticamente desconhecida no Brasil, pois também a importante obra de von Scherzer ainda não foi traduzida.* NOTA: *O "Katalog 52" (Wien: Christian M. Nebehay), lindo catálogo de um importante livreiro antiquário de Viena, reproduz entre outros um desenho de Petrópolis e duas aquarelas do Rio de Janeiro (nº 42a, 42b e 42c) e relaciona mais dois desenhos de temas brasileiros, não reproduzidos (nº 42d e 42e).*

SELLING JUNIOR, THEODOR

A Bahia e seus veleiros: uma tradição que desapareceu.

Rio de Janeiro: Serviço de Documentação-Geral da Marinha, 1976.

Obra póstuma de um autor (1900-1969) que também se notabilizou como numismata e filatelista, é muito especializada mas igualmente interessante; a edição, em quarto grande, é muito modesta e a importante documentação fotográfica reproduzida com deficiência e em formato pequeno. É uma das pouquíssimas obras sobre o assunto, e como tal, importante.

SERGIPE

Tornando-se independente da Capitania da Bahia tão-só em 1820, Sergipe é o menor dos Estados do Nordeste e sua importância para o presente estudo reside basicamente na cidade de São Cristóvão, a antiga capital, e no Rio São Francisco (v.), linha divisória com o Estado de Alagoas.

Álbum de Sergipe: 1820-1920.

[Aracaju]: s.e., [1920].

Álbum comemorativo do centenário da emancipação política do Estado; sem propaganda, rica encadernação, contém muitas fotografias mal reproduzidas, incluindo duas desdobráveis de Aracaju, com título floreado em baixo-relevo.

Sergipe: Aracaju.

São Paulo: Editora Rios, 1986.

Um álbum destinado a servir de guia visual e que se revela surpreendentemente como um bom e bem apresentado ensaio fotográfico. Rosana P. Andrade, a fotógrafa e autora do texto, preferiu mostrar pouco da capital Aracaju e concentrar sua câmera sobre as praias, os pescadores, a Ilha do Paraíso, aspectos das cidades históricas São Cristóvão e Laranjeiras, a população e suas artes. Em anexo, um pequeno mapa-guia da cidade e um cartão-postal; este álbum é o primeiro de uma série dedicada a "Itinerário – Brasil", com texto em português e inglês.

SERRA, ASTOLFO

Guia histórico e sentimental de São Luís do Maranhão.

Rio de Janeiro: Editora Civilização Brasileira S/A, [1965]. (Imagens da Terra e do Povo, 3)

Muito bom e recomendável este guia sentimental ornado com desenhos de Percy Lau (v.).

SETH

Alvaro Martins (1891-1949).

O Brasil pela imagem: quadros expressivos da formação e do progresso da pátria brasileira; desenhos a bico de pena.

Desenhos e legendas de Seth com citação de numerosos autores. Rio de Janeiro: Editora Indústria do Livro Ltda., 1943.

Obra encadernada em quarto grande, contém uma grande coleção de desenhos de caráter documentário de Seth, pintor que estudou no Liceu de Artes e Ofícios do Rio de Janeiro e se notabilizou como caricaturista. Os desenhos, bem acadêmicos, foram agrupados em capítulos: a terra, os indígenas, os períodos colonial (por três séculos), real, imperial e republicano, e todos baseados em imagens dos viajantes e artistas das correspondentes épocas. Muito fraco como obra de arte, mas interessante como documentário.

SEVERO, RICARDO

A arte tradicional no Brasil: a casa e o templo.

Separata das "Conferências 1914-15 da Sociedade de Cultura Artística de S. Paulo", São Paulo, 1916.

Estudo sobre o tema do título, ilustrado com desenhos próprios a bico de pena e adicionais nove estampas com gravuras e fotografias antigas que retratam o tema proposto. Além de muito interessante, esta "separata" em brochura e grandes margens é peça bibliófila; não tem justificação de tiragem, mas os exemplares são numerados e assinados e consta não terem superado dez (ou vinte).

SILVA, BENEDICTO RAYMUNDO DA

Contribuição para a história natural dos lepidópteros do Brasil.

Rio de Janeiro: Imprensa Nacional, 1907. (Relatório. Tomo III, Livro B)

Obra científica em uma das belas edições da Imprensa Nacional produzidas no virar do século XX; conta com mais de trinta belíssimas cromolitografias de desenhos de borboletas do autor e executadas por J.L. Goffart, em Bruxelas, todas marcadas: "B.R. Pinxt".

SILVA, MARIA AUGUSTA MACHADO DA

Ex-votos e orantes no Brasil.

Rio de Janeiro: Museu Histórico Nacional, 1981. (Coleção Estudos e Documentos, 6)

A autora, formada em museologia, com cursos de pós-graduação em Lisboa e Coimbra, define este abalizado estudo como "leitura museológica" e o ilustra com excepcionais peças do Museu Histórico Nacional (RJ) e das coleções de Jacques van de Beuque (v.) e Paulo Pardal. Apresenta também várias da coleção Franco Terranova e informa que estas peças foram arrematadas pelo Banco do Brasil no leilão da Petit Galerie e a seguir reintegradas ao acervo do Santuário do Senhor Bom Jesus do Matosinho, em Congonhas do Campo (MG). Muito interessante.

SILVA FILHO, OLAVO PEREIRA DA

Arquitetura luso-brasileira no Maranhão.

[S.l.: Gráfica e Editora Lord S/A, 1986].

Patrocinada pela General Motors do Brasil, esta edição especial é uma síntese de obra maior e inédita (1973) do autor, um arquiteto piauiense, obra da qual foram aproveitadas partes do texto original e desenhos e fotografias, além de ilustrações provenientes dos Arquivos da Torre do Tombo (Lisboa). Criou-se assim obra expressiva, mas que se ressente um pouco de uma curiosa paginação que imita a de revistas antigas, causando ocasionais excessos de imagens e textos em uma só página.

SILVA-NIGRA, CLEMENTE MARIA DA

Dom Clemente, monge beneditino nascido na Alemanha em 1903, adquiriu a cidadania brasileira em 1933 e adotou o nome pelo qual se tornou conhecido como um dos mais importantes historiadores de arte do País. Em 1958 foi convidado a organizar o Museu de Arte Sacra da Bahia, que dirigiu de 1959 até sua aposentadoria em 1972, trabalhando a seguir por dois anos na Rússia estudando a documentação iconográfica da Expedição Langsdorff (v.). Faleceu em 1987 mas até a data somente Ação de Dom Clemente do Museu de Arte Sacra, *de Esmeraldino Santo Sé, nos revela um pouco de sua vida e obra.*

Convento de Santa Teresa: Museu de Arte Sacra da Universidade Federal da Bahia.

Rio de Janeiro: Livraria Agir Editora, 1972. (Arte no Brasil, 2)

Um excelente estudo descritivo do riquíssimo acervo por seu diretor, monge beneditino e importante historiador de arte, que também apresenta notas biográficas dos artistas. Consta também da obra uma síntese histórica do prédio do Convento de Santa Teresa, condensado de um manuscrito de Valentin Calderon: "Biografia de um monumento. O Convento de Santa Teresa na Bahia".

Construtores e artistas do Mosteiro de São Bento do Rio de Janeiro.

Salvador: Tipografia Beneditina Ltda., 1950. 3 v.

"Nunca se tentou antes um estudo tão amplo e completo", na opinião do crítico e historiador de arte Clarival do Prado Valladares (v.) sobre esta obra monumental em três volumes, acrescentando ainda que "nunca se fez no Brasil trabalho iconográfico mais completo sobre um determinado capítulo...", assim como caracteriza a presença e atuação de Dom Clemente "entre os pioneiros no Brasil da iconografia aplicada como instrumento da história de arte, mediante a fotografia orientada e a reprografia documental seletiva". As fotografias às quais se refere o crítico foram todas realizadas por profissionais altamente qualificados, entre os quais Kazis Vosilius, Erich Joachim Hess, Marc Ferrez, Augusto Malta, Harald Schultz, Hermann Graeser (v. estes) e Baldi; a reprodução destas, bem como a dos documentos e mapas, é impecável. Muito importante. NOTA: Desta edição em três volumes e formato grande foi feita uma tiragem em papel especial, rubricada pelo autor, e posteriormente publicada uma segunda edição que reuniu os três tomos em um só volume.

SILVEIRA, JORGE ROBERTO

Vistas e paisagens da Enseada de Niterói: 1790-1920.

S.l.: Casa Jorge Editorial, 2002.

Excelente antologia iconográfica, com bons comentários às bem reproduzidas ilustrações. Muito recomendável.

SILVEIRA, URIAS A. da

Galeria historica da revolução brazileira de 15 de novembro de 1889 que occasionou a fundação da Republica dos Estados Unidos do Brazil.

Brazil: Typographia Universal de Laemmert & C., 1890.

Entre as obras deste Doutor em Medicina (1848-?) encontra-se a presente histórica, relacionada em Berrien. Distingue-se de muitas outras obras históricas pela colaboração de dois importantes artistas plásticos, Nicolau Facchinetti e Gustavo Hastoy (v. estes), constando do primeiro os desenhos para as três litografias desdobráveis executadas pelo segundo: *Proclamação da República em o Campo da Acclamação no dia 15 de novembro de 1889*, *Partida para o exílio da Família Imperial no dia 17 de novembro de 1889, no vapor Alagoas* (belíssima vista do vapor saindo da Baía da Guanabara) e *Entrega da mensagem a D. Pedro II pelo Major Solon, no dia 16 de novembro de 1889*, e por Hastoy os desenhos e a execução das 31 litografias retratando personagens históricos, estas em papel especial e coladas sobre outra folha que comporta um enquadramento litográfico com o título. A importância das ilustrações justifica a raridade desta obra.

SIMÕES, INIMÁ FERREIRA

Salas de cinema em São Paulo.

[São Paulo]: Prefeitura Municipal/Secretaria Municipal de Cultura/Secretaria de Estado da Cultura, 1990.

Interessante estudo histórico e documentário fotográfico sobre os cinemas paulistas, marcos arquitetônicos de uma época e quase todos posteriores vítimas de uma radical transformação da fisionomia urbana e dos usos e costumes populares. As fotografias, de muitas origens, foram coordenadas pelo fotógrafo João La Laina Sene, incluindo uma pequena parte sobre as programações, o público e os cartazes.

SIMÕES, J.M. dos Santos

Azulejaria portuguesa no Brasil (1500-1822).

Lisboa: Fundação Calouste Gulbenkian, 1965. (Corpus da azulejaria portuguesa)

Bastaria o nome do Instituto editor e o prefácio por Rodrigo M.F. de Andrade para confirmar a definição: obra monumental e definitiva. Rica a ilustração (boa parte em branco e preto), dirigida diretamente aos painéis, com bem menor parte dedicada aos locais de implantação. Imprescindível para estudos.

SINZIG, Frei PEDRO

Igreja de N.S. da Glória do Outeiro = Church of Our Lady of Glory of the Hill = Eglise de Notre-Dame-de-la-Gloire du Mont:

(Guia da Igreja de Nossa Senhora da Glória do Outeiro). Rio de Janeiro: s.e., 1956.

Destinada a servir de guia, é uma obra importante, mas esta edição trilíngüe e vistosa é modesta e as fotografias convencionais e mal reproduzidas.

Maravilhas de religião e da arte na Egreja e no Convento de São Francisco da Baia.

Revista do Instituto Histórico e Geográfico Brasileiro. Boletim, Rio de Janeiro, 1933.

Em edição modesta e sofrível reprodução do abundante documentário fotográfico, é uma importante obra de análise histórica e artística deste frade franciscano.

SIQUEIRA, MARCIA

Belo Horizonte: o fértil solo humano = the fertile human soil.

Rio de Janeiro: Salamandra, 1997.

Mais uma das belas e luxuosas obras comemorativas do centenário de Belo Horizonte, contando com muitas fotografias antigas do acervo do Museu Abílio Barreto e outras tantas de competentes profissionais contemporâneos, incluindo algumas de Marcelo Gazzinelli, supervisor da iconografia. O texto foi confiado a Marcia Siqueira com excelente resultado, contribuindo para tornar a obra muito interessante.

SIQUEIRA, RICARDO

Fotógrafo (1961), dedicou-se ao fotojornalismo a partir de 1984 mas em 1995 passou à produção de livros de arte e projetos especiais.

Fortes e faróis.

Rio de Janeiro: João Fortes Engenharia/Secretaria Municipal de Cultura, 1997.

De formato oblongo e sob patrocínio de João Fortes Engenharia, foi produzida este lindo álbum do fotógrafo Ricardo C. Siqueira (do Rio de Janeiro?), com inserção de plantas antigas provenientes do Arquivo Histórico do Exército. O tema se estende do Sul ao Norte do País e cada fotografia é acompanhada de bom texto explicativo por Sergio Adeodato e Wagner de Oliveira. Muito recomendável.

SISSON, SEBASTIÃO AUGUSTO

Sebastien Auguste Sisson, retratista e litógrafo francês (1824-1898), citado por Bénézit como Auguste Sisson, retratista que expôs em Paris em 1843, foi aluno de Lemercier. Chegou ao Brasil em 1852 e estabeleceu-se em 1855 no Rio de Janeiro como retratista, trabalhando também como litógrafo no O Brazil Illustrado. *Sua obra é enorme, contando mais de duzentas relacionadas no* CEHB, *entre as quais o* Album do Rio de Janeiro moderno, *com doze cromolitografias, mas até a data não se encontra ordenada e estudada. Ilustrou, entre outras, a obra* Apontamentos biographicos para a historia das campanhas do Uruguay e Paraguay desde MDCCCLXIV *(v.) e, sobretudo, a obra a seguir relacionada, que coroou sua reputação:*

Galeria dos brasileiros ilustres: os contemporâneos.

São Paulo: Livraria Martins Editora S/A, [1948]. (Biblioteca Histórica Brasileira, 18)

É provável ser esta a segunda edição desta clássica obra publicada em fascículos a partir de 1857 e reunida em dois volumes em 1861, edição muito bem realizada que contém as biografias anunciadas no título (redigidas por diversos e todas encomiásticas) e reproduz com perfeição e nos mesmos dois volumes os correspondentes noventa retratos.

SMARCEVSKI, LEV

Graminho, a alma do saveiro = soul of the saveiro.

Salvador: Odebrecht, 1996.

O autor desta obra se define como ucraniano, arquiteto, pintor e navegador solitário. Ainda que especializada e em partes muito técnica, é fascinante, muito bonita e de agradável leitura. A ilustração foi confiada ao fotógrafo suíço Bruno Furrer (v.) e a edição traz a conhecida marca de alta qualidade da Odebrecht (v.).

SMITH, ANTHONY

Mato Grosso: last virgin land: an account of the Mato Grosso based on the Royal Society and Royal Geographic Society expedition to central Brazil 1967-9.

[Japão]: Michael Joseph, [1971].

O zoólogo Anthony Smith (1926), formado em Oxford, foi contratado pelas sociedades geográficas inglesas Royal Society e Royal Geographical Society para relatar uma expedição a Mato Grosso organizada por essas sociedades. O resultado é esta obra de excelente apresentação, com farta documentação fotográfica devida em grande parte a Douglas Botting (v.) e Geoffry Bridget, membros da expedição. Muito interessante.

SMITH, EMMA JULIANA

Desenhista e aquarelista inglesa amadora, esposa de J. P. G. Smith, comerciante inglês estabelecido de 1844 a 1845 em Recife, tinha por hábito acompanhar o marido em suas viagens de negócio e fixar em desenhos suas impressões. Lygia F. F. da Cunha, em "Iconografia baiana do século XIX" (in Anais da Biblioteca Nacional, *vol. 101, 1981), cita a artista e revela que a Biblioteca Nacional adquirira em 1966 um álbum contendo 153 desenhos e aquarelas desta artista, dos quais muitos referentes ao Brasil, reproduzindo três aquarelas de vistas baianas. As aquarelas brasileiras foram reproduzidas na obra:*

Aquarelas: Brasil século XIX: paisagem, flores, frutos.

Rio de Janeiro: Edições Alumbramento, 2000.

Edição luxuosa e semi-artesanal em quarto grande, magnífico acabamento e acondicionada em caixa especial, reproduz as aquarelas de paisagens e frutas brasileiras por Emma jul. iana Smith, desenhista inglesa amadora. O historiador Evaldo Cabral de Mello revela o Recife de meados do século XIX e descreve cada uma das aquarelas reproduzidas. Muito recomendável.

SMITH, JEAN Irwin

Aquarelista americana, chegou ao Brasil em 1975 em companhia do marido e passou a interessar-se pela flora brasileira, principalmente a urbana.

Que árvore é aquela? = What tree is that?

2ª edição. Rio de Janeiro: Editora Rios, 1981.

Grande foi o sucesso para as lindas aquarelas da autora, acompanhadas de científica mas amena descrição das árvores retratadas. NOTA: Terceira edição em 2001, formato menor, brochura.

Árvores ornamentais na cidade de São Paulo = Flowering trees in the city of São Paulo.

São Paulo: Terceiro Nome, 2000.

Segunda obra da autora, ilustrada com 32 aquarelas próprias de flores provenientes de árvores encontradas nas vias públicas e em jardins paulistas. Completam a obra bem-humoradas descrições e qualificações destas árvores e notícias de nomes populares e utilidade.

SMITH, ROBERT Chester

Historiador de arte americano (1912-1975), dedicou-se ao estudo da arte portuguesa e luso-brasileira e foi autor de obras importantes como: Arquitetura colonial baiana, Arquitetura colonial, Igrejas, casas e móveis: aspectos da arte colonial brasileira *e* Arquitetura jesuítica no Brasil. *A IV Bienal de Arquitetura de São Paulo (1999) lhe dedicou uma sala especial.*

SMITH, Robert C. e FERREZ, Gilberto. *Franz Frühbeck's Brazilian journey: a study of some paintings and drawings made in the years 1817 and 1818 and now in the possession of the Hispanic Society of America.*

Philadelphia: University of Pennsylvania Press/Hispanic Society of America, [1960].

Obra básica sobre a pouco conhecida produção artística de Franz Joseph Frühbeck (v.), um aquarelista austríaco (1795-?), que acompanhou a missão artística da Arquiduquesa Leopoldina ao Brasil. Esta é a única publicação que estuda este pintor *naïf*, qualificado como "talentoso" por Nagler e omitido em Thieme-Becker, do qual praticamente só se conhecem as obras nela reproduzidas. Além de básica e importante, a obra nos transmite noções fundamentais sobre D. Leopoldina e seu casamento com D. Pedro I no Rio de Janeiro, além das poucas conhecidas sobre o artista; apresenta ainda em fac-símile o texto integral do raríssimo opúsculo *Skizzen meiner Reise nach Brasilien* (Viena, 1830), infelizmente apenas comentado, faltando uma desejável e indispensável tradução. Além das doze aquarelas que se encontram na Hispanic Society of America, foram reproduzidos alguns desenhos. A única das reproduções efetuada em cores deste total nos faz lamentar a falta de cor também para as demais, mas assim mesmo a obra não deixa de ser importante e altamente recomendável.

SMYTH, WILLIAM

Oficial da Marinha inglesa (1800-1877), esteve no Brasil de 1831 a 1835 como membro da tripulação do H. M. S. Samarang. *Viajou pelo país e deixou a obra* Narrative of a journey from Lima to Pará, across the Andes and down the Amazon ... By Lieut. W. Smyth and Mr. F. Lowe *(Londres, 1836), não mencionada por Borba de Moraes mas no CEHB sob nº 1 153 e 1 154, onde também constam três plantas geográficas de sua autoria, nº 124 a 126. Doze aquarelas de sua autoria encontram-se relacionadas em* Iconografia do Rio de Janeiro, *de Gilberto Ferrez, das quais três reproduzidas.*

Aquarelas de William Smyth: 1832-1834.

[Rio de Janeiro]: Unipar, [1987].

Neste belíssimo álbum encontram-se reproduzidas doze aquarelas que retratam Rio de Janeiro, Salvador e Recife, atualmente na coleção Paulo Fontainha Geyer (v.), o maior colecionador de iconografia brasileira do país. As reproduções foram montadas em folhas de 39,5 x 32,5 cm, com *passe-partout* e acondicionadas em pasta de cartolina. NOTA: Em *Visões do Rio na Coleção Geyer* acham-se reproduzidas mais quatro destas aquarelas de William Smyth.

SOARES, DULCE

Fotógrafa brasileira, autora dos ensaios fotográficos: A cidade *(1979) e* Vestidos de noiva. Rua São Caetano *(1981).*

Barra Funda: esquinas, fachadas e interiores.

São Paulo: Imprensa Oficial do Estado S/A, 1982.

Sem os vícios comuns às edições de órgãos públicos, este é um belo e luxuoso álbum de grande formato e folhas soltas, cujo tema é revelado no título. A obra foi enriquecida com o estudo "Acenos históricos" de Emanuel von Lauenstein Massarani. Muito interessante.

Monumentos paulistanos: memória em praça pública.

São Paulo: Empresa das Artes, 1989.

Fotografias corretas mas não muito inspiradas por uma profissional consagrada.

Serra do Cipó.

Rio de Janeiro: Editora Nova Fronteira, 1988.

O atual Parque Nacional da Serra do Cipó, em Minas Gerais, encontrou na fotógrafa Dulce Soares uma digna intérprete de suas riquezas zoológicas, mineralógicas e botânicas, em perfeita apresentação nesta bela e interessante obra, comentada pelos professores universitários Angelo Machado, Fabio Marton Costa Santos e Pedro Ivo Soares Braga.

SOARES, ERNESTO

História da gravura artística em Portugal: os artistas e as suas obras.

Nova edição. Lisboa: Livraria Sancarlos, 1971. 2 v.

Esta volumosa obra em dois volumes é um importante repositório de estudos e dados sobre o tema do título; ainda que de interesse predominante português, também o é para o Brasil e indispensável para estudos.

SOARES, JOSÉ CARLOS MACEDO

Santo Antonio de Lisboa Militar no Brasil.

Rio de Janeiro: Livraria José Olympio Editora, 1942.

Entre as muitas obras de luxo que o autor costumava editar para presentear a amigos, esta relata a vida do português Fernando de Bulhões (1195-1231), o futuro Santo Antonio de Lisboa (ou de Pádua) e a estranha veneração *post-mortem* em forma de ordem militar que elevou o santo a soldado, a capitão, a sargento-mor em 1810 e finalmente a tenente-coronel, ordem militar que foi extinta tão-só em 1907. Editada em quarto grande, foi ilustrada com gravuras antigas e desenhos a bico de pena por Percy Lau e, principalmente, por Wasth Rodrigues (v. estes).

SOARES, MARCELO

Poeta e xilógrafo de cordel.

Via sacra: os passos da cruz.

Timbaúba (PE): Edições Prelo, 1998.

Álbum oblongo contendo catorze xilogravuras originais para a "Via Crucis" concebida por um bom "cordelista" da atualidade. A tiragem do álbum foi de cem exemplares, com cada xilogravura assinada pelo artista.

Mulher presente ao trabalho.

S.l.: s.e., s.d.

Álbum de cem exemplares contendo três xilogravuras sobre o tema do título, tiradas em prensa manual e assinadas.

SOARES, MARIA BEATRIZ da Veiga

As mais belas árvores da mui formosa cidade de São Sebastião do Rio de Janeiro.

Rio de Janeiro: Editora Nova Fronteira, 1994.

São belas as fotografias de Claus Meyer, Pedro Oswaldo Cruz, Marcel Gautherot (v. estes), Janine Pierson e Haruyoshi Ono sobre o tema do título (por si só sempre belo), mas, independentemente da beleza das imagens, a obra também é um notável documento fotográfico de aspectos pouco usuais do Rio de Janeiro, além de conter a reprodução de uma aquarela de Paul Villon, duas de Luis Reis (v. estes) e desenhos e aquarelas de Malena Barreto.

SOCIARTE

A Sociedade dos Amigos da Arte de São Paulo foi fundada por um grupo de colecionadores paulistas em 1969; realizou várias importantes exposições temáticas ao longo dos anos, sempre com obras dos próprios sócios e sempre dotadas de bons catálogos, entre os quais os a seguir relacionados e examinados nos respectivos capítulos:

João Baptista Castagneto. 1862-1900. *(1978)*
A paisagem brasileira. 1650-1976. *(1980)*
Pintores italianos no Brasil. *(1982)*
O desenho brasileiro: séculos XIX-XX. *(1989)*
Iconografia paulista em coleções particulares. *(1999)*
Pintores do litoral paulista. *(2003)*

SODRÉ, ALCINDO

Museu Imperial.

Rio de Janeiro: Departamento de Imprensa Nacional, 1950.

Uma obra panegírica e dispersiva pelo Diretor do museu, dedicando parte substancial à descrição do parque e longa classificação científica de sua flora; segue sucinto histórico, descrição do palácio, relação de seu acervo e a tradicional fórmula característica de algumas publicações oficiais: descrição de cerimônias, opiniões de visitantes e ampla transcrição de leis. Muitas são as fotografias, convencionais e mal reproduzidas. A capa da brochura conta com uma vista do palácio em aquarela de José Wasth Rodrigues (v.).

SOUSA-LEÃO FILHO, JOAQUIM DE

Historiador de arte contemporâneo.

Frans Post.

São Paulo/Rio de Janeiro: Editora Civilização Brasileira S/A, 1948.

Após seu pioneiro estudo sobre Frans Post (v.) para o catálogo da exposição "Frans Post: seus quadros brasileiros" (Pernambuco, 1937), o autor partiu para esta obra ampliada que relaciona cem obras, quase todas reproduzidas (uma em cores), e muitas minuciosamente descritas e historiadas. Nesta obra também estudou e reproduziu o grande "mapa" de Marcgrave (v.), dedicou um capítulo completo e duas reproduções às "Curiosidades" brasileiras (vendidas por Maurício de Nassau em 1652 ao Grande Eleitor Frederico Guilherme), outro ao álbum *Theatrum rerum Naturalis Brasiliae* e um último às famosas tapeçarias. Como anexo, acrescentou uma transcrição em francês dos quadros oferecidos por Maurício de Nassau (v.) ao Rei Luís XIV. Muito interessante.

Frans Post: 1612-1680.

Rio de Janeiro: Livraria Kosmos Editora/Amsterdam: A. L. van Gendt, [1973]. (Painters of the past)

Nesta nova e bela versão da obra do verbete anterior, o autor nos lega o melhor estudo biográfico e crítico nacional sobre Frans Post (v.), o pintor de Maurício de Nassau (v.). 140 quadros e 66 desenhos foram reproduzidos em preto e branco e minuciosamente descritos e historiados, formando um *catalogue raisonné*. Além de cinco quadros reproduzidos em cores, alguns documentos e gravuras de terceiros, a obra contou com um capítulo dedicado a "Vrijburg" em Recife (1642) e ao "Mauritshuis" em Haia, na Holanda. Obra muito importante, foi incluída na série "Painters of the Past" publicada em inglês em tiragem de mil exemplares, dos quais 300 reservados para o Brasil, numerados e assinados pelo autor. Muito recomendável.

Morenos: notas históricas sobre o engenho no centenário do atual solar.

Rio de Janeiro/Amsterdam: Colibris Editora Ltda, 1959.

Abalizado estudo histórico sobre o antigo Engenho Nossa Senhora de Apresentação, da família de Antonio Sousa Leão, o Barão de Morenos. Ilustrado com boas fotografias e reprodução de duas gravuras antigas.

SOUZA, ANTONIO LOUREIRO DE

Baianos ilustres: 1564-1925.

[Salvador: Tipografia Beneditina], 1949.

De grande formato (32,0 x 23,5 cm) e boa apresentação, é uma das muitas obras comemorativas do quarto centenário de Salvador e "fixa em rápidos traços o perfil das individualidades de relevo". Bem mais do que um simples esboço, esta obra é na realidade uma galeria de retratos dos cem biografados, podendo-se criticar apenas a falta de referência às origens de cada ilustração.

SOUZA, AUGUSTO FAUSTO DE

A bahia do Rio de Janeiro; sua história e descripção de suas riquezas.

Rio de Janeiro: Typographia Universal de H. Laemmert & C., 1882.

O autor (1835), bacharel em "Sciencias matematicas e fisicas", era militar e membro do IHGB; sua obra encontra-se relacionada em Sacramento Blake e a presente sob nº 19 340 no CEHB. Além da importância do texto, destaca-se por suas excepcionais ilustrações: o mapa coreográfico da Baía da Guanabara (litografia do Arquivo Militar), três vistas desdobráveis: *O gigante que dorme – visto de fora da barra*, *Entrada da Barra* (gravada por P. Reis no Arquivo Militar) e um curioso *Confrontação entre o mappa do Brazil e a carta da bahia do Rio de Janeiro*.

SOUZA, EDGARD DE

História da Light; primeiros 50 anos.

2ª edição revista e ampliada. São Paulo: Eletropaulo, 1989.

Edgard Egydio de Souza (1876-1956), engenheiro pela Universidade de Liège (Bélgica), ingressou em 1900 na firma canadense popularmente conhecida como "Light", e dela se tornou Diretor Geral em 1948. Foi nesta época que apresentou à companhia um relatório destinado a servir de subsídio para uma obra comemorativa do cinqüentenário no país, relatório que foi publicado como "Esboço" em 1949. Ainda que se tratasse de mero relatório, esta obra é considerada básica para a história da energia e do transporte elétrico no país; esta segunda edição revista e ampliada contribui para ressaltar esta importância, dotada que foi de excelente e pouco divulgada documentação fotográfica, muito bem reproduzida e comentada.

SOUZA, JOSÉ VICTORINO

A Igreja da Candelária desde a sua fundação: edição fac-similar.

Rio de Janeiro: Debret, 1998.

Fac-símile de uma obra muito interessante publicada no Rio de Janeiro em 1859. A diagramação adotada para a presente reedição é muito estranha; sofisticação que produz impacto negativo. Optando por uma forma oblonga de 20 x 28 cm, foram reservados dois terços da folha ao texto e o restante a um espaço vago ou a fotografias de pequena dimensão, mal reproduzidas e freqüentemente repetidas.

SPALDING, WALTER

O Brasil na cartografia e na lenda.

Porto Alegre: Oficinas Gráficas da Imprensa Oficial, 1945.

O título nos revela o conteúdo deste interessante estudo, ilustrado com quinze mapas da Mapoteca do Itamaraty anteriores ao século XVI; a raridade destes mapas deveria ter merecido uma reprodução bem melhor.

SPIX, JOHANN BAPTIST VON

Johann Baptist von Spix (1781-1826), naturalista alemão, formado em Medicina, empreendeu viagens científicas pela França, Itália e Suíça, tornou-se membro da Academia de Ciências de München e em 1811 foi nomeado curador das coleções zoológicas. De 1817 a 1820 participou com von Martius (v.) da grande expedição científica ao Brasil, e após seu regresso foi nobilizado. Publicou várias obras zoológicas com material colhido no Brasil e participou da redação do primeiro volume da obra Reise in Brasilien... *(1823), obra publicada em três volumes com manutenção de seu nome como autor.* NOTA: *Esta expedição tornou-se conhecida como "Spix e Martius", mas referências e obras sobre ela também constam do verbete* MARTIUS.

SPIX, Joh. Bapt. von e MARTIUS, Carl Friedr. Phil. von. *Reise in Brasilien in den Jahren 1817-1820: von Joh. Bapt. von Spix and Carl Fried. Phil. von Martius.*

Unveränderter Neudruck des 1823-1831 in München in 3 Textbänden und 1 Tafelband erschienenen Werkes Herausgegeben und mit einem Lebensbild des Botanikers C.F.P. von Martius sowie mit einem Register versehen von Karl Mägdefrau... Stuttgart: F.A. Brockhaus Komm. Gesch. Gmbh Abt. Antiquarium, 1966. 3 v.

Reimpressão fac-similar da edição original (München, 1823-1831), com a costumeira alta qualidade das edições Brockhaus. Esta edição foi executada em tamanho menor, com os três volumes de texto em quarto pequeno e o álbum em um quarto da dimensão original (28 x 41 cm), contendo a reprodução de todas as gravuras, cujos títulos e comentários constam em alemão e português. Reproduzidos também dez dos onze mapas, assim omitindo o grande mapa em folha dupla da América do Sul, cujas partes referentes ao Brasil encontram-se reproduzidas fragmentadas nos volumes de texto. Muito importante.

SPIX, Joh. Bapt. von e MARTIUS, Carl Friedr. Phil. von. *Viagem pelo Brasil: von Spix e von Martius: 1817-1820 / tiragem especial da "Revista do Arquivo".*

São Paulo, Revista do Arquivo, 1940.

Este álbum de folhas soltas é uma separata das gravuras publicadas fora de texto nos volumes LI a LXII da *Revista do Arquivo* (São Paulo). A tiragem foi de 100 exemplares numerados, dos quais os 25 primeiros foram impressos em papel superior e reprodução foi muito boa. Muito recomendável.

STADEN, HANS

Arcabuzeiro profissional alemão nascido entre 1525 e 1528 e falecido por volta de 1576; esteve no Brasil de 1547 a 1548 (ou 1548 a 1549) e uma segunda vez de 1549 (ou 1550) a 1555, sempre procedente de Lisboa. Suas estadias no Brasil encontram-se relatadas em sua obra Wahrhaftige Historia... *(Marburg, 1577), que teve mais três edições no mesmo ano (todas muito raras) e outras nove até o fim do século, além de muitas outras posteriores, incluindo dezessete brasileiras. Esta obra é ilustrada com 56 xilogravuras por artista desconhecido e baseadas em desenhos do próprio autor (conforme consenso geral dos estudiosos); são todas de grande simplicidade mas notável precisão descritiva dos locais e acontecimentos da narrativa. As edições a seguir relacionadas reproduzem as mesmas xilogravuras, mas divergem entre si por textos complementares e, em alguns casos, por acréscimo de outras ilustrações.*

Hans Staden: suas viagens e captiveiro entre os selvagens do Brazil: edição commemorativa do 4º centenario.

São Paulo: Typ. da Casa Eclectica, 1900.

Após uma tradução de Alencar Araripe publicada na *RIHGB* do Rio de Janeiro (1892), esta foi a primeira edição nacional em livro. Foram razoavelmente reproduzidas todas as gravuras e foram ascrescidas extensas "Notas a Hans Staden" pelo tradutor Alberto Loefgren.

Viagem ao Brasil.

Versão do texto de Marpurgo, de 1557, por Alberto Löfgren. Revista e anotada por Theodoro Sampaio. Rio de Janeiro: Officina Industrial Graphica, 1930. (Publicações da Academia Brasileira – História, 2)

Esta é na prática uma reedição da edição precedente de 1900, com a tradução de Alberto Löfgren mas substituição de suas notas pelas de Theodoro Sampaio; a reprodução das gravuras melhorou bastante.

Wahrhaftige Historia und beschreibung eyner Landschafft der wilden nacketen grimmigen Menschengresser-Leuthen in der Newenwelt America Gelegen.

Faksimile-Wiedugabe nach der Erstausgabe "Marpurg uff Fastnacht 1557" mit einer Begleitschrift (Zweite Vermehrte Auflage) mit 6 Abbildungen und 1 Karte von Richard N. Wegner Prof. Dr. med. et phil. in Frankfurt a.M. Frankfurt a.M.: Faksimiledruck und Verlag: Wüsten & Co., 1927.

Edição fac-símile da primeira edição de 1577, com longo posfácio por Richard N. Wagner, ilustrado com um retrato gravado de Hans Staden, um fac-símile do colofon de uma edição pirata por Weygandt Han no mesmo ano de 1577, um mapa e várias ilustrações etnográficas.

Zwei Reisen nach Brasilien.

Abenteurliche Erlebnisse unter den Menschengressern der Neuen Welt im 16. Jahrhundert. I. Teil: Die Reisen. II. Teil: Land und Leute. In die Sprache der Gegenwart übertragen von Karl Fouquet. São Paulo: Herausgegeben von den Hans Staden Gesellschaft, 1941.

A Sociedade Hans Staden de São Paulo, atual Instituto Hans Staden, era dirigida em 1941 por Karl Fouquet (intelectual catarinense com doutorado em Germanística), que verteu o texto original em alemão moderno. Esta nova edição (muito recomendável) contou com um posfácio do tradutor e um estudo da cartografia da obra por Wilhelm Kloster, com acréscimo de dois mapas de desenho próprio e reprodução de uma aquarela em folha desdobrável do Forte de Bertioga por A. Prast, do Rio de Janeiro.

Duas viagens ao Brasil; arrojadas aventuras no século XVI entre os antropófagos do Novo Mundo.

Transcrito em alemão moderno por Carlos Fouquet e traduzido desse original por Guiomar de Carvalho Franco, com uma introdução e notas de Francisco Assis Carvalho Franco. São Paulo: [Instituto Hans Staden], 1942.

Com as mesmas características da obra resenhada no item anterior, esta é a versão brasileira do original alemão, publicada simultaneamente pelo mesmo Instituto Hans Staden.

Zwei Reisen nach Brasilien: 1548-1555.

In die Sprache der Gegenwart übertragen, mit einem Nachwort und mit Erlänterungen versehen von Karl Fouquet. 3. ergänzte Auflage. Marburg an der Lahn: Trautvetter & Fischer Nachf, [1970?].

Nesta terceira edição revista da versão precedente, a editora acrescentou um longo posfácio, um glossário e uma bibliografia, todas pelo próprio tradutor, além dos mapas desenhados por Wilhelm Kloster e do acréscimo de gravuras de época.

Hans Stadens Wahrhaftige Historia.

Herausgegeben und übertragen von Reinhard Maak und Karl Fouquet. Marburg an der Lahn: Trautvetter & Fischer Nachf, [1964].

Esta edição difere muito das anteriores por apresentar o texto original em confronto com o texto vertido para alemão moderno por Karl Fouquet. Conta ainda com um prefácio e um estudo sobre a língua tupinambá por Reinhard Maak, um estudo bibliográfico das edições da *Wahrhaftige Historia* por Karl Fouquet, e as ilustrações do verbete anterior, além de adicionais plantas cartográficas e algumas fotografias.

Wahrhaftige Historia und Beschreibung einer Landschaft der Wilden, Nackten, Grimmigen Menschengresser in der Neuen Welt America Gelegen: 1557.

Originalgetresser Faksimiledruck Herausgegeben von Günther F.Th. Bezzenberger. Kassel: Thiele & Schwarz, 1978.

Outra edição fac-similar, muito boa, com posfácio do editor.

A verdadeira história dos selvagens, nus e ferozes devoradores de homens, encontrados no Novo Mundo, a América, e desconhecidos antes e depois do nascimento de Cristo na Terra de Hessen, até os últimos dois anos passados, quando o próprio Hans Staden de Homberg, em Hessen, os conheceu, e agora os traz ao conhecimento do público por meio da impressão deste livro.

Tradução: Pedro Süssekind. Introdução: Melanie Dimantas. Projeto gráfico e ilustração da capa: Marcus Wagner. Rio de Janeiro: Dantes, 1998.

Curiosa e interessante edição em linguagem coloquial. As ilustrações originais foram em sua grande maioria substituídas por fragmentos de outras gravuras da época (especialmente do De Bry, v. este), inseridas de forma interessante ao longo do texto. Graficamente bonita e bem feita, esta edição perde em impacto com a omissão das gravuras originais que fazem parte integrante do texto.

Hans Staden: primeiros registros escritos e ilustrados sobre o Brasil e seus habitantes.

São Paulo: Editora Terceiro Nome, 1999.

Esta mais recente das muitas edições do relato de um arcabuzeiro alemão durante seu confinamento entre Tupinambás no início do século XVI, encontra-se apresentada em forma de uma simpática plaqueta que contém as ilustrações originais reproduzidas fotograficamente e uma nova tradução por Angel Bojadsen em português coloquial, além de um interessante estudo de Fernando A. Novais sobre "O Brasil de Hans Staden". Muito interessante.

STAHL, AUGUSTO

Em 1853 chegava a Recife o fotógrafo alemão Augusto Stahl. Instalado inicialmente na Rua do Crespo como retratista, documentou a seguir a construção da Estrada de Ferro Recife-São Francisco e em 1858 estabeleceu-se como "Stahl & Co.", tendo por sócio o pintor alemão Hermann Wahnschaffe, encarregado das fotopinturas. Em fins de 1859 documentou a visita de D. Pedro II a Recife e fotografou o casal imperial, obtendo o título de "Fotógrafo de S. M. Imperial", título que também lhe foi confirmado após a transferência do ateliê para o Rio de Janeiro. Em 1870 retornou subitamente à Europa em companhia do sócio e sem deixar sucessor. Sua obra fotográfica encontra-se estudada e reproduzida em Augusto Stahl, *de Bia Corrêa do Lago (v.).*

STEINEN, KARL VON DEN

Formado em medicina e psiquiatria, este cientista alemão (1855-1929) empreendeu uma viagem ao redor do mundo de 1879 a 1881 e em 1882 visitou a Antártica; retornando, encontrou em Montevidéu o primo e desenhista Wilhelm von den Steinen (1859-?) e o cartógrafo e meteorologista Otto Claus. Juntos empreenderam em 1884 uma excursão ao Xingu, da qual resultou a obra Durch Zentral Brasilien *(Leipzig, 1886), seguida de* Unter den Naturvölkern Zentral-Brasiliens *(Berlim, 1894), fruto de uma expedição empreendida em 1887.*

Entre os aborígines do Brasil central: prefácio de Herbert Baldus.

Tradução de Egon Schaden. Separata renumerada da *Revista do Arquivo*, n° 34-58, 1940.

Versão integral do original alemão (1894), com reprodução de todas as fotografias e desenhos de Wilhelm von den Steinen (v.), além de dois quadros do pintor alemão Johannes Gehrts (1855-?).

STEINMANN, JOHANN JACOB

Desenhista e litógrafo suíço (1800-1844), estudou com Engelmann e a seguir com Senefelder em Paris e em 1825 foi contratado por cinco anos para o ensino da matéria no Arquivo Militar do Rio de Janeiro. Findo o contrato em 1830, estabeleceu-se por conta própria e em 1833 voltou para a França, publicando em 1835 seu álbum Souvenirs de Rio de Janeiro dessinés d'après nature & publiés par J. Steinmann, *formado por doze água-tintas executadas pelo gravador Friedrich Salathé (v.), segundo seus desenhos e os de Eduard Kretschmar e Victor Barrat, álbum de grande raridade mas por diversas vezes reproduzido no Brasil. Steinmann também editou quatro belas e muito raras água-tintas coloridas executadas pelo mesmo Friedrich Salathé; são elas grandes panoramas: de Pernambuco, segundo desenho de Schmidt; do Rio de Janeiro tomado do Morro do Castelo, segundo desenho de Guillaume Frederic Ronmy (1786-1854); do Rio de Janeiro tomado de São Cristóvão, segundo desenho de Eduard Kretschmar; e de São Salvador, provavelmente também por Kretschmar, todas reproduzidas em* O Brasil dos viajantes, *de Ana Maria M. Belluzzo (v.) e a de Pernambuco em* Panorama do Recife, *de Gilberto Ferrez (v.). Em* Visões do Rio na Coleção Geyer *encontram-se reproduzidas as aquarelas* Vista da Baía do Rio de Janeiro *e* Largo do Paço, *atribuídas a Steinmann; na realidade, entretanto, são os originais para as gravuras* Vista de N. S. da Gloria et[sic] da Barra do Rio de Janeiro *e* Largo do Paço *do álbum* Souvenirs de

Rio de Janeiro *e são de autoria de Eduard Kretschmar e de Victor Barrat, conforme consta das próprias gravuras. Apesar de sua longa permanência no Brasil, pouco se conhece sobre sua obra; os poucos dados disponíveis encontram-se em* Imagem e letra *de Orlando da Costa Ferreira (v.), no estudo da iconógrafa Lygia Fonseca Fernandes da Cunha que se encontra em uma das edições nacionais do álbum, e no estudo "Ein Basler als erster Lithograph in Brasilien", de Robert Steinmann.* NOTA: *O álbum* Souvenirs de Rio de Janeiro *foi publicado em 1835, mas existem exemplares sem data e outros datados de 1836 a 1839; todos são formados por doze gravuras, mas na realidade foram executadas treze, encontrando-se em alguns exemplares a alternância das gravuras* Fortaleza Santa Cruz e Praya Vermelha *e* Igreja de St. Sebastião, *alternância que também se constata nas edições brasileiras, onde constam uma ou outra destas gravuras.*

Souvenirs de Rio de Janeiro.

São Paulo: Livraria Martins Editora, [1944]. (II – Álbum do Brasil)

Esta foi a primeira das edições nacionais do álbum *Souvenirs de Rio de Janeiro*. A reprodução das gravuras (de um exemplar colorido e não datado) foi muito boa e na dimensão original da mancha, mas os títulos das gravuras foram modernizados, as subscrições omitidas e a folha do álbum bem maior que a original. A reprodução da folha original de título e uma resumida nota sobre a obra completaram esta muito recomendável edição nacional.

Souvenirs de Rio de Janeiro: dessinés d'après nature e publiés par J. Steinmann.

Edição fac-símile. [Rio de Janeiro: Impressão de Artes Gráficas Arnau Ltda., s.d.].

Nesta segunda publicação do belo álbum de Steinmann estamos perante uma das poucas e mais perfeitas edições fac-similares nacionais. A folha de título do álbum original também serviu de título a este fac-símile que respeitou a dimensão original e as demais características de um exemplar colorido na época; a tiragem foi de 535 exemplares encadernados e outras 77 em folhas soltas e papel especial, acondicionadas em estojo, dos quais 21 coloridos. Importante estudo da iconógrafa Lygia F.F. da Cunha (v.) completa este muito recomendável álbum.

Souvenirs de Rio de Janeiro: dessinés d'après nature e publiés par J. Steinmann: 1839.

(Edição fac-símile). S.l.: s.e., s.d.

Esta terceira publicação do álbum de Steinmann também é fac-similada mas menos luxuosa e de qualidade inferior à do verbete anterior; não há indicação de editor e data de publicação, mas foi realizada pela Livraria Kosmos (Rio de Janeiro, 1967). Tudo indica que a presente edição (baseada em exemplar datado de 1839) e a do verbete anterior se utilizaram do mesmo exemplar original; também compartilham do mesmo importante artigo de Lygia F. F. da Cunha (v.).

Souvenirs de Rio de Janeiro: dessinés d'après nature e publiés par J. Steinmann.

(Edição fac-símile). [Rio de Janeiro: Livraria Kosmos Editora, 1967]. (Calendário, 1967)

Este calendário de 1967 da Livraria Kosmos tornou-se um clássico, não só pela beleza da reprodução em cores das doze gravuras e pelo acréscimo de alguns dos detalhes da ornamentação a título de vinheta, com também pelo excelente artigo em português e inglês da iconógrafa Lygia F. F. da Cunha, o mesmo referido nos verbetes anteriores.

Souvenirs de Rio de Janeiro.

[Belo Horizonte]: Vila Rica, [1990]. (Álbum do Brasil. II. Coleção Arte Sempre, 2)

Esta edição difere profundamente das demais; utilizou um álbum original colorido de 1836 e do mesmo reproduz em muito maior dimensão tão-só as imagens, omitindo os títulos, as subscrições e os arabescos originais. Foi aproveitado o texto de Lygia F.F. da Cunha constante das edições anteriores e três das gravuras (em branco e preto) foram reproduzidas nas folhas de guarda. Edição vistosa e recomendável, é no entanto inferior em qualidade às anteriores.

STENDARDO, ALFREDO

Visioni di Rio de Janeiro = Visões do Rio de Janeiro.

Rio de Janeiro: Irmão Pongetti Editores, 1961.

O original e a tradução da obra em um só volume, portando uma das partes o título supra (na tradução de Paulo Rónai) e a outra o de *Visioni di Rio de Janeiro*. A ilustração foi suprida com numerosas e interessantes vinhetas de Gianvittre Calvi.

STICKEL, ROBERTO DIEDERICHSEN

Engenheiro civil (1954), ativo em São Paulo em desenho industrial e aeronáutico e como ilustrador arquitetônico; é também conhecido por Neco Stickel como colecionador de brinquedos. De sua autoria a ilustração da obra Teatro Municipal de São Paulo: grandes momentos, *de Ignacio de Loyola Brandão (v.).*

Pyxis.

São Paulo: ed. do autor, 2003.

Linda plaqueta em inglês, publicada para a mostra "Abitare il tempo" (Verona, 2000), reproduz partes de suas aquarelas arquitetônicas e os desenhos industriais premiados, além do projeto do microplanador Pyxis. Muito interessante. NOTA: Seu *design* de móveis e o projeto "Pyxis" foram apresentados nas mostras internacionais "Abitare il tempo: mostra di sperimentazione e ricerca" (Verona, 2000), "Expo Universo Brasil-Italia" (Triennale di Milano, 2001) e "Marca Brasil – O Brasil como marca" (Roma, 2003), e parte destas obras e a coleção de brinquedos em diversas revistas nacionais, destacando-se *Arc Design* (nº 1, julho de 1997), *Casa Vogue* (nº 155), *Revista Mitsubishi* (nº 1), e *Voar* (nº 13), além de constar nas obras *Desenho industrial* (CNPq, 1982) e *Prêmio Design Museu da Casa Brasileira: 1986-1996* (Museu da Casa Brasileira, 1996).

STIFF, RUTH

Margaret Mee; return to the Amazon.

London: Royal Botanical Gardens, 1996.

Uma obra especialmente redigida e coordenada por Ruth Stiff, curadora de uma grande exposição itinerante que o Jardim Botânico Kew Gardens de Londres organizou para apresentação do acervo de aquarelas de Margaret Mee (v.). Concebido como catálogo das exposições programadas para os Estados Unidos (entre 1997 e 1999), é na realidade um autêntico tratado sobre o meio ambiente amazonense e a obra desta inigualável desenhista botânica, reproduzindo setenta e seis aquarelas e duas adicionais na capa e na contracapa da brochura; muitas destas aquarelas contam junto ao texto com a reprodução do *field sketch*, o desenho original colhido no local. Boa parte das aquarelas encontram-se reproduzidas em obras anteriores de Margaret Mee, mas muitas são inéditas e provêm da coleção do Kew Gardens, do Museu de História Natural e do Smithsonian Institute de Washington, além de três exemplares de autoria de bolsistas da Fundação Margaret Mee. Importante o esboço biográfico e da formação artística de Margaret Mee, bem como o histórico da criação da Margaret Mee Amazon Forest e a instituição da Fundação Botânica Margaret Mee. Brochura em quarto grande: impecável, e muito recomendável.

STREIBEL, MARTIN

Fotógrafo gaúcho, ativo na década de 1980 com exposições individuais e coletivas, foi um dos ilustradores da obra Vestígios *(v.).*

Porto Alegre: Brasil.

Porto Alegre: Edição da Imagem, 1994.

Ativo e conhecido no campo da fotografia para propaganda na década de 1980, o autor criou no início da década de 1990 uma editora própria, na qual publicou este seu primeiro ensaio fotográfico, com resultado positivo.

STRIKER, ISABELA

Estampas del Brasil Imperial.

Washington: General Secretariat/Organization of American States, 1977. (Arte Colonial, 4)

Esta publicação é um dos suplementos da revista *Americas* que a Organização dos Estados Americanos publica em inglês, espanhol e português. As numerosas ilustrações (quase todas em cores) são as tradicionais de Johann Moritz Rugendas, Jean-Baptiste Debret, Henry Chamberlain, Joaquim Candido Guillobel (v. estes) e outros, e provieram da Biblioteca Oliveira Lima da Universidade Católica da América.

STUPAKOFF, OTTO

Fotógrafo brasileiro contemporâneo, ativo nos Estados Unidos; suas obras encontram-se freqüentemente nas revistas nacionais especializadas, como foi o ensaio de um encontro com os filhos em Fotoptica *(ano 14, n° 45, v. esta).*

Fotografias.

[São Paulo]: Editora Praxis, [1978].

Confia-nos o fotógrafo que "eu sou um viajante compulsivo, às vezes compelido", uma compulsão que traduz neste álbum de retratos e outros instantâneos.

?.

?: [Banco Itaú], 1978. (relatório anual)

Para este relatório anual do Banco Itaú, foi contratado o fotógrafo Otto Stupakoff para percorrer o país e colher material para o tema "O homem do campo" e, especificamente, os "descendentes dos primeiros colonizadores da terra e dos filhos e netos dos imigrantes mais recentes". O resultado foi excelente: quinze belíssimas fotografias de página inteira e seis em página dupla.

SUASSUNA, ARIANO Vilar

Escritor e folclorista (1927), fundador do Teatro Popular de Pernambuco e do Movimento Popular de Música "Armorial", autor das obras Auto da compadecida *e* A pedra do reino.

Ferros do Cariri: uma heráldica sertaneja.

S.l.; Guariba Editora de Arte Ltda., s.d.

Álbum curioso e belo, com reprodução de doze xilogravuras de "ferros de marcar", gravados pelo cordelista Dila (José Soares da Silva, 1937) em tiragem de 500 exemplares assinados pelo autor.

SVERNER, LILY

SVERNER, Lily e BOCCATO, André. *Fragmentos de uma paisagem urbana = Fragments of an urban landscape.*

[São Paulo]: Sverner & Boccato, [1988].

Um dos melhores e certamente dos mais bonitos ensaios fotográficos dos últimos tempos. Edição muito boa, enriquecida pelo texto quase poético de Ignácio de Loyola Brandão (v.).

T

TABET, SERGIO ROBERTO

TABET, Sergio Roberto e PUMAR, Sonia. *O Rio de Janeiro em antigos cartões-postais.*

[Rio de Janeiro: ed. do autor, 1985].

Um passeio pelo Rio de Janeiro antigo através de cartões-postais, servindo o texto como guia. Bela e luxuosa obra, com excelente reprodução dos cartões provenientes do Museu da Imagem e do Som e de seis coleções particulares. Muito recomendável.

TABORDA, FELIPE

Nascido em 1956 e formado em Comunicação, estudou fotografia em Londres e New York.

Retratos de pessoas geralmente desconhecidas.

Rio de Janeiro: s.e., 1982.

Catálogo de uma exposição de fotografias *sui generis*, imagens de indivíduos com o rosto oculto. Interessante.

TAUNAY, ADRIEN AIMÉ

Pintor paisagista (1803-1828), filho e discípulo de Nicolas Antoine Taunay, ao qual acompanhou ao Brasil em 1816. Participou a bordo do Urania *(1818-1820) como segundo desenhista da expedição de Freycinet ao redor do mundo e em 1825 foi contratado para substituir o pintor Johann Moritz Rugendas (v.) na Expedição von Langsdorff (v.), durante a qual veio a falecer em 1828. A quase totalidade de sua produção artística encontra-se nos arquivos da Expedição von Langsdorff na Rússia e reproduzida em* Aquarelas e desenhos de Taunay, *segundo volume da importante obra* Expedição Langsdorff ao Brasil. 1821-1829 *(v.) e uma parte desta coleção em* O Brasil dos viajantes, *de Ana Maria M. Belluzzo (v.), além de oito aquarelas de um caderno de desenho no segundo volume da mesma obra. Uma série de aquarelas encontra-se relacionada em* Iconografia do Rio de Janeiro, *de Gilberto Ferrez (v.), série esta reproduzida em* Habitat *(nº 11, junho de 1953).*

TAUNAY, AFFONSO D'ESCRAGNOLLE

Historiador e museólogo (1876-1958), foi membro do Instituto Histórico e Geográfico Brasileiro, da Academia Brasileira de Letras, diretor do Museu Paulista e posteriormente diretor-geral dos Museus do Estado de São Paulo. Sua obra historiográfica é vasta e importante, ainda que de difícil leitura, fruto de uma metodologia confusa e tendência a grandes divagações; ainda assim, é sempre muito elucidativa. Entre seus estudos encontram-se muitos títulos sobre viajantes pouco conhecidos, estudos importantes para os iconógrafos e, por este motivo, aqui também relacionados mesmo quando não ilustrados.

Ensaio de carta geral das bandeiras paulistas.

São Paulo/Cayeiras/Rio de Janeiro: Companhia Melhoramentos de São Paulo (Weiszflog Irmãos Incorporada), 1926.

Com prefácio histórico do próprio autor, este é um monumental mapa desdobrável (95 x 100 cm) retratando o Brasil de fins do século XVIII e as rotas das bandeiras até aquela época; desenhado por dois cartógrafos do Museu Paulista da Universidade de São Paulo, do qual o autor era diretor. NOTA: Existe uma segunda edição, em tudo idêntica.

No Rio de Janeiro dos vice-reis.

São Paulo: Imprensa Oficial do Estado, 1943.

Nesta obra são estudados aspectos da passagem pelo Brasil de John Byron (navegador inglês, 1723), F.L. Langstedt (mercenário alemão a serviço da Inglaterra), Juan Francisco Aguirre (militar), Watkin Tench (capitão de navio), John Barrow (1764) e, finalmente, o relato "Uma arribada francesa ao Rio de Janeiro", em 1748.

Cinco peças da velha iconografia catarinense: 1815.

Separata de *Anais do Primeiro Congresso de História Catarinense*, Florianópolis, v. 2, 1960.

Pequeno folheto mal impresso com estudo de quatro gravuras do pintor e litógrafo russo Luiz Choris (v.), executadas em 1815 a bordo do *Rurik* durante a expedição científica russa de Otto von Kotzebue; foram publicadas em *Vue et paysages des regions equinoxiales recueillis dans un voyage autour du monde* (Paris), de autoria do próprio artista, e foram as únicas com temas brasileiros desta obra. As quatro gravuras encontram-se razoavelmente reproduzidas, além de uma aquarela de paisagem catarinense pelo mesmo artista.

Collectanea de mappas de cartographia paulista antiga, abrangendo nove cartas, de 1612 a 1837, reproduzidas de collecção do Museu Paulista e acompanhadas de breves comentarios por Affonso d'Escragnolle Taunay: volume I.

São Paulo/Cayeiras/Rio de Janeiro: Companhia Melhoramentos de São Paulo, 1922.

Edição em fólio médio, de baixo custo, com nove importantes mapas desdobráveis. A projetada coleção infelizmente restringiu-se a este primeiro e muito importante volume.

Nicolau Antonio Taunay: documentos sobre a sua vida e sua obra.

Rio de Janeiro: Imprensa Nacional, 1916.

Esta monografia, anteriormente publicada no volume 78, parte II da *Revista do Instituto Histórico e Geográfico Brasileiro*, é na realidade um catálogo da obra completa deste pintor francês (1755-1830), integrante da Missão Artística Francesa de 1816 (v.). Artista fecundo, chegou ao Brasil com 60 anos feitos e aqui permaneceu por apenas cinco anos, motivo de sua produção artística brasileira ser relativamente pequena, como aliás comprova o catálogo. Apesar de contar com a reprodução de um único destes seus quadros, é obra de peso para a avaliação de sua importância como paisagista e de sua influência sobre as gerações que freqüentaram a Academia Imperial de Belas Artes do Rio de Janeiro.

Velho São Paulo.

[São Paulo]: Edições Melhoramentos, [1954?]. 3 v.

Esta obra do consagrado historiador, editada pela Melhoramentos em homenagem ao quarto centenário de São Paulo, tornou-se um clássico e item bibliófilo. Ricamente ilustrado com mapas, gravuras e fotografias antigas (tudo em branco e preto) e reprodução de quadros de Belmonte (v.) retratando o Brasil antigo. Muito interessante.

Guia da secção historica do Museu Paulista.

São Paulo: Imprensa Offical do Estado, 1937.

Obra de vulto e importância, como foram todas as obras deste historiador e seu diretor, revelando o título tratar-se de um guia; na realidade é muito mais do que isto, constando também uma apresentação histórica, cultural e artística do conteúdo de cada sala do museu, com ótimas ilustrações.

Painéis do Museu de Itu.

Separata de *Administração Pública*, São Paulo, ano III, nº 1, mar 1945.

Breve histórico dos painéis de azulejos que decoram o saguão do Museu Republicano Convenção de Itu. Os textos, bem como as fotografias dos painéis (muito mal reproduzidos neste modesto opúsculo) foram reaproveitados pelo autor na obra do verbete seguinte, tornando esta edição dispensável.

Guia do Museu Republicano Convenção de Itu.

São Paulo: Indústria Gráfica Siqueira, [1946?].

Importante guia e histórico do museu que conta com minuciosa descrição artística e histórica de seus famosos painéis de azulejos, que o próprio autor e diretor do Museu Paulista mandara confeccionar pelo ceramista Antonio Luiz Gagni, todos reproduzidos; conta ainda com o histórico da "Convenção de Itu".

História da cidade de São Paulo sob o Império.

São Paulo: s.e., [?-1977]. 6 v.

Com prefácio-histórico do próprio autor, este é um monumental mapa desdobrável (95 x 100 cm) retratando o Brasil de fins do século XVIII e as rotas das bandeiras até aquela época; desenhado por dois cartógrafos do Museu Paulista da Universidade de São Paulo, do qual o autor era diretor.

TAUNAY, FELIX EMILE

Pintor paisagista (1795-Rio de Janeiro 1881), filho e discípulo de Nicolas Antoine Taunay, a quem acompanhou na viagem ao Brasil em 1816. Sucedeu ao pai na cátedra de "pintura da paisagem" e tornou-se Diretor da Academia de Belas Artes em 1834. Aposentado em 1851, dedicou-se a trabalhos literários, foi professor de D. Pedro II e agraciado com o título de Barão em 1864. Sua obra artística também é vasta e se encontra reproduzida nas obras O Brasil dos viajantes, *de Ana Maria M. Belluzzo, em* Visões do Rio na Coleção Geyer, *em* Iconografia do Rio de Janeiro, *de Gilberto Ferrez, e em* Pinturas e pintores *(v. estes), com destaque especial para um grande panorama do Rio de Janeiro editado por Steinmann e gravado por Salathé (v. estes), gravura que teve por base um quadro a óleo de Guillaume Fréderic Ronmy (1786-1854) e este por sua vez uma aquarela de Taunay, originais atualmente em local ignorado.*

TAUNAY, NICOLAS ANTOINE

Pintor paisagista (1755-1830), estudou com Lepicié, Brenet e Casanova. Membro da Academia em 1784 e do Instituto da França em 1896, participou numerosas vezes do Salão. Como um dos membros da Missão Artística Francesa ao Brasil em 1816, exerceu o cargo de lente de "pintura de paisagem" e produziu mais de trinta grandes telas, atualmente no Museu Nacional de Belas Artes e em coleções particulares, telas geralmente reproduzidas nas obras sobre história da arte e, especialmente, em O Brasil dos viajantes, *de Ana Maria M. Belluzzo, em* Visões do Rio na Coleção Geyer *e em* Pinturas e pintores *(v. estes). Taunay retornou à França em 1821.*

TEIXEIRA, CARLOS M.

Em obras: história do vazio em Belo Horizonte = Under construction: history of the void in Belo Horizonte.

[São Paulo]: Cosac & Naify Edições, s.d.

Esta obra de um jovem arquiteto e fotógrafo brasileiro desafia qualquer tipo de definição ou classificação e merece ser citada simplesmente como "diferente". Bela, fascinante e intrigante ao mesmo tempo e em todos os sentidos, da concepção à realização, das fotografias à apresentação gráfica, a obra comporta em aditamento um texto denso e polêmico. Muito interessante.

TEIXEIRA, LUIZ

Em longo texto transcrito em sua monumental Portugaliae Monumenta Cartographica, *Armando Cortesão (v.) se refere a este grande cartógrafo português como: "[...] um dos mais proeminentes, senão o mais proeminente, dos cartógrafos portugueses [...] do último quartel do século XVI e nos começos do XVII". Independente deste fato, seu nome está intimamente ligado ao Brasil e à grande família Teixeira Albernaz de cartógrafos portugueses, todos seus descendentes diretos ou parentes e com destaque especial para João Teixeira Albernaz I e II (v. estes), respectivamente filho e bisneto. Como tantas vezes acontece a personalidades daquela época, muito pouco se conhece de sua vida, datando a primeira notícia de 1564, quando foi examinado em Lisboa e aprovado para executar cartas de marear e instrumentos náuticos, seguida de outra de 1569 quando nomeado para o correspondente ofício nas armadas reais da Guiné e da Índia. Sabe-se que esteve no Brasil e presume-se ter sido entre 1573 e 1578, tendo recebido ordem do Governador Luis de Britto e d'Almeida em 1574 para proceder ao levantamento das costas do Brasil, incumbência que veio a concluir somente após seu regresso a Portugal apresentando o "Roteiro-Atlas do Brasil" em 1586, reproduzido na* Portugaliae Monumenta Cartographica, *onde também se encontra o "Mundo Novo", de 1600, e as demais obras conhecidas. Armando Cortesão fornece outras informações adicionais sobre as atividades de Luiz Teixeira, acreditando que tenha falecido em Lisboa entre 1613 e 1623.*

Roteiro de todos os sinais, conhecimentos, fundos, baixos, alturas, e derrotas que há na costa do Brasil desde o cabo de Santo Agostinho até ao estreito de Fernão de Magalhães.

Edição fac-similada do manuscrito da Biblioteca da Ajuda. Lisboa: Tagol, 1988.

Linda edição fac-similada deste importantíssimo manuscrito da Biblioteca da Ajuda, anotada por Melba Ferreira da Costa, diretora daquela biblioteca. Segundo o historiador Jaime Cortesão, a obra é de autoria de Luiz Teixeira, cartógrafo português que esteve no Brasil de 1573 a 1578, vindo a executá-la provavelmente tão-só entre 1582 e 1585, fora do Brasil. Além dos belíssimos desenhos coloridos de parte da costa e dos portos, a obra conta com um grande mapa desdobrável, "A terra do Brasil...", do Rio Amazonas ao Estreito Fernão de Magalhães, com levantamento de todas as capitanias até o Rio da Prata, conjunto estudado e reproduzido na *Portugaliae Monumenta Cartographica*, de Armando Cortesão, e também reproduzida na *História da Colonização Portuguesa no Brasil* (v.). A edição conta ainda com transcrição atualizada do texto e com um índice de todas as localidades e acidentes geográficos levantados. Muito importante.

TEIXEIRA FILHO, ALVARO

Roteiro cartográfico da Baía de Guanabara e cidade do Rio de Janeiro: século XVI e XVII, escrito por ...

Rio de Janeiro: Livraria São José, 1975. (Coleção Histórica e Cultural do Rio de Janeiro, 1)

Estudo ricamente ilustrado com gravuras e mapas relacionados ao título; reprodução sofrível.

TELES, RICARDO

Arquiteto, fotógrafo e professor da Universidade do Recife (1966).

Saga: retrato das colônias alemãs no Brasil = Bilder der deutschen Kolonien in Brasilien.

São Paulo: Terra Virgem, 1997.

Sob patrocínio do Consulado Alemão em São Paulo e em primorosa edição impressa na Itália, este ensaio fotográfico de um jovem fotógrafo brasileiro (nascido em 1966, fotojornalista do jornal *O Estado de S. Paulo* e bolsista da Fundação Vitae) foi o produto de um trabalho iniciado em 1992 com o fotógrafo alemão Hans George, a seguir desenvolvido individualmente, foi parcialmente apresentado no Museu da Imagem e do Som de São Paulo. É um documentário bonito e expressivo do cotidiano da vida em comunidades e regiões outrora colonizadas por imigrantes alemães e onde ainda se conservam alguns usos e costumes ancestrais. Muito interessante.

TELLES, AUGUSTO CARLOS DA SILVA

Arquiteto e professor universitário (1923).

Atlas dos monumentos históricos e artísticos do Brasil.

Rio de Janeiro: MEC – Ministério da Educação e Cultura/DAC – Departamento de Assuntos Culturais/Fename Fundação Nacional de Material Escolar, 1975.

Uma obra de divulgação que "fala do que é do Brasil na presença de valores culturais que fundamentam o seu patrimônio histórico e artístico". Importante pelo texto e pela documentação fotográfica.

Nossa Senhora da Glória do Outeiro.

Rio de Janeiro: Livraria Agir Editora, 1969. (Arte no Brasil, 1)

Texto de grande competência, ilustrado com algumas gravuras e fotografias antigas aliadas a modernas de Pierre Garnotel.

TELLES, LEANDRO SILVA

Breviário histórico sentimental da Vila de Nossa Senhora da Madre de Deus de Porto Alegre.

2ª edição. [Porto Alegre]: Edições Renascença, [1980].

Este álbum estranho mas interessante e bonito obteve o "Prêmio Ilha de Laytano" em 1980. Segundo o editor, sua execução atendeu a um método artesanal próprio, incluindo o tratamento dispensado às belas fotografias de ruas e prédios de Porto Alegre; ampliadas de 9 x 20 cm para 35 x 50 cm e retocadas manualmente, passaram a um colorido semelhante a sépia escurecida. O texto, erudito, é intercalado de pequenas vinhetas antigas xilografadas. Duas das fotografias reproduzem as telas *No alto da coxilha*, de Angelo Guido (1893-1969), e uma vista da cidade em 1893, por Giovanni Falconi.

TELLES, SERGIO

Paisagista brasileiro (Rio de Janeiro 1936), estudou com Rodolpho Chamberland e Oswaldo Teixeira e em 1957 trabalhou na oficina de restauros no Vaticano; em 1962 iniciou estudos com Marie Nivouliès de Pierrefort no Rio de Janeiro, e passa por sua vez a estudá-la na sua obra Marie Nivouliès. *Em 1966 ingressou no Serviço Diplomático e a seguir passa a se dedicar também à gravura e à litografia, tendo publicado vários álbuns no exterior pela Galeria Wildenstein, de Buenos Aires; promoveu numerosas exposições individuais, sempre dotadas de bons catálogos. O estudo mais completo de sua obra encontra-se em* Sergio Telles, *de Antonio Bento (v.).*

Rio de Janeiro: Sergio Telles.

[Brasília]: Editora Record, [1987]. (Catálogo de exposição, 1987)

Pequeno álbum-catálogo para uma exposição no Museu Nacional de Belas Artes, com reprodução de todos os quadros cariocas especiais para a exposição e reprodução de numerosos desenhos a nanquim retratando cenas urbanas; acompanha longo prefácio do próprio artista e vários textos críticos.

Porto Seguro: Sergio Telles.

Genève: Musée du Petit Palais/[Rio de Janeiro]: Editora Record, [1986].

Plaqueta de luxo e encadernada para uma exposição em Genebra, com o estudo "Preservação de Porto Seguro" do próprio artista e longa apresentação por Gaston Diehl; impecável reprodução das telas. Muito bonito.

TENTORI, FRANCESCO

P.M. Bardi; com as crônicas artísticas do L'Ambrosiano 1930-1933.

Tradução de Eugênia Gorini Esmeraldo. São Paulo: Instituto Lina Bo e P.M. Bardi/Imprensa Oficial do Estado, 2000.

Versão nacional da obra de um arquiteto e professor universitário, publicada na Itália em 1990, que retrata a ativa participação de P.M. Bardi (v.) na vida cultural-artística italiana e sua atuação frente ao "Studio di Arte Palma" em Roma, bem como sua posterior e marcante atuação no Museu de Arte de São Paulo. A ilustração referente à sua atuação no Museu de Arte de São Paulo é integralmente proveniente de arquivo próprio, contando a obra ainda com uma relação de suas obras e uma bibliografia atinente.

THEREMIN, CARLOS GUILHERME von

Karl Wilhelm, ou Charles Guillaume, ou ainda Carlos Guilherme Theremin como é conhecido na Brasil (1784-1852), nasceu em Berlim (Alemanha). Em 1817 esteve de passagem pelo Brasil e em 1820 retornou para assumir o cargo de cônsul da Prússia no Rio de Janeiro. Foi um dos membros fundadores da Sociedade Beneficente Suíça e da Sociedade Germania e em 1823 estabeleceu-se com a sociedade comercial Guilherme Theremin & Cia. Em 1835 partiu para a Europa em tratamento de saúde, deixando o filho Leon Theremin (1812-1877) como seu sucessor no Consulado. Em data ignorada publicou o álbum Saudades do Rio de Janeiro, *com seis litografias executadas por Loeillot segundo seus desenhos, um álbum publicado para distribuição aos amigos e em tiragem de cem (ou duzentos?) exemplares, atualmente de grande raridade. As gravuras que compõem este álbum encontram-se freqüentemente reproduzidas em obras sobre o Rio de Janeiro, sobretudo* O aqueduto *e* O Passeio Público. *O pouco que se sabe sobre sua vida e obra encontra-se em* O sketch-book de Carlos Guilherme von Theremin, *de Gilberto Ferrez (v.) e em* Les dessins de la providence, *de Georges Duplain (v.).*

Saudades do Rio de Janeiro.

Rio de Janeiro: Biblioteca Nacional, 1949.

Magnífica publicação em fólio grande que reproduz em fac-símile (27 x 40 cm) as seis litografias que formam o álbum original *Saudades do Rio de Janeiro* de Carlos Guilherme von Theremin (Berlim, L. Sachse), gravuras executadas por Loeillot (v.). Esta primorosa edição foi efetuada em tiragem de 500 exemplares numerados e assinados por Josué Montello, Diretor da Biblioteca Nacional, que também se incumbiu do prefácio-histórico. Importante.

Saudades do Rio de Janeiro.

[São Paulo]: Companhia Editora Nacional, 1957. (Coleção Brasiliana. Série Iconografia)

Belo álbum com reprodução em offset de um exemplar com litografias coloridas do álbum original *Saudades do Rio de Janeiro* de Theremin, uma reprodução muito boa das seis litografias executadas por Loeillot (v.) em Berlim, além da capa-título do álbum original. Completa a edição um estudo histórico por Gilberto Ferrez (v.). Importante.

THEVET, ANDRÉ

Religioso francês, desenhista e cosmógrafo (1504-1592), esteve no Brasil por alguns meses de 1555 a 1556, deixando suas impressões na obra Les singularitez de la France Antarticque, autremont nommé Amerique... *(Paris, 1557), obra ornada com desenhos próprios gravados por Jean Cousin e outros. Em 1575 publicou sua mais importante obra,* La Cosmographie Universelle *para a qual utilizou muitas das ilustrações da* Singularitez, *e declara a propósito "portraicts au naturel fait d'après creon que j'ai rapporte de dessus les lieux". Em* Rio de Janeiro em seus quatrocentos anos *(v.) encontra-se reproduzida uma gravura retratando a Ilha de Villegagnon no Rio de Janeiro (também reproduzida em* A muito leal... *de Gilberto Ferrez) e outra com vista fictícia da Baía de Guanabara, ambas destinadas à sua obra* Le Grand insulaire et pilotage, *que permanece em manuscrito na Biblioteca de Paris.*

Singularidades da França Antarctica, a que outros chamam de America.

Prefácio, tradução e notas do Prof. Estevão Pinto; com um estudo sobre o "piau", em appenso, da autoria do dr. Eustachio Duarte. São Paulo: Companhia Editora Nacional, 1944. (Brasiliana. Biblioteca Pedagógica Brasileira. Série 5ª, 219)

Em péssimo papel característico da época, este volume da série "Brasiliana"contém a tradução integral desta raríssima e importante obra seiscentista sobre o Brasil. As onze gravuras sob desenho do autor e constantes do original foram reproduzidas, mas as trinta vinhetas inseridas no texto foram omitidas.

THOMSEN, THOMAS

Albert Eckhout: Ein niederländischer Maler und sein Gönner Moritz der Brasilianer: ein Kulturbild aus dem 17: Jahrhundert.

Kopenhagen: Levin Og Munksgaard/Ejnar Munksgaard, 1938.

Além de ser considerada a mais abalizada obra sobre o pintor Albert Eckhout e o Conde Maurício de Nassau (v. estes), o título nos revela que o estudo também abrange a vida artística e cultural holandesa no século XVII. As ilustrações, todas em preto e branco, abrangem a obra de Eckhout realizada no Brasil e na Europa, boa parte da obra de Zacharias Wagener e Frans Post no Barléu (v. estes). Indispensável.

TIRAPELLI, PERCIVAL

TIRAPELLI, Percival e PFEIFFER, Wolfgang. *As mais belas igrejas do Brasil = The most beautiful churches of Brazil.*

São Paulo: Metalivros, 1999.

Com textos de Percival Tirapelli e Wolfgang Pfeiffer (v.) e as fotografias de Günther Heil (v.), a Metalivros manteve-se fiel à produção de livros de excepcional qualidade gráfica e acrescenta a presente, de grande beleza. As expressivas imagens são do fotógrafo alemão Günther Heil e foram produzidas para o guia *Brasilien* (com texto de Wolfgang Pfeiffer e publicado em Köln em 1987); para a presente edição, foram acrescidas algumas imagens por fotógrafos brasileiros para documentar igrejas ou detalhes que não constaram da edição do guia.

TOLEDO, BENEDITO LIMA DE

Arquiteto e historiador de arte.

Álbum iconográfico da Avenida Paulista.

[São Paulo]: Editora Ex Libris/João Fortes Engenharia, [1987].

Uma forma de ressaltar a importância deste magnífico documentário é transcrever uma observação do historiador de arte italiano Leonardo Benevolo por ocasião de sua visita a São Paulo em 1980: "As cidades brasileiras crescem muito rapidamente e, entre elas, São Paulo mais que qualquer outra. A velocidade é tão grande a ponto de apagar, no espaço de uma vida humana, o ambiente de uma geração anterior; os jovens não conhecem a cidade onde, jovens como eles, viveram os adultos". O arquiteto Benedito Lima de Toledo, renomado historiador de sua arte, conseguiu resguardar nesta obra a memória visual da arquitetura do mais importante bairro da cidade no início do século XX, a "avenida de fazendeiros, barões, condes, cavaleiros e reis", um bairro residencial destruído e transformado em centro financeiro em pouco mais do que as duas últimas décadas decorridas. Importante e bela obra.

São Paulo: três cidades em um século.

[São Paulo: Livraria Duas Cidades Ltda., 1981].

Um estudo deste importante arquiteto e pesquisador revela literária e visualmente as transformações pelas quais passou uma aldeia de taipas para se tornar a maior metrópole da América Latina no decorrer de um único século. Aquarelas, gravuras e fotografias antigas ilustram a obra, além de desenhos por Francisco Borges Filho e Luis Alberto P. Passaglia.

TOLEDO, CIBELE BONI de

TOLEDO, Cibele Boni de e CERATI, Tania Maria. *Jardim Botânico de São Paulo: edição comemorativa dos 70 anos de sua criação.*

São Paulo: Instituto de Botânica, 1998.

Pequena plaqueta comemorativa em álbum oblongo, muito bem redigida e ilustrada.

TOLEDO, NELSON

Cinco rios: Natumã, Negro, Juruena, Guaporé, Araguaia: fotografias.

São Paulo: s.e., 1998.

Nascido em 1962 e formado em artes plásticas, Nelson Toledo dedica-se à fotografia desde 1985; especializou-se em fotojornalismo esportivo, uma formação que se nota neste ensaio encomendado por uma revista de pescaria esportiva.

TORRE, MARTA

Ensaio fotográfico: 12 gravadores paulistas.

São Paulo: s.e., 1994.

A fotógrafa Marta Torre (argentina?) flagrou o cotidiano de trabalho de doze gravadores paulistas, um trabalho cujos resultados podem ser muito favoravelmente apreciados neste surpreendente álbum.

TORRES, CARLOS

Bahia, cidade feitiço: roteiro turístico.

6ª edição revista e aumentada. Bahia: s.e., 1973.

Mais um dos muitos guias turísticos para a cidade de Salvador, com uma pequena parte dedicada às "excursões" pelos municípios vizinhos. A ilustração fotográfica corresponde à modéstia da edição, mas um grande mapa desdobrável de Salvador é bom.

TORRES, LYGIA LEMOS

A Imperatriz Dona Amelia.

São Paulo: [Elvino Pocai], 1947.

Obra histórica em uma bela edição com apresentação gráfica típica do editor, muito bem ilustrada com gravuras antigas e muitos desenhos e vinhetas de José Wasth Rodrigues (v.).

TORRES, MÁRIO HENRIQUE GLICÉRIO

Palácio das Laranjeiras.

[Rio de Janeiro]: Governo do Estado do Rio de Janeiro/Banerj/Sobreart, 1982.

Obra tão monumental quanto monumental é o Palácio das Laranjeiras, atual Palácio do Governo do Estado do Rio de Janeiro, antiga residência de Eduardo Guinle; monumentais também são a decoração e os tesouros artísticos, conjunto documentado por Pedro Oswaldo Cruz, um dos melhores fotógrafos da atualidade. Muito interessante.

TREIDLER, BENO

Aquarelista e pintor alemão (1857-1931), aluno do cenógrafo Leehner e do pintor Christian Wilby na Academia de Berlim. Emigrou para o Brasil em 1885 e em 1891 começou a expor no Salão, onde suas aquarelas obtiveram medalha de ouro em 1894. Decorou o teto do Salão Nobre do Jockey Club do Rio de Janeiro, foi professor de desenho da Academia e participou de 1904 a 1906 das exposições da Associação dos Aquarelistas. Este artista não se encontra devidamente estudado, mas uma boa visão de sua produção artística se encontra em Pintores alemães no Brasil durante o século XIX, *de Maria Elisabete Santos Peixoto (v.) e em* The beautiful Rio de Janeiro, *de Alured Gray Bell (v.).*

TRESCA, DUDU

Georges Eduardo Tresca (1949); após concluir curso universitário, dedica-se integralmente à fotografia, tendo passado da propaganda ao fotojornalismo direcionado à natureza e à ecologia.

São Paulo corpo e alma = São Paulo body and soul.

[São Paulo: Nordon/Empresa das Artes, 1989].

Álbum bonito e bem feito, ainda que as fotografias sejam um pouco convencionais.

Caminhos brasileiros = Brazilian roadways.

Fotografias: Dudu Tresca. Textos: Ricardo Panesa. São Paulo: Empresa das Artes, 1989.

Patrocinada pela Scania do Brasil, esta obra nos apresenta variadas e interessantes imagens ao longo de estradas que cruzam o País do Chuí a Boavista.

TSCHUDI, JOHANN JAKOB VON

Naturalista suíço (1818-1889), desenvolveu muito cedo pendores para o estudo das ciências naturais. Doutorado em zoologia, tornou-se assistente de Louis Agassiz (v.) em 1834 e em 1838 participou de uma viagem ao redor do mundo a bordo do Edmond, *viagem que terminou no Peru com o confisco da nave e causou sua permanência no país até 1842, dando ensejo a se formar em medicina e se dedicar a estudos antropológicos e da fauna local. Em 1857 empreendeu uma viagem à América do Sul, iniciada em Recife e em 1859 concluída no Peru, viagem que resultou em sua obra* Reisen durch Süd-Amerika *(1866-1869), ilustrada com vinhetas e xilogravuras sob desenhos próprios. Como embaixador suíço retornou ao Brasil em 1860 e em 1862 voltou definitivamente para a Europa. Durante sua viagem pelo Brasil, Tschudi encontrou-se em Juiz de Fora (MG) com o engenheiro alemão Henrique Halfeld (v.), ocasião em que contribuiu com o texto explicativo de um levantamento cartográfico de Minas Gerais, publicado por Gotha em alemão (1862) e na versão nacional como* A Provincia brasileira de Minas Gerais, por H. Q. F. Halfeld e J. J. von Tschudi *(Fundação João Pinheiro, 1998).*

Reisen durch Südamerika.

Band I – II – III – IV – V. Unveränderter Neudruck mit einer Einführung von Carl Troll und Hanno Beck. Stuttgart: F.A. Brockhaus Komm. Gesch. GmBH Abt. Antiquarium, 1971. (Quellen und Forschnungen zur Geschichte der Geographie und der Reisen, 9/I)

Reimpressão do original alemão (Leipzig, 1866-1869) em cinco volumes, com todas as vinhetas e xilografias baseadas em desenhos e fotografias do autor. A parte referente ao Brasil nesta longa viagem de dois anos ocupa a maior parte da obra, parte considerada muito importante por ter sido redigida com especial conhecimento de causa após a sua missão de embaixador.

Viagem às províncias do Rio de Janeiro e São Paulo.

Tradução de Eduardo de Lima Castro. São Paulo: Livraria Martins Editora, [1953]. (Biblioteca Histórica Paulista, 5)

Como quinto volume da série, a presente versão nacional da *Reisen durch Süd-Amerika* comporta apenas dois dos onze capítulos dedicados ao Brasil, assim como reproduz apenas algumas das xilogravuras e nenhuma das importantes vinhetas. NOTA: Desta edição foi feita uma tiragem de cinqüenta exemplares em papel especial.

TUFANO, DOUGLAS

Jean Baptiste Debret.

São Paulo: Moderna, 2000. (Coleção Mestres das Artes no Brasil)

Resumida e bem feita esta curiosa história da atuação de Jean-Baptiste Debret (v.) durante sua permanência no Brasil; como parte e provável primeira da série "Mestres das Artes no Brasil", é também provavelmente destinada ao leitor juvenil e foi muito bem ilustrada com exemplos da obra pictórica de Debret (v.). Muito recomendável.

TUPY, DULCE

Carnavais do Guerra: o nacionalismo no samba.

[Rio de Janeiro]: ASB – Arte Gráfica e Editora Ltda., [1985].

Edição modesta de um estudo sobre as escolas de samba e o samba-enredo por uma jornalista carioca, profusamente ilustrada com fotografias antigas, gravuras e caricaturas.

TURAZZI, MARIA INEZ

Poses e trejeitos: a fotografia e as exposições na era do espetáculo: 1839/1889.

Rio de Janeiro: Funarte/Rocco, 1995.

Estudo sobre a evolução da fotografia no Brasil e sua participação nas grandes exposições internacionais e nacionais, ilustrado com fotografias atinentes ao tema discutido. Importante.

U

UNIBANCO

Tradicional banco mineiro com sede em São Paulo, passou a se destacar no campo cultural e artístico nacional com a criação do Instituto Moreira Salles (v.), com atuação inicial em Poços de Caldas expandida para São Paulo, Rio de Janeiro e Belo Horizonte. Como todos os grandes bancos, também o Unibanco publica relatórios anuais de suas atividades, às vezes ilustrados com temas culturais ou artísticos, como foi o de 1981, com um ensaio fotográfico de Cristiano Mascaro (v.).

História do Unibanco: 1924-1994.

S.l.: Instituto Moreira Salles, [1994].

Impecável apresentação caracteriza esta obra histórica e comemorativa, provida de muitas fotografias de arquivo próprio.

USTERI, A.

Guia botanico da Praça da Republica e do Jardim da Luz.

São Paulo: Impresso por ordem da Prefeitura Municipal, 1919.

O título revela o conteúdo deste pequeno e notável guia, ilustrado com desenhos e pequenas vinhetas do próprio autor, um botânico alemão ativo como professor na Escola Politécnica de São Paulo; conta ainda com mapas desdobráveis do Jardim da Luz e Praça da República. NOTA: De acordo com prefácio de Monteiro Lobato, este guia seria o primeiro de uma série dedicada aos jardins paulistanos pelo mesmo autor, mas tudo indica que a iniciativa se restringiu ao presente.

V

VALLADARES, CLARIVAL DO PRADO

Médico e intelectual baiano (1918-1983), passou a interessar-se pela fotografia e realizou sua primeira exposição em 1968; ativo também no ramo da história da arte e no da crítica, foi autor de muitas obras relacionadas em Clarival Valladares: obra seleta *(1983) e contribuiu com muitos artigos em jornais e revistas, tornando-se alguns destes verdadeiros clássicos, como é o caso de "Igrejas do Brasil" (*in Cultura, *nº 34, 1980).*

Nordeste histórico e monumental...
Volume 1: O descobrimento: a catequese: os jesuítas: as entradas: a natureza: a caminho do sertão: Piauí: Maranhão: Ceará: Rio Grande do Norte: Paraíba: Pernambuco, [1982]
Volume 2: Temas nordestinos na música erudita contemporânea, 1982
Volume 3: Pernambuco: Alagaoas: Sergipe, [1983?]
Volume 4: Clarival do Prado Valladares, Cid Teixeira, Kátia do Prado Valladares, Marcos Antônio do Prado Valladares, [1991]
Bahia: Odebrecht, [1982-1991]. 4 v.

Com exceção da obra pioneira de Edgard Cerqueira Falcão e a de Herstal (v. estes), nada há no país que se possa comparar a este estudo iconográfico, monumental não só no título; não será exagero afirmar que esta obra é insuperável. O texto do primeiro volume é definido pelo título e conta com um esclarecedor "Roteiro" e um magistral estudo histórico-artístico do Nordeste, sob o modesto título de "Preâmbulo do autor que cumpre, a seguir, rigorosamento seu ensinamento básico: o texto documental narrativo, descritivo e interpretativo, deve equilibrar-se ao texto visual". O segundo volume é consagrado a um disco longplay de música erudita brasileira, confiada ao pianista Miguel Proença; acompanha uma brochura com textos de Clarival do Prado Valladares, Mercedes Reis Pequeno e Vasco Mariz, muito bem ilustrada. O terceiro volume, com temas do título, conta com um prefácio de Paulo Santos, no qual também comenta todas as obras do autor; ricamente ilustrado. O último volume, finalmente, concluído por sua viúva, sua filha e seu neto após o falecimento do autor, é dedicado à Bahia e conta com um prefácio de Burle-Marx (v.), um extenso "Preâmbulo" de Cid Teixeira e um artigo inacabado do autor, "Memória para Emilio Odebrecht". A riqueza do material fotográfico e a qualidade da reprodução tornam esta obra uma das jóias dos estudos da iconografia brasileira; rara quando completa e indispensável.

Análise iconográfica do barroco e neoclássico remanescentes no Rio de Janeiro.
[Rio de Janeiro]: Bloch Editores, 1978. 2 v.

Esta obra também monumental e da maior importância também dificilmente poderá ser igualada. O material fotográfico foi pessoalmente produzido pelo autor, e atingiu o fantástico número de 1015 itens, distribuído em dois volumes. Enriquece a obra um feito adicional e notável: uma bibliografia de 250 obras consultadas e comentadas, das quais cerca da metade essencialmente iconográficas. Imprescindível para estudos.

Restauração e recuperação do Teatro Amazonas.
[Manaus]: Governo do Estado do Amazonas, 1974.

Mais uma das muitas obras sobre arte brasileira editada ou patrocinada pela Odebrecht (v.); como todas as demais, também esta de excelente qualidade editorial. O presente trabalho não se limita ao tema do título; apresenta um histórico completo da origem e construção do teatro e acrescenta notável estudo sobre os decoradores De Angelis, Capranesi, Centofanti, De Andreis, Alegiani, Quattrini e Crispim do Amaral. Excelentes as fotografias de autoria não revelada (provavelmente do próprio autor) e impecável o texto.

Revelação ótica do barroco mineiro: documentação iconográfica (detalhes) de alguns exemplares do barroco mineiro, compreendendo pintura, escultura e arquitetura, do meado setecentista e do primeiro quartel do século 19 em várias cidades de Minas.
Rio de Janeiro: Museu Nacional de Belas Artes, setembro 1973. (Catálogo de exposição, set. 1973)

Pequeno catálogo-folheto de uma exposição didática promovida por este iconógrafo e documentarista fotográfico, exposição formada por painéis de um metro quadrado que focalizam detalhes de pinturas, esculturas e arquiteturas em cidades mineiras.

Análise iconográfica da pintura monumental de Portinari nos Estados Unidos: um estudo de...
Rio de Janeiro: s.e., 1975.

Modesta plaqueta com reprodução de detalhes dos murais do título.

Arte e sociedade nos cemitérios brasileiros: um estudo de arte cemiterial ocorrida no Brasil desde as sepulturas de igrejas e as catacumbas de ordens e confrarias até as necrópoles secularizadas.
Rio de Janeiro/Brasília: Editado pelo Conselho Federal de Cultura/MEC/Departamento de Imprensa Nacional, 1972. 2 v.

Volumosa obra em dois tomos que esgota na prática a matéria sobre arte tumular, uma arte normalmente citada apenas em histórias de arte ou referida em estudo sobre específico escultor ou algum renomado marmorista. Todos os túmulos foram fotografados e estudados historica e artisticamente pelo autor. Mesmo sendo assunto apreciado por poucos, não deixa de ser muito interessante.

VALLADARES, JOSÉ

Historiador de arte, autor de Arte brasileira, Artes maiores e menores, Beabá da Bahia *e* Os azulejos da Reitoria.

A galeria Abbott, primeira Pinacoteca da Bahia.

Bahia: Secretaria da Educação, 1951. (Publicação do Museu do Estado, 12)

Apresentada no 1º Congresso de História da Bahia (1949), esta monografia pode ser considerada uma obra definitiva. Revela uma quase incrível coleção de arte do médico inglês Jonathan Abbott (1796-1868), realizada em local e época que Tollemare descrevia como: "aqui não há... nem conversações, nem leitura, nem gosto pelas ciências e as belas artes". 413 foram as peças declaradas em seu inventário, mas um catálogo posterior (1871) publicado no nº 59 (1993) da *Revista do Instituto Geográfico e Histórico da Bahia* assinalava 391, passando pouco depois a 374 em uma relação de venda para o governo e, finalmente, a 170 quando a coleção foi transferida em 1931 à Pinacoteca do Estado. Todas as peças foram histórica e tecnicamente descritas, mas somente 20 quadros foram (mal) reproduzidos.

VASCO, ANNA

Anna Vasco: 1881-1938: aquarelas do Rio de Janeiro.

[Rio de Janeiro]: Banco do Estado do Rio de Janeiro S/A – Banerj, 1981.

Com um esboço biográfico de Vasco Mariz e prefácio de Clarival do Prado Valladares (v.), o Banco do Estado do Rio de Janeiro publicou este belo álbum de seis aquarelas por ocasião do centenário de nascimento de Anna da Cunha Vasco Mariz (1881-1938), que assinava "Anna Vasco" ou "Anninha". Estas lindas aquarelas, das quais quatro retratam paisagens cariocas, foram anteriormente reproduzidas em preto e branco em *História da Arte no Brasil* por Laudelino Freire, e na mesma época (1916) também em cartões-postais. Tiragem de mil exemplares (pranchas de 46 x 37 cm), dos quais cem assinados por Vasco Mariz.

VASCONCELLOS, SYLVIO DE

Capela Nossa Senhora do Ó.

Belo Horizonte: Escola de Arquitetura da Universidade de Minas Gerais, 1964.

Obra volumosa e luxuosa por um renomado arquiteto mineiro apresentando o histórico da Capela do Ó de Sabará (MG), sua arquitetura e a decoração que orna a nave e a capela-mor. As fotografias, provavelmente do autor, foram reproduzidas por um processo que lhes confere textura de gravuras. Muito interessante.

VASCONCELOS, EVERARDO

Recife: cidade sem monumentos.

Recife: Artes Gráficas da Escola Industrial Gov. Agamemnon Magalhães, 1954.

Este pequeno conjunto de artigos publicados originariamente no *Jornal Pequeno* não chega a ser uma diatribe, mas tampouco deixa de ser um libelo. Ainda que estes artigos se refiram mais a questões políticas, administrativas e a querelas entre grupos profissionais, não deixam de ter interesse, assim como as fotografias dos monumentos que ilustram a obra.

VASQUEZ, PEDRO KARP

Historiador de arte da fotografia.

Dom Pedro II e a fotografia no Brasil.

Rio de Janeiro: Fundação Roberto Marinho/Companhia Internacional de Seguros, 19??.

Fotógrafo amador, o Imperador D. Pedro II foi o grande incentivador da fotografia no Brasil e o mecenas dos fotógrafos da época, motivos suficientes para ligar seu nome a esta excelente história da arte fotográfica que se desenvolveu no País ao longo do século XIX no País. O autor usou como critério básico uma seleção de fotografias que pertenceram à coleção do Imperador (pelo mesmo doada à Biblioteca Nacional como "Coleção Thereza Christina"); apresenta um breve histórico dos profissionais ativos na época e a reprodução de uma pequena seção de retrato. A importância da obra reside na "Seção iconográfica" e nos comentários a cada reprodução; constaram ainda: "Cronologia da história da fotografia", "Cronologia do Imperador" e "Glossário técnico", além da lista dos "Fotógrafos da Casa Imperial". Edição de luxo; imprescindível para estudos.

Marc Ferrez, a master of Brazilian photography.

In *The Journal of Decorative and Propaganda Arts*, Miami, nº 21, s.d.

Esta linda revista, publicada pela Wolfson Foundation of Decorative and Propaganda Arts, dedicou o nº 21 ao "Brazil Theme Issue", que inclui o artigo do título, um resumo bem elaborado de estudos vários, muito bem ilustrado com fotografias provenientes da grande coleção de Gilberto Ferrez (v.). NOTA: A própria editora publicou na mesma ocasião uma versão em português (sem as ilustrações), constando o presente artigo como "Marc Ferrez: a construção fotográfica de um Brasil ideal".

Mestres da fotografia no Brasil.

Rio de Janeiro: Centro Cultural Banco do Brasil, 1995.

Ainda que reproduza um grande número de fotografias anteriormente publicadas em outras obras e nas do colecionador e historiador Gilberto Ferrez (v.), esta conta com o abalizado texto deste reputado historiador da fotografia, reproduz algumas obras de menor divulgação e outras de extrema raridade, como são as de Fritz Busch, Niels Olsen e Manuel L. R. Rocha. Importante e muito recomendável.

Revert Henrique Klumb: um alemão na corte imperial brasileira.

Rio de Janeiro: Edições Capivara, 2001. (Coleção Visões do Brasil, 4)

A mais completa e provavelmente "definitiva" obra sobre este notável fotógrafo alemão Revert H. Klumb (v.), ativo no Rio de Janeiro e Petrópolis entre 1852 e 1886 e considerado pioneiro da estereoscopia no País. Além da importância e beleza das imagens, esta obra contou com a conhecida competência do autor neste quarto volume da linda série "Visões do Brasil", de alta qualidade gráfica. Muito recomendável.

Fotógrafos alemães no Brasil do século XIX = Deutsche Fotografen des 19. Jahrhunderts in Brasilien.

[São Paulo]: Metalivros, 2000.

A tradicional alta qualidade gráfica da editora, aliada à incontestável capacidade do autor e seleção do material fotográfico reproduzido, torna esta interessante e recomendável obra também imprescindível para estudos.

Postaes do Brasil: 1893-1930.

São Paulo: Metalivros, 2002.

A habitual qualidade das edições Metalivros torna esta linda e fascinante obra ainda mais recomendável do que o que a matéria estudada por si só exigiria.

VEIGA, CLAUDIO

Castro Alves: guia da catedral.

Salvador: Livraria Universitária, [1965].

Um pequeno ensaio sobre a afinidade do poema *Jesuítas*, de Castro Alves (integralmente transcrito), com a Catedral Basílica de Salvador da Bahia. As belas ilustrações fotográficas são diretamente relacionadas ao texto, transformando este estudo em um documento importante.

VELLOSO, AUGUSTO CARLOS F.

Jan van Kessel: 1626-1679: pintor do Brasil.

[São Paulo: Sociarte], 1982.

Jan van Kessel, pintor flamengo (1626-1679), aluno de Simon de Vos e provavelmente de Bruegel o Moço, especializou-se em pintura de flores, insetos, pássaros e outros animais, ilustrando também obras de terceiros com estes temas. A Pinacoteca de München mantém de sua autoria quatro grandes painéis a óleo que retratam os quatro continentes, dos quais o referente às Américas tem no quadro central a subscrição "Paraiba. Brasil", e três dos restantes dezesseis quadros menores os títulos: *Bayo de todos Sto* (sic), *Olinda em Pernabucas* (sic) e *Porte Segore* (sic). Van Kessel nunca esteve no Brasil e as fantasiosas imagens representadas eram baseadas em informações de terceiros. O presente estudo, bastante modesto, em edição igualmente modesta, reproduz o painel das Américas e cada um dos quatro quadros mencionados. NOTA: Este importante painel foi apresentado na grande exposição "O Brasil dos Viajantes" no MASP e encontra-se reproduzido em *O Brasil dos Viajantes*, de Ana Maria Belluzzo (v.).

VELLOZO, Frei JOSÉ MARIANNO DA CONCEIÇÃO

Naturalista brasileiro (1742-1811).

Plantas fluminenses.

[Rio de Janeiro]: Biblioteca Nacional, 1976.

Esta pequena jóia científica e editorial tem especial significado por reproduzir em cores os desenhos de João Francisco Muzzi (v.), importante pintor e decorador de fins do século XVIII, que nos legou muitos e importantes documentos iconográficos.

VELOZO, ELIANE

Tempos de tempo.

Belo Horizonte: Editora Gráfica Silveira, 1997.

Após muitas exposições individuais no País e no exterior a partir de 1982, esta fotógrafa e professora pernambucana, formada em Comunicação Visual (e mestrado em Chicago), apresenta um fascinante ensaio fotográfico sobre o tema do título neste bem cuidado álbum, que inclui uma parte dedicada a desenhos próprios sobre "objetos e instalações" e um breve estudo da autora sobre a obra apresentada.

VERGER, PIERRE FATUMBI

Pierre Edouard Leopold Verger (França 1902) começou a dedicar-se à fotografia aos trinta anos e passou a percorrer o mundo como repórter fotográfico. Em 1946 fixou-se na Bahia e iniciou estudos sobre o tráfico de escravos e os cultos africanos, estudos que o levam por diversas vezes ao Dahomey e à Nigéria e em 1952 lhe valeram o título de "Babalaô" com o nome de "Fatumbi", nome que incorporou ao próprio. Em 1966 recebeu o título de Doutor Honoris Causa pela Sorbonne e em 1981 instituiu a Fundação Pierre Verger, depositária de sua imensa obra fotográfica.

VERGER, Pierre et FRIGOUT, Arlette. *Bahia de tous les poètes.*

Lausanne: Éditions Clairefontaine, 1955.

Com textos explicativos de Arlette Frigout, esta é mais um dos admiráveis ensaios fotográficos deste grande fotógrafo francês, misto de sábio e feiticeiro. Muito recomendável.

Le messager = The go-between: photographies 1932-1962.

?: ?, ?. (Catálogo de exposição)

Lindo catálogo da exposição itinerante do Museu Elysée de Lausanne e do Museu Nacional de Belas Artes Africanas e Oceânicas de Paris, dedicada às figuras de pai-de-santo nos cultos africanos, incluindo muitos terreiros no Brasil.

Pierre Verger: 50 anos de fotografia.

Salvador: Corrupio, 1982.

Antologia da produção deste grande fotógrafo realizada durante suas viagens pela Europa e África, constando a do Brasil dos anos 1946 a 1948; belo álbum.

Centro histórico de Salvador: 1946 a 1952.

[Salvador]: Corrupio, [1989].

Belíssimo álbum por um dos mais apaixonados observadores da cidade e suas festas. Muito recomendável.

Dieux d'Afrique: culte des orishas et vodouns à l'ancienne côte des esclaves en Afrique et à Bahia, la Baie de Tous les Saints au Brésil.

[Paris]: Éditions Revue Noire, [1995].

O título revela o paralelismo das crenças e dos cultos praticados em terreiros da África e de Salvador, apresentado neste belo álbum.

Pierre Verger: Bahia África Bahia: fotografias.

São Paulo: Edições Pinacoteca, 1996. (Catálogo de exposição, 1996)

Belo catálogo, em quarto grande, apresentando 75 fotografias sobre o tema do título, imagens importantes valorizadas por textos igualmente importantes de diversos.

VIAGEM FILOSÓFICA

v. FERREIRA, ALEXANDRE RODRIGUES

VIAJANTES

O universo de aventureiros, militares, cientistas, comerciantes, artistas e naturalistas que percorreram o Brasil ao longo dos séculos, popularmente conhecidos como "viajantes", é de grande e fundamental importância para o estudo da iconografia do País, e não só em função da documentação visual mas também pelo testemunho de fatos e pela descrição de cidades, paisagens, uso e costumes e outros elementos materiais e culturais do País. Estes relatos são freqüentemente relacionados e historiados em obras desprovidas de ilustrações, impondo-se fazer lembrar as seguintes, entre outras: O Brasil visto pelos ingleses *e* História das expedições científicas no Brasil, *ambas de Cândido de Mello-Leitão;* Dois viajantes no Brasil, *de Rodolfo Garcia;* Os naturalistas viajantes..., *de C. Teschauer;* Memórias de forasteiros, *de Eduardo Dias;* Lexikon der Reisen und Entdeckungen, *de Friedrich Embacher;* Visitantes estrangeiros na Bahia..., *de Moema P. Angel;* Aventuras e aventureiros, *de Alfredo Carvalho. Muitos dos fatos históricos relacionados aos "viajantes" encontram-se em verbetes especiais neste estudo, destacando-se "Holandeses no Brasil", "Viagem Filosófica" e "Expedição Langsdorff", e ainda nas obras de Affonso d'E. Taunay e Hoehne, além dos estrangeiros Georg Friederich e Paul Gaffarel. Básico e indispensável para o estudo dos "viajantes" no Brasil tornou-se a obra* O Brasil dos Viajantes *de Ana Maria Moraes Belluzzo (v.), publicada em 1994 em três volumes, parte integrante da exposição do mesmo título, abaixo relacionada. Ainda sob o título coletivo de "viajantes" encontram-se aqui relacionadas obras sem autor declarado e as exposições que apresentam a produção dos cientistas e artistas que visitaram e retrataram a natureza, a paisagem e a arquitetura brasileira.*

O Brasil dos viajantes.

Ana Maria de Moraes Belluzzo, Faculdade de Arquitetura e Urbanismo da Universidade de São Paulo. [São Paulo]: Metalivros/[Salvador]: Odebrecht, 1994.

Patrocinada pela Odebrecht (v.) e sob a curadoria e responsabilidade de Ana Maria de Moraes Belluzzo (v.), foi realizada no MASP, em 1994, uma pioneira e muito importante exposição que revelou o histórico e a produção artística de vários dos cientistas, naturalistas, exploradores, aventureiros e pintores que percorreram o Brasil até os fins do século XIX, todos apresentados sob o título genérico de "viajantes". Esta exposição contou com a cooperação de muitos pesquisadores, especialistas e luminares em suas especialidades, entre os quais Paulo Emilio Vanzolini e Thekla Hartmann (v.) e teve por testemunho o presente catálogo, uma autêntica obra de arte em quarto grande e magnificamente ilustrada para o texto da curadora Ana Maria Belluzzo, além da conhecida qualidade editorial da Metalivros. Belo e fascinante, este catálogo é imprescindível para estudos.

O Brasil redescoberto.

Curador geral: Carlos Martins. Rio de Janeiro: Paço Imperial, 1999. (Catálogo de exposição, set.-nov. 1999)

Este catálogo, de uma imensa exposição de quase 600 importantes imagens sobre a proposta do título, é na realidade um autêntico tratado destinado a transmitir textual e visualmente o panorama do Brasil durante o século XIX pela objetiva de artistas, cientistas e viajantes estrangeiros. Entre os textos, todos importantes, destacam-se "Os artistas viajantes, a paisagem e a representação do Brasil", de Dawn Ades, e "Como estudar a arte brasileira do século XIX", por Jorge Coli, além do texto "Coleção Brasiliana: um Brasil redescoberto", do curador geral, apresentando as 131 peças da Fundação Rank-Packard presentes nesta mostra. Catálogo muito importante. NOTA: Para esta exposição foi publicado um pequeno guia formado por um *folder* de oito folhas ilustrado em cores.

Brasilianisches Museum: Sonderaustellung des Naturhistorischen Museums in Wien: 1954.

Viena: Naturhistorischen Museums, 1954. (Catálogo de exposição, 1954)

Acompanhando a Arquiduquesa Dona Leopoldina, chegou ao Brasil em 1817 uma notável missão científica austríaca, formada por diversos naturalistas e pelo pintor Thomas Ender (v.). Os resultados colhidos por esta missão foram em grande parte remetidos para a Áustria, onde o imperador Francisco os alojou no então fundado "Brasilianisches Museum", o "Museu Brasileiro". Este riquíssimo acervo foi parcialmente destruído por incêndio, ocasionando a extinção do museu e a transferência do acervo restante para diversos centros culturais austríacos. O Museu Histórico de Viena promoveu em 1954 uma exposição de parte deste acervo, contendo o presente catálogo um bom estudo sobre a expedição e seus resultados; são poucas as ilustrações e falta uma relação dos itens expostos, mas não deixa de ser uma obra imprescindível para estudos.

Documentos históricos: 1ª série.

São Paulo: Difusão Nacional do Livro, s.d.

Conjunto de obras em dez volumes cartonados em fólio, reunidos em estojo especial, destinado à divulgação das obras de Hans Staden, Barleus, Rugendas e Debret (v. estes) através de trechos dos textos e da reprodução de detalhes das ilustrações. Esta série foi coordenada pelo escritor Salomão Scliar e não obteve a aceitação que mereceria, talvez por força da descomunal dimensão (57,0 x 38,5 cm) e do correspondente espaço ocupado. Cada volume desta série será examinado no verbete correspondente:

1. *Hans Staden: primeiro viajante*
2. *Jean Baptiste Debret: o índio*
3. *Jean Baptiste Debret: o negro*
4. *Jean Baptiste Debret: fauna e flora*
5. *Barleus: o domínio holandês*
6. *Jean Baptiste Debret: usos e costumes coloniais*
7. *Rugendas: Brasil romântico*
8. *Rugendas e J.B. Debret: paisagem colonial*
9. *Jean Baptiste Debret: Brasil império*
10. *Brasil geográfico.*

Brasil histórico e geográfico.

São Paulo: Codil, s.d.

Reedição em quatro volumes cartonados, em quarto grande, dos "Documentos históricos" do verbete anterior, incluindo a parte referente aos "Mapas históricos". Ainda que seja uma edição de qualidade inferior à precedente e as gravuras apenas sofrivelmente reproduzidas em sépia, não deixa de ser muito interessante.

Brasiliana: o Brasil antigo: 1500-1850.

Resumo de exploração scientifica, artistica e litteraria até a independencia e a evolução nacional, segundo os antigos investigadores e os modernos colaboradores: Vespucio – Thomas Moore – Staden – Lery – C. d'Abbeville – Piso e Markgraf – Barlaeus – Nieuhoff – La Condamine – Barrow – Mawe – Caldleugh – Pero Vaz – Thevet – Aldenburgh – M. de Nassau – Vasconcellos – Brito Freyre – Rocha Pitta – Wied-Neuwied – Spix – Martius – Freycinet – Taunay – etc.: extractos destes viajantes e as melhores gravuras illustrativas das obras dos mesmos e o texto integral e em facsimile todas as maravilhosas lithographias de Debret e Rugendas. Colligido, coordenado e dirigido por Luis Schnoor. Rio de Janeiro: Luis Schnoor & Cia. Ltda., 1930.

Esta publicação, em quarto grande, editada e impressa no Rio de Janeiro, nada mais foi do que um prospecto para um ambicioso programa editorial de obras originais fac-similadas cujos temas se englobam no título. Em 22 páginas ilustradas com reprodução de gravuras de Jean-Baptiste Debret, Johann Moritz Rugendas e Príncipe Maximilian (v. estes), o editor expõe o seu objetivo e apresenta um estudo de Agrippino Grieco sobre "Bibliophilia". O plano, previsto para 2000 exemplares de cada obra (com tiragem especial para bibliófilos), infelizmente não veio a se concretizar, mas o prospecto passou a constituir uma peça interessante e rara.

Calendário Metal Leve: 1993.

[São Paulo: Metal Leve, 1993]. (Calendário de mesa)

Em homenagem à conferência "ECO-92", realizada no Brasil em 1992, o tradicional calendário de mesa da indústria paulista Metal Leve reproduz doze importantes gravuras de viajantes do século XIX; anexo, uma espécie de índice, que fornece informações técnicas.

Christie's topographical pictures.

Londres: Christie's, 1997. (Catálogo de leilão, jul. 1997)

Sempre ostentando a mesma alta qualidade gráfica dos catálogos do leiloeiro Christie's, o presente relaciona e reproduz obras de Rugendas, Burchell, Biard, Debret, Wiegandt (v. estes), além dos pouco estudados Ernst Vollbehr (1876-após 1937), Gagarin (1885-após 1940), Joaquim Insley Pacheco (1830-1912) e J. Battista Grenier (ativo cerca de 1860).

Diário de navegação.

Jonas Soares de Souza e Miyoko Makino (orgs.). São Paulo: Edusp/Imprensa Oficial, 2000. (Uspiana – Brasil 500 anos)

Como uma das excelentes e muito importantes publicações da série "Uspiana. Brasil 500 anos" promovida pela Universidade de São Paulo, esta obra é a transcrição e a reprodução fac-similar do *Diário* do sargento-mor Teotonio José Juzarte. Este militar português, que sentou praça em 1750 e chegou ao Brasil em 1765, obteve a patente de alferes e foi nomeado comandante da segunda "Monção" a Iguatemy, uma missão que lhe valeu a patente de sargento-mor. Com excelente texto dos organizadores, esta primorosa edição também reproduz na íntegra os "borrões" do autor, uma sucessão de "Mapas de navegação dos rios", anteriormente divulgados apenas em pequenas e avulsas partes. Reproduz ainda as telas a óleo baseadas em desenhos de Hercules Florence, Adrien Taunay (v. estes) e outros, executadas por diversos pintores para a formação de um histórico visual das "Monções" paulistas, um programa contratado por Affonso d'Escragnolle Taunay (v.) na década de 1920 para o Museu Paulista que dirigia.

Dossier Brasil dos Viajantes.

Número especial da *Revista USP*, São Paulo, nº 30, jun.-jul. 1996.

Um número especial sobre o qual o próprio editor traça encômios entusiásticos, e não sem razão. Teve sua origem na proposta da Fundação Odebrecht (v.) de patrocinar uma grande exposição sobre o tema no MASP e o correspondente encontro interdisciplinar, cujos resultados encontram-se transcritos na revista. Notável foi o resultado, tanto pelos temas como pelas ilustrações (estas sofrivelmente reproduzidas). Muito importante.

Exploration and Travel.

Londres: Christie's, 1998.

Mais um dos sempre belos catálogos do leiloeiro Christie's, de Londres, relacionando e reproduzindo obras importantes de Emeric Essex Vidal (1791-1861), Adolphe d'Hastrel (1805-1875), dois panoramas do Rio de Janeiro de Edmund Pink, Karl Ernst Papf (1833-1910) (v. estes), e os desconhecidos Karl Oenicke (1862-1924) e George Atkinson (1806?-1884?).

Ilha de Santa Catarina: relatos de viajantes estrangeiros nos séculos XVIII e XIX.

[Santa Catarina]: Assessoria Cultural da Assembléia Legislativa do Estado de Santa Catarina, 1979.

Nesta obra encontram-se transcritos trechos e capítulos de obras de diversos "viajantes" que visitaram a Ilha de Santa Catarina (não há indicação do autor das traduções). Acompanhando os textos, foram reproduzidas as gravuras que retratam o tema destas obras, encontrando-se entre estas várias raridades, como as quatro gravuras coloridas do pintor e litógrafo russo Luiz Choris (v.) provenientes de sua obra, *Vue et paysages des re-*

gions equinoxiales recueillis dans un voyage autour du monde (Paris). Obra interessante e bem apresentada.

Arte do século XIX = 19th century art: Mostra do Redescobrimento.

São Paulo: Fundação Bienal de São Paulo/Associação Brasil 500 Anos Artes Visuais, 2000. (Catálogo de exposição, abr.-set. 2000)

Um dos treze excelentes catálogos em quarto grande da "Mostra do Redescobrimento"; a maior parte das obras reproduzidas (com perfeição) faz parte da produção artística dos "viajantes". Muito interessante.

O olhar distante = The distant view: Mostra do Redescobrimento.

São Paulo: Fundação Bienal de São Paulo/Associação Brasil 500 Anos Artes Visuais, 2000. (Catálogo de exposição, abr.-set. 2000)

Pode não ter sido o mais importante, mas foi sem dúvida o mais belo dos treze catálogos em quarto grande da "Mostra do Redescobrimento", fruto das excepcionais ilustrações e dos respectivos estudos especializados. Muito importante.

Rio de Janeiro: impressões de viajantes nos séculos XVI-XIX: catálogo da exposição documental.

Rio de Janeiro: Instituto Histórico e Geográfico Brasileiro, 1992.

Pequeno catálogo de uma exposição de livros de "viajantes", com seção anexa de gravuras, mapas e objetos museológicos diversos. Ilustrado com quatro gravuras pouco comuns, é útil para estudos.

Siemens: 90 anos de Brasil: 1905-1995.

[São Paulo: Siemens, 1995]. (Calendário, 1995)

Lindo calendário para o ano de 1995, editado pela Siemens do Brasil, em comemoração aos noventa anos de atividade no país, com seis raras litografias do século XIX, retratando cidades brasileiras. Importante.

Um olhar crítico sobre o acervo do século XIX; reflexões iconográficas – memória.

Coordenação Emanoel Araújo. [São Paulo]: Pinacoteca do Estado de São Paulo, 1994.

Catálogo de mais uma das notáveis exposições temáticas realizadas na Pinacoteca do Estado de São Paulo. O tema nos é revelado pelo título e as ilustrações para os quatro módulos obedeceram aos textos apresentados pelos estudiosos Jaelson Bitran Andrade, Carlos Eugenio Marcondes de Moura, Maria Cecilia Lourenço e Ruth Sprung Tarasantchi. Belo e importante.

Viaggiatori e naturalisti italiani; immagini del Brasile nei secoli XVIII e XIX = Viajantes e naturalistas italianos; imagens do Brasil nos séculos XVIII e XIX.

[Itália]: Palazzo Santacroce, 2000.

Obra muito importante, publicada a título de catálogo para uma exposição na Fundação Armando Penteado (São Paulo) e a seguir também apresentada na Itália. Com excelentes textos dos curadores Carlos Martins e Valeria Piccoli e da assistente Maria Pace Chiavari, foi ilustrada com importantes peças da Biblioteca Nacional, do Museu Castro Maya, da Fundação Rank-Packard e outros.

VIANNA, HERMANO

Música do Brasil.

São Paulo: Abril Entretenimento, 2000.

Álbum em fólio médio, não se ocupa diretamente com a música do título, mas sim com a expressão visual da musicalidade do povo brasileiro na vida cotidiana e nas festas folclóricas e religiosas; os figurantes anônimos são flagrados em cantorias, com seus instrumentos, ou em suas danças. A parte musical foi inserida em um CD com o mesmo título. Muito interessante.

VIDAL, EMERIC ESSEX

Paisagista inglês (1791-1861), ingressou aos quinze anos na Marinha inglesa como voluntário a bordo do Clyde, *um dos barcos da escolta britânica na viagem de D. João VI ao Brasil, em fins de 1807. Em 1808 foi promovido a secretário no* Clyde, *a comissário no* Calypso *e a seguir no* Caliope, *onde permaneceu até outubro de 1809, data a partir da qual afastou-se da Marinha inglesa até 1816, trabalhando na Inglaterra e nos Estados Unidos. De 1816 a 1818 esteve a bordo do* Hyacinth *como comissário e secretário do almirante da frota britânica no Atlântico Sul, realizando grande parte de sua obra pictórica, sobretudo de Buenos Aires; tornou-se célebre na Argentina com a publicação de sua obra:* Picturesque illustrations of Buenos Aires and Monte Video, consisting of 24 views... by E. E. Vidal *(London: Ackermann, 1820). Foi também nesta época que pintou vistas do Rio de Janeiro, doze das quais reproduzidas em* Picturesque illustrations of Rio de Janeiro. By E.E. Vidal *(Buenos Aires: Libreria L'Amateur, 1961). Em 1820 tornou-se secretário do almirante da Divisão da África do Sul e em 1821 voltou à Inglaterra, engajando-se novamente de 1822 a 1826 no* Gloucester *e até 1829 no* Ganges, *neste como secretário das forças navais fixadas no Rio de Janeiro, período do qual são poucas as obras conhecidas. De 1831 a 1834 vamos encontrá-lo em Lisboa, a bordo do* Asia *e de 1835 a 1837 no* Talbot, *período último no qual pintou a maior parte de sua obra do Rio de Janeiro e do qual se encontram reproduzidas mais doze aquarelas na obra anteriormente citada, executadas para o Almirante Hamond (v.). Em um catálogo de leilão da Sotheby's, "Important Latin American paintings, drawings and sculpture" (maio de 1984), encontram-se reproduzidas as aquarelas* His Majesty's ships Ganges and Sapphire off Pernambuco *(assinado, 1828) e* His Majesty's ship Ganges bearing flag Real Admiral Sir Robert Waller Otway ICCB leaving the harbour of Rio de Janeiro outside de Sugar Loaf *(assinado, 1827, marcado: "Ganges. Rio de Janeiro"). Gilberto Ferrez reproduz duas aquarelas em* Pioneiros da cultura do café na era da independência *e outras duas em* A muito leal..., *estas últimas também reproduzidas em* Um passeio pela cidade do Rio de Janeiro, *de Joaquim Manoel de Macedo (Garnier, 1991). O catálogo da Fundação Raymundo Ottoni de Castro Maia relaciona um grande panorama do Rio de Janeiro, de 1827, em aquarela, informando sobre a existência de outros dois exemplares deste panorama, dos quais um no MASP e outro na coleção Alberto Lee (atual Paulo Geyer), este último também referido como "Circular do Porto do Rio de Janeiro de 1827" no catálogo* Memória da independência. *Um panorama de Salvador em oito folhas encontra-se reproduzido em* São Salvador da Bahia de Todos os Santos *(Banco Bahia de Investimentos), e quatro aquarelas da coleção Sergio Fadel em* Rio antigo. Pinturas e pintores *(duas destas também reproduzidas em* 150 anos de pintura no Brasil *(Colorama, 1989).*

VILLA, PEDRO

Itanhaém: tradição, história e progresso.

[São Paulo: s.e., s.d.].

O Padre Villa exagerou um pouco no histórico da parte religiosa e na correspondente ilustração, mas assim mesmo este pequeno estudo é bem feito e também bem ilustrado.

VINICIUS, J.

Cédulas do Brasil de 1773 a 1980.

1ª edição, 1981-1982. [São Paulo: s.e., 1981].

José Vinicius Vieira do Amaral, mercador de moedas, apresenta nesta obra um catálogo de cédulas do meio circulante, conferindo às mesmas os valores comerciais vigentes. Todas as cédulas foram tecnicamente descritas e muito mal reproduzidas.

VIOTTI, HELIO ABRANCHES

VIOTTI, Helio Abranches e MOUTINHO, Murillo. *Anchieta nas artes.*

São Paulo: Edições Loyola, 1991.

Segunda edição da obra *José de Anchieta* publicada originalmente pela Fundação Emílio Odebrecht (São Paulo, 1987), edição para a qual foram utilizados todos os fotolitos daquela, sendo acrescidas novas telas e estampas, além de peças numismáticas, medalhísticas e filatélicas. Mantido na íntegra o texto original do historiador e padre Helio Viotti, esta edição foi incluída como 15º volume da "Monumenta Anchietana", as obras completas do Padre José de Anchieta publicadas pelas Edições Loyola.

VIRMOND, FREDERICO GUILHERME

Nascido na Alemanha em 1791, fez um curso incompleto de medicina na Universidade de Berlim e estudou desenho com o miniaturista suíço Anton Groff. Chegou ao Brasil em 1818 e fixou-se no Paraná, onde veio a falecer em 1876. Dedicou-se ao desenho e à miniatura (ocasionalmente também à caricatura) quase como amador, encontrando-se perdida grande parte de sua obra (ou atribuída a terceiros, por não ter tido o hábito de assinar seus trabalhos).

(Frederico Guilherme Virmond).

[Curitiba?]: s.e., [1976?].

Álbum sem autor, editor ou data, possivelmente realizado para alguma exposição não identificada. Conta com um breve estudo por Eduardo Rocha Virmont sobre Frederico Guilherme e seu estilo. Reproduz 27 retratos, dois auto-retratos, seu retrato por Alfred Andersen e diversos desenhos de borboletas, em miniaturas coloridas.

VITALINO

Vitalino Pereira dos Santos (1909-1963), conhecido como Vitalino ou Mestre Vitalino, filho de pai agricultor e ceramista, e mãe "loiceira", foi criado na roça e desde menino dedicou-se a trabalhar com barro. Analfabeto, já adulto transferiu-se para Caruaru, importante centro produtor e distribuidor de cerâmica no Nordeste, onde se tornou o mais importante e conhecido "bonequeiro" do Nordeste após as exposições organizadas por Augusto Rodrigues no Museu Nacional de Belas Artes (RJ) em 1947 e no MASP (SP) em 1949. Partes de sua imensa produção encontram-se freqüentemente reproduzidas em obras sobre arte popular e em obras eruditas como Mestre Vitalino, *de Lélia Coelho Frota,* Vitalino, *de René Ribeiro (v. estes) e no catálogo* A arte do povo brasileiro *(v. estes), além de obras sobre a Casa do Pontal e os Museus Castro Maya e Homem do Nordeste (v. estes).*

VOSYLIUS, KAZIS

Fotógrafo ativo em Moji das Cruzes (SP) de 1929 a 1937 como retratista; em 1937 transferiu seu ateliê para o Rio de Janeiro e o entregou posteriormente a seu auxiliar Augustinas Gofelis, que o manteve como "Foto Augusto" até 1981. Em 1935 ilustrou com fotografias o livreto Mogy das Cruzes, dados historicos e noticias, *participou com Marcel Gautherot (v.) da ilustração de* Antonio Francisco Lisboa: o Aleijadinho *(v.), e várias de suas fotografias constam em* Memória fotográfica de Mogi das Cruzes, *de Isaac Grinberg, e em* Construtores e artistas do Mosteiro de São Bento do Rio de Janeiro, *de Dom Clemente da Silva-Nigra (v. estes). De sua autoria a reprodução da totalidade das telas de Frans Post para o catálogo da "Exposição Frans Post" (v.).*

W

WAAGEN, LUDWIG

Historiador de arte da Universidade de München (Alemanha) (1878?-1958).

Rio de Janeiro als Kunststadt: Eine kunst- und kulturgeschichtliche Wanderung durch seine Strassen, Kirchen und Museen.

[São Paulo]: Empreza Editora Aurora Alemã, [1941?].

Obra importante, fruto de impressões artísticas e culturais obtidas em passeio pelas ruas, igrejas e museus da cidade. Ilustrada com 35 igualmente importantes fotografias de Harald Schultz (v.).

WAGENER, ZACHARIAS

Nasceu na Alemanha (1614-1668), filho de um clérigo. Em 1633 encontrava-se trabalhando em Amsterdam para o editor Blaeu e em 1634 engajou-se como soldado na Companhia das Índias Ocidentais, partindo para Pernambuco. Promovido a escriturário por Maurício de Nassau (v.), permaneceu neste cargo subalterno até o seu regresso à Alemanha em 1641. Em 1642 engajou-se na Companhia das Índias Orientais, onde fez notável carreira e chegou a vice-almirante e governador da Colônia do Cabo da Boa Esperança. De sua autoria tornou-se conhecido o Thierbuch *(Livro dos Animais), um conjunto de 110 aquarelas de dimensões variadas, das quais oito de figuras humanas, dez de paisagens e as restantes de animais do Brasil; muitas destas aquarelas, especialmente as paisagísticas, encontram-se freqüentemente reproduzidas em obras sobre a ocupação holandesa (v.), e o conjunto integralmente no segundo volume de* Brasil holandês *(v.).*

Zoobiblion: livro de animais do Brasil.

[São Paulo]: s.e., [1964]. (Brasiliensia Documenta, 4)

Estudo erudito sobre os desenhos do *Thierbuch* deste escrivão da corte de Maurício de Nassau durante a ocupação holandesa no Brasil. Foram reproduzidos todos os desenhos que se encontram no Gabinete de Gravuras de Dresden, incluindo os de tipos humanos e as paisagens. Os desenhos zoológicos foram comentados por Olivério de Oliveira Pinto, os etnológicos por Egon Schaden e os botânicos por D. Bento José Pickel, além dos comentários do artista aos próprios desenhos. Tiragem de 4 000 exemplares, dos quais mil em papel especial, foi a desta bela edição organizada por Edgard Cerqueira Falcão (v.). Importante.

WAGNER, HELMUTH ERICH

Fotógrafo brasileiro (1927-1988), ilustrou, entre outras obras, Serra do Mar, *de Josina Augusta Melo (v.).*

Ilha do Mel.

Curitiba: Secretaria de Estado da Cultura/Governo do Paraná, 1989. (Série Paisagens Paranaenses, 1)

A beleza selvagem desta ilha do litoral paranaense (tombada em 1975 e atualmente área ecológica na maior parte de sua extensão) alia-se às fotografias sensíveis de Helmuth Erich Wagner. Fugindo do enfoque tradicional para divulgação de um centro histórico, o fotógrafo concentrou-se sobre o relevo, a vegetação, a formação geológica, o Farol das Conchas e, sobretudo, a antiga Fortaleza de Nossa Senhora dos Prazeres, focalizando expressivos detalhes de sua arquitetura. Completam a obra um estudo de João José Bigarella e a transcrição de poemas de poetas paranaenses.

Sete Quedas.

Curitiba: Secretaria de Estado da Cultura e do Esporte, 1987.

A breve e competente estudo das Sete Quedas do Rio Paraná por autor não revelado, seguem-se pequenos poemas alusivos de Emílio de Menezes, João Manoel Simões, Paulo Leminski, Leontamar Valverde e Carlos Drummond de Andrade que servem de pano de fundo para as excelentes e poéticas fotografias de Helmuth Erich Wagner. Álbum de excelente qualidade e muito recomendável.

WALDERÊDO, Gonçalves de Oliveira

Xilógrafo e poeta de cordel.

Apocalipse: visão e aparição do Filho do Homem.

S.l.: s.e., s.d.

Bela suíte de dezesseis xilogravuras sobre cartolina de 33 x 28 cm. Muito interessante.

Os Doze Apostolos de Cristo no labôr que exerciam antes do ... gravados por Walderêdo Gonçalves de Oliveira.

Crato: s.e., s.d.

Outra e igualmente bela suíte de treze xilogravuras sobre cartolina de 33 x 28 cm. Muito interessante.

WALLACE, ALFRED RUSSEL

Naturalista inglês (1823-1913), trabalhou inicialmente como agrimensor e a seguir como professor; em 1844 travou conhecimento com Henry Walter Bates (também naturalista inglês, 1824-1892), a quem acompanhou em sua viagem ao Brasil; empreendeu uma via-

gem de estudos iniciada e concluída em Belém (1848-1856) e perdeu a quase totalidade de suas coleções e dos manuscritos em acidente marítimo durante seu regresso à Inglaterra em 1852. Dedicou-se a seguir a estudos científicos na mesma linha dos de Charles Darwin, sendo considerado co-fundador com este da teoria da evolução das espécies por seleção natural.

Peixes do Rio Negro = Fishes of the Rio Negro.

[São Paulo]: Edusp/Imprensa Oficial SP, 2002. (Uspiana – Brasil 500 Anos)

Como um dos doze volumes programados para formarem a importante série "Uspiana – Brasil 500 anos", o presente é apresentado em edição diferenciada, encadernada, luxuosa e lindíssima, ainda que provavelmente de interesse para poucos; reproduz em cores os 212 desenhos de tipos de peixes da Amazônia pelo autor e apresenta seus correspondentes estudos científicos. Constam ainda vários estudos atuais sobre o assunto.

WAMBACH, GEORGES

Pintor belga (1901), filho de pai músico e mãe aquarelista, foi autodidata e inicialmente retratista em Antuérpia; transferindo-se para o Rio de Janeiro em 1935, dedicou-se principalmente à aquarela e ao paisagismo e percorreu o País incessantemente, tornando-se um "andarilho da pintura", segundo o crítico Teixeira Leite. Realizou apenas uma exposição no Museu Nacional de Belas Artes em 1942 e outra na Galeria Montparnasse do Rio de Janeiro em 1945; sua obra é vasta e pouco conhecida e divulgada, encontrando-se em grande parte em coleções particulares. Em data não especificada (1939?), o Departamento Nacional da Indústria e Comércio publicou um álbum com dez cartões-postais com desenhos de sua autoria (e mais seis por Armando Pacheco, v. este), além de reproduzir estes mesmos desenhos em gravuras sobre folhas de 37,5 x 27,5 cm, estas provavelmente destinadas a formar um álbum que não chegou a se concretizar. Uma grande coleção de suas aquarelas encontra-se no acervo do Banco Itaú (v.) e reproduzida em Aquarelas de Georges Wambach: impressões do Brasil: acervo do Banco Itaú *(v.).*

Dom Casmurro: grande hebdomadario brasileiro.

Rio de Janeiro, nº 331-332, Natal 1943. Edição especial.

Durante vários anos este jornal carioca publicou um número especial natalino, em forma de fólio médio. O presente número difere dos anteriores por ter sido publicado no formato do jornal (59,0 x 42,5 cm) e em cinco cadernos separados; editado com a enorme tiragem declarada de 55 000 exemplares, tornou-se atualmente uma raridade, provavelmente por sua proporção descomunal, de difícil manuseio e pela má qualidade do papel. Foi das mais notáveis esta publicação, quer do ponto de vista cultural e artístico, quer do iconográfico. As três últimas das cinco seções são dedicadas à caricatura, aos livros, ao cinema; muito bem ilustradas, são entretanto de menor interesse na presente resenha. A primeira parte, entretanto, dedicada às artes em geral, reproduz em cores e em grande formato, entre outras, cinco belíssimas vistas do Rio de Janeiro em aquarelas de Georges Wambach (1901-1965), pintor-viajante belga que faleceu no Rio de Janeiro. A segunda parte é de especial interesse, pois além de importante texto de Vieira Fazenda sobre a igreja de São Bento do Rio de Janeiro e artigos de José Mariano, Luis Edmundo e outros, conta com um desenho de Belmonte de página inteira e muitos desenhos de Wambach em grande formato, sendo cinco sobre aspectos da arquitetura religiosa do Rio de Janeiro, um desenho do Passeio Público, outro do chafariz da Praça XV e finalmente, em página inteira, desenho do portão da antiga Fábrica de Pólvora no Jardim Botânico. Esta publicação apresentou uma importante visão da obra de Wambach como nenhuma outra o fez até a data.

Georges Wambach: (1901-1965): aquarelas.

São Paulo: Renato Magalhães Gouvêa – Escritório de Arte, 1982. (Catálogo de exposição, jun. 1982)

No início da década de 1980 encontrava-se em mãos do *marchand* Renato Magalhães Gouvêa (São Paulo) uma bela coleção de aquarelas de Wambach, belga, um típico pintor-viajante que percorreu o país incessantemente de 1933 até o seu falecimento. Muito pouco conhecido e divulgado (apenas algumas referências em Theodoro Braga, v.), contava entretanto com uma vasta produção em mãos de colecionadores particulares. Catálogo muito bem feito de uma exposição de trinta expressivas aquarelas, incluindo algumas de sua fase européia. Além das excelentes reproduções, contou com um pequeno estudo de José Roberto Teixeira Leite (v.).

WARCHAVCHIK, GREGORI

Nascido na Rússia (1896-1972), formado em arquitetura pela Universidade de Odessa e posterior curso no Instituto Superior de Belas Artes de Roma, chegou ao Brasil em 1923 e se notabilizou com o artigo "Acerca da arquitetura moderna" no Correio da Manhã *do Rio de Janeiro em 1925, tornando-se a seguir um dos baluartes da arquitetura moderna brasileira. Sua residência em São Paulo passou a ser conhecida como "Casa Modernista" e tombada pelo Condephaat em 1984.*

Warchavchik arquiteto modernista: 100 anos.

São Paulo: Secretaria Municipal da Cultura, [1996]. (Catálogo de exposição, maio 1996)

Catálogo em forma de livreto de uma exposição realizada no Centro Cultural São Paulo, apresentando o arquiteto na sua qualidade de profissional, professor, designer e fotógrafo. Muitas das ilustrações são inéditas mas reproduzidas por um processo gráfico que não lhes foi vantajoso.

WEBER, ANGELA TAVORA

Moser: um artista alemão no Nordeste.

Recife: Pool Editorial, 1987.

Apesar da grande quantidade de vitrais existentes em recintos religiosos, comerciais e residenciais, pouquíssimos os estudos disponíveis e praticamente inexistentes os dedicados aos artistas vitralistas. Como notável exceção encontramos a obra *Luz no êxtase: vitrais e vitralistas no Brasil*, de Ignacio Loyola Brandão (v.) e, naturalmente, a presente e muito interessante obra sobre Heinrich Moser (Alemanha 1886-Recife 1947), singular desenhista, arquiteto e vitralista.

WEHRS, CARLOS

(1927)

Niterói – tema para colecionadores.

Rio de Janeiro: [Gráfica Portinho Cavalcanti Ltda.], 1987.

Prefaciando sua obra, o autor nos faz sentir a necessidade de preservar as imagens de inúmeros objetos reunidos por pequenos colecionadores, aqueles que reúnem "determinadas peças porque as aprecia... de sua escolha e predileção". Com este espírito realizou a obra que merece atenção; reúne peças de louça brasonada, ex-libris, medalhas, selos, bilhetes de loteria, "figurinhas" de propaganda e, com ênfase especial, os cartões-postais. Muito bem ilustrado, com reproduções razoáveis.

Niterói cidade sorriso (a história de um lugar).

Rio de Janeiro: s.e., 1984.

Uma boa pesquisa histórica, ilustrada com mapas, gravuras, vinhetas e fotografias, todos bem mal reproduzidos. Além de ampla bibliografia, a obra conta com um índice de chafarizes e monumentos, este infelizmente sem declinar autores.

WEHRS, Christiano Carlos João

O Rio antigo – pitoresco e musical: memórias e diário.

Rio de Janeiro: s.e., 1980.

Christiano Carlos João Wehrs (1865-1942) nasceu no Rio de Janeiro, estudou música e desenho na Alemanha e se tornou fabricante de pianos. Nesta edição comercial de suas interessantes "memórias" foram reproduzidos muitos de seus desenhos e alguns quadros a óleo.

WEIMER, GÜNTHER

Arquitetura da imigração alemã: um estudo sobre a adaptação da arquitetura centro-européia ao meio rural do Rio Grande do Sul.

Porto Alegre: Editora da Universidade/São Paulo: Livraria Nobel S/A, 1983.

Um estudo técnico, sem dúvida, mas de riquíssima documentação iconográfica, incluindo muitas gravuras, mapas e fotografias do século XIX, além de aquarelas e gravuras de Wendroth (v.), Rodovics e outros.

WENDROTH, HERMANN RUDOLF

Um dos mercenários alemães contratados para a guerra contra Rosas, chegou ao Brasil em 1851 a bordo do Hamburgo. *Viajou pela província do Rio Grande do Sul em quase sua totalidade, visitando especialmente as cidades de Porto Alegre, Pelotas, Rio Pardo e Lavras; com fama de grande boêmia, deve ter falecido em Porto Alegre ou Buenos Aires por volta de 1860. Excelente aquarelista, sua obra se resume em um álbum de desenhos, atualmente em poder da família imperial brasileira (nº 218 do catálogo "C" do Arquivo da Casa Imperial do Brasil); a primeira notícia e os dados sobre este álbum constaram em* Bibliografia

Sul-Riograndense, *de Abeillard Barreto, e várias destas aquarelas reproduzidas em* Arquitetura da imigração alemã, *de Günther Weimer (v.).* NOTA: *Este álbum encontrava-se em poder de F. A. Buhlmann, de Buenos Aires, que o ofereceu a D. Pedro* II *por carta de 11/VI/ 1863 como obra própria.*

Obras de Hermann Rudolf Wendroth: 1852.

[Rio Grande do Sul: Riocell, 1982].

Álbum em fólio reproduzindo onze aquarelas com vistas sul-rio-grandenses, além da sua reprodução em dimensão menor e em preto e branco para confronto com fotografias da atualidade; em anexo, prefácio de Abeillard Barreto e um índice dos 154 desenhos do álbum original. Muito interessante.

O Rio Grande do Sul em 1852; aquarelas de Hermann Rudolf Wendroth.

[Rio Grande do Sul: Governo do Estado do Rio Grande do Sul, s.d.].

Belo e notável álbum em fólio grande reproduzindo de forma impecável as 154 aquarelas do álbum original. Resumido prefácio não assinado reporta-se à obra de Abeillard Barreto e à anterior e acima referida edição da Riocell. Importante. NOTA: Encontra-se também reproduzido neste álbum o mapa "Carte der Provinz São Pedro do Rio Grande do Sul in Brasilien Gezeichnet und corrigirt 1856 von F. A. B.", assinatura que corresponderia a F.A. Buhlmann e serviu para este reivindicar a autoria das aquarelas de Wendroth.

WETTSTEIN, RICHARD R. von

Aspectos da vegetação do Sul do Brasil: plantas do Brasil.

Tradução: Bertha Lange de Morretes. [São Paulo]: Editora Edgard Blücher/Editora da Universidade de São Paulo, [1970].

Produto de uma expedição patrocinada pela Academia de Ciências de Viena ao Sul do Brasil em 1901, a obra *Vegetationsbilder aus Süd brasilien* (Leipzig/Wien, 1904) do botânico Wettstein é aqui apresentada em versão livre e adaptada pelo botânico brasileiro Mario Guimarães Ferri, por longos anos presidente da Editora da Universidade de São Paulo. A documentação fotográfica desta obra é classificada como admirável pelo adaptador e se encontra razoavelmente reproduzida em sua íntegra, mas as igualmente admiráveis aquarelas de F. von Kerner (desenhista da expedição) não o foram.

WHITEHEAD, P.J.P.

WHITEHEAD, P. J. P. e BOESEMAN, M. *Um retrato do Brasil holandês do século XVII: animais, plantas e gente pelos artistas de Johaan Maurits de Nassau.*

Tradução de Edmond Jorge. [Rio de Janeiro]: BBM Banco da Bahia Investimentos S/A / Livraria Kosmos Editora, [1989].

Um cientista do Museu Britânico e outro do Museu de História Natural de Leiden (Holanda) uniram-se para esta magnífica e praticamente definitiva obra sobre os estudos científicos e os artistas a serviço de Maurício de Nassau (v.) durante a ocupação holandesa de 1637 a 1644. Além da excelente reprodução de toda a obra pictórica conhecida e relacionada ao assunto, os autores também estudaram todo o acervo recém-descoberto em Cracóvia (Polônia) e conseguiram determinar a autoria de grande parte das pinturas anônimas, bem como modificar e retificar várias atribuições consagradas; procederam, além disto, ao estudo científico dos animais e plantas reproduzidos. Entre as reproduções destaca-se a do grande mapa de Marcgrave (v.), "Brasilia qua parte paret Belgis". A bibliografia, com mais de 330 obras examinadas, é certamente a mais completa relacionada até a data. Obra imprescindível para estudos.

WIEKERT, WOLFDIETRICH

WIEKERT, Wolfdietrich e CARO, Herbert. *Isto é o Rio Grande do Sul: fotografias de Wolfdietrich Wiekert...*

São Paulo: Edições Melhoramentos, s.d.

Esta obra destoa um pouco das demais que integram a excelente série "Isto é" da Melhoramentos, fruto das imagens que nos apresenta o fotógrafo W. Wiekert, todas bem reproduzidas mas muito convencionais; texto confiado a Herbert Caro.

WILDBERGER, ARNOLD

Os presidentes da Província da Bahia: efetivos e interinos: 1824-1889.

Salvador: Tipografia Beneditina Ltda., 1949.

Volumosa e luxuosa obra histórica em quarto grande, ricamente ilustrada com documentos, gravuras antigas e boas fotografias de Ludovico Perfler e Voltaire Fraga.

WINZ, ANTONIO PIMENTEL

História da Casa do Trem.

[Rio de Janeiro]: Museu Histórico Nacional/Ministério da Educação e Cultura, 1962.

Como primeiro volume desta coleção "Estudos e Documentos" do Museu Histórico Nacional, foi apresentada a história da Casa do Trem, o antigo Arsenal de Guerra, o prédio que abriga atualmente o Museu Histórico Nacional. É uma obra imensa, repleta de estatísticas, relatórios e documentos, mas este amor aos detalhes e às minúcias é redimido pela grande competência do autor (curador do próprio museu) e pela importância da documentação fotográfica.

WOLFENSON, BOB

Fotógrafo brasileiro.

Jardim da Luz.

São Paulo: Dórea Books and Art/Companhia da Letras, 1996.

Com um título que nada mais é do que uma homenagem a um parque paulistano que o autor freqüentava na infância e no qual iniciou o aprendizado da fotografia, estamos perante um dos mais notáveis ensaios fotográficos na forma de retratos em álbum, que se destaca por sua dimensão (fólio grande, 36,5 x 27,0 cm) e pelas imagens captadas em modelos voluntários das mais diversas camadas sociais e artísticas, da Academia de Letras ao campo de futebol, do palco à alta sociedade, do Carnaval ao religioso. Notável e muito interessante.

WRIGHT, MARIE ROBINSON

The Brazilian National Exposition of 1908 in celebration of the centenary of the opening of Brazilian ports to the commerce of the world by the Prince Regent Dom João VI of Portugal, in 1808.
Philadelphia: Printed and Published by George Barrie & Sons, s.d.

X

XAVIER, ELIÉZER

Nascido em 1907, este pintor e desenhista pernambucano estudou no Liceu de Artes e Ofícios do Rio de Janeiro como aluno de Enrico Alves. Participou de numerosas exposições em salões oficiais do Rio de Janeiro, São Paulo e Recife, recebendo o Prêmio Universidade do Recife em 1952 e 1953. Ao lado de Manoel Bandeira e Percy Lau (v. estes), tornou-se um intérprete artístico do cenário nordestino, constando suas ilustrações em numerosas obras, entre as quais Apipucos, *de Gilberto Freyre e* Itinerário sentimental de Olinda, *de Francisco Montenegro (v. estes).*

Recife.

[Recife]: Universidade Federal de Pernambuco, s.d.

Belo álbum de folhas soltas (22 x 47 cm) com quinze desenhos a nanquim, nos quais o "pintor do Recife" focaliza aspectos dignos de memória.

XAVIER, FRANCISCO

Igrejas e casarões do Rio Grande do Norte: xilogravuras de Francisco Xavier.

Rio Grande do Norte: Fundação José Augusto, 1973. (Série Artistas Nacionais, 2)

Álbum de grande dimensão (59 x 32 cm) contendo nove estampas (uma décima servindo de ilustração de capa) sobre o tema do título, por um gravador paulista radicado no Rio de Janeiro.

Z

ZALUAR, AUGUSTO EMILIO

Peregrinação pela Província de São Paulo: 1860-1861.

São Paulo: Livraria Martins Editora, [1953]. (Biblioteca Histórica Paulista, 2)

Segundo volume da série "Biblioteca Histórica Paulista" (comemorativa do IV centenário de São Paulo), reedita a obra original (1863) deste médico português (1825-1882) que chegou ao Brasil em 1849 e se notabilizou como jornalista e escritor. A edição original não era ilustrada, mas esta terceira conta com muitas gravuras antigas e diversos quadros de Miguel Dutra. NOTA: Desta edição, tiragem de cinqüenta exemplares em papel especial.

ZATTERA, VERA STEDILE

Traje típico gaúcho = traditional dress of the gaucho.

Porto Alegre: Lusográfica, 1989.

A autora (1945) é professora universitária em Caxias do Sul (RS) e preenche com esta vistosa obra uma lacuna na história dos usos e costumes de vestir do povo gaúcho. O estudo se estende do índio ao cidadão contemporâneo e foi amplamente ilustrado com gravuras antigas, pinturas da lavra de Juan Manoel Blanes (Uruguai 1830-1901), Aldo Locatelli (Itália 1915-1962) e F. Reilly, além de numerosas fotografias da vida rural e citadina da atualidade. Interessante.

ZIMBER, GERMANO

ZIMBER, Germano e LACERDA, Carlos. *Quaresmas do Brasil.*

Rio de Janeiro: Editora Nova Fronteira, 1971.

Além de político de projeção nacional, Carlos Lacerda foi destacado jornalista, escritor e bom botânico amador, qualidade última que nos é revelada pelo estudo histórico que apresenta como prefácio a este lindo álbum (36 x 26 cm) que reproduz dez aquarelas do jardineiro e paisagista alemão Germano Zimber, radicado em São Paulo, autor de *Jardins de hoje* (1946).

Jardins de hoje.

[São Paulo: s.e., 1946].

Simpática obra deste botânico e jardineiro que nos apresenta o seu paisagismo com fotografias próprias, outras de Hans Reuss e aquarelas da Sra. Hahmann.

ZORLINI, OTTONE

Pintor e escultor italiano (1891-1967), estudou na Academia de Veneza e participou de sua Bienal em 1924. Em 1927 emigrou para o Brasil, enfrentou grandes dificuldades e conseguiu realizar sua primeira exposição tão-só em 1936, seguida de participação em vários salões paulistas e cariocas; faleceu em São Paulo em 1967.

Ottone Zorlini: 1891-1967.

Editado por ocasião da retrospectiva realizada no Museu de Arte Moderna de São Paulo: 13 de maio a 8 de junho de 1975. [São Paulo: Museu de Arte Moderna, 1975]. (Catálogo de exposição, maio-jun. 1975)

Neste catálogo de uma grande retrospectiva, verifica-se sua importância como escultor e em obras tumulares paulistas, mas também se revela como grande paisagista que foi.

ZYLBERBERG, SONIA

Morro da Conceição: padres, soldados, operários.

[Rio de Janeiro]: Prefeitura da Cidade do Rio de Janeiro, 1996.

Oitavo volume desta notável coleção "Bairros Cariocas", é muito digno de nota pelo texto e pela documentação iconográfica, rica e em grande parte inédita, ainda que mal reproduzida e, lastimavelmente, com indicação da fonte de proveniência em detrimento da identificação.

BIBLIOTECA ICONOGRÁFICA

Sebastian Münster

Novae Insulae XXVI*. Nova Tabula.*

Xilogravura aquarelada, 30,1 x 37,5 cm

Sebastian Münster, teólogo e cosmógrafo alemão (1488-1552), professor nas Universidades de Heidelberg e de Basiléia, autor da Cosmographie oder Beschreibung aller Länder, Herrschaften, für neusten Stellen, Geschichten, Gebreuchen, Hantierungen, etc *(Basel, 1540), com muitas gravuras e 26 mapas próprios; esta obra teve muitas edições, geralmente com acréscimo de mapas novos. Os mapas da edição original de 1540 também foram utilizados na quarta edição da obra* Geographiae Claudii Ptolomei... *(Basel, 1552), com acréscimo de seis mapas novos, dos quais o último é o supra "Novae insulae* XXVI *Nova Tabula", referente ao Brasil. Este mapa é a folha dupla nº 54, com o título "Novarum Insularum Descriptio" no verso e a marca do impressor: "Basileæ ex Officina Henrichi Petri, Mense Martio, Anno* M.D.LII.*".*

ANÔNIMO

P. I. America Meridionale.

Gravura em metal, aquarelada, 11,0 x 7,0 cm

ANÔNIMO

VII. *Il Brasile appartiene al Portogallo.*

Gravura em metal, aquarelada, 11,3 x 7,2 cm

Estes dois minúsculos mapas fazem parte de um grupo de 96 que foram originariamente elaborados pelos geógrafos italianos Giovanni de Baillou e Augustus da Rabatta para o Nuovo Atlante Generale, *editado em 1779 pelo gravador e editor italiano Aniello Lamberti. O mesmo editor aproveitou 78 daqueles mapas e os imprimiu com anexa descrição para servirem para a formação de um baralho de tarô, dos quais estes exemplares faziam parte mas não chegaram a ser montados como tal.*

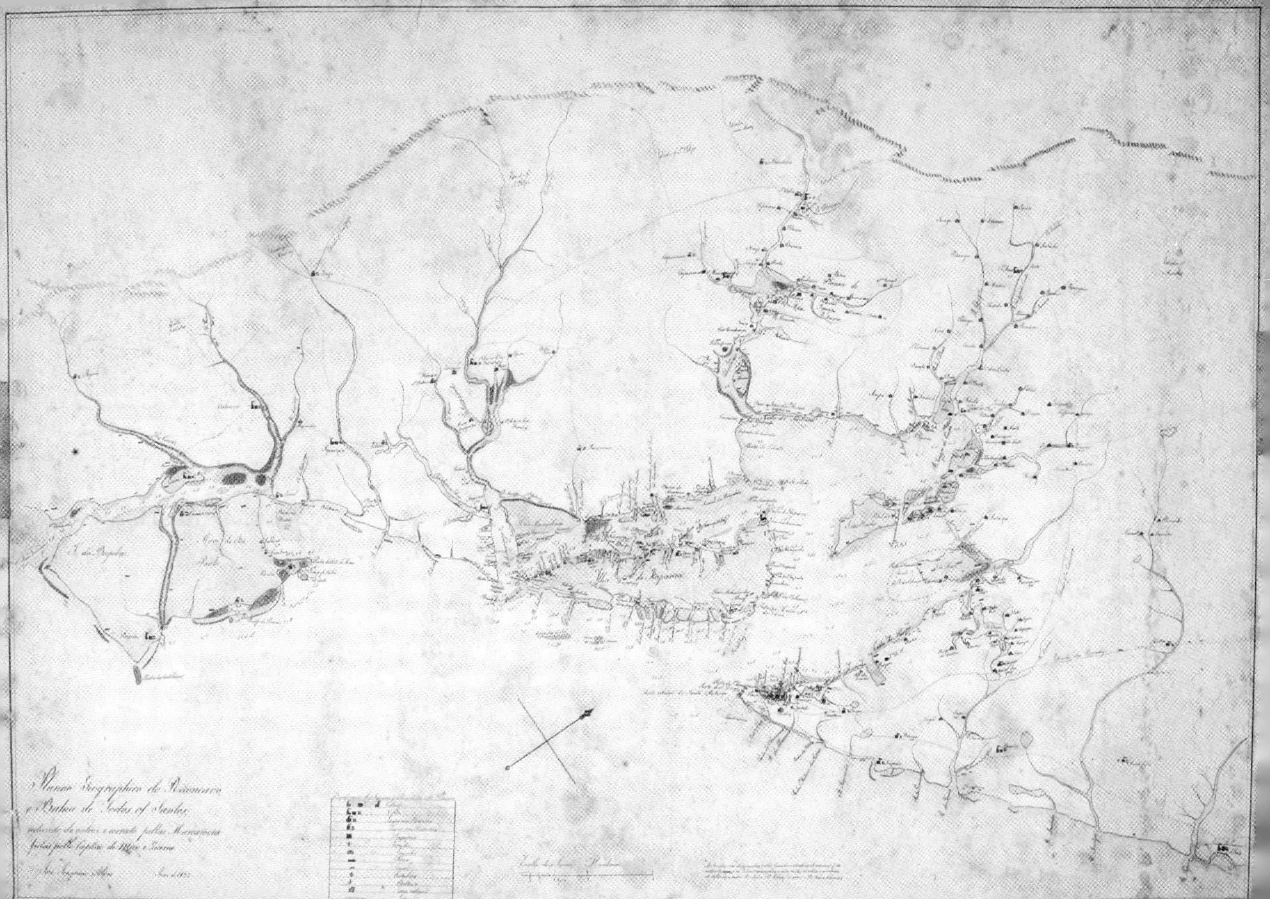

Planno Geographico do Reconcavo
e Bahia de Todos os Santos

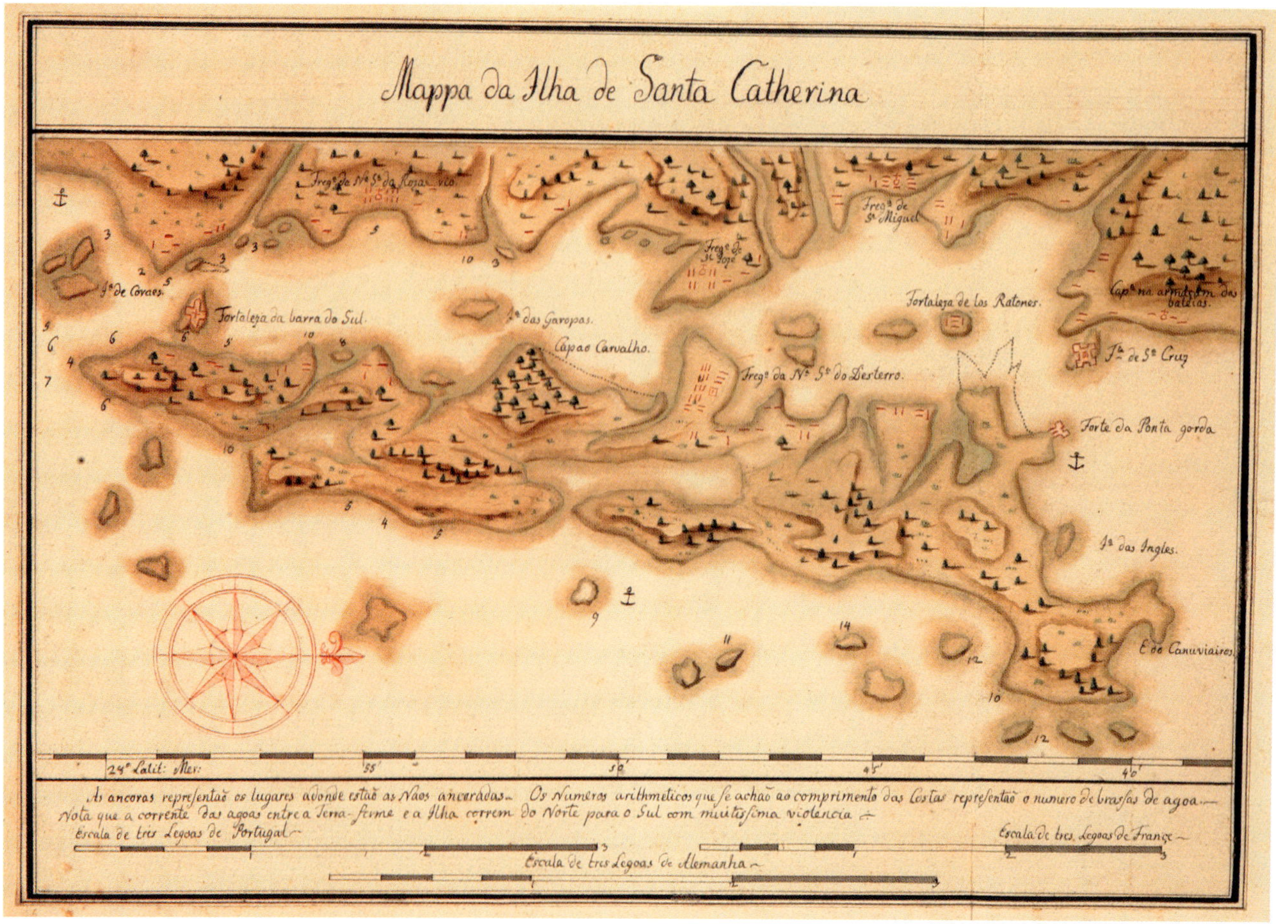

ANÔNIMO

Mappa da Ilha de Santa Catherina.
As ancoras representaõ os lugares adonde estão as Naos ancoradas.
Os Numeros arithmeticos que se achaõ ao comprimento das Costas representaõ o numero de brassas de agoa.
Nota que a corrente das agoas entre a Terra-ferme e a Ilha correm do Norte para o Sul com muitissima violencia.
Escala de tres Legoas de Portugal. Escala de tres Legoas de France.
Escala de tres Legoas de Alemanha.
Nanquim e guache sobre papel colado sobre papel filigranado, 36,2 x 39,3 cm

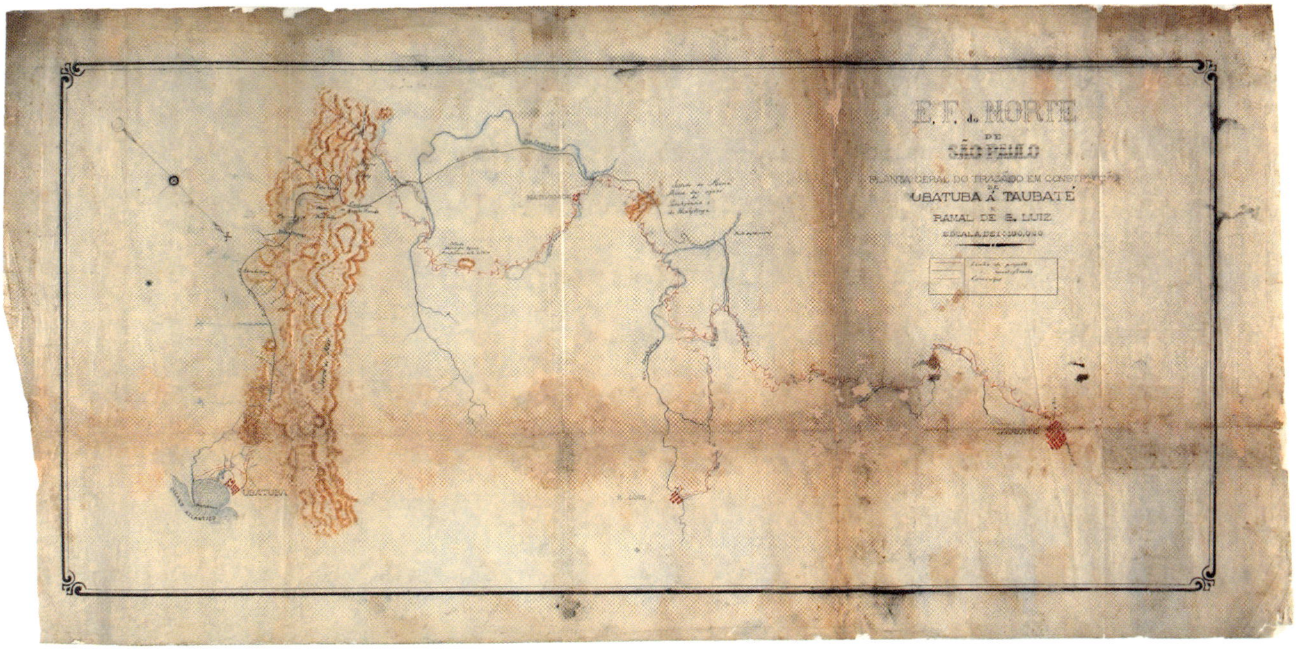

ANÔNIMO

E.F. do Norte de São Paulo

Bico de pena, craiom marrom e lápis de cor azul sobre tecido, 53,0 x 100,7 cm

Levantamento topográfico para um ramal de estrada de ferro entre Taubaté, no Vale do Paraíba, e Ubatuba no litoral paulista, estrada que provavelmente sequer chegou a ser planejada.

DOMINGOS CAPASSI

Plan de la Baye et Port de Rio Janeiro, Située à la Coste du Brésil Par 22d. 54m. de Latitude Méridionale et 45d. 5m. à l'Occident du Méridien de Paris.
Levée Géométriquement par le P. Capassi.
A Paris Chez Dezauche Successeur des Srs. Delisle et Philippe Buache premiers Géographes du Roi et chargé de l'Entrepôt Général des Cartes de la Marine, Rue des Noyers. 1785.

Gravura em metal, aquarelada sobre papel, 93,0 x 71,2 cm

Domingos (ou João, para diversos estudiosos brasileiros, na realidade um irmão e também jesuíta) Capassi (ou Capacci), astrônomo e matemático italiano (1794-1836), chegou ao Brasil em 1829 a serviço de Portugal e em companhia do jesuíta e matemático Diogo Soares para levantamentos topográficos e elaboração de um novo atlas do Brasil. A planta da Baía da Guanabara foi elaborada em 1730 e gravada em 1785 (a inicial "P" Capassi entende-se como sendo "Père").

Capa do livro Die Provinz S. Paulo in Brasilien: Auswanderer. Lesen Sie diese Schrift ehe Sie abreisen *(São Paulo, 1886)*.

ANÔNIMO

Rio de Janeiro. Deutsch-Evangelische Kirche.

Nanquim e aquarela sobre papel, 18,3 x 27,2 cm

A igreja luterana alemã do Rio de Janeiro foi consagrada em 1845 e demolida em fins da década de 1850; encontra-se identificada como "Igreja Protestante Alleman" [sic] na litografia "Panorama da Cidade de Rio de Janeiro Tomado [sic] de San [sic] Antonio a vôo de passaro", gravura nº 7 do álbum

Pedro Ludwig
Vista tomada do Passeio Publico.
Gravura em metal, 17,2 x 25,1 cm

Pedro Ludwig
Fortaleza de Villegagnon.
Gravura em metal, 16,9 x 25,1 cm

Pedro Ludwig

Cidade do Rio de Janeiro tomada do morro dos Cajueiros.

Gravura em metal, 25,1 x 17,2 cm

A oficina litográfica de Ludwig & Briggs do Rio de Janeiro participou com dezenove gravuras da ilustração do periódico carioca Ostensor Brasileiro *entre 1845 e 1846, das quais quinze por Pedro Ludwig (litógrafo alemão, 1804-?) e quatro por Frederico Guilherme Briggs (pintor e litógrafo inglês, 1813-1870).*

Pedro Ludwig

Coffee Carriers. (Carregadores de Café)

Gravura em metal, colorida a craiom e aquarela, 23,5 x 18,9 cm

Uma das trinta gravuras aquareladas do raríssimo álbum The Brazilian Souvenir: a selection of the most peculiar costumes of the Brazils. Published by Ludwig & Briggs Lithographers. Rua dos Pescadores, 88, Rio de Janeiro *(1846-1849); foi executada por Pedro Ludwig (litógrafo alemão, 1814-?) sob desenho de Eduard Hildebrandt (1818-1869), segundo informa Lygia da Fonseca Fernandes da Cunha em* Lembrança do Brasil: Ludwig & Briggs.

Brasilien.

Zuckerplantage

Zuckerrohr

Baumwolle

Ansicht eines Theils von Rio-Janairo.

Im Urwalde

J. Brodtmann

Serra dos Orgaos.

1.te Abthl: Taf. 10.

Joh. Schweicker del. Lith. de J. Brodtmann.

Litografia, 25,0 x 33,3 cm

Um ano após a publicação do álbum Malerische Reise in Brasilien *(Paris, 1835), de Johann Moritz Rugendas, o litógrafo e editor suíço Joseph Brodtmann (1787-1862) contratou o pintor alemão Johann Schweickert (1799-?) para redesenhar, com pequenas alterações, quarenta destas cem gravuras originais do álbum de Rugendas, litografando-as a seguir para a edição própria do álbum* Das Merkwürdigste aus der malerischen Reise in Brasilien, vom Moritz Rugendas. Mit 40 lithographirten Tafeln Abbildungen *(Schaffhausen, 1836).*

Wilhelm Reichardt

Hof der deutschen Schule zu São Paulo. Rua Florencio de Abreu.
(Pátio da Escola Alemã na Rua Florêncio de Abreu, em São Paulo)
Lápis sobre papel, 25,3 x 33,5 cm

Wilhelm Reichardt

Blick auf den Hof der deutsch. Schule. São Paulo.
(Vista sobre o pátio da Escola Alemã, em São Paulo)
Lápis sobre papel, 25,2 x 33,5 cm

Desenhista alemão (1855), chegou ao Brasil em 1883 e estabeleceu-se em São Paulo; foi professor de desenho no Ginásio do Estado e retornou à Alemanha no início do século xx, falecendo em Berlim. Dois desenhos retratando o pátio da Escola Alemã na Rua Florêncio de Abreu em 1895; a vista que se descortina sobre o Bairro de Santa Ifigênia inclui a Igreja de Santa Ifigênia antes de sua demolição.

Wilhelm Reichardt
Der "Gottesfinger" bei Rio de Janeiro
Lápis sobre papel,
27,6 x 40,0 cm

Wilhelm Reichardt
Aussicht vom Gartenthürmchen in Villa Marianna.
(Panorama descortinado de uma casa em Vila Mariana)
Lápis sobre papel,
25,2 x 33,4 cm

Dois exemplos da arte deste extraordinário desenhista.

ANÔNIMO

Sem título (O Porto de São Franzisco de Sul...)

Lápis, aguada e guache branco sobre papel, 27,8 x 40,0 cm

Desenho de um artista alemão (a julgar pelas anotações em alemão e letra gótica) em meados do século XIX, provavelmente destinado a servir para reprodução litográfica.

Carl Friedrich Phillip
von Martius
24. *Jardin Botanique à*
Ouro Preto.
Lápis sobre papel,
18,5 x 25,7 cm

Carl Friedrich Phillip von Martius

22. *Vue d'Ouro Preto (Coté Nord.)*

Lápis sobre papel, 20,5 x 33,7 cm

Carl Friedrich Phillip von Martius, naturalista alemão (1794-1868), percorreu o Brasil de 1817 a 1820 em companhia do zoólogo alemão Johann Baptist von Spix (1781-1826), expedição da qual resultou a obra Reise in Brasilien in den Jahren 1817 bis 1820 *(Munique, 1823, 1828 e 1831) e o* Atlas zur Reise in Brasilien, *com 42 gravuras sob desenhos de Thomas Ender, do próprio Martius e de outros. Após seu regresso à Alemanha, Martius publicou o primeiro volume da monumental obra* Flora brasiliensis *(Munique, 1840), ornada com 59 litografias sob seus desenhos, os de Thomas Ender, Benjamin Mary e outros, as* Tabulae Physiognomicae. *Muitos de seus desenhos originais encontram-se atualmente em museus ou em coleções particulares e muitas a ele atribuídas, como as presentes, todas a lápis sobre papel e sem assinatura.*

Carl Friedrich Phillip von Martius
41. Qeluz [sic].
Lápis sobre papel,
22,0 x 35,9 cm

Carl Friedrich Phillip von Martius
72. Pont sur le Parahyba.
Lápis sobre papel filigranado,
21,0 x 30,2 cm

Carl Friedrich Phillip von Martius
5. *Vue de Corcovado.*
Lápis sobre papel,
22,4 x 38,8 cm

Carl Friedrich Phillip von Martius
7. *Baie da Gloria.*
Lápis sobre papel,
20,2 x 34,0 cm

Carl Friedrich Phillip
Von Martius
51. Forêt Vierge.
Bico de pena e lápis sobre papel,
23,3 x 36,6 cm

Isidore Laurent Deroy

Rio de Janeiro. La Ville le Catette, Botafogo, S.t Clemento[sic]. – (Da Babilonia)
Peint par Hagedom[sic]. Lith. par Deroy.
Publié à Rio de Janeiro chez Leuzinger. Imp. Lemercier Paris.
Litografia aquarelada, 65,3 x 90,0 cm

Isidore Laurent Deroy

Rio de Janeiro. A Entrada da Barra. – (Da Babilonia).
Peint par Hagedom[sic]. lith. par Deroy.
Publié à Rio de Janeiro, chez G. Leuzinger. Impr. Lemercier, Paris.
Litografia aquarelada, 65,4 x 90,1 cm

O pintor alemão Friedrich Hagedorn (1814-1889) esteve ativo no Brasil entre 1852 e 1860 e deixou vasta obra paisagística de várias regiões do país, obra até a data não devidamente estudada. Várias de suas paisagens foram litografadas, entre as quais o grande panorama do Recife em três folhas (gravado por A. Guesdon) e o presente panorama do Rio de Janeiro, executado por Deroy, litógrafo francês (1797-1886) que passou alguns anos no Brasil na década de 1820.

FRIEDRICH SELLOW

Sem título (Vista de Porto Seguro no rio Buranhém)

Bico-de-pena, aguada e aquarela sobre papel, 24,3 x 32,6 cm

Friedrich Sellow, botânico alemão (1789-Minas Gerais 1831), acompanhou o Príncipe Maximilian de Wied-Neuwied (1788-1868) em sua expedição ao Brasil de 1815 a 1817. Em sua obra Viagem pelo Brasil, *o Príncipe Maximilian informa que as ilustrações para esta obra foram próprias, com exceção de três de autoria de seu companheiro Sellow, citando expressan-*

E. G. MÜLLER

(Vista sobre a Baía da Guanabara)

Aquarela sobre papel, 20,9 x 36,4 cm

Aquarela marcada no verso como "View of the West side of the Bay of Rio taken from Two Fathom Bay" e no passe-partout, *a bico de pena, como "Bay of Rio de Janeiro. West Feby 1841.", além das iniciais "E. G. Müller" à direita e "H. S. P." à esquerda. Esta aquarela faz parte de uma série de sete relacionadas em* Iconografia do Rio de Janeiro, *de Gilberto Ferrez (Rio de Janeiro, 2000), supondo este que elas foram pintadas por E. G. Müller em 1841, segundo esboços de H. S. P. e um Capitão Bowen.*

Joseph Selleny

Fragoso

Grafite sobre papel, 12,5 x 18,0 cm

Paisagista e litógrafo austríaco (1824-1875), foi o pintor oficial da grande expedição científica austríaca com a fragata Novara *ao redor do mundo de 1857 a 1859. Em* Ein österreichischer Maler segelt um die Welt *(Graz e Köln, 1964), Liselotte Popelka relaciona 959 das cerca de 2000 obras realizadas nesta expedição pelo artista, das quais as de nº 124 a 180 referentes ao Brasil (incluindo o presente desenho, assinado e datado: "JS. Fragoso 14 Agosto 857", que também se encontra relacionado no catálogo* Katalog 52*do leiloeiro Ch. M. Nebehay, de Viena).*

W. Bässler

Poço da Panella.

Litografia, 27,6 x 37,1 cm

Pintor e litógrafo alemão pouco conhecido, ativo em Dresden, onde faleceu em 1853. Foi autor do raro álbum VI Ansichten von Pernambuco und seiner Ungebung, *executado na oficina de J. Braunsdorf em Dresden, álbum que se encontra reproduzido em* Raras e preciosas vistas e panoramas do Recife. 1755-1855, *de Gilberto Ferrez e contém somente as seis gravuras de grande dimensão enunciadas no título. Gilberto Ferrez também informa sobre um anúncio de 15 de maio de 1848 no* Diário de Pernambuco, *que participa a venda de diversas gravuras de Bässler em dimensão menor, incluindo a presente* Poço da Panella.

Friedrich Ezdorf

Attalea funifera. F. Post pinx. 1646. Martius Palm. del. Ezdorf in Lap. del. Tab. 95.

Cromolitografia, 85,8 x 70,0 cm

Entre as obras de Carl Friedrich Phillip von Martius (naturalista alemão, 1794-1868), consta a Genera et species Palmarum quas in itinere per Brasiliam annis MDCCCXVIII – MDCCCXX *(Mônaco, 1823), da qual provém a presente cromolitografia para o segundo volume; distingue-se esta gravura das demais por ter o litógrafo alemão Friedrich Ezdorf (1807-1858) aproveitado uma paisagem de um dos quadros a óleo de Frans Post (1612-1680) para servir de fundo a uma das palmeiras desenhadas por von Martius.*

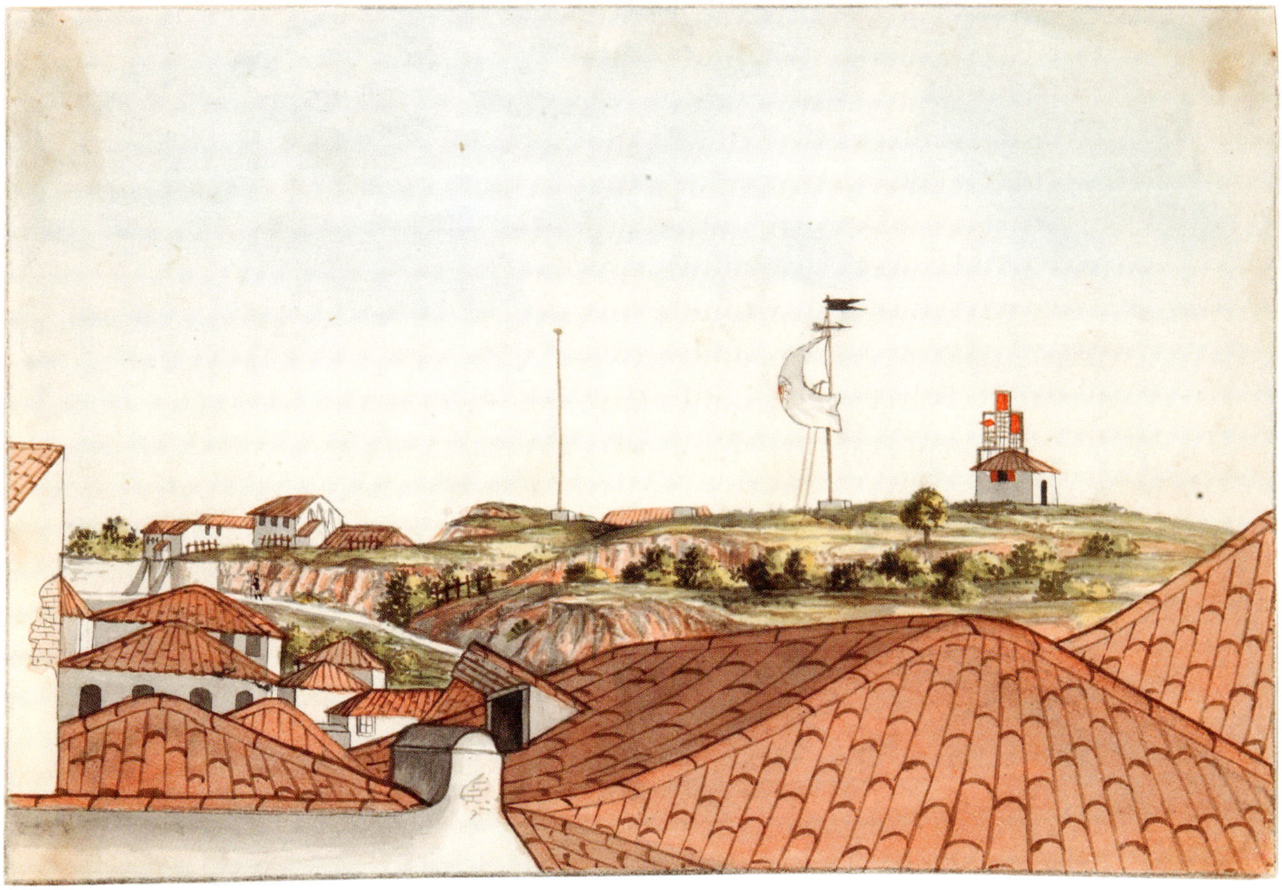

Franz Joseph Frühbeck

Telegraph.

Guache sobre papel, 13,5 x 18,6 cm

Franz Joseph Frühbeck, aquarelista austríaco (1795-?), chegou ao Brasil em 1817 na comitiva da Arquiduquesa Leopoldina como auxiliar do bibliotecário Schüch. Retornando à Europa, expôs seus quadros a partir de 1829 em Viena, todos atualmente em poder da Hispanic Society of America de New York e estudadas e reproduzidas em Franz Frühbeck's Brazilian journey, *de Gilberto Ferrez e Robert C. Smith (Filadélfia, 1960). A presente aquarela em coleção particular paulista retrata o sinalizador para navios no antigo Morro do Castelo, no Rio de Janeiro.*

Carlos Linde

Glorias da marinha Brasileira

Litografia sobre cartolina fina, 47,3 x 60,6 cm

Chegando ao Brasil em 1858 (ou 1859), o pintor e litógrafo alemão Karl Linde (?-1873) fundou com os irmãos Henrique (1823-1882) e Carlos Fleiuss o estabelecimento tipográfico "Instituto Artístico de Fleiuss Irmãos & Linde" (que obteve o título de "Imperial" em 1863), que publicou entre outros a Semana Illustrada; *para este semanário o artista contribuiu com*

ALFRED SEELINGER

Victualien = Markt in Rio de Janeiro.

Lápis e nanquim sobre papel, 18,5 x 24,6 cm

Nascido na Alemanha, Seelinger chegou ao Brasil na primeira metade do século XIX ainda menino e estudou na Academia Imperial de Belas Artes; sempre ativo no Rio de Janeiro, onde veio a falecer em 1873. Dedicou-se sobretudo à caricatura.

ANÔNIMO

Sem título (Morro e Igreja da Glória vistos do mar, com barco a vela em primeiro plano e o Pão-de Açúcar como fundo)

Lápis e guache branco sobre papel amarelo, 18,7 x 32,5 cm

Capa do livro Brazil: la provincia di Rio de Janeiro: emigrazione *(Rio de Janeiro: Lith. e Typ. Lombaerts & Ca., 1887).*

A. Giuli

Sem título (Sala de estudo de D. Theresa Christina, Imperatriz do Brasil)

Aquarela sobre papel, 30,1 x 42,0 cm

Esta aquarela não se encontra assinada, mas no verso consta a seguinte inscrição a tinta: "Sala de estudo de D. Theresa Christina, Imperatriz do Brasil. Pintada pº. A. Giuli em 1845 (Palacio de S. Christovão)".

Edoardo de Martino

66. Depois da batalha

Lápis, bico-de-pena e aguada sobre papel, 23,6 x 31,3 cm

Edoardo de Martino, pintor italiano (1832-1912), tornou-se oficial da Marinha italiana em 1845, desembarcou no Brasil em 1866 e permaneceu até 1875; consta ter sido contratado por D. Pedro II para acompanhar a Guerra do Paraguai. Como muitos pintores daquela época, De Martino tinha por hábito colher suas impressões visuais em pequenos desenhos, aos quais adicionava observações diversas para futuro aproveitamento na composição dos quadros históricos executados a óleo em estúdio. As duas pequenas aquarelas acima foram frutos de observação junto aos campos de batalha e as duas seguintes de cenas do cotidiano que atraíram sua atenção.

Edoardo de Martino

35. Náufragos

Lápis, bico-de-pena e aguada sobre papel, 23,0 x 30,5 cm

Edoardo de Martino

3. Vapor 'Gladiator'

Bico-de-pena e aguada sobre papel, 22,3 x 29,1 cm

Edoardo de Martino

58. Desfile

Lápis sobre papel de seda pautado, 20,6 x 26,7 cm

JULIO BALLÁ

Brazil.
Tijuca. Vista tirada do Hotel Whyte.
Tijuca. Vue prise de l'Hôtel Whyte.
Tijuca. View taken below Whyte's Hotel.
Julio Ballá, del. et lith. Lith. Paulo Robin & Cª. Rio de Janeiro.
Litografia colada sobre cartolina, 53,5 x 41,0 cm

Paisagista e retratista, Jules (ou Julio) Ballá é francês, segundo o DICMEC *e nascido no Rio de Janeiro, segundo o Bénézit; ativo no Rio de Janeiro durante a década de 1870, partiu para a França por volta de 1880. Sua obra retratista encontra-se relacionada no* CEHB, *mas a paisagística é conhecida quase exclusivamente através de oito litografias (que incluem a presente) relacionadas em* Iconografia do Rio de Janeiro, *de Gilberto Ferrez (Rio de Janeiro, 2000).*

Charles Pepford
Sem título (Vista da construção dos planos inclinados para a Estrada de Ferro São Paulo Railway na Serra do Mar, em São Paulo)
Aquarela sobre papel,
59,3 x 89,5 cm

Charles Pepford
Sem título (Vista dos planos inclinados da Estrada de Ferro São Paulo Railway na Serra do Mar, São Paulo)
Aquarela sobre papel,
59,8 x 89,2 cm

Estas duas vistas dos "planos inclinados" da Estrada de Ferro Santos-Jundiaí na Serra do Mar datam de 1876; não foi possível a obtenção de dados sobre o aquarelista Charles Pepford, provavelmente inglês.

WILLIAM JAMES BENNETT

Rio Janiero [sic].

Published 30 June, 1808, by Joyce Gold, 109, Shoe Lane.

Pocock del. Bennett Sculp.

Gravura em metal, 13,1 x 23,3 cm

J. Baily

Fort of Villegagnon in the harbour of Rio de Janeiro.
London. Published 27th. February, 1813, by Joyce Gold, at the Naval Chronicle Office 103, Shoe Lane.
R. S. delt. Baily sculpt.
Gravura em metal, 16,0 x 25,1 cm

Duas das três gravuras publicadas pela revista inglesa Naval Chronicle *sobre o Brasil. A primeira foi gravada por William James Bennett (paisagista e gravador anglo-americano, 1787-1844) segundo um quadro de Nicholas Pocock (comandante da marinha mercante britânica e pintor, 1740-1821), cujo original a óleo se encontra na coleção de Paulo Fontainha Geyer e reproduzido em* Pinturas e pintores do Rio antigo *(Rio de Janeiro, 1990) e em* Visões do Rio na Coleção Geyer *(Rio de Janeiro, 2000); a segunda, baseada em desenho de "R. S.", por Baily, provavelmente o gravador J. Baily, ativo na virada do século XIX.*

James Storer
Rio-de-Janeiro.
Part of the Aquaduct, with the Street called Mata Cavalos seen through one of the Arches: the building upon the Hill is the Nunnery of Sancta Thereza.
Eng.d by Storer, from a Drawing by Rich.d Bates[sic].
Esq.r Published Aug. 1 1820 by Sherwood, Neely & Jones, Paternoster Row, London.
Gravura em metal, 20,9 x 27,0 cm

ANÔNIMO

Aqueduct and Church of St. Teresa

Gravura em metal, aquarelada, 22,6 x 32,2 cm

Duas vistas do Aqueduto e do Mosteiro de Santa Teresa, da mesma época; a primeira baseada em aquarela de Richard Bate (ativo no Rio de Janeiro de 1807 a 1854), de paradeiro desconhecido, e a segunda de anônimo, em branco e preto, da obra Journal of the British Embassy to Persia, *de William Price (Londres, 1825, que consta em Berger mas não na* Bibliografia Brasiliana *de Rubens Borba de Moraes).*

J. Bury
Paquetá. Rio Harbor
Aguada sobre cartolina,
34,6 x 51,5 cm

J. Bury
Sem título (Vista de Niterói sobre o porto do Rio de Janeiro)
Aquarela e lápis sobre cartolina,
33,6 x 49,2 cm

J. Bury

Avenue of Palms. Botanical Gardens. Rio de Janeiro

Aquarela sobre cartolina, 21,4 x 28,6 cm

Sobre o aquarelista J. Bury não foram encontradas referências; provavelmente inglês, esteve ativo em Recife e no Rio de Janeiro durante o ano de 1887.

J.S.M.

Sem título (Vista de Recife tirada do mar, com os arrecifes à frente)

Aquarela sobre papel,

19,9 x 27,5 cm

Notável vista de Recife em aquarela de 1857.

J. Bury

Catamaran, running for the reef – Pernambuco

Aquarela sobre cartolina,

24,0 x 54,0 cm

Sobre o aquarelista J. Bury não foram encontradas referências; provavelmente inglês, esteve ativo em Recife e no Rio de Janeiro durante o ano de 1887.

WILLIAM SMYTH

Sem título (Vista da entrada da barra da Baía de Guanabara, tendo por fundo o 'Gigante Adormecido' e a cidade do Rio de Janeiro)

Bico-de-pena e aquarela sobre cartolina, 18,4 x 28,3 cm

Desenhista irlandês (1800-1877) e oficial da marinha inglesa, permaneceu no Brasil de 1831 a 1835 como tripulante do Samarang *e foi autor da obra* Narrative of a journey from Lima to Pará *(Londres, 1836), ilustrada com gravuras sob desenho próprio.*

FRANK EDWARD COX

Sem título (Floresta virgem)

Aquarela sobre papel,

25,3 x 17,5 cm

O aquarelista inglês Frank Edward Cox (1850-?), expôs regularmente na Academia Real de Londres entre 1870 e 1894) esteve no Brasil em 1871; não assinava suas aquarelas, mas apresentava no verso uma descrição do desenho em letra autógrafa e marcava "F. E. Cox" e o ano.

View looking seaward
Jurujuba Bay. Fort Sta Cruz in the distance
Sketched May 1858.

GEORGE McKINNELL
Jurajuba [sic] Looking towards Santa Cruz
Aguada sobre papel pardo, 20,4 x 34,6 cm (irr.)

São muitas as aquarelas executadas em vários países europeus e no Brasil por George McKinnell (provavelmente inglês e amador) que constam do álbum Sketches from nature. Etchings de G. McKinnell. 1858.

PAUL GAUCI
Rio de Janeiro.
Marguerite Tollemache, delt. April, 1855. P. Gauci, lith. Published by Messrs. Fuller, 34, Rathbone Place. London.
Litografia colorida a lápis de cor e aquarela, 30,9 x 64,5 cm

Marguerite Tollemache foi uma funcionária da embaixada inglesa no Rio de Janeiro de 1853 a 1855, nada constando sobre sua formação artística. Em um álbum com muitos desenhos grandes de sua autoria consta também o desenho original (46 x 61 cm) da presente litografia executada por Paul Gauci, paisagista, litógrafo e editor inglês que expôs por diversas vezes na Academia Real de Londres entre 1834 e 1863.

William Gore Ouseley

Sugar Loaf

Aquarela sobre papel,

23,7 x 34,2 cm

William Gore Ouseley

Sem título (Um barco e uma caravela na barra da baía de Guanabara)

Lápis sobre papel,

12,4 x 20,2 cm

William Gore Ouseley, diplomata inglês e pintor amador (1797-1866), serviu no Brasil até 1842 e aposentou-se em 1860; assumindo um alto posto administrativo nas Ilhas Falkland, ainda passou por diversas vezes pelo Rio de Janeiro. Foi autor da obra Views in South America... *(Londres, 1852), fac-similada pela Livraria Kosmos do Rio de Janeiro em 1974. O desenho a lápis é atribuído a Gore Ouseley, cerca de 1840.*

C.H.M.B.
Bon Voyage Isle. Harbour of Rio Janeiro. H. M. S. Ganges.
Lápis sobre papel, 9,0 x 13,6 cm

C.H.M.B.
Leaving Rio gracefully. The Sugar Loaf is on the left forming the entrance. H M. S. Ganges
Lápis sobre papel, 10,8 x 11,1 cm

Dois desenhos a lápis realizados sobre dois pequenos cartões que trazem no verso mensagens do artista (que assina como "Henry) à esposa.

Bates

Sem título (Três navios a vela [um deles com bandeira francesa], um barco a vapor com bandeira brasileira e embarcações diversas na entrada da baía de Guanabara)

Aquarela sobre cartolina, 34,8 x 45,7 cm

Assinada "Bates 1842", esta aquarela conta com uma inscrição no verso a lápis com a mesma assinatura, uma rubrica e "Bates. Rio Janeiro – 1842". Além disto, em letra diferente, a atribuição a William Henry Bates, o naturalista inglês (1824-1892) que explorou a Amazônia de 1848 a 1859, atribuição pouco consistente, sendo provável que a autoria seja de W. E. Bates (1812-?), pintor inglês especializado em marinhas que expôs na Academia Real de Londres entre 1847 e 1867.

T. G. DUTTON

H. M. S. Maeander 44 guns, "Shortening sail for Anchoring". (Rio, June 9th 1851.) O.W. Brierly, del. T.G. Dutton, lith. Day & Son Lithrs. to the Queen. To Captain de Honble. Henry Keppel, and the officers of H. M. S. Maeander...

Litografia aquarelada colada sobre papel, 34,8 x 42,2 cm

O marinhista inglês Oswald Walters Brierly (1817-1894), agraciado com o título de "Marinhista da Rainha" em 1884 e o de "Sir" em 1885, foi autor da aquarela que serviu de base à litografia de T. G. Dutton em 1852.

T. G. DUTTON
'Colombo' & 'Cabral'.
Baterias Fluviaes, de duas casamatas, a duas helices, construidas para a Marinha Imperial do Brasil pelos Señ.rs P. & G. Rennie, de Londres, sob a direcção de Primeiro Tenente J. G. d'Argollo Ferrao.
Armamento 4 ou 8 canhões de calibre 68 ou de 70 do Sistema Whitmorth.
T. G. Dutton, del. et lith. London.
Published June 11th 1866 by Wm. Foster, 17, Billiter Str.t Fenchurch Str.t E. C.
Cromolitografia, 59,5 x 81,5 cm

Sobre o litógrafo T. G. Dutton não foram encontradas referências, mas sabe-se existir uma outra gravura do mesmo artista e do mesmo editor apresentando esta belonave navegando em alto mar.

Henry Chamberlain
Sem título (A baía de Guanabara, com a cidade, o Forte de São João e a Serra dos Órgãos com o Dedo de Deus).
Aquarela sobre cartolina, 12,1 x 34,6 cm

Henry Chamberlain
Sem título (Caravela na entrada da baía da Guanabara, com vista sobre o "Gigante Adormecido").
Aquarela sobre cartolina, 12,0 x 69,6 cm

Duas pequenas aquarelas de Henry Chamberlain (1796-1844), oficial da Marinha britânica e pintor amador, esteve no Brasil de 1819 a 1820 e foi o autor da obra Vistas e costumes da cidade e arredores do Rio de Janeiro em 1819-1820.

Edouard Philippe Rivière
Sem título
(Vista de uma floresta)
Aquarela sobre papel,
45,6 x 30,5 cm

Pintor e litógrafo francês, ativo no Rio de Janeiro a partir de 1826, anunciava ter sido aluno da Academia de Paris e medalhista da de Nantes; dava aulas de desenho e também dedicou-se à litografia a partir de 1832.

Adrien Aimé Taunay

Sem título (A partida da Expedição Langsdorff, no Rio Tietê)

Aguada e lápis sobre papel, 58,1x 47,1 cm

Após participar como segundo desenhista da expedição de Freycinet ao redor do mundo (1818-1820), Taunay (França, 1803) foi contratado para substituir a Rugendas como primeiro desenhista da expedição do Barão von Langsdorff, durante a qual faleceu em 1828. A presente aguada fixa a partida da expedição em 1825 e foi anteriormente reproduzida em Viagem fluvial do Tietê ao Amazonas de 1825 a 1829 *(Edições Melhoramentos, 1941), de Hercules Florence.*

François Auguste Biard

(Cascata da Tijuca)

Guache sobre cartão,

46,5 x 30,2 cm

Pintor francês (1799-1882), empreendeu longas viagens antes e depois de se fixar em Paris em 1835, permanecendo no Brasil de 1858 a 1860, onde se tornou retratista da moda, professor honorário da Academia Imperial de Belas Artes e regente da cadeira de pintura histórica. Dedicou-se também à ilustração, como fez em desenhos de traços caricaturais em sua obra Deux années au Brésil *(1862). Sua obra paisagística é pouco conhecida.*

Eugène Cicéri

Rio de Janeiro Tomado de Boa-Vista da Fijuca [sic]. Pris au Daguerréotipe. Lith. par Eug. Cicéri. Publié à Rio de Janeiro chez G. Leuzinger.

Litografia aquarelada, 65,5 x 90,0 cm

Os litógrafos Eugène Cicéri (França, 1813-1890) e Phillipe Benoist (Suíça, 1813-?) gravaram várias paisagens do Rio de Janeiro, entre as quais as presentes cinco, que fazem parte de uma série de nove relacionadas no CEHB *sob o nº 17 e que, ao que tudo indica, não foram reproduzidas até a data.*

EUGÈNE CICÉRI

7. Rio de Janeiro da Ilha das Cobras.

Lith. par Eug. Cicéri et Ph. Benoist. Imp. Lemercier, Paris.

Publié à Rio de Janeiro, chez G. Leuzinger.

Eugène Cicéri

8. Rio de Janeiro de lado da terra Marro [sic] de Senado. Pris au Daguerréotype. Lith. par Eug. Cicéri et Ph. Benoist.

Litografia colorida a aquarela e lápis de cor, colada sobre papel, 53,5 x 76,9 cm

Eugène Cicéri

9. Rio de Janeiro Catette e entrada da Barra. Pris au Daguerréotype. Lith. par Eug. Cicéri.

Litografia colorida a aquarela e lápis de cor, colada sobre papel, 53,1 x 76,9 cm

Eugène Cicéri

Sem título (Vista do Rio de Janeiro)

Litografia aquarelada, 57,8 x 131,4 cm

Eugène Cicéri, pintor e litógrafo francês (1813-1890), litografou muitas vistas do Rio de Janeiro, quase sempre baseadas em daguerreótipos. Esta é a segunda de uma série de quatro sob desenho de Galot (paisagista francês, 1806-?, professor de desenho no Rio de Janeiro, onde também faleceu), editada por Georges Leuzinger em 1849 no Rio de Janeiro (nº 17057 do CEHB*) e foi iluminada por Ernesto Casanova, desenhista e ilustrador português (1845-?), colaborador da revista* Arte Portugueza *(Lisboa, 1895); encontra-se assinada: "E. Casanova 1883".*

JEAN LEON PALLIÈRE GRANDJEAN FERREIRA
Sem título (Vista de Recife do mar)
Aguada, lápis e guache branco sobre cartolina fina, 23,4 x 62,1 cm

Nascido no Rio de Janeiro em 1823 como filho do pintor Armand Julien Pallière, estudou na França e de 1848 a 1849 na Academia Imperial de Belas Artes, quando conquista o prêmio de viagem que o levará a Roma e em 1856 diretamente a Buenos Aires, onde se tornou muito conhecido com o álbum Album Pallière. Escenas americanas, *que contém quatro gravuras de temas brasileiros. Faleceu em Paris em 1887.*

Charles Othon Frederic Jean-Baptiste de Clarac
Forêt vierge du Brésil.
Le Comte de Clarac del.t Fortier sculp.t
Gravura em metal, aquarelada, 65,0 x 85,0 cm

François Claude Fortier, gravador francês (1775-1835), foi autor desta gravura da aquarela Forêt vierge du Brésil *do Conde de Clarac (1777-1827), uma aquarela considerada por Humboldt como a melhor das representações de nossa natureza e se encontra reproduzida no catálogo* Brasilien: Entdeckung und Selbstentdeckung *(Zurique, 1992).*

Jean Jacques Champin

Place du Palais a Goyaz, (Brésil).

Cromolitografia, aquarelada, 17,8 x 22,9 cm

Aquarelista e litógrafo francês (1796-1860), participou do Salão de 1819 a 1859 com paisagens e vistas arquitetônicas nas quais incluía figuras humanas desenhadas por terceiros. Cromolitografia que consta da segunda parte da obra Expedition dans les parties centrales de l'Amerique du Sud, de Rio de Janeiro a Lima, et de Lima au Para; executée... pendant les années 1843 a 1847..., *de Francis de Castelnau (Paris, 1850-1857).*

Hercules Florence

Guanitá, Capitão-Môr des indiens Guanás, et une Jeune Guaná.

Bico-de-pena sobre papel, 27,2 x 22,4 cm

Contratado em 1825 como assistente do pintor Adrien Aimé Taunay e segundo desenhista da Expedição von Langsdorff, o pintor francês Hercules Florence (1804-1879) radicou-se em Campinas após 1829. O desenho supra tem toda a forma e apresentação para servir como original a uma reprodução litográfica que, como tudo indica, não veio a se concretizar. Serviu, entretanto, como original para a aquarela reproduzida em cores na obra própria Viagem fluvial do Tietê ao Amazonas de 1825 a 1829 *(Edições Melhoramentos, 1941).*

François Meuret
Sem título (Estudo para retrato de D. Pedro I como Duque de Bragança)
Carvão sobre papel fino, 50,0 x 38,5 cm

Em Dom Pedro, *Stanislaw Herstal reproduz a litografia* D. Pedro I, *marcada na chapa "Meuret" e subscrita "Lith. de Ch. Motte. Imprimé et publié par C. Motte", gravura de 1832.*
Este desenho a carvão é praticamente idêntico à gravura reproduzida, indicando tratar-se de um estudo para a mesma, talvez pelo próprio litógrafo, Charles Etienne Pierre Motte (litógrafo e editor francês, 1785-1836), mas mais provavelmente por François Meuret, retratista e litógrafo francês (1800-1887), pintor da realeza, cujo nome se encontra marcado na chapa.

ARMAND JULIEN PALLIÈRE

S. Sebastião.

Palliere invenit.

Rio de Janeiro 1819. Largo do Rocio nº 17.

Gravura em metal

Litografia de Armand Julien Pallière (1784-1862) que consta da raríssima obra Die xx. Januarii. In festo S. Sebastiani Martyris. Patroni Sebastianopolis e olim Tit. Eccl. Cath. Ad Vesperas. *(Fluv. Januar. Typis Regiis, Regioque Jussu,* MDCCCXIX*), não citada em Alfredo do Valle Cabral nem nas demais bibliografias especializadas; a litografia, entretanto, se encontra referida em* Imagem e Letra, *de Orlando da Costa Ferreira, como "serve de frontespício a um raríssimo Ofício de São Sebastião" e que "trata-se da mais antiga e segura documentação da precedência de Pallière como litógrafo no Brasil".*

Jean Julien Deltil

Têmpera sobre papel, 44,0 x 153,0 cm

Jean Julien Deltil (1791-1863), paisagista francês, trabalhou na década de 1850 para a Manufatura de Jean Zuber, um fabricante suíço de papel de parede. Um de seus trabalhos foi uma grande vista panorâmica fantasiosa do Brasil, baseada em gravuras de Johann Moritz Rugendas (1802-1858), panorama que se encontra reproduzido no catálogo Revelando um acervo *(Rio de Janeiro, 2000). A presente têmpera é um esboço para uma parte deste panorama, executada por Deltil ou um de seus assistentes.*

VICTOR BARRAT

Sem título (Vista tirada do Morro de Santa Teresa sobre a Igreja da Glória, o Pão de Açúcar e a Barra)

Aquarela sobre cartolina, 21,3 x 32,6 cm

Barrat, ou Barat, pintor e litógrafo francês, esteve no Brasil por poucos anos a partir de 1829 e foi autor de um dos desenhos gravados por Friedrich Salathé para o álbum Souvenirs du Rio de Janeiro *(Paris, 1836), de Steinmann.*

HENRY JEAN BECQUET

Le Clipper France et Brésil à l'entrée de la Rade de Rio-Janeiro.
Paris. J. Langlumé, édit. rue des Poitevins, 2.
Lebreton del. Lith. G. Paulon, rue de la Harpe, 92, à Paris.
Litografia colorida a lápis de cor e aquarela, 24,9 x 33,1 cm

---

O marinhista francês Louis Lebreton (?-1866) foi autor do álbum La Marine au XIXe. siècle par Lebreton, Chevalier de La Legion d' Honneur Dessinateur du Voyage autour du monde du C. Amiral Dumont-Durville *(Paris, J. Langlumé, sem data), que contém onze litografias segundo seus desenhos, dos quais duas relacionadas ao Brasil: a supra e* Goelette de guerre Brésilienne, *ambas gravadas por Becquet (provavelmente um dos membros da oficina litográfica "Becquet Frères" de Paris) e editadas por J. Langlumé.*

Paul de Saint Martin

Hospicio dom Pedro II. Fortaleza de Leme. Rua de copo a cabana [sic].
Dessiné d'après nature par Desmons.

Litografia sobre cartolina fina, aquarelada, 45,2 x 65 cm

Paul de Saint Martin

Rua nove de Botafogo. Rua vellia [sic] de Botafogo.
Lith. par St. Martin – Imp. Lemercier, Paris.

Litografia sobre cartolina fina, aquarelada, 44,8 x 63,1 cm

Paul de Saint Martin

Botafogo Rua de St. Clemente. La Gave. Rua Visconde dolinda [sic]

Litografia sobre cartolina fina, aquarelada, 46,3 x 62,6 cm

Botafogo, *panorama em três folhas litografadas, executado por Paul de Saint Martin (paisagista e litógrafo francês, 1817-?) na Oficina de Lemercier em Paris sob desenho de Iluchar Desmons (paisagista francês, 1803-?, ativo no Brasil de 1840 a 1854).*

JOAQUIM INACIO DA COSTA MIRANDA JUNIOR
Sem título
(Retrato de D. João VI)
Carvão sobre papel Fabriano,
74,7 x 52,0 cm

Miranda Junior, desenhista pernambucano (1818-?), estudou na Academia Imperial de Belas Artes, da qual se tornou professor em 1840 por concurso e catedrático da cadeira de desenho em 1848.

Lopes

Nº 14. Uma Rede

Litho: Briggs, rua do Ouvidor, 130. Rio de Janeiro, 1840.

Litografia aquarelada, 23,0 x 19,3 x 1,6 cm

Uma das cinquenta litografias aquareladas, executadas na oficina de Frederico Guilherme Briggs no Rio de Janeiro, por "Lopes" (atualmente identificado como Joaquim Lopes de Barros Cabral Teive, 1816-1862) em 1840.

Joseph Jukes

Sem título (Vista de N. Sra. do Desterro, atual Florianópolis)

Aquarela sobre cartolina, 28,1x 36,8 cm

Por anotações constantes no verso desta aquarela, é provável que o artista Joseph Jukes tivesse chegado ao Brasil em fins do século XIX e se estabelecido como antiquário no Rio de Janeiro.

Louis Choris

Ile de Ste. Catherine (Brésil).

Litografia colorida a lápis de cor sobre cartolina, prova, 29,3 x 42,0 cm

O desenhista e litógrafo russo Louis ou Ludwig Choris (1795-1828), acompanhou a expedição do cientista von Kotzebue aos mares do Sul de 1815 a 1818, ocasião em que passou por Santa Catarina; o relato desta viagem consta de sua obra Voyage pittoresque autour du monde *(Paris, 1822), com ilustrações próprias, relato seguido de outra obra sua,* Vues et paysages des regions equinoxiales *(Paris), também com ilustrações próprias, das quais as litografias de nº 2 a 5 são vistas de Santa Catarina e a presente uma destas (todas reproduzidas em* Ilha de Santa Catarina: relatos de viajantes estrangeiros nos séculos XVIII e XIX, *de 1979).*

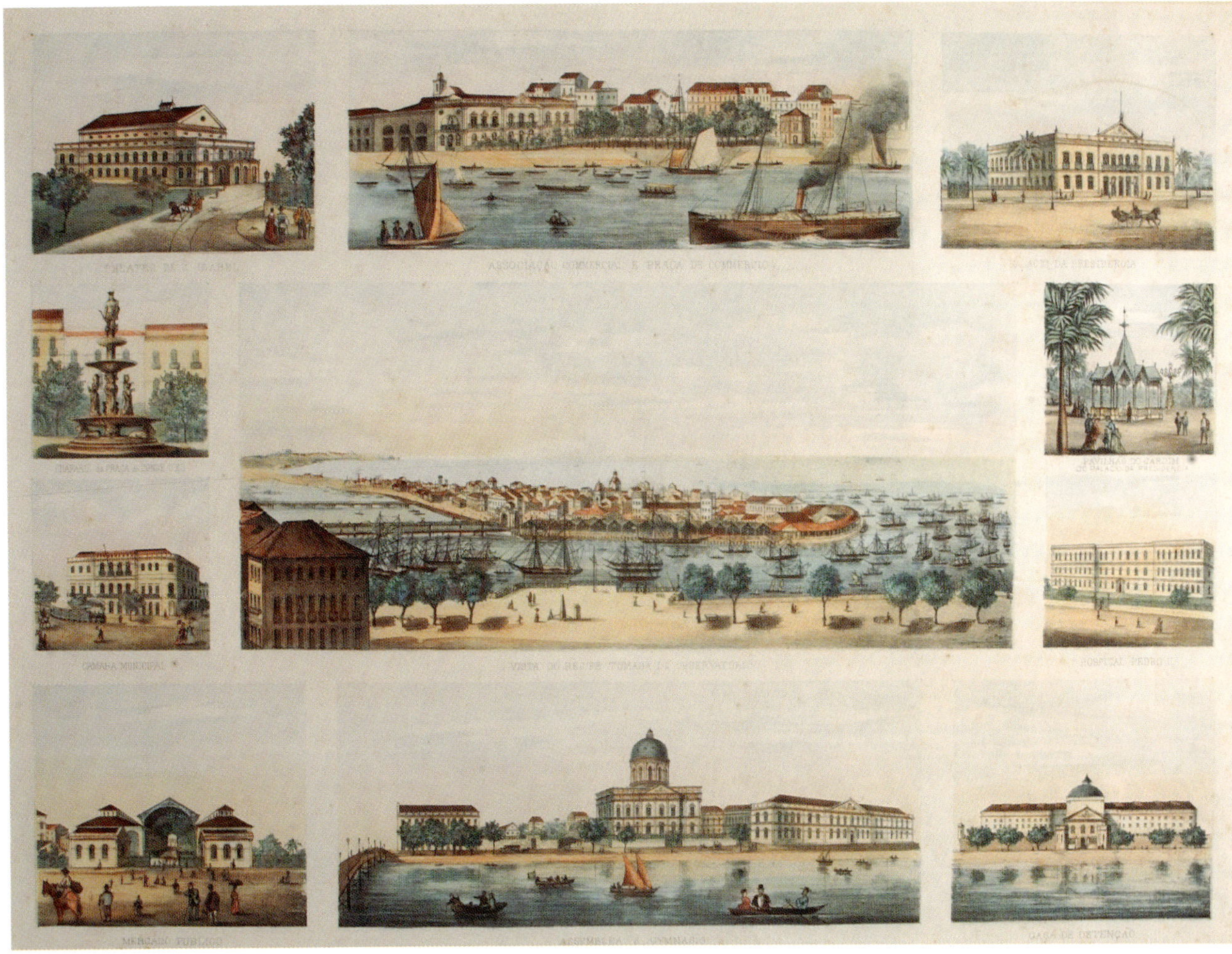

ANÔNIMO

Pernambuco. Lith de F. H. Carls, Pernambuco

Litografia colorida a lápis de cor e aquarela, sobre cartolina fina, 50,6 x 63,8 cm

---

Em Iconografia do Recife. Século XIX, *Gilberto Ferrez relaciona esta litografia como sendo o único exemplar conhecido.*

Capa do Album Pittoresco do Rio de Janeiro. Doze vistas brasileiras escolhidas. Publicadas e a Venda em Casa de Eduardo e Henrique Laemmert. Rua da Quitanda, 77, Rio de Janeiro.
Gravura em metal, 22,3 x 33,6 cm

Capa de um raríssimo álbum publicado por volta de 1840 no Rio de Janeiro e contendo doze litografias executadas por J. Schütz (sobre o qual não existem dados disponíveis).

ANÔNIMO
Rio-Janeiro Vue prise du convent de Ste Thérése. Rio-Janeiro Vista tomada del convento de Sª Teresa
Litografia a cores,
27,5 x 38,4 cm

R.
Rio-Janeiro – La Gloria
Aquarela e lápis sobre papel,
19,0 x 26,5 cm

Armando Pacheco

Igreja e Jardim da Gloria – Rio de Janeiro.

Gravura em metal, 27,3 x 37,6 cm

Após estudar no Liceu de Artes e Ofícios do Rio de Janeiro, Armando Pacheco Alves (1913-1965) aperfeiçoou-se na Academia Grande Chaumière de Paris e tornou-se desenhista, gravador e ilustrador. A presente gravura faz parte de uma série de cinco que foram reproduzidas em cartões-postais pelo Departamento de Imprensa e Propaganda em 1939.

C. Legrand

Rio de Janeiro. (1ª. vista)

Cromolitografia, 18,6 x 25,2 cm

C. LEGRAND

Rio de Janeiro (2ª. vista)

Cromolitografia, 18,6 x 25,2 cm

Duas pequenas cromolitografias que formam um panorama do Rio de Janeiro, executadas pelo litógrafo português C. Legrand para o Universo Pictorico *de Lisboa por volta de 1850.*

G.S.B.

The Sugar Loaf Rio de Janeiro

Aguada sobre papel colado sobre cartão, 19,3 x 23,4 cm

O artista com a inicial "GSB" não consta da Iconografia do Rio de Janeiro, *de Gilberto Ferrez (Rio de Janeiro, 2000), mas esta inicial já foi vista em outros pequenos desenhos em coleções particulares.*

Panorama do Rio de Janeiro. Photochromo da Lith. Hartmann. Juiz de Fora

Cromolitografia, 43,5 x 107,0 cm

Uma fotocomposição para formar um panorama do Rio de Janeiro na virada do século XX*; esta estampa de fotocromo, marcada "Otto Bungner" na chapa, foi baseada em fotografia de Otto Bungner (ou pelo mesmo iluminada), um aquarelista e fotógrafo alemão ativo no Rio de Janeiro em princípios do século* XX.

José Wasth Rodrigues

Brasão de São Paulo

Aquarela sobre cartolina grossa, 50,0 x 37,5 cm

Por encomenda do Governo do Estado de São Paulo, o poeta e heraldista Guilherme de Almeida (1890-1969) e o pintor José Wasth Rodrigues (1891-1957) apresentaram em 1932 um estudo em aquarela para o brasão do Estado de São Paulo, formado por um desenho básico e algumas variações nas cores e nos ramos de café. Este estudo (assinado "JWR" e datado "1932") foi aprovado com a substituição da palavra "São Paulo" por "Brasilia", passando o lema a "Pro Brasilia Fiant Eximia", conforme histórico e reprodução em Símbolos Paulistas: estudo histórico-heráldico, *de Hilton Federici (São Paulo, 1980).*

José Wasth Rodrigues
Minas Geraes 1790.
Escravos
Lápis e aquarela sobre papel,
31,0 x 24,0 cm

François Frank Urban

Bertioga Ruínas Igreja 1540

Aguada sobre papel, 32,0 x 41,4 cm

Após estudar em Paris e Munique, o pintor belga Frank Urban chegou ao Brasil em 1932 e fixou-se em São Paulo, onde participou de diversas exposições. Além de assinada, a presente aquarela encontra-se marcada a lápis:

Roberto Diederichsen Stickel
Cartaz comemorativo dos oitenta anos do Teatro Municipal de São Paulo.
Lápis sobre papel, 50 x 70 cm

Roberto Diederichsen Stickel
Frontispício da obra de igual título (DBA, 1993)
Lápis sobre papel, 25 x 32 cm

Duas pequenas aquarelas da ilustradora paulista Maria Eugênia Longho Cabello Campos (1963).

Capa do livro O descobrimento do Brazil: narrativa de um marinheiro: edição popular commemorativa do 4º centenário do descobrimento do Brazil *(Lisboa: Empresa do Occidente, 1900).*

Cromolitografia da capa marcada no c.i.d.: "R. Christino".

Capa do livro The city of Manáos and the country of rubber tree. Souvenir of the Columbian Exposition. Chicago. 1893 *(1893)*.

A. Confiniere Nordeck

Bahia.

Aquarela e lápis sobre cartão, 24,1 x 34,0 cm

O aquarelista Nordeck deve ser argentino, mas não constam dados sobre sua formação artística.

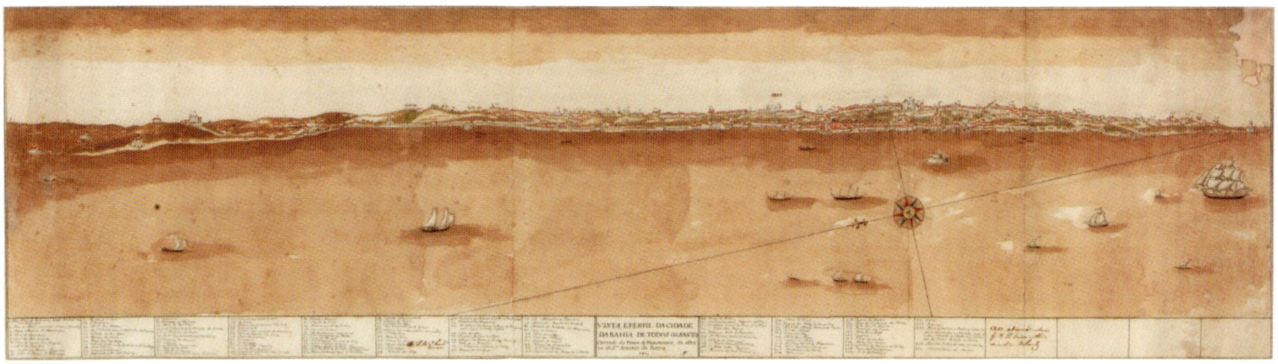

ANÔNIMO

Vista, e Perfil da Cidade da Bahia de Todos os Santos Correndo da Ponta de Montserrare [sic], the a Ponta de Sto. Antonio da Barra. 1810.

Aguada, aquarela e bico-de-pena sobre papel, 36,8 x 131,0 cm

Prospectiva de Salvador, datada de 1810 e com assinatura ilegível; no primeiro plano, com alguns navios, o "Forte do Mar" (Forte de São Marcelo) e uma "Roza" (de cartas náuticas), e no segundo o perfil da cidade, com 124 pontos assinalados numericamente e identificados na margem inferior.

ANÔNIMO
Sem título (Grupo de bandeirantes disfarçados de jesuítas, conduzindo escravos índios ao cativeiro)
Nanquim, aguada e guache branco sobre papel,
26,1 x 18,7 cm

Reproduzido em Os caminhos do Brasil *(São Paulo, 1979).*

João Barbosa Rodrigues
1er Vol. Tab. 41
Oenocarpus Bataua Mart.
Cromolitografia colada sobre papel, 60,2 x 40,3 cm

Cromolitografia sob desenho de João Barbosa Rodrigues (naturalista brasileiro, 1842-1909) que faz parte de seu álbum Sertum palmarum brasiliensium *(Bruxelas, 1903), fac-similado no Brasil pela Editora Expressão e Cultura em 1989.*

ANÔNIMO

Sem título (Ilha de Trindade com barco a vela).

Aquarela e lápis sobre cartolina, 10,7 x 16,9 cm

Poucos são os documentos iconográficos relacionados à Iha de Trindade; a presente aquarela, com assinatura ilegível, é atribuída a William Lloyd (1822-1905), engenheiro civil, que trabalhou no Paraná de 1873 a 1875.

ANÔNIMO

The Lion Rock

Aquarela sobre cartão, 11,1 x 17,2 cm

Pequena aquarela retratando uma vista sobre "Vila Velha", entre Curitiba e Ponta Grossa no Paraná, marcada a lápis "The Lion[?] Rock" e "Curutipa[?]". Esta aquarela foi atribuída pela Libreria L'Amateur, de Buenos Aires, a William Lloyd, aquarelista e engenheiro ferroviário inglês (1822-1906), ativo no Paraná de 1873 a 1875.

Georges Wambach
(São Francisco)
Aquarela sobre papel,
37,7 x 77,0 cm

Georges Wambach

Busto de Mestre Valentim e Portão do Passeio Público – Rio de Janeiro.

Gravura em metal, 27,3 x 37,6 cm

Típico pintor viajante (1902-1965), este aquarelista belga percorreu o Brasil de Norte a Sul a partir de 1935; sua vasta obra se encontra em coleções particulares e ainda não foi devidamente estudada. A gravura supra foi reproduzida em cartão-postal que fez parte de uma série de quinze publicadas pelo Departamento de Imprensa e Propaganda em 1939, série composta por dez gravuras de Wambach e cinco de Armando Pacheco.

TÍTULO	*Uma Pequena Biblioteca Particular*
AUTOR	Erico J. Siriuba Stickel
PRODUÇÃO EDITORIAL	Edusp
DESIGN	Ricardo Assis
ASSISTENTES DE DESIGN	Tomás Martins
	Ana Paula Fujita
EDITORAÇÃO ELETRÔNICA	Negrito Produção Editorial
REPRODUÇÕES FOTOGRÁFICAS	Rômulo Fialdini
REVISÃO DE TEXTO	Geraldo Gerson de Souza
REVISÃO DE PROVAS	Marilena Vizentin
DIVULGAÇÃO	Regina Brandão
	Rodrigo Scialfa Falcão
	Adriane Marcelle de Andrade
SECRETARIA EDITORIAL	Eliane dos Santos
FORMATO	23 x 27 cm
TIPOLOGIA	Sabon
PAPEL	Pólen Bold 90 g/m^2
	Couché Fosco 120 g/m^2
NÚMERO DE PÁGINAS	736
IMPRESSÃO E ACABAMENTO	imprensaoficial